Guide
des beaux villages
de France

Sélection
du Reader's Digest

PARIS - BRUXELLES - MONTRÉAL - ZURICH

GUIDE DES BEAUX VILLAGES DE FRANCE
est une réalisation de
Sélection du Reader's Digest

Les textes ont été écrits par :

Olivier ASTRUC, journaliste. Dominique AUDRERIE, inspecteur régional des sites (Aquitaine). Michel BERNARD, écrivain. Loïc BIDAULT, inspecteur régional des sites (Centre). Marc BLANCPAIN, écrivain, président de l'Alliance française. Georges BORGEAUD, écrivain. Jean-Claude BRUMM, conseiller culturel du parc naturel régional des Vosges-du-Nord. Georges de BUSSAC. Michel CARLAT, historien et ethnologue. Jean CARRIÈRE, écrivain. Toni CASALONGA. Françoise CHAPUT, inspecteur régional des sites (Limousin). Pierre-François CHATAURET, architecte des Bâtiments de France. Michel CIRY. Jean-Paul CLÉBERT, écrivain. Louis COLOMBANI, documentaliste aux archives départementales de Haute-Loire. Jean-Pierre COURTIAU, inspecteur régional des sites (Ile-de-France), président de l'Association des inspecteurs des sites. Colette DEBROISE, inspecteur régional des sites (Bretagne). Robert DEBROISE, ancien membre du bureau du C.A.U.E des Pyrénées-Atlantiques. Marie-Noëlle DENIS, chargée de recherche du C.N.R.S. Jean-Yves DESDOIGTS, inspecteur régional des sites (Bretagne). Pascal DIBIE, ethnologue, maître de conférence à l'université de Paris-VII. Michèle DUHART, inspecteur régional des sites (Aquitaine). Michel DUMAS, inspecteur régional des sites (Rhône-Alpes). Henriette DUSOURD, écrivain (†). André FISCHER, écrivain. Roger FRISON-ROCHE, écrivain. Nerte FUSTIER-DAUTIER, inspecteur régional des sites (Provence-Alpes-Côte d'Azur). Claude GAIGNEBET, folkloriste. Pierre GASCAR, écrivain. Françoise GAUQUELIN, inspecteur régional des sites (Rhône-Alpes). Martine GENEVOIS. Marc GÉRAULT, inspecteur régional des sites (Ile-de-France). Jean-Claude GILBERT, architecte du parc naturel régional des Vosges-du-Nord. Paul GINGLINGER, président de la Société d'histoire et d'archéologie d'Éguisheim. Georges GOETZ, professeur honoraire à l'École nationale supérieure des arts appliqués. Pierre Jakes HÉLIAS, écrivain. Françoise HERVÉ, inspecteur régional des sites (Lorraine). Martine JAOUL, conservateur au Musée national des arts et traditions populaires. Georges KLEIN, conservateur honoraire du Musée alsacien de Strasbourg. Jacques LACARRIÈRE, écrivain. Annie LAFFORGUE, directeur des services d'archives de Tarn-et-Garonne. Denis-Marie LAHELLEC, inspecteur régional des sites (Centre). Val LEMAHIEUW-GOETZ, professeur à l'École nationale supérieure des arts appliqués. Nicole LE NEVEZ, inspecteur régional des sites (Pays-de-la-Loire). Patrick LOCOGE, inspecteur régional des sites (Nord-Pas-de-Calais). Jorge LOPES DA FONSECA, inspecteur régional des sites (Languedoc-Roussillon). Jean-Daniel LUDMANN, conservateur du musée des Arts décoratifs de Strasbourg. Bernard MANCIET, écrivain occitan. Claude MICHELET, écrivain. Michel MILKO, inspecteur régional des sites (Bourgogne). Françoise NIRASCOU, inspecteur régional des sites (Aquitaine). André OUSTRIC, inspecteur régional des sites (Rhône-Alpes). Dominique PAIN, inspecteur régional des sites (Basse-Normandie). Henri RAULIN, Maître de recherche (h) du C.N.R.S. Philippe REMY, inspecteur régional des sites (Bretagne). Sylvie RÉOL, documentaliste à la conservation des M.H. de Provence-Alpes-Côte d'Azur. Joëlle DE LA ROBERTIE, inspecteur régional des sites (Lorraine). Maurice RUCH. Martine SEGALEN, directeur de recherche au C.N.R.S., directeur du Centre d'ethnologie française. Geneviève SOURIN-DUTEIL, professeur de lettres. Chantal de TOURTIER-BONAZZI, conservateur en chef aux Archives nationales. Jean-René TROCHET, conservateur au musée des Arts et Traditions populaires. Marie-Odile VÉZIAN, professeur d'histoire et géographie. Pierre WIRTH, inspecteur pédagogique régional honoraire.

Nous remercions pour leur collaboration :
Édith CHEMIN, inspecteur régional des sites (Picardie).
Martine HERVÉ, inspecteur régional des sites (Alsace).
La Délégation régionale à l'Architecture et à l'Environnement de la région Auvergne.
Gérard CHAGNON, Camille DUVIGNEAU (rédaction), Michel SIMONGIOVANNI (lecture-correction).

Rédaction : Françoise LAURENCIN
Maquette : Hélène MASSOULLE
Documentation : Nicole TESNIÈRE
Cartographie : Claude PERRIN
Lecture-correction : Bernard LE GUEU, Béatrice OMER
Fabrication : Gilbert BÉCHARD

Photo de couverture : le village de Salles-la-Source (Aveyron)

PREMIÈRE ÉDITION
Deuxième tirage

© 1989, Sélection du Reader's Digest, S.A.,
212, boulevard Saint-Germain, 75007 Paris
© 1989, N.V. Reader's Digest, S.A.
12-A, Grand-Place, 1000 Bruxelles
© 1989, Sélection du Reader's Digest (Canada), Limitée,
215, avenue Redfern, Montréal, Québec H3Z 2V9
© 1989, Sélection du Reader's Digest S.A.,
Räffelstrasse 11, « Gallushof », 8021 Zurich.
ISBN 2-7098-0278-3

PRÉFACE

Souvent éloignés des grands axes routiers, cachés dans la verdure ou accrochés à des rochers abrupts, perchés sur des pitons dominant torrents et vallées, tapis au pied des collines, regardant la mer ou les montagnes, nos beaux villages, patrimoine émouvant légué par nos ancêtres, sont trop fréquemment ignorés et même, parfois, abandonnés.

Cependant, ils méritent d'être connus, réhabités et aimés, car ils représentent ce que chacun d'entre nous a enraciné au fond du cœur ; ils possèdent un patrimoine architectural inestimable et gardent, à l'abri de leur vieille halle, du clocher trop souvent silencieux, sur la place qu'ombrage un tilleul ou un platane centenaire, des lieux de rencontre où chacun aime se retrouver, discuter et se mettre au courant de ce qui se passe ou se dit.

Le village, c'est la famille élargie où se développe l'amitié, où chacun se réjouit du bonheur des uns ou s'attriste de la peine des autres : le village, c'est la simplicité, mais aussi la qualité de la vie et de l'accueil ; c'est le lieu où l'on respire encore l'air pur et les parfums de la campagne.

Notre devoir, à nous qui les connaissons et les aimons, est de signaler ceux qui sont beaux, c'est de tout faire pour les protéger dans le respect de leur architecture traditionnelle, dans le souci de leur conserver leur vie propre, ou de la redonner à ceux qui l'ont perdue, c'est souvent, aussi, de leur rendre une âme.

Une fois de plus, merci à Sélection du Reader's Digest de parler d'eux, de faire découvrir les plus ignorés, et de les faire aimer.

Charles CEYRAC
Maire de COLLONGES-LA-ROUGE
Président de l'Association
des Plus Beaux Villages de France

TABLE DES

Découpage des régions

Dictionnaires régionaux des beaux villages de France

BRETAGNE   6-27
        Carte   6-7
NORMANDIE, ILE-DE-FRANCE   34-67
        Carte   34-35
NORD, CHAMPAGNE, ARDENNES   74-103
        Carte   74-75
ALSACE, LORRAINE, FRANCHE-COMTÉ   108-143
        Carte   109
BOURGOGNE, CENTRE   148-185
        Carte   148-149
PAYS DE LOIRE, POITOU, CHARENTES   188-209
        Carte   188-189
AQUITAINE   212-243
        Carte   212-213
MIDI-PYRÉNÉES   248-287
        Carte   248-249
AUVERGNE, LIMOUSIN   292-327
        Carte   292-293
RHÔNE-ALPES   332-369
        Carte   332-333
PROVENCE, CÔTE D'AZUR, CORSE   376-421
        Carte   376-377
LANGUEDOC, ROUSSILLON   424-451
        Carte   424-425

MATIÈRES

Des écrivains décrivent leur village

Locronan (Finistère), *par Pierre Jakes Hélias* 20-21
Varengeville-sur-Mer (Seine-Maritime),
par Michel Ciry 62-63
Ohis (Aisne), *par Marc Blancpain* 92-93
Baume-les-Messieurs (Jura), *par Pierre Gascar* . . 112-113
Sacy (Yonne), *par Jacques Lacarrière* 176-177
Brouage (Charente-Maritime),
par Michel Bernard 196-197
Uza (Landes), *par Bernard Manciet* 242-243
Calvignac (Lot), *par Georges Borgeaud* 258-259
Saint-Robert (Corrèze), *par Claude Michelet* 318-319
Beaufort (Savoie), *par Roger Frison-Roche* 338-339
Oppède (Vaucluse), *par Jean-Paul Clébert* 400-401
Camprieu (Gard), *par Jean Carrière* 430-431

*La liste alphabétique générale des beaux villages du Guide
se trouve à l'Index, pages 452 et suivantes.*

A la découverte de la civilisation villageoise

Jours de fête au village,
   par Claude Gaignebet 28-33
L'origine des noms de nos villages,
   par Jean-René Trochet 68-73
Emplacement et forme du village,
   par Jean-René Trochet 104-107
Notre habitat traditionnel,
   par Henri Raulin 144-147
Les édifices publics du village,
   par Henri Raulin 186-187
Les jardins du village,
   par Martine Genevois 210-211
Les groupes sociaux au village,
   par Pascal Dibie 244-247
Les réseaux de parenté et de voisinage
dans les villages,
   par Martine Segalen 288-291
Les personnalités du village,
   par Pascal Dibie 328-331
De l'artisanat aux métiers d'art,
   par Martine Jaoul 370-375
A la recherche de l'histoire du village,
   par Chantal de Tourtier-Bonazzi . . 422-423

Bretagne

Bout de terre érodé, tourmenté, « la péninsule
spectatrice de l'Océan » de Pline l'Ancien, la
Bretagne, pénétrée de mille anfractuosités – estuaires
profonds, vastes baies, indentations chimériques, caps
de granit torturés, hallucinantes silhouettes de formes
digitées, chapelets d'îles semées comme des épaves :
Hoëdic et Houat, Groix, Sein, Ouessant et
Bréhat... – évoque avant tout la présence océance.
Pourtant, au voisinage des paysages marins du cap
Fréhel ou de la pointe du Raz, un calvaire, un
mégalithe, un phare marquent la présence humaine.
Un paysage sans cesse en suggère un autre. A l'écart
des grandes voies, un moutonnement de vallons et de
collines, dominé ponctuellement par les dents
schisteuses du Menez-Hom ou de la montagne
Saint-Michel rognées par le vent, caractérise
l'Arcoat. Bretagne de mille ambiances, à la frange
subtile de la légende et du réel, où existe une grande
part d'indicible quand la mer et la terre se
confondent, quand la pierre et l'art se rejoignent
dans les mégalithes, les calvaires, les églises
grises. L'habitat villageois est varié, mais
généralement le bourg est au cœur d'une
constellation de hameaux, d'écarts et de maisons
dispersées. C'est la terre, le granit et le schiste qui
expliquent l'habitat breton. La maison du pêcheur,
simple, trapue, au toit à deux pentes, semble prête à
affronter toutes les tempêtes. Les constructions
peuvent être faites de blocs de granit soigneusement
appareillés, de dalles de schiste ou de grès,
mais les maisons de terre au toit de chaume
sont en voie de disparition.
Des villages comme Locronan, austère et granitique,
ou Rochefort-en-Terre, subtile symbiose entre
l'habitat et la campagne, contribuent à perpétuer
l'héritage, à dépasser le « pittoresque touristique »
pour appréhender le sacré et la poésie difficilement
accessibles de la Bretagne.

0   50 Km

A

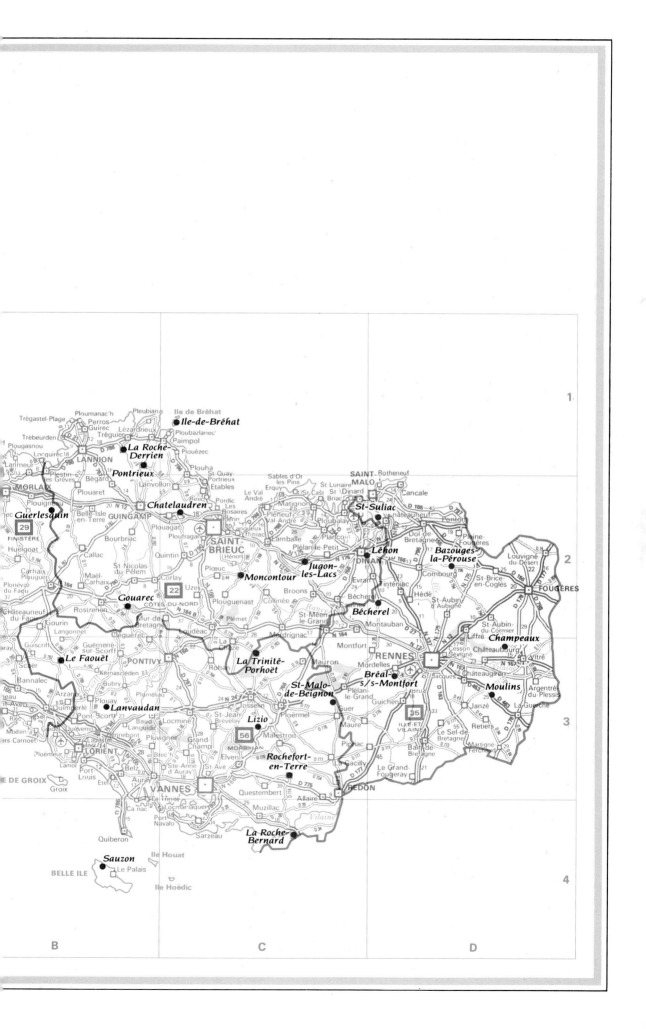

Bazouges-la-Pérouse
Ille-et-Vilaine

32 km O. de Fougères

D'où que l'on vienne, Bazouges-la-Pérouse se signale de loin par la puissante stature de son église couronnant une colline.

Bazouges fut au centre d'une châtellenie qui commandait anciennement la frontière nord-est de la Bretagne, le long du Couesnon. Le village fut même fortifié pendant les guerres de Religion. Il a gardé de cette longue histoire son allure tassée en haut de sa colline. Rues et ruelles s'insinuent entre de belles maisons dans la construction desquelles le granit apparaît toujours. Les habitations sont habituellement tout en pierre, sauf deux ou trois dont le niveau supérieur est à colombage. Dans les rues aux échoppes nombreuses, on peut admirer diverses originalités architecturales, notamment des visages grimaçants sculptés sur la façade de la maison dite des Pendus. D'autres belles demeures rappellent que Bazouges a été un centre administratif et judiciaire. L'église actuelle est en fait la réunion de deux églises juxtaposées dont la fondation remontait pour l'une au VIIe siècle et pour l'autre au XIe. Elle conserve une belle verrière du XVIe siècle.

Les souvenirs historiques sont nombreux dans une commune traversée par un circuit cyclotouristique qui porte le nom du marquis de La Rouërie. Armand Tuffin, marquis de La Rouërie, était en effet d'une famille dont les premiers fiefs se trouvaient à Bazouges. Ce noble libéral, héros de la guerre d'Indépendance américaine, fut déçu par la Révolution ; il organisa une insurrection mais mourut rapidement. Certains disent qu'il aurait été trahi par un nommé Chèvetel, médecin originaire de Bazouges.

Le territoire communal est très étendu. Les pêcheurs apprécieront les ruisseaux à truites, et les promeneurs les allées de la forêt de hêtres de Villecartier, avec son étang et son ancien moulin à eau. On ne peut pas quitter Bazouges sans avoir vu le château de La Ballue, à 3 km au nord-est de Bazouges, qui fut le siège de la principale seigneurie locale. Le château actuel est une grande demeure du XVIIe siècle. Il a remplacé une forteresse qui avait connu une bien longue histoire, puisqu'elle avait déjà servi à abriter les populations environnantes au moment des invasions normandes.

Bécherel
Ille-et-Vilaine

31 km N.-O. de Rennes

En venant de Rennes, Bécherel se détache d'un coup au détour de la route, comme un village perché méditerranéen.

Cette colline granitique dont l'altitude est supérieure à la moyenne du département est un site stratégique. Un premier château y est construit en 1124 par Alain de Dinan. Considérés comme une place forte, le château et le bourg qui s'est constitué autour succomberont aux divers assauts et sièges anglais au cours du XIVe siècle, pendant la guerre de la Succession de Bretagne. Les Anglais abandonneront Bécherel le 1er novembre 1374.

Les murailles extérieures, bien conservées à l'est et reconnaissables au sud, sont en partie cachées au nord par les constructions actuelles, mais ont tota-

Bordée d'élégantes maisons de granit, la place centrale du bourg de Champeaux a conservé son puits que protège un édicule en charpente. En ce lieu tranquille, des chanoines vécurent jusqu'à la Révolution.

lement disparu dans l'angle nord-ouest jusqu'à l'emplacement de la porte Berthault. Les soubassements de cinq des neuf tours sont bien conservés. Depuis la place des Halles on découvrira les maisons de granit des XVIe, XVIIe et XVIIIe siècles, dont la maison du Gouverneur, au grand appareil de granit et de pierre blanche, et l'ancienne hostellerie de l'Écu-de-Laval. De cette place, les rues de la Chanvrerie et de la Filanderie témoignent des anciennes activités de la ville, renommée pour la qualité de ses fils de lin et de chanvre. A partir de la place de la Blatterie, on passera devant les ruines de l'ancien château pour arriver au jardin du Thabor, d'où l'on a une belle vue sur la campagne environnante. En sortant du jardin, sur la gauche, on descend à l'étang de la Ville-Mallet. La ferme de la Ville-Mallet est une ancienne maison de marchand de toile de lin. En suivant ce circuit, on découvre de belles maisons de granit ainsi que l'ancien lavoir.

Prospère du XVIe siècle à la Révolution, le commerce du lin déclina ensuite, et la population diminua. Aujourd'hui, Bécherel renaît grâce à une usine de salaisons (les charcuteries de Brocéliande) et à la mise en

La belle tour-porche (XVIIᵉ s.) de l'église de Bécherel domine, au sud, l'ancien lavoir dans la vallée. On le découvre en empruntant le circuit de découverte du site.

valeur de son riche patrimoine monumental. A quelques pas de Bécherel, des monuments prestigieux : à l'ouest du bourg, dans un grand parc, le château de Caradeuc, élevé en 1723 par Anne Nicolas de Caradeuc, père de La Chalotais, procureur général du roi au parlement de Bretagne ; à l'est, l'église des Iffs (XVᵉ siècle) et le château de Montmuran où du Guesclin fut armé chevalier en 1354.

Bréal-sous-Montfort

Ille-et-Vilaine

18,5 km O. de Rennes

Pelotonné autour de son église, le vieux village de Bréal-sous-Montfort est resté bien vivant grâce à la proximité de Rennes. Mais il en est suffisamment éloigné pour ne pas avoir été transformé en village-dortoir. Il est donc demeuré un petit village tout simple, avec ses belles et grandes maisons pourpres, de la couleur de la roche (schistes et poudingues) avec laquelle elles sont construites. On voit, à leur forme, que certaines sont très anciennes. Sur la place centrale, l'église Saint-Malo contient un retable figurant dans le circuit des retables d'Ille-et-Vilaine.
Au sud de la commune il y a de très beaux paysages boisés. Deux circuits de randonnée pédestre balisés à partir du bourg permettent de les voir.

Champeaux

Ille-et-Vilaine

9 km N.-O. de Vitré

La place de cette petite bourgade du pays vallonné de Vitré, à deux pas du bois de la Lisière, constitue un harmonieux tableau avec son église, sa mairie coiffée d'un grand toit à quatre pans et ses quelques maisons anciennes.
Champeaux eut un rôle de premier plan aux XVᵉ et XVIᵉ siècles dans la vie religieuse et artistique de la haute Bretagne grâce à l'illustre lignée des d'Espinay. Cette famille seigneuriale, supplantant peu à peu celle des Champeaux grâce à son prestige et à ses appuis, est à l'origine de la constitution de l'importante collégiale Sainte-Madeleine aux XIVᵉ et XVᵉ siècles.
Un chapitre de seize chanoines est créé en 1432 et la collégiale sert de nécropole à la famille. Le cloître actuel, enclos muré au nord de l'église, est le dernier vestige de l'ensemble de maisons que possé-

dait à cette époque chaque chanoine. Tous les employés du chœur logeaient à l'intérieur du cloître ; les portes en étaient fermées à la chute du jour et aucune femme ne pouvait y passer la nuit. Malgré les démolitions à l'est et au sud et certaines transformations récentes, les maisons du cloître, tout en pierre et à toiture d'ardoise, forment un harmonieux ensemble. Devant l'entrée de l'église, la margelle du puits, datant de 1604, est une dalle funéraire du XVIe siècle réemployée. L'église des XIVe et XVe siècles, à nef unique, présente de belles stalles à baldaquin de la Renaissance, en bois sculpté. A gauche de l'autel, on note le monumental tombeau en marbre et pierre blanche de Guy III d'Espinay et de sa femme Louise de Goulaine, réalisé par l'artiste angevin Jean de Lespine (1553).

Au sud de Champeaux, le château de l'Espinay, élégante demeure des XVe et XVIe siècles, se dresse dans un magnifique cadre de verdure.

Le port de pêche du Conquet est spécialisé dans la langouste et les crabes. Sur le quai, d'anciennes maisons de pêcheurs s'élèvent encore ici et là, précédées d'un escalier de pierre.

Châtelaudren
Côtes-du-Nord

19 km O. de Saint-Brieuc

C'est le comte Audren qui au XIe siècle décida de construire un château à cet endroit. De cette hauteur, il dominait en effet l'ensemble de la plaine. Ce château a été démantelé au XVe siècle. Aujourd'hui, la promenade du Château est aménagée sur ses anciennes assises. Elle borde une retenue du Leff, qui forme un bel étang artificiel. En 1773, la chaussée de l'étang se rompt. Le flot déferle dans les rues. Il y a trente-huit morts. Le village actuel a été reconstruit dans sa majeure partie après cette catastrophe. La plupart des ruelles médiévales ont laissé place à des rues plus larges. Seules les venelles et les placettes du quartier latin adossées à l'église Saint-Magloire rappellent l'origine moyenâgeuse de Châtelaudren.

La place de la République est constituée d'un ensemble très homogène de maisons du XVIIIe siècle en pierre de taille. La place du Leff et la rue Pasteur,

tout à côté, contiennent aussi de jolies demeures postérieures à la catastrophe de 1773. En continuant vers l'ouest, on atteint la chapelle Notre-Dame-du-Tertre, perchée sur une butte. Outre son porche du XVIᵉ siècle et sa tour carrée du XVIIᵉ, ce sont surtout les 132 petites peintures des lambris du chœur qui la rendent intéressante. Elles racontent la vie de sainte Marguerite.

Châtelaudren a longtemps vécu grâce à l'imprimerie du *Petit Écho de la mode* et d'autres ateliers d'impression. C'est une cité dynamique, animée par de nombreux marchés.

Conquet (Le)
Finistère

24 km O. de Brest

A l'une des pointes extrêmes de la Bretagne, Le Conquet occupe un site sévère et grandiose : un estuaire qui s'enfonce de 3 kilomètres à l'intérieur des terres et presque entièrement asséché à marée basse. Il délimite au sud un espace entièrement

construit, le village et le port, et au nord un site totalement naturel, propriété du Conservatoire du littoral. Le port n'est abrité des vents d'ouest que par une seule digue ; c'est là où l'on s'embarque pour Ouessant et Molène. Dans le village à l'habitat resserré, seules quelques très anciennes maisons, dont une du XVᵉ siècle surnommée la Maison des Anglais, témoignent encore du passé prospère de cette cité commerçante. En effet les Normands au IXᵉ siècle, d'abord, puis les Anglais, aux XIIIᵉ, XIVᵉ et XVIᵉ siècles, ravagèrent presque tout. L'église de 1856 est surmontée d'une tour-clocher à deux balcons superposés et possède un beau vitrail de la Passion du XVIᵉ siècle. Tous les deux ans, en août, des fêtes de la mer se déroulent dans le port et le village.

Après avoir franchi l'estuaire sur une petite passerelle pour piétons, on arrive sur la presqu'île de Kermorvan, longue pointe rocheuse à partir de laquelle, en empruntant le chemin littoral, on aperçoit au nord la pointe de Corsen, truffée des antennes du C.R.O.S.S., et à l'ouest, l'archipel de Molène. A la pointe Saint-Mathieu, à 4 kilomètres au sud, on visitera le phare et les ruines d'une abbaye bénédictine qui conserve un chœur du XIIIᵉ siècle.

Maison typique du Faou, avec son haut pignon pointu, sa façade à encorbellement revêtue d'ardoises pour mieux se protéger de la pluie et de l'humidité de l'air. Des maisons semblables bordent la rue principale du Faou.

A 3 km au sud du Faouët, ce joyau d'architecture qu'est la chapelle Saint-Fiacre possède un remarquable clocher-pignon ajouré qu'encadrent deux hautes tourelles d'escaliers octogonales.

Daoulas
Finistère

19,5 km E. de Brest

Au fond d'un aber dans la rade de Brest, Daoulas est le type même de village fluvio-maritime : un estuaire, des îles, un croisement de voies maritimes et terrestres.
Toute la construction du village s'est faite à partir d'un axe reliant l'abbaye, fondée au VIe siècle sur le coteau, et la motte féodale, sur une des îles aujourd'hui disparue. Témoins de la prospérité que connut Daoulas du XIIe au XVIIe siècle avec le tissage et la porcelaine, des éléments architecturaux très intéressants, meurtrières, gargouilles, niches à statues, fenêtres à lanternon, sont visibles sur de nombreuses maisons de la rue de l'Église. Le moulin, bâtiment imposant, situé entre l'étang et le fond de la rivière, présente une partie basse du XVe siècle très intéressante (fenêtre en accolade avec meneau, porte plein cintre avec, à gauche, une pierre de Logonna sculptée d'un drakkar et d'une caravelle).

L'abbaye est un lieu d'exposition et un centre culturel renommé. Nombre de monuments sont à voir, tels que le grand porche du cimetière, du XVIe siècle, l'église romane, située dans le cimetière (remaniée au XIXe siècle), la chapelle Sainte-Anne, de la Renaissance, et, surtout, le cloître de la fin du XIIe, qui est un bel exemple de l'architecture romane. Enfin, au nord-ouest, on trouve l'oratoire de Notre-Dame-des-Fontaines, de 1550.

Faou (Le)
Finistère

31 km S.-E. de Brest

Au carrefour de l'axe nord-sud reliant Brest à Quimper et de l'axe est-ouest reliant les monts d'Arrée à la presqu'île de Crozon, le village du Faou est installé à l'extrême fond de la rade de Brest. Cette situation stratégique lui a permis de connaître une expansion comparable à celle de Daoulas et de devenir ainsi un centre artisanal et commercial important. Par le port, aujourd'hui moribond, transitaient

quantité de marchandises dont le bois de hêtre (*fagus* en latin, *faou* en breton), utilisé pour la construction des navires. Les bateaux ne pouvaient y accoster qu'à marée haute, car la mer se retire à près de 5 kilomètres, découvrant d'immenses vasières. Leur intérêt paysager et écologique est primordial. La rue principale est bordée d'une série de maisons en schiste et en granit du XVIe siècle qui sont, pour la plupart, à encorbellement. Les façades sont parfois recouvertes d'ardoises, protection contre les intempéries, et les pignons pointus sont très hauts. Au bout de cette rue principale, juste avant d'arriver au port, l'église, installée sur une terrasse au bord de l'eau, est du XVIe. Il faut remarquer son chevet à trois pans et ses trois pignons, ainsi que le clocher Renaissance à lanternon de 1628. Enfin, il faut profiter du passage au Faou pour continuer la découverte du paysage vers l'ouest afin d'atteindre le superbe site de l'embouchure de l'Aulne avec Térénez et Landévennec. Par la route de la corniche de Térénez (D 791), d'où l'on jouit d'une vue exceptionnelle sur le cimetière marin de l'Aulne, on ira jusqu'à Landévennec pour y visiter les ruines de l'ancienne abbaye bénédictine fondée au Ve siècle.

Faouët (Le)
Morbihan

21 km N. de Quimperlé

L'Ellé est une belle rivière à saumons. De la Montagne noire à Quimperlé, elle coule au fond d'une vallée superbe où alternent gorges profondes et sombrement boisées, et bocages plus accceuillants dans un relief plus doux.
C'est sur sa rive droite que s'est implanté Le Faouët, entre Bretagne du Nord et Bretagne du Sud, aux confins des trois comtés de Cornouaille, de Porhoët et de Broërech.
Le bourg s'est développé à partir de trois pôles : l'église Notre-Dame, au sud-est ; les halles et le marché, à l'ouest ; un château disparu depuis des siècles, au nord-est. C'est au XVIIe siècle que s'édifièrent les maisons en granit à lucarnes ornées de la grande place rectangulaire ; isolées au milieu de cette place se dressent les halles. Elles ont été construites au XVIe siècle et restaurées plusieurs fois depuis une centaine d'années. C'est une sorte d'im-

mense chapiteau d'ardoises reposant sur de courtes colonnes de bois portées par un muret de pierres. Le tout est surmonté d'un clocher octogonal coiffé d'un bulbe. C'est à cet endroit que le marché hebdomadaire et les multiples foires annuelles se tiennent depuis les temps les plus reculés.

La commune recèle plusieurs édifices religieux qui comptent parmi les plus beaux et les plus intéressants de Bretagne : ce sont les chapelles Sainte-Barbe (3 kilomètres au nord) et Saint-Fiacre (3 kilomètres au sud).

Sur le versant de la gorge de l'Ellé qui porte son nom, l'ensemble monumental de Sainte-Barbe (chapelle de style gothique flamboyant, escaliers extérieurs du XVIIIe) est tout à fait extraordinaire. Mais le chef-d'œuvre se trouve à Saint-Fiacre, où une chapelle a été construite au XVe siècle. Le jubé (1480), superbe dentelle de bois portant une foule de statues religieuses et même profanes, en est l'élément le plus remarquable. Une source, coulant dans trois bassins dallés, guérit, dit-on, les maladies de peau.

Le Faouët n'est pas une commune-musée recroquevillée sur son riche patrimoine. Il fut, avec Guéméné-sur-Scorff, l'un des pôles autour desquels s'est constitué, en 1973, un syndicat d'intérêt économique ayant pour objet le développement d'un complexe industriel de transformation des viandes (la Bretagne est, en effet, une région d'élevage). Les abattoirs du Faouët sont spécialisés dans le porc et le poulet, transformés et conditionnés dans la petite zone industrielle située le long de l'Ellé avant d'être exportés surtout par le port de Lorient.

Gouarec
Côtes-du-Nord

45 km S. de Guingamp

Entre Mur-de-Bretagne et Rostrenen, à l'endroit où le canal de Nantes à Brest et le Blavet se rejoignent, Gouarec frappe d'abord par son ensemble homogène de maisons de schiste noir.

Les plus importantes, au centre du village, sont hautes avec des linteaux droits de granit qui tranchent sur les moellons de schiste. Sur la place des Halles, une maison avec un toit à quatre pans et lucarne sculptée a été habitée par la famille de Rohan qui venait chasser dans la région.

A 800 mètres au nord du bourg, la chapelle Saint-Gilles des XVIe et XVIIIe siècles renferme un petit ossuaire.

Le paysage environnant forme un véritable puzzle de collines et de vallées encaissées recouvertes de bois de chênes.

Guerlesquin
Finistère

27 km S.-E. de Morlaix

Au pied des monts d'Arrée, sur le flanc nord d'une immense étendue de landes désertes, le bourg de Guerlesquin constitue l'une des principales portes du parc naturel régional d'Armorique. Cette situation particulière, au centre d'une petite région agricole et au carrefour de plusieurs axes de communication, est sans doute à l'origine de sa morphologie très affirmée. La vie s'est organisée autour d'un très long rectangle en forte pente orienté d'ouest en est. Ainsi, deux lignes parallèles de belles constructions

en granit, dont les plus anciennes datent du XVIIe siècle, cernent le domaine public, valorisé par le remarquable présidial ou auditoire de justice, les halles et l'église. Les trois places ainsi délimitées avaient une fonction très précise, afin d'accueillir les chevaux, les veaux et les moutons. Il est à noter que c'est à Guerlesquin que sont installés les plus grands abattoirs de poulets de la région.

L'église paroissiale, en grande partie reconstruction néobretonne de 1859, présente une tour gothique à balustrade flamboyante et flèche élancée garnie de crossettes, inspirée du style de Beaumanoir, maître-d'œuvre morlaisien du XVe siècle.

Symbole d'une importante activité d'échanges, les halles rénovées sont un bâtiment de la première moitié du XIXe siècle. Le présidial, bâtiment carré à tourelles d'angle, en forme de guérite, a été construit en 1640, puis restauré en 1883. Les maisons les plus anciennes, datées 1655, 1761, se caractérisent par la qualité de leur construction (ouverture à encadrements sculptés, tourelle d'escalier à vis, porche à cintre brisé ou plein cintre, porte en anse de panier). Les maisons plus tardives, datées 1847, 1850, 1875, plus sobres de forme, se ressemblent davantage. Enfin, coincée dans cet alignement de granit, la chapelle Saint-Jean fut édifiée au XVIe siècle. Au sud du bourg, le plan d'eau du Guic (30 hectares) permet la pratique des sports nautiques.

Ile-de-Bréhat

Côtes-du-Nord

2 km N. de la pointe de l'Arcouest

Bréhat, île de rêve. Ses chemins interdits aux voitures plairont aux amateurs de promenades pédestres. Le nord de l'île est le domaine de la lande couverte d'ajoncs où, par endroits, affleurent d'énormes rochers. L'estran déchiqueté est constitué d'îles et d'îlots rocheux découpés par l'érosion marine. Baignée par le Gulf Stream, Bréhat jouit d'un climat très doux.

Entourée d'une multitude d'îles et d'îlots – il y en a 86 –, de récifs, de phares et de balises, baignée par le Gulf Stream, Bréhat, l'île des fleurs, prolonge l'Arcouest au nord. Les chemins de l'île sont interdits aux voitures, ce qui accentue encore l'impression de calme et de douceur du paysage. Site préhistorique occupé par les Romains, Bréhat devrait son nom, Bretagne des Bois, à saint Budoc, un moine irlandais débarqué en 470 à l'île Lavrec.

Face à cette île se dresse, sur Bréhat, un château fort qui fut pillé au Moyen Age par les Anglais et Jean V duc de Bretagne. Les guerres de Religion, de 1589 à 1598, n'épargnèrent pas l'île. De nombreux Bréhatins furent pendus aux ailes du moulin Crec'h Tarek (à l'ouest du bourg). Pour finir, Henri IV fit raser le château.

Port-Clos, dans l'île Sud, groupe autour d'une place centrale plantée de platanes plusieurs maisons des XVIIe et XVIIIe siècles, dont deux maisons de corsaires, celle d'un certain Floury (1611) et celle d'un dénommé Lourrouge (1723). Le bâtiment occupé par l'école maternelle a été édifié en 1714.

Au bourg, l'église, fondée au XIIe siècle, a été remaniée de nombreuses fois. Son clocher-mur de granit date des XVIIe et XVIIIe siècles. A l'extérieur du bourg, sur une butte de 26 mètres, on trouve la chapelle Saint-Michel, construite au XIXe. De là, le point de vue s'étend sur tout l'archipel. Plus bas sur les rives de l'étang de Birlot, le moulin à marée est aujourd'hui désaffecté. Plus au nord, face à la mer, la croix de Maudez commémore le souvenir de ce saint venu au VIe siècle évangéliser les Bréhatins.

On passe de l'île Sud à l'île Nord par le pont Ar Prat, construit par Vauban. L'île Nord est recouverte de landes et de rochers. Sa côte est profondément déchiquetée. On y trouve à l'ouest, sur une butte de 32 mètres d'altitude, le sémaphore ; au nord-est, le phare du Rosédo, bâti au XIXe, et plus au nord-est, le phare du Paon, tout en porphyre rouge.

Bréhat vit essentiellement du tourisme. On y cultive aussi des primeurs et du mimosa.

Ile-de-Sein

Finistère

23 km O. d'Audierne

Formée d'un plateau alluvionnaire de sable et de galets d'une superficie de 54 hectares, l'île de Sein est située à 8 kilomètres à l'ouest de la pointe du Raz dans un cadre grandiose. La platitude extrême de l'île (2 mètres en moyenne au-dessus du niveau de la mer) fait que celle-ci apparaît pour le visiteur comme un véritable radeau posé sur l'océan. Par très gros temps, les vagues la submergent, rendant ainsi son accès, à travers la multitude de rochers et écueils qui l'entourent, très délicat. Les courants y sont particulièrement violents ; ne dit-on pas : « Qui voit Sein voit sa fin » ? Hormis ces périodes très difficiles, l'île est reliée au continent par un service maritime partant d'Audierne qui achemine toutes les marchandises nécessaires à la population. Le village proprement dit, à l'habitat très groupé, est situé à l'extrémité sud-est de l'île autour du port, qui reste très actif, car la pêche est l'unique ressource de ses habitants. Crustacés et poissons de toutes sortes abondent dans les parages.
Les maisons de granit, carrées et solides, agrémentées de bleu vif, s'y pressent au bord d'étroites ruelles dont la plupart ne dépassent pas 1 mètre de largeur, tant pour ménager un terrain précieux que pour permettre aux habitants de circuler à l'abri du vent. En arrière, protégées par des murets en pierres sèches, de minuscules parcelles sont cultivées de pommes de terre. L'église du village, au clocher sans flèche, est dédiée à saint Guénolé, qui aurait évangélisé l'île au Ve siècle. Elle a été construite au début du siècle à la sueur des femmes qui ont porté sur leur tête les pierres nécessaires, comme le rappelle une plaque écrite en breton.

Ile-Tudy

Finistère

26 km S. de Quimper

L'île Tudy n'est en fait qu'une mince presqu'île. Elle se situe à l'extrémité d'une langue de sable dont la largeur n'atteint pas, à certains endroits, plus de 100 mètres. Cette bande de sable barre ainsi l'estuaire de la rivière de Pont-l'Abbé et en réduit le débouché après l'anse du Pouldon.
Elle est rattachée au nord-est par un cordon de dunes au rivage de Combrit, le long duquel une superbe plage s'étend jusqu'à Sainte-Marine sur 5 kilomètres.
C'est saint Tudy qui aurait fondé, dans ce lieu privilégié, à la fin du Ve siècle, un ermitage ou un monastère transféré ensuite à Loctudy. La morphologie du village est très linéaire, et les nombreuses maisons de pêcheurs, blanches pour la plupart, presque à fleur d'eau, serrées les unes contre les autres, laissent de temps en temps au visiteur une courte mais exquise échappée visuelle sur la mer, à chaque croisement de ruelles. Au bout de la presqu'île on trouve un petit port qui semble figé dans le temps en totale opposition avec celui de Loctudy, en face, dont les travaux d'agrandissement gâchent un peu la sérénité du paysage admirable composé par la rivière, la mer, les bois et les îles. Enfin, l'église, en partie du XVIe siècle, doit être visitée pour son Christ en croix et ses statues anciennes.

Jugon-les-Lacs

Côtes-du-Nord

21 km O. de Dinan

Jugon s'adosse à la digue qui retient les eaux de la Rosette et de la Rieule et qui forme ainsi un lac important. Il est bâti dans un vallon très profond, traversé par la nouvelle voie Dinan - Saint-Brieuc. En 1109, Olivier de Dinan fonde le prieuré Notre-Dame de Jugon au pied du château construit en 1034. Il donne les terrains attenants aux moines. C'est là que le village va s'établir. Pris en 1373 par du Guesclin, la place forte est entièrement rasée en 1420 sur l'ordre de Jean V, duc de Bretagne. L'ensemble du village est groupé au nord de l'ancienne forteresse. L'église Notre-Dame a un clocher en bâtière du XVIe siècle et une porte du XIIe. A l'extrémité sud de Jugon, dans la rue du Château, l'hôtel de Sevoy, construit en 1634, est aujourd'hui à l'abandon. Ce n'est pas le cas de la plupart des maisons du XVIe siècle qui forment un ensemble intéressant en moellons de granit, principalement rue du Four, où les frontons des lucarnes sont richement sculptés. Sur la place de la mairie, l'hôtel de l'Écu (1829) possède une cheminée monumentale armoriée provenant du château, comme presque tous les matériaux de cette maison. Jugon vit maintenant du commerce et du tourisme (activités nautiques, pêche). Un centre d'animation sportive a été installé le long du lac. Au nord, sur la route de Pleven, on visitera la ferme-musée de Saint-Esprit-des-Bois et le château de la Hunaudaye.

Lanvaudan

Morbihan

28,5 km N. de Lorient

Sur la route de Languidic à Plouay, Lanvaudan est un charmant village de chaumières qui a bien su préserver son identité.
L'intérêt principal de ce bourg réside dans son ensemble de maisons basses en granit taillé, dont la plupart ont été sauvées de la ruine. Cet ensemble architectural remarquable a été construit aux XVIIe et

Les eaux de la Rance coulent, tranquilles, sous le vieux pont de Léhon. En 1498, un jour que la duchesse Anne se rendait de Dinan à Rennes, son lourd carrosse y rompit un essieu.

Appelé cour des Artisans, cet ensemble de maisons de Lizio, toutes en granit sous leurs toitures d'ardoise, est un bel exemple de l'architecture bourgeoise traditionnelle en Bretagne rurale.

XVIIIe siècles. Autour de l'église se trouve un enclos paroissial modeste : c'est l'un des derniers qui ait été conservés dans le Morbihan. Tout près de là une niche en pierre est surmontée d'une tête de lion : c'est celle du chien de la famille qui construisit la maison il y a plusieurs siècles.

Quelques chaumières du village ont été transformées en auberges.

Léhon
Côtes-du-Nord

1 km S. de Dinan

Le village et son église se serrent autour d'une abbaye en grande partie en ruine, dans un endroit escarpé et sauvage de la vallée de la Rance.

C'est ici que les Romains franchissaient le fleuve pour se rendre de Corseul à Rennes. Au IXe siècle, Nominoë, roi des Bretons, y fonda une abbaye qui sera pillée par les Normands en 975. Le château fort qui surplombe le village du haut de la butte Saint-Josepha fut assiégé en 1168 par Henri II Plantagenêt. Il est aujourd'hui en ruine mais conserve encore sept tours imposantes.

Le prieuré Saint-Magloire s'élève à l'emplacement de l'abbaye d'origine. La nef abrite les pierres tombales des seigneurs de Beaumanoir, une des grandes familles nobles de la région de Dinan, et un bénitier sur le rebord duquel les moissonneurs viennent encore aujourd'hui aiguiser une faucille pour avoir de bonnes récoltes. Le porche qui ouvre sur le jardin du presbytère était le portail principal d'une petite église paroissiale romane construite sur l'ancien cimetière et sur l'emplacement de la rue qui descend au pont.

Face à la Rance, les bâtiments conventuels, construits au XVIIe siècle, se distinguent par l'alternance des frontons triangulaires et cintrés. Sur le flanc de l'église, on trouve le cloître en ruine du XVIIe siècle dans lequel subsiste quelques vestiges de

l'édifice romano-gothique du XIIe, et le très beau réfectoire des moines (XIIIe siècle). Le prieuré conserve la plupart de ses dépendances : logis du meunier, boulangerie, hostellerie.

Les maisons du bourg en belle pierre, du XVIe et du XVIIe siècle, sont groupées parallèlement aux bâtiments religieux. La rue principale descend jusqu'à la Rance et la traverse par un joli petit pont. A quelques kilomètres à l'ouest, le hameau de Saint-Esprit possède un calvaire du XIVe siècle.

Lizio
Morbihan

35 km N.-E. de Vannes

Avec son aire de loisirs de la vallée du Val Joint et son sentier de découverte de la nature, Lizio est un village accueillant. L'agriculture et l'artisanat s'y portent bien. Une foire de l'artisanat y a lieu chaque année.

Au cœur de la chaîne hercynienne, le granit de Lizio est exploité de longue date. Il a servi à édifier les habitations de la commune. Le bourg s'est construit autour d'une église des XVe et XVIIe siècles. Cet édifice est d'une sobre beauté. Les maisons sont hautes, avec un ou deux étages, et les toits s'ornent de lucarnes de pierre ornées. A Lizio, comme ailleurs en Bretagne rurale, l'étage demeure un signe extérieur de richesse.

Grâce à différentes actions conduites par la municipalité, le patrimoine rural de Lizio est dans un état satisfaisant.

De petites maisons restaurées sont devenues des gîtes communaux où l'on peut venir se reposer.

A la pointe sud-est de l'île de Sein, le village blottit ses maisons de granit gris, souvent blanchies à la chaux, autour du port. Là se concentre la vie de l'île. A Sein, on vit de la mer, marine marchande ou pêche dans les parages de l'île. ▷

Le fond de la grand-place de Locronan, au nord, avec la façade de l'hôtel de la Compagnie des Indes (XVIIᵉ s.). Au premier plan, le puits octogonal, le véritable centre du bourg, étant autrefois le seul point d'eau. Autour de ce puits tournait naguère la troménie.

LOCRONAN

par Pierre Jakez Hélias

10 km E. de Douarnenez

Locronan est une sorte d'îlot préservé de tous côtés par la campagne, qui lui fait un large boulevard de protection, si bien qu'en arrivant, au débouché d'une route champêtre, en vue de ce grand village ramassé sur lui-même, on a l'impression d'avoir remonté de plusieurs siècles dans l'aventure humaine. Il y a bien un quartier neuf, mais il est invisible, établi en dehors du périmètre historique. Et pas un poteau électrique, pas une antenne de télévision n'apparaissent pour empêcher l'illusion de se donner libre cours. C'est l'exemple même d'une conservation du patrimoine qui ne date pas d'hier. Les cinéastes le savent. Ils y viennent tourner à l'aise leurs histoires des siècles passés. Mais Locronan est plus qu'un simple décor. Sa grand-place donne de l'âme. Elle peut aussi en refuser aux imposteurs, à ceux qui n'éprouvent pas qu'ils sont entrés dans une sorte de cloche qui fait l'air plus pur et le ciel plus léger.
On ne sépare pas Locronan de sa montagne sainte à laquelle s'adosse le bourg. Il s'agit d'une pièce maîtresse du culte de Ronan, le saint ermite fondateur du lieu qui porte son nom. Pendant son temps mortel, il avait l'habitude de boucler à pieds nus, sur la montagne en question, un circuit immuable qui marquait les limites du territoire à lui dévolu. Cette marche s'appelle la troménie (de

tromenehy en breton : tour du lieu saint). Elle se fait encore tous les six ans, du deuxième au troisième dimanche de juillet, sur un itinéraire capricieux mais immuable de douze kilomètres que l'on doit tracer à la faux à travers les champs pas encore moissonnés. Un grand cortège de peuple la suit aux accents des cantiques derrière les bannières processionnelles. Elle se déroule en douze étapes minutieusement réglées. Au cours de la marche, on passe devant quarante-quatre logettes de feuillage. A l'intérieur, il y a la statue d'un saint protecteur amenée là d'une église ou d'une chapelle voisine pour rendre hommage au saint homme.
Cette grande troménie est d'une importance capitale si l'on veut comprendre le destin de Locronan et l'atmosphère qui y règne toujours. Ajoutons qu'il se fait, tous les ans, une petite troménie sur un trajet beaucoup plus court.
Le départ et l'arrivée de la procession se font au porche de la grande église autour de laquelle s'ordonnent, un peu en contrebas, les plus importants édifices du bourg, laissant entre eux une grand-place pavée. L'église de Ronan est un joyau d'architecture granitique aujourd'hui privé de sa flèche. Y entrer, c'est comme débarquer dans une cathédrale engloutie à cause du verdissement humide des piliers à peine réchauffés par la lumière que dispensent des vitraux de couleur. On se croirait dans la ville d'Is, abîmée dans les flots

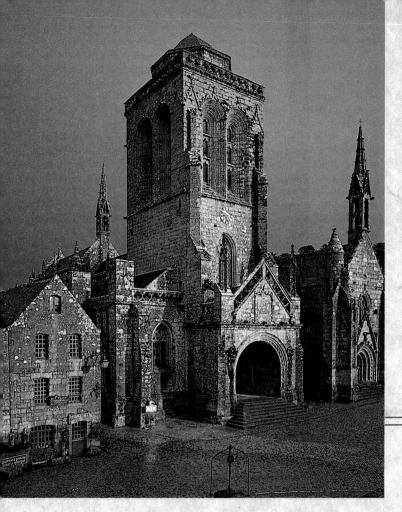

L'église de Locronan. La flèche a été abattue par la tempête en 1808. A droite, la chapelle du Pénity où se trouve le tombeau de saint Ronan, superbe porche monumental pour la mise en scène de la *troménie*.
La grand-place du côté ouest (ci-dessus). Elle est bordée ici par la maison de l'Œil-de-bœuf, jadis occupée par le Bureau des toiles, où les officiers royaux apposaient la marque. La maison que l'on aperçoit au fond de la venelle a été remontée en 1930 avec des éléments anciens.

à quelques lieues d'ici. Et la légende d'*Is* n'est pas sans rapport avec Locronan, comme en témoignent les médaillons de la chaire à prêcher. Ils racontent la vie de Ronan, étroitement associé à Gradlon, le roi de la ville sous-marine. Des saints de bois et de pierre habitent ce lieu et rehaussent de leur présence sa signification exemplaire. Quant à Ronan, son gisant occupe un édifice appelé le Pénity, une superbe chapelle, don de la reine Anne de Bretagne et faisant office de bas-côté. Il dispense à ses fidèles des grâces guérisseuses de certains maux.

C'est du porche surélevé de l'église que l'on embrasse le mieux la grand-place occupée en son milieu par un puits monumental, curieux nombril autour duquel tournait, naguère encore, la troménie. Cette grand-place et les hautes maisons de pierres grises qui l'entourent, bien coiffées d'ardoises et enrichies d'orgueilleuses lucarnes, témoignent de la prospérité de Locronan, surtout au siècle dix-huitième, au temps où la marine à voiles connaissait son plein essor. Le nom de Locronan était déjà connu dans le monde, et depuis longtemps, pour l'excellence de ses toiles. Mais c'est la Compagnie des Indes qui eut recours préférentiellement aux tisserands de Locronan pour la fourniture des navires de la Royale. Des dizaines et des dizaines de métiers à tisser s'activaient non seulement dans le bourg citadin, mais dans la campagne environnante. Au retour

des expéditions de mer, les voiles avariées étaient ramenées au lieu de leur tissage pour être remises en état. Dans leurs plis, elles conservaient des graines exotiques, et c'est ainsi que les jardinets et les talus d'alentour se sont parés de fleurs inconnues que l'on appelait, m'a-t-on dit, des « indiennes ». Et puis le claquement des métiers, la musique alerte du pays de Locronan, s'est fait entendre de moins en moins jusqu'à s'éteindre en notre siècle. Sic transit… Au reste, les grands logis de la place ne doivent pas faire illusion. Y logeaient les agents de la Compagnie, les notaires du roi, les riches marchands. Quant aux tisserands, ils menaient le plus souvent une vie précaire et misérable avec de courtes périodes de prospérité. Les ruines de leurs masures se voient encore dans les ruelles étroites, masquées par les orgueilleuses façades des hôtels.

Or les tisserands de Locronan se sont toujours proclamés les fidèles du bon Ronan puisque c'est lui, selon la légende, qui aurait inventé le tissage en observant le manège d'une araignée tendant ses fils aux encoignures de sa hutte. C'est assez dire que la vie actuelle de Locronan est fondée sur deux illustrations de référence, l'une légendaire, l'autre en passe de le devenir. Et telle est la magie de ce grand village insolite, hors du temps, que l'un de ses fils, le peintre surréaliste Yves Tanguy, a pu y sentir s'éveiller en lui l'une des plus étranges inspirations de notre siècle.

Le développement de la navigation de plaisance a donné un charme et une animation nouvelle à la petite cité ancienne de Pontrieux. Mâts et voilures font désormais partie du paysage, tout comme les pimpantes façades des maisons alignées le long des rives du Trieux.

Locronan
Finistère (voir page 20-21)

Moncontour
Côtes-du-Nord

23 km S.-E. de Saint-Brieuc

Moncontour est ceinturé de remparts sur lesquels s'élèvent quinze tours. Ces fortifications ont été construites en 1137 par le comte Geoffroy Botherel, seigneur de Penthièvre. Elles protégèrent Moncontour, notamment pendant les guerres de succession (1341 à 1364). Leur démantèlement fut ordonné par Richelieu en 1626. Moncontour s'étage en amphithéâtre à la jonction de deux vallées qui entaillent le rebord du plateau de Lamballe. En partant de la place de Penthièvre, bordée de maisons du XVIIe et du XVIIIe siècle, on arrive à un hôtel particulier chargé de pilastres et de balcons de fer forgé. C'était le quartier général de Hoche en 1795, pendant les guerres de la chouannerie. Sur la place même, les parties les plus anciennes de l'église Saint-Mathurin remontent au XVe siècle. A l'intérieur, bel ensemble de six verrières du XVIe siècle. De l'église, en empruntant la rue des Dames, on longe le presbytère avec son toit à la Mansart et l'hôtel Kerjegu du XVIIe siècle, devenu aujourd'hui la mairie.

Un jardin public a été aménagé sur un ancien ouvrage avancé de la place forte. On y accède par l'escalier de la Porte d'en bas. Le boulevard de l'Éperon permet de longer les remparts, dans lesquels s'ouvre la poterne Saint-Jean, en plein cintre, restée intacte. Derrière l'église Saint-Mathurin, la rue du Docteur-Sagory est bordée de maisons à colombage à colonnes sculptées du XVIe siècle. L'hôtel des postes date du XVIIe.

Chaque année, à la Pentecôte, a lieu le pardon de saint Mathurin, qui rappelle la translation de ses reliques au IXe siècle.

Jolie promenade à la chapelle Notre-Dame-du-Haut (saints guérisseurs) en passant par l'étang Priou.

Moulins
Ille-et-Vilaine

28 km E. de Rennes

Moulins se niche sur la rive droite de la Quincampoix, dont le vallon s'inscrit doucement dans le plateau agricole environnant.
Selon la tradition celtique, il tourne le dos à la route, celle de Rennes à La Guerche, au bord de laquelle il est construit.
Il faut donc savoir trouver le chemin de la belle place carrée qui en est le cœur. Cet ensemble harmonieux est bordé au nord par l'église Saint-Martin, bel exemple d'architecture religieuse rurale contenant trois intéressants retables, dont le décor sculpté fut exécuté au milieu du XVIIe siècle et qui figurent sur le circuit de découverte des retables de l'Ille-et-Vilaine.
On peut visiter à quelques kilomètres au nord-est, par la D 116, le château de Monbouan, construit à la fin du XVIIIe siècle au milieu d'un parc superbe. Et en poursuivant vers le sud, on verra, à la Roche-aux-Fées, l'un des plus grands mégalithes de Bretagne.

Pittoresque place fortifiée du duché de Penthièvre, Moncontour a conservé sa ceinture de remparts renforcée de tours, et de nombreuses demeures anciennes (XVIe, XVIIe, XVIIIe s.) dans les rues avoisinant l'église Saint-Mathurin.

Pontrieux
Côtes-du-Nord

18 km N. de Guingamp

L'origine de Pontrieux, c'est le pont sur le Trieux qui relie les paroisses de Quemper-Guézennec et Ploezal. Pontrieux s'étend de part et d'autre de la rivière. Le village n'a eu véritablement d'existence qu'à partir du XVIIIe siècle. Auparavant, il dépendait du château de Châteaulin en Plouec, ce qui n'empêcha pas les Anglais, les Français et les Bretons de l'assaillir au XVe siècle.
Le troisième dimanche de juillet, une procession nocturne est organisée dans les rues du village.
Les lueurs des torches accompagnant la statue de bois du XVIIIe siècle de Notre-Dame-des-Fontaines

éclairent tour à tour les maisons des XVIIᵉ et XVIIIᵉ siècles de la rue Saint-Yves, les murs de l'église du XIXᵉ, la fontaine de granit du XVIIIᵉ, ainsi que l'ensemble des maisons des XVIIᵉ et XVIIIᵉ siècles de la place Yves-Le-Troquer, remarquables par leurs façades et leurs toitures : hôtel Kerzuzec et la maison voisine en granit, maison Kerguezennec. Avant de traverser le village, le Trieux sinue au milieu de collines couvertes de bois et de genêts.

Roche-Bernard (La)
Morbihan

40 km S.-E. de Vannes

La grande route qui relie Nantes à Quimper est obligée de franchir un certain nombre de vallées profondes. Elle le fait grâce à autant d'ouvrages d'art. Le plus important à bien des égards est le pont suspendu de La Roche-Bernard. Il surplombe les eaux de l'estuaire de la Vilaine du haut de ses 35 mètres. Il a été ouvert en 1960. Il a succédé à trois autres. Le plus ancien, terminé en 1839, était le premier pont suspendu de France : il s'effondra en 1852. Ce prototype était un ouvrage remarquable, qui servit de modèle aux ingénieurs qui construisirent le pont de Brooklyn à New York : on en est fier à La Roche-Bernard. Le troisième pont sauta en 1944 : c'est la foudre qui mit le feu aux mines disposées par l'armée allemande en déroute.
Cette histoire de ponts est bien digne des origines vikings de La Roche-Bernard. C'est en effet vers l'an 1000 qu'un nommé Bernard, descendant de Vikings restés sur place, construisit un château sur un éperon rocheux contrôlant l'estuaire de la Vilaine. Au pied de cet éperon fortifié, l'anse du Rodoir constituait un bon abri pour les bateaux.
Il ne reste plus rien du château de La Roche-Bernard, sinon quelques pans de murs épars le long de la rue du Ruicard, au-dessus du port. Il y a là un lacis de ruelles s'insinuant entre des maisons souvent très anciennes, toutes tassées sur l'extrémité de l'éperon rocheux dominant la Vilaine, là où se trouvait le noyau primitif du village. L'ancien château des Basses-Fosses, rue du Ruicard, est une superbe demeure du XVIᵉ siècle abritant le remarquable musée de la Vilaine maritime.
Le visiteur sera intrigué, place du Bouffay, par le nom de « Deux Magots » donné à un établissement hôtelier dont la façade est ornée de deux singes grimaçants : ces animaux étaient en effet autrefois appelés magots.
Au pied du site fortifié se trouve le port du Rodoir. C'est maintenant un port de plaisance dont la capitainerie est installée dans d'anciens entrepôts du XVIᵉ siècle. On trouve d'autres entrepôts moins anciens et un bâtiment qui abritait une douane.
Depuis le début du Moyen Age, La Roche-Bernard était en effet un port actif, notamment dans le trafic du sel. Ses chantiers navals étaient importants. C'est ici que Richelieu fit construire la *Couronne*, premier vaisseau de combat à trois ponts.
Le port de plaisance de Rodoir étant devenu trop petit, on a créé un autre port sur la Vilaine.

A Rochefort-en-Terre, les rudes façades de granit soigneusement taillées sont, en été, abondamment fleuries. Les plus belles se rencontrent dans la Grande-Rue et place du Puits ; elles appartiennent à d'anciens hôtels particuliers des XVᵉ-XVIIIᵉ s.

Roche-Derrien (La)
Côtes-du-Nord

6 km S. de Tréguier

C'est au flanc d'une colline et au fond de l'estuaire sinueux du Jaudy dont les flots sont gonflés deux fois par jour par la marée qu'on découvre La Roche-Derrien (en breton *ker Roc'h*, ou « ville de roche »). Dès l'époque gallo-romaine, La Roche-Derrien fut un lieu de transit et de séjour. La roche désigne le promontoire rocheux dominant la ria du Jaudy qui est actuellement occupé par la chapelle du Calvaire. Derrien est le nom du seigneur qui construisit à partir de 1079 un château fort sur la butte du calvaire surplombant la vallée du Jaudy. L'ancienne forteresse couvrait l'actuel quartier du calvaire, du presbytère, l'église, la place du Martray et une bande de terrains s'étendant d'une part vers les hauteurs en direction de la chapelle de la Pitié, d'autre part en pente vers le vieux pont. Ses limites se retrouvent en partie : l'église Sainte-Catherine englobe l'an-

cienne chapelle du château fort et elle comprend une partie fortifiée au nord-est. Venant du Jaudy, on découvre d'abord l'église Sainte-Catherine, où se révèle à la fois le style roman et gothique (XIIᵉ et XVᵉ siècles). Le clocher est curieux puisque décentré et à balustrade. Après la visite de l'église (maître autel du XVᵉ siècle, retable Renaissance, bénitier à tête de démon, orgues venant de l'abbaye de Westminster, statues anciennes), on découvrira près de la tour la maison de du Guesclin, qui séjourna à La Roche-Derrien en 1357, et, plus loin en direction sud, les vieilles maisons à façades à colombage de la place du Martray (la plus remarquable est à encorbellement), où se tenait autrefois le marché local traditionnel. De cette place, on peut accéder par une venelle à la chapelle du Calvaire (1867) et découvrir un magnifique panorama sur le Jaudy. En redescendant vers le Jaudy par la rue de la Fontaine, on pénètre sur le site de Pen-ar-pont et l'on entre dans l'univers des couvreurs et des chiffonniers ou « pillaouers » d'autrefois, qui parcouraient la région, troquaient fruits et poteries contre des étoffes, chiffons, ou ferrailles. Route de Kermezen, la cha-

pelle Notre-Dame-de-la-Pitié (XVIIIᵉ siècle) est bâtie à l'endroit où Charles de Blois fut fait prisonnier par les Anglais en 1347. L'if de son enclos, près de la très ancienne croix de granit, aurait été planté par du Guesclin.
La promenade d'An Aod, le long du Jaudy, a été aménagée à l'emplacement d'anciennes carrières d'ardoises. Une aire de pêche a été installée autour des étangs du nord-ouest.

Rochefort-en-Terre
Morbihan

34 km E. de Vannes

Sommes-nous en été ? C'est la profusion colorée des fleurs qui frappe l'œil. En hiver ? Les géraniums sont à l'abri, et l'architecture se laisse admirer sans fards. Les façades montrent à quel point les ouvriers de Rochefort étaient habiles à travailler délicatement le dur granit de la région. Ils étaient déjà renommés au Moyen Age.

Il faut découvrir Rochefort-en-Terre en venant de Malestroit. Là, la route s'engage dans une gorge étroite : dans le cadre se profile la silhouette de la ville haute et des ruines du château. C'est une vision souvent irréelle, noyée dans un contre-jour presque permanent, car on arrive par le nord. La cluse du Gueuzon permet de franchir aisément la Grée de Rochefort, barrière rocheuse escarpée modelée dans la même couche géologique que celle des ardoisières d'Angers ; mais ici l'ardoise est plus claire, d'un beau gris plein de chaleur. Elle fut longtemps exploitée et servit à réaliser les toits de toute la région de Rochefort.

Les premières maisons se rencontrent dans la vallée, là où se trouvait le village primitif au-dessus duquel fut construit le château. Pour visiter, il faut quitter sa voiture et flâner dans le dédale de ruelles parfois en escaliers. Pour parvenir à la ville haute il faut gravir des pentes escarpées, et c'est presque par hasard qu'on découvrira la Cohue, ancienne halle occupée par la mairie, la place du Puits et son superbe cadre d'hôtels particuliers construits aux XVIe et XVIIe siècles, l'église Notre-Dame-de-la-Tronchaie (XIIe siècle, remaniée au XVIe) ou le pittoresque café Breton à tourelle. On pourra aussi admirer les soubassements imposants du vieux château médiéval et les communs du XVIIe siècle.

Une gastronomie réputée, de nombreux métiers d'art, une vocation touristique évidente donnent à Rochefort un dynamisme certain. La commune étant trop petite pour l'accueil, l'usine de salaison du Père Dodu est installée tout près, sur la Grée. Car si Rochefort-en-Terre est l'une des communes de Bretagne les plus connues, c'est aussi l'une des plus petites.

Saint-Malo-de-Beignon
Morbihan

23,5 km E. de Ploërmel

Aux confins de la légendaire forêt de Brocéliande, le petite village de Saint-Malo-de-Beignon étage ses maisons en haut du versant abrupt d'un vallon boisé. On prend un plaisir évident à se promener parmi ces constructions paysannes très sobres et discrètement ornées.

Le flâneur n'oubliera pas de s'intéresser à l'église, dont les dehors modestes ne doivent pas faire illusion. On trouve à l'intérieur une grande tribune fermée, tout en bois et dont le mystère ne demande qu'à être percé.

Au pied du village, dans le fond de la vallée, un étang a été aménagé pour permettre l'exercice des loisirs aquatiques.

Saint-Suliac
Ille-et-Vilaine

8 km S. de Saint-Malo

Saint-Suliac a été fondé au VIe siècle par un moine évangélisateur, venu du pays de Galles. Le bourg est situé dans un creux au sud de la pointe du Puits, qui s'avance comme un nez au milieu du long estuaire de la Rance. Puis il remonte doucement vers la pointe du Garrot.

L'église (XIIIe et XIVe siècles) présente une tour carrée ornée d'arcatures et bordée de contreforts. Sur la nef collatérale sud, on notera une gargouille représentant deux personnages se caressant. Au porche nord, voûté sur croisée d'ogives, statue de saint Suliac terrassant le dragon du mont Garrot.

C'est autour de l'église que s'articule le village aux ruelles étroites et aux noms évocateurs, bordées de vieilles maisons nommées la Cohue, la Porte Barre, la Grande Ruchée, le Carouge, la Grande Fontaine... Sur ces anciennes demeures de pierre des XVIe et XVIIe siècles, on voit ici une inscription, là une fenêtre d'encoignure, là une porte cintrée en granit gris ou bleu, aux battants de bois, là un appui de fenêtre aux moulures variées.

Sur le port un pardon de la mer est l'occasion, chaque 15 août, de grandes festivités.

A 1,5 kilomètre au nord-est, l'anse de la Couaille, où coulait jadis le bras de mer qui rejoignait la baie du Mont-Saint-Michel, présente, sous une pointe, une grotte, la grotte aux Chiens, où semble aboyer une meute invisible qui en garde l'entrée.

Sauzon
Morbihan

8 km N.-O. du Palais

Belle-Ile-en-Mer possède quelques ports de pêche. Parmi eux, Sauzon a conservé intact son aspect traditionnel, avec son quai envahi de casiers à crustacés et son mouillage découvrant à marée basse. Le port est abrité des intempéries du large par un double ensemble de jetées.

Depuis quelques étés, le *Gourinis*, un bateau rapide ne transportant que des passagers, accoste dans ce port, qui est ainsi relié directement à Quiberon pendant une partie de l'année. Mais le voyageur qui souhaite venir avec sa voiture personnelle doit embarquer à bord des courriers réguliers qui accostent au cœur de la ville close du Palais, au pied de la citadelle Vauban. De là, les petites routes sinueuses et pittoresques de Belle-Ile permettent de rejoindre la ria de Sauzon. On suit ce bras de mer pour arriver jusqu'au village.

Sauzon est un village de pêcheurs caractéristique. On remarque, en particulier, les teintes pastel des maisons du front de mer. Ces couleurs ne sont pas une fantaisie moderne. Autrefois, lorsque les marins avaient fini de peindre leur bateau, ils mélangeaient le reste de peinture avec du blanc et appliquaient le tout sur leur maison. Dans l'île voisine de Groix, avoir une maison blanche était même considéré comme un signe d'extrême indigence. Le village de Sauzon étage ses petites maisons claires sur le versant abrupt dominant le port.

Avec la Pointe des Poulains, où résida Sarah Bernhardt, et la grotte de l'Apothicairerie, la commune de Sauzon possède des sites touristiques importants. Le troisième site naturel majeur de l'île se trouve sur la commune voisine de Bangor : c'est Goulphar et les aiguilles de Port-Coton, que Monet sut si bien peindre.

La commune de Sauzon a créé un parcours de golf près de la pointe des Poulains. Il n'y a guère de plage parmi les hautes falaises de la commune ; seule Donnant, en limite de Bangor, peut accueillir les baigneurs. La grande dune à laquelle cette plage s'adosse a été acquise et restaurée par le Conservatoire du littoral. A l'exception de la plage fortifiée des Grands Sables, il n'y a pas d'autre plage importante à Belle-Ile.

L'un des deux portails ou arcs de triomphe (XIIIe s.) à l'est et au sud de l'ancien cimetière de Saint-Suliac, qui jouxte l'église dédiée au saint évangélisateur de la paroisse. Il faut les franchir si l'on veut goûter pleinement l'ambiance étrange de ce pittoresque bourg. Chacun est finement appareillé et percé d'une baie en arc brisé ornée d'une tore et surmontée d'une niche qui abrite une statue de la Vierge.

Trinité-Porhoët (La)
Morbihan

23 km N. de Ploërmel

Le nom de La Trinité-Porhoët associe deux langues : le breton et le français. Le breton *porhoët*, « pays au milieu des forêts », rappelle la proximité de l'antique forêt de Brocéliande ; plus actuels, la forêt de Lanouée et de nombreux bois font au canton un écrin de verdure. La fête de la Sainte-Trinité est toujours marquée par un pardon qui existe depuis le VIIe siècle. Au XIe, les moines de Saint-Jacut-de-la-Mer furent appelés à créer un établissement destiné à l'accueil des pèlerins, de plus en plus nombreux à venir. C'est vers 1030 qu'ils fondèrent l'église actuelle.

Non loin de La Trinité, sur la commune de Mohon,

le camp des Rouets est un bel ensemble d'architecture en terre d'époque carolingienne. On dit qu'il aurait été une résidence très appréciée des antiques rois de Bretagne. Il en subsiste une grande enceinte entourée de larges fossés qui se visite librement. La motte féodale qui se trouve à côté est plus récente. Actuellement, La Trinité-Porhoët est un gros chef-lieu de canton accueillant. Le bourg est situé au bord du Ninian ; cette rivière à truites forme la limite entre les deux départements du Morbihan et des Côtes-du-Nord. L'agglomération s'organise autour de l'église et de la mairie en un ensemble architectural harmonieux et homogène ; même très remaniées, les façades des maisons bourgeoises, pouvant remonter au XVIIe siècle, sont souvent très intéressantes.

Un peu à l'écart du bourg, une usine découpe et conditionne la volaille. Un étang de 5 hectares a été aménagé pour favoriser les loisirs nautiques.

« A la Saint-Vincent le vin est au sarment. » Depuis le Moyen Age, les confrères vignerons honorent leur saint patron. Dans le village de Crezancy, en Bourgogne, ils vont, après la messe, quêter de porte en porte en distribuant les miches de pain bénit. L'argent ira à ceux qu'un gel inattendu, un incendie, un décès a conduit à une situation difficile. Ainsi fonctionnaient les « charités » de l'ancienne France, par une entraide organisée dont les modalités sont précisées dans les statuts.

Par la vertu des brioches bénites, on s'assurait la protection contre les gels et les maladies. Mais gare si le saint ne remplissait pas son office, il était menacé de coups, jeté à la rivière... par les villageois en colère.

Jours de FÊTE
au village

*Guidé par le soleil, la lune, les étoiles,
les premières feuilles qui poussent
ou qui tombent,
la montée ou la descente des troupeaux,
le village, bien mieux que la ville,
a su garder le cycle des fêtes qui, année
après année, fait tourner la roue du temps.*

On se souvient de l'extraordinaire *Jour de fête*, de Jacques Tati. Bien mieux qu'une exacte et froide reconstitution, c'est l'ambiance qui était restituée.

Certes, en ces jours, tout n'est pas permis – comme on le répète trop souvent –, mais bien des portes toujours closes s'entrouvrent. Une certaine sociabilité s'éveille, s'exaspère parfois : ceux que l'on voit si rarement – les vieux, les malades, les fous, les tout-petits... – réapparaissent. Des groupes affairés et mystérieux vont de maison en maison, préparant dans le secret une aubade, des déguisements, des farces, toutes ces manifestations publiques sans lesquelles il n'est pas de fêtes : bals, jeux, messes, processions, cantiques.

Vers la porte de l'église, les femmes et les en-

Dans les brumes de Flandre, trois ombres ont tout à l'heure passé, par-delà les moulins abandonnés, les voilà parvenues devant une maison basse. Quelques accords d'harmonica ou d'accordéon, et les trois Rois mages chantent en flamand leur complainte, « Bethléem, Bethléem, petite ville... », l'un d'entre eux fait tourner l'Étoile. On entre enfin, on trinque au petit vin blanc, on évoque le temps frisquet, on glisse dans la tirelire les piécettes ou le billet plié avant de repartir, par les chemins boueux...

fants, aidés de rares hommes, ont ravagé les jardins pour fleurir les autels. On brique les reliquaires et les chandeliers, on change les linges, on tresse des palmes. Ailleurs, les jeunes filles effeuillent les roses ou mettent la dernière main au reposoir, tandis que le cantonnier ratisse le beau sable blanc de la carrière voisine où les femmes qui en ont gardé le secret inscriront tout à l'heure de jolies arabesques végétales ou de pieux portraits.

Par les fenêtres entrouvertes, mêlé au bruit des machines à coudre, se répand le parfum des bugnes, des merveilles, des brioches, du pain bénit, dont les piles odorantes seront généreusement distribuées aux quêteurs masqués, ou talutées avec précaution sur le brancard de la confrérie. C'est alors que les grand-mères transmettent les recettes : la pelure d'oignon donne aux œufs de Pâques une belle teinte jaune-brun, la jacinthe un bleu pâle... Dans la cour d'une ferme on s'affaire autour du Monsieur-vêtu-de-soie. Cette tuerie est mi-gaie, mi-triste, car si les plaisanteries fusent chez les hommes, la maîtresse se sent ridiculement émue à voir se débattre, en cris perçants, celui qu'elle a nommé souvent, qu'il a fallu nourrir comme un enfant et dont les grognements de bienvenue ouvraient la journée à l'heure froide où fume le chaudron dans lequel nagent raves et patates.

Les familles arrivent et, tandis que les jeunes font ou refont connaissance, à grand renfort de quatre cents coups, dans les bois ou à la rivière, on place sous la grange (qu'il pleuve, qu'il vente, on sera tranquille) les tables-tréteaux et les bouteilles bien alignées afin que tout soit prêt pour la sortie de la messe. Déjà la confrérie passe de ferme en ferme, en aubade, quêtant ou faisant circuler la tirelire, la hotte, le panier, où s'accumulent les œufs, le lard, le jambon... Pour les chienlits de carnaval, les enfants de chœur de carême, le maître d'école, c'était une période faste avec de monstrueuses omelettes et de grands banquets. Chaque donateur est marqué et reconnu. On affiche à sa porte la gravure du saint patron, acquise quelques jours auparavant aux éditions Pellerin, d'Épinal. En fin de matinée, après la messe, on se rend à la salle des fêtes pour souhaiter la bienvenue au tout petit orchestre : caisse claire, hautbois, accordéon loué à la ville voisine par les comités des fêtes d'hier et d'aujourd'hui, l'Abbé de jeunesse, le Roi des bons enfants, les Conscrits... Afin de donner un échantillon de leur talent, les musiciens jouent quelques farandoles, un contre-pas, une java, une valse. Mais il faut prendre grand soin à ne pas empiéter sur l'office ou sur quelque proces-

Du début janvier au Mardi gras, en pays de Soule, dès que l'occasion s'en présente, la mascarade envahit un village. Elle est longuement préparée, afin que pas un des déguisements traditionnels ne manque. Le dualisme du bien et du mal, du beau et du laid, de l'obscène et du poli s'inscrit dans les couleurs mêmes des groupes complémentaires : les Rouges et les Noirs, parmi lesquels les rémouleurs évoquent en chantant leur vie errante.

Le déguisement de paille, fréquent tout au long de l'année, apparaît surtout pendant les fêtes de carnaval ou, comme ici dans le village alsacien de Blutzimumel, à la Mi-Carême. Le mannequin qui l'imite peut être aisément sacrifié, brûlé dans un bûcher. Les enfants accompagnent ce Paillasse, quêtant des œufs, menaçant les avares de l' « iltis » (putois) :

> *Le tailleur a une grosse panse*
> *qui ferait presque une soupière.*
> *Her Lundilaus*
> *Si vous ne voulez pas nous donner d'œufs*
> *que le putois prenne vos poules...*

◁ *Dans le carnaval, sous le masque ou le barbouillage et par le biais du déguisement, la nature cerne la culture, le retour du sauvage semble menacer le civilisé. Dans ce carnaval de Prades, comme dans celui de Romans, une tribu d'anthropophages poursuit ses victimes. La chair des chrétiens mis à bouillir sera à bon prix pour affronter les rigueurs du carême.*

Les Rouges de la mascarade souletine, ▷ *excellents danseurs dans leurs costumes rutilants, exécutent des pas classiques sous l'œil critique des anciens. L'un d'entre eux, le zamalzain (cheval-jupon), présent dans les déguisements carnavalesques de toute l'Europe, rappelle les origines peut-être préhistoriques de ce cycle de fêtes agraires.*

Le cycle de Pâques s'ouvre, au dimanche des Rameaux, par la préparation des palmes tressées. Les rameaux de buis d'olivier, de palmier varient selon la région, ainsi que les friandises qui y sont accrochées. Cet homme retrouve les gestes précis, certainement hérités d'anciens rites de magie agraire. Au samedi saint, le curé et ses clergeons vont de maison en maison quêter les œufs et porter l'eau bénite.

sion pour laquelle monsieur le curé a besoin de tout son monde. Tout se passe bien... sauf exception. Car l'antique antagonisme de l'église et du cabaret – église du diable –, des Ave Maria et des farandoles, des blancs et des rouges, royalistes et républicains, se rallume souvent dans les fêtes en véritables combats rangés et rixes sanglantes. C'est aussi le temps des conflits et des différences ; et la présence d'un public, l'alcool et la fatigue aidant, transforme des broutilles en paroles définitives, serments, jurons, toutes choses où il est interdit de perdre la face. Les pouvoirs et leurs représentants s'agitent aussi. Le clergé, le hobereau, le conseil se doivent d'être présents, remarqués. Un vin d'honneur bien organisé, une distribution de sucre à partir du produit des bois communaux, une loterie aux prix of-

La reconstitution de la Passion en liturgie dramatisée existe dans tous les pays chrétiens. Elle est à l'origine du théâtre des Mystères du Moyen Age, mais peu de villages français ont conservé, comme ici en Ardèche, une procession où, parmi les saintes femmes et la soldatesque romaine, un simple paysan se charge avec ferveur de tous les péchés du monde. On utilise le prodigieux décor naturel des montagnes cévenoles pour figurer le calvaire.

C'est la veille de la Saint-Jean. Sur les chemins des Alpes de Provence s'étire la procession des saint-jeannistes et des pèlerins. Les confrères portent le précieux buste-reliquaire d'argent de leur saint patron et, au chant des Ora pro nobis, ils vont hisser cette lourde charge jusqu'à la chapelle templière perdue dans les alpages. Aux haltes, les confrères embrassent avec dévotion l'image du saint protecteur des troupeaux et des bergers.

Dans le village de Saint-Jean-du-Doigt se conserve l'insigne relique du doigt de saint Jean-Baptiste. Aussi la fête du Feu solsticial, dans cette région profondément celtique, est-elle toujours célébrée, et le clergé ne manque pas de bénir, avec une très ancienne formule, le bûcher du Précurseur. Mais la lutte renouvelée au XVIIe s. par Bossuet contre le paganisme de la Saint-Jean a porté ses fruits : à quelques pas du feu, la source miraculeuse n'est plus guère fréquentée.

ferts par la municipalité... une fête réussie en somme, et voici la réélection assurée ! Les confréries et les corporations ne s'endorment pas pour autant. Voici, derrière le bâton ou la bannière de sainte Barbe ou de sainte Agathe, les femmes mariées. Elles vont à leur joyeux banquet où l'homme qui chercherait à entrer se verrait déshabillé, hué, couvert de quolibets...

La Sainte-Catherine pour les filles et la Saint-Nicolas pour les garçons forment deux cycles opposés et complémentaires. La Saint-Sébastien des archers ou la désignation du roi au 1er mai s'accompagnent de rituels secrets d'initiation, qui échappent aux regards indiscrets dans les salles ou les jardins. Les pénitents, tout au long de l'année mais dans la semaine sainte surtout, masqués de leur cagoule, accompagnent, dans son douloureux trajet, un Christ dont l'identité est strictement cachée.

Voici un village où les jeunes gens, depuis plusieurs années déjà, ne vont plus, comme ils avaient coutume de le faire depuis le Moyen Age, la nuit du 1er mai, planter l'arbre devant la fenêtre des jeunes filles en chantant le *Réveillez-vous*... Mais les trente-quarante ans se souviennent et un jeune décide de reprendre la tradition à laquelle il a assité enfant. La fête ressurgit, comme les rejets de l'olivier coupé, avec des innovations. Les fleurs deviennent de papier ; le costume de feuillages, si délicat et long à confectionner, est fait d'écailles de tissu ; des cretonnes imprimées de roses remplacent les fleurs. le masque, autrefois creusé dans une citrouille ou tressé de paille, s'achète à l'épicerie, et les boulangers reprennent comme spécialités les moules anciens, oubliés dans les familles. Ainsi l'archéologie de cette fête au village révèle tous les niveaux, le plus souvent inextricablement mêlés. Comment savoir ce que Noël doit à la fête du solstice d'hiver, carnaval à la commémoration de la circulation des âmes. Comme tous les autres éléments de la société, la fête résiste, s'adapte, se transforme, selon des rythmes que les idées du moment modulent.

Tout le long des 3 lieues de la procession circulaire de Locronan, des saints vous attendent sous leur reposoir. Leur situation et leurs noms ne sont pas l'effet du hasard. En échange d'un peu de monnaie ils assurent aux pèlerins, dans l'année à venir, protection contre les maux les plus divers. Ici, saint Mathurin, patron des fous, doit peut-être sa célébrité en terre celtique à son nom ursin (math signifie ours).

Dans la nuit du 14 juillet éclosent des petits bals. Sous les lampions, les valses, javas, etc. succèdent aux rocks et aux reggaes. L'ambiance est familiale. Les enfants font leurs premiers pas de danse et les plus petits, joyeux d'une permission de minuit, affrontent courageusement les pétards. Jusqu'au petit matin résonnent les échos mélancoliques de l'accordéon.

Le Bacuber, la plus célèbre danse des épées de France, a lieu pour la Saint-Roch dans un village du Briançonnais, Pont-de-Servières. Sur le chant lancinant du tralala indéfiniment répété de quatre femmes, 9 danseurs joints par leurs épées exécutent 45 figures au cours d'un ballet d'une vingtaine de minutes. On s'accorde à reconnaître un caractère rituel à cette danse, mais son origine reste inconnue.

◁ *Dans les cris et la poussière des rues d'un village provençal, Graveson, transformé en arène, les jeunes gens, en l'honneur de saint Éloi, lancent leurs chevaux attelés à la charrette couverte de rameaux. C'est miracle, dit-on chaque année, qu'il n'arrive pas d'accident. Mais le saint veille sur les paysans et leurs bêtes. La bénédiction des chevaux sur le parvis de l'église christianise les jeux équestres d'Éloi-Hélios et de son char solaire.*

On a trop souvent parlé
de l'infantilisation des fêtes populaires.
Dès le Moyen Age, les enfants des écoles,
responsables et organisés en confréries,
dirigés par un « roi »,
mènent à bien plusieurs réjouissances
dans l'année. Aussi,
lors d'une fête patronale,
avec le sérieux dont ils sont capables
quand les adultes leur font confiance,
les enfants se chargent
de rôles, de décors, de musiques...

L'institution des Rosières, qui récompense une jeune fille vertueuse, serait le fait de saint Médard. Il semble que l'on soit en présence d'une des fêtes des jeunes filles en fleurs des mois de mai et juin. Mais les municipalités qui maintiennent la fête, comme ici en Auvergne, trouvent chaque année plus difficilement celle qui accepterait d'être reconnue comme vertueuse.

▽

A la fête du Biou,
à Arbois,
chaque année
en septembre,
cette énorme grappe
est offerte
solennellement
à l'église.
Ce sont
les prémices
d'une vendange,
que l'on voudrait
elle-même énorme
ainsi placée sous
la protection
du ciel.
Par ce geste,
les vignerons
se souviennent-ils
de la grappe
de Canaan,
que plusieurs
hommes
portaient
avec peine ?

Dans les meuglements, les cris, les jurons, sur ce foirail de l'Aubrac, ▷
c'est la richesse d'une année qui s'échange selon le rituel immuable
des marchandages. Après désespoirs feints et force invocations de
« milla-dious », quand on a « topé là », au bistrot, au bal, au
restaurant, que la fête commence !

Les paysans du XVe siècle se plaignaient que les jeunes ne savaient plus s'amuser, ni danser, ni jouer comme autrefois, qu'ils étaient devenus violents, que l'ancien temps respectait mieux la fête... Les oiseaux de mauvais augure ont toujours existé, mais la fête au village est encore vivante. Des découvertes restent à faire pour celui qui, un beau jour de Saint-Martin ou de carnaval, pénètre dans un village et se mêle, respectueux, à la liesse d'un moment.

Quelques règles simples lui permettront de s'orienter. Les fêtes d'été, où l'afflux des *estrangers* et le désir d'animation tiennent une grande part, ont rarement autant d'intérêt que celles d'hiver. Les quêtes du début d'année sont encore très vivantes dans les pays de l'Est et du Nord. Celles qui sont soutenues par une confrérie et bien organisées, la Saint-Sébastien des archers, le 20 janvier, et la Saint-Vincent des vignerons, le 22 janvier, sont assez répandues en Ile-de-France, en Picardie et dans les pays de vignobles. Le mois de février paraît être le plus favorable à l'observation de fêtes anciennes, et la découverte de carnavals authentiques nous paraît encore possible. Des lectures préliminaires permettent de reconnaître les déguisements ou les rites les plus anciens. L'Homme sauvage, couvert de ses longs poils, les souffle-à-cul, dans leur longue chemise de nuit blanche, le cheval-jupon, les travestis, les barbouillages et le bûcher de sacrifice du mannequin sont les signes les plus certains d'une telle authenticité. Les premiers jours de ce mois of-

frent successivement la Chandeleur et les fêtes de l'Ours, la Saint-Blaise, avec mort et résurrection du saint, et le premier labour de printemps, la Sainte-Agathe, strictement réservée aux femmes. Le Pays basque connaît encore, pendant toute la période de carnaval, le défilé du Bœuf-Gras et des mascarades où l'actualité des propos se glisse sous d'anciens déguisements. Mais sait-on qu'il existe encore à Chambly, à une trentaine de kilomètres au nord de Paris, un feu de carnaval, le Bois-Hourdy, dans lequel un arbre entier est brûlé ? Avec mars et avril, si les anciennes processions des Rogations (25 avril et 3 jours avant l'Ascension) ont presque partout disparu, le cycle des Pâques s'agrémente d'éléments de liturgie folklorisée, comme le vacarme du jeudi saint, les processions du vendredi saint, dont bien des Français s'imaginent qu'elles n'existent qu'en Italie ou en Espagne. La préparation des palmes tressées est devenue en Corse, en Provence et en Catalogne un quasi-artisanat occasionnel. mais ces Rameaux ne doivent pas cacher les Mais qui, la nuit du 30 avril au 1er mai, dans une grande zone qui va des Ardennes au Vivarais, maintiennent en éveil des centaines de milliers de jeunes. Les feux de la Saint-Jean, autrefois très répandus, mais très tôt condamnés par l'Église, n'ont pu résister que là où une confrérie a su passer le creux de la vague. De même, bien que la traction animale appartienne désormais à l'histoire, la fête des chevaux et des mulets de la Saint-Éloi, le 23 juin, est vivante en Provence et dans les Pyrénées. Avec l'automne, c'est l'offrande des prémices des récoltes, comme l'énorme grappe de biou d'Arbois, qui va imposer sa forme. Déjà les grandes fêtes de la mi-août (Saint-Roch) assuraient la protection du bétail lors de la rentrée aux étables. La fête celtique des Morts, le 1er novembre, et son doublet de la Saint-Martin inaugurent la période, qui ne subsiste plus qu'au niveau de vestiges, des veillées. Elle se prolongeait jusqu'au 2 février ou au début mars. Autour du feu se multiplient les fêtes des forgerons et des cultivateurs (saint-Éloi), des enfants et des étrennes (saint-Nicolas et Noël). Ce sont ces mêmes étrennes qui, dans la Rome antique, devaient, par leur abondance, assurer celle de l'année nouvelle. Elles ont perdu un peu de leur importance maintenant que peu de gens savent pourquoi Janus, le maître du temps, présente un double visage de vieillard et d'enfant, de passé et d'avenir, de ce qui naît dans et par ce qui meurt.

Au cœur de l'hiver apparaissaient autrefois des déguisés couverts de branchages : les Hommes sauvages. L'arbre, peu à peu, a pris leur place, et c'est lui qui multiplie les cadeaux comme l'Homme-Arbre promettait une récolte abondante.

En cette matinée du 1er décembre, les confrères de Saint-Éloi, cultivateurs dans l'Aisne, ont coutume de se réunir autour d'un vin chaud et du pain bénit. Aux nouveaux confrères de l'année le maître de la confrérie offre traditionnellement un petit bouquet symbolique.

▷ *« Saint Nicolas, mon bon patron, donnez-nous quelque chose de bon... » Le patron des écoliers est toujours un peu effrayant pour les petits. Le Père Fouettard n'est jamais loin. D'ailleurs, d'où vient Nicolas, avec son âne chargé de cadeaux, son visage fantomatique, au détour des rues d'un village lorrain ?*

« Saint Martin boit du vin dans la rue des Capucins... » Comme dans bien des villages de Flandre, les enfants munis d'étranges lanternes de betteraves évidées chantonnent ; ils aident l'apôtre des Gaules, selon la croyance, à retrouver son âne. Fête des veillées, des lanternes, des masques, des morts.
▽

Normandie
Ile-de-France

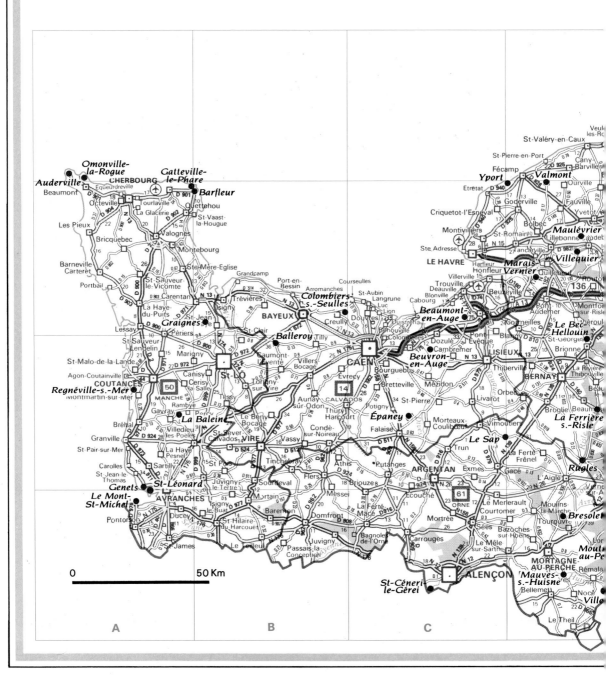

Au centre d'une cuvette dont les bords atteignent les Ardennes ou le Massif armoricain, l'Ile-de-France n'est pas une région naturelle. Ce n'est pas non plus une région historique : les limites en sont floues. L'unité de la région ne s'impose pas. Aussi, l'Ile-de-France, « est-ce une île... une île de rêve ? C'est une île, en effet, c'est l'île des nuances, l'enceinte originelle où s'est rêvée la France... ». Paul Fort, en 1925, mettait l'accent avec lyrisme sur la forte personnalité de ce « jardin des rois ». L'héritage patrimonial y est extraordinaire : châteaux, cathédrales, abbayes, mais aussi églises aux clochers trapus et fermes fortifiées. Les villages ont puisé dans les ressources du sol les matériaux de construction : meulière de Beauce, calcaire du Vexin... Les villages groupés apparaissent encore souvent comme témoignages intacts d'équilibres ruraux traditionnels, comme La Roche-Guyon, Vétheuil ou Courances...

C'est dans la multiplicité et la subtilité des ambiances, dans ses paysages et ses pays : le Parisis et le Valois, le Vexin et le Mantois, le Gâtinais et le Hurepoix, la Brie et la Beauce, que l'Ile-de-France se prête au promeneur.

Bien différente, la Normandie évoque des images de campagne grasse, de chaumières à colombage et de stations balnéaires, facilement accessibles.

Vexin, Roumois, Lieuvin, Ouche, pays de Bray, Auge et Perche se succèdent, et les matériaux utilisés, les techniques constructives, la disposition des fermes et des manoirs changent. L'habitat prend les couleurs du paysage : gris quand le pays est de schiste, blanc truffé de rognons de silex à proximité des falaises... La Normandie des forêts, des bocages, des falaises est plurielle. En dépit des défrichements et des remembrements sauvages, c'est toujours à la fois la terre des manoirs décrite par Maupassant ou Flaubert, des marines de Boudin, des lumières de Monet ou Derain et du Grand Hôtel de Cabourg où séjournait Proust.

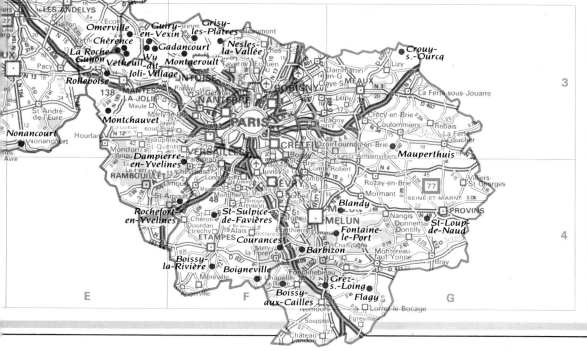

Auderville
Manche

28 km N.-O. de Cherbourg

A l'extrême pointe du cap de la Hague, le bourg d'Auderville est perché sur la falaise morte, dominant une étroite plaine littorale et le minuscule port de Goury.

Les maisons sont serrées le long des voies de communication, à proximité d'une église toute simple surmontée d'un petit clocher-mur et couverte d'un toit de schiste. Typiques des constructions de la Hague, les maisons sont d'apparence modeste, solidement bâties de moellons de grès et de granit, percées de baies souvent étroites, couvertes d'un toit à deux pentes parfois éclairé par des lucarnes. Beaucoup de couvertures sont encore en pierre, matériau dont les remarquables qualités de résistance aux intempéries sont toujours appréciées des gens de ce pays.

Mais le plus remarquable, à Auderville, est sans nul doute le paysage incomparable et profondément original que l'on découvre depuis le bourg vers la mer. La plaine littorale est cloisonnée de murets de pierre sèche enserrant de petites parcelles de prairies ou de cultures. Le phare de la Hague a été construit en 1887 sur un îlot, au milieu du raz Blanchard, l'un des courants marins les plus violents d'Europe. Le canot de sauvetage, abrité dans un bâtiment octogonal et servi par un équipage de bénévoles, prend la mer à chaque appel de détresse. Il faut prendre connaissance, à l'intérieur de l'abri, de l'évocation de ces interventions.

Malgré la présence de la mer, Auderville vivait surtout de la terre. Maintenant, beaucoup d'habitants travaillent pour l'industrie nucléaire.

La cour Sainte-Catherine, dont on aperçoit à droite l'accès par des portes en plein cintre, et le jardin de l'hôtel du Conquérant, à gauche, bordent le port d'échouage de Barfleur.

Baleine (La)
Manche

30 km N.-E. de Granville

La Baleine, située dans la vallée encaissée de la Sienne, aux allures de rivière de montagne, est une commune type du bocage normand. Arrivant de Saint-Denis-le-Gast, on découvre le village : l'église, entourée de quelques bâtiments, apparaît derrière un rideau de peupliers. Comme dans la plupart des communes du bocage, le bourg est peu important. Ce sont les nombreux hameaux (les « villages ») dispersés sur le territoire communal qui accueillent la population. Les maisons bâties en grès, schistes ou poudingues, ocrés ou rouges, sont très simples et très sobres.

Autrefois pays de cultivateurs pauvres qui complétaient leurs revenus par l'artisanat et le colportage, La Baleine vit exclusivement des quelques exploitations laitières encore en activité et du tourisme (pêche à la ligne, promenades).

On ne quittera pas La Baleine sans avoir rendu visite à la petite chapelle du XVIIe siècle (face à l'auberge) et à la fabrique artisanale d'andouille (de l'autre côté du pont...).

A 5 kilomètres à l'est du village, l'abbaye bénédictine d'Hambye, remarquable ensemble construit de 1150 à 1250 au bord de la Sienne, laisse percevoir, malgré ses mutilations, comment l'architecture romane normande s'est transformée sous l'influence du nouvel art gothique.

Balleroy
Calvados

18,5 km S.-O. de Bayeux

La légende veut que François Mansart, lorsqu'il reçut commande de M. de Choisy pour la construction du château, fit planter un sapin au sommet d'un des versants dominant le site retenu. Ce serait à partir de ce sapin qu'il dessina la composition de Balleroy. Le château de Balleroy, une des œuvres de référence de Mansart, fut construit à partir de 1626, entouré d'un immense parc et complété par une jolie église classique. Cet ensemble domine la vallée de la Drôme, dont le versant opposé porte les premières hêtraies de la forêt des Biards. Le comte de Choisy, homme entreprenant, avait fait ouvrir une mine de fer et projetait la création d'une forge, réalisée par son fils.

Toute cette activité fixa une population dans le bourg de Balleroy, qui se dessinait dans une ordonnance stricte de part et d'autre du grand axe voulu par Mansart, et le long de la rue de la Forge qui descend vers la Drôme. Les maisons, bien alignées, presque toutes mitoyennes, ont dû être construites à l'origine sur un même module simple, en pierre de schiste gris foncé, avec couverture en ardoise sur un toit à deux pentes. Les façades sont d'une composition très régulière.

Le château de Balleroy, dont les communs abritent un musée de l'aérostation, reste la plus importante « entreprise » de la commune. Chaque année, au mois de juin, une manifestation rassemble dans le parc du château les aérostiers de tous pays pour une spectaculaire fête des ballons.

Barbizon
Seine-et-Marne

9 km N.-O. de Fontainebleau

Le site de Barbizon constitue un lieu de rencontre privilégié entre la forêt de Fontainebleau et la petite plaine agricole de Bière où se cultivait autrefois le seigle. La Grande-Rue du village s'insinue dans le massif boisé en formant une belle avenue forestière bordée de futaies, qui conduit aux solitudes du Bas-Bréau ou aux austères paysages d'Apremont. Là, au sommet d'un chaos rocheux, une platière, vaste table de grès couverte de bruyères et parsemée de mares, offre des vues sur des gorges boisées et sur la plaine de Bière. Voici un paysage qui ne se rattache à aucun de ceux que l'on rencontre en Ile-de-France et qui les surpasse par sa nature sauvage et sa lumière particulière. Il fit le bonheur des peintres Jean-François Millet et Théodore Rousseau, qui ont assuré au milieu du XIXe siècle la célébrité de l'école de Barbizon. Ce mouvement artistique précurseur consacra les thèmes du paysage, de la nature et de la vie rurale. Le petit hameau de bûcherons ne cessa dès lors de se développer selon un axe majeur, ce qui lui confère encore aujourd'hui son aspect de village-rue unissant la plaine et la forêt.

Le long de la Grande-Rue sont alignés les hôtels, les restaurants, les maisons rurales et résidentielles auxquels sont attachés les souvenirs des peintres de Barbizon. Au numéro 92 se trouve l'ancienne auberge Ganne, qui fut pendant un demi-siècle le foyer des artistes. Aujourd'hui, Barbizon ne compte pas moins de dix hôtels-restaurants, faisant de l'hô-tellerie la principale activité du village. Au 55, Grande-Rue, le musée municipal de l'École de Barbizon est installé dans l'ancienne grange ayant servi d'atelier à Rousseau. Celui de Millet a été transformé en petit musée privé qui accueille des peintures d'artistes locaux contemporains.

Barfleur
Manche

27 km E. de Cherbourg

Barfleur fut au temps de Guillaume le Conquérant le premier port de Normandie. Rien ne subsiste aujourd'hui de cet établissement. Seul, dans l'entrée du port, un monument rappelle le naufrage de la *Blanche Nef*, dans lequel périrent les petits-fils de Guillaume et leurs compagnons qui partaient pour l'Angleterre.

Le village de Barfleur s'est établi autour de l'estuaire du petit ruisseau côtier de la Planque. C'est cet estuaire qui forme le port actuel entre les pointes de Saint-Nicolas et de la Sambrière, sur lesquelles s'appuient les jetées. A son extrémité était autrefois installée une batterie côtière, remplacée maintenant par l'abri du canot de sauvetage (qu'il faut visiter). L'église dédiée à saint Nicolas, massive, domine le port au milieu du petit cimetière marin et semble braver la mer. Une promenade dans les rues permet de découvrir un patrimoine fort intéressant et attachant. La plupart des maisons barfleuraises sont des maisons simples, à l'architecture sobre mais très régulière, construites dans le beau granit gris de la pointe de Barfleur. Le chaume qui les recouvrait fut souvent remplacé par l'ardoise. Mais le plus remarquable, ce sont les belles toitures de pierre, en schiste bleu, typiques du nord-Cotentin, fréquemment percées de belles lucarnes et agrémentées de poteries. Dans les petites rues et derrière les maisons, les jardins sont protégés par de grands murs au-dessus desquels apparaissent des arbres fruitiers ou... exotiques, tels les « dragonniers » (cordylines), preuve de la douceur du climat. On peut découvrir quelques belles maisons : le presbytère, au numéro 3 de la rue Saint-Thomas, la maison de l'Amirauté, au 16, une belle maison du XVIIe siècle, derrière la mairie, l'ancien prieuré des Augustins, face au port, la cour Sainte-Catherine.

Barfleur, port jadis privilégié pour ses relations avec l'Angleterre et très actif pour le cabotage et la pêche, est aujourd'hui en déclin, et les derniers chantiers navals ont disparu. Pourtant, le port reste le cœur de la bourgade. Les fêtes de la Bénédiction de la mer, début juillet, traduisent bien l'attachement des Barfleurais à la mer.

Beaumont-en-Auge
Calvados

20 km N.-O. de Lisieux

Construit sur une butte, le bourg de Beaumont-en-Auge domine la vallée de la Touques. Dès le XIe siècle, un prieuré de bénédictins s'installe sur ce site. L'église massive et imposante est fondée à cette époque. Elle a été remaniée au XVIe siècle (de beaux fenêtrages datent de cette période) et au XIXe siècle. Sur la place, un grand bâtiment aux nombreuses baies étroites disposées sur trois niveaux étonne par son ampleur. Il s'agit des bâtiments du Collège royal, qui, au XVIIe siècle, remplacèrent le prieuré avant de devenir, au XVIIIe siècle, l'École militaire. Place de Verdun, récemment aménagée, et près de sa maison natale, a été élevé un monument à la mémoire du grand mathématicien et astronome Laplace. De cet espace, on découvre un point de vue magnifique sur le pays d'Auge et la vallée de la Touques. Remarquer, auprès de la poste, une belle maison du XVIIIe siècle. A Beaumont-en-Auge, les maisons sont serrées les unes contre les autres le long des rues ou autour des placettes. Deux types de constructions se côtoient. Les bâtiments traditionnels à colombage (pans de bois), les plus savoureux, dominent rue de la Libération et rue du Paradis. Les bâtiments de brique datant du XIXe siècle ne manquent cependant pas d'intérêt, avec leurs jeux de couleur (briques rouges et blanches) et leurs décors géométriques. La mairie de Beaumont-en-Auge abrite un petit musée évoquant le passé du village et ses enfants les plus illustres, dont Laplace et le colonel Langlois, officier d'Empire et peintre de batailles.

Les artistes se sont laissé séduire par la beauté et le calme de ce village paisible et participent à son animation estivale.

Bec-Hellouin (Le)
Eure

> 39 km S.-O. de Rouen

Le village du Bec-Hellouin doit son existence à la prestigieuse abbaye du Bec fondée vers 1035 par le chevalier Herluin. Les hautes figures spirituelles qu'elle abrita – l'Italien Lanfranc, qui y fonda une école, le saint abbé Anselme – firent de cette fondation monastique un des hauts lieux de la chrétienté. Mal protégée des vicissitudes de l'histoire et maintes fois reconstruite, l'église fut transformée en 1810 en carrière de pierre ; en 1948, l'abbaye fut rendue à une communauté bénédictine et restaurée. Aujourd'hui, le village vit toujours de l'abbaye et des visiteurs et résidents qu'elle attire. On se rend au Bec en longeant la rivière du Bec, qui serpente dans la prairie, au pied d'un coteau boisé. Le village apparaît, massé autour de son église paroissiale en un bloc de maisons soit en pans de bois, soit, presque urbaines, en brique et pierre. Plusieurs auberges, des artisans et commerçants d'art y sont installés. L'entrée de l'abbaye donne sur la place du village, gazonnée et bordée de maisons pimpantes.

La tour Saint-Nicolas, construite au XVe siècle, est incrustée d'inscriptions gothiques en silex noir. De l'église du XIVe siècle disparue, quelques vestiges témoignent de la pureté du style. Les bâtiments conventuels, sévères, bâtis par les mauristes, trahissent cependant leur appartenance à l'époque baroque par des cartouches tourmentés. On peut flâner dans le parc, se rendre à la librairie ou assister à un concert de musique ancienne.

En franchissant le porche voisin, on est repris par le siècle de la vitesse au musée de l'automobile Chassang-de-Borredon. Il faut encore remonter le vallon, à la découverte d'une vue plongeante sur les jardins à la française, le bourg et le bocage normand.

Le village du Bec-Hellouin disperse ses maisons à pans de bois autour de l'église paroissiale Saint-André. Elle fut construite au XIVe s. pour le chœur et au XVIIIe s. pour la nef.

Beuvron-en-Auge
Calvados

> 15 km S.-E. de Cabourg

Située sur l'un des affluents de la Dives, le Doigt (prononcez Douet), qui se divise en deux bras (le Doigt et le Beuvronnais), la commune de Beuvron-en-Auge s'étale des basses prairies humides des marais de la Dives jusqu'aux collines de la cuesta d'Auge.

Beuvron peut apparaître comme le type même du village augeron : beaucoup de fermes et des manoirs dispersés et isolés. Mais Beuvron est aussi un bourg bâti autour d'une place avec ses halles (ce qui est assez rare en pays d'Auge), car il fut autrefois un centre artisanal, agricole et commercial assez important. Peu de villages possèdent comme Beuvron un ensemble aussi important de maisons à pans de bois d'époques différentes.

Sur la place, la plus ancienne de ces constructions, le Vieux Manoir, a été remaniée au début du siècle ; cette demeure imposante conserve un certain nombre d'éléments de la construction d'origine (fin du Moyen Age). Au milieu de la grand-place s'élevaient autrefois des halles, qui servaient aussi d'école et de mairie. Les halles actuelles, construites à partir d'un

Le Vieux Manoir de Beuvron-en-Auge, imposante demeure à pans de bois, conserve encore des éléments du XVIe s. Ici, la façade arrière, pastiche réalisé au XXe s. de la façade d'origine.

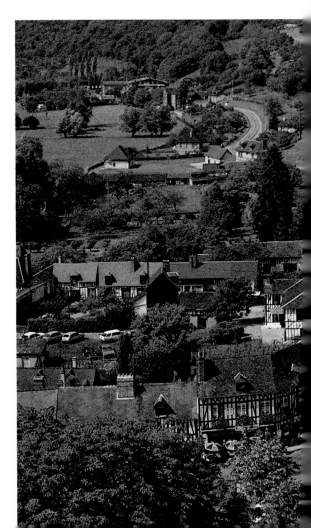

bâtiment en provenance de Beuzeville, qui abritent aujourd'hui un restaurant et diverses boutiques, redonnent à la place son animation. Face au Vieux Manoir, côté est de la place, une grande maison du XVIIIe siècle avec ses jolies lucarnes et couverte de petites tuiles brunes traditionnelles ; sur le côté ouest, l'hôtel de la Boule d'Or, du XVIIIe siècle. L'église de Beuvron, dédiée à saint Martin, fut construite au XVIIe siècle, sur un plan fort simple, en remployant des matériaux de l'église primitive ; la façade occidentale, néoclassique, fut bâtie au milieu du XIXe siècle ; le clocher date de 1927.

Une promenade vers l'église Saint-Michel de Clermont (3 kilomètres par D 146) permettra de découvrir le charmant paysage rural de Beuvron et du pays d'Auge : plants de pommiers, bocage de haies vives, nombreuses maisons à pans de bois. On pourra remarquer au passage le manoir de la Hogue, avec sa tourelle carrée abritant l'escalier sur sa façade arrière (XVIe siècle).

Beuvron-en-Auge donne l'exemple remarquable de la sauvegarde d'un patrimoine rural.

Massive, l'église de Boigneville élève au-dessus des toits du village son vaisseau aux pignons débordants et son clocher. L'eau de l'Essonne est son miroir.

Blandy
Seine-et-Marne

18 km E. de Melun

Peu de villages qu'habitèrent tant de princes et de grands personnages sont aussi méconnus que Blandy. Il est vrai que sa splendeur remonte au temps de la féodalité et que la forteresse des vicomtes de Melun auprès de laquelle il est blotti fut transformée en ferme au XVIIIe siècle.

En quittant Melun en direction de Mormant après avoir longé le domaine de Vaux-le-Vicomte, on ne peut qu'être subjugué par les tours du château de Blandy qui se détachent sur la droite au-dessus d'un étroit vallon où coule le ru d'Ancœur. Il est un des rares témoignages de l'architecture militaire médiévale en Ile-de-France. Les formes imposantes des cinq tours reliées par de hautes courtines, et le donjon s'élevant à quelque 35 mètres, rappellent la majesté d'un lieu qui reçut Louis VIII et Henri IV. C'est au XVIIIe siècle que le château fut acquis pour agrandir le domaine de Vaux-le-Vicomte. Toutes les rues, qu'elles viennent du val d'Ancœur ou du plateau, convergent vers la forteresse. Un écrin de verdure assure une liaison harmonieuse entre ses murailles et les maisons qui lui font face. L'église participe à la composition de cet espace : elle enferme le côté nord. Son clocher briard à quatre pignons fait face au donjon. Le vieux village présente un bel ensemble de demeures dont les plus anciennes remontent au XIIIe siècle. Comme souvent dans la Brie, les constructions principales en retrait de la voie dessinent des cours d'entrée bordées latéralement par des annexes, et certaines rues se caractérisent ainsi par une succession de murs de clôture percés de portails et de pignons de petits bâtiments. Au centre du vaste et fertile plateau de la Brie française, Blandy veille du haut de ses tours sur les terres de grande culture, les grosses fermes d'exploitation et les bois des alentours.

Boigneville
Essonne

24,5 km S.-E. d'Étampes

Aux confins sud du département de l'Essonne et sur les rives de la rivière du même nom, le village s'est étiré le long de la voie ferrée. Après Maisse et Prunay, c'est par la gare un peu vieillotte, coquette, et le petit restaurant-café qui lui fait face que l'on aborde Boigneville.

La route-rue bordée d'alignements de petites maisons rustiques, dont certaines ont gardé leur crépi, débouche sur la place de l'église Notre-Dame-de-l'Assomption. Du XIIIe siècle, haute et massive, elle trône au cœur du village. Du plateau du Hurepoix, une route descend par quelques virages serrés, et son tracé subitement rectiligne meurt devant le porche de l'église. Du plateau, la vue offre un paysage d'alignements de toits de maisons encore très rurales dominées par l'impressionnante église et, en arrière, les peupliers marquent la présence de l'Essonne. La voie ferrée est noyée dès le printemps dans une végétation dense et aimablement désordonnée. Les cultures maraîchères, dont la culture du cresson, le commerce du miel participent à l'économie de ce village paisible, un peu hors du temps, but de promenade pour les promeneurs du dimanche.

Boissy-aux-Cailles
Seine-et-Marne

12 km S. de Milly-la-Forêt

Passé Milly-la-Forêt et la Chapelle Saint-Blaise, décorée par Jean Cocteau, la route progresse le long du massif forestier des Trois-Pignons constellé des fameux rochers de Fontainebleau. On pénètre ensuite dans la longue vallée sèche de Boissy que bordent les derniers contreforts de la forêt de Fontainebleau. Leur sinuosité confère à la vallée un aspect tantôt étroit, tantôt évasé. Le village de Boissy-aux-Cailles se découvre soudain au creux d'une cuvette dont les franges escarpées forment un cirque boisé. Les premiers bâtiments sont adossés à une falaise qui laisse apparaître les tables de grès caractéristiques du massif de Fontainebleau. Souvent accompagnées de vergers clos de murs, les maisons rurales aux toitures de tuiles plates et aux proportions harmonieuses contrastent avec la rigueur de l'environnement. Trois rues s'échappent de la cuvette de Boissy, vers le sud. Si les deux fermes de Vézu et du Fief, bâties sur cour carrée, semblent se détacher du bourg, l'église Saint-Martin fait toujours corps avec lui bien qu'elle le domine du haut de son promontoire. Ce bel édifice du XIIᵉ siècle s'apparente aux églises du Gâtinais avec sa nef lambrissée, son chœur plus étroit et son clocher flanqué d'une tourelle d'escalier. Pour quitter l'univers clos de Boissy-aux-Cailles, il faut revenir sur ses pas, car seule la sortie longeant la ferme de Vézu débouche sur le monde extérieur, là où les cailles, ces gros blocs de grès aux formes singulières, n'émergent pas à la saison des bruyères d'un océan violet et rose.

Boissy-la-Rivière
Essonne

7 km S. d'Étampes

Dans la haute vallée de l'Uvigne, où le cours divaguant de la rivière a créé un paysage d'eau et de verdure délicat, s'est installé le village de Boissy-la-Rivière. En limite de Saint-Cyr-la-Rivière, l'entrée du village reflète cette diversité : une massive ferme aux puissants contreforts, le château de Bierville, remanié au XIXᵉ siècle, occupé par un centre de formation et de vacances, et une construction d'allure contemporaine. Le centre du village, enserré au milieu des maisons, n'est pas d'un accès immédiat ; mais c'est avec ravissement que l'on découvre l'église Saint-Hilaire, du XIIIᵉ siècle, avec son clocher massif jouxtant d'un côté la mairie (l'ancien presbytère) et de l'autre la petite place de terre plantée d'arbres. Sur la place, l'école occupe une grande bâtisse aux ouvertures et au fronton d'inspiration anglo-saxonne. Une construction plus modeste au petit mur de briques patinées et aux volets verts a une allure toute hollandaise. Plus loin, le gîte d'étape sur le chemin de grande randonnée n° 1 ; la première Auberge de jeunesse y a été fondée en 1930 par Marc Sangnier. La rue de la Fraternité, dans laquelle elle se trouve, monte vers le cimetière sur le coteau dominant le village. Il est possible de redescendre vers l'église par une petite route sinueuse bordée de conifères prospérant dans les sables de Fontainebleau. En plus de la promenade pédestre, le village offre un centre équestre et des courts de tennis.

Bresolettes
Orne

16 km N.-E. de Mortagne-au-Perche

Au cœur du vaste massif forestier formé par la forêt du Perche et la forêt de la Trappe, Bresolettes est le type du village clairière, constitué de petits hameaux clairsemés entre la rivière et la forêt, une jolie église du XVIIᵉ siècle et un chapelet d'une douzaine d'étangs artificiels. Une activité métallurgique ancienne que permettaient la richesse locale en minerai et la présence de la forêt a motivé l'implantation de ces étangs. Ainsi, c'est dans la commune voisine de Tourouvre qu'a été fondu en 1803 le pont des Arts de Paris. Il est étonnant de penser que la famille Pelletier, partie de Bresolettes vers le Canada au XVIIᵉ siècle, compte aujourd'hui dans ce pays plusieurs milliers de membres alors que dix-huit habitants seulement vivent dans leur paroisse d'origine.

Chérence
Val-d'Oise

14 km E. de Vernon

Sur le plateau du Vexin, les grands champs céréaliers s'arrêtent sans transition devant les murs gris-beige des maisons et des grosses fermes du village de Chérence. L'espace habité est dominé par l'église Saint-Denis, des XVᵉ et XVIᵉ siècles, au clocher ajouré sur chaque face d'une baie à fenêtrage flamboyant. Si le village semble s'étaler sur les deux versants d'un ru marécageux, les rues bordées de pierre sèche ou de belles grandes demeures, la place herbue et légèrement en pente de l'église révèlent une structure ordonnée.
L'unité vient surtout de cette pierre au grain fin et dur, extraite de carrières voisines et utilisée dans tout le village. Réputée pour sa solidité, elle est laissée apparente sans enduit avec des joints légèrement en creux, fait exceptionnel dans le Vexin. Le charme de Chérence, c'est peut-être aussi la présence du lavoir, l'existence de la Sente Proprette, où poussent quelques fleurs éparpillées dans un désordre aimablement construit. Le village est pétri d'histoire (site du paléolithique supérieur, outils néolithiques, habitats gallo-romains, croix de cimetière du XIVᵉ siècle...)
Chérence reste un lieu de villégiature, de promenade un peu secret malgré la présence proche du centre de vol à voile et de la vallée de la Seine.

Colombiers-sur-Seulles
Calvados

15 km E. de Bayeux

Dans l'arrière-pays de la côte de Nacre, aux confins du Bessin et de la plaine de Caen, trois petites vallées ont entaillé profondément le plateau calcaire. Ce sont les vallées de la Seulles, de la Mue et de la Thue, qui abritent de charmants villages : Fontaine-Henri, Reviers, Lantheuil, Amblie. Les habitations et les fermes occupent ces vallées, pittoresques et boisées, qui contrastent avec le plateau dénudé, entièrement livré à la culture intensive des céréales et de la betterave.

Colombiers-sur-Seulles est l'un de ces villages. L'habitat y est groupé au fond de la vallée, le long de la rivière et des voies de circulation. L'ensemble des constructions anciennes contribue à la beauté du village. Elles sont bâties exclusivement en pierre de Caen, calcaire clair qui devient gris en vieillissant. On observe une grande variété dans les détails d'architecture et la mise en œuvre. Remarquer notamment les pignons débordants, souvent en escalier ou « pas de moineau ». Ce village a un caractère « urbain » de par la disposition et l'implantation des maisons, souvent serrées, bordant la rue ou reliées entre elles par d'immenses murs. Les plus grandes fermes, aux bâtiments parfois imposants entourées de murs, ouvrent sur la rue par un porche soigneusement décoré (ferme du château) ou un portail.

L'église construite au bord de la Seulles, entourée de son cimetière, possède l'un des plus beaux clochers romans du Calvados. De l'autre côté de la route, toujours au bord de la rivière, on aperçoit le château, derrière les arbres d'un parc à l'anglaise.

Sur la place du village de Courances, la petite mairie-école communale a gardé son intangible drapeau de fer et sa devise nationale.

Sous les filets tendus devant un bâtiment des anciens communs attenant au château de Dampierre prospèrent les faisans qui alimenteront la chasse. A l'arrière-plan, le clocher de l'église du village.

Courances
Essonne

18 km S.-O. de Melun

On ne peut évoquer Courances sans son château Louis XIII, au corps de logis de deux étages flanqués de pavillons rectangulaires, où les panneaux de brique se mêlent harmonieusement à un appareil de grès ; il a conservé ses grands toits aigus et une façade très sobre, à laquelle on a rajouté au XIXe siècle une imitation de l'escalier du fer-à-Cheval de Fontainebleau.

Le parc de 15 hectares a été dessiné par Le Nôtre, avec ses parterres au pied des terrasses, ses arbres séculaires, son jardin japonais, ses dix-sept pièces d'eau. Car l'eau y est omniprésente : eau vive des gerbes et cascades, éclaboussant loups et lions de marbre, jaillissant des gueules de dauphins, eau dormante du Grand Miroir où se reflète la façade du château, des pièces d'eau de la Baigneuse et du Fer-à-Cheval, des canaux bordés de platanes et des douves. Cette eau domestiquée vient de la rivière de l'École, d'une limpidité cristalline, dont la blancheur et les eaux abondantes seraient à l'origine du nom de Courances.

Les principales rues du village, aux maisons jointives, simples et homogènes, se regroupent autour de la grande place plantée de tilleuls. Plus intime est la place de la Mairie : en son centre, le monument aux morts entouré d'une petite grille fait face à la

mairie-école communale. Un peu plus bas, le lavoir communal arrosé par l'École, au pied de l'église Saint-Étienne, ancienne chapelle castrale des XIIe et XIIIe siècles au clocher de 30 mètres de haut, du XVIe siècle. Le village doit aussi à la rivière ses cultures, notamment celle du cresson.

Crouy-sur-Ourcq
Seine-et-Marne

27 km N.-E. de Meaux

La rivière de l'Ourcq est encaissée d'une cinquantaine de mètres entre les deux plateaux du Multien et de l'Orxois, où se côtoient des champs de blé, de betteraves et des vergers. Au niveau de Crouy-sur-Ourcq, la vallée s'est suffisamment élargie pour accueillir de vastes peupleraies et des prairies naturelles humides, ainsi qu'un canal qui double la rivière. Ces différents éléments composent, avec les boisements des coteaux, des paysages d'une grande variété. Crouy-sur-Ourcq s'est développé à l'est de l'Ourcq, un peu en retrait du château fort du Houssoy, implanté au bord de la rivière. Bien qu'inclus dans une ferme, les vestiges de cet édifice du XIVe siècle sont encore imposants : le haut donjon carré avec ses mâchicoulis, un mur pignon de l'ancien logis et des restes d'enceinte.

De grandes propriétés aux demeures cossues agrémentées de parcs savamment dessinés, comme le Champivert, la Chapelle ou la Vigne, et la place de Champivert assurent avec le bourg une transition fort réussie. Des bancs installés à l'ombre des platanes de la place centrale, on peut apprécier le bel agencement d'anciennes façades du XVIIIe siècle. La grande homogénéité architecturale du village tient à ses tuiles plates, à ses murs enduits au plâtre gris-blanc et aux proportions verticales de la plupart des bâtiments. L'église, reconstruite au XVIe siècle, possède trois nefs d'égale hauteur et un clocher roman. En allant vers l'ouest, à proximité de l'Ourcq, on trouve les restes de l'ancien château de Gesvres-le-Duc, détruit à la Révolution. Le pavillon d'entrée du XVIIe siècle fut conçu par Mansart. En empruntant la route sinueuse qui s'élève sur le plateau, on parvient à May-en-Multien, dont le clocher servit d'observatoire pendant la bataille de l'Ourcq lors de la Première Guerre mondiale.

Dampierre-en-Yvelines
Yvelines

18 km S.-O. de Versailles

En arrivant à Dampierre par le nord, alors que l'étendue de plateau paraît infinie, la route dévale soudain la côte des Dix-Sept-Tournants jusqu'à une belle allée calme et rectiligne bordée de vieux peupliers qui marque l'entrée du village. Par le nord-ouest, la route se tapit entre les deux versants dis-

Il reste peu d'exemples de ces mares villageoises, autour desquelles s'organisait la vie quotidienne. Dans les eaux étales de celle d'Épaney se mirent les bâtiments anciens du manoir et de la grange à dîme.

Épaney
Calvados

8 km N.-E. de Falaise

symétriques de l'Yvette : à un versant raide, occupé par la forêt, s'oppose un versant en pente douce, occupé par les cultures.

La Grand-Rue sinueuse et étroite traverse ce village coquet, bordé de maisons jointives à deux niveaux, souvent mansardées et occupées par de nombreux commerces. La maison du parc régional de la Haute-Vallée-de-Chevreuse, au joli crépi, est installée à l'ombre de l'église. Au cœur du village apparaît le château aux nuances de rose, chef-d'œuvre d'harmonie par la sobriété de ses lignes et l'équilibre de ses formes mises en valeur à l'arrière-plan par les frondaisons du parc. Construit par Jules Hardouin-Mansart de 1675 à 1683 pour le duc de Chevreuse, gendre de Colbert, et restauré sous Louis-Philippe, le château, appartenant à la famillle de Luynes, s'élève au fond d'une cour d'honneur pavée et est séparé des communs dont il est flanqué de part et d'autre par d'élégantes balustrades ; précédé d'une grille majestueuse, revêtu d'un toit d'ardoises, le corps central est remarquable par son pavillon classiquement décoré de quatre colonnes supportant un fronton sculpté et par ses deux tourelles Renaissance masquant les encoignures des ailes.

Il faut aussi visiter le sompteux intérieur du château, sa grande pièce d'eau coudée, le parc dessiné par Le Nôtre.

Tout concourt à faire du village de Dampierre un but de promenade, d'excursion, une étape gastronomique, et souvent, pendant la belle saison, un lieu de fête fort fréquenté à moins d'une heure de Paris.

La plaine de Falaise est un paysage de campagne ouverte, sans clôtures et presque sans arbres, au sous-sol calcaire. Consacrée à la culture céréalière, elle est parsemée de nombreux petits villages, reflets d'une organisation sociale jadis très hiérarchisée et d'une économie agricole complexe.

Le véritable centre du village semble être la mare : c'est vers elle que convergent les routes et les chemins. C'était le point d'eau utilisé par les bestiaux et les ménages. Les maisons sont implantées le long des voies, le plus souvent perpendiculairement à celles-ci. Une remarquable homogénéité de matériau caractérise le village. Toutes les maisons et tous les bâtiments sont édifiés en petits moellons de calcaire. La pierre de taille est réservée aux chaînes d'angle, aux encadrements des ouvertures et aux lucarnes souvent remarquables. Les couvertures, à deux pentes bien affirmées, sont en petites tuiles brunes. Celles-ci ont remplacé le chaume primitif.

La fondation de l'église Saint-Martin d'Épaney remonte vraisemblablement au XIe siècle. Un certain nombre d'éléments subsistent du XVe siècle (notamment la charpente de la nef). Devant le portail occidental, une minuscule place plantée de marronniers est fermée, côté sud, par le pignon de l'ancienne grange à dîme. Parallèlement à l'église (au sud), remarquer le très long bâtiment des communs de l'ancien manoir. Du logis seigneurial subsiste, côté rue, une tourelle d'escalier polygonale.

Vu de la mare, tout cet ensemble donne une image particulièrement pittoresque.

Ferrière-sur-Risle (La)
Eure

32 km O. d'Évreux

Ce village doit son nom à d'anciens gisements de minerai de fer. Ainsi s'explique qu'à une population originelle de forgerons s'adjoignirent au XIIe siècle des fabricants de harnais pour chevaux. Le temps y a juxtaposé ses maisons de styles variés, certaines en torchis et à colombage, d'autres en brique, d'autres encore en pierre calcaire blanche. Les seigneurs de Ferrière se flattaient d'exploiter le fer, qu'ils considéraient comme un matériau noble, et se qualifiaient eux-mêmes de « premiers barons fossiers de France ». Les pièces forgées par d'habiles artisans étaient parfois envoyées en Syrie pour y être damasquinées, jusqu'à ce que Henri IV implante cette technique en France. Aujourd'hui, les forges artisanales se sont tues.

Le village, visible dans son ensemble de la petite route qui le surplombe, est très soigné. La vaste place entourée de maisons, dont les plus anciennes remontent au XIVe siècle, encadre une halle de la même époque dont le toit est couvert de tuiles. Cette place s'anime chaque dimanche pour le marché, et le 1er mai pour une foire à la brocante. On peut y admirer l'ancienne forge, à colombage, et la belle église et son clocher du XIIIe siècle. D'anciens lavoirs sont encore visibles dans les ruelles du village. Le séjour à La Ferrière est propice à la pêche et aux promenades en forêt.

Sur la place du village de Ferrière, l'immense toit à deux pans de la halle, recouvert de petites tuiles plates, repose sur des piliers de bois grossièrement équarris.

Flagy
Seine-et-Marne

10 km S. de Montereau-faut-Yonne

Flagy fut construit au XIIe siècle, sur ordre de Louis VII, sur la frontière entre le domaine royal et les possessions des comtes de Champagne, lors du rattachement du Gâtinais au royaume. Contrairement à la plupart des autres villes neuves de Seine-et-Marne, elle a conservé son urbanisme caractéristique fait d'un carroyage de rues se coupant à angle droit. Sept rues parallèles aboutissent à un bras de la rivière Orvanne, qu'elles enjambent chacune par un petit pont agrémenté d'un lavoir parfois couvert. Lorsque l'on descend la rue Maigrette jusqu'au grand lavoir, on découvre l'enfilade des sept ponts. On peut ensuite emprunter le chemin de ronde et imaginer les remparts du village, aujourd'hui disparus, passer devant l'ancien prieuré, franchir de nouveau la rivière par la Grande-Rue et se diriger vers le moulin. C'est pour l'actionner qu'une dérivation de l'Orvanne a été creusée. Daté du XIIIe siècle, il est un rare exemple d'architecture traditionnelle, avec son premier étage à colombage sous un grand toit de tuiles plates d'une belle coloration brune. Sur la place centrale, la mairie du début du XIXe siècle côtoie l'église Notre-Dame-de-Pitié, qui remonte au XIIe siècle. Son clocher à pignon ajouré est flanqué d'une tourelle à meurtrières.

Au nord du village, de l'autre côté de l'Orvanne, la route franchit des prés marécageux, puis s'élève pour contourner la butte boisée de Flagy, qui culmine à 150 mètres. Entre la butte et le tertre Bourgine, le manoir de Belle-Fontaine, réalisé au Second Empire, veille sur la vallée. Il a remplacé le château fort des seigneurs de Flagy, dont il reste le colombier et les douves.

Le décor architectural en bois est une caractéristique de la rue Victor-Hugo, à Fontaine-le-Port. La maison du premier plan se remarque à son auvent en bois découpé. Au fond, la mairie, belle construction briarde.

Fontaine-le-Port
Seine-et-Marne

12 km S.-E. de Melun

A partir de son confluent avec le Loing, à Saint-Mammès, la Seine s'encaisse et fait des méandres. Fontaine-le-Port s'accroche à l'un d'entre eux sur la rive concave, là où la pente est abrupte. De la rue de Bellevue, on domine les verts moutonnements de la forêt et le ruban de la Seine qui se perd dans le lointain. La descente sur le bourg se fait rapide jusqu'à l'église, dont le clocher roman à quatre pignons rappelle l'origine ancienne de Fontaine-le-Port. Les vieilles maisons qui l'entourent créent d'agréables jeux de volumes en s'adaptant à la pente du terrain. Les imbrications de toitures en tuiles plates et à forte inclinaison comme les maçonneries en pierres nues aux teintes chaudes leur donnent du caractère. Un lacis de rues et de ruelles mène doucement aux bords de Seine et aux rives verdoyantes du ru du Châtelet qui entaille le coteau. Les bois abondent sur le plateau agricole où sont cultivées des céréales et pénètrent au cœur du village. L'importance de la végétation harmonieusement imbriquée à l'architecture et sa diversité, bois, parcs, sans omettre la place des Platanes, constituent bien une des caractéristiques de Fontaine-le-Port.

La voie ferrée, perchée sur un haut talus, s'interpose entre la Seine et le village, et peu s'en faut pour que l'on croie qu'une fortification protège l'accès au bourg. Pour s'y rendre, on franchit d'ailleurs de véritables portes. En continuant sa route, on arrive rapidement à la base de loisirs de Bois-le-Roi. Une route en bord de Seine fait apprécier au sud du village la forêt domaniale de Barbeau, qui gravit le coteau pour s'étendre sur le plateau. On peut encore y voir les vestiges d'une abbaye cistercienne, fondée en 1156 par Louis VII, et le château de Barbeau, édifié au XIXe siècle.

Gadancourt
Val-d'Oise

19 km N.-O. de Pontoise

La route qui vient de Guiry-en-Vexin, bordée de grands arbres, sinueuse, débouche sur la grille d'entrée du château des XVIIe et XVIIIe siècles, très classique, au corps de logis central flanqué de deux pavillons, que fit bâtir David de Hazeville, seigneur de Gadancourt. D'après l'histoire locale, Calvin aurait écrit l'*Institution de la religion chrétienne* dans le château d'origine. L'église Saint-Martin, du XIIe siècle, dont le clocher a été détruit en 1944 et reconstruit à l'identique, est accessible par une petite place plantée de tilleuls et de marronniers. Faisant face à l'église, l'ancien presbytère du XVIIIe siècle est à moitié masqué par un haut mur de pierres sèches.

Comme dans de nombreux villages du Vexin, les murs aux pierres choisies avec discernement font valoir la qualité de l'appareillage et la beauté de l'architecture vernaculaire. Quelques maisons présentent, aux angles et aux pignons, des chaînes de pierres soigneusement dressées, assurant la cohésion de la construction.

De grands bâtiments agricoles, de faible hauteur situés rue des Faubourgs semblent ceinturer et arrêter l'extension du village.

Gatteville-le-Phare
Manche

29 km E. de Cherbourg

Le bourg de Gatteville est bâti le long des voies qui convergent vers la place de l'Église. Les maisons sont ici construites avec le granit extrait localement et couvertes d'une couverture à deux pentes, le plus souvent en ardoise. On pourra découvrir quelques toutes petites maisons, anciens logements de pêcheurs ou d'ouvriers agricoles.

Autour de la place, les bâtiments publics attirent l'attention. Tout d'abord une belle église toute en granit qui a gardé son vieux clocher roman, mais aussi l'humble et émouvante chapelle des marins, Notre-Dame-de-Bonsecours, avec son chevet d'époque romane. Entre ces deux monuments religieux, se niche l'ancienne mairie, minuscule sous son toit de pierre.

En allant du bourg de Gatteville vers le phare, on longe la côte rocheuse et le petit port de Roubary. Le phare, bâti de 1828 à 1833, domine de ses 72 mètres son prédécesseur, haut seulement de 28 mètres et construit au début du règne de Louis XVI. On peut visiter ce phare, du sommet duquel on embrasse un vaste et splendide panorama sur toute la pointe de Saire et le terrible raz de Barfleur.

Genets
Manche

10,5 km O. d'Avranches

Il est difficile d'imaginer aujourd'hui que ce village tranquille connut au Moyen Age une activité intense grâce à son port, où partaient et arrivaient les bateaux ravitaillant le Mont-Saint-Michel. Ce port est maintenant ensablé, les herbus gagnant du terrain. La mer, qui autrefois venait fréquemment lécher la base des maisons bordant la baie, ne vient plus guère que lors des grandes marées.

Le bourg de Genets s'est construit autour d'un prieuré (dont il ne subsiste plus rien). Bâti sur un terrain très plat, quasiment au niveau de la mer, le village est formé de plusieurs rues : la rue principale traverse le bourg sous trois noms différents, Grande-Rue, rue de l'Entrepont, rue de l'Ortillon.

Des rues plus petites desservent et circonscrivent les îlots d'habitations. De tracé irrégulier, elles sont bordées par des maisons, le plus souvent à un étage, dont les façades et les faîtages sont alignés et serrés les uns contre les autres. On devine plus qu'on ne les voit les jardins. Ce sont des maisons simples, bien ordonnancées, aux murs de grès ou de schiste, avec des encadrements de portes ou de fenêtres en granit taillé. Il s'en dégage une sobriété et une harmonie bon enfant ; une certaine austérité aussi, accentuée par les toits d'ardoise que viennent animer des lucarnes, le plus souvent à fronton. Seule la mairie, isolée sur un côté de l'ancienne place des Halles, et derrière laquelle est accolée une petite chapelle, se donne un air « notable ». L'église de Genets, quant à elle, est remarquable par ses proportions harmonieuses. Au Moyen Age, elle était la dernière étape pour de nombreux pèlerins se rendant au Mont-Saint-Michel. Les traditionnels pèlerinages à travers les grèves (6 kilomètres environ) en perpétuent le souvenir.

Graignes
Manche

19 km N.-O. de Saint-Lô

Comme tous les villages liés au marais, Graignes est constitué d'un petit bourg et de hameaux plus ou moins importants, implantés en limite des basses terres.

C'est en parcourant ce pays par la petite route qui serpente en lisière des marais que l'on découvre le plus facilement l'habitat ancien et ses caractères particuliers (ainsi au hameau du Haut-Verney, entre Graignes et Tribehou). Il s'agit de maisons construites sur un plan rectangulaire, très allongé. Aujourd'hui couvertes de tuiles mécaniques, elles avaient autrefois un toit de chaume ou de roseau. Le voyageur anglais Arthur Young les décrivait ainsi lors d'un de ses voyages en France en 1788 : « En ce pays, on construit les meilleures maisons et granges en terre que j'ai jamais vues, excellentes habitations, même lorsqu'elles ont trois étages, et tout en terre... » Aujourd'hui, beaucoup ont été recouvertes d'un enduit en ciment, et un grand nombre de bâtiments sont abandonnés.

Mais nous avons voulu évoquer dans ce guide une architecture originale, menacée de disparition à court terme, et inciter le lecteur à découvrir le pays des marais du Cotentin.

Grez-sur-Loing
Seine-et-Marne

7 km N. de Nemours

C'est une mosaïque de bois, de prairies, de terres de culture, de landes, d'étangs résiduels, de carrières qui compose l'environnement de Grez-sur-Loing, entre Nemours et Fontainebleau. Groupé sur la rive gauche du Loing, le village s'organise autour de deux rues parallèles à la rivière et d'une troisième qui les coupe perpendiculairement en leur milieu et se termine par le vieux pont du XVe siècle aux élégantes arches de pierre.

Les bords de la rivière sont occupés par les jardins des maisons qui s'alignent en continu le long de la rue Wilson. Malgré la végétation, on perçoit la belle succession d'amples toitures en tuiles plates qui couvrent des façades couleur sable. Le regard s'arrête sur un donjon rectangulaire à contreforts et tourelle, la fameuse tour de Ganne, vestige du château du XIIe siècle où résida Blanche de Castille. A proximité, l'église Notre-Dame-et-Saint-Laurent, romane, présente son chevet plat percé de trois grandes baies et, côté rue, son clocher-porche du XVe siècle. En remontant la rue Wilson, ce n'est qu'une succession de belles façades ou de hauts murs de clôture dont les tons s'accordent à merveille avec le grès des pavés.

Seule la rue du Vieux-Pont, dans le maillage régulier de rues et de ruelles, permet d'apercevoir le Loing et son cortège de jardins, de bois et de prairies. Le moulin du Roi et le moulin de la Fosse, sur le Loing, marquent les extrémités du bourg. De vastes plans d'eau aménagés, résultant d'anciennes carrières de sable sont utilisés pour les loisirs. L'industrie du sable est une des ressources du village. La qualité spécifique du matériau a permis le développement d'activités dérivées comme le polissage du quartz ou l'optique de haute précision.

Grisy-les-Plâtres
Val-d'Oise

18,5 km N.-O. de Pontoise

Adossé au versant ensoleillé de la butte du Moulin, ce village, qui doit son nom à d'importantes carrières de gypse, domine les grands paysages céréaliers du Vexin français. Au-delà, le regard s'arrête sur les hauteurs boisées des buttes de Rosne.

De 1891 à 1948, Grisy-les-Plâtres fut relié à Marines et à Valmondois par une petite voie de chemin de fer. Malgré cette liaison, malgré son accession au rang de chef-lieu de canton en 1830, malgré l'évolution économique, Grisy-les-Plâtres a gardé son organisation ancienne et son architecture traditionnelle : le pigeonnier en pierre à chaînes apparentes de la ferme seigneuriale du XVᵉ siècle (au Moyen Age, douze seigneuries régnaient sur le village), la place communale, les constructions en front de rue, jointives, aux murs d'un gris uniforme (d'où le surnom donné au village de Grisaye : village gris) donnent à la rue commerçante son homogénéité et son unité – sur plusieurs façades une longue inscription demeure : « Épicerie-Mercerie-Articles de ménage ».

L'église Saint-Caprais domine le village de sa silhouette avec son élégant clocher au toit à bâtière et sa curieuse tourelle octogonale couverte d'un cône en pierre ajourée ; le portail, couronné d'une triple voussure légèrement brisée, est surmontée d'une fenêtre gothique flamboyante.

Aujourd'hui, l'Association pour la protection du site de Grisy-les-Plâtres gère avec zèle ce patrimoine villageois de qualité.

Guiry-en-Vexin
Val-d'Oise

19,5 km N.-O. de Pontoise

De Gadancourt, la route emprunte sur 1,5 kilomètre le fond de la vallée de l'Aubette, occupée par des prés, et des bosquets, et débouche sur la place devant le château de Guiry. Harmonieux par la symétrie de ses pavillons de part et d'autre d'un corps central, par la rigueur de ses lignes horizontales que soulignent bandeaux et corniches, par son fronton en arc armorié et orné de statues allégoriques, le château de Guiry s'impose au cœur du village. Il fut construit par François Mansart en 1665. Sous les allées plantées d'arbres du parc, les ruines d'un ancien château médiéval, dit le Cabin, ont été mises au jour ; une galerie souterraine reliant cette ancienne demeure des seigneurs de Guiry à l'église passe sous le cimetière. De l'église Saint-Nicolas, terminée au XVIᵉ siècle, renfermant dans sa crypte les tombeaux des seigneurs du village, on remarque surtout le portail sculpté Renaissance qui doit beaucoup, dit-on, au style de Jean Grappin, architecte de l'église de Gisors, et la tour-clocher à l'allure un peu austère. A Guiry, l'histoire se bouscule : cent cinquante sites archéologiques y ont été signalés : l'allée couverte du Bois-Couturier était une sépulture collective néolithique, trois cimetières mérovingiens ont été découverts... Les éléments les plus représentatifs, et notamment une collection unique de stèles mérovingiennes, ont été rassemblés au musée archéologique. Ouvert en 1983, cet édifice à l'architecture de verre et de brique est aussi le Centre de recherche archéologique du Vexin français.

Heudicourt
Eure

13 km N.-O. de Gisors

Aux limites du Vexin normand, Heudicourt s'organise entre son château et son église. Sur un long plateau de terre brune, une immense allée ombragée conduit au château de brique et de pierre. Il fut construit au XVIIᵉ siècle par Michel Sublet, le seigneur du lieu, pour son fils et sa belle-fille, Bonne de Pons. Cette dernière, rivale de Mme de Montespan, est souvent citée par Mme de Sévigné dans sa correspondance.

Le château fut donné par Napoléon Iᵉʳ à son compagnon d'armes le comte Estève, devenu son trésorier général pour l'avoir, dit-on, prévenu des dépenses exagérées de Joséphine. L'église, d'un pur style flamboyant, alterne les lits de pierre appareillée et de silex. Une route presque circulaire dessert les calmes maisons et leurs pelouses soignées, entourées de vieux murs en torchis à portails cintrés de brique, et des fermes, dont la plus belle, celle du château, garde une tour et une grange dîmière. Le petit bâtiment à fronton triangulaire qui jouxte le château fut autrefois l'école du village.

Lyons-la-Forêt
Eure

36 km E. de Rouen

Depuis toujours, on vient à Lyons-la-Forêt pour se détendre ou méditer au cœur de la forêt. Certaines maisons se sont installées dans les ruines d'un vaste château du XIᵉ siècle. Dans le bas du village, on trouve l'église du XIIᵉ siècle, remaniée au XVᵉ, toute de pierre et de silex et dans laquelle un grand saint Christophe protège les voyageurs. Le poète Benserade, qui offrait au jeune Louis XIV ballets et divertissements, avait une maison ici. D'autres artistes ont vécu à Lyons-la-Forêt : c'est peut-être le bel ensemble de maisons à colombage des XVIIᵉ et XVIIIᵉ siècles entourant la vieille halle qui inspira Ravel lorsqu'il écrivit ici même *le Tombeau de Couperin*.

A Lyons, tout s'organise autour de la villégiature : fête de la Vénerie, feux de la Saint-Jean, foire Saint-Denis, expositions d'histoire locale, excursions organisées en forêt.

A ne pas manquer, à 4 kilomètres au sud, en pleine forêt, l'abbaye de Mortemer, ensemble de ruines cisterciennes des XIIᵉ et XIIIᵉ siècles et de bâtiments conventuels du XVIIᵉ siècle qui abritent un musée agricole.

Marais-Vernier
Eure

21 km E. de Honfleur

Creusé par un ancien bras de la Seine, le village s'étire en croissant au pied du plateau. Il est dominé par son église blanche à flanc de coteau, où l'on peut voir encore, les jours de cérémonie, défiler les charitons, dignitaires laïques revêtus de leur chaperon et précédés de leur tintenellier.

A partir de la route que bordent les maisons s'étagent successivement les bâtiments agricoles, les jardins, les champs et les prairies jusqu'aux roselières et aux mares, derniers vestiges de ce pays de marais. Les « maraisquets » mènent encore comme autrefois paître le bétail sur les prés communaux – l'opération de marquage des bovins a lieu le 1er mai en présence des autorités, dans une joyeuse excitation. Au début du XVIIe siècle, sur l'initiative d'Henri IV, la région fut assainie grâce aux travaux de l'ingénieur Bradley.

Deux manoirs, dits des Holllandais, comportent un étage à colombage sur un rez-de-chaussée de pierre. La maison de pays, que l'on trouve d'ailleurs dans toute la région, n'a pas d'étage. Elle est construite sur un lit de silex, son colombage est empli de torchis, son toit est fait de roseaux tirés du marais. Les iris qui couronnent le faîtage retiennent l'humidité qui abîmerait les charpentes.

Beaucoup de ces maisons sont intactes, certaines bien restaurées. A l'intérieur, les cheminées profondes atteignent le plafond ; elles remontent parfois au XVe siècle. La partie sauvage du marais est sous la garde de la CEDENA, organisme scientifique dépendant du parc de Brotonne. Elle s'efforce de protéger le milieu naturel et le parcours des oiseaux migrateurs, de réacclimater des bovins et des chevaux sauvages, d'organiser des stages et des visites.

Quillebeuf possède une belle église, peinte par Turner, un vitrail qui montre les charitons du XVIe siècle. On a une vue complète du marais à la table d'orientation de Bouquelon et un beau point de vue au phare de la Roque.

Maulévrier
Seine-Maritime

2 km N. de Caudebec-en-Caux

La petite route qui vient de Saint-Gilles-de-Crétôt, court dans la vallée, escalade les collines et traverse la longue forêt du Maulévrier, qui longe la Seine jusqu'à Duclair. Le village, entièrement tourné vers la forêt, apparaît comme une carte postale : l'église, les maisons, le grand moulin qui a gardé sa roue. Les pignons de l'église sont gardés par des lévriers assis, d'où provient peut-être le nom du village. Elle fut consacrée en 1519, comme l'indique une plaque commémorative, qui promet cinquante jours de pardon aux visiteurs. Abandonnée à la Révolution, elle fut restaurée par les paroissiens. Ses vitraux du XVIe siècle projettent leurs jaunes et leurs bleus en taches colorées sur les murs blancs et le mobilier bien ciré. Une statue de saint Hubert, polychrome, y est conservée. Autour de l'église, les maisons sont pourvues de jardins, ornementaux mais aussi potagers. L'ensemble, soigné, n'est pas sans traduire un certain art de vivre normand. Sur la motte, dite tour du Diable, se dressent les ruines d'un donjon du XIIIe siècle, qu'entourait le puissant château fort des Brézé, intendants de Normandie. Un manoir Louis XIII, en brique et pierre, rappelle ceux de la même époque, construits aux alentours.

Mauperthuis
Seine-et-Marne

27 km N.-O. de Provins

Petit village accroché sur un coteau verdoyant de la vallée de l'Aubetin, aux confins de la Brie boisée et de la Brie laitière, Mauperthuis paraît se dissimuler au sortir de la forêt de Malvoisine, où seul un obélis-

que du XVIIIe siècle se détache sur l'horizon. De Coulommiers, la route rectiligne traverse un large plateau consacré à l'élevage et aux cultures. Passé les premières maisons du village, de belles habitations des XVIIIe et XIXe siècles s'échelonnent des deux côtés de la rue principale, la rue Montesquiou. Lorsque l'alignement se déforme, les bâtiments en un parfait arrondi dessinent une place en demi-lune, interrompue en son milieu par une rue qui conduit d'un côté à la mairie et de l'autre à l'église. Ponctuant la perspective, cet édifice dû à Brongniard surprend par sa façade néo-classique surmontée d'un clocher carré à frontons. La fontaine qui ornemente l'autre place du village est aussi son œuvre.

L'architecte Claude-Nicolas Ledoux, qui l'avait précédé au service du marquis de Montesquiou, seigneur de Mauperthuis, avait construit son château en 1764, détruit à la Révolution. Il subsiste de son œuvre une pyramide avec un portique d'entrée à colonnes doriques.

Dans le village, des détails attirent l'œil, comme ces lucarnes à auvent de bois courbes, plantées sur de vastes toitures à petites tuiles plates. La rue de la Tour conserve l'ancien pigeonnier seigneurial.

Vers l'ouest, le long de l'Aubetin, on trouve la source et la chapelle de Sainte-Aubierge, oratoire dédié à la troisième abbesse de Faremoutiers, proche monastère fondé par sainte Fare, patronne de la Brie. Théophile Gautier écrira à Mauperthuis son premier roman, *Mademoiselle de Maupin*, dont de nombreuses pages évoquent le village. L'église recèle une curieuse peinture de l'écrivain.

Mauves-sur-Huisne
Orne

23 km N.-O. de Nogent-le-Rotrou

De Corbon, on découvre le site admirable de Mauves, dont les toits de tuiles brunes dominent la vallée de l'Huisne et mettent en valeur une très belle église. Les maisons, pour la plupart mitoyennes, sont implantées le long d'une unique grande rue, ce qui donne une impression urbaine à l'ensemble du bourg. Les variations de largeur de la rue, ainsi que le mail, dans la moitié sud du village, apportent une animation et atténuent la rigueur qu'aurait pu avoir cet alignement. Les maisons, bâties en moellons de calcaire, le plus souvent sur deux niveaux, juxtaposent des façades régulières. On peut regretter que les enduits qui les recouvrent aient presque tous perdu la saveur des enduits traditionnels de sable et de chaux. Une promenade à pied permettra cependant d'observer la variété des décors sur les bandeaux et les corniches, les entourages de baies ou les lucarnes.

Jadis fleuron de la couronne du Perche, Mauves n'a gardé que deux monuments remarquables, un à chaque extrémité du bourg. Au sud, le pont Catinat, bâti en 1610 au-dessus de l'Huisne, et, au nord, l'église Saint-Pierre, avec notamment son beau clocher du XVIe siècle. La campagne de Mauves, comme le Perche en général, recèle cependant de nombreux manoirs ou fermes remarquables qu'il faut savoir découvrir.

Le massif forestier du pays de Lyons est une des plus belles hêtraies de France. Au cœur de la forêt, le village, dans sa partie basse, suit les gracieux méandres de la Lieure, ponctuée çà et là de minuscules îlots.

Mont-Saint-Michel (Le)
Manche

22 km O. d'Avranches

C'est au sommet d'un îlot rocheux – de forme pyramidale et d'un périmètre de moins de 1 kilomètre –, au péril de la mer, que l'on entreprit la construction d'une abbaye, à l'emplacement du sanctuaire fondé au VIIIe siècle par saint Aubert à la demande, selon la légende, de l'archange saint Michel lui-même. Les constructeurs qui se sont succédé du début du VIIIe siècle à la fin du XVe ont tous fait des prodiges techniques, d'un grand génie architectural, pour accomplir cette œuvre dont une partie, un ensemble de six salles, dont le cloître, est justement appelée la Merveille. Lieu de prière, de culture et de pèlerinage avant de devenir prison, ce monastère fut complété par une citadelle. L'abbaye fut elle-même fortifiée, le village pourvu d'un solide système de défense : remparts, tours, échauguettes... Il faut emprunter le chemin des remparts – ancien chemin de ronde –, duquel on a des points de vue remarquables sur la baie et des perspectives étonnantes sur l'abbaye.
Le village est né avec l'abbaye. Il abritait des pêcheurs, les hommes de garnison y trouvaient des tavernes, les pèlerins des auberges. Une unique rue étroite conduit de l'entrée de la ville jusqu'aux grands degrés qui mènent à l'abbaye. Il ne reste que quelques maisons anciennes : le logis du Roy (la mairie), l'hôtellerie de la Licorne, la maison Tiphaine et, bien sûr, l'église paroissiale (XIe-XVIIe siècle), dédiée à saint Pierre, patron des pêcheurs, et qui accueille toujours les pèlerins. La plupart des bâtiments de la Grande-Rue datent du XIXe ou du XXe siècle, époque où le Mont s'ouvre au tourisme. Ce sont souvent des pastiches, mais l'emploi de matériaux nobles (granits) ou traditionnels (pans de bois, essentes de châtaignier...) en fait des édifices de qualité : on découvrira de belles arcades, d'intéressantes façades ornées de décors pittoresques.
Lieu de foi, lieu d'art et d'histoire, le Mont-Saint-Michel mérite qu'on consacre tout le temps nécessaire à sa visite. Mais il faut aussi prendre le temps de découvrir l'ensemble de la baie et les multiples et admirables points de vue qu'elle offre.

Montchauvet
Yvelines

11 km S.-O. de Mantes-la-Jolie

A moins de 20 kilomètres au sud-ouest de Mantes-la-Jolie, Montchauvet apparaît, sur une butte calcaire. La colline, à l'origine un mont chauve, dit-on, domine le confluent de deux ruisseaux qui se jettent dans la Vaucouleurs. C'est à sa position stratégique à la limite du domaine royal que Montchauvet doit son caractère fortifié précoce, qu'attestent aujourd'hui les vestiges du donjon et la porte de Bretagne. Pendant la guerre de Cent Ans, le village a été le théâtre d'affrontements sanglants entre du Guesclin et Charles le Mauvais. Henri IV séjourna à

Comme nimbée d'un halo doré qui jaillirait des blés, l'église Sainte-Marie-Madeleine de Montchauvet s'élève au sommet de la butte. Les volumes bien dessinés depuis le XIIIe s. de son chœur, terminé par une abside, et de son transept s'agencent avec rigueur à un clocher reconstruit au XXe s.

Les maisons qui bordent la rue principale de Moutiers-au-Perche témoignent de l'architecture rurale traditionnelle percheronne : faible hauteur, couverture en petites tuiles, à quatre pans, étage éclairé par une lucarne passante. Sur les murs de pierre enduits et les entourages en brique des baies, la vigne vierge a établi son royaume.

15 kilomètres de là avant le combat d'Ivry-la-Bataille et fit raser par la suite l'enceinte et découronner le donjon. Gros bourg de près de dix mille âmes aux XIVe et XVe siècles, Montchauvet connut ensuite un rapide déclin. La vigne, bien exposée, y fut cultivée jusqu'au XIXe siècle.

La rue Massacre, la Grimpette, la rue des Vignes, la rue aux Prêtres et la sente du Prieur conservent dans leur toponymie les jalons de l'histoire et de la géographie. L'église Sainte-Marie-Madeleine a gardé du XIIIe siècle son transept et son chœur, sa clé de voûte en pierre taillée, sa tour carrée et son porche pourvu d'archivoltes décorées de dents de scie et de rosaces. Le clocher a été détruit en 1905 et rétabli par le poète Jean Richepin, maire de Montchauvet. Sur la place qui entoure l'église s'organise un ensemble de maisons basses, dont une à colombage, et de résidences de campagne.

Montgeroult
Val-d'Oise

9,5 km N.-O. de Pontoise

A quelque 10 kilomètres de Pontoise et de la ville nouvelle de Cergy-Pontoise, Montgeroult a conservé tout son caractère rural. Le village semble être monté à l'assaut de la colline : d'imposants murs soutiennent les constructions ou leurs jardins, les maisons modestes sont accolées les unes aux autres et séparées seulement par des ruelles comme la ruelle de la Fontaine ou le chemin du Point-du-Jour ; de grands bâtiments de ferme ceints de hauts murs ménagent des paliers dans cette ascension : la ferme dite du Colombier, du XVIIIe siècle, est remarquable. Dominant ce village coquet, le château, tout en pierre de taille, constitué d'un corps de logis central à fronton de pur style Louis XIV, est flanqué de deux pavillons coiffés de toits en ardoise ; une allée pavée terminée par un bel escalier en fer à cheval permet d'y accéder. L'aile en retour et les communs forment un ensemble aux proportions particulièrement équilibrées. Par une petite porte, les châtelains, et notamment André Gautier, premier marquis de Montgeroult, avaient accès directement à l'église Notre-Dame-du-Mont-Carmel, construite au XIIIe siècle, remaniée par la suite.

Le château et ses communs, l'église à la tour carrée et au toit à quatre pans en ardoise jouxtant le cimetière au mur couvert de lierre forment un ensemble harmonieux et paisible qui a attiré de nombreux peintres, dont Cézanne. Dans le bas du village, la Viosne divague, offrant ses rives à la promenade à pied ou à cheval et aux pêcheurs.

Moutiers-au-Perche
Orne

---
22 km N. de Nogent-le-Rotrou

Au VIe siècle, saint Lhomer vint de Chartres s'établir en ermite en un lieu reculé nommé Corbion. Il y laissa un monastère qui prospéra sous la règle de saint Benoît jusqu'aux invasions normandes, qui le ruinèrent. De la route de Rémalard on a la meilleure vue d'ensemble du site, avec ses toits ocre rouge

qui s'étagent jusqu'à l'église qui les domine et se détachent sur la lisière de la forêt. C'est d'ici qu'il faut partir à la découverte de Moutiers. On passe devant la mairie-école, à l'emplacement du prieuré Saint-Lhomer, dont seule subsiste une tour. La rue principale n'est bordée que de maisons modestes, typiques de l'habitat rural percheron. De volume simple, à un ou plusieurs niveaux, ses murs sont en pierre (silex, calcaire ou roussin), recouverts d'enduit de sable du Perche et de chaux qui met subtilement en valeur les chaînages d'angle, les entourages de baies et les corniches en brique. Les toits, à forte pente, sont couverts de petites tuiles rouges, avec des faîtières fixées au mortier. De grandes lucarnes passantes donnent accès aux combles. En haut de la rue, un raidillon mène à l'église. De l'édifice du XIe siècle, on remarquera notamment le portail ouest, roman. Au XVe siècle ont été construits un bas-côté au nord, remarquable par ses grandes gargouilles, ainsi que la base de la tour et le chœur. Le clocher, de forme originale, en charpente, est essenté en ardoise. De l'église et du cimetière, on découvre un beau panorama sur la vallée de la Corbionne et ses massifs boisés.

Bien que ni l'agriculture ni la forêt n'aient plus besoin d'autant de bras, Moutiers est resté un village vivant et animé. Du mariage réussi entre le bâti et le végétal, il tire aujourd'hui tout son charme.

Nesles-la-Vallée
Val-d'Oise

> 13 km N.-E. de Pontoise

Venant de Valmondois, la route, sinueuse, dans un cadre de coteaux boisés, laisse entrevoir le Sausseron. A l'entrée de Nesles, la rivière semble disparaître derrière les imposantes propriétés bourgeoises du début du siècle. L'ancienne vocation rurale du village reste cependant très apparente : vastes bâtiments aux longs murs aveugles, aux larges et hautes portes charretières, ou maisons jointives aux volumes plus simples et couvertes de toits à deux pans. Sur la place de l'église, la ferme de Berteuil, ancien prieuré est composée de deux bâtiments en équerre et d'un colombier du XVIe siècle.

A 1,5 kilomètre au nord, on peut aussi voir la ferme fortifiée de Launay, construite vers 1600 ; dans une de ses tours, le poète Santeuil s'était fait aménager une chambre à chaque étage afin de suivre l'élévation de son inspiration. Mais l'architecture urbaine s'est vite affirmée à Nesles-la-Vallée. Le presbytère, du XVIIIe siècle, est d'un volume imposant, avec ses deux niveaux en pierre taillée, son grand toit à forte pente percé de lucarnes de belles proportions, ses sept fenêtres cintrées en façade. A la fin du XIXe siècle triomphe la maison de notable aux toits à quatre pans, l'ardoise ayant remplacé la petite tuile grise, tandis que le village s'organise autour de places bien dégagées et plantées d'arbres, comme celle de la mairie. Deux plaques commémoratives rappellent l'une que l'académicien Émile Henriot résida dans le village, l'autre l'atterrissage, le 1er décembre 1783, du premier ballon à hydrogène.

L'élégante église Saint-Symphorien, du XIIe siècle, avec son clocher roman à deux étages coiffé d'une flèche de pierre pyramidale, flanquée de quatre pyramidons, domine l'ensemble du village.

Tout concourt, dans ce village coquet, à attirer le promeneur : la pêche à la truite, le tennis ou l'équitation, et la grande brocante d'octobre...

Le cimetière et l'église, dont on aperçoit le chevet et le porche, dominent le village d'Omonville. Des maisons en grès couvertes de schistes s'échelonnent le long de la rue que longe la Vallace.

Nonancourt
Eure

> 28 km S. d'Évreux

Une longue rue ancienne, commerçante, s'est installée sous les murailles de la vieille place forte qui borde le plateau crayeux, creusé par la rivière. La grand-place s'y ouvre, fortement inclinée. A l'angle haut, une maison à pignon pointu se penche d'une manière impressionnante vers l'Avre toute proche. Cette rivière baigne une promenade fleurie et le parc d'un ancien château. On voit encore, sur ses bords, quelques vieux moulins, traces de l'intense activité d'autrefois. Le bourg était un centre de fabrication et de négoce pour le tissage et la tannerie. On y bénéficiait de l'eau vive, de la matière première et de la proximité des centres métalliers spécialisés dans tout ce qui touche aux chevaux. L'activité, à présent recentrée autour du caoutchouc, s'effectue en zone industrielle, mais le commerce est toujours actif.

L'église, du XVIe siècle, s'ouvre sur la place par une tour du XIIIe et offre un bel ensemble de verrières du XVIe, richement colorées. Beaucoup de maisons ont gardé, entre leurs colombages, des tuileaux assemblés en jeux décoratifs et beaucoup de fenêtres aux verres anciens.

Omerville
Val-d'Oise

> 5,5 km O. de Magny-en-Vexin

A quelques encâblures de la vallée de l'Aubette, de Magny-en-Vexin et de Villarceaux, Omerville est un pittoresque bout-du-monde.

De bas et larges bâtiments agricoles un peu austères accueillent le visiteur venu de l'est, mais soudain le village en pente douce s'ouvre comme un grand triangle occupé en son centre par un pré planté de tilleuls, bordé sur deux côtés de maisons coquettes et basses. Le manoir des Mornay-Villarceaux, qui longe le dernier côté, est caractéristique de l'architecture Renaissance du XVIe siècle, avec son long corps de bâtiment agrémenté de tourelles cylindriques et ses fenêtres finement moulurées. Sur la façade occidentale s'ouvrent une porte charretière et une porte piétonne en plein cintre. La façade sur la cour est de style normand à colombage. La séduisante Ninon de Lenclos séjourna dans ce manoir, dans lequel Louis de Mornay, marquis de Villarceaux, l'avait installée.

En descendant vers l'église, contre laquelle se blottissent de vieilles maisons de pierre grise dont l'une a gardé un pignon du XIIIe siècle, une croix de Malte marque la croisée des chemins.

L'église Saint-Martin est un des témoignages de l'architecture religieuse du XIe siècle dans le Vexin. Primitivement s'élevait sur la base carrée du clocher à baies géminées une flèche de pierre – elle fut frappée par la foudre en 1905 – dont l'élancement s'opposait à la masse du reste de l'édifice : la nef unique est couverte d'une charpente.

Omonville-la-Rogue
Manche

18,5 km N.-O. de Cherbourg

A l'extrême nord-ouest du Cotentin, le pays de la Hague est une terre de contrastes et de contacts entre la terre et la mer, la vie rurale traditionnelle et la plus haute technologie contemporaine (nucléaire). Un plateau, plongeant parfois brusquement dans la mer, battu par les vents qui contrarient la croissance des arbres, couvert de landes d'ajoncs et de bruyères, est entaillé profondément par un réseau de petites vallées riantes favorables à l'élevage (lait et viande).

C'est dans un de ces vallons, sur la côte nord de la Hague, que s'étire le village d'Omonville-la-Rogue, bien à l'abri des vents dominants. Les solides maisons de grès et granit, souvent couvertes en pierre (schiste), occupent le fond du vallon, le long de petites rues, parallèles au ruisseau de la Vallace, et qui

Le long de la rue Aristide-Briand, à Nonancourt, se succèdent les vieilles demeures à pans de bois. Dans la perspective de la rue en pente, les décrochements des toits, les encorbellements des étages et les variations de couleur des torchis les font paraître toutes de guingois. Une richesse de volumes et de contrastes qui est le propre des villages d'autrefois. Entre les colombages de la maison de droite, les tuileaux dessinent d'irrégulières figures.

mènent, par le Hâble, vers le port. Le port d'Omonville ouvre sur un paysage particulièrement remarquable vers l'anse de la Quervière, les falaises de Landemer et Cherbourg. La jetée, construite à la fin du XIXe siècle, les bateaux de pêche ou de plaisance relâchant dans le port, les doris et les plates, au sec sur le cordon de galets, font le charme de ce petit port. Au centre du village, au pied du coteau, l'église du XVe siècle est trapue et massive mais de belles proportions. De l'église, on a vue sur le manoir-ferme de Bellegarde (XVIe-XVIIe siècles), avec sa tour carrée et sa fenêtre à meneaux. Le plus beau bâtiment d'Omonville-la-Rogue est sans doute le manoir du Tourps. Situé à quelques kilomètres, sur le CD 22, route de Beaumont-Hague, auprès d'un calvaire, il présente ses vastes bâtiments autour d'une cour fermée où l'on accède par un grand porche. Il est représentatif d'une grande propriété rurale des XVIe et XVIIe siècles.

C'est bien sûr du plateau que l'on a les plus beaux points de vue sur le site d'Omonville-la-Rogue. Soucieux de son patrimoine, le village a entrepris une restauration soignée de tous ses bâtiments.

Regnéville-sur-Mer
Manche

13 km S.-O. de Coutances

C'est au bord d'un de ces havres de la côte ouest du Cotentin que se situe Regnéville-sur-Mer. Le bourg s'est étoffé auprès d'un château fort médiéval, dont subsistent encore quelques bâtiments et les ruines spectaculaires du donjon. Tout près, l'église, construite au XIIIe siècle, étonne par sa flèche tronquée, encadrée de clochetons, surmontant une tour massive, assez austère. A Regnéville le patrimoine bâti est simple, parfois humble, mais d'une grande qualité. Les bâtiments serrés le long des voies, aux jardins entourés de hauts murs, sont construits de cette belle pierre calcaire gris cendré qu'on appelle pierre de Montmartin. Les maçonneries sont toujours soignées, les façades surmontées très souvent par une ou plusieurs petites lucarnes à fronton triangulaire, typique de cette région du Coutançais. Les toitures à deux pentes sont couvertes en ardoise, matériau qui s'harmonise parfaitement avec les tons et les lumières du pays.

Regnéville vivait jadis de l'agriculture et de la mer. On s'y embarquait pour les lointains bancs de Terre-Neuve, mais de nombreux navires de petit tonnage pratiquaient aussi le cabotage. La spécialité de ce port était l'exportation par voie maritime des pierres calcaires qui, transformées à leur arrivée, fournissaient la chaux pour la construction et l'amendement des terres agricoles. Mais la chaux était également produite à Regnéville même, dans de grands fours qui ont fonctionné jusqu'au début de ce siècle, grâce au charbon importé d'Angleterre. Le plus impressionnant de ces établissements se trouve au lieu dit le Rey ; c'est un témoignage remarquable d'architecture préindustrielle.

Toutes ces activités ne manquaient pas d'animer un village qui aujourd'hui se tourne vers une fonction résidentielle et une vie saisonnière.

Du donjon sur la falaise, la vue plonge sur le village de La Roche-Guyon qu'entourent les frondaisons. L'église fut construite en grande partie pendant l'occupation anglaise (1419-1445).

Roche-Guyon (La)
Val-d'Oise

12 km E. de Vernon

Sur les bords de Seine, le long des falaises où les barres de craie et de silex alternent régulièrement, comme sculptées à la main, on distingue encore les boves, ces anciens habitats troglodytiques utilisés comme maisons, granges ou refuges. De la rive gauche ou de la culée de l'ancien pont suspendu disparu au XIXe siècle, on découvre le village de La Roche-Guyon. Piqué sur un éperon de craie blanche, l'énorme donjon du XIIe siècle, adossé à la falaise, est constitué d'une tour aux murs d'une épaisseur de 3 mètres et entouré d'une enceinte polygonale de deux chemises dont la première, intérieure, l'enveloppe entièrement pour se terminer en éperon. N'étant pas conçu comme habitation, il était relié au château par un souterrain. Construit au XIIIe siècle, il fut profondément remanié au XVIIIe ; il a gardé de l'époque féodale des tourelles d'angle surmontées de toits en poivrière. Alexandre de La Rochefoucauld, disgracié et exilé par Louis XV, désireux de vivre à La Roche-Guyon comme à Versailles, compléta le bâtiment central des XVe et XVIe siècles par des pavillons d'angle et des terrasses soutenues par des grandes arcades.

La Roche-Guyon a attiré bon nombre de célébrités : l'auteur des *Maximes* y rédigea une partie de son œuvre, Lamartine, pour qui La Roche-Guyon était un repère bénéfique (« Ici viennent mourir les derniers bruits du monde »), y écrivit une partie de ses *Méditations*. Pissarro fut attiré par les lumières de la Seine. Cézanne et Renoir y séjournèrent en 1885, et Braque y peignit ses premières toiles cubistes.

Bien sûr, les cabarets offrant fritures et matelotes n'existent plus. Des restaurants plus distingués les ont remplacés. La promenade sur la terrasse dominant la Seine est fort agréable et, à l'intérieur du village, l'église Saint-Samson, des XVe et XVIe siècles, à la nef dépourvue de transept, est séparée par la grande route de la mairie perchée sur la halle aux piliers de pierre. Des venelles partant vers la Seine, les charrières, et menant de la ville basse au plateau du Vexin sont bordées de modestes maisons.

Rochefort-en-Yvelines
Yvelines

15 km S.-E. de Rambouillet

La forêt de Rambouillet au nord, l'autoroute de Bordeaux et le T.G.V. Atlantique au sud encadrent le village de Rochefort-en-Yvelines. Ses rues étroites et sinueuses, son tissu très dense et continu aux maisons jointives pourvues de grandes portes armoriées ont gardé un aspect médiéval. Son histoire est inscrite dans cet étagement de constructions, de toute nature, érigées sur le versant pentu de la rive gauche de la Rabette. Dominant le village de ses murailles ruinées et de ses tours ébréchées, l'ancien château fort du XIe siècle a été le témoin des luttes violentes qui ont opposé au XVe siècle les troupes de Charles de Rivière, seigneur d'Auneault et de Rochefort, fidèle au roi de France, et les troupes anglaises commandées par Thomas de Montagu, alors comte de Salisbury. Toute proche apparaît la carcasse un peu fantomatique du château de Porgès, érigé en 1904 et conçu par un diamantaire désireux de reproduire, en doublant sa surface, l'actuel palais de la Légion d'honneur, à Paris. Un peu plus bas, l'église de l'Assomption, du XIIᵉ siècle, au portail roman surmonté de deux voussures et à l'abside dominée par une tour massive, a gardé sa position primitive entre le château et le village ; on y accède par cinquante-six marches de grès usées. Un peu en contrebas, la mairie est installée dans les locaux de l'ancien bailliage ; au rez-de-chaussée, l'ancienne prison du XVIIᵉ siècle sur l'étroite porte de laquelle on peut encore lire l'inscription latine : « Obstacle pour les méchants, protection pour les justes. »

Rolleboise
Yvelines

9 km N.-O. de Mantes-la-Jolie

« Prenez à Bonnières le chemin de fer de Mantes, vous traverserez Rolleboise, qui se penche gracieusement vers la Seine et s'adosse à une colline escarpée, redoutable jadis comme Vétheuil et La Roche-Guyon. Il ne reste pas un pan de mur du repaire d'où s'élançaient pour piller la plaine, au XIVᵉ siècle, ces bandits des grandes compagnies... »
Ainsi apparaissait Rolleboise dans *les Environs de Paris*, un guide édité par la maison Quantin à la fin du siècle dernier. C'est Bertrand du Guesclin qui, par la ruse, chassa du donjon du château fort, dont subsiste la motte, les mercenaires du roi d'Angleterre, dont la troupe rançonnait les bateaux entre Rouen et Mantes.
On dit aussi que les habitants du village roulaient leur bois du plateau jusqu'à la Seine, d'où l'origine de « Rouleboise » ou « Rolleboise ». Aujourd'hui, le train ne passe plus, les chalands ne transportent plus le bois.
Dominant de 100 mètres la Seine, s'étirant en corniche le long du fleuve, le village doit tout son charme à ce site perché remarquable ; de la petite église Saint-Michel rebâtie au XVIIᵉ siècle, on découvre le village serré contre la paroi rocheuse qui abrita ses premières habitations troglodytiques. En un rigoureux ordonnancement, les arbres marquent les deux côtés de la route, dont le parallélisme est encore renforcé par la ligne de faîtage des toits ; de l'église aussi, peinte par Corot, Signac, Maximilien Luce – qui a séjourné de 1920 à 1941 à Rolleboise –, on domine les courbes des boucles de la Seine.

Rugles
Eure

46 km S.-O. d'Evreux

Le pays d'Ouche possède presque tous les atouts : richesse du sous-sol et du sol dont bénéficient depuis longtemps la forêt, la culture et l'élevage. L'implantation humaine y est ancienne. Le village de Rugles a gardé du début du Moyen Age une des plus anciennes églises de France, Notre-Dame-d'Outre-l'Eau, qui a conservé des parties du Xᵉ siècle. Si le château fort a été détruit, l'église Saint-Germain, qui remonte au XIIIᵉ siècle, a encore conservé une superbe tour flamboyante. Le véritable essor de Rugles débuta à la fin du XVIIᵉ siècle, lorsque le seigneur du lieu, Duplessis-Châtillon, y établit des forges. On lui doit le beau manoir à colombage

qu'occupe aujourd'hui la perception. La tréfilerie et l'industrie des épingles, que la richesse du sous-sol en substances minérales avait favorisées, trouvèrent alors un second souffle. Le musée de l'Épinglerie, à Laigle, en retrace l'histoire.
De cette époque date aussi l'actuel château de Rugles, qui abrite un orphelinat. Beaucoup de maisons de la Grand-Rue, petites, à plusieurs étages et perpendiculaires à la rue, ont été construites au XVIIIᵉ siècle. Toute une population d'artisans à domicile y fabriquaient des épingles à partir du fil de laiton fourni par les négociants. Près d'Ambenay existe encore la dernière usine à traiter le fil.

Ry
Seine-Maritime

20 km E. de Rouen

C'est dans ce village, qu'il appela Yonville-l'Abbaye, que Flaubert situa l'action de son roman *Madame Bovary*. Depuis cette époque, le bourg n'a pratiquement pas changé. La Grande-Rue a toujours une colline boisée pour horizon, la maison du docteur est devenue pharmacie, et la pharmacie teinturerie. Les demeures de Ry, presque toutes du XVIIIᵉ ou du XIXᵉ siècle, sont à un seul étage. Beaucoup possèdent une imposte en bois sculpté surmontée de cadrans solaires. En montant vers l'église, passé des maisons à colombage, on accède au presbytère, tout de brique et de pierre.
L'origine de l'église remonte au XIIᵉ siècle. Elle est précédée d'un porche qui abritait les paysannes en coiffe après la messe et où continuent de jouer les enfants. C'est l'un des plus beaux de Normandie, magnifique ouvrage de charpente de la Renaissance, orné de colonnettes et de sculptures ornementales. Il offre un superbe contre-plongée sur la petite route qui mène à Blainville en suivant la vallée du Crevon. Il faut emprunter cette route pour s'enfoncer au cœur du pays normand, et à quelque distance, contempler l'ensemble du village.

Saint-Céneri-le-Gérei
Orne

13,5 km S.-O. d'Alençon

Quittant la plaine d'Alençon pour pénétrer dans les Alpes mancelles, la Sarthe serpente au pied de collines boisées et de falaises escarpées. C'est ce lieu que choisit au VIIᵉ siècle l'ermite d'origine italienne saint Céneri pour mener une vie d'ascèse et de prière. Bientôt rejoint par un grand nombre de disciples, il créa un monastère sur une sorte de cap dominant la Sarthe, qui le contourne par un grand méandre. Sur les ruines de ce monastère incendié par les Normands, on a construit l'église romane que l'on admire aujourd'hui. C'est du pont de pierre qui enjambe la rivière que l'on goûte le mieux la noble beauté du chevet, du transept à absidioles et de la tour coiffée d'un toit en bâtière harmonieusement décorée de colonnes et de baies. A l'intérieur, il faut voir les très intéressantes peintures murales du XIVᵉ siècle qui ornent le chœur. Dans la prairie, si-

Sur un éperon rocheux aux versants boisés que contourne la Sarthe se dresse l'église romane de Saint-Céneri. Entre les arbres apparaissent les toits de tuiles ocre ou brunes du village.

tuée à la pointe et en contrebas de l'éperon sur lequel sont bâtis l'église et le village, à l'intérieur de la boucle de la Sarthe, une charmante chapelle du XVᵉ siècle occupe l'emplacement de l'oratoire de saint Céneri.

Il ne reste que quelques traces du château fort qui, à l'entrée du village, barrait l'éperon rocheux. On a du mal à imaginer l'importante fonction militaire de ce site lorsque aujourd'hui on goûte le calme d'un village aux humbles maisons de moellons de grès roussard, d'un gris légèrement ocre, couvertes en petites tuile ou en ardoise.

Le site attira de nombreux peintres, charmés par son pittoresque ; ils n'ont pas manqué de le faire connaître.

Saint-Léonard
Manche

6 km O. d'Avranches

Peu de temps avant sa mort, Guillaume le Conquérant donnait à l'abbaye Saint-Étienne-de-Caen, qu'il avait fondée, un fief avec tous les droits et revenus y afférant en un lieu où la tradition veut que naquit saint Léonard, évêque d'Avranches, au VIᵉ siècle. Les religieux y établirent un prieuré et bâtirent l'église dont on admire encore la tour couverte d'un toit en bâtière et le chœur dont certains éléments remontent au XIIᵉ siècle.

Autour du prieuré s'est implanté un village aux maisons modestes et toutes simples, aux murs de petites pierres de schiste sombre qui en accentuent l'austérité.

Le village de Saint-Léonard tire son cachet de la qualité de cet ensemble pittoresque, mais aussi de sa situation sur une hauteur dominant le site exceptionnel de la baie du Mont-Saint-Michel, que l'on aperçoit toujours à travers les vergers.

La production de sel était ici une activité importante sous l'Ancien Régime. Les sauniers habitaient les maisons implantées au bord des grèves. Si les salines ont disparu depuis longtemps, quelques professionnels de la pêche à pied tirent aujourd'hui encore leurs revenus de la baie.

Saint-Loup-de-Naud
Seine-et-Marne

10 km S.-O. de Provins

Lieu sacré depuis les temps les plus reculés, la colline qui domine les vallées du Glatigny et des Vieux Moulins fut vouée, à l'aube du XIᵉ siècle, à la mémoire de saint Loup, évêque de Sens. Saint-Loup-de-Naud demeure un des fleurons de la Brie champenoise. Que l'on vienne de Provins ou d'ailleurs, le village se signale par son clocher qui, au lointain, émerge des molles ondulations du plateau briard consacrées à la culture céréalière. Mais c'est sans

Dans le village du Sap, la rue du Commerce, étroite et bordée de maisons traditionnelles à pans de bois apparents ou recouverts d'un essentage d'ardoises, débouche sur la place du Marché. Aux rez-de-chaussée se tenaient autrefois des boutiques.

conteste l'arrivée par le haut Courton qui offre les vues les plus riches. La situation dominante de l'église, son volume imposant qui magnifie la silhouette du village, la rigoureuse harmonie de son architecture romane en font l'un des édifices cultuels les plus précieux d'Ile-de-France. Son porche est l'écrin de l'œuvre maîtresse de l'église : un grand portail du premier art gothique. Il restitue des sculptures d'une rare finesse comptant parmi les mieux conservées de la statuaire du XIIᵉ siècle. Il faut en particulier s'attarder sur la représentation de saint Loup en grand costume d'évêque.

Le village possède des restes d'enceinte le long de la route de Bray-sur-Seine. Des éléments défensifs sont aussi visibles sur les hauteurs, dans le prolongement des vestiges du prieuré bénédictin fondé à la fin du Xᵉ siècle, en particulier une tour de vigie ronde. Cet ensemble monumental contraste avec les constructions briardes de proportions modestes qui composent le village.

Dans la rue Serge-Veau, on s'arrêtera au numéro 19, devant une maison à pans de bois. Au numéro 23 *bis*, un passage couvert permet par un escalier de pierre d'aller au-delà de l'enceinte fortifiée, et débouche sur les espaces de la vallée. Face au porche de l'église une élégante maison rurale du XVIIIᵉ siècle s'élève. Elle est couverte d'un toit de tuiles à la Mansart.

Hors les murs, deux rues vont en direction des vallées qui ceinturent la colline. La rue des Vieux-Moulins offre d'agréables vues sur le village groupé sur le flanc sud du promontoire. Au nord, la rue de la Tour mène dans la vallée du Glatigny. La vie de saint Loup est relatée dans cinq panneaux sculptés qui ornent la Fontaine aux Saints.

Saint-Sulpice-de-Favières
Essonne

13 km N. d'Étampes

A l'écart de la route nationale 20, la commune de Saint-Sulpice-de-Favières est installée sur un replat dominant la vallée de la Renarde, que des coteaux boisés séparent du plateau agricole beauçois. Près de la rivière, le château de Segrez, construit au XVIIIᵉ siècle, par le fermier général Haudry de Soucy, a appartenu au marquis d'Argenson, qui y accueillit Voltaire, puis à Alphonse Lavallée, fondateur de l'École centrale.

Le centre du village, que l'on atteint du château par une rue en pente régulière, est exceptionnel : toutes les maisons sont serrées les unes contre les autres à l'ombre de l'église majestueuse. En dépit de leur aspect différent dans les volumes, les toitures, les façades, l'ensemble est étrangement harmonieux. Surprenante par ses impressionnantes dimensions dans un village aussi modeste, l'église, du XIIIᵉ siècle, s'impose par son élégance. Le chœur atteint presque la hauteur du clocher au toit en bâtière, et l'évidement de ses hautes parois par trois étages de larges verrières offertes par Blanche de Castille le rend quasi transparent. La façade est ornée d'un grand porche du XIIIᵉ siècle, malheureusement mutilé, au tympan représentant le Jugement dernier.

A la fin du siècle dernier, Louis Barron, dans ses *Environs de Paris*, décrivait l'édifice en ces termes : « Des superpositions de contreforts, qui séparent des plans inclinés, sectionnent à profusion l'ample vaisseau et tombent le long de la vaste carène comme le plis d'une robe mystique. »

Cette église, construite en soixante ans à partir de 1260 pour abriter les reliques de saint Sulpice, évêque de Bourges – selon la tradition, il ressuscita à Chamarande un enfant noyé dans la Juine –, devint rapidement un lieu de pèlerinage. Le premier dimanche de septembre, la fête communale en perpétue le souvenir.

Sap (Le)
Orne

16 km S.-O. d'Orbec

Aux confins du pays d'Ouche et du pays d'Auge, Le Sap tirait jadis son importance de son rôle administratif et judiciaire, mais aussi de son activité économique : commerces, halles, marché, industrie du fer. La place du Marché est dominée par l'important bâtiment des halles avec la mairie à l'étage ; c'est vers cette place que convergent toutes les routes menant au Sap. On verra quelques beaux bâtiments à pans de bois, mais le matériau le plus employé est la brique, d'un rouge sombre violacé. Autour de la place du Marché, et dans les rues principales, les maisons sont à deux niveaux, ou plus, et présentent des façades bien ordonnancées, avec des décors de brique (corniches, bandeaux, dessins géométriques), mais aussi de staff (entourages de baies, pilastres). L'église du Sap ne se trouve pas au centre du village, mais à sa sortie, route de Monnai. C'est un bel édifice dont la nef, du XIVᵉ siècle, est éclairée par de jolies fenêtres gothiques. Les murs sont animés d'un appareillage en damier de silex et de grison. Un autre bâtiment d'intérêt : le fort Montpellier, qui se trouvait autrefois sur une petite île formée par deux bras de la Vérette. On peut le voir en partant de la place du Marché, par la rue Bois-Besnard et l'impasse du Fort, ou la route de Gacé.

Valmont
Seine-Maritime

11 km E. de Fécamp

Le nom même du village indique sa double personnalité : le val et le mont. De tout temps, son activité respecta sa géographie. Dans le val, l'abbaye et les cultures ; sur le mont, le château et ses soldats. Le donjon du château est des plus anciens de Normandie. Il a été érigé par les sires d'Estouville, descendants d'un géant légendaire, Estout, qui aurait été un des lieutenants de Rollon. On lui ajouta une galerie Renaissance sous François Iᵉʳ et l'on détruisit une partie de son enceinte. Aujourd'hui, un vaste parc de loisirs occupe le domaine. Plus bas, il faut voir les jardins du bord de l'eau, où le peintre Delacroix aimait se promener, les vestiges de l'abbaye, la chapelle de la Vierge et l'Annonciation sculptée par Germain Pilon. En passant devant la minuscule gare, on atteint une grande place, très en pente, dominée par les ruines du château. Dans son prolongement, on peut voir aussi quelques magasins construits sous l'Empire, très bien restaurés, qui abritent encore des commerces.

Varengeville-sur-Mer

Seine-Maritime (voir pages 62-63)

Sur les falaises qui dominent la Manche se dresse l'église (XIIᵉ-XVIᵉ s.) au milieu de ses croix. A l'intérieur, un vitrail bleu de Georges Braque figurant l'arbre de Jessé.

L'ancienne mairie (ci-contre) est caractéristique des maisons bourgeoises du XIXᵉ s., lorsque se généralisa l'emploi de la brique. Au rez-de-chaussée, lits de brique alternent avec moellons de silex.

VARENGEVILLE-SUR-MER

par Michel Ciry

8 km O. de Dieppe

Ayant l'âme campagnarde, et donc vouant aux villes un éloignement qui confine à la détestation, je ne pouvais trouver meilleur endroit pour réaliser mon œuvre que ce village dont la célébrité est inversement proportionnelle à son importance cadastrale puisque, à part une modeste rue principale, on n'y trouve qu'un lacis d'étroits chemins bordés de hauts talus qui, outre qu'ils coupent salutairement le vent, empêchent que les passants ne plongent des regards indiscrets dans les propriétés qu'ils longent en évoluant dans ce mini-dédale d'une luxuriance qu'il doit à la fréquence des pluies ainsi qu'à un microclimat qu'on nous jalouse.

Ayant possédé jadis presque autant d'arbres qu'une forêt (les moindres sentes étaient alors dotées d'une double rangée de hêtres dont les troncs lisses et rectilignes contribuaient puissamment à leur donner l'aspect de nefs, étroites elles aussi, mais d'une splendide et priante envolée végétale), Varengeville est encore très planté malgré l'action coupable de certains habitants qui, dans un arbre, ont le grand tort de voir bien davantage le profit qu'on en peut tirer en le réduisant à l'état de stères rémunérateurs qu'un des plus beaux éléments de la nature,

qu'il sied de respecter à l'égal d'une divinité.

Il me faut accomplir autant de pas pour atteindre le rivage le plus proche que pour gagner le porche du magnifique manoir d'Ango, situé, lui, du côté de la plaine. De sillonner les océans en y courant de grands risques a permis durant des siècles à des hommes déterminés et qu'une bonne étoile protégeait d'amasser des fortunes si considérables qu'elles pouvaient rivaliser avec celles dont disposaient les souverains de ces sujets hors du commun. Ce fut le cas de Jehan Ango, ce qui l'amena, en des passes difficiles pour la couronne, à devenir le soutien financier de son roi, François Iᵉʳ en l'occurrence. Mais si cet illustre Dieppois aima la mer, il se plaisait aussi aux champs, d'où l'édification à Varengeville de la somptueuse « résidence secondaire » qu'on y voit encore avec son aspect d'origine, gracieux ensemble où des galeries ajourées fleurent l'Italie, où, enrichis de motifs sculptés, des murs marquetés de grès et de silex attestent un raffinement architectural de fraîche date et où, énorme mais néanmoins élégant, un pigeonnier coiffé d'une coupole qu'on pourrait croire elle aussi florentine put jadis abriter assez de pigeons pour que loin alentour les récoltes s'en soient longtemps trouvées très compromises.

Son cimetière n'est pas le moindre titre de gloire de Varengeville dont la juste renommée tient à plus

Maisons de style traditionnel à la sortie du village : socle de maçonnerie, pans de bois apparents, hourdis de torchis enduits au mortier de chaux et couverture d'ardoises.

d'une raison. Outre qu'il n'a rien de triste, il jouit d'une situation tellement privilégiée que, bien qu'empli de morts (ainsi que l'exige l'affectation funèbre de ces espaces consacrés), il est devenu lieu de promenade, sans que pour autant se comportent d'une façon blâmable, parce qu'irrévérencieuse, les vivants qui le visitent pour un tout autre motif que de venir prouver une fidélité affective au-delà du trépas de ceux ou celles qui, leur ayant été chers, les ont précédés dans les champs de l'éternité. En ce haut lieu d'un repos sans fin d'éminentes présences se trouvent mêlées à l'honorable tout-venant des trépassés du cru dont le destin fut modeste. C'est Albert Roussel, dont le tombeau pompeux n'est guère à l'image de ce musicien de génie d'une légendaire simplicité (les flancs ouvragés de ce monument volumineux évoquant certaines des partitions les plus marquantes). C'est Georges Braque, sur la dépouille duquel veille un oiseau en mosaïque dont il n'y a pas lieu de craindre qu'il gagne jamais le large, vu la lourdeur de ses ailes. C'est Georges de Porto-Riche, qui, tenant à ce que fût connu de tous passants son espoir de « laisser un nom dans l'histoire du cœur », fit inscrire ce souhait ambitieux en caractères de bronze sur le plat de la dalle sous laquelle il dort pour toujours depuis plus d'un demi-siècle. C'est, de fraîche date, ma grande amie Marthe de Fels, dont je n'obtins pas qu'elle écrivît des Mémoires qui eussent été un document exceptionnel du fait que cette femme hors du commun connut (souvent intimement) les plus brillants représentants d'une intelligentsia qui, sur le plan de l'esprit, façonna cette époque.

Mais comme il ne conviendrait pas de clore cette évocation d'un lieu qui m'est cher en parlant de la mort, j'en terminerai avec les deux très vivantes merveilles que sont les parcs respectifs de deux grandes dames qui adorent la nature, vouant l'une et l'autre un culte touchant et d'une somptueuse efficacité à toutes plantes, qu'elles fleurissent ou ne doivent leur beauté qu'à l'harmonieuse ampleur de frondaisons souvent plusieurs fois séculaires.

L'un de ces parcs doit d'être ce qu'il est devenu à la constante passion jardinière d'une dynastie de banquiers ; l'autre, d'origine bien plus récente, doit d'être ce qu'il est, c'est-à-dire un enchantement en toute saison, à l'incessante activité d'une bénéfique magicienne venue du Nord et qui, d'hectares de broussailles fit, en une vingtaine d'années, une prodigieuse oasis où chaque pas qu'on y fait est générateur d'un nouvel émerveillement dans l'ordre de la botanique.

C'est ainsi que Mme Mary Mallet et la princesse Georges Sturdza contribuent à faire de Varengeville un immense reposoir, plus fleuri qu'aucun autre et beaucoup moins profane que certains pourraient le penser.

Voilée par la brume qui monte du fleuve, l'église de Vétheuil offre au regard la découpe de ses parties hautes, chevet arrondi et clocher de la fin du XIIe s., transept et nef du XVIe s.

Entre Rouen et l'embouchure, la Seine décrit la plus large boucle de son parcours. Sur la rive, les briques et les pierres des maisons de Villequier chatoient sous l'anthracite de leurs ardoises.

Vétheuil
Val-d'Oise

18 km E. de Vernon

En face de la riche forêt de Moisson, Vétheuil apparaît au débouché du petit vallon de Chaudry, entouré de coteaux accidentés. La Seine dessine une courbe élégante bordée des silhouettes déchiquetées des falaises de craie et de silex.
Du bord de Seine, on remarque le village de Lavacourt, autrefois relié à Vétheuil par un bac, et de Lavacourt on découvre le point de vue sur Vétheuil que prisèrent les impressionnistes.
On imagine Monet, qui y séjourna trois ans, appréciant les brumes du matin sur le fleuve, le rougeoiement du soleil ou les tonalités bleu-beige du soleil couchant, la masse un peu confuse des toitures d'où émerge l'église.
Notre-Dame-de-Vétheuil, perchée sur une terrasse, domine le fleuve et les maisons du village. Si les quatre piliers du clocher remontent au XIIe siècle, l'édifice date de la Renaissance. Jean Grappin, architecte de l'église de Gisors, y a sans doute contribué. L'influence de la Renaissance s'est épanouie dans l'harmonieuse élégance de la façade ouest, ornée de deux portes à vantaux sculptés, et de la façade sud, dont le portail, édifié sans doute en 1559, abrite une gracieuse statue de la Vierge.
Sur le ru de Vienne ou sur le ru de la Goulée, le lavoir couvert, à deux pans se faisant face, attend peut-être encore des lavandières de la rue des Fraîches-Femmes ; des sentes étroites dégringolent vers

la Seine en de multiples détours et escaliers, ou débouchent sur des ronds-points en demi-lune occupés par de grandes maisons bourgeoises. Ailleurs, les maisons sont étroites, petites, en pierre jaune patinée ou peintes d'un crépi de couleur chaude.
Malgré la disparition des fabriques de compas, d'appareils photographiques et d'épingles, de l'exploitation du gypse et de la culture de la vigne, Vétheuil connaît toujours une certaine activité, dont de nombreuses manifestations culturelles et sportives.
Les Amis de Vétheuil veillent à préserver tout ce qui a contribué au charme indicible de cette étape impressionniste.

Villequier
Seine-Maritime

40 km N.-O. de Rouen

Il faut y découvrir la Seine là où elle est la plus belle, dans la lumière particulière de l'estuaire. Dans cette région toute tournée vers la navigation, c'est à Villequier que s'effectue le changement entre pilote de Seine et pilote d'estuaire. La navigation en Seine est toujours délicate, mais elle était plus dangereuse autrefois avec le mascaret. C'est victimes de la Seine que moururent Charles Vacquerie et sa femme Léopoldine, fille de Victor Hugo. Est-ce à Villequier, où le célèbre poète se rendit souvent et où aujourd'hui lui est consacré un musée, qu'il prit goût à la peinture de ces bateaux secoués par la tempête ? Villequier, c'est encore un château avec un parc romantique, d'où la vue est superbe, une église à flanc de coteau, des XVe et XVIe siècles, avec un vitrail, donné par les Bousquet, armateurs, dont on voit le manoir sur la route de Caudebec. Sur ce vitrail du XVIe siècle figure la bataille navale livrée par la flotte de Jean Ango à un galion de Charles Quint. Villequier, c'est une longue ruelle, qui n'a guère plus de 4 mètres de large, des maisons, construites du XVIe au XIXe siècle, à colombage, en brique, pierre et silex, séparées du bord de l'eau par les jardins. A Villequier, on rêve du temps où on se rendait encore au Havre en voilier. C'est une halte sur la route des grandes abbayes : Saint-Georges-de-Boscherville, Jumièges, Saint-Wandrille.
A Caudebec, le nouveau musée de la Basse-Seine montre la vie des pêcheurs, des pilotes, des charpentiers de marine et toute la vie du bord de Seine.

Villeray
Orne

11,5 km N. de Nogent-le-Rotrou

Villeray est né d'une forteresse bâtie au XIe siècle pour le comte de Bellême. On peut toujours voir une motte féodale, la butte d'Assé, en allant jusqu'au bout du petit chemin qui fait face à l'entrée du château. Ses deux tours rondes, coiffées d'un toit en poivrière, encadrent une porte cochère.
Les maisons, petites et basses, en moellons de calcaire enduits de chaux et de sable du Perche subtilement colorés, s'étagent le long de la forte pente de l'unique et étroite rue du village. Dans la partie haute de la rue, les maisons sont cossues : on remarquera quelques fenêtres à meneaux. Cette organisation parallèle à une rue en pente mettant en valeur les toitures et tous les détails d'une savoureuse architecture percheronne.

De la pointe Chicart, couverte d'herbe rase, la vue plonge sur le village d'Yport, niché dans son vallon. La falaise offre ici la perspective de ses

Wy-dit-Joli-Village
Val-d'Oise

23 km N.-O. de Pontoise

Que l'on vienne de la route de Mantes à Magny-en-Vexin ou du hameau d'Enfer, proche du pittoresque château d'Hazeville, Wy (le *vicus* latin, le village, est devenu progressivement Vuic, Vvic et Wy) est invisible du plateau agricole du Vexin, ponctué çà et là de petits reliefs et de bosquets d'arbres. Passé les premières maisons, le village semble dégringoler vers l'Aubette en rues bordées de murs de pierre sèche, de grandes fermes aux cours s'ouvrant sur de larges portes charretières et de résidences secondaires. L'église Saint-Romain, du nom d'un des premiers archevêques de Rouen, né à Wy, se trouve sur une sorte de replat, une placette plantée de tilleuls où convergent quelques rues du village, et notamment la rue du musée de l'Outil et de la Ferronnerie. Les outils des cultivateurs et des artisans de la région, du Moyen Age à nos jours, y sont exposés. Des bains romains ont été retrouvés sous la maison même, avec le système de chauffage par le sol, l'hypocauste. L'église a été érigée au XIe siècle, et la base du clocher au XIIe siècle, mais le clocher, frappé par la foudre, a été reconstruit à la fin du XVIIe siècle. Un calvaire du XVe siècle précède l'entrée de l'église. Le village continue sa descente vers Guiry-en-Vexin en une sorte de chemin creux bordé sur un côté par un talus planté d'arbres fruitiers. Bien sûr, il ne reste rien de la bourgade aux rues boueuses et ravinées par les pluies que traversèrent, selon la légende, Henri IV et Gabrielle d'Estrées, qui se serait alors exclamé, par dérision : « Ah ! le joli village ! »

murailles de craie blanche à peine échancrée par de rares valleuses.

Yport
Seine-Maritime

8 km S.-O. de Fécamp

La D 104 suit une longue vallée bordée de bois et de prairies qui débouche sur la mer, dans une petite échancrure de la falaise. Le village d'Yport fut construit entièrement entre 1832 et 1880. Son église en lits alternés de briques et de galets possède un clocher-porche flanqué de tourelles. Au XIXe siècle, les pêcheurs yportais dépendent du village agricole de Criquebeuf, à l'économie toute différente. Ils veulent donc conquérir leur indépendance. Ils construisent en 1830 leur église par souscriptions et corvées. Des émissaires sont envoyés à Louis-Philippe, qui passe à Eu l'été en famille. Ils apportent leur pêche, sont invités à déjeuner et obtiennent leur autonomie municipale. A la pêche s'ajoutent alors les ressources des corderies et des conserveries. L'église et les maisons se construisent, en briques et galets imbriqués. Construites à flanc de colline, elles étalent devant elles des jardins fermés par des grilles légères. On peut y admirer les variétés acclimatées par leur propriétaire. La place est étroite, géographie oblige, et la tourelle de l'hôtel se profile de guingois sur la mer... Bientôt le développement du chemin de fer met la station à la mode. En 1900 fleurissent les grandes villas anglo-normandes. Aujourd'hui, on compte à Yport deux cents résidents, qui restaurent, et la ravissante plage est animée d'estivants fidèles. On y célèbre, le 15 août, la fête de la mer et de la peinture.

L'origine
des NOMS
de nos villages

*La désertion accrue qui frappe les campagnes françaises d'aujourd'hui
menace de faire disparaître fermes isolées, écarts et villages.
Cette évolution pourrait bien réduire en quelques décennies
ce qu'un long cheminement antérieur avait mis en place :
les noms de lieux ne sont que la traduction
de l'humanisation du paysage, tout au long de l'histoire.
Leur diminution exprime logiquement le processus inverse :
un recul démographique
et une crise au plan de l'utilisation des sols.*

Il y a plusieurs catégories de toponymes, qu'on peut classer en fonction
des entités qu'ils désignent. Jusqu'à la Révolution française, en plus de la paroisse,
le sentiment d'appartenance était balisé par deux autres divisions ethniques,
également siège des pouvoirs administratifs et religieux : la province et le pays.

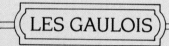

LES GAULOIS

Comme les provinces et les pays, de nombreuses communes françaises ont un nom d'origine gauloise, et ce n'est pas une pure coïncidence. Nommer suppose en effet l'affirmation d'une identité par rapport à une autre, du même ordre : le nom d'une tribu ou d'un pays la distingue de ceux de la tribu et du pays voisins. Il en va de même pour les entités plus petites : le besoin de nommer telle localité du pays (du latin *pagus*) vient de ce qu'il y en a d'autres à l'intérieur de celui-ci, et qu'elles y forment un réseau organisé et hiérarchisé. Ce lien organique entre tribus, pays et localités a traversé les siècles et constitué l'une des assises de notre histoire rurale.

Des localités frontières marquaient la limite des tribus gauloises, assurées parfois par un cours d'eau ou un chemin. Une cinquantaine de noms du genre Ingrande, Eygurande, Ygrandes, etc., remontent à un composé *equo-randa* (mot à mot « cheval-limite », d'où le sens de relais), et leur extension correspond en gros à celle des provinces dont le nom provient d'un peuple gaulois. Plus rare, le composé *camaranda* (de *cammino*, « chemin ») a donné Chamarandes (Haute-Marne) et Chamerandes (Ain).

Bien que nous connaissions peu les systèmes agricoles pratiqués par les Gaulois, la multiplication des toponymes et la création de circonscriptions stables, comme les pays, supposent l'existence de localités permanentes et une agriculture imposant de faibles déplacements. Les localités gagnées sur la forêt apparaissent dans les noms en *Vabr-* (Vabres, dans le Gard, l'Aveyron, le Cantal, la Lozère), *Vavr-* (dans le centre), *Vévr-* (en Bourgogne et en Nivernais), et *Voivr-* (Voivre, dans l'Aube), et les villes neuves (*novientum*) sont les Nogent, Nohan(t), Nouans et Nouvion du Centre et de l'Est.

De même, les toponymes en *-ialos* s'appliquaient surtout aux villages d'agriculteurs et ont donné nos nombreux noms en *-euil*, *-eil* et *-oil(les)* du Nord, et les *-ejol(s)* du Midi. L'origine de *-ialos* prête à discussion, bien qu'on tendrait plutôt à y voir un dérivé qu'un nom signifiant « endroit », « clairière » : Verneuil ou Verneujols (Cantal) désignerait l'aulnaie plutôt que la clairière de l'aulne, mais l'explication vaut moins pour Mareuil, Maroilles ou Marvejols (Lozère), car *maros* signifie « grand ». En revanche, les noms en *-as*, *-ate* (*Ratiate*, de *ratis*, « fougère », qui a donné Rezé, en Loire-Atlantique) et en *-avus*, *-ava* (*Vernavus*, de *verna*, « aulne », qui a donné Vernou, en Indre-et-Loire) sont bien des dérivés. La plupart de ces noms ont comme premier élément un nom de plante, un nom commun ou un adjectif, rarement un nom de personne ; cela sous-entend une organisation des campagnes différente de celle qui sera en vigueur après la conquête romaine.

A côté des agglomérations purement rurales, d'autres avaient des fonctions différentes. De nombreux noms, composés avec *-magus*, signifiant « marché », sont parvenus jusqu'à nous : Argenton-sur-Creuse (Indre) est un *Arganto-Magus* (*arganto*, « argent ») ; Riom, un *Rigo-Magus* (*rigo*, « roi ») ; Mouzon (Ardennes) est le « marché de la Meuse », *Moso-Magus*. Les *equoranda*, villes frontières, pouvaient aussi être d'excellents sites de marchés, par où transitaient les produits des tribus voisines. Mais la signification de *Mediolanum*, qui a donné Meillant (Cher), Mâlain (Côte-d'Or), Moliens (Oise), est moins claire : le mot, un composé, a été traduit par « plan du milieu », ce qui pourrait lui donner un sens religieux assez en accord avec celui du *pagus*, conçu par les Gaulois comme un territoire circulaire.

Enfin, parmi les toponymes gaulois, d'autres désignent un lieu fortifié qui, le cas échéant, pouvait être un refuge pour les paysans des alentours, avec leurs troupeaux, et un centre artisanal et commerçant. La plupart de ces noms comportent les terminaisons *-briga*, *-dunum* et *-durum* qui signifient « château fort » et « forteresse ». Avrolles (Yonne) est un ancien *Eburobriga* (avec *eburos*, « if », ou nom d'homme : *Eburus*), Lyon et Verdun sont respectivement *Lugdunum* (avec le nom du dieu *Lug*) et *Virodunum* (avec l'adjectif *viro*, « vrai »), et Tannerre (Aube) est un *Tannadurum* (avec *tann-*, « chêne »). Quelques noms de capitales de tribu sont formés à partir de ces trois mots.

LA PÉRIODE GALLO-ROMAINE

La conquête romaine entraîne bien une réorganisation partielle des campagnes, mais elle ne remet nullement en question les acquis antérieurs. A côté d'une économie villageoise qui persiste, des unités d'exploitation individuelle, les *villae*, connaissent un essor très important dès le Iᵉʳ siècle apr. J.-C., en relation avec le développement de l'économie de marché. Du nom latin du village, *vicus*, sont issus Longwy (Meurthe-et-Moselle), les Neuvy, et les Vic(q) ou Wissous (Essonne), tandis qu'on donne traditionnellement pour origine aux noms en *-acum* ou *-iacum* une villa gallo-ro-

tradition gauloise : Boissy et Buxey proviennent probablement de *buxus* (« buis ») + *acum*.

En revanche, les suffixes d'origine proprement latine sont formés principalement sur des noms de personnes : du suffixe *-anum* dérivent bon nombre de noms de communes de la bordure méditerranéenne, du Languedoc occidental et de l'Aquitaine du Nord-Est, de part et d'autre de la Garonne. Dans ces régions, les plus romanisées, on trouve Lézignan (Aude), de *Licinius + anum*, Marcorignan (Aude), de *Mercurius + anum*, Marignane (Bouches-du-Rhône), de *Marinius + anum* et

Age. En outre, existe une distorsion entre ce que désignait le nom primitif – une unité d'exploitation individuelle – et sa désignation postérieure – un groupe de maisons, une agglomération villageoise. Ce changement suppose une importante mutation sociale et économique.

Par ailleurs, toutes les *villae* gallo-romaines n'ont pas donné naissance à un village, loin s'en faut. Des études érudites ont fréquemment montré la présence de plusieurs *villae* dans un terroir villageois et, en dehors de leurs traces archéologiques éventuelles, se sont efforcées d'en reconsti-

TOPONYMES GALLO-ROMAINS en -acum et dérivés

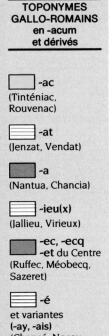

□ -ac
(Tinténiac, Rouvenac)

▤ -at
(Jenzat, Vendat)

■ -a
(Nantua, Chancia)

▤ -ieu(x)
(Jallieu, Virieux)

▨ -ec, -ecq -et du Centre
(Ruffec, Méobecq, Sazeret)

▤ -é
et variantes (-ay, -ais)
(Chancé, Nozay, Mouais)

□ -ey
et variantes (-ay, -ais)
(Grancey, Marnay)

□ -y
et sa variante -i
(basse Normandie)
(Potigny, Messei)

⋯ -ies
issu de -iacas, époque franque
(Fourmies)

⋯ -os -ein
(Caudos, Audressein)

⋯ dérivés de la série gallo-romaine -anum
(Lézignan, Marseillan)

maine. Ces dérivatifs, d'ailleurs de formation gauloise, ont donné un grand nombre de nos noms de communes : ce sont les noms en *-ac* et en *-at* de la France occitane, en *-y* ou en *-ay* du Centre et de la région parisienne, en *-é* de l'Ouest et en *-ey* de l'Est. Contrairement aux toponymes gaulois du temps de l'indépendance, beaucoup d'entre eux s'appliquent à des noms de personnes, propriétaires terriens qui donnent leur nom à leurs possessions. Ainsi, Sévignac, Savigna, Savigny, Savenay et Sévigné dérivent du nom d'homme *Sabinius + acum*. Mais d'autres sont formés à partir d'un nom commun latin, selon la

Marseillan (Gers et Hérault), de *Marcellius + anum*. Plus rare et ayant une extension davantage septentrionale, le suffixe *-anicum* est à l'origine des noms en *-argues* et *-ergues*, nombreux dans le Gard et le Massif central (Martignargues, de *Martinius* ; Quintignargues, de *Quintinius*), et des noms en *-anges* et *-inges* du Dauphiné, de la Savoie et de l'est du Massif central (Taninges, de *Tannius*, Haute-Savoie ; Sauxillanges, de *Celsinius*, Puy-de-Dôme).

Cependant, ces noms ne remontent pas tous à la période gallo-romaine, car certains suffixes continuèrent à être utilisés durant une partie du haut Moyen

tuer l'espace cultivé, le *fundus*, à l'aide des chemins et de certaines autres caractéristiques du paysage. Et cela nous questionne sur les raisons ayant déterminé la survie d'une *villa* plutôt que de telle autre. Le contexte du Bas-Empire, période de contraction démographique et économique, qui voit aussi le statut des hommes changer, pourrait occuper une place privilégiée dans cette évolution. Le regroupement des colons autour des *villae* les plus puissantes rendrait alors compte de la fixation toponymique gallo-romaine. Un cadre villageois désormais stable expliquerait la perpétuation du nom.

LES INVASIONS DU Ve SIÈCLE

En ce sens, il y a peut-être une certaine continuité entre la toponymie gallo-romaine et celle de la période des invasions, à laquelle on l'oppose souvent. Elle réside d'abord dans la formation des noms et dans la permanence de la formule dérivative. Prenant la place du suffixe *-acum*, mais dérivé de lui, le suffixe *-iacum* et sa variante *-iniacum* sont fortement représentés à l'époque mérovingienne, essentiellement dans la France septentrionale, où ils déterminent souvent des noms germaniques : Landrecies (Nord) est forgé sur *Landeric* et Vadenay (Marne) sur *Valdo*. Cette continuité linguistique a donc pour co-

gallo-romain *Juvinius*. Parmi les séries toponymiques du haut Moyen Age, il faut mettre à part celle qui dérive du mot bas-latin *villare* et qui a donné les Willer ou Viller, Villers, Villiers, respectivement de l'Alsace, de la France de l'Est, du Centre et de l'Ouest, seuls ou, comme les précédents, employés avec un nom d'homme. Plus au sud en revanche, les Villars, Villard, Vialar(d) et Viala sont le plus fréquemment seuls. On s'accorde généralement à voir dans *villare*, du moins initialement, un démembrement de la *villa*, que certains rapportent au partage des possessions entre Gallo-Romains et

dans la zone des noms en *-court*, qu'ils débordent vers l'ouest jusque dans le Calvados et la Touraine, sans toutefois dépasser la Loire au sud. C'est dans cette France de langue d'oïl que les innovations de l'agriculture médiévale trouvent leur origine : la charrue, l'utilisation du cheval comme animal de labour, l'assolement triennal et la rotation collective des cultures. C'est ici aussi, plus qu'ailleurs, que les textes des Xe et XIe siècles signalent la forte organisation des hommes autour des possédants qu'on nomme la féodalité.

Cette singularisation de la

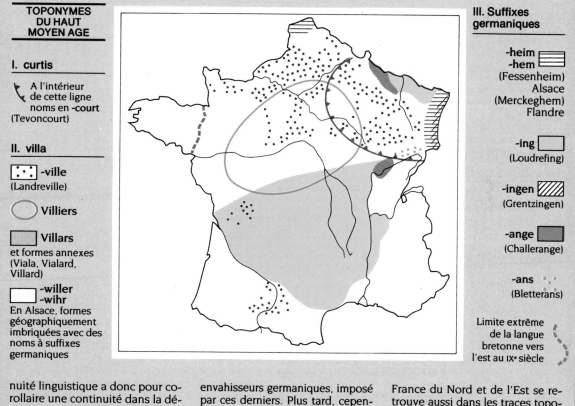

TOPONYMES DU HAUT MOYEN AGE

I. curtis

A l'intérieur de cette ligne noms en -court (Tevoncourt)

II. villa

-ville (Landreville)

Villiers

Villars et formes annexes (Viala, Vialard, Villard)

-willer -wihr
En Alsace, formes géographiquement imbriquées avec des noms à suffixes germaniques

III. Suffixes germaniques

-heim -hem (Fessenheim) Alsace (Merckeghem) Flandre

-ing (Loudrefing)

-ingen (Grentzingen)

-ange (Challerange)

-ans (Bletterans)

Limite extrême de la langue bretonne vers l'est au IXe siècle

nuité linguistique a donc pour corollaire une continuité dans la désignation du toponyme. Par ailleurs, les noms nouveaux créés du Ve au VIIIe siècle désignent soit une *villa* – noms en *-ville* –, soit un domaine – noms en *-court* –, c'est-à-dire des entités identiques à celles de la période gallo-romaine, les premiers s'appliquant davantage aux terres, les seconds aux bâtiments. De plus, dans ce cas aussi, le déterminant est souvent un nom de personne, germanique ou non : Haudricourt (Seine-Maritime) a bien comme premier élément le nom d'homme germanique *Halidrich*, mais Juvancourt (Aube) vient du

envahisseurs germaniques, imposé par ces derniers. Plus tard, cependant, et c'est le cas pour les dérivés méridionaux du mot, celui-ci en vint à nommer des établissements plus petits que les *villae*. Entre tous ces noms du très haut Moyen Age, il existe un point géographique commun : ils trouvent principalement leur origine dans le nord et l'est de la France, d'où certains ne sortent pas. Les noms en *-court* sont une particularité de l'Est, et les noms en *-ville*, malgré leur présence dans deux zones isolées en Saintonge (Sonneville, en Charente) et autour de Toulouse (Donnerville, en Haute-Garonne), se trouvent en masse

France du Nord et de l'Est se retrouve aussi dans les traces toponymiques laissées par les changements ethniques et linguistiques du Ve au VIIIe siècle. On ne sera pas surpris de trouver des toponymes germaniques en grand nombre dans les régions de l'Est, où de nombreuses communes se terminent par le suffixe *-ing* et ses dérivés. Ce dernier passe traditionnellement pour avoir désigné une installation collective, à l'inverse des noms en *-acum*, en *-ville* et en *-court*, c'est-à-dire un type d'organisation sociale inconnu du droit et des mœurs romains. En Alsace, et dans la plupart des autres pays germaniques, le suffixe a quelquefois la forme -ingen, comme dans Weislingen et Wingen (Bas-Rhin), mais en Lorraine germanophone, pour des raisons dialectales, c'est la forme -ing qui est exclusive : Loudrefing (Moselle) est formé à partir du nom d'homme *Liudulf*. Dans les régions germanisées où un dialecte roman s'est maintenu ou a progressé postérieurement, le suffixe -ing a donné -ange (Lorraine, mais aussi nord du Jura), -ingue (Bonningues, dans le Pas-de-Calais), ou -ans, forme attribuée aux Burgondes et localisée essentiellement dans le nord de la Franche-Comté. Sauf exemples isolés – et il y en a –, la majorité de ces noms se trouvent à proximité ou dans la zone de ceux en -court et en -ville ; ils en occupent les régions septentrionale ou orientale. Parfois, d'ailleurs, -court et -ing se succèdent dans un même nom : Sémécourt (Moselle) est écrit Sesmeringas en 857, ce qui montre bien que les deux suffixes désignent un même mouvement d'installation des hommes. D'autres suffixes de formation germanique témoignent aussi d'une implantation collective et peuvent être rapprochés du précédent : c'est le cas des composés avec le nom -heim en Alsace (hem en Flandre), signifiant *village*, à l'occasion accolé au suffixe -ing. Eblinghem (Nord), dont la forme la plus ancienne est Humbaldingahem en 826, signifie à peu près « le village des gens de Humbald ». La forte organisation des hommes autour du chef germanique n'est peut-être pas très éloignée de celle des colons gallo-romains autour du maître du domaine, même si elle a une origine différente. En tout cas, elle a pu avoir une traduction à peu près identique dans le paysage rural : un grand domaine entouré de maisons paysannes plus ou moins éloignées les unes des autres.

Autres nouveaux venus, du Ve au VIIe siècle, les Bretons de la Bretagne insulaire passent la Manche par vagues pour s'installer dans notre Bretagne. Leurs installations sont facilement repérables dans la basse Bretagne où l'on parle encore breton, mais aussi dans la haute Bretagne qui ne parle plus breton. Les noms en *plou-* (du latin *plebs*) de basse Bretagne, *plé-* et *pleu-* de haute Bretagne, et en *gwic-* (et dans ce préfixe on reconnaît le *vicus* gallo-romain) désignent des groupements villageois, mais d'une nature fort différente de ceux de la France du Nord et de l'Est. Ici, le déterminé désigne une communauté religieuse, une paroisse, dont le déterminant est le plus souvent le chef, le saint.

A l'inverse, la période est aussi marquée par des reculs linguistiques ; non seulement celui du gaulois, qui reste encore en usage dans certaines régions au Ve siècle, mais aussi celui du paléobasque, parlé par les anciens Aquitains durant toute la période gallo-romaine, et dont l'extension est encore proche de la Garonne au VIe siècle. Il est probable que les suffixes aquitains en -os (Caudos, Lugos), nombreux dans le Sud-Ouest, et ceux, plus rares, en -ein (Augirein, Audressein) ont constitué aussi des toponymes formés sur des noms aquitains.

LE MOYEN AGE

Aux siècles suivants, la création de toponymes nouveaux est en partie le reflet des nouvelles conditions qui se dessinent dès le haut Moyen Age. A partir du IXe siècle, l'installation de nouvelles résidences fortifiées commence à apparaître dans les noms de lieux. Le mot « château » (« cateau » dans le Nord, « castel » dans le Midi), du latin *castellum*, apparaît parfois seul, mais plus souvent précédé d'un adjectif : Neufchâtel dans le tiers nord-est de la France, Châteauneuf dans les autres régions d'oïl, Castelnau en pays d'oc. De *castellum* sont issus plusieurs diminutifs, dont le plus connu est *castellio*, qui est à l'origine de nos nombreux Châtillon (langue d'oïl) et Castillon (langue d'oc).

Toponyme proche du précédent, mais d'extension géographique plus limitée, La Ferté désignait une forteresse. Cependant, l'idée du lieu fortifié pouvait être fournie non pas par la construction elle-même, mais par l'endroit où elle se trouvait, car celui-ci faisait partie du dispositif de fortification. C'est pourquoi certains noms de lieux contenant le mot « mont » trouvent leur origine dans l'endroit qui soutenait la forteresse : Beaumont-sur-Vingeanne (Côte-d'Or) est *Castrum bellimons* en 1031. De même, du mot latin *podium* (« lieu élevé ») est issue une série de noms, surtout représentée dans le Midi, où les formes les plus courantes sont *puech, pech, puch*.

Ces noms de lieux font allusion à une organisation de l'espace dirigée essentiellement par les possédants laïcs de la terre. Mais si, à la même époque, on passe au domaine religieux, la moisson toponymique est encore plus riche. Dès l'époque carolingienne en effet, la coutume apparaît de donner aux nouvelles paroisses le nom d'un saint, ce qui traduit l'affirmation du réseau paroissial et son contrôle grandissant par les autorités de l'Église. Une première couche de noms, déterminés par les préfixes dom-, dam- (du latin *dominus* et *domina*), s'applique à un nombre limité de saints : Da(o)mpierre, Domloup, Dammartin, Dammarie, etc. Mais au Xe siècle s'affirme la seconde couche, beaucoup plus productive, des noms de lieux en Saint-. Ces derniers représentent en effet les toponymes les plus répandus, avec environ 10 % des noms de communes et un nombre important de noms d'écarts et de hameaux. L'étude de leur répartition fait apparaître une zone de concentration et une zone de rareté qui sont le négatif de certaines formations toponymiques des Ve-VIIIe siècles.

A nouveau, cette répartition ne doit rien au hasard. La rareté des Saint- dans la France du Nord et du Nord-Est atteste *a contrario* que, dans ces zones, la grande vague des toponymes communaux, jusqu'à nos jours, est celle qui a suivi les invasions germaniques : l'accroissement démographique des Xe-XIIIe siècles ne s'y traduit pas par la conquête de nouveaux terroirs, mais par un accroissement des agglomérations existantes. Cette France rurale, répétons-le, est celle de la charrue, du cheval de labour, de l'assolement triennal et de la féodalité puissante. Par rapport à cet ensemble territorial, le reste de la France se définit plutôt par des traits opposés : agglomérations plus dispersées, caractère plus individuel du travail agricole, absence de cheval comme animal de trait, liens plus lâches entre les hommes et pénétration plus lente des progrès dans les techniques agricoles.

De fait, c'est aussi dans la France du Sud, de l'Ouest et du Centre qu'on rencontre le plus grand nombre de noms intercalaires, ceux qui s'appliquent non pas à des communes, mais à des hameaux, des groupes de fermes

plus fréquent –, ces suffixes s'appliquent à l'entourage végétal au détriment duquel sera créé la maison ou le hameau, ce qui rappelle la formation de certains toponymes gaulois en -ialos : Aulnay ou Launay(e) est l'équivalent de Verneuil, et Châtenay de Chasseneuil.

Plus récents sont les noms intercalaires dans lesquels le nom de famille n'est pas suivi d'une formule, mais accompagné d'un article, d'une préposition, voire même se trouve seul, avec ou sans prénom. Ils apparaissent à la fin du Moyen Age et désignent généralement des écarts plus petits que les précédents, souvent

dans le Berry et dans le Midi méridional, le nom de famille se trouve le plus souvent seul.

A l'époque que les historiens appellent « moderne », du XVIe au XVIIIe siècle, nos noms de lieux sont définitivement fixés et il n'y aura plus par la suite de créations toponymiques significatives. La France des villages a pris la configuration sous laquelle nous la voyons encore. Pour la première fois, cependant, et en quelques décennies seulement, cette France qui représentait encore pour certains, il n'y a pas si longtemps, l'ordre éternel des champs voit son avenir s'obscurcir. Soucieux de planifier à long terme

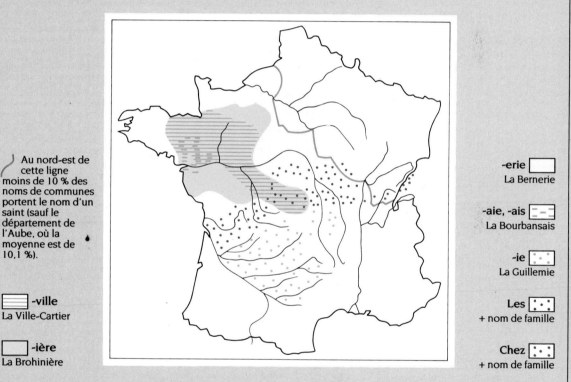

Au nord-est de cette ligne moins de 10 % des noms de communes portent le nom d'un saint (sauf le département de l'Aube, où la moyenne est de 10,1 %).

-ville
La Ville-Cartier

-ière
La Brohinière

-erie
La Bernerie

-aie, -ais
La Bourbansais

-ie
La Guillemie

Les
+ nom de famille

Chez
+ nom de famille

ou à des fermes isolées. Dès l'époque où commence l'extension des noms en Saint-, plusieurs autres désignations de ces groupements infraparoissiaux apparaissent aussi : toponymes en ville- (qu'il ne faut pas confondre avec les noms en -ville de l'époque précédente), groupés essentiellement dans l'Ouest et dans le Centre jusqu'en Auvergne, en -ière, -erie, et plus tard en -ais(e), nombreux dans la France armoricaine, dans le Centre et dans le Bassin parisien, en -ie et en -ias, répandus depuis l'ouest du Massif central jusqu'à la Garonne. Lorsqu'ils ne déterminent pas un nom de famille – mais c'est le cas le

des fermes isolées. Cette époque correspond à la reconstruction des campagnes qui suit la dépression démographique des XIVe-XVe siècles et la fin de la guerre de Cent Ans. Dans le Morvan, le Nivernais, dans certaines parties du Berry et du Bourbonnais, l'article « les » (les Bézards) se rapportait aussi bien à des familles conjugales qu'à plusieurs groupes familiaux exploitant ensemble les mêmes terres. Le nom de famille précédé de la préposition « chez », à peu près contemporain de la formation précédente, se rencontre le long d'une bande qui s'étend depuis la Saintonge jusqu'à la Suisse romande. Mais,

des décisions inéluctables, les pays de la Communauté européenne réfléchissent depuis peu sur le destin des terres prochainement promises à l'abandon agricole. La perte de la mémoire des lieux, due à la déprise rurale, et l'inutilité administrative des appellations anciennes compromettent la survie des microtoponymes. A un autre niveau, des villages entiers ont été désertés, comme lors de la période la plus sombre du Moyen Age. De même que certains ouvrages ou bâtiments, victimes des conditions de vie contemporaines, nos noms de lieux représentent aujourd'hui un patrimoine menacé.

Nord
Champagne
Ardennes

Il est des paysages, des villages qui, par leur beauté presque insolente s'imposent d'emblée. D'autres, comme ceux du Nord et de l'Est, se donnent au voyageur sur un ton de confidence, parfois dans le bleuté d'une brume, dans le reflet d'une eau endormeuse ou le parfum d'une rose de Picardie. Des plages et des falaises du Nord au sombre plateau d'Ardenne, les auréoles géologiques du Bassin parisien ont modelé toutes les nuances d'un relief sans excès. Pays de contrastes : grandes plaines infinies et fraîches campagnes intimes. L'eau est présente partout : elle pénètre largement les estuaires, baigne les hortillonnages, circule dans les canaux repérés seulement par la cime des peupliers. Les villages de brique ocre, jaune, rose s'étirent, les rideaux blancs des maisons confortables piègent le vent de l'ouest. Les grandes plaines à blé vertes ou blondes de Picardie sont ponctuées de gros villages aux fermes massives, aux cours carrées et aux larges porches. En Champagne humide, dans le Der, le charpentier l'emporte sur le maçon et l'architecture est faite de pans de bois et de torchis. Zébrées de colombages ou couvertes de tavaillons en écailles, les maisons sont blanches et grises. Au pied du vignoble champenois, les villages cossus et fleuris se tassent autour de leur clocher. Et à l'est, quand les prés et les haies remplacent les lanières de céréales, est-ce « le pays où l'on n'arrive jamais » ? L'Ardenne insaisissable, verdoyante et douce, quand l'Aisne, la Meuse et les canaux accueillent des villages-rues aux maisons de pierre jaune du Sedanais et aux toits schisteux. Elle sait être dense et secrète dans les immenses forêts, infinie sur ses plateaux, et pour mériter les hameaux des fagnes et des « hauts », il faut peut-être un peu de la folie d'un Rimbaud.

A

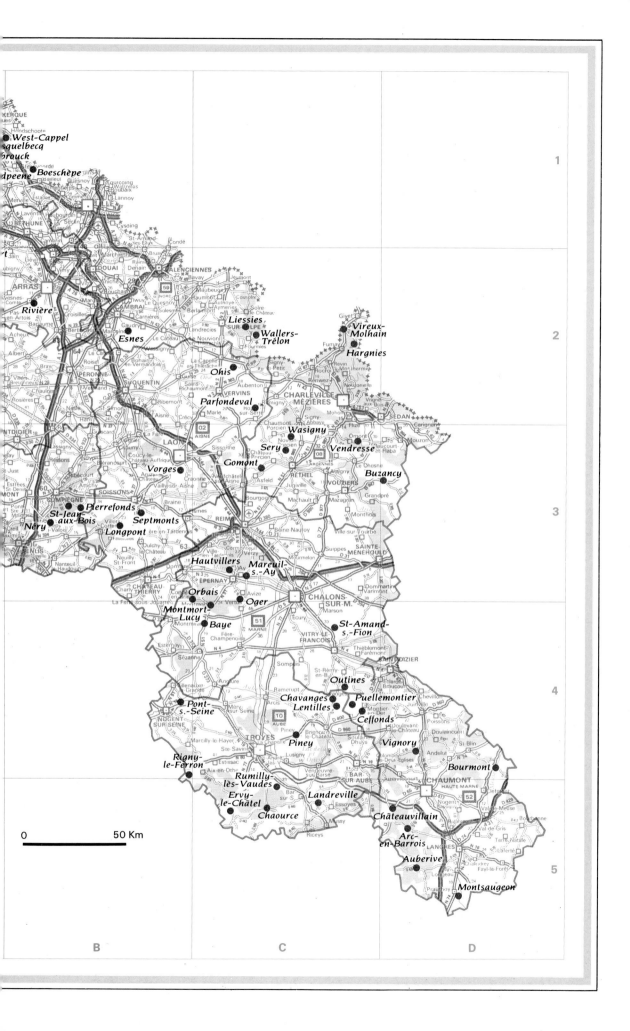

West-Cappel
squelbecq
brouck
dpeene Boeschèpe

Rivière
Esnes
Liessies
Wallers-Trélon
Vireux-Molhain
Hargnies
Ohis
Parfondeval
Wasigny
Sery Vendresse
Gomont
Vorges Buzancy
Pierrefonds
St-Jean-aux-Bois Septmonts
Néry Longpont
Hautvillers Mareuil-s.-Ay
Orbais Oger
Montmort-Lucy Baye St-Amand-s.-Fion
Outines
Pont-s.-Seine Chavanges Puellemontier
Lentilles Ceffonds
Rigny-le-Ferron Piney Vignory
Bourmont
Rumilly-lès-Vaudes
Ervy-le-Châtel Landreville
Chaource Châteauvillain
Arc-en-Barrois
Auberive Montsaugeon

0   50 Km

Arc-en-Barrois
Haute-Marne

30 km N.-O. de Langres

Au milieu de la forêt qui porte son nom, Arc est moins un village qu'une petite ville parée de l'élégance du XVIIIe siècle. Bien que ses armes portent, sur fond d'azur, un arc de combat, son nom proviendrait de l'arche unique de son premier pont. Depuis la destruction, en 1793, de la quasi-totalité du château médiéval, seule l'église garde des traces de l'époque où vivait le grand-père de Jeanne d'Arc (fin du XIVe siècle). Appartiennent à la Renaissance un charmant hôtel, récemment restauré, d'un style très pur, et quelques maisons portant corniche à godrons et lucarnes ouvragées. Mais les façades qui assurent l'unité de la cité datent surtout des XVIIe et XVIIIe siècles. Elles accusent une influence lorraine, reconnaissable à la faible hauteur de leur dernier étage en attique et à ses petites baies. La solidité de la pierre et peut-être la qualité de l'air sylvestre ont gardé aux bâtiments toute leur fraîcheur.

Au centre de la ville, plusieurs édifices ont un caractère monumental, comme l'hôtel de ville et les maisons à balcons qui l'accompagnent. Le château, bien que reconstruit assez tardivement, joue un rôle essentiel dans l'organisation des espaces. La Révolution avait abattu logis, tours, enceintes et ponts, arasé l'énorme donjon et comblé les fossés, lorsqu'à la fin de l'Empire la maison d'Orléans en racheta les ruines. L'édifice actuel (XIXe siècle) est dû en grande partie à la princesse Adélaïde, qui voulait ériger, sur le perron, une statue de son frère Louis-Philippe ; mais celui-ci abdiqua avant la fin des travaux. Très classique, l'architecture est élégante, et le parc magnifique. Il est utilisé actuellement comme terrain de golf.

Argoules
Somme

33 km N. d'Abbeville

Argoules se cache au flanc d'une colline boisée de chênes et de hêtres qui surplombe la rive gauche de la vallée de l'Authie. Ses maisons sont largement dispersées de part et d'autre de la rue principale qui court à flanc de coteau. La plupart sont très représentatives de l'architecture rurale picarde. Ce sont d'anciennes fermes à cour fermée dont les bâtiments à ossature en bois sont construits en torchis. Certains pignons, orientés à l'ouest, donc exposés aux vents dominants et à la pluie, sont recouverts de pans de bois. Cependant, à l'extrémité ouest du village, autour de la charmante chapelle Sainte-Catherine, d'autres pignons sont faits de pierre blanche et de silex noir disposés en damier. D'autres encore, blanchis à la chaux, sont ornés d'une croix de brique rouge.

Le plus joli bâtiment du village se trouve sur la place. C'est le château. Tout de brique, de style Renaissance, il a été profondément remanié au XIXe siècle. A ses côtés, la très simple église Saint-Germain, construite au XVIe siècle, n'a aucune ornementation extérieure. De l'autre côté de la place, face au château, se trouve l'arbre de Sully. C'est un énorme tilleul qui, selon la tradition, aurait été planté sous Henri IV. Il a malheureusement été endommagé par une violente tempête au début de 1988.

Aujourd'hui, dans ce bourg rural, les agriculteurs cultivent la betterave et les céréales. Beaucoup de citadins d'Abbeville, d'Arras et même de Paris y ont installé leur résidence secondaire. Des artistes, peintres et potiers, s'y sont fixés définitivement. A 2 kilomètres à l'ouest, l'immense abbaye de Valloires, fondée en 1143 mais reconstruite au XVIIIe siècle, abrite un foyer agricole pour enfants.

Auberive
Haute-Marne

27 km S.-O. de Langres

Sauvage et bien pourvu d'eaux vives, aucun site ne pouvait mieux convenir aux moines cisterciens. Leur couvent, au Moyen Age, comptait trois cents moines. L'abbaye eut à souffrir de la guerre de Cent Ans et des luttes religieuses. Au XVIIe siècle, elle n'était plus que l'ombre d'elle-même, et de grands travaux furent entrepris. Des constructions les plus anciennes restent un chœur à chevet plat et une salle capitulaire. Mais les bâtiments du XVIIIe siècle, ordonnés autour d'un cloître monumental fermé par la belle grille de Jean Lamour, ont une grande noblesse. Caroillon de Vandeuil, le gendre de Diderot, y installa une filature de coton modèle qui connut une grande prospérité, mais le débit irrégulier de la rivière, les difficultés de recrutement et enfin le Blocus continental la ruinèrent. Le XIXe siècle en fit une prison, où fut incarcérée Louise Michel, la Vierge Rouge. Autour de l'abbaye, parmi les arbres, un logis Renaissance, un petit manoir, un pigeonnier, de petites fermes à porte charretière et grenier en attique. Le buste d'André Theuriet les contemple. Mais Auberive, c'est la grande forêt haut-marnaise, celle des légendes, des sorciers, des hors-la-loi et des loups. C'est aussi l'extraordinaire cascade d'Étuf, où une succession de bassins naturels qu'une eau pétrifiante a modelés évoquent les jardins de l'Italie baroque ou le décor de quelque grandiose opéra mythologique.

Audresselles
Pas-de-Calais

13,5 km N. de Boulogne-sur-Mer

Sur la côte boulonnaise, la petite station balnéaire d'Audresselles est construite sur une pointe rocheuse, encadrée par deux descentes à la mer : l'embouchure du ruisseau de la Manchue, au sud, et le Cran du Noirda, au nord. L'origine de cet ancien village de pêcheurs remonte au Moyen Age.

Au sud, le village est bordé par la Garenne de la Manchue, couverte d'oyats et de fourrés à argousiers battus par les vents. Le chemin de randonnée des « douaniers » qui parcourt les dunes permet de découvrir la silhouette ramassée et construite du village qui émerge, face à la mer. A marée basse, la grève de sable fin se hérisse parfois de rochers couverts de moules. Au-delà de l'embouchure de la Manchue, une haute digue couronnée d'un chemin de ronde cerne le village. Au pied de ce front de mer, s'étale un large platier rocheux. Un escalier de pierre permet de regagner le village où se resserrent d'anciennes maisons de pêcheurs. Ces constructions basses, sans étage, présentent des façades jointives qui s'alignent au bord de la rue. Parfois, cette disposition s'inverse et la construction pré-

sente un pignon aveugle ou percé de baies, auquel s'accroche un mur de clôture. Le comble couvert d'une toiture en tuile est éclairé par des lucarnes « à la capucine ». Les maisons les plus anciennes sont en pierre, les maçonneries sont le plus souvent recouvertes d'un enduit peint. Les bleus des menuiseries et la luminosité des façades soulignées par un soubassement noir renvoient à la composition chromatique des barques de pêche : les flobards, barques traditionnelles, ventrues, longues d'environ 5 mètres. Les produits de la pêche sont vendus sur place.

A l'extérieur du village, l'église Saint-Jean-Baptiste dresse une tour massive en pierre, fortifiée au XIIIᵉ siècle. Au nord, le Cran du Noirda permet d'accéder au pied des falaises rocheuses d'Audresselles ou d'emprunter le sentier de randonnée du littoral qui conduit jusqu'au cap Gris-Nez.

Baye

Marne

27 km S.-O. d'Épernay

Au flanc du verdoyant vallon d'un affluent du Petit-Morin, c'est un village bien champenois, avec ses crépis aux tons doux, bordés de brique, ses larges portails et son église à porche, du XIIIe siècle. Le château du XVIIe siècle, très en contrebas, curieusement enchâssé dans une enceinte médiévale, conserve une élégante chapelle du XIIIe siècle attribuée à Jean d'Orbais. Baye garde le souvenir de saint Alpin, évêque de Châlons, qui repose dans l'église, celui de Marion Delorme, connue de tout autre manière, et du baron de Baye, qui découvrit les grottes sépulcrales néolithiques de la Marne, creusées dans la craie. Il fut aidé par Roland, instituteur à Villevenard, qui y créa un petit musée. Ce beau village s'enorgueillit de sa charmante église et de son clocher roman, octogonal à baies géminées. L'intérieur, avec ses restes de fresques du XVIIe siècle, son décor de boiseries daté de 1775, et de grilles ornées de fleurs de tournesol, ses savoureuses sculptures, forme un ensemble d'une ingénieuse fraîcheur.

Dans tous les villages de la vallée du Petit-Morin, le voyageur attentif fera bien des découvertes : petites églises romanes, maisons de vignerons aux murs crépis et parements de brique, puits, lucarnes, girouettes, traités avec la même invention. Un peu plus au sud de Baye, ce seront les grands paysages silencieux des marais de Saint-Gond où, en 1914, au cours d'une terrible bataille, la garde prussienne s'enlisa, et où périt le grand archéologue Joseph Déchelette, qui s'était intéressé aux trouvailles du baron de Baye...

Boeschèpe
Nord

41,5 km N.-E. de Saint-Omer

Au nord de Bailleul, de part et d'autre de la frontière franco-belge, les monts de Flandre émergent de la plaine. Au cœur de cette chaîne de collines, le village de Boeschèpe est implanté sur une ligne de crête surbaissée.

Les constructions regroupées autour de deux places donnent à Boeschèpe l'aspect d'un bourg rural. La Grand-Place rectangulaire est bordée de maisons sobres en brique couvertes de tuiles aux nuances rouge orangé, ou parfois aubergine lorsqu'on a employé la tuile vernie au sel. Sur la face sud de la Grand-Place, on remarque la boulangerie et la maison mitoyenne, ensemble représentatif des constructions basses du XVIIIe siècle. Les façades montrent ici une structure de construction à pans de bois, mais avec un remplissage en brique qui a remplacé le torchis. L'église Saint-Martin est une hallekerque flamande à trois nefs, construite en brique aux XVIIe et XVIIIe siècles, dans un style gothique tardif. En bas de la place, le gîte rural des Marronniers est aménagé dans une ancienne « hofstède », ferme flamande à bâtiments non jointifs disposés autour d'une cour ouverte.

A l'ouest du village se dresse le moulin de l'Ingratitude, un moulin en bois à cage tournante sur pivot. Acquis et restauré par la commune, c'est le lieu d'une fête folklorique annuelle. La base fixe du moulin, ou cavette, abrite une exposition sur les

moulins de Flandre. En contrebas de la butte du moulin, le chemin qui rejoint le mont de Boeschèpe et le mont des Cats permet de découvrir un paysage bocagé et vallonné, marqué ici et là de houblonnières hérissées de hautes perches. Autour de Boeschèpe, les monts de Flandre offrent de nombreuses ressources touristiques et possibilités d'excursions. A Saint-Jans-Cappel, chaque année, le dernier dimanche d'août, se déroule la fête de la moisson. Le dernier dimanche d'octobre, la Saint-Hubert est l'occasion d'un grand rassemblement équestre au mont des Cats.

Bomy
Pas-de-Calais

27 km S. de Saint-Omer

L'origine de Bomy est liée à la légende de sainte Frévisse. Fille d'un seigneur d'Oxford, Frévisse se serait retirée dans un lieu solitaire, près d'une source, au bois de Bomy, y fondant un ermitage. Sainte Frévisse fut honorée dans une chapelle jusqu'à la Révolution, et son culte s'est perpétué jusqu'au début du XXe siècle autour de la source, dont l'eau était réputée guérir de diverses maladies et de la fièvre. Le lieu est matérialisé par la fontaine Sainte-Frévisse, près de la ferme de l'Hermitage, au sud-est du village. La source donne naissance à un ruisseau qui s'écoule dans un vallon au pied du bois de Bomy et vient baigner le parc du château. Celui-ci a été élevé au milieu du XVIIIe siècle. La façade principale en pierre présente un avant-corps central, en saillie, décoré de pilastres et surmonté d'un fronton triangulaire. Deux ailes en retour se rattachent au corps de bâtiment par des pans concaves. Ce mouvement arrondi est prolongé dans les ailes basses par des colonnades qui relient deux pavillons. Dans le parc subsiste une motte entourée d'eau où fut bâti le premier château, au XIIIe siècle.

Une rue bordée d'arbres conduit à la place du village. A l'extrémité est s'élève la mairie du XIXe siècle, dont la façade regarde la Rotonde des Tilleuls, à l'opposé. Selon la tradition locale, cette rotonde de tilleuls aurait été constituée à la fin du XVIIe siècle. La place rectangulaire est bordée de chaque côté par une rangée de tilleuls taillés. Sur le côté sud, l'église est construite sur une butte ; sa tour gothique date de la fin du XVIe siècle. Entre la place et la rivière, le village montre un habitat traditionnel de maisons artésiennes et de fermes à cour fermée.

Bourmont
Haute-Marne

42,5 km N.-E. de Chaumont

Barrès disait de la route des « faubourgs de France », à Bourmont, qu'elle « descend vers la Meuse comme un torrent ». Sa double haie de maisons basses est déjà bien lorraine, mais pour qui la remonte, tout change en ville haute. Les grands hôtels de pierre blanche, avec leurs hautes fenêtres, leurs porches imposants, leurs ferronneries ouvragées, ont un caractère urbain et aristocratique. Ils s'accrochent hardiment sur un relief de plus de 300 mètres, en ménageant jardinets et terrasses ombragées, appuyés sur l'ancien rempart et dominant un vaste paysage, soigné comme un parc. Plantée sur le sommet, l'église Saint-Florentin s'adosse à une crête plantée de tilleuls vénérables qui lui font comme une longue chevelure se perdant dans les bois. Sa façade distinguée contemple avec perplexité le mince filet d'eau qui serpente au fond d'une immense vallée. Cette « petite endormeuse », qui sollicite tous les ruisselets alentour, c'est déjà la Meuse.

Non loin de celle de Bourmont, la butte de la Mothe portait déjà au XIIIe siècle un château lorsque le comte de Bar y implanta une ville dominant la vallée du Mouzon. Cette cité lorraine fut rasée au XVIIe siècle sur ordre de Richelieu. Aujourd'hui, une route fait le tour des remparts. Parmi les ruines, on peut voir la porte de France, le bastion Saint-Nicolas, la collégiale. Comme les habitants eurent le droit dérisoire d'en emporter les matériaux, Bourmont et Outremécourt ont des maisons ainsi reconstruites. A Outremécourt, au pied même du mont, l'église de la Mothe, transportée pierre par pierre, avec son mobilier, offre un dernier reflet de la ville morte. Et l'inscription sur l'église nous dit :

> « La Mothe jadis construite de mes pierres.
> Tirée de son sépulcre cette fameuse Mothe
> Gît ici aujourd'hui tout entière. »

Buzancy
Ardennes

37,5 km S. de Sedan

La belle pierre dorée des Ardennes prête aux constructions de Buzancy la chaleur d'un soleil qui s'attarde.

Bien plantée sur une petite butte, l'église a toute la rigueur et l'élégance de la fin du XIIIe siècle. Nobles et bien construites, les maisons du bourg (XVIIe-XVIIIe siècle) gardent le reflet du temps du travail bien fait et du plaisir de vivre, qui fut celui où l'on bâtissait les châteaux. Conscientes de leur rôle d'architecture d'accompagnement, comparable à celui de l'orchestre auprès du soliste, elles évoquent aussi l'aimable sagesse et le charme tranquille d'une civilisation bourgeoise.

Malheureusement, on ne peut plus qu'imaginer la splendeur des châteaux. De celui de la Cour des ducs de Lorraine, et de ceux qui lui ont succédé, ne reste guère qu'une entrée monumentale gardée par deux gros lions coléreux, œuvre de Coysevox. Il reste un peu plus de l'autre, que l'on nommait le Versailles ardennais. J.-M. Augeard, fermier général, secrétaire des commandements de Marie-Antoinette, ayant acheté le marquisat de Buzancy, fit appel à Belanger, l'architecte de Bagatelle, pour construire une demeure de quatre-vingts pièces. Au jardin à la française succédaient un grand parc, orné de statues innombrables, et un grand canal, facilement alimenté dans un terroir où les sources sont nombreuses. Sans doute bien renseigné quant aux menaces qui pesaient sur la famille royale, Augeard proposa d'emmener la reine vêtue en paysanne, et son fils en fillette, jusqu'en sa terre de Buzancy, et de là à la frontière. La reine refusa, et l'on rêve à cette occasion perdue qui nous eût peut-être épargné les guerres européennes de la Révolution et de l'Empire... Augeard émigra en 1790, et, en 1805, son beau château disparaissait dans un immense incendie. Nous sont restés deux superbes communs en hémicycle, voûtés d'arête et ornés de bustes d'animaux, le parc et le grand canal. Il faudrait encourager le club hippique dans son souci de rendre ce précieux monument à sa vocation initiale.

Ceffonds
Haute-Marne

31 km N. de Bar-sur-Aube

La guerre est passée dans cette région, brûlant la cité jumelle de Ceffonds, Montier-en-Der, dont il reste l'abbatiale du XIe siècle et son chœur du XIIe-XIIIe siècle. Ceffonds a eu la chance de conserver ses maisons à longs pans de bois et toits à faible pente, couverts de tuiles rondes, qui ressemblent aux maisons des Landes. L'église a gardé son beau clocher roman. Il s'accorde heureusement avec les agrandissements de l'époque flamboyante, comme si, inspirés par la belle pierre couleur de champagne ou par l'atmosphère qu'il inspire, les sculpteurs d'époques différentes avaient travaillé dans le même esprit. Elle s'orne de vitraux dus aux célèbres ateliers troyens. Un grand saint Christophe peint sur le mur au XVIe siècle, selon une coutume germanique rapportée par quelque voyageur, vous incite à visiter d'autres villages où coulent de charmantes rivières, entre l'étang de la Horre et le lac du Der.

Chaource
Aube

29 km S. de Troyes

Pour le gastronome, Chaource évoque un savoureux fromage, pour l'amateur d'art, c'est le fameux sépulcre. Deux raisons pour se rendre à Chaource. Allons-y en traversant la poétique forêt de la Belle-Étoile. Bien qu'endommagé par la guerre, le village possède des maisons anciennes (XVe siècle), dont le bel ensemble des Allours, maisons à passage couvert, et l'hôtel de ville. L'église du XIIe siècle, agrandie au XVIe siècle, abrite une fort belle collection de statues. Le sépulcre polychrome, de l'école troyenne, comme la belle crèche en bois doré du début du XVIIe siècle, avaient mission de ranimer une foi faiblissante que menaçait le trop aimable paganisme de la Renaissance.

Châteauvillain
Haute-Marne

21 km S.-O. de Chaumont

Ce nom évoque un affreux château hanté, mais vous ne verrez de donjon que sur la couverture d'un livre consacré à cette cité. Vous découvrirez pourtant les restes de la place forte, la belle tour de l'Auditoire, carrée, la tour Cardinal, la porte Madame, la seule qui soit demeurée intacte. Des murailles, il reste beaucoup de vestiges, souvent cachés par des constructions parasites.

Du superbe château construit en 1627 par le maréchal de Vitry il ne reste rien. Ce qui domine ici à présent, c'est le classicisme du XVIIIe siècle. Ce n'est pas inattendu, car les seigneurs voulaient apporter dans leur province le caractère noble auquel les habituaient les cours, la cour de France ou celle, plus proche, où résidait le roi Stanislas. C'est à la munificence du duc de Penthièvre que l'on doit l'église. Construite de 1770 à 1784 par Soufflot, elle remplace un édifice du XIVe siècle, dont il ne reste que le clocher. L'hôtel de ville qui lui fait face est dû à l'architecte parisien Lancret. Les grands édifices sont

Les rues de Chavanges ont gardé leur caractère rural et leurs alignements de maisons à pans de bois. Car le bois a constitué la base des traditions architecturales de la Champagne humide. Les plus anciens murs, robustes et décoratifs, sont hourdés de torchis.

accompagnés de maisons en pierre, sobres mais belles, et les vieux quartiers, comme celui des Bordes, vous enchanteront, avec les vestiges d'un couvent et de son église, la prévôté, le mail. Et partout, les bornes de pierre rappellent le temps des équipages. Aux portes de Châteauvillain, Marmesse, dans un saisissant contraste, offre un raccourci de l'histoire de la métallurgie haut-marnaise. Il y eut, dès le XIIIᵉ siècle dans ce village, des moulins à fer, et des hauts fourneaux dès le XVIᵉ siècle.

A 11 kilomètres à l'ouest de Châteauvillain, à Dinteville, un prestigieux château est toujours debout. Sa particularité est d'avoir deux visages, l'un du XVIᵉ siècle, encore très féodal, l'autre du XVIIIᵉ siècle, élégant et mondain, ouvert sur les jardins. L'ensemble de cette région est très attachant, avec les beaux paysages engendrés par les caprices de l'Aujon.

Chavanges
Aube

38 km N.-O. de Bar-sur-Aube

Au sud-ouest du lac du Der, Chavanges est une commune étendue, dont le territoire évoque le plat pays flamand, et le ciel y semble plus vaste qu'ailleurs. Mais, à ses cultures céréalières, elle ajoute quelques vignes. Elle a réservé sa plus haute butte à son église, un édifice important quoique disparate construit du XIIᵉ au XVIᵉ siècle, où l'on découvre l'histoire de l'architecture : un portail de pierre en plein

cintre du XIIᵉ siècle jouxte un porche en bois, soutenu par d'élégantes colonnettes tournées du XVIᵉ siècle ; au XVᵉ siècle, à l'intérieur, on a doublé le transept. Un grand vitrail du XVIᵉ siècle, d'une rare intensité, représente l'Apocalypse, en dominante de grisaille sur fond bleu. Autour de l'église, un vieux cimetière charmant, planté de sapins. On y voit une croix de pierre du XVᵉ siècle et quelques tombes romantiques en ferronnerie. De là, on a une belle vue sur un ensemble de maisons à colombage, sans doute un ancien manoir, remanié au début du XIXᵉ siècle, ce dont témoigne une belle imposte découpée en forme de lyre. L'architecture de Chavanges n'est pas exclusivement à colombage. Son église est en pierre, ainsi que quelques maisons du XVIIIᵉ siècle dont les portes cochères sont soulignées d'arcs en tuileaux. Mais comme la pierre n'est pas abondante, elle est réservée au logis, les bâtiments de ferme étant, comme au Moyen Age, à colombage.

Le bourg est soigné et fleuri. Sa halle, qui existe depuis 1500, refaite en 1860, demeure très animée.

Ervy-le-Châtel
Aube

38,5 km S.-O. de Troyes

Édifié sur l'un des derniers contreforts de la forêt d'Othe, Ervy a conservé la structure ronde que lui imposaient ses fortifications, démantelées par le duc de Bourgogne en 1433, restaurées à la fin du même siècle. Il en subsiste la porte Saint-Nicolas, flanquée de tours, et des parties aménagées en terrasses d'où l'on a une belle vue sur la vallée de l'Armance. On voit nettement le plan de l'agglomération, aux maisons bien rangées en arc de cercle. Elles sont couvertes de tuiles produites localement. On comptait 97 tuileries dans la région en 1840. Les maisons sont anciennes et plusieurs sont importantes, comme la mairie, ancien hôtel des Baillot du XVIIIᵉ siècle ; la maison de retraite occupe un charmant hôtel, clos d'une délicate grille du XVIIIᵉ siècle. L'église Saint-Pierre-ès-Liens (XVᵉ-XVIIIᵉ siècle) est fort belle et offre une suite de vitraux très homogène, exécutés entre 1500 et 1556. Le plus célèbre représente les Sibylles. Les sculptures montrent des influences champenoises et bourguignonnes. Le XIXᵉ siècle a laissé à Ervy un très intéressant bâtiment, l'ancienne halle aux grains, dite le Paté, construction en rotonde, à trois niveaux, traitée en pans de bois de façon très ingénieuse.

Cette jolie petite cité, qui fut châtellenie et siège de prévôté sous les comtes de Champagne, fut le seul chef-lieu de district de l'Aube à n'être pas érigé en sous-préfecture en l'an VII. Éloignée des grands centres et des grandes voies, elle a conservé tout son charme.

Esnes
Nord

11,5 km S.-E. de Cambrai

Au milieu des plaines céréalières du Cambrésis, un petit affluent de l'Escaut, pompeusement appelé torrent d'Esnes et ravin d'Haucourt, rompt la monotonie du paysage d'openfield. Niché dans une boucle de la vallée, le village d'Esnes s'étend sur les deux versants. Le site était occupé dès l'Antiquité. On peut voir sous un abri proche de l'église deux tombes mérovingiennes en calcaire tendre, grossièrement taillées. Construite dans le même matériau, l'église Saint-Pierre domine le village du haut de sa butte. L'édifice, qui date pour l'essentiel du XVIIᵉ siècle, abrite le tombeau des seigneurs d'Esnes. A l'ouest, on découvre en contrebas l'ancien château féodal aujourd'hui transformé en ferme. L'ensemble, qui dessine un polygone, est implanté sur la rive droite de la rivière utilisée autrefois pour alimenter en eau les douves du château. Malgré les remaniements successifs, celui-ci conserve son aspect féodal, avec ses deux grosses tours rondes du XVᵉ siècle qui encadrent une porte du XVIIᵉ siècle couronnée d'un fronton baroque. Sur la cour, les façades des bâtiments sont soulignées par une alternance de brique et de pierre. A l'angle nord-est se dresse une puissante tour du XIVᵉ siècle dans laquelle se trouve à demi engagée une tourelle qui servait de guette. A l'extérieur subsiste une ancienne grange aux murs de brique et de pierre épaulés par de puissants contreforts. Sur la hauteur face à la place de l'église, les bâtiments de la ferme de « l'arbre vert » se referment sur une cour intérieure où s'élève un beau pigeonnier. Une promenade dans le village, autour du château, permet de découvrir ici et là des spécimens de maisons cambrésiennes.

Derrière le château, les constructions présentent systématiquement leur pignon sur la rue. Ces pignons triangulaires s'individualisent par la disposition des briques dans un appareil en épi ou par le percement de baies et d'oculus.

En quittant Esnes par l'ouest, on rejoint les rues des Vignes et la vallée du haut Escaut. Le site vallonné est marqué par l'implantation de l'abbaye cistercienne Notre-Dame de Vaucelles fondée par saint Bernard au XIIᵉ siècle.

Passé le pont de pierre qui franchit l'Armance s'ouvre la porte Saint-Nicolas, élément fortifié subsistant de l'enceinte d'Ervy-le-Châtel.

Esquelbecq
Nord

24 km N.-E. de Saint-Omer

Au sud de la place forte de Bergues, Esquelbecq est un village flamand implanté sur les berges de l'Yser. La rivière a été utilisée pour aménager un site défensif entouré de douves, sur lequel fut édifié le premier château fort. Sur la rive droite de la rivière, à proximité immédiate du château, le tir à l'arc se pratique dans une grande pâture abritée par un triple alignement de chênes. La société locale Saint-Sébastien a conservé la tradition des confréries d'archers, très répandues en Flandre au Moyen Age. Les jours de fête, le tir à la perche se pratique sur des cibles : les « oiseaux », qui garnissent une grille fixée au sommet d'un mât haut d'une trentaine de mètres. Le « papegai », ou « coq », est la cible d'honneur fixée au sommet, celui qui l'abat est le « roi » et pourra porter le papegai en collier.

Le château a été reconstruit au début du XVIIe siècle sur des bases médiévales. L'édifice réalisé en brique rose et brique de « sable » jaune comprend un ensemble de bâtiments, sur plan rectangulaire ponctué de tours, entourés de douves et disposés autour

Le village de Fressin vu d'un versant de la vallée de la Planquette. L'église, d'une taille imposante, témoigne de l'importance de la bourgade au temps des sires de Créquy.

d'une cour centrale. A l'intérieur de la cour s'élève une haute tourelle hexagonale qui servait de guette. Au-delà des douves le château est entouré par un parc ; dans l'avant-cour s'élèvent un colombier hexagonal coiffé d'un bulbe et les dépendances. Sur le côté, un jardin à la française se voit à travers la grille qui borde la Grand-Place. A l'autre extrémité de la place, l'église Saint-Folquin est une hallekerque flamande du XVIe siècle. Les maçonneries extérieures présentent une remarquable disposition décorative bicolore formant un dessin réticulé.

Parmi les maisons qui bordent la place, on remarque l'auberge du Château, qui est l'ancienne maison commune de 1617. Son pignon à degrés est orné de motifs en briques jaunes. Dans la rue de Bergues, la maison du Chevalier de Guernonval, du XVIIIe siècle, est ornée d'un décor Louis XV.

Fressin

Pas-de-Calais

27 km O. de Montreuil

Du haut de la côte d'un versant de la vallée de la Planquette, Bernanos regarde Fressin : « Dans ce pays de bois et de pâturages coupés de haies vives, plantés de pommiers, je ne trouverais pas un autre observatoire d'où le village m'apparaisse tout entier, comme ramassé dans le creux de la main. » Ce pays du haut Artois où Bernanos vécut dans sa jeunesse lui a fourni le décor de la plupart de ses romans. Au centre du bourg, l'église Saint-Martin, décrite dans son premier roman, *Sous le soleil de Satan*, est un bel édifice de style gothique flamboyant coiffé à la croisée du transept d'un petit clocher et couvert d'ardoise. Le chœur, qui abrite la chapelle seigneuriale des Créquy, date du XVe siècle ; la construction de la nef a été achevée au XVIe. Sur la droite de l'église, on remarque une ancienne brasserie du XIXe siècle. En remontant le chemin derrière l'église, on peut voir à l'angle de la rue de l'Avocat une ferme de 1772. Le logis à un étage est au fond d'une cour entourée de constructions annexes qui s'ouvre sur la rue par un grand passage charretier. En parcourant la rue principale du village, on remarquera quelques belles demeures et constructions anciennes où se mélangent les influences urbaines et rurales. La « vieille chère maison dans les arbres » où vécut Bernanos a été incendiée en 1940. Il demeure la grille de clôture du jardin. Sur le côté subsistent les communs et au centre de la cour un beau pigeonnier hexagonal construit en lits alternés de brique et de pierre blanche.

A la sortie ouest du village se dressent les ruines du château médiéval des seigneurs de Créquy, à l'orée d'un grand bois de hêtres. L'ancienne forteresse, élevée au début du XVe siècle, possédait une puissante enceinte de forme rectangulaire renforcée par huit tours. Le site fortifié forme un éperon isolé du coteau par de profonds fossés.

Gerberoy

Oise

23 km N.-O. de Beauvais

Perché au sommet d'une butte de terre, Gerberoy est aujourd'hui un paisible village du pays de Bray. Mais tout au long de l'histoire, cette petite cité fortifiée, à la frontière de l'Ile-de-France et de la Nor-

Cette porte voûtée appartenait à la tour carrée commandant l'enceinte du château de Gerberoy. Elle ouvre sur la collégiale construite au XVIe s. à proximité des ruines de la forteresse.

mandie, fut objet de convoitise. Guillaume le Conquérant, Jean sans Peur, les bourguignons pendant la guerre de Cent Ans et les ligueurs l'assiégèrent, la pillèrent, l'incendièrent. Enfin une épidémie de peste et un gigantesque incendie, à la fin du XVIᵉ siècle, la firent tomber dans l'oubli. Ce n'est qu'à la fin du siècle dernier qu'un peintre, Henri Le Sidaner, découvrit ce village à moitié en ruine. Séduit par le charme du paysage et des remparts moussus, il s'y établit. A sa suite, de nombreux artistes et écrivains s'y installèrent et furent les artisans de sa renaissance.

Les maisons enserrées dans les remparts se pressent autour de la modeste collégiale Saint-Pierre, construite au XVIᵉ siècle. La plupart sont à pans de bois garnis de torchis. Mais la brique, caractéristique du Beauvaisis tout proche, n'est pas absente des bâtiments les plus importants.

On peut faire le tour du village en empruntant une belle promenade ombragée aménagée sur l'emplacement des anciens remparts. Parmi les curiosités, encastrée dans le porche de brique d'une maison de la Grande-Rue, une énigmatique tête de pierre. Quelques dizaines de mètres plus loin, place Delchet, l'ancien puits communal, entièrement restauré, atteint une profondeur de 65 mètres. La maison la plus importante se trouve un peu à l'écart des autres et domine les remparts vers l'est. C'est celle qui recueillit Henri IV blessé en 1592 pendant la bataille d'Aumale. Le charme de Gerberoy tient à ses vieilles maisons médiévales, à ses rues pavées, à ses façades croulant de fleurs dès le début du printemps et au soin méticuleux avec lequel ses maisons ont été restaurées.

Le village compte encore quelques agriculteurs. Mais la plupart des maisons sont des résidences secondaires habitées par de nombreux hommes de lettres, par des peintres, ou encore par des avocats.

Gomont
Ardennes

18 km O. de Rethel

Gomont est un petit village, mais très caractéristique de l'architecture du Porcien, dont les guerres successives nous ont laissé trop peu de témoignages. Dans cette région, la construction impose toute la noblesse de la pierre appareillée, et les fermes ont des allures de châteaux. Les belles vues que, de Gomont, l'on a sur les capricieux méandres de l'Aisne nous laissent penser que cette rivière, qui s'en va ensuite traverser Champagne et Ile-de-France, a déjà trouvé ici sa vocation et ses préférences. A Gomont, la rue qui conduit à l'église est bordée de portails monumentaux, ornés de délicates ferronneries. La façade de la maison du Seigneur est très simple, mais la flèche du clocher est un joli travail de couverture en ardoise. A l'intérieur, les chapiteaux Renaissance et les boiseries du chœur, datées de 1761, sont de qualité. La mairie et l'école sont installées dans les restes de l'ancien château.

En dépit des malheurs de l'histoire, bien des choses restent à découvrir dans les environs immédiats : ainsi la petite église de Balham, avec un vitrail du XVIᵉ siècle et le beau porche en charpente de son cimetière. A Asfeld, l'église qui s'écroulait fut remplacée au XVIIᵉ siècle par un monument aussi vaste qu'extravagant, en brique, avec coupole, campanile et colonnades. Œuvre de François Romain et d'un « maçon » local, Fleury, c'est une création des plus originales, qui ne plut guère aux villageois. S'ils détruisirent, à la Révolution, le château du XVIIIᵉ siècle, dont ne demeurent que des communs, ils sont fiers maintenant du curieux nom d'Asfeld comme de leur église baroque, absolument unique.

*Une grosse ferme à Gomont. Le portail donne dans la rue et ouvre
sur une cour bordée par le bâtiment principal. Cette architecture de
pierre, du XVIIIe s., est inspirée des édifices classiques.*

Hargnies
Ardennes

35 km N. de Charleville-Mézières

Sur la route de Monthermé à Hargnies (D 989), une
petite route forestière, à droite, conduit à La Neu-
ville-aux-Haies, quelques maisons de schiste perdues à la lisière des fagnes et de la forêt où s'est
installé le Centre d'initiation à la nature. La grande
route retrouvée conduit par une longue saignée de
10 kilomètres dans les épicéas vers le village d'Hargnies. C'est l'Ardenne des « Hauts », la plus mystérieuse, peut-être la plus vraie.
Hargnies, c'est d'abord une immense place herbue,
plantée de très grands marronniers ; c'était le lieu
de rassemblement de la « hard », le troupeau
communal. Serrées autour, les maisons régulières et
austères sont encore parfois entièrement de schiste
violet.
Les rues aimablement fleuries se jouent des déclivi-
tés du terrain ; la rigole centrale, parfois cimentée,
demeure. Des murs irréguliers, dans les ruelles, séparent les jardins, les toits d'ardoise dégringolent
doucement, changeant sous la lumière. L'église au
clocher carré a un porche de bois, et un bouleau est
accroché à ses pierres.
On se laisse prendre à l'atmosphère de ce village ;
c'est le bastion des derniers froids ardennais, des
derniers tendeurs de grives, et le silence y est riche
en légendes. C'est peut-être dans la douceur des
gris brumeux, quand les moutons paissent sur la
grande place, qu'Hargnies s'offre le mieux dans sa
gravité et sa douceur mêlées.

Hautvillers
Marne

6 km N. d'Épernay

Dominant un peu la route du Champagne, qui serpente sur la riche mosaïque des vignes, c'est déjà la
Montagne de Reims. Hautvillers est comme un balcon, d'où l'on découvre le long déroulement des
méandres de la Marne. Entouré de petits vergers, le
village ondule au gré des courbes naturelles. Parmi
les plantes cultivées avec amour, l'architecture de
moellons enduits et soulignée de brique s'enjolive
de lucarnes, de clochetons, et d'une profusion d'enseignes pétillantes, en fer forgé découpé, enluminé,
dues surtout au ferronnier Babé, de Cramant. Sur la
place, près du café, une belle maison de pierre, à
perron, du XVIIIe siècle garde une allure patricienne.
Mais on est attiré vers le bout de la rue par le haut
clocher roman, coiffé d'une toiture à bulbe, de l'ancienne abbaye. Célèbre pour la qualité de ses ma-
nuscrits dès l'époque carolingienne, elle fut illus-
trée, d'une tout autre façon, au XVIIe siècle par son
cellérier, dom Pérignon et son compère dom Rui-
nart, non en « inventant » la mousse du champagne, mais en régularisant la disposition naturelle
d'un vin fort capricieux. On peut voir, sur rendez-
vous, l'abbatiale, le cloître, un petit musée du vin, et
une partie des caves, anciennes carrières atteignant
38 mètres de profondeur.

Landreville
Aube

32,5 km S.-O. de Bar-sur-Aube

Sur l'épaule de la vallée de l'Ource se sont installées
les maisons aux teintes douces, coiffées de brun,
ponctuées de grands portails du village de Landreville. Prenant la pente en écharpe, la rue principale
conduit jusqu'à l'église, où un grand Christ pâle se
détache sur l'ombre d'un auvent. Construite au
XIIe siècle, reprise au XVIe, l'église conserve une peinture murale de 1519 et un retable de Bouchardon.
L'ancien cimetière, planté d'arbres, domine un vaste
panorama. Il y eut, au XVIIe siècle, un temple protestant. On a aussi élevé une chapelle à sainte Beline
sur l'emplacement de la maison où elle fut assassi-
née par un seigneur de Landreville, dont elle re-
poussait les avances.
Si Landreville eut sa sainte, le village voisin d'Essoye eut ses célébrités : Olympe Hériot, fondateur
des Magasins du Louvre, mais surtout Auguste Renoir. On peut encore voir sa maison et son atelier.
Bien que ravagé par un incendie en 1763, Essoye
possède quelques maisons anciennes. Des toitures
en tuiles vernissées annoncent déjà la Bourgogne,
et des girouettes et épis de faîtage égaient leur silhouette. Mais il faut encore aller goûter le site des
Riceys, et son vin rosé de grande réputation...

Lentilles
Aube

39 km N.-O. de Bar-sur-Aube

La région du Der a le rare privilège d'être demeurée
un véritable conservatoire d'architecture traditionnelle. Au centre des villages presque toujours marqué par l'église à pans de bois, les maisons s'alignent en continu. En allant vers la campagne, elles
tendent à se séparer, puis à s'isoler, à la manière
bocagère. Leur construction diffère de celle d'autres
régions à pans de bois par la grande longueur des
colombages et des écharpes qui les raidissent, la faible hauteur des soubassements et les toits débordants, couverts de tuiles canal. Il s'agit là de la per-
sistance d'une habitude gallo-romaine. En
Champagne de l'Est, le torchis est très souvent enduit à la craie, et parfois protégé par des écailles de
châtaignier, « bardeaux » ou « tavillons », ou, plus
récemment, d'ardoises. Toutes les églises de bois
de la région se ressemblent, avec pourtant des originalités.
A Lentilles, passé l'épaisse haie traditionnelle qui
entoure le cimetière, apparaît le pignon revêtu de
bardeaux, que précède un porche en galerie, surmonté d'un saint Jacques, patron des pèlerins. Appuyée de deux bas-côtés, la nef se termine par une
abside à cinq pans, éclairée par deux étages de fenêtres. Celles du haut, circulaires (oculi), sont exceptionnelles. Elles mettent en valeur de grands
médaillons de vitrail du XVIe siècle qui illuminent le
chœur. Le colombage très soigné, comme celui des
maisons du bourg, utilise la croix de saint André,
disposée de diverses façons.
Entre Lentilles et Bailly-le-Franc, qui possède aussi
une ravissante église, une large étendue boisée entoure le lac de la Horre, favorable à la pêche, au ca-
notage, au camping, comme à la pacifique découverte des paysages et des oiseaux aquatiques.

Liessies
Nord

24,5 km S.-E. de Maubeuge

L'histoire de Liessies est étroitement liée à celle de son abbaye. La légende raconte qu'à l'époque carolingienne, un certain Wibert, chassant le sanglier dans la forêt qui borde la vallée de l'Helpe, fut séduit par la beauté et l'isolement du site. Il choisit le lieu où tomba l'animal pour y fonder un monastère. De l'abbaye, détruite à la Révolution, subsistent quelques constructions annexes dispersées autour de l'église paroissiale, qui date du XVIe siècle. D'allure trapue, elle est coiffée d'un haut toit en bâtière, couvert d'ardoise et surmonté d'un petit clocher. La place engazonnée située à proximité formait la cour de l'abbaye. Sur la gauche se développe la longue façade ordonnancée des Grandes Dépendances de 1738. A l'extrémité de la place, le parc de l'ancienne abbaye est ouvert au public. Un circuit pédestre permet de découvrir, en bordure de l'Helpe, un paysage créé par les moines aux XVIIe et XVIIIe siècles, après d'importants travaux d'aménagement hydraulique. Le détournement de l'Helpe a permis de creuser au centre du parc un grand étang, l'étang des Apôtres, utilisé pour la pisciculture. Entre l'étang et la nouvelle Helpe, les marais ont été transformés en prai-

Le château de la Motte, à Liessies, se mire dans un étang créé au XVIIIe s. Les bâtiments, construits en brique et pierre bleue du pays, s'organisent autour d'une cour ouverte. Une tour carrée, coiffée d'une toiture à pans retroussés, domine l'ensemble.

ries de fauche et viviers, grâce à un système de drainage formé de petits canaux et de vannes en pierre. Au sud de l'église, les maisons qui s'alignent forment un village-rue. Les constructions anciennes, à un étage, présentent des façades de pierre et brique et des toitures d'ardoise. Au sud-ouest du village, trois étangs s'étagent entre des coteaux boisés. En bordure des étangs de la Motte, le « château » était une ferme dépendant de l'abbaye, reconvertie au XVIIIe siècle en maison de repos pour les moines.
A chacune des sorties du village, axées sur les quatre points cardinaux, on trouve une chapelle en pierre bleue ou « montjoie », érigée au début du XVIIIe siècle, en limite de propriété de l'ancienne abbaye. La vallée de l'Helpe, à la périphérie de Liessies, offre de nombreuses possibilités touristiques. La retenue du Val Joly forme un plan d'eau de 180 hectares, auprès duquel est implantée une base départementale de loisirs. Sur la rive gauche, les forêts domaniales de Bois-L'Abbé et de Trélon sont parcourues par des sentiers de randonnée.

Long
Somme

30,5 km N.-O. d'Amiens

Voici un village qui porte bien son nom. Il s'étire en effet tout en longueur à flanc de colline sur la rive droite de la Somme. Ses ruelles, bordées de maisons de brique rouge et de torchis pour les plus anciennes, dégringolent jusqu'aux rives marécageuses de la rivière. Plantée comme un signal au milieu du village, l'église Saint-Jean-Baptiste, de style néo-gothique, date du XIXe siècle. Son mobilier, bancs, stalles, chaire, étonne par la finesse de ses sculptures et de ses ciselures. De l'allée qui la longe et qui conduit au cimetière, on a une vue d'ensemble sur les toits d'ardoises et sur la vallée de la Somme qui s'étire en une multitude de petits plans d'eau.

En descendant de terrasses en escaliers, on arrive au château. Construit en 1733 au milieu d'un parc édifié sur les bords de la rivière, il se compose de trois pavillons du plus pur style Louis XV. Le parc et le bâtiment ont beaucoup souffert lors des deux guerres mondiales ; leur restauration est terminée. Mais le bâtiment le plus intéressant de Long est sans conteste l'ancienne usine hydroélectrique construite en 1902 à l'entrée des marais de Saint-Nicolas, au pied du village. Cette usine a fonctionné jusqu'en 1966, date à laquelle elle a été désaffectée. Quelques machines ont cependant été conservées. Cet ensemble d'architecture industrielle, aujourd'hui devenu rare en France, peut se visiter.

La plupart des habitants du village travaillent en ville, soit à Abbeville, soit à Amiens. Les quelques agriculteurs restant pratiquent la polyculture sur le plateau. Long attire de nombreux pêcheurs qui se retrouvent dans les marais de la Somme ou dans les étangs artificiels, qu'on appelle ici « che intailles », et qui résultent de l'exploitation de la tourbe au siècle dernier.

Longpont
Aisne

16 km S.-O. de Soissons

Au carrefour de cinq routes qui se croisent sous les premiers chênes de la forêt de Villers-Cotterêts, il y a Longpont. Ses maisons grises à toits de tuiles plates et moussues, ses murs de pierre derrière lesquels on devine de belles propriétés aux pelouses rases, aux rosiers soigneusement entretenus.

Ce village blotti au fond d'un vallon dans lequel coule un modeste ruisseau, la Savière, a pratiquement été rasé par les bombardements en 1918. Sa reconstruction a été effectuée avec beaucoup de soin et de goût. Passée l'ancienne porte fortifiée de l'abbaye cistercienne fondée en 1131, on arrive immédiatement sur la place du village. C'est là que s'élèvent les ruines de l'ancienne église abbatiale. On peut encore voir, miraculeusement épargnés par les guerres de 1918 et de 1940, la façade principale, le croisillon droit et la majeure partie de la nef. A droite de l'église, on trouve le château. C'est en réalité le cellier des bâtiments conventuels construits au XIIIe siècle, qui a été presque entièrement reconstruit depuis 1918. Depuis 1802, l'église paroissiale occupe une grande partie de ce bâtiment. On peut y admirer le maître-autel et surtout 53 médaillons en émail de Limoges du XIIIe siècle.

Longpont est un lieu de villégiature et le paradis des résidences secondaires. Les quelques agriculteurs de la commune pratiquent la polyculture : céréales, maïs et, depuis quelques années, colza. Certains élèvent des chevaux pour les randonneurs.

La mairie de Long fut construite en pierre et brique en 1869. Avant de franchir l'écluse, les péniches arrivant de l'amont sont préservées des courants de la Somme par la passerelle.

Longvillers
Pas-de-Calais

11 km N.-O. de Montreuil-sur-Mer

Longvillers est niché dans la vallée de la Dordonne, petit affluent de la Canche, dans le pays de Montreuil. Le croisement de deux routes, l'une suivant le cours de la vallée, l'autre la recoupant, forme le site du village. L'habitat s'est regroupé en contrebas du château, aujourd'hui en ruine.

Longvillers était une des places fortes du comté du Boulonnais. La forteresse, dont l'origine remonte au XIIe siècle, présentait deux enceintes : une enceinte principale, de forme carrée, flanquée de quatre tours rondes, et une enceinte extérieure, sur les faces nord, est et sud de la première. Le château médiéval, remanié au XVIe siècle, fut en partie démoli au XVIIIe pour être remplacé par un corps de logis inachevé à la Révolution. Ces ruines pittoresques dominant le village sont entourées de talus et d'alignements végétaux qui marquent le tracé des enceintes. Face à ces vestiges, une église du XVIe siècle dresse son clocher hexagonal. Les constructions villageoises anciennes sont longues et basses, parfois soulignées par un soubassement peint en noir. Les matériaux des façades – brique, pierre ou torchis – sont le plus souvent cachés sous un enduit peint. Des pierres de taille provenant des enceintes du château ont été remployées dans les maçonneries. Au sud du village, la ferme et le hameau de l'Abbaye signalent la présence d'une abbaye, détruite à la Révolution. Sur le plateau, la ferme de la Longueroye conserve une grange cistercienne.

Mareuil-sur-Ay
Marne

6,5 km E. d'Épernay

A l'est d'Épernay, entre une falaise creusée de caves coiffée par le vignoble et une vallée confuse partagée entre la Marne et son canal, le village s'épanouit autour de son beau clocher roman. Sur les rues étroites s'ouvrent quelques fenêtres, parfois un œil-de-bœuf, mais surtout la traditionnelle porte charretière. Elle donne sur la cour, qui est le cœur de toute maison vigneronne. Là, le logis prend largement la lumière, et s'ouvrent les grandes portes des chais. Le château qui s'élève au centre de la cité est une gracieuse demeure du XVIIIe siècle, en brique et pierre. Sa façade sur jardin domine les eaux calmes et les taillis. Sur le mail qui longe le quai plane l'ombre d'André Chénier et celle de la fille du châtelain, savourant la douceur d'une promenade sentimentale. A la même époque vivait au château proche et homonyme de Mareuil-en-Brie la belle Aimée de Coigny. Chénier l'a-t-il connue avant de la retrouver en prison et de lui dédier *la Jeune Captive* ?

A 3 kilomètres de Mareuil, c'est Ay, où Henri IV possédait un pressoir et où, déjà, François Ier et Henri VIII d'Angleterre étaient tombés d'accord, au moins sur la qualité du vin. Au nord, vers la Montagne de Reims, c'est le Val d'Or, avec Avenay et ce qu'il reste du château de Louvois. Au nord-est, une zone très particulière produit les vins rouges de Bouzy, et il faut s'arrêter à Ambonnay, qui possède une église du XIIIe siècle, une étrange croix Renaissance sculptée avec fougue de sujets macabres, des restes de rempart, un pressoir et de belles fermes vineuses.

Montmort-Lucy
Marne

18 km S.-O. d'Épernay

Au sortir de Mareuil-en-Brie, la D 18 n'est qu'une allée vers un château de légende qui se silhouette sur le ciel comme sur la page d'un livre. La fine découpe de ses toitures, qui enchanta Victor Hugo, se précise bientôt, tandis que sa masse de brique prend toute son ampleur. Accroché au rebord d'une falaise qui dévie le cours du chantant Surmelin, ce chef-d'œuvre de fantaisie, reconstruit à la fin du XVIe siècle, est aussi une prouesse architecturale. Dans une tour, une rampe hélicoïdale, enveloppant un escalier en colimaçon, permet d'atteindre à cheval la terrasse supérieure. Il faut voir les vastes cuisines de 1577, la salle des gardes et sa cheminée attribuée à Jean Goujon, le cabinet de Sully, qui en fut propriétaire. On peut y évoquer aussi cet autre sire de Montmort, mathématicien, auteur d'un curieux *Essai d'analyse sur les jeux de hasard.*

Un peu dissimulée au-delà du château, l'église forme, avec son porche en appentis, ses lumineux vitraux, son petit cimetière et quelques maisons anciennes, un ensemble d'un grand charme. Les grandes façades couleur de sable des maisons du bourg, soulignées de briques, avec leurs porches en anse de panier ancrés sur la clef, leurs volets blancs, leurs toits bruns, sont caractéristiques de cette partie de la Champagne. Rivières à truites et écrevisses, étangs calmes et poissonneux, forêts profondes et giboyeuses, paysages variés et mets délicats en sont les principaux attraits.

Montsaugeon
Haute-Marne

24,5 km S. de Langres

Tout entière bâtie sur une haute colline isolée et que couronnait un château fort, la petite cité a fait l'objet d'une restauration exemplaire. La municipalité et toute la population se sont rassemblées pour sauver leur patrimoine commun. Les propriétaires ont bénéficié de diverses formes d'aide. Et, s'ils voulaient y participer eux-mêmes, ils étaient guidés par des tailleurs de pierre professionnels. Les bâtiments en mauvais état ont été rachetés, équipés et mis à la disposition des budgets modestes. Ainsi, la ville basse, fort dégradée, a-t-elle pu retrouver toute la fraîcheur de ses superbes pierres, quelques toitures en lauzes, et toute l'unité de ses jours heureux. Ainsi, une placette, enchâssée dans ses façades grises, beiges, roses, et percées de fenêtres à meneaux, offre-t-elle maintenant, à l'ombre amicale de son arbre replanté, le décor même du plaisir de vivre. Une rue étroite, bordée de maisons blondes aux larges entrées en plein cintre, passant par une porte fortifiée, monte vers l'église romane. La pureté presque toscane de son pignon et de son clocher nus, son cimetière qui a su conserver ses tombes anciennes, les vastes panoramas que les grands arbres encadrent comme des tableaux précieux, et cette qualité de silence propre aux points élevés, forment un site d'une infinie poésie. On retrouvera en descendant les bruits sympathiques des métiers du bâtiment, et l'on s'arrêtera devant l'élégante façade de l'ancienne maison de campagne des évêques de Langres.

Le village d'Oger semble posé sur le vaste tapis de ses vignes et de ses champs dont les teintes changeantes marquent les saisons. Ici, c'est la vigne qui rythme la vie quotidienne.

Néry
Oise

18 km N.-E. de Senlis

A l'écart des grandes voies de communication, Néry, à moins de 10 kilomètres de la lisière sud de la forêt de Compiègne, est un gros bourg agricole planté au milieu des immenses champs du plateau du Valois.

Les maisons sont pour la plupart des bâtiments agricoles construits en pierre grise et ordonnés sur des cours fermées. Beaucoup ont été transformés en résidences secondaires. A l'est du village, en bordure des premiers champs, à l'ombre d'un petit bois, se trouve l'église, dont l'originalité tient à son clocher roman surmonté d'une flèche datant du XVIe siècle. Ce village de dimensions modestes est traversé par de nombreuses petites ruelles reliant entre elles les deux rues parallèles qui le coupent dans un axe nord-sud.

Ici, c'est le règne de l'agriculture intensive. Les premiers champs empiètent même parfois sur les jardins potagers qui entourent les maisons. On cultive évidemment toutes sortes de céréales, mais aussi le tournesol et le colza.

Noordpeene
Nord

16 km N.-E. de Saint-Omer

Au pied des premières ondulations qui s'élèvent progressivement vers le mont Cassel, Noordpeene doit son nom à un petit affluent de l'Yser, la Peene-Becque, qui contourne une colline basse appelée le Tom. Le 11 avril 1677, ces lieux étaient au cœur de la bataille dite de Cassel, au cours de laquelle Phi-lippe d'Orléans, frère de Louis XIV, mit en déroute les troupes du prince Guillaume d'Orange. A l'issue de la bataille, cette partie de la Flandre allait devenir française.

Le village de Noordpeene forme une longue rue axée sur l'église. Sur un côté s'alignent les façades en brique de maisons basses du XIXe siècle. Les toitures présentent souvent un brisis. En vis-à-vis, la rue est bordée sur son côté droit par le parc boisé du château de la Tour. Par l'allée d'accès, on aperçoit à travers les frondaisons les douves qui entourent le château reconstruit au XVIIIe siècle, en remplacement d'un édifice plus ancien. Le corps de logis allongé est encadré par deux tourelles carrées coiffées de combles pointus terminés par des bulbes. A l'extrémité est du village, l'église reconstruite au XIXe siècle conserve une tour du XVIe surmontée d'une flèche ajourée. Les fonts baptismaux montrent une frise de facture romane, sculptée dans la pierre noire de Tournai, représentant Adam et Eve, une colombe, saint Denis et des animaux fabuleux. Autour de l'église se regroupent plusieurs maisons anciennes construites sur une motte entourée de fossés remplis d'eau. Le plus bel exemple de ce type est donné par une maison flamande construite entre deux murs-pignons. La façade peinte, datée par les fers d'ancrage (1743), est percée de fenêtres aux menuiseries à guillotine.

Vers l'est, un beau point de vue s'offre sur la campagne et la colline du Tom dans un encadrement végétal formé d'alignements de saules et de chênes.

Oger
Marne

12 km S.-E. d'Épernay

Comme bien d'autres villages vignerons de la célèbre côte des Blancs, Oger s'est installé sur une assez forte pente que couronne son beau clocher roman. Ses rues sinueuses obéissent plus au caprice des courbes de niveau qu'à un plan d'urbanisme systématique. Le vent s'y perd, et chaque tournant apporte une surprise, dont la moindre n'est pas un lavoir monumental. L'architecture est classique, bien

Outines s'ouvre sur de larges espaces de bois. Ses bâtiments agricoles comme ses maisons d'habitation en alignement continu ont adopté les hauts pans de bois sous les toits à faible pente.

champenoise, avec ses larges porches en anse de panier, bordés de brique, ouvrant sur des chais méticuleusement entretenus. Il n'y a pas, à Oger, d'« usine à champagne », mais d'authentiques vignerons soucieux de maintenir la qualité et l'originalité d'un produit exceptionnel, et qui est leur raison d'être.

Ohis
Aisne (voir pages 92-93)

Orbais
Marne

24 km S.-O. d'Épernay

Aux confins du plateau briard, les longs vallonnements de champs dorés viennent mourir sur les bosquets qui bordent la vallée du Surmelin. Sur une assez forte pente, Orbais offre, comme sur un présentoir, l'église abbatiale dont il est justement fier. Bâtie dans une belle pierre blonde, elle marque une étape dans la grande aventure de l'architecture gothique. Ses ressemblances avec le chœur de la cathédrale de Reims, dû justement à Jean d'Orbais, sont frappantes. Amputée d'une partie de sa nef, elle a gardé quelques anciens vitraux, certains en grisaille, d'autres d'une riche polychromie, des éléments de carrelages décorés et un ensemble de stalles de la fin du Moyen Age où s'exprime toute la

verve champenoise. Les rues calmes de la petite cité réservent bien des découvertes : derrière l'abbaye, un manoir du XVe siècle, clos de murs, et de vieilles maisons qui font bon ménage avec d'autres, plus récentes, chaînées de briques. Dans le centre, les vastes porches des maisons de commerce et des auberges d'autrefois montrent que l'activité du bourg est ancienne.

En quittant Orbais, on retrouve les étangs et les bois chers à Jean de La Fontaine et, si l'on veut lui rendre visite dans sa maison de Château-Thierry, il ne faut pas manquer de flâner dans la campagne, ni de visiter le château de Condé-en-Brie, tout proche, où les plus grands peintres du XVIIIe siècle ont laissé des traces de leur passage : Lancret, Servandoni et surtout Oudry, le peintre des chasses et des chiens de Louis XV, qui a composé là une suite de peintures de dimensions et de qualité exceptionnelles.

Outines
Marne

25,5 km S. de Vitry-le-François

Un bizarre découpage a partagé entre trois départements le petit « pays » du Der (du chêne), qui offrait un remarquable exemple d'unité : par son paysage, son architecture et ses traditions.

Le village d'Outines, que l'on nomme « la petite Alsace », a retrouvé grâce aux restaurations son authentique visage. Dans un site agricole très dégagé, les maisons sont rangées autour de l'église, qui est la plus grande de toute cette région du Der. Dans leur majorité, les habitations utilisent une armature en pans de bois dont la disposition fait preuve de l'invention des maîtres charpentiers. Le village compte peu d'habitations, mais il est aimable, avec

des jardins entretenus et des détails savoureux : l'enseigne de son petit café, les petits guerriers de métal qui surmontent les piliers d'une jolie grille... Un reportage photographique, affiché dans l'église, raconte l'extraordinaire aventure de sa restauration. En 1973, le clocher était reconstruit. En 1986, un concert fêta la fin des travaux, et la musique de Bach fit écho à l'œuvre des charpentiers.

Le lac du Der-Chantecoq, à 6 kilomètres du village, fut créé pour régulariser le cours de la Marne : couvrant 4 800 hectares, il a noyé une partie de la forêt et les trois villages de Chantecoq, Champaubert, et Nuisement. L'église de Champaubert est demeurée sur une presqu'île. Celle de Nuisement, remontée à Sainte-Marie-du-Lac, constitue, avec quelques maisons, une forge et un pigeonnier, un intéressant musée de plein air, qu'animent les fêtes folkloriques du Bocage champenois. La grange des Machelignots est consacrée à la civilisation traditionnelle du Der : architecture, mobilier, costume, artisanat. Le superbe plan d'eau du lac compte six plages, trois ports de plaisance, de vastes espaces pour le motonautisme et la planche à voile. La partie est, boisée, est favorable à la pêche.

Parfondeval
Aisne

26 km S.-E. d'Hirson

Est-ce un château, une église, un village ? C'est la question que le promeneur qui arrive à Parfondeval est en droit de se poser. En effet, du haut de sa colline qui s'élève à 250 mètres d'altitude au-dessus des rives de la Brune, le village semble tellement tassé sur lui-même qu'au premier regard on ne trouve aucune fissure ni aucune faille dans ses murs

A Parfondeval, l'église de brique s'est habillée pour la défense. Derrière l'enceinte formée par les maisons voisines et le porche qui commande son accès, deux tours rondes encadrent sa flèche.

de briques rouges. Il faut dire que la Thiérache, région-frontière prospère, attira les hordes de brigands et les armées de tous les pays en mal d'invasion. Ce fut le cas particulièrement pendant les luttes avec l'Espagne sous Louis XIII et Louis XIV. Les paysans construisirent pour se défendre des églises fortifiées qu'ils entourèrent de maisons trapues formant rempart. Parfondeval en est l'exemple le plus frappant. Pour accéder à l'église, qui, si l'on excepte le clocher, pointé haut vers le ciel, ressemble plus à une forteresse qu'à un édifice religieux, il faut passer sous un passage voûté aménagé dans le corps même d'une maison. On débouche alors sur une placette herbeuse occupée en grande partie par une mare boueuse dans laquelle barbotent les canards des fermes avoisinantes. Quelques rues en impasse aux noms évocateurs, telle la rue du Bourbier ou la rue du Culot, s'enfoncent entre les maisons. Certaines d'entre elles sont décorées sur leurs façades de losanges de briques vernissées. Quelques granges en torchis rompent la monotonie de l'ensemble.

Parfondeval a accueilli derrière ses murs une communauté de protestants chassés de Meaux après la révocation de l'édit de Nantes. Les catholiques les reçurent sans la moindre difficulté. Depuis, les deux communautés vivent en parfaite harmonie. La vie des habitants de Parfondeval est rythmée par les saisons. Ici, l'agriculture est reine. Pâturages, vergers de pommiers, champs de maïs ou d'escourgeon – c'est le nom de l'orge d'hiver – forment avec d'innombrables petits bois de feuillus un paysage harmonieux.

Dans la rue Jean-Richepin, on rencontre la prétendue maison de cet écrivain, qui naquit en réalité à Médéa, en Algérie. La demeure qui la jouxte (ci-dessus), à l'inverse des constructions du XVIIIe s. avoisinantes, est en pierre avec encadrements de fenêtres en brique.

OHIS

par Marc Blancpain

7,5 km O. d'Hirson

Les rivières de Thiérache, la Sambre qui tourne sur elle-même avant de partir vers les contrées du Nord et de l'Est, l'Oise qui, après avoir reçu les eaux vives des flancs de l'Ardenne, se dirige droite comme une lance vers Paris et le cœur de la France, sont l'enchantement de mon pays profond et chevelu. Elles furent aussi, hélas, sa malédiction car elles ont dessiné, depuis l'aube des temps, le chemin naturel et aisé des invasions ; l'Espagnol, puis l'Autrichien des Flandres, le Prussien, le Russe même, les soldats de l'Empereur allemand et ceux d'Adolf Hitler ont emprunté ce chemin... Aussi avons-nous fait de la plupart de nos églises des refuges fortifiés autour desquels se serrent frileusement nos humbles demeures de pisé et de brique ; de même avons-nous gardé nos haies vives et épaisses, la ceinture de nos bois et ces forêts secrètes qui, déjà, inspiraient la crainte aux légionnaires de César ; au long des siècles, nous sommes toujours allés de la guerre à la guerre et la paix ne fut jamais chez nous qu'un accident ! Nous connaissions, de temps à autre, des espaces de bonheur pacifique et qui faisaient songer à l'éclatante et brève splendeur de nos printemps fleuris et de nos étés de soleil. Pendant ces périodes – j'ai vécu l'une des plus radieuses au lendemain de 1918 –, nous connaissions, sur nos

routes où luisaient les silex, d'autres migrations que celles des soldats et je n'en ai jamais vu de plus fascinantes que celles des merligodiers... C'est ainsi que nous appelions ceux que, prosaïquement, on nomme ailleurs vanniers, ambulants, roulants, romanichels ou baraquots. Ils allaient vers Ohis et Origny, sur l'Oise haute, et, un peu plus tard, en revenaient ; en montant, les roulottes paraissaient bien légères ; au retour, les tiges souples et d'un jaune luisant de l'osier, serrées en fagots, pesaient sur les ressorts effondrés et les roues grêles.
Je les suivais, courant sur mes sabots, ou je les précédais, plus tard, sur ma bicyclette. Il m'arrivait souvent d'aller les attendre à l'entrée d'Ohis, sur le pont de la rivière d'Oise. Devant moi s'étendaient, de part et d'autre de la jeune rivière, sur des terres basses où fleurissaient l'iris et les assemblées d'épaisses renoncules, les têtes des saules nains que couvrait la chevelure souple et brillante des osiers qu'on s'apprêtait à couper. Mais vous ne verrez plus les têtes rondes des saules bas plantés dans l'herbe grasse : l'osier, aujourd'hui, vient de je ne sais quelles lointaines Hongreries ou Bougreries, et nos merligodiers ont cessé de tresser malles, paniers et fauteuils qu'ils vont acheter en usine !
Entrez dans Ohis : la rue Jean-Richepin et sa courbe ample et harmonieuse vous accueillent. La première jolie fille – non, ce n'est pas Miarka – que vous rencontrerez vous désignera du doigt la

Jean Richepin coula les jours heureux de sa jeunesse dans cette ferme du XIXᵉ s. Comme c'est souvent le cas en Thiérache, l'église cherche à se protéger ; ici, elle occupe une position stratégique sur une motte élevée. Elle fut souvent détruite et rebâtie.

maison natale de l'écrivain, une ferme assez opulente au portail largement ouvert et qui fait suite à un rang de maisonnettes fleuries ; en se retournant, elle vous désignera la longue et belle maison qu'on achève de rejointoyer et de repeindre et où Richepin, dira-t-elle, a passé sa jeunesse ; c'est sur le haut de la rue, à votre droite, au-delà d'une église étroite perchée sur une hauteur, et avant d'arriver à l'entrée d'une chapelle rustique, joliment restaurée, qui ferme le village à l'orée des prairies.

Vous irez par là, mais pour vous arrêter tout de suite devant la mairie ; cette vaste maison, noble, robuste et haute, date du XVIIIᵉ siècle et elle affiche bravement sa date de naissance, 1763, comme ce fut l'usage chez nous pendant plus de deux siècles, par les fers qui, sur sa façade, arriment les poutres du plafond. Elle a été bâtie « à la namuroise » : les briques montrent un teint clair et les encadrements des deux rangées de fenêtres et de la porte sont soulignés et soutenus par des blocs soigneusement taillés de granit bleu. Elle fait suite à un rang de maisons fort coquettes, moins fières qu'elle sans doute, mais qui datent elles aussi de ce XVIIIᵉ siècle.

Essayez maintenant de vous hisser jusqu'au grenier de l'église pour y voir, quasi à l'abandon, un beau mobilier ancien ; de chêne, car c'est le chêne qui, dans toute la Thiérache, de Rumigny dans les Ardennes jusqu'au Quesnoy dans le

Nord, fut toujours utilisé pour bâtir buffets, cabinets, crédences, armoires et coffres. Le noyer, le hêtre et le frêne servaient aux boisjoliers qui sculptaient des taques pour nos fonderies et aux « f'seux de bons dieux » qui peuplèrent nos églises de saints personnages. A l'entrée d'Ohis, après le pont et au coin de la rue Jean-Richepin, s'est installé, dans l'ancienne petite laiterie, un bronzier, véritable grand artiste, sûr de son art et d'un goût moderne qu'il affirme sans chercher l'épate : il poursuit une tradition séculaire ici. Il a été l'auteur d'un monument à Jean Richepin que vous trouverez en prenant cette fois à votre droite pour vous diriger vers Origny.

Devant vous, s'étendront bientôt, autour de fermes de bel aspect, les prairies généreuses et fleuries de boutons-d'or d'une contrée qui vous rappellera le pays d'Auge, contrée, comme la Thiérache, du cidre, du beurre et des fromages. Le fromage, ici, c'est le maroilles, dont on sait qu'il est « le plus fin des fromages forts » !

Si discret que vous ait paru ce village bien rassemblé d'Ohis, vous garderez le souvenir de ses maisons de briques d'un rose attiédi, coiffées d'ardoises bleues, abondamment fleuries de rouge et de jaune et soignées dans leur modestie. Comme Jean Richepin, je n'y suis pas né, mais c'est vingt fois que j'y suis accouru, en sabots ou sur ma bicyclette ; je l'ai revu l'autre jour, tel qu'il était, calme et songeur, dans mon souvenir.

Une demeure ancienne de Piney, qui a gardé son riche manteau de bardeaux de bois. A ses jeux décoratifs de rectangles, d'écailles ou de dents de scie, le soleil prête l'éclat de l'argent. Au-dessus de la porte au linteau sculpté, un auvent en forme de casque pointu.

Pierrefonds
Oise

12 km S.-E. de Compiègne

Plus qu'un village, Pierrefonds est un gros bourg coincé entre la lisière de la forêt de Compiègne et un éperon rocheux sur lequel s'élève un château de conte de fées. Le ru de Berne, qui y prend sa source, s'élargit en un petit lac, ce qui accentue encore l'aspect romantique du paysage.

Dès le XIIe siècle, ce site a été fortifié. Après chaque guerre, chaque bataille, on reconstruisait un nouveau château. Et cela jusqu'à la fin du XVIIe siècle, où il fut démantelé sur ordre du roi de France. En 1813, Napoléon Ier en acheta les ruines et, en 1857, Viollet-le-Duc se vit confier sa restauration par Napoléon III. L'architecte le fit tel qu'on le voit aujourd'hui.

Mais Pierrefonds, ce n'est pas que le château. C'est aussi les belles maisons bourgeoises en pierre qui entourent la place de l'Hôtel-de-Ville, les maisons médiévales admirablement restaurées de la rue Sabatier. C'est encore l'église Saint-Sulpice, dont le chœur date des XIe et XIIIe siècles. C'est aussi, à droite de la façade de l'église, un portail à échauguette, seul vestige d'un ancien prieuré.

Pierrefonds est un village commerçant perpétuellement animé, qui vit plus particulièrement du tourisme. Il fait bon y flâner tranquillement pour y ressentir le poids d'un passé glorieux et omniprésent, tandis qu'à l'ouest le vent agite mollement les grands chênes de la royale forêt de Compiègne.

Piney
Aube

21 km N.-E. de Troyes

Propriété des comtes de Champagne au XIIIe siècle, Piney a, jusqu'à la Révolution, appartenu à de grands seigneurs. Mais il ne semble pas qu'ils y aient jamais résidé. Le grand manoir du XVIe siècle à colombage, sculpté sur un soubassement de brique et pierre, a appartenu aux comtes de Montmorency. L'ensemble du village est bâti à colombage. Les maisons les plus anciennes, du Moyen Age, ont brûlé en 1921. Celles qui restent sont de style classique, n'ont pas plus d'un étage et sont parfois précédées de deux avant-corps. Souvent, elles sont recouvertes de bardeaux, écailles de bois de châtaignier dessinant des motifs et destinées à protéger les torchis de la pluie. L'ardoise a parfois remplacé le châtaignier. La porte est protégée par un auvent en forme de casque pointu. Ces maisons, d'un type répandu dans la région, se terminent par de belles girouettes en zinc de la fin du XVIIIe siècle : prismes, sphères, étoiles, croissants. L'église, construite au XIIe siècle, a été fort remaniée ; son clocher-porche, du XVIe siècle, très traditionnel, donne sur une place ombragée. La place du marché s'agrémente d'une belle halle et d'une fontaine Empire.

Piney fait partie du parc régional de la Forêt-d'Orient, ainsi dénommée en souvenir des templiers qui l'habitèrent. La Maison du Parc protège la nature et favorise le tourisme – promenade, pêche et nautisme à voile.

Planques
Pas-de-Calais

29 km O. de Montreuil

A l'écart de la route d'Hesdin à Saint-Omer, le village de Planques se niche dans une tête de vallée en forme de Y. La commune a donné son nom à la rivière de la Planquette, dont les sources multiples jaillissent au pied des coteaux pour former un filet d'eau limpide qui s'écoule sur un lit de graviers de craie et de silex. La source principale, située dans une prairie rue de l'Ermitage, est décrite dans le roman de Georges Bernanos *Nouvelle Histoire de Mouchette*. Entouré de collines et de crêtes boisées, le village présente un ensemble de constructions rurales s'égrenant au long des routes qui descendent du plateau vers le fond de la vallée. Au hameau des Granges, quelques fermes anciennes, incomplètement fermées sur leur cour, sont construites en brique ou en pierre blanche extraite du sous-sol crayeux du plateau.

Le centre du village est formé de quelques fermes d'allure massive sur toile de fond de pâturages plantés de pommiers et enclos de haies. L'église, entourée de son cimetière, est bâtie à mi-pente sur un versant de la vallée. Ce curieux édifice est composé de parties d'époques différentes. La façade occidentale, qui date du XVIIe siècle, est surmontée par un clocher-mur en blocs de craie appareillés. La nef a été reconstruite au XVIIIe siècle. Le chœur, plus ancien, remonte au XVIe siècle et présente une voûte de 1625 ornée de clefs pendantes. Parmi les motifs sculptés, on remarquera l'écu des Créquy. L'autel latéral dédié à saint Martin présente un panneau en bois peint surmonté d'une curieuse statue équestre de saint Gengoult, patron des maris trompés.

A la sortie du village, on peut suivre la « route fleurie » de la vallée de la Planquette, jusqu'à Fressin.

Pont-sur-Seine
Aube

8 km N.-E. de Nogent-sur-Seine

C'est en quittant la route de Paris à Troyes que l'on découvre Pont-sur-Seine. Apparaît d'abord la vaste château en brique et pierre, bâti par Le Muet, architecte du Val-de-Grâce, pour Bouthillier de Chavigny, surintendant des finances de Louis XIII ; c'était un des beaux châteaux d'Europe avec sa cour fermée d'une élégante colonnade. Offert par Napoléon à Madame Mère et incendié pendant la campagne de France, en 1814, il fut restauré par Casimir Perier. Pont-sur-Seine existait déjà du temps de Charlemagne. Il s'appelait Douze-Ponts, marque d'un important passage sur la Seine. Le bourg a gardé tout son caractère : le quartier neuf ayant été bâti hors de l'enceinte. La porte de ville (XVIIIe siècle) franchie, on rencontre l'église (XIIe-XVIe siècle), au portail finement sculpté. Les Bouthillier firent peindre sur les voûtes médiévales une surprenante décoration baroque. On trouve à Pont d'exquises placettes, des maisons nobles, de larges portes charretières, de gracieuses lucarnes se détachant sur les hauts toits de tuiles brunes. Ici, une tourelle, un puits ou une fontaine ; là, une enseigne, un saint dans une niche... Des petites rues qui ont gardé leur nom d'autrefois – du Four, du Haut, de la Cloche – et retrouvé leurs lanternes qui grincent les nuits d'orage.

Puellemontier
Haute-Marne

37,5 km N. de Bar-sur-Aube

La région du Der (chêne, en langue celtique) n'a pas toujours eu le visage débonnaire qu'elle nous offre aujourd'hui. Au VIIe siècle, c'était une sombre forêt, semée de marécages et qui n'était peuplée que d'animaux sauvages. Pourtant, les rois mérovingiens y avaient une maison de chasse : Putzolus. Un jeune noble tenté par la vocation ecclésiastique trouva ce lieu sauvage, entre la Voire et l'Héronne, et y implanta un modeste établissement. N'ayant à y installer ni moine ni moniale, il acheta à une troupe de soldats quelques captives qu'il installa au Puellarium Monasterium (couvent de filles), origine de Puellemontier. Ayant obtenu le domaine de Putzolus, il en utilisa les pierres pour édifier un monastère d'hommes, le Monasterium in Dervo, aujourd'hui Montier-en-Der. On peut y voir encore la superbe abbatiale des XIe et XIIe siècles, à 6,5 kilomètres à l'est de Puellemontier.

Aujourd'hui, Puellemontier est un beau village, conçu avec un juste sens de l'organisation des espaces. La plus grande partie de l'église est traitée en pans de bois, comme la plupart des maisons du village, mais sa façade est en pierre, avec un portail roman. Son clocher est couvert de bardeaux. Son transept est à double nef, et ses vitraux du XVIe siècle réchauffent encore la teinte des bois. De l'église, une magnifique allée d'arbres conduit à un château rose et blanc, daté de 1643, largement ouvert sur la campagne. Il abrite les Ateliers de l'Héronne, qui l'entretiennent avec soin.

Rigny-le-Ferron
Aube

39 km S.-O. de Troyes

Ferron indique un sol ferrugineux. L'habitat y est fort ancien. Au XVIe siècle, le fief de Rigny appartenait à Gauchère du Brouillard, épouse de Galas de Chaumont. On trouve encore dans le village les traces de plusieurs châteaux ; à la ferme des Ardents, située à un angle des anciennes fortifications, transformées en promenades, des vestiges du XIIe siècle sont encore visibles. Un ancien manoir, la maison des Grues, a gardé son caractère médiéval.

Reconstruite au XVIe siècle sur les fondations du XIIe siècle, l'église a un clocher-porche en pierre dure, disposition qui évoque les traditions du haut Moyen Age.

L'architecture civile, dans les constructions plus récentes, a adopté le moellon enduit chaîné de brique. Elle donne une remarquable impression d'unité et de solidité. Rue de la Croix, on compte au moins douze fermes mitoyennes d'égale importance, alignées à l'intérieur des anciens murs. Elles témoignent de l'équilibre économique et social d'une communauté à dominante rurale bien structurée, vivant de polyculture et de l'exploitation du bois et de la vigne. La qualité de la construction et des charpentes rappelle l'existence d'un artisanat sûr de ses traditions,

Dans la forêt d'Othe, le village de Bérulle, avec son église des XVe-XVIe siècles, et celui de Coursan-en-Othe, avec son château du XIIIe siècle en ruine, méritent le détour.

Rivière
Pas-de-Calais

> 11 km S.-O. d'Arras

Le village, qui s'étire sur les versants de la vallée du Crinchon, se découvre depuis un point de vue aménagé en bordure de la route en venant d'Arras. Des plantations et des alignements d'arbres d'essences variées émergent les toitures du village, dominées par un haut pigeonnier et le clocher de l'église. Sur la gauche, un petit chemin mène au château de Grosville entouré de son parc. Sa façade, du XVIIIe siècle, peut se voir dans l'encadrement d'un portail monumental en pierre surmonté d'un fronton triangulaire orné de rinceaux. Face au château, un versant en pente douce offre une perspective sur des pâturages plantés d'arbres fruitiers. La rue de Grosville conduit à l'église Saint-Vaast, bâtie en pierre de taille au XVIIIe siècle avec la tour de son clocher, épaulée par des contreforts à ressauts. Sur le côté de l'église, bâtie à mi-pente, une ruelle pavée descend jusqu'au ruisseau du Crinchon en traversant le cimetière. On remarque dans les rues du village de nombreuses maisons du XVIIIe et du XIXe siècle en craie taillée et appareillée. Souvent de longs murs aveugles qui bordent la rue présentent des « culs de fours », légères saillies coiffées en appentis ; on peut en voir une série rue de Grosville et impasse du Hamel. Les pointes des murs-pignons en craie sont protégées par des maçonneries en brique disposées en épi. Les maçons ont su marier habilement les deux matériaux, créant un motif décoratif en dents de scie ou en gradins.
A l'est du village, le parc du château de Brétencourt abrite des bassins d'eau vive. Le bassin de la Fontaine a été créé au début du XVIIIe siècle par captation des sources du Crinchon et était utilisé pour alimenter en eau les fossés de la citadelle d'Arras.

Rubrouck
Nord

> 16 km N.-E. de Saint-Omer

A l'écart des grands axes de communication, ce village de la Flandre intérieure, ou Houtland (pays du Bois), se tapit dans une molle ondulation de la plaine argileuse, à quelques kilomètres des collines sableuses de la région de Cassel, vers le sud-est, et de l'immense platitude des polders de la Flandre maritime vers le nord. L'Yser, qui donna son nom à la célèbre bataille de 1914, prend sa source à Rubrouck.
A une dizaine de mètres de l'église, la motte féodale entourée de fossés remplis d'eau de la seigneurie de Belhof est l'un des plus caractéristiques de ces ouvrages défensifs si nombreux en Flandre, et qui sont souvent devenus à travers les siècles un modèle d'implantation pour une partie de l'habitat rural. Le presbytère et un peu plus loin une ferme flamande typique, aux bâtiments non jointifs, sont implantés de la même façon. L'église paroissiale domine la motte féodale et le village. C'est une hallekerque flamande, trois vaisseaux accolés de même grandeur (XVIIe et XVIIIe siècle), précédés au couchant d'une tour carrée haute de 40 mètres qui date du XVIe siècle. Une plaque apposée dans la nef de l'église rappelle un épisode des troubles religieux, connus sous le nom de guerre des Gueux, qui agitèrent la Flandre

sous Philippe II d'Espagne, entre 1566 et 1573, en réaction à la domination et à l'Inquisition espagnole. L'habitat, groupé autour de l'église, est constitué de maisons flamandes traditionnelles, en torchis et surtout en brique et tuile dont l'emploi s'est généralisé au XIXe siècle. D'autres maisons présentent des façades ou des menuiseries peintes de couleurs vives ; les variations rapides de la lumière et des ciels en renforcent la polychromie.
Précédant d'une vingtaine d'années Marco Polo, Guillaume de Rubrouck, moine franciscain né à Rubrouck, fut envoyé comme ambassadeur du roi de France auprès du grand khan de Mongolie en 1253 et écrivit une relation détaillée de son voyage en Asie centrale.

Rumilly-les-Vaudes
Aube

> 22,5 km S.-E. de Troyes

Au sortir de la trouée taillée par l'Hozain dans la forêt de Rumilly, le village s'est installé au bord de la vallée de Seine, sur un site qu'avaient déjà choisi les Romains. Le village est agréable, on y trouve les fermes caractéristiques de la région et quelques jolies maisons. Le manoir des Tourelles, qui fut propriété des abbés de Molesme, allie avec aisance les tours féodales et les galeries Renaissance. De délicates sculptures courent sur les chapiteaux qui couronnent ses colonnes torses et ornent ses belles cheminées. Mais c'est à l'église que les virtuoses de l'architecture troyenne tirèrent le meilleur parti de la fine pierre blonde, qui semble toujours ensoleillée. La statuaire et les vitraux sont également de grande qualité.

Saint-Amand-sur-Fion
Marne

> 24,5 km S.-E. de Châlons-sur-Marne

Le paysage du Perthois est celui de la Champagne sèche : larges vallonnements dénudés, parsemés de bouquets d'arbres, affleurements crayeux. A la polyculture s'ajoutait autrefois la vigne, mais les arbres fruitiers entourent toujours les fermes en pans de bois, crépies de craie, coiffées de larges toits couverts de tuiles « en jambe de botte », typiques de la Champagne orientale. Dans un cadre si solidement rural, l'église étonne par ses dimensions comme par son raffinement. Selon une tradition – qui n'est peut-être qu'une belle légende – aurait vécu, près de l'église, un cordonnier nommé Pantaléon. Il mérita d'être célèbre, moins par son ouvrage que par un fils qu'eussent envié les plus illustres familles : celui qu'on nomma Jacques de Troyes à cause du lieu de ses études devint légat du pape, évêque de Verdun, et, en 1261, pape sous le nom d'Urbain IV. Fidèle à la terre où étaient ses racines, il fit bâtir, à l'emplacement de l'échoppe paternelle, le superbe chœur à vingt-cinq fenêtres que son neveu, le cardinal Anscher, consacra en 1389. La noblesse de l'édifice et la proximité d'un vignoble qui lui était cher incitèrent François Ier à y convier Charles Quint pour une conférence solennelle. Les travaux de restauration ont rendu à l'église toute sa splendeur. Et c'est dans un décor renouvelé que les habitants de Saint-Amand accueilleront les spectateurs de leur fête Son et Lumière.

A Rubrouk, les maisons flamandes du quai du Haut-Pont s'alignent derrière un mur pignon orné de motifs en brique. Les façades, exposées au sud, sont séparées des jardins par un trottoir d'accès commun. A l'arrière, une cour et des constructions annexes : four à pain, remise à bois, etc.

Fier de posséder un monument marquant de l'architecture médiévale, Saint-Amand garde pourtant la rusticité des villages de la Champagne sèche. Il a conservé ses bâtiments à pans de bois, où la blancheur des torchis peints contraste avec les poutres vieillies par le temps.

A Septmonts, les caractéristiques architecturales du Soissonnais, pignon à redents avec la souche de cheminée, contiguïté des habitations, s'allient aux modifications propres aux résidences secondaires.

Saint-Denœux
Pas-de-Calais

12,5 km N.-E. de Montreuil

Depuis Montreuil-sur-Mer, on accède à Saint-Denœux par la route pittoresque qui suit la vallée de la Canche sur sa rive nord. Dans le fond de la vallée, entre Marles et Brimeux, on domine les anciennes tourbières, les marais et les « pâtures à joncs » où sont encore récoltés les osiers pour la vannerie.
Le vallon de Saint-Denœux est une vallée sèche qui s'ouvre au sud sur la vallée de la Canche qui lui est perpendiculaire et se referme au nord sur le village. Les versants aux pentes régulièrement entrecoupées de petites terrasses présentent un profil en escalier. Ces « rideaux picards », traces d'aménagements agraires et pastoraux anciens, permettent de protéger les sols de l'érosion. Niché au fond d'une dépression verdoyante, le village présente un tissu assez lâche, les maisons et les bâtiments ruraux semblent dispersés dans les pâtures et les vergers. L'église Sainte-Austreberthe, qui présente un chœur du XVIe siècle, est située à l'extrémité d'un petit éperon.
Un chemin conduit jusqu'aux ruines du moulin de Sempy, en bordure d'une ancienne voie romaine. En contrebas, les bâtiments des fermes, plus ou moins jointifs, se disposent autour d'un espace carré ou rectangulaire avec un accès principal sur rue et un passage vers les pâtures-vergers à l'arrière. Souvent, la grange borde la rue de larges soubassements, les « seulins », en rognons de silex, provenant de l'épierrage des champs ; ils supportent une ossature à pans de bois, avec remplissage en torchis, recouverts d'un enduit. Les pignons sont souvent revêtus d'un essentage de planches posées « à clin » ; elles peuvent parfois recouvrir en totalité les façades des bâtiments annexes.

Saint-Jean-aux-Bois
Oise

10,5 km S.-E. de Compiègne

Perdu dans un vallon au milieu des frondaisons de la forêt de Compiègne, Saint-Jean-aux-Bois semble s'être assoupi à tout jamais au bord du ruisseau qui le traverse. Ses maisons de pierre grise et de torchis, couvertes de tuiles plates, se regroupent derrière les murs de l'ancienne abbaye fondée en 1192 par Adélaïde, veuve du roi de France Louis VI le Gros ; elle devint un simple prieuré de chanoines augustins en 1634. On accède à ce qui subsiste des anciens bâtiments conventuels en franchissant un pont jeté au XVIIIe siècle sur les fossés qui les protégeaient. Après être passé sous une porte du XVIe siècle flanquée de deux tours, on aperçoit l'église, dont la partie la plus ancienne, le chœur, qui date du XIIIe siècle, est remarquable par la pureté de son architecture romane. Au sud de l'église, une ancienne salle capitulaire a été transformée en chapelle.
Dès le printemps, les fenêtres du village ruissellent de fleurs tandis que les plantes grimpantes et les rosiers s'accrochent à tous les murs.

Saint-Riquier
Somme

9 km N.-E. d'Abbeville

Accroché aux pentes escarpées d'un vallon parsemé de boqueteaux, de hêtres et de chênes, Saint-Riquier ne serait, sans son abbaye de pierre grise, qu'un gros village picard avec ses traditionnelles maisons de briques rouges. Bâti le long de deux routes – l'une, très fréquentée, mène aux stations balnéaires du littoral ; l'autre, qui suit la vallée du Scardon, alimentée par de nombreuses sources, conduit aux marais giboyeux de la vallée de la Somme –, le village regroupe ses maisons autour de la place sur laquelle s'élève l'église abbatiale.
La véritable histoire de Saint-Riquier commence en 490, lorsque les troupes de Clovis envahissent l'endroit et s'y installent. Il faudra pourtant attendre presque deux siècles pour que le village commence à se développer. C'est en effet vers 630 que saint Riquier fonde un monastère qui deviendra abbaye bénédictine en 790, sous la protection de Charlemagne lui-même. Seul subsiste, à quelques détails près, l'édifice construit de 1478 à 1536. La richesse de la décoration extérieure, principalement le tympan du grand portail, contraste avec la simplicité de l'église abbatiale elle-même, qui demeure l'élément

le plus important d'une abbaye qui s'étend encore sur 4 hectares.

Un musée départemental de la vie rurale ainsi qu'un musée des arts et traditions populaires ont été installés dans les bâtiments abbatiaux qui bordent la rue principale. A l'angle de la place de l'église, le beffroi, construit dans sa forme actuelle en 1528 et remanié en 1788 avec ses quatre tourelles, rappelle qu'à une époque Saint-Riquier était une ville qui comptait 14 000 habitants. Aujourd'hui, le village possède suffisamment de charme pour retenir le visiteur : la campagne environnante sillonnée de petits chemins qui serpentent au milieu des vallées, les rives du Scardon, et certaines maisons comme celle dite de Napoléon, construite par un ancien grognard de la Grande Armée au bord de la route qui mène à Abbeville, et dont le toit rappelle la forme du chapeau de l'empereur.

Septmonts
Aisne

> 7,5 km S. de Soissons

Au sud de Soissons, quelques rivières entaillent la plaine monotone. C'est dans la vallée de l'une d'elle, la Grise, que se trouve Septmonts.

Peu épargné par toutes les grandes batailles qui se

sont déroulées aux alentours durant les deux guerres mondiales, le village conserve malgré tout quelques jolies maisons typiques de l'architecture du Soissonnais. Ce qui caractérise ces maisons, ce sont les pignons gradués dits « à pas de moineaux ».

Cette ornementation se retrouve sur la flèche de l'église, hérissée de crochets de pierre. Le bâtiment de l'église lui-même, construit au XVe siècle, entièrement restauré aujourd'hui, abrite une curiosité : une poutre de gloire polychrome sculptée de médaillons représentant les apôtres. De l'autre côté de la place de l'église s'ouvre le porche de l'ancien château des évêques de Soissons. Le pavillon Renaissance qui en était un des plus beaux éléments, et que Victor Hugo lui-même a décrit avec enchantement dans une lettre adressée à sa femme en 1835, a été complètement rasé par les bombardements en 1918. Seul subsiste intact le donjon du XIVe siècle, avec ses cheminées élancées et sa tour de guet. On peut, si l'on veut, rejoindre par un chemin de ronde la tour carrée et la chapelle Saint-Louis, derniers vestiges du premier château, construit au XIIIe siècle. Des douves emplies d'eau courante accentuent le caractère mélancolique de cet endroit noyé sous les arbres. Le village encore très actif, est tout entier voué à l'agriculture. Sur les immensités de la plaine soissonnaise, les champs sont vastes. Les labours s'y perdent à l'infini. On y cultive le maïs, le blé et aussi la betterave.

En face de l'allée qui mène au château s'ouvrent la mairie et l'école de Tramecourt. La brique s'y fait décorative : modillons, pilastres et linteaux de fenêtres ornent la façade de l'école.

Sery
Ardennes

10 km N. de Rethel

Les deux tours du Château du Haut continuent de surveiller la vallée du Plumion. Ce château, d'origine ancienne mais paré des grâces du XVIIIe siècle, reste seul des trois qui gardaient ce passage sur l'ancienne voie romaine Reims-Cologne. Le village utilise avec aisance un site accidenté. Ses maisons en pierre, brique ou pans de bois trouvent leur unité dans leur toiture en belle ardoise noire de Rimogne. L'église fut construite à l'origine dans la sévérité du XIIIe siècle, mais s'adoucit au XVe siècle d'un style plus familier. Devant l'église, le Poilu de 14 monte la garde, rose et bleu comme un soldat de plomb. Au fond d'une place ombragée, un petit castelet est prêt au spectacle, tandis qu'une pancarte annonce l'antre des Joyeux Démons d'S'ry. On célèbre les fêtes de la Saint-Jean, avec ses feux traditionnels, la nuit du samedi qui suit la date officielle.

Sur le mont de Sery, des sentiers de randonnée cachent des orchidées sauvages. A son pied abondent les rivières à truites.

Tramecourt
Pas-de-Calais

19 km N.-E. de Hesdin

Au cœur du haut pays d'Artois, Tramecourt se situe sur un plateau isolé entre les vallées de la Planquette et de la Ternoise. Le village semble se cacher dans un repli de terrain derrière une couronne boisée formant un arc de cercle au nord-ouest. Il se distingue par la silhouette de son église et les quelques taches de couleur des toitures qui apparaissent entre les fûts sombres des grands arbres. Au bout

d'une place engazonnée, bordée par le mur de clôture du parc du château, s'élève l'église Saint-Léonard. La tour carrée, bâtie en calcaire tendre, date de 1570 ; une tourelle d'escalier y est accolée. Un porche gothique ouvragé précède l'édifice qui abrite les dalles funéraires des châtelains du village et des fonts baptismaux du XIIe siècle. Sur la place un ancien puits fait face à un ensemble de maisons rurales et de fermes. Construites en brique et torchis, elles sont coiffées de toits pentus couverts en tuile. A l'ouest de la place de l'église, une grande avenue bordée par des alignements de tilleuls est axée sur le château de Tramecourt. On peut voir depuis l'entrée du parc sa façade principale, qui date de 1740. A proximité est conservé un manoir plus ancien, en brique rose et en pierre, construit au début du XVIIe siècle.

A la sortie ouest du village, on accède au plateau où se localise le champ de bataille d'Azincourt. Une table d'orientation et des panneaux d'information permettent de reconnaître sur le terrain le plan de la bataille qui se déroula en 1415.

Le syndicat d'initiative d'Azincourt propose une randonnée pédestre de 5 kilomètres sur le site de la bataille. Des promenades en voiture à cheval ou des concours d'archers sont organisés entre juillet et septembre.

Vendresse
Ardennes

22,5 km S.-O. de Sedan

Sur une plaine agricole entre les monts préardennais, Vendresse étale ses fermes, qui prennent parfois l'allure de châteaux lorsque leur porche est surmonté d'une tour carrée. L'église, commencée au XIIIe siècle, en partie fortifiée, fut poursuivie jusqu'à la Révolution.

Les maisons sont en brique ou en calcaire tendre soutenu par la pierre jaune de Mézières. Elles sont souvent bordées d'arbres fruitiers en espalier. Un arborétum montre la vocation jardinière de Vendresse. Mais ce bourg fut aussi industriel, depuis au moins le XVIe siècle. Ses forges furent réputées et fournirent des canalisations à Versailles. Vers

Omont, un ensemble de bâtiments, en partie du XVIIIe siècle, conserve des hauts fourneaux. On se souvient encore ici d'un astucieux maître de forges, Nicolas Gendarme, qui introduisit l'usage de la houille et inventa un type de fer à repasser.

Victoire d'Aumont, duchesse de Mazarin, héritière d'un vaste fief, mais dévorée par la passion du jeu, perdit, au bénéfice de Gendarme, sa belle forêt de la Cassine, toute proche. La fille de Gendarme y fit construire, à côté des ruines du château du XVIe siècle, un château neuf qui périt lui aussi, lors de la dernière guerre. Un Son et Lumière illustre l'histoire de ces lieux somptueux et tragiques. La forêt enveloppe encore ce qu'il reste d'Omont. Le sommet de cette haute colline porta, successivement : un camp fortifié de lètes, Barbares alliés des Romains ; en 882, le château de Foulques, évêque de Reims ; un château Renaissance rasé par les ligueurs. Il n'y reste qu'une modeste église et quelques jolies maisons.

La nature alentour a gardé toute sa noblesse. Les belles routes se jouent des monts et des forêts et méritent qu'on y recherche les traces de Rimbaud et de Verlaine, enfants du pays.

Vignory

Haute-Marne

20,5 km N. de Chaumont

L'église de Vignory est si célèbre que la plupart des visiteurs ne viennent que pour elle, et les maisons du village sont comme les sœurs déshéritées d'une trop belle fille. Elles mériteraient pourtant d'être débarbouillées, car nombre d'entre elles ont une façade noble, une porte ou une sculpture, que l'on se plaît à découvrir. La cité se faufile le long d'une courbe qui longe la colline boisée, dominée par les ruines d'un château fort encore imposant. Un curieux lavoir de style classique évoque avec mélancolie le temps où il était la gazette du village. Mais rien de cela ne peut diminuer l'attrait que l'église doit à sa qualité architecturale exceptionnelle et à son ancienneté. Bâtie de 1034 à 1057, elle est en effet un rare exemple homogène des débuts de l'art roman. Elle possède en outre un bel ensemble de sculptures médiévales.

Vireux-Molhain
Ardennes

45 km N. de Charleville-Mézières

On peut atteindre le village de Vireux-Molhain en suivant les méandres de la Meuse ou en plongeant dans la forêt immense, sauvage, intacte, par la belle route d'Hargnies. C'est la forêt d'Ardenne, où Shakespeare plaçait l'action de *Comme il vous plaira*. Ce sont aussi les chemins des légendes ; les exploits et les ruses des Dames et des Quatre Fils Aymon sont toujours racontés par les marionnettes de Liège.

Le mont Vireux, dominant le confluent du Viroin et de la Meuse près duquel se tient le village, occupe une position stratégique. Au IIIe siècle, une forteresse y défendait l'Empire romain contre les pillards germaniques. Mais les activités pacifiques furent très tôt attirées par la vallée. Des traces de bas fourneaux, retrouvées au bord de la Meuse, y attestent l'antiquité de l'industrie métallurgique et, dès 752, Ada, épouse du comte Wibert, fondait l'église de

Molhain. La crypte actuelle ne semble remonter qu'au XIe siècle. Dans l'église, la pierre tombale d'un chevalier portant un écu à trois églantines est celle d'Alard de Chimay, qui sauva Philippe Auguste à Bouvines. Le XVe siècle y a laissé un beau sépulcre polychrome. Les maisons canoniales, bien restaurées, offrent divers aspects de l'architecture régionale ; on y trouve des parties en pans de bois, rares dans cette zone. Une étroite ligne de maisons s'étire entre le mont et la Meuse, et possède une autre église, datée de 1722. Sévère, sans autre ornement que le chaînage de pierre blanche de son clocher carré, elle réserve une surprise d'importance : une parure complète et un mobilier en chêne blond d'époque Régence. De l'autel à baldaquin d'où s'envolent des anges musiciens au buffet d'orgue évoquant le château arrière d'un navire de haut bord courent des lambris sculptés avec élégance.

Séparé seulement de Vireux-Molhain par le ruban couleur de jade de la Meuse, galonné d'un quai blanc et rouge où accostent des cygnes, Vireux-Wallerand détache sur le doux pastel des lointains boisés sa silhouette parfaitement ardennaise, avec son clocher à bulbe, son château de brique et pierre bleue de Givet, et l'ardoise luisante de ses clochetons et de ses toits. Le pont traversé, le sage alignement des maisons de Vireux-Molhain, brunes de schiste, rouges de brique, égayées de petites fenêtres blanches, se détache sur la masse bienveillante et veloutée du mont Vireux.

Vorges

Aisne

7,5 km S. de Laon

Ici, nous sommes au cœur du Laonnois. Bois, pâturages, champs cultivés alternent au gré des molles inclinaisons du plateau. Les sources, abondantes, dévalent les collines pour se jeter dans le ru du Val-Saint-Pierre. On trouve encore, de ci, de là, les traces de l'ancien vignoble, qui remonte au XIIIe siècle. Au creux d'un de ces vallons, il y a Vorges. Toutes ses maisons de robustes pierres se tassent les unes contre les autres autour de la place de l'église. Construite à la fin du XIIe siècle, elle a été terminée au siècle suivant. On la fortifia au cours de la guerre de Cent Ans. Si sa taille peut paraître disproportionnée par rapport à celle du village, c'est qu'elle faisait partie de l'enceinte fortifiée composée de fossés, de portes et d'un donjon. Seules subsistent de ces fortifications la tour de l'église et les tourelles d'angle. En bordure de la place de l'église, on peut admirer quelques élégantes constructions, d'anciens vendangeoirs des XVIIe, XVIIIe et XIXe siècles. Derrière l'école, qui est justement un ancien vendangeoir, on trouve un lavoir et, plus loin, un ancien moulin. De cet endroit, on peut faire le tour du village en empruntant un petit sentier aménagé.

Les Romains déjà s'étaient installés sur ce site. De nombreux vestiges archéologiques – plusieurs sarcophages sont exposés dans l'église – ont été découverts sur le territoire de la commune. Plus tard, Blanche de Castille, la mère de Saint Louis, vint boire l'eau d'une source miraculeuse, qui jaillit encore au hameau de Valbon, pour se guérir d'une mauvaise fièvre.

Aujourd'hui, Vorges s'est un peu assoupi. Il n'y a presque plus d'agriculteurs. Le week-end, le village reprend vie avec les citadins qui y ont aménagé leur résidence secondaire.

Dans la Grand-Rue de Wallers-Trelon, les constructions anciennes présentent leurs façades austères, construites en calcaire gris bleuté du pays. Parfois, une grange implantée perpendiculairement à la rue est percée d'une porte charretière.

La halle sur pilotis de Wasigny fut construite au XIVᵉ s. et remaniée au XVIIᵉ pour ajouter un étage. Un épais soubassement permet de rattraper la pente, et un seul des côtés s'ouvre de plain-pied sur la rue. Les pans de bois sont ici hourdés de briques.

Wallers-Trélon
Nord

20,5 km S.-E. d'Avesnes

Aux confins du massif ardennais, Wallers-Trélon appartient au pays de la Fagne, qui désignait à l'origine des tourbières ou marais situés dans les dépressions topographiques du plateau ardennais. Du point de vue du mont de Baives, on peut découvrir ce paysage caractéristique. L'horizon est fermé par les massifs forestiers du bois de Neumont et de la forêt de Trélon. Au centre s'ouvre une large cuvette bocagère parcourue par le tracé sinueux de l'Helpe. Le village s'est implanté au pied d'une colline calcaire, sur la rive gauche de la rivière. L'origine de Wallers remonterait à la période mérovingienne.

L'habitat regroupé forme un village-rue caractéristique qui s'étire d'ouest en est. Les maisons, qui datent du XVIIe et du XIXe siècle, sont généralement bâties en retrait de la rue et précédées d'une plate-bande engazonnée qui correspond aux anciens usoirs utilisés jadis pour stocker le bois et le matériel agricole. Les constructions sont réalisées en pierre calcaire grise extraite dans les affleurements rocheux voisins. Parfois, deux piliers de pierre, surmontés d'une boule ou d'une pyramide, marquent l'entrée sur une cour qui devance la maison. Cette disposition se rencontre à la maison de la Fagne, au centre du village. Cette antenne de l'écomusée de Fourmies présente une exposition qui évoque l'extraction et le travail de la pierre. A l'est du village, enclose par un muret de pierre, l'église Saint-Hilaire possède une tour carrée massive du XVIIe siècle.

Wasigny
Ardennes

16 km N. de Rethel

Ce très attachant village existe depuis le VIIIe siècle. Dès le XIIe siècle, on y affranchissait tout homme servile venant s'y fixer. A vocation agricole, il occupe un site très humide dans la vallée de la Vaux. On prit donc l'habitude de borner les champs par des fossés qui, en assurant le drainage, évitaient aussi les contestations. Au bord de l'eau, un château, qui fut fortifié, dont il reste un logis du XVIIIe siècle et un élégant clocher-porche, plus ancien, coiffé d'un dôme à lanternon, couvert d'ardoise. De belles fermes sont construites à la mode de Thiérache, à colombage, torchis et toits débordants. Toute une rue longe le bord de l'eau, avec des jardinets. La vallée étant très étroite, l'église au clocher couvert d'ardoise et la halle sur piliers du XVIIe siècle ont été érigées chacune sur le sommet d'une butte. Elles sont séparées par la grand-place où jouent les enfants. Dans l'église sont conservés des fonts baptismaux, du XIe siècle, en pierre de Meuse.

Wast (Le)
Pas-de-Calais

16 km E. de Boulogne-sur-Mer

Un peu à l'écart de la route nationale qui relie Saint-Omer à Boulogne, Le Wast est situé au cœur du bocage du bas Boulonnais : amphithéâtre verdoyant bordé par les crêtes du haut Boulonnais.

La variété des composants minéraux des terres argileuses utilisées dans la fabrication des tuiles et le mode de cuisson artisanal ont déterminé une chromatique très riche du matériau. Toutes les nuances d'une palette allant du jaune au rouge orangé se retrouvent sur les toitures. Au centre du village une grande place engazonnée et fleurie s'étire au long de la route de Marquise. Selon la tradition locale, son marronnier plus que centenaire renferme dans ses racines une pièce d'argent déposée lors de sa plantation. Au centre de la place, le manoir du Huisbois, belle demeure du XVIIIe siècle construite en pierre calcaire du Boulonnais, abrite la maison du parc naturel régional du Boulonnais.

Dans le village on remarquera de nombreuses maisons anciennes caractéristiques de l'architecture rurale boulonnaise. Chacune s'individualise par ses maçonneries apparentes de pierre ou de brique ou ses maçonneries enduites et ses menuiseries peintes de couleurs vives.

En retrait de la place, l'église Saint-Michel, dernier vestige d'un ancien prieuré dépendant de Cluny fondé à la fin du XIe siècle, est célèbre pour sa nef et son portail roman. Son triple cintre est décoré d'une archivolte en dents de scie, de cannelures chevronnées et de claveaux festonnés d'inspiration orientale. A l'intérieur, parmi les chapiteaux romans conservés, on remarquera une représentation rare du cheval crucifère. Au nord de l'église, le chemin rural du Moulin qui longe la rivière du Wimereux offre des vues sur le village et le paysage bocager environnant. Ce terroir est au centre de l'aire d'élevage du cheval boulonnais, réputé pour sa robustesse.

West-Cappel
Nord

19,5 km S.-E. de Dunkerque

A la limite de la Flandre maritime et de la Flandre intérieure, West-Cappel (La chapelle de l'ouest) est né au Moyen Age autour d'une chapelle dédiée à saint Sylvestre. Ce village typiquement flamand se resserre autour de son église. Construite en « brique de sable » aux nuances jaunes, l'église, qui a remplacé la chapelle primitive, date du XVIe siècle. C'est une hallekerque aux trois nefs alignées. Sur la façade occidentale s'élève une belle tour coiffée d'une flèche et épaulée par des contreforts à ressauts. Le vaisseau est éclairé par des baies flamboyantes au réseau en brique moulurée. A l'intérieur, il faut admirer les voûtes en bois à berceau brisé, les vitraux du XVIe siècle et un buffet d'orgue de la fin du XVIIe siècle. Parmi les nombreuses pierres tombales, on remarquera le gisant de Luwine Van Cappel (XVe siècle) figée dans le marbre noir. La promenade autour de l'église permet d'observer les détails de l'architecture rurale flamande. L'imbrication de la brique jaune et de la brique rouge orne de dessins les pignons. Ces cœurs schématisés, croix losangées et dessins réticulés sont les symboles protecteurs de la maison. L'usage de ces maçonneries décorées s'est maintenu jusqu'au début du XXe siècle. Ces signes, comme les runes germaniques, évoquant fécondité, liberté et puissance, sont souvent mêlés aux signes chrétiens : croix, chapelle votive en bois accrochée au mur.

Face à l'église, au fond d'un parc, le château de la Briarde, dont l'origine remonte au XVe siècle, fut rebâti au XVIIIe ; implanté sur une motte quadrangulaire, il a conservé ses douves.

EMPLACEMENT

Comme nous venons de l'indiquer, le village de Provence, mais aussi celui du bas Languedoc et du Roussillon, est souvent installé sur une colline dont il occupe le sommet et les hauts versants. S'il existe bien dans ces régions d'authentiques villages-refuges, la grégarité de l'habitat villageois y continue une plus large tradition méditerranéenne, qu'on retrouve notamment en Italie et dans la péninsule Ibérique. Autour du village s'étendent les cultures arbustives

et céréalières, entourées elles-mêmes d'espaces incultes destinés à la pâture des ovicaprins ou remis en culture à de longs intervalles. L'impression urbaine qui se dégage de ces agglomérations vient de la relative abondance de rues et de ruelles qui les parcourent, bordées de maisons à plusieurs étages souvent jointives et à l'architecture parfois compliquée. Cette concentration a été rapprochée de la fameuse « sociabilité méridionale », dont la réalité est souvent plus significa-

tive que son image touristique : dans le courant du siècle dernier, se réunissant dans les tavernes ou les *chambrettes*, les assemblées d'hommes jouèrent un rôle important dans la diffusion des idées républicaines en Provence.

Le rythme de vie bipolaire de nombreux villages de la basse Provence est bien connu : gonflement de la population en été, qui rattrape celle du village d'autrefois, et forte diminution en hiver, car le nombre de retraités et d'actifs travaillant à la ville ne

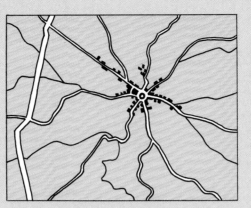

La faible structuration du bourg de Pluméliau (Morbihan), matérialisée par l'étoilement du réseau des voies de communication (dessin ci-contre), est en partie liée à sa faiblesse démographique et à la dispersion de l'habitat, phénomène typique de la Bretagne. A Plovan (Finistère), les quelques maisons en ordre lâche et n'entourant pas l'église, qui leur tourne le dos, montrent également la faiblesse de structure du bourg dans l'ensemble de la cisconscription qui dépend de lui.

Nos villages s'ordonnent en deux grands ensembles géographiques : dans le nord-est de la France, la majorité des maisons de la commune sont regroupées dans le village ; ailleurs, plusieurs noyaux d'habitation coexistent avec l'agglomération principale, qui donne son nom à la commune. Cette distinction d'ensemble ne rend pas compte de la forme des villages, mais il faut la garder à l'esprit pour situer leur environnement bâti. Isolé sur sa colline, le village provençal ne sera pas seul dans sa commune, aux alentours se dresseront des hameaux et des mas. A l'inverse, la commune lorraine comptera, à côté d'un gros village, quelques grandes fermes isolées et presque jamais de hameau.

Il est difficile d'énumérer en détail les différentes formes qu'ont adoptées les villages de France et d'en tracer l'évolution. Des dispositions caractéristiques et parfois assez précisément attachées à une région voisinent avec des dispositions plus anonymes, qui sont largement les plus fréquentes. Aussi, nous prendrons quatre exemples dont la variété évoque la situation actuelle de nos villages et leur devenir plus ou moins problématique : la Provence et la Bretagne illustreront la zone où d'autres groupements accompagnent l'agglomération communale ; la Lorraine et la région parisienne celle dans laquelle l'agglomération regroupe la majorité des maisons de la commune.

et FORME du village

compense pas l'absence des estivants. Mais dans l'ensemble, malgré la multiplication des résidences secondaires, le village provençal possède des défenses intrinsèques qui le mettent plus que d'autres à l'abri des transformations contemporaines : la fréquente contiguïté des maisons anciennes ainsi que leur caractère esthétique reconnu sont des obstacles à la construction inconsidérée de nouvelles maisons. Celles-ci se cantonnent généralement à la périphérie du village, comme si le passé avait légué au présent un système de défense inattendu, aussi efficace contre les périls actuels que contre ceux d'antan.

La Bretagne est une véritable région d'habitat semi-dispersé : le chef-lieu communal compte presque toujours moins d'habitants que les hameaux (dénommés en Bretagne *villages*), les groupes de fermes ou les fermes isolées qui se trouvent sous son autorité administrative et religieuse. Il se distingue des uns et des autres par la seule présence, outre l'église et la mairie, de l'auberge, autrefois de l'atelier du forgeron et du charron (et encore, pas toujours), mais reste truffé de fermes qui s'alignent le long de la route. L'église occupe bien une position centrale, mais elle organise rarement autour d'elle les voies de communication qui, au gré des besoins, partent vers les hameaux de la commune ou vers les bourgs voisins. Dans ceux-là, un espace communautaire, le *placître*, servait jadis de pâturage aux troupeaux, mais le nombre important d'unités inférieures au hameau multipliait les circulations. Un passage était souvent aménagé sur le sommet du talus des chemins creux, car ceux-ci, régulièrement transformés en fondrières par les pluies, étaient alors impraticables. L'existence de chapelles *tréviales*, dépendances de la paroisse mère dans certains hameaux, était l'expression religieuse du morcellement de l'habitat et des difficultés de communication.

En cette fin du XXᵉ siècle, et contrairement à bien d'autres régions, la Bretagne possède encore une assez nombreuse population paysanne. La concurrence foncière entre agriculteurs, résidents secondaires et résidents principaux non agriculteurs atteint, dans certaines zones, une intensité qu'on ne retrouve guère ailleurs en France. Sous forme de lotissements ou en implantations individuelles, une gamme de maisons contemporaines, qui va d'un *néo-breton* déjà ancien et aux allures diverses à la construction en éléments préfabriqués, s'est étendue dans les bourgs et les hameaux, voire le long des routes, en tournant le dos aux installations antérieures. La dispersion de l'habitat et la faible importance des agglomérations accentuent encore l'effet de rupture, lui-même renforcé par un autre phénomène : l'éclaircissement ou la suppression pure et simple de la structure agraire traditionnelle,

le bocage, intimement liée à l'habitat rural, qui contribue à la profonde transformation du paysage breton.

La configuration la plus usuelle du village en Lorraine, sauf dans les Vosges, est le groupement de ses maisons de part et d'autre d'une rue principale, souvent droite. De là vient le nom de village-rue sous lequel on le désigne habituellement. Dans certains villages, l'unique rue droite donne l'impression d'isoler l'église comme un corps étranger parmi l'alignement systématique des maisons. Mais suivant les régions, le plan comporte des dispositions transversales qui le rendent moins rigide, notamment aux marges de la province et dans les contrées des provinces voisines où le plan lorrain est présent : nord de la Franche-Comté et sud-est de la Champagne. Les maisons sont souvent jointives et intégrées dans une parcelle plus ou moins longue qui, au-delà de la maison, se prolonge jusqu'à la rue. L'origine du village-rue est à chercher dans les siècles obscurs du Moyen Age où l'importance des labours collectivement réglés imposait discipline, information collective et proximité de l'habitat. Les temps ont changé. L'alignement des maisons ne cache plus guère la perte de substance subie par le village. Les exploitations qui restent sont gênées par la contiguïté, qui représente un obstacle à leur extension et à leur modernisation. Tandis que la

maison ancienne regroupait la majorité des fonctions (habitation et exploitation) sous un même toit, la création de locaux annexes est aujourd'hui indispensable. Ce sont souvent des fermes du village vendues par leurs propriétaires ou des bâtiments construits aux extrémités de ce dernier. A l'inverse, les anciennes et rares fermes dispersées dans le finage et autrefois situées en *bordure du ban*, c'est-à-dire échappant aux contraintes agricoles communautaires, héritières des possessions seigneuriales, ne connaissent pas ces difficultés et sont recherchées. Par ailleurs, le déclin démographique n'est pas compensé par l'arrivée d'un nombre suffisant de nouveaux habitants.

Les habitants des banlieues éloignées de Paris savent que le quartier situé autour de l'église, composé de maisons encore couvertes de tuiles plates anciennes, était l'ancien centre de la bourgade rurale dont ils habitent généralement la périphérie. Dans l'ensemble, la région parisienne n'est pas une zone de très gros villages. Il y existe des secteurs où les lieux habités sont nombreux, notamment auprès des forêts et dans les vallées, où la division du relief et l'inégal potentiel agricole des terroirs ont favorisé la dispersion relative de l'habitat. Les villages les plus importants se rencontrent dans les régions calcaires, mais de grosses fermes à cour fermée en sont le complé-

La petite agglomération de Peillon (Alpes-Maritimes) a des allures véritablement urbaines.
Le groupement de l'habitat sur la bordure méditerranéenne française date,
dans une large mesure, des XIIᵉ et XIIIᵉ s.
Il implique une maîtrise remarquable de la construction en pierre.

Autour d'un espace central avec halle
et église, les routes ont polarisé
le développement ultérieur du gros bourg
d'Égreville (Seine-et-Marne).

Village-rue de Belrupt (Meuse).
La majorité des maisons sont jointives.
Derrière les maisons s'étend la ceinture
des jardins et des vergers de mirabelliers.
Au-delà des jardins, les champs cultivés.

MORPHOLOGIE
DU VILLAGE DE SONCHAMP

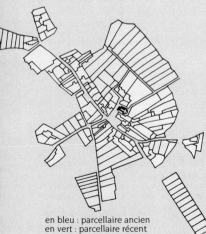

en bleu : parcellaire ancien
en vert : parcellaire récent

Complexité du vieux Sonchamp (Yvelines),
avec place centrale autour de l'église
et réseau de voies de communication.
Caractère massif et plaqué des lotissements.

ment architectural le plus courant. Des différences assez nettes apparaissent cependant entre les contrées. Le morcellement du Hurepoix s'oppose à la relative uniformité du plateau briard, aux rares et gros villages. Mais ici, dès qu'une vallée apparaît, la renaissance du relief annonce celle des hameaux et des écarts. Ces villages n'ont pas à proprement parler de plan type : leur forme est plus ou moins ronde ou allongée, et les maisons sont d'autant moins denses qu'on en quitte davantage le centre.

L'extension des banlieues et des « villes nouvelles » accapare chaque fois un peu plus des secteurs restés jusqu'alors principalement ruraux. Certaines de ces dernières, ou partie d'entre elles, n'ont sans doute jamais autant mérité qu'aujourd'hui l'expression de « villages-dortoirs » qui, à force de répétition, a fini, semble-t-il, par lasser plus leurs victimes que les décideurs. S'égrenant le long de voies de communication créées ou renforcées pour l'occasion, les périphéries éloignées de Paris se résolvent en lotissements de plusieurs centaines de maisons, dont la disposition, les for-

mes et les teintes contrastent fortement avec celles du bâti ancien, qui prend une tournure curieusement exotique. Sur les plateaux, la présence de grosses unités d'exploitation agricoles aux parcelles groupées, achetées en bloc, favorise de fructueuses opérations immobilières, dont le raccordement avec les structures anciennes est plus ou moins bien étudié. Un ancien plan villageois arrondi avec des maisons assez groupées est bien sûr une meilleure défense qu'un plan allongé aux maisons espacées. Mais, dans de nombreux cas, le risque d'une transformation interne de l'agglomération ancienne est bien réel : des lotissements plus réduits sont construits dans les vergers ou les jardins des maisons du village.

En revanche, mieux protégées par le morcellement préexistant et le caractère particulièrement attractif de leur topographie, les vallées deviennent les zones de résidence privilégiées de ces nouvelles banlieues. Les nouveaux habitants y goûtent le charme provincial de l'ancien bourg dénivelé, qui rappelle à certains d'entre eux... la Provence.

Alsace
Lorraine
Franche-Comté

De la Meuse des paysages de cuestas et de prés marqués par la présence d'un canal aux rives du Rhin où « les vignes se mirent », de part et d'autre des Vosges des croupes herbues et des forêts de conifères, des vallées profondes et des lacs glaciaires, s'opposent la Lorraine parfois austère des villages-rues, aux usoirs et aux porches imposants, et l'Alsace aux villages groupés, aux maisons pimpantes des collines sous-vosgiennes. Pays d'eau, de sel et de fer, la Lorraine des grands horizons est coupée de loin en loin par les architectures métalliques de l'industrie en crise. Mais il faut s'y promener, y rester pour découvrir les forêts superbes de chênes et de hêtres, les étangs de Lindre ou de Mittersheim, fréquentés par les hérons cendrés ou les colverts, les châteaux et les églises secrètes de Hattonchâtel, Fénétrange, Avioth ou Saint-Quirin. C'est évidemment sur la butte de Sion-Vaudémont, « la colline inspirée », que l'on sent toute l'âme du pays. Autre lieu symbolique plus à l'est : le mont Sainte-Odile, terre de prière vouée à la patronne de l'Alsace ; de son promontoire, par-delà cent villages aux toits rouges, au cœur du vignoble, la flèche rose de la nef de Strasbourg est visible. Du Ried du Nord au vignoble du Sud, l'Alsace offre une harmonieuse unité reposant à la fois sur l'aspect des villages et sur le patrimoine naturel et historique.

Des prairies roses du Ballon d'Alsace, on descend rapidement au sud vers les premiers paysages boisés et verdoyants de Franche-Comté. Si les pays de Haute-Saône portent en eux les marques de la Lorraine proche, le vignoble soutient sa réputation de pays riant aux vallons doucement modelés habités par de petites villes aux toits roses et nourrissant depuis toujours le pays de leur vin rouge, jaune ou blanc. L'eau sous toutes ses formes est présente ; sauts, résurgences, cascades, lacs, rivières... font le charme si particulier de la Franche-Comté : c'est Pesmes, la fluviatile, dont les hautes façades de pierre se mirent dans l'Ognon, et Baume-les-Messieurs, village-abbaye de « bout-du-monde » qui se cache au fond d'une reculée de la Seille.

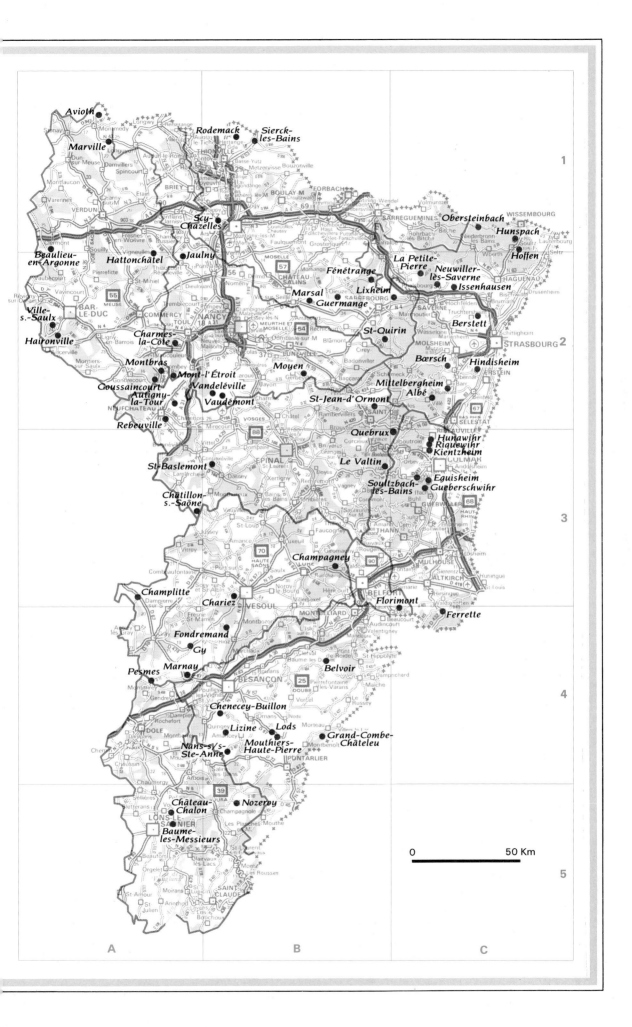

Albé
Bas-Rhin

16 km N.-O. de Sélestat

Le village vosgien d'Albé est construit le long de l'Erlenbach, qui rejoint, quelques kilomètres en aval, le Giessen, dans le val de Villé. Il y a quelques années, ce ruisseau torrentueux (canalisé maintenant pour les nécessités de la circulation), coupé de nombreux ponts et bordé d'une pittoresque rambarde de pierre, longeait à découvert la rue principale du village.

Une vaste grange dîmière et quelques constructions anciennes permettent de remonter jusqu'au XVIe siècle. Ces maisons à cour rectangulaire sans clôture, avec pignon sur rue, rez-de-chaussée en moellons de grès et premier étage à colombage, s'apparentent à la fois aux constructions alsaciennes du Vignoble et à celles des Vosges. La vaste porte voûtée qui donne directement de la cave dans la rue témoigne d'une ancienne exploitation viticole, remplacée aujourd'hui par des plantations de framboisiers sur les pentes bien exposées qui dominent le village.

Néanmoins, les ressources agricoles (surtout la forêt et les prairies) sont réduites, et la population résidente travaille dans les villes les plus proches, Villé ou Sélestat.

Des mines de houille, découvertes en 1808, furent exploitées petitement et par intermittence de 1847 à 1861. Le charbon, de médiocre qualité, servait de combustible aux filatures de Steige et aux forges de Framont. Un réseau complexe de galeries existe encore aux lieux dits In der Grub et Truttenthal.

Autigny-la-Tour
Vosges

10 km N.-E. de Neufchâteau

Il n'y a guère de village mieux rassemblé. Autigny le doit sans doute à la fortification qui primitivement l'enserrait. Une « tour » semble avoir été érigée au XIIe siècle, puis donnée en apanage à Thierry, frère du duc Ferri III de Lorraine. Quelques détails architecturaux témoignent, épars sur les façades, de l'ancienneté du lieu. Le pont aux cinq arches commande l'entrée de cet îlot minéral, maisons

Avioth
Meuse

34,5 km O. de Longwy

Quittant les grands axes, une petite route verdoyante serpente dans les prairies vallonnées vers la frontière belge. De loin, la flèche gothique de la basilique d'Avioth émerge, dominant les maisons basses implantées à son pied et les vergers qui les ceinturent.

Dans ce modeste village, les cent cinquante habitants entretiennent avec soin les espaces publics et les maisons des XVIe, XVIIIe et XIXe siècles pour être à la hauteur de ce monument exceptionnel et accueillir chaque année, le 16 juillet, un pèlerinage vieux de neuf siècles. Devant cette basilique, construite du XIIIe au XVe siècle dans le plus pur style gothique champenois, s'élève, face au portail sud, un lanternon en dentelle de pierre unique en France, la Recevresse. L'édifice, grandiose par sa qualité et par sa taille, magnifie ce site reculé, au charme certain : le paysage a une âme.

A quelques kilomètres, la citadelle de Montmédy, fortifiée par Vauban, s'impose elle aussi dans le paysage.

Baume-les-Messieurs
Jura (voir pages 112-113)

Beaulieu-en-Argonne
Meuse

31 km S.-O. de Verdun

Ce site exceptionnel, complètement enserré dans la vaste forêt argonnaise, à l'extrémité d'un éperon d'où une magnifique vue permet de découvrir au sud-ouest les collines, la plaine et les forêts de l'Argonne méridionale, avait déjà été choisi dès le VIe siècle par saint Rouin pour y fonder un monastère. La route d'accès à Beaulieu débouche sur le dernier vestige architectural subsistant de cette fondation : le long bâtiment ouvert par un porche arrondi encadré de pierre de taille calcaire, qui ferme aujourd'hui le village, marquait l'entrée de l'abbaye, dont on peut voir encore un mur de soutènement appelé « mur des moines ». Il abrite toujours un pressoir du XIIIe siècle, qui fonctionna jusqu'en 1900. Le village se tient en retrait, au-delà de la place herbue et fleurie. Les modestes maisons, basses, tout en longueur, comme enfoncées dans le sol, les plus anciennes en brique, s'alignent le long de l'unique rue. Le visiteur peut s'attarder sur les points de vue de la « terrasse » ou du cimetière d'où l'on découvre les lointains horizons du Sud argonnais et des côtes de Meuse, visiter la galerie photographique, participer au pèlerinage de saint Rouin (le 17 septembre)... ou partir à la découverte de la nature. Au cœur de la vaste forêt de hêtres de Beaulieu – principale ressource de la commune –, entrecoupée de nombreux étangs bordés de roselières et blottis au creux des ravins, le vallon de Saint-Rouin abrite un harmonieux bâtiment en pierre de taille calcaire, l'« abri des pèlerins » dont la vocation d'accueil se perpétue à l'occasion du pèlerinage annuel, et une curieuse église sur pilotis conçue par un disciple de Le Corbusier.

Tapi au milieu des vignes et des vergers, Albé rassemble des maisons alsaciennes à colombage avec pignon sur rue garni de multiples fenêtres et des maisons vosgiennes à longue façade, avec mur gouttereau et pignons aveugles.

paysannes aux portes charretières couronnées de cintres de pierre ou de linteaux de bois, petites maisons de manouvriers qu'on dirait naïves, lacis des rues aux caniveaux de pierres lustrées, que l'église groupe, comme rassemblent les Vierges au manteau. Belle demeure XVIIIe siècle de pierre blonde, le château, en L, orne le front sur le Vair. Un portail à bossages vermiculés donne accès à la cour d'honneur en hémicycle, cantonnée de deux tours, dont les canonnières indiquent l'affectation primitive. Faisant face, le corps de logis principal, décoré de rocailles. C'est comme un point d'orgue que se découvre Autigny, entre les méandres du Vair. Au nord, la rivière tranche de son miroir la conque des prairies. Vers l'est, alimentant un moulin, puis un autre, elle pérégrine, en boucles prononcées, dans un paysage d'une virgilienne douceur où paissent les moutons familiers.

Dans les vertes étendues de la reculée, que trouent par endroits les pans dénudés du plateau calcaire, les toits du village rougeoient lorsqu'ils sortent de l'ombre. Si quelques maisons connaissent un intime contact avec la falaise, les autres, autour de l'église et de l'abbaye, regardent vers les prés où coule la Seille. Toutes, massives, avec leurs petites ouvertures et leur vaste toit, trahissent déjà la montagne. Au centre de la cour de l'abbaye coule une fontaine du XVIᵉ s. On distingue, contre la façade du fond, l'amorce des arcs de l'ancien cloître.

BAUME-LES-MESSIEURS

par Pierre Gascar

11 km N.-E. de Lons-le-Saunier

Le village de Baume-les-Messieurs est situé dans la plus belle reculée du Jura et lui a donné son nom. Le terme régional de « reculée » désigne une étroite vallée creusée en cañon par un cours d'eau jadis souterrain, au-dessus duquel le plateau calcaire qu'il minait s'est effondré. On sort ici des temps géologiques. Avec cette petite rivière claire et vive, la Seille, on est, depuis des centaines de milliers d'années, au lendemain d'une victoire sur la nuit. Celle-ci reste cependant présente, comme tapie, dans le cul-de-sac de la reculée, où s'ouvrent des grottes profondes.

Cette confrontation de la lumière et de l'obscurité marque le paysage, où les deux falaises enserrant la vallée reflètent alternativement les progrès du jour et ceux de son déclin, l'une s'éclairant, quand l'autre est encore ou déjà dans l'ombre. Mais l'impression d'intériorité, sinon de confinement, entretenue dans la reculée par sa profondeur même et par les taillis épais couvrant ses pentes, au pied des falaises, est combattue par le vif éclat du ciel. En l'absence d'horizons, c'est du zénith, en grande partie, que la reculée reçoit la lumière, et celle-ci semble y gagner en intensité. On a ici les éléments de la nature, comme à huis clos. La petite rivière,

pour peu qu'un orage l'ait grossie, fait entendre un bruit de torrent, dont les deux falaises se renvoient l'écho. Le même phénomène de résonance multiplie et enfle le murmure des nombreux ruisselets, les uns nés de l'ondée, les autres permanents, qui dévalent les pentes. C'est à l'endroit où ils vont se déverser dans la rivière qu'a été construite, il y a mille ans, l'abbaye à laquelle le village doit en partie son nom : les « messieurs » étant la désignation révérencieuse des moines, souvent nobles, alors. Ceux-ci ont enfermé dans des canaux souterrains les ruisselets venant du dessous du plateau, et leur fraîcheur continue aujourd'hui d'embuer les dalles de la salle capitulaire, déserte depuis trois cents ans. Dans la cour du cloître, malheureusement détruit, on peut percevoir, montant du sol, le murmure des eaux souterraines, survivant à celui des prières.

Depuis la Révolution française, l'abbaye a été divisée en habitations maintenant occupées par des particuliers. Je suis l'un d'eux. Dans ma cave coule une des petites sources ; grâce à elle, ma maison, même vide, est comme habitée. Au lendemain de la fondation de l'abbaye bénédictine, un des moines est allé vivre en ermite, dans une hutte, dans un renfoncement de la reculée, non loin des grottes emplies d'inquiétantes ténèbres. Il

112

tenait là, en somme, ce qu'à la guerre on appelle un avant-poste.

La plupart des maisons du village sont nées de l'existence de l'abbaye, qui avait besoin de serfs pour la culture de ses terres. Le caractère retiré du lieu renforçait l'indépendance de la communauté religieuse. Véritable seigneur, l'abbé commandait à chacun, rendait la justice. Le village avait son gibet, dressé à l'entrée de la reculée, l'endroit le plus ensoleillé, le plus riant ; les condamnés y montaient au supplice à travers les vignes.

La Révolution ouvrit l'abbaye aux paysans du village, jusque-là mal logés. On martela les écussons de pierre qui, à cent endroits, dans les bâtiments conventuels et sur les pierres tombales de la vaste église abbatiale, portaient les armes des abbés successifs. Ces écussons demeurent, indéchiffrables et cependant parlants : l'iconoclastie est aussi la voix de l'histoire.

L'histoire, l'abbaye en a imprégné toute la reculée. Il n'est pas rare de voir, devant une maison du village, un pot de bégonias posé sur une clef de voûte provenant des arcades du cloître médiéval ou un linteau nervuré servant de banc. En s'avançant vers le fond de la reculée, c'est de la source même de l'histoire qu'on s'approche, en même temps que de celle des eaux dont le bruissement nous accompagne. On laisse sur le côté Saint-Aldegrin, lieu sauvage, qui a gardé le nom de l'ermite ; on est bientôt au-dessous des grottes, dans l'entrée desquelles des outils de pierre taillée ont été exhumés. Ici dominent la demi-ombre et sa végétation : l'anémone des bois, l'ancolie, le lychnis, et les mousses. Dix sortes de mousses, plus vertes, plus scintillantes de rosée, plus profondes les unes que les autres ; de quoi étouffer tous les bruits du monde. On n'entend que le chant des oiseaux ou le cri rauque des choucas qui s'envolent des falaises.

Ce silence d'un passé insondable tend à s'étendre à toute la reculée. Comme partout dans notre pays, les jeunes gens quittent le village. Le nombre des agriculteurs et des éleveurs s'est réduit des trois quarts en vingt ans. Plus un seul artisan ; plus un seul commerce ; l'école a fermé ses portes. Les estivants sont déjà plus nombreux que les habitants permanents.

Le village se fige dans l'immobilité, mais aussi, fort heureusement, dans l'immutabilité assurée par la loi qui a classé le site de Baume-les-Messieurs et les bâtiments qu'il comprend. Ce silence, pour un peu attristant qu'il soit, exerce une tentation. Nous avons beau aimer notre époque : n'y a-t-il pas une agréable invite dans le mot même de « reculée » ? On sait qu'on va se trouver ici un peu en retrait du monde.

Belvoir

Doubs

42 km S.-O. de Montbéliard

Belvoir fut le chef-lieu d'une seigneurie appelée baronnie de Belvoir. L'ancien bourg était assis au pied du château et très resserré jusqu'au XVe siècle. Le fossé qui protégeait l'enceinte nord est encore visible entre l'église et le cimetière. Ce fut dans les premières années du XVIe siècle que Belvoir prit sa véritable extension : on dut reculer le mur d'enceinte qui subsiste encore ; quelques maisons sont bâties dessus. L'entrée était défendue par un rempart large de 10 mètres, flanqué d'un double fossé creusé dans le roc. Le bourg d'en bas garde une halle composée de trois nefs en charpente couvertes d'une toiture descendant très bas. Elle abrite quelques échoppes et la laiterie. A côté de la halle, une place ornée d'une fontaine ; tout autour de vieilles maisons en pierre présentent fenêtres à meneaux et niches sculptées. Mais de ce site d'oppidum barré, l'im-

pression la plus forte est donnée par son château, fondé en 1224 par les sires de Belvoir. Cette formidable forteresse assise sur le promontoire dominant le village a succédé probablement à un retranchement gaulois, puis à un camp romain. Un donjon cylindrique orienté du côté de l'attaque a retrouvé récemment ses dimensions et sa couverture. Les logis, construits en enfilade, sont tournés vers le bourg. Ruiné par Louis XI au XVe siècle, il fut profondément remanié à la Renaissance et ornementé de loggias et de grotesques assez étonnants.

Berstett

Bas-Rhin

17 km N.-O. de Strasbourg

Le village de Berstett se blottit frileusement dans un vallon du Kochersberg. Ce vaste plateau à lœss, à proximité de Strasbourg, surnommé « le grenier à blé de l'Alsace » en raison de sa proverbiale fertilité, étale ses paysages en un moutonnement régulier et reposant, où rien n'agresse l'œil. Ses champs longs et étroits, où croissent le blé, le tabac, le houblon, la betterave sucrière, le colza ou le tournesol, forment à perte de vue un ravissant habit d'Arlequin. Comme partout ailleurs en Alsace, excepté en montagne, l'habitat y est fortement regroupé, et les vil-

---

Depuis près de sept siècles, le château des seigneurs de Belvoir domine le plateau de Sancey, protégeant le village lové dans un repli de l'escarpement rocheux.

ages relativement petits et proches les uns des au-
:res, reliés entre eux par de charmantes petites routes bordées d'arbres fruitiers. La famille noble des
Berstett a donné son nom au village, mais de son
château, détruit lors de la guerre de Trente Ans, reconstruit en 1742 et démantelé à nouveau à la Révolution, il ne subsiste que le portail crénelé de
style Renaissance alsacienne, ainsi qu'une balustrade et un escalier Louis XIV remontés dans une
ferme du village. Par contre, dans le temple luthé-
rien gothique, à nef du XVe siècle, les pierres tombales des Berstett sont encore visibles, quoique abîmées par les iconoclastes lors de la Révolution.
Les fermes importantes et cossues du centre du
bourg sont caractéristiques du style architectural
traditionnel de la région du Kochersberg : cours pavées aux proportions généreuses, fermées par un
portail monumental aux encadrements de grès ornés de sièges de pierre ; colombage harmonieusement réparti ; présence de balcons aux riches balustrades... Un peu à l'écart du village, niché au creux
d'un vallon, l'ancien moulin à eau a été remarquablement restauré par son propriétaire actuel.

---

*L'un des plus beaux puits Renaissance d'Alsace, à colonnes
rehaussées de chapiteaux sculptés, se dresse devant l'hôtel de ville de
Boersch, autre joyau Renaissance de la petite cité.*

Boersch
Bas-Rhin

4 km O. d'Obernai

Entourée de vignobles, la petite cité de Boersch est
nichée dans un vallon à proximité d'Obernai. Cette
ancienne propriété des évêques de Strasbourg fut
élevée au rang de ville en 1328 par l'un d'eux, Ber-
thold de Bucheck, qui la fit fortifier en 1340. Elle fut
incendiée en 1622 pendant la guerre de Trente Ans
par l'armée de Mansfeld.
La petite ville a néanmoins su conserver une grande
partie de ses fortifications s'ouvrant par trois portes
gothiques surmontées de tours massives, la plus
belle étant la porte Vieille, située à l'ouest de la cité.
Les pittoresques ruelles tortueuses convergent vers
l'hôtel de ville daté de 1578, joyau de la Renaissance alsacienne avec ses trois étages percés de fenêtres à meneaux et sa tourelle d'escalier en colimaçon coiffée d'un toit pointu. En 1615, peu de
temps après sa construction, le bâtiment fut doté
d'un oriel d'angle à deux étages aux sculptures
d'une extraordinaire richesse que termine une balustrade flamboyante du plus bel effet. Sur la même
place se dresse un des plus beaux puits Renaissance
d'Alsace, daté de 1617. Non loin de cet ensemble se
trouve la vaste et intéressante commanderie des
Chevaliers teutoniques, bâtiment en forme de U remontant à la fin du XVe siècle et remanié au XVIIIe.
Il faut enfin mentionner l'église dont la tour remonte au XIIe siècle en sa partie inférieure.
La culture des arbres fruitiers, pratiquée depuis
l'époque romaine, fit la renommée de ce village. Aujourd'hui, la vigne est la ressource principale avec
une étonnante palette de vins blancs où le sylvaner
se taille la part du lion.

Champagney
Haute-Saône

18,5 km N.-O. de Belfort

En venant de Lure, après avoir traversé l'Ognon, se
découvre un paysage aux sommets arrondis, les ballons, couverts de sombres forêts de sapins ; du
sol, grès et granit sont extraits pour façonner les
villages.
Mentionnée dès le XIe siècle, la petite ville de Champagney subit comme tant d'autres en Franche-
Comté les affres de la conquête et fut incendiée en
1634. Bien qu'endommagée en 1944, la ville recèle
encore de nombreux bâtiments du XVIIIe ou du
XIXe siècle fort intéressants ; l'église reconstruite au
XVIIIe siècle abrite un mobilier et une statuaire plus
anciens (XVIe siècle) et un carillon de 22 cloches.
En mars 1789, la paroisse de Champagney avait inscrit dans son cahier de doléances un article récla-
mant l'abolition de l'esclavage dans les colonies
« au nom de la dignité humaine ». Afin de perpétuer
ce souvenir furent créées en 1970 la maison de la
Négritude, qui abrite un musée consacré au monde
noir, ainsi qu'une fête annuelle le second dimanche
de septembre.
Deux lacs artificiels ont été aménagés sur les anciennes ballastières, et à proximité le « bassin de
Champagney » est un lac de plus de 100 hectares. A
partir de Champagney, de nombreuses découvertes
peuvent être entreprises : Ronchamp, Plancher-les-
Mines, Faucogney...

Champlitte
Haute-Saône

36 km S.-E. de Langres

Champlitte s'inscrit dans le vaste paysage du plateau haut-saônois. Établissement romain puis mérovingien, fief du comté de Bourgogne, le bourg se développe autour du château des Vergy, à l'intérieur des murailles, sur les bords du Salon. Au milieu de pâtures et de son vignoble, la ville, objet de convoitise, fut prise, pillée, rasée par les Écorcheurs, par Pierre de Craon en 1475, par Henri IV en 1595, par Bernard de Saxe-Weimar en 1637, par le duc d'Angoulême en 1638. Ce qui peut se découvrir aujourd'hui des fortifications a eu la vie dure.

Le château des Vergy a laissé la place à un château plus récent, dont la façade, due à l'architecte Hugues Sambin, fut encadrée au XVIIIᵉ siècle de deux ailes par Bertrand et accueille aujourd'hui un extraordinaire musée d'histoire et de folklore. Autour du château et de l'église (XIVᵉ siècle), les ruelles descendent vers le Salon, bordées de vieilles maisons du XVIᵉ et du XVIIᵉ siècle. Au détour des rues, maisons « espagnoles », anciens bâtiments de prieuré, église et ruines de château attestent ce passé tumultueux. Le village renaît aujourd'hui, en retrouvant son histoire et son vignoble d'autrefois. Reconstitué depuis quelques années, celui-ci produit des vins secs et fruités.

Chariez
Haute-Saône

9 km O. de Vesoul

Site peuplé dès l'époque paléolithique, comme l'attestent les traces d'un camp préhistorique sur l'éperon barré qu'occupe le village, Chariez a donné son nom à une famille qui s'est éteinte au XIVᵉ siècle. Comme beaucoup d'autres, le bourg fut pillé maintes fois : par les routiers en 1360, par le sire de Craon en 1475, par les Lorrains en 1477.

Le village de Chariez a conservé son allure typiquement comtoise de village agricole. Autrefois village vigneron produisant un vin réputé qui était exporté vers la Lorraine, l'Allemagne et la Suisse, Chariez a gardé quelques-unes de ses maisons du XVᵉ au XVIIIᵉ siècle. Du XVIIIᵉ siècle nous sont parvenues la maison de campagne des jésuites du collège de Vesoul et l'église.

Si l'on gagne le plateau dit Champ de César, on peut découvrir une très belle vue sur la plaine du Drugeon, Vaivre et la ville de Vesoul.

Autour de l'église Saint-Pierre, coiffée de lave sombre, les demeures de Château-Chalon dominent le célèbre vignoble qui produit ce vin couleur jaune d'or si aromatique.

Charmes-la-Côte
Meurthe-et-Moselle

6 km S.-O. de Toul

Sur une trentaine de kilomètres, les côtes de Toul abritent comme une grande vague dans ses creux une suite de villages vignerons. Paysage du mouvement que ce leitmotiv du relief lorrain, pentes douces, front relevé en sabot, jamais mieux mis en valeur que par les ciels balayés de nuages.

Charmes-la-Côte s'accroche, à sa manière, juste au-dessous de la forêt, dans un semis de vergers et de jardins. Tout dit l'utilisation économe du sol, au plus juste des courbes de niveau. Les rues en pente forment un nœud tortillé, les maisons, pour la plupart du XVIIIe siècle ou du début du XIXe siècle, ont rapetissé leur gabarit, au point que les porches, cantonnés de piédroits et surmontés d'agrafes cannelées, occupent la part majeure des façades, leur conférant la noblesse de leur forme. Une note vive, un bleu charron tranchent, çà et là, sur la blondeur des crépis, et les toits enferment dans le camaïeu ocre et rose de leurs tuiles rondes une lumière presque méditerranéenne. De Lucey à Bulligny, autour de Blénod-lès-Toul, qui, avec la belle église et son petit quartier fortifié, est la capitale de ce terroir hospitalier, un vignoble s'efforce de renaître, souvenir d'une viticulture réputée, dont les produits étaient exportés vers les cours d'Europe.

Château-Chalon
Jura

20,5 km N. de Lons-le-Saunier

Couronnant une colline plantée du célèbre vignoble qui descend doucement vers la Seille, la forteresse de Château-Chalon se détache sur le ciel. Construite par Charles le Chauve sur l'emplacement d'un *castrum carnonis* planté par Lothaire afin d'organiser sa campagne contre Gérard du Roussillon, elle vécut des heures de gloire.

Le bourg de Château-Chalon était autrefois important et possédait une abbaye de femmes. Puis, plus tard, le bourg devint le siège d'une grande seigneurie, propriété de l'abbaye des Bénédictins. Malgré les fortifications dont furent entourés le bourg et le château, malgré sa situation et sa remarquable défense, Château-Chalon fut pris et saccagé maintes fois, comme en témoignent ses ruines : une seule tourelle et quelques pans de courtine. Le vieux bourg conserve cependant autour de son château placé en avant-garde un ensemble d'habitations rurales anciennes des XVIIIe et XIXe siècles. Proche du quartier abbatial, l'église Saint-Pierre, couverte en lave, remonte au XIe siècle.

Des façades simples et sévères du XVIIIe s., un clocher-tour du XIVe s., seul vestige de l'ancienne église, c'est là le visage austère d'une rue de Champlitte.

*La rue des Remparts,
à Eguisheim, est bordée
de maisons médiévales
aux façades irrégulières
où les torchis peints
de couleurs différentes,
les bois vieillis des portes
et des colombages
et les fleurs des bords
de fenêtre composent
un chatoyant tableau.*

Châtillon-sur-Saône

Vosges

36 km S. de Contrexéville

L'automobiliste, qui emprunte la route de Liron-court à Bourbonne, a peu de chance de découvrir la richesse de Châtillon-sur-Saône : depuis le nord, le front bâti s'inscrit comme une ligne de force continue, barrant le plateau, et la grande rue qu'il parcourt aligne, porche après porche aux puissants gonds, les maisons rurales. Sur les toits, çà et là, une girouette de tôle noire offre au vent une figurine.

Rien ne lui est dit du site, et si peu d'une forteresse devenue cité à la Renaissance. Il lui faudra contourner le cap, où confluent la Saône et l'Apance, et de-puis Jonvelle revenir suivre la longue traînée de verdure, mi-prés, mi-bois, qui introduit à Châtillon. Une quille de hauts arbres mêlés indique l'emplacement de l'ancien château fort, mentionné pour la première fois en 1234.

Le destin de marche est là, déjà, inscrit. Châtillon passe à cette date de la suzeraineté de l'évêque de Besançon à celle du comte de Bar dont elle devient une châtellenie excentrée, puis en 1348 le siège d'une prévôté. Des fortifications sont érigées, pour défendre une position qui ne cessera d'être exposée, aux confins des duchés de Lorraine et de Bourgogne. Charles le Téméraire ravage la ville en 1476. Elle n'est pas encore relevée du sac par l'armée bourguignonne qu'en 1484 le sire de Valengin la prend à son tour et la livre aux flammes.

1540 ouvre la reconstruction : le duc de Lorraine multiplie exemptions, accensements, concessions de terrains. C'est une ville neuve que les Suédois et les Houlans, au plus fort de la guerre de Trente Ans, assaillent, la laissant pendant seize ans vide d'habitants. Ce qui a subsisté restitue l'image d'une petite ville de la Renaissance.

Au visiteur qui remontera la rue allant vers l'église, la maison de l'Auditoire, avec sa fenêtre d'angle, en signale le début. Elle jouxtait autrefois la porte Saint-Michel, démolie en 1790. Sous un toit à croupe, la puissante bâtisse en vis-à-vis, ornée de tympans gothiques, passe pour avoir été l'ancien hôpital.

Hôtel du Gouverneur, hôtel du Faune, grenier à sel : par les seuls noms, prêtés ou retrouvés, resurgissent l'identité de demeures oubliées et la vie de la grande place. La qualité des décors subsistants frappe : entrées à pilastres ioniques et rinceaux, consoles ouvragées d'un balcon, tourelles d'escaliers à demi engagées. Derrière le grenier à sel (ou à blé), à la façade composite, l'hôtel de Ligniville, avec ses bandeaux moulurés, les ordres superposés, l'entrée (1554) à colonnettes, offre une Renaissance miniature. Nombre de maisons à tourelles, qu'il faut imaginer couvertes de toits coniques, sont visibles dans les rues voisines.

Après un détour par l'église, qui fut « l'une des plus considérées du pays » – son chevet remonte au XIIIᵉ siècle –, on redescend vers les rues du quartier populaire, à l'ouest. La maison à l'enseigne du cordonnier, en bordure de la courtine nord, non loin de la grosse tour du XIVᵉ siècle, la maison du boucher mêlent leur évocation aux bâtiments ruraux, à quelques hôtels encore, hôtel de Sandrecourt, hôtel de Bourbévelle. Quel plus bel hommage à ce patrimoine que l'œuvre de restauration entreprise par le mécénat américain et l'association Saône Lorraine ?

Par l'escalier de l'Assaut, près de la tour Huguenin-Guiot, sous le lierre et le lilas, puis par la sente au bout de la maison du tanneur, on rejoindra pour finir la face cachée de Châtillon, ce paysage parfait, au pied des maisons formant muraille, où ruisselle le vert de l'Apance, entre l'ordre du Grand Bois et les pâtures.

Chenecey-Buillon
Doubs

17,5 km S. de Besançon

Sur les rives de la Loue, entre des collines boisées de feuillus, entouré de pâtures et de vergers, le village de Chenecey assure le passage de la rivière par un ouvrage magnifique du XVIIᵉ siècle. Autrefois situé sur la colline, Chenecey était le siège de l'abbaye de Buillon fondée par l'archevêque Anseric et les sires de Chenecey, et dont il subsiste des ruines du XIIᵉ siècle.

Aujourd'hui, le village est un ensemble de bâtiments imposants des XVIIIᵉ et XIXᵉ siècles bordant une large rue descendant vers le pont. Un peu à l'écart, en aval, l'église du XIVᵉ siècle pointe son clocher-porche de style roman tardif face à la Loue. En amont, les forges que l'on atteint par un chemin parallèle à la Loue, en haut du village, sont un bel exemple d'établissement préindustriel comtois ; outre les espaces de production proprement dits, la maison du maître, les logements des ouvriers accompagnés de leur potager s'abritent derrière un portail marqué de deux majestueuses colonnes de fonte cannelées, fermant ainsi un espace autonome.

Eguisheim
Haut-Rhin

7,5 km S. de Colmar

A quelques kilomètres au sud-ouest de Colmar, entouré d'une large ceinture de vignes, au pied de la colline des Trois Châteaux, se trouve Eguisheim, une des plus anciennes bourgades de l'Alsace. Au centre de la coquette cité fortifiée dès 1257 s'élève le château fort construit au VIIIᵉ siècle par le comte Éberhard, duc d'Alsace et neveu de sainte Odile. Avec Hugues IV d'Eguisheim et son épouse Heilwige de Dabo, la puissance des comtes atteint son apogée : leur fils Bruno, né le 21 juin 1002, deviendra le pape saint Léon IX (1049-1054). Il fut un énergique réformateur de l'Église et le promoteur de la trève de Dieu.

On admirera l'aspect original des remparts et des ruelles concentriques, où les maisons du XVIᵉ et du XVIIᵉ siècle s'appuient les unes contre les autres. Elles montrent leurs colombages, leurs oriels fleuris de géraniums, leurs portails et leurs pignons pointus. L'église date du XIIᵉ siècle. La nef, démolie en 1803, a été reconstruite en 1807 ; mais le tympan est encore celui de l'église ancienne : il représente le Christ entre saint Pierre et saint Paul, les vierges sages et les vierges folles. Le clocher à bâtière que surmonte un nid de cigognes, c'est celui que Hansi dessinait chaque fois qu'il composait un village d'Alsace.

Il faut voir les cinq cours dîmières, l'hostellerie où Turenne dormit la veille de la bataille de Turckheim, l'horloge solaire de la cour d'Eschau, la maison d'accueil des Bonnes Gens, le siège de la corporation des gourmets, la fontaine Saint-Léon. Terre d'élection de la vigne, Eguisheim est aussi le berceau de la viticulture alsacienne.

Fénétrange
Moselle

15 km N. de Sarrebourg

Fénétrange est une ville. Le déclin des cantons ruraux ne semble pas devoir effacer cette physionomie originelle. Elle fit partie, pendant des siècles, d'une seigneurie dont le partage entre héritiers était exclu, selon une forme particulière de droit féodal germanique. De grandes familles nobles, Landsberg, Salm, Dommartin, Vaudémont, Croÿ, les rhingraves de Kyrbourg en devinrent ainsi, par héritage ou acquisition, coseigneurs.

Le château parvenu jusqu'à nous, des XVIᵉ, XVIIᵉ, XVIIIᵉ siècles, impose, depuis la route de Romelfing, son haut volume rose. Refermé comme un poing, il domine la Sarre, dont les eaux, en cas de guerre, se déversant dans les fossés, protégeaient la ville.

On laissera sur la gauche, au carrefour avec la D 38, les petites maisons ordonnancées du faubourg de l'hôtel de ville, établi au XVIIIᵉ siècle et au tout début du XIXᵉ, auquel la ruelle des Juifs procure un revers pittoresque, pour pénétrer par la porte de France, reconstruite après la dernière guerre.

Le paysage intra-muros est l'un des plus variés qui

La Grand-Rue de Châtillon-sur-Saône. C'est la partie lorraine du village, juxtaposant les façades des fermes, scandée par les porches en plein cintre qui laissent visible l'épaisseur du mur. ▷

soit. L'ancienne collégiale Saint-Rémi, qui fut luthérienne un siècle, y occupe une position éminente. Le premier quart du XVe siècle voit vraisemblablement débuter la reconstruction de l'édifice roman primitif. Jean VII de Fénétrange ambitionne la création d'un chapitre et fait élever le vaste chœur achevé après sa mort en 1467. Il reviendra au maître strasbourgeois Hans Hammer de construire la nef, haut, simple et serein vaisseau.

L'histoire de Fénétrange, la diversité des influences, l'empreinte de plusieurs coseigneurs, d'origine cosmopolite, et de leurs baillis, ont produit, tout autour de l'édifice, un tissu original, que le XVIIIe siècle, succédant aux destructions de la guerre de Trente Ans, a complété. Les maisons à oriel du XVIe siècle, tels l'ancien hospice et la maison des rhingraves de Limbourg ornée d'animaux grimaçants et de figures, celle à tourelle d'angle du bailli Moscherosch (XVIIe siècle), restent les plus remarquées. Mais, au gré des rues, s'enchaîne, en des tableaux chaque fois renouvelés, un patrimoine infiniment divers : granges à portes charretières et gerbières, maisons d'un XVIIIe siècle très urbain, façades-pignons sous les toits à croupes, maisons à pans de bois à la manière de l'Alsace bossue proche.

Enserrée dans les maisons, l'entrée du château, que précédait un pont-levis, porte la devise des Croÿ, SFC, « Sans fin Croÿ ». Un grand tilleul ordonne la cour semi-circulaire, où se font face le château et les dépendances. Chaque mois de juin, un festival de musique se déroule en ce lieu. Par la chapelle, dont la voûte d'ogives s'appuie sur un pilier central, on accédera au belvédère sur la Sarre, et les îlots de hauts arbres entre les rapides.

Ce pays est celui des étangs, grandes avenues de lumière parmi les bois, au bord des roselières et des iris jaunes, avec, seul, trouant le silence, le cri des foulques.

Ferrette
Haut-Rhin

39 km S. de Mulhouse

Le bourg de Ferrette est situé en un point stratégique, sur les derniers contreforts du Jura.

Les ruines des châteaux forts qui dominent la ville datent des XIe, XIIe et XIIIe siècles. Une grande enceinte, construite au XVIe siècle, relie les deux ensembles. Les bourgeois de Ferrette, gens du seigneur et artisans, s'installèrent dans la vallée étroite du Katzenbach qui fut bouclée par deux portes, constituant ainsi une localité fortifiée. Le droit local ou « Coutumier de Ferrette » fut appliqué non seulement dans la ville, mais dans une grande partie de l'Alsace. La dernière descendante des comtes, Jeanne de Ferrette, épousa en 1324 un archiduc d'Autriche et donna naissance au futur Léopold III, empereur d'Allemagne. Aux traités de Westphalie (1648), Louis XIV fit don du comté à Mazarin.

Durant les deux derniers siècles, la population du bourg fut à peu près stable et ses services tertiaires continuent à rayonner sur l'ensemble de la région. De ce fait, les maisons bordant la rue à forte pente qui descend du château ont un caractère urbain et aristocratique. Par exemple, la maison de la Dîme, la salle du Tribunal, la maison Engelhus, reconstruite en 1789. L'hôtel de ville, surmonté d'un beffroi, date de 1572 et porte les armes des comtes de Ferrette. Aux rez-de-chaussée se tiennent des boutiques vieillottes, aux vitrines étroites, garnies de ri-

deaux brodés, et encadrées de bois peint, où le temps semble arrêté pour toujours.

Dans les villages alentour, en particulier à Magstatt-le-Bas, l'ensemble des maisons, caractéristiques des fermes du Sundgau, tombe lentement en ruine. L'église, dédiée à saint Michel, a fait l'objet de travaux de restauration, mais aucune opération de ce type ne sauvera les fermes dont les habitants travaillent maintenant en Suisse ou à Mulhouse. Face à cette situation quasi irréversible, l'écomusée d'Ungersheim, au nord de Mulhouse, s'est donné pour tâche de recueillir les maisons en péril. Plus de 42 constructions issues de toutes les régions d'Alsace représentent les différents types d'architecture rurale traditionnelle de la province.

Florimont
Territoire de Belfort

22 km S.-E. de Belfort

Au sud du Territoire de Belfort, dans un paysage accidenté couvert de forêts et ponctué d'étangs, le petit village de Florimont est typique des bourgs de cette région. Ses vestiges gallo-romains, ceux du château médiéval dont le donjon a été reconstitué au XIXe siècle, ses fermes anciennes et son église du XIXe siècle attestent sa longue existence.

L'ensemble des fermes construites à colombage est un des derniers témoins fragiles d'un mode de construction courant dans ce territoire proche de l'Alsace. Formées d'une ossature de bois par assemblage, entre les éléments de laquelle s'intercale un remplissage de torchis, ces maisons sans encorbellement présentent des dessins larges et peu rapprochés. Leurs toitures pentues sont couvertes de tuiles plates arrondies ou en fer de lance.

Fondremand
Haute-Saône

23,5 km S.-O. de Vesoul

L'ancienne voie romaine de Besançon à Vesoul escaladait le relief accidenté à travers les forêts et traversait Fondremand. La permanence de l'occupation de son site est attestée par les découvertes de sépultures mérovingiennes.

Fief rattaché jusqu'en 1385 au comté de Bourgogne, il passe ensuite aux Neufchâtel. De l'époque médiévale date le puissant donjon roman qui marque l'importance de la ville : bâtiment défensif et austère, il fut remodelé, agrandi aux siècles suivants ; un escalier polygonal fut ajouté au XVIe siècle, ainsi qu'un logis seigneurial plus accueillant accompagné de ses dépendances. Au pied de cet édifice jaillit du rocher une source dite de la Romaine, mise en valeur au XIXe siècle par un pavillon de style classique. L'église du XIIe siècle fut plusieurs fois remaniée : un sanctuaire gothique fut adjoint au XIIIe siècle, la façade reprise au XVIe siècle, la nef plafonnée au XVIIIe siècle. Fondremand est aujourd'hui une petite ville pittoresque où des vestiges prestigieux sont entourés par plusieurs maisons des XVe, XVIe ou XVIIe siècles, au cœur d'une région connue pour la qualité de ses produits laitiers. Chaque année, en juillet, les artisans de la région se réunissent dans ces vieilles maisons : le village sert alors de cadre à l'exposition des produits des artisans locaux : potiers, boulangers, forgerons, tisserands, peintres et sculpteurs.

*La maison du Bailli,
à Fénétrange.
Les coseigneurs de
Fénétrange se faisaient
représenter par des
baillis. Jean-Michel
Moscherosch, bailli de
la maison de Croÿ,
aurait vécu en cette
demeure de 1636 à
1640. On lui doit
les Singulières
et véritables visions
de Philander
de Sittewald,
témoignage sur la
guerre
de Trente Ans,
son cortège d'horreurs*

Goussaincourt
Meuse

16,5 km N. de Neufchâteau

Avant de pénétrer dans le village de Goussaincourt, découvrez sa silhouette depuis le CD 964 en venant de Domrémy. Perpendiculaires au cours de la Meuse, les maisons accolées s'étirent en une bande continue, coupée en son milieu par le clocher de l'église en remontant vers le plateau. L'ocre jaune des tuiles canal ressortant de l'écrin verdoyant des prairies et des arbres, et la douceur des vallonnements qui bordent les prairies humides de la Meuse inspirent calme et sérénité. Ce village agricole se limite à une rue, dont la forme et l'aspect sont tout à fait caractéristiques du village-rue lorrain. L'entrée de Goussaincourt est dominée par les hautes frondaisons du parc du château enserré dans ses murs. Du château fort primitif, qui formait un quadrilatère,

ne subsistent que le colombier (XVe siècle), le bâtiment principal flanqué de deux tours, remanié au XVIIIe siècle, et les communs attenants. De nombreux détails architecturaux rappellent la fonction défensive de ce château, situé aux confins des duchés de Bar et de Lorraine. Aujourd'hui, cette agréable demeure s'ouvre au public pour présenter, dans les deux belles salles voûtées à colonnes des communs, une exposition de faïences et un musée consacré à la vie paysanne du XVe siècle à nos jours. La Grand-Rue est jalonnée de petits édifices ruraux dont les plus remarquables sont la source de Saint-Gervais et le lavoir attenant. L'église a été reconstruite en 1783. Les maisons furent pour la plupart édifiées aux XVIIe et XVIIIe siècles ; l'architecture en est simple mais soignée, avec des détails raffinés. Le village semble avoir traversé les deux derniers siècles dans un demi-endormissement, après avoir été le terrain d'affrontement des puissances souveraines des duchés de Bar et de Lorraine, jusqu'à la guerre de Trente Ans, la plus destructrice.

Grand-Combe-Châteleu
Doubs

30 km N.-E. de Pontarlier

Venant de Montbenoît, après un étroit défilé, la vallée du Doubs s'élargit brusquement en une large plaine paisible. Plus de reliefs hardis, plus de sommets aigus, de grandes parois blanches, mais de grands vallonnements bordés de sombres forêts de sapins et d'épicéas. Une allure de parc ponctué par les clochers de Montlebon et de Morteau – vaste espace de verdure ou de neige. Les grandes activités de la montagne sont le lait et le bois. Mais l'hiver est long, et les bêtes stabulent cinq à six mois. Il faut rentrer d'énormes quantités de foin. Bêtes et gens sont logés sous le même toit, et plusieurs générations y habitaient autrefois.

Grand-Combe-Châteleu est un de ces bourgs composés d'importantes fermes dispersées, formidables bâtisses utilisant plus le bois que la pierre, trapues, assises dans leur paysage. Les maisons anciennes se reconnaissent à leur « tué », grande cheminée, exutoire d'un chauffoir-fumoir occupant une pièce entière de 3 mètres sur 3 au centre de la maison ; on y suspendait les saucisses de Morteau et les jambons, le lard et autres salaisons ; on regroupait autour les autres pièces de la maison qui y déversaient la fumée de leur poêle en faïence ou de leur cheminée. Bien souvent, ces bâtiments abritent une activité liée au bois ou encore à la fabrication de pièces d'horlogerie. Le long de la route des Gras, les façades sont de bois richement œuvré, à « rangs pendants » ou « enrayures », aux abouts de poutres sculptés en bêtes monstrueuses ou en formes géométriques. Seuls quelques bâtiments importants, l'église Saint-Joseph, par exemple, sont entièrement en beau calcaire doré. Certaines de ces fermes peuvent se visiter, notamment la ferme située au lieu dit les Cordiers.

Gueberschwihr
Haut-Rhin

10,5 km S. de Colmar

Gueberschwihr est l'une des rares communes du vignoble alsacien à posséder une vaste place plantée d'un marronnier, héritier lointain de l'arbre de la liberté, et des monuments de taille urbaine : une église néoromane reconstruite en 1875-1878, un presbytère dont les vastes caves abritaient la dîme prélevée par l'évêque de Bâle, et un château néogothique édifié dans un parc, à partir de deux maisons de vignerons des XVIIe et XVIIIe siècles, flanquées d'une tour à belvédère.

La population n'a cessé de diminuer depuis la Révolution, de même que les exploitations viticoles. Les maisons, datées du XVIe et du XVIIe siècle, avec façade ou pignon alignés le long de rues pavées qui montent à l'assaut du coteau, conservent néanmoins des portails voûtés décorés d'écussons sculptés et de vastes caves à soupiraux surmontées d'un étage d'habitation. Les autres bâtiments d'exploitation, bordés de galeries à balustres de bois, se développent autour d'une cour intérieure. Beaucoup de constructions sont en grès du fait de la présence de carrières sur le territoire de la commune.

A 2 kilomètres à l'ouest du village, en pleine forêt, l'abbaye bénédictine de Saint-Marc est un très bel exemple de l'architecture conventuelle du XVIIIe siècle.

Guermange
Moselle

28 km N.-O. de Sarrebourg

160 étangs ont donné son nom au pays des Étangs où, même lorsqu'elle n'est pas visible, l'eau se devine par la végétation. Dans ce paysage doucement vallonné, domaine de la prairie et des immenses fo-

Le quartier des Cordiers, à Grand-Combe-Châteleu, rassemble un groupe de maisons importantes par leurs dimensions. Certaines pouvaient posséder plusieurs « tués », un par famille.

XIIIe siècle, au détriment du bourg castral. Le château médiéval, remanié au XVe siècle puis au XVIe, prolongé, agrandi, agrémenté d'un jardin à la française, fut partagé à la Révolution – jardin et portail d'entrée ont disparu. Pourtant, l'ensemble, aujourd'hui propriété privée, nous est parvenu sans destructions majeures, avec notamment l'escalier extérieur dans sa tour octogonale, bel exemple de gothique flamboyant.

Dans le bourg, l'église Saint-Symphorien, reconstruite de 1769 à 1774, offre une nef de plan basilical à trois travées séparées par des colonnes ioniques. Seul subsiste de l'ancien édifice le clocher du XVIIe siècle.

Comme toutes les villes de Franche-Comté, Gy a beaucoup souffert de la conquête par Louis XIV, et le « bourg-dessus » n'a conservé que peu de bâtiments antérieurs au XVIIIe siècle. Mais le renouveau des XVIIIe et XIXe siècles a vu se construire bâtiments privés puis bâtiments publics en grand nombre. Maisons de vignerons, toutes bâties sur caves demi-enterrées, voûtées, aux détails soignés, prouvent le souci esthétique et l'aisance d'une partie de la population. La construction de bâtiments publics – mairie, école néoclassique et sévère, la fontaine-lavoir de plan circulaire et d'autres fontaines – reflète le renouveau de la ville durant ces deux siècles. A 3 kilomètres au nord-est de Gy, dans un site accidenté et boisé, le bourg de Bucey-lès-Gy rassemble ses maisons anciennes et ses hameaux autour d'une église gothique des XIVe-XVIe siècles. Alentour, les sentiers balisés des monts de Gy et les sources résurgentes de roche sont un but de promenade.

Haironville
Meuse

12 km S. de Bar-le-Duc

La douceur du relief que souligne la végétation, les villages blottis avec leurs multiples richesses architecturales ont donné à la vallée de la Saulx, modeste rivière qui serpente au milieu des prairies, une réputation justifiée. Les églises de Ribeaucourt, Bazincourt, les châteaux de Stainville, Ville-sur-Saulx, Lisle-en-Rigault, ou simplement le charme des petits villages de Montiers, Lavincourt constituent quelques éléments d'un itinéraire touristique.

Haironville est l'un des points forts de la vallée. Principalement développé sur la rive droite de la Saulx, le village, avec ses maisons en pierre calcaire des XVIIIe et XIXe siècles, présente l'aspect d'un bourg. C'est sans doute le charme du site et la proximité de Bar-le-Duc qui expliquent la présence de trois châteaux dans le cœur de la commune. Le château de la Tour, édifié sur une petite île, se dissimule derrière le long bâtiment des communs percé d'un portail à fronton du XIXe siècle. Dans le virage, le propriétaire des forges – activité principale du village avec la culture de céréales et l'élevage – créées au XVIe siècle construisit une demeure de style Louis XIV dont la façade est visible de la rue. En contrebas, une grande porte à double arceau s'ouvre sur la terrasse à balustrades (XVIIIe siècle) et le château Renaissance de la Varenne.

Franchissant la Saulx, sur la place, un joli pont à douze arches portant une croix en pierre en son milieu mène au lavoir. Plus loin sur la droite, le tracé de l'ancienne voie de chemin de fer permet, en suivant la rivière, de découvrir de belles vues sur le parc du château de la Varenne.

rêts, Guermange est niché dans un creux, au bord du très bel étang du Lindre, voué à la nature et aux oiseaux.

Au détour d'une petite route sinueuse, jalonnée d'arbres fruitiers, le village apparaît dissimulé par les vergers qui le ceinturent. Les maisons profondes, couvertes de tuiles, s'alignent le long des larges usoirs des deux rues parallèles. Des passages mènent à des cours intérieures, utilisées, comme les usoirs, pour le matériel agricole. Parmi les maisons aux façades enduites, certaines laissent apparaître des colombages sur le pignon. La construction en bois est très représentée dans le pays des Étangs, notamment à Bisping, commune voisine. Ce petit village tassé est dominé par les hauts arbres du parc du château, grande maison rectangulaire du XIXe siècle, construite à l'emplacement d'une maison forte du XIVe dont subsistent encore les fossés, des bâtiments d'exploitation, le pigeonnier, et deux petites tours surmontées d'un clocheton en bulbe.

Gy
Haute-Saône

35,5 km S.-O. de Vesoul

De cet éperon rocheux dominant la Morte, les archevêques de Besançon firent un de leurs grands domaines. Ils y installèrent un château fort, dès le XIIe siècle, dominant l'église construite au siècle précédent. La ville s'est ainsi développée autour de ces deux symboles entre un domaine fortifié et un « bourg-dessous » bientôt protégé par un rempart. Le développement du défrichement et l'implantation de la vigne dans la plaine, en enrichissant Gy, amenèrent l'extension du « bourg-dessous » dès le

Hattonchâtel
Meuse

36 km S.-E. de Verdun

Ne serait-ce que par son site, longue côte qui émerge des hauts de Meuse au-dessus de la vaste plaine de la Woëvre, Hattonchâtel attire le voyageur. Mais c'est également un lieu chargé d'histoire où Hatton, évêque de Verdun au IXe siècle, fit construire un château et lui donna son nom. Bien que fortement détruit lors de la guerre de Trente Ans puis de la Première Guerre mondiale, des témoignages subsistent de cette époque. Les ruines de la porte Notre-Dame rappellent que le village fut fortifié, et la très belle maison à arcades gothiques, en avancée sur la chaussée, qu'il connut un passé riche et glorieux lorsque le château fut la principale résidence des évêques de Verdun.

La collégiale de 1328 faisait partie du système défensif : on en voit encore l'épaisse tour hémicirculaire qui flanque, à l'ouest, l'église actuelle, reconstruite au XVIIe siècle. Son portail, de style flamboyant, et la galerie subsistante du cloître attenant, du XVe siècle, contrastent par la légèreté et le raffinement de leur décor. Dans une chapelle latérale, un magnifique retable de la Renaissance (1523), représentant la Passion, est attribué à Ligier Richier. A l'écart du village et de ses maisons basses, au bout du promontoire, une riche Américaine fit construire en 1920 un château de style néogothique, à l'emplacement du château médiéval : on peut encore y voir une tour d'origine, ainsi qu'une cheminée dans la grande salle. De la cour intérieure, la vue s'étend à l'infini sur la plaine. En parcourant l'ancien chemin de ronde, on domine les coteaux plantés de vigne et d'arbres fruitiers, activité principale des villageois.

Hindisheim
Bas-Rhin

18 km S.-O. de Strasbourg

Ce coquet village du Bas-Rhin existait déjà à l'époque romaine. Il fut longtemps agricole et sut exploiter la truffe à l'aide de chiens dressés. Aujourd'hui, quelques agriculteurs et artisans mis à part, la plupart des habitants vont travailler à Strasbourg.

Le charme de ce village de plaine vient en premier lieu de ses 140 maisons alsaciennes. Elles présentent divers types de colombage avec de nombreux symboles votifs anciens et fort beaux. L'une d'elles, le numéro 116, datant de 1614, révèle l'emploi de la section dorée pour déterminer les proportions du poutrage. Les rues sont larges et respirent la sérénité. Autre curiosité d'Indisheim : la chapelle Sainte-Marie, du XVIe siècle, avec ses quatorze statues de saints auxiliateurs et son rarissime clocher à colombage.

Avec une vingtaine d'autres villages pittoresques disposés en un large ovale, Hindisheim borde un ancien marais, le Bruch de l'Andlau, aujourd'hui desséché. Cette belle région naturelle, biotope fragile, hélas blessé par quelques graviéres, abrite de nombreuses espèces d'oiseaux et de plantes des marécages.

Depuis Hindisheim, on accède aisément à Erstein et Obernai, villes commerçantes et touristiques, ainsi qu'au haut lieu religieux du mont Sainte-Odile.

Hoffen
Bas-Rhin

13,5 km S. de Wissembourg

Le village-rue de Hoffen fait partie du circuit touristique des villages pittoresques de l'Outre-Forêt, cette région de collines, de prés et de vergers, cachée au-delà de l'immense forêt de Haguenau, tout au nord de l'Alsace. Les villages de cette contrée ne manquent pas d'un charme un peu désuet, dû à leur fidélité à la tradition alsacienne en matière d'architecture rurale et à leur beauté harmonieuse. Disposition des bâtiments, volumes, formes, pentes des toits, matériaux, coloris, clôtures et environnement... tout contribue à cette harmonie.

Propriété de l'abbaye de Wissembourg puis, de 1504 à la Révolution, des princes de Deux-Ponts-Palatinat, le village de Hoffen présente l'originalité d'aligner ses élégants pignons à colombage, aux fenêtres abondamment fleuries, de part et d'autre d'une unique rue. D'un côté de celle-ci : une belle mairie du XIXe siècle, entièrement en pans de bois apparents, et une petite église réformée bien intégrée au site quoique récente ; de l'autre : un majestueux tilleul planté à la Révolution et un puits communal à auge circulaire en grès et à roue, couvert d'un petit toit à deux versants.

Comme il est de coutume en Outre-Forêt, les cours séparant les habitations de ferme des bâtiments d'exploitation ou dépendances qui leur font face sont ouvertes à la vue. Tout au plus peut-on voir çà ou là une clôture basse en planches ou un passage surbâti donnant l'illusion que l'habitation est parallèle à la rue. Le colombage apparent en chêne – la forêt de Haguenau n'est pas loin – repose sur un soubassement de pierre de taille, percé de soupiraux protégés par des barbillons de fer, appelés des « balais de sorcière ». Les panneaux de torchis crépi, compris entre les éléments de colombage, ne sont pas systématiquement blanchis à la chaux. Certaines maisons sont en effet ocre ou bleues, « papillotage de couleurs, qui ne sent pas la nécessité », comme le remarquait déjà un chroniqueur du XVIIe siècle.

Hunawihr
Haut-Rhin

16,5 km N.-O. de Colmar

Construit sur une avancée des collines sous-vosgiennes, Hunawihr occupe un site fort ancien, sans doute romain. Au VIIe siècle cette agglomération fut la propriété du seigneur franc Hunon et de son épouse. Au bas du village, le pré communal ou Hunamatt et la fontaine Sainte-Hune perpétuent ce souvenir. Aujourd'hui, un grand lavoir, édifié au début de notre siècle, rappelle encore la légende de la sainte lavandière.

Le village ancien, de population viticole, se compose de deux rues parallèles. Les maisons, construites dans l'ensemble au XVIe siècle, sont d'un aspect modeste. Çà et là, des sculptures sur les poutres angulaires, les encadrements de fenêtres, les clés de voûte des portails rappellent l'esthétique des constructions du Vignoble. Quelques maisons de maître, édifiées au XIXe siècle selon le style des habitations bourgeoises du Second Empire, témoignent de la prospérité passagère de quelques famil-

Le château Skinner à Hattonchâtel, construit en 1920 par une riche Américaine, Belle Skinner, à l'emplacement du château épiscopal médiéval. Dans cet ensemble architectural composite, utilisant beaucoup de matériaux de réemploi, le porche à mâchicoulis, la tour d'angle et l'échauguette évoquent l'architecture du XVᵉ s.

De belles demeures à colombage alignent leurs hauts pignons sur l'unique rue de Hoffen, Outre-Forêt, en une parfaite harmonie de volumes, de formes, de matériaux et de couleurs.

les. Vers la plaine se trouve le parc de Réintroduction des cigognes.

Modestes pour eux-mêmes, les habitants de Hunawihr construisirent des bâtiments communautaires somptueux. La mairie, vaste édifice gothique flamboyant, est datée de 1517. L'église fortifiée, édifiée en 1524-1525 sur un piton isolé, est entourée d'une vaste enceinte qui devait servir de refuge aux villageois. Ce mur, antérieur à la construction du bâtiment, flanqué de six tours rondes réunies par une courtine, abrite le cimetière catholique. Passée à la Réforme en 1534, l'église est en effet soumise au *simultaneum* : le chœur est réservé au culte catholique et la nef au culte protestant.

Hunspach
Bas-Rhin

10,5 km S. de Wissembourg

La région de l'Outre-Forêt, dont le village de Hunspach est un des fleurons les plus prestigieux, fait référence à la Forêt sainte de Haguenau, qui la coupe du reste de la province alsacienne. Cette forêt de Haguenau, où saint Arbogast, évêque de Strasbourg et patron de l'Alsace, aurait vécu en ermite, est en fait la plus grande forêt indivise de France, avec près de 19 000 hectares d'un seul tenant. Cela explique

en grande partie que la région située au-delà soit demeurée repliée sur elle-même, à l'écart des grands centres urbains et de leurs influences, et qu'elle joue un peu le rôle d'un conservatoire vivant des traditions régionales et de leur évolution. Elle se trouve donc délimitée de toutes parts par de grands espaces boisés et forme elle-même un paysage vallonné de collines ne dépassant pas 200 mètres d'altitude.

Le village de Hunspach fait partie, avec ses voisins : Hoffen, Seebach, Betschdorf et d'autres, du circuit des villages pittoresques de l'Alsace du Nord. Il se niche à 160 mètres d'altitude sur le plateau de l'Unterland et sur les rives du Hausauerbach, au milieu de vergers, de pâturages et de champs de blé.

Village impérial, passé en 1504 à la famille des Deux-Ponts-Palatinat qui le conservera jusqu'à la Révolution française, la Réforme y fut introduite dès 1530. Contrairement à certains villages voisins, Hunspach demeura intact lors de la libération de l'Alsace en 1944-1945.

Par contre, au cours de la guerre de Trente Ans, qui laissa tant de séquelles en Alsace, il avait été totalement dévasté. Il fut reconstruit quelques décennies plus tard, par des colons d'origine helvétique, immigrés massivement à la fin du XVIIᵉ siècle, à la demande de Louis XIV, pour reconstruire et repeupler la campagne alsacienne. Ironie du sort, c'est à cette dévastation à 100 %, suivie d'une reconstruction en

Longue façade sur rue d'une ferme d'Issenhausen. Sous les fenêtres, losanges en poutrage apparent, symboles de fécondité et de prospérité invoquant une longue succession de descendants mâles pour la ferme, afin qu'elle reste entre les mains de la branche masculine.

un laps de temps relativement court, que Hunspach doit sans doute la merveilleuse unité et l'élégante harmonie de son patrimoine bâti.

Le visiteur y découvre des alignements, par rues entières, de pignons à pans de bois apparents. Les maisons, perpendiculaires à la rue, conformément à la tradition de la plaine alsacienne, se suivent les unes les autres dans une remarquable unité de style, de formes, de proportions, de coloris, qui n'exclut pas, cependant, une individualisation par le décor : ici, un double auvent de tuiles plates courant le long des trois façades ; là, un haut de pignon orné de losanges (un symbole de fécondité !) barré d'une croix de Saint-André ; ailleurs, un vieux puits au balancier de bois, des vitres bombées dans lesquelles se mirent les maisons du voisinage, ou un coq faîtier en terre cuite polychrome... Comme si le blanc éclatant des crépis, le brun sombre du colombage en chêne, le rouge bigarré des tuiles plates ou vernissées ne suffisaient pas, Hunspach peut en outre se flatter de compter parmi les villages les plus fleuris de France. Sa mairie, entièrement en colombage du XVIIIᵉ siècle, semble vouloir donner l'exemple à l'ensemble de la commune en matière de sauvegarde du patrimoine architectural.

Si les maisons du village ont respecté l'art de vivre et d'habiter traditionnel de l'Alsace du Nord, cette tradition est également conservée jusque dans le port du costume, par les femmes âgées et quelques hommes, les dimanches à la sortie du culte.

Issenhausen
Bas-Rhin

19,5 km N.-E. de Saverne

Situé aux confins de l'arrondissement de Strasbourg-Campagne et de celui de Saverne, Issenhausen s'élève à la limite sud de l'ancien pays de Hanau. Blotti dans un terrain légèrement vallonné, ce coquet village est une commune à vocation uniquement agricole. On y pratique encore la polyculture traditionnelle. Du haut du col de Saverne, Louis XIV aurait admiré cette région en s'exclamant : « Quel beau jardin ! »

Dépendant au haut Moyen Age des abbayes de Wissembourg et de Marmoutier, Issenhausen devint vers la fin du Moyen Age propriété des comtes de Hanau-Lichtenberg, entité géographique, historique, religieuse et ethnique qu'on appelle encore aujourd'hui pays de Hanau. Démoli pendant la guerre de Trente Ans, le village ne renaît qu'au XVIIIᵉ siècle et au début du XIXᵉ siècle, regroupant ses maisons de part et d'autre d'une rue bien large et droite, mise en valeur par les pignons à colombage et à galeries, ainsi que par un imposant marronnier d'Inde qui orne le centre du village en formant un portique par-dessus la rue.

C'est à l'entrée et à la sortie du village que se trouvent les plus belles demeures. En allant vers Lixhausen, c'est l'immense ferme Michel qui forme un bloc carré, véritable forteresse avec sa majestueuse entrée en grès rose taillé, avec son portillon ajouré au-dessus de balustres et sa grande porte cochère du début du XIXᵉ siècle. Détail pittoresque : l'aile droite des communs, avec sa merveilleuse galerie à balustres, abrita au siècle dernier une salle de classe, à l'époque où la scolarité obligatoire n'existait pas encore. Un beffroi avec horloge sur le toit sonnait les entrées en classe. Cette aile abrite aujourd'hui un gîte rural. A l'autre bout du village, vers Hochfel-

den, une très belle maison à colombage présente deux galeries à balustres superposées. Datée de 1837, elle présente des panneaux peints bien restaurés.

Tout le village respire les bons soins et la propreté.

Jaulny
Meurthe-et-Moselle

22 km N.-O. de Pont-à-Mousson

Laissant les vastes solitudes agricoles de la Woëvre, les « déserts d'eau et de bois » des étangs, le voyageur pourra rejoindre le sillon mosellan par la vallée du Rupt-de-Mad. La rivière, née au pied des côtes de Meuse, a profondément entaillé la roche calcaire et installé un cours sinueux entre les parapets des coteaux, couverts autrefois de vignes.

Posté sur l'une des boucles, Jaulny est maître en son site. Vue du pont, la maison forte, du début du XVIᵉ siècle, offre le volume presque cubiste de ses hautes murailles sans ouvertures, où juste chatoient crépi et tuiles plates. Le Rupt-de-Mad coule en contrebas, agile, parmi les saules. Étrange façade, muette et cependant belle, pour qui grimpera la regarder, cantonnant l'étroite cour, derrière la grille du XVIIIᵉ et les pilastres portant corbeilles de fleurs et de fruits.

Autour de l'église et du lavoir en pierre de taille se dispose un petit bâti sans ostentation, où l'on remarquera, à l'étage, la gerbière pour rentrer le foin. Quelques fruitiers en espalier ornent les façades, habitude lorraine qu'on aimerait voir renaître. Il règne une intimité paisible, où résonne l'écho d'une devise sur la place : « Bienheureux en sa maison qui loue Dieu en toute saison. »

Kientzheim
Haut-Rhin

8 km N.-O. de Colmar

Ancienne capitale de la seigneurie de Hohlandsbourg, au débouché de la vallée de la Weiss, Kientzheim fut développée par les Habsbourg, puis passa au XIVᵉ siècle aux comtes de Lupfen, qui l'élevèrent au rang de ville et la munirent en 1430 d'une ceinture de remparts. Pendant trente ans, elle dut leur servir de place forte contre les Impériaux, jusqu'à la paix de Bâle en 1466. Devenue propriété des barons de Schwendi au XVIᵉ siècle, elle fut donnée par Louis XIV au gouverneur militaire de l'Alsace, le baron de Montclar, qui contribua à sa prospérité.

Des fortifications en grande partie préservées, la porte basse dite tour du Lalli est un des plus beaux exemples restants de l'architecture militaire du XVIᵉ siècle. Réputée imprenable, elle présentait à l'assaillant qui aurait réussi à franchir la première enceinte une canonnière en forme de mascaron grimaçant. Cette porte est accolée à l'ancien château, embelli au XVIᵉ siècle par les barons de Schwendi, mais remontant à une époque plus ancienne, puisque Charles le Téméraire y séjourna à la veille de Noël 1473. Superbement restauré par la confrérie Saint-Étienne, qui y tient ses chapitres œnologiques, il abrite depuis peu un musée de la vigne et du vin.

Kientzheim possède également un autre château, ancienne possession des Reich de Reichenstein et des Boissautier. Il s'agit d'une construction de la Re-

Le puits dit « gothique » qui occupe le centre de la place Schwendi, à Kientzheim, fut commandé par Lazare de Schwendi pour la cour de son château, et remonté à la fin de la Seconde Guerre mondiale à l'emplacement de l'ancien puits à poulie. Derrière le puits, une maison de vigneron du XVIIIe s. entièrement en pierre, selon la mode française introduite en Alsace à la fin du XVIIe s. Au fond, deux belles maisons à colombage, dont celle à pignon avec fausse croupe était, depuis la fin du Moyen Age, la maison du boulanger.

Autrefois, le fond de la vallée de la Loue, où se trouve Lods, était épargné par le froid. La neige y a fait son apparition depuis que la vigne a laissé place aux résineux. A l'arrière des ruines du vieux pont, un ancien moulin à eau.

naissance joliment restaurée par la commune après les destructions de la dernière guerre.

A l'ouest, la vue s'étend sur le Kaysersberg et la chaîne des Vosges. Près de Katzenthal, à quelques kilomètres au sud de Kientzheim, se trouvent les ruines du Wineck, château fort remontant au XIIIe siècle, et celles du Haut-Landsbourg, forteresse principale de la seigneurie du même nom.

Lixheim
Moselle

9,5 km N.-E. de Sarrebourg

A l'écart des grands axes et des circuits touristiques, dissimulée au creux des vallons herbus, au bord d'un étang, cette petite cité fondée en 1608 par l'électeur palatin Frédéric IV pour servir de refuge aux protestants de France et de Lorraine semble aujourd'hui oubliée. Malgré un passé tourmenté, lié aux guerres de Religion et à sa position frontalière, elle a conservé les caractéristiques de ce que fut la ville de 1 635 habitants vers 1630. Petite ville fortifiée, on y retrouve encore les levées de terre et les fossés qui la fermaient. Dans cette enceinte, une large rue qui traverse le village, encore fermée à l'une de ses extrémités par une porte, sert de trame au tracé orthogonal des rues secondaires. Des maisons élevées, dont plusieurs dotées d'oriels, aux façades enduites, avec des ouvertures régulières encadrées de pierre de taille calcaire, bordent un large usoir. Devant la mairie, une très belle fontaine de 1627 marque le centre du village. L'église du XVIIIe siècle, le temple protestant, ancien couvent des Tiercelins fondé en 1657, et la synagogue cohabitent dans la paix d'un village qui vit au rythme des saisons et des allées et venues des troupeaux.

Lizine
Doubs

36,5 km S. de Besançon

Sur un relief de combe jurassique, entre Loue et Lison, le village de Lizine aligne sur deux rues principales de belles maisons rurales, trapues, aux encadrements de pierre et aux portails de grange en plein cintre, recouvertes de toits de lave : elles datent en majorité des XVIIIe-XIXe siècles. L'église du XIIe siècle, reconstruite au XVIIIe, est typique des églises de la région, avec son clocher-porche du XIVe siècle à ouverture circulaire, ses baies à trumeaux et meurtrières et son auvent. D'autres éléments du patrimoine sont à découvrir : calvaire, oratoire, lavoir. L'ensemble, avec son château du XVIe siècle remanié au XIXe, est représentatif de ces villages assis sur leur terroir de cultures et de pâtures enserrées par la forêt de feuillus : d'un belvédère, la vue s'étend sur les vallées confluentes encaissées de la Loue et du Lison.

Lods
Doubs

22,5 km N.-O. de Pontarlier

A ce niveau du cours de la Loue, la vallée se resserre et le village de Lods s'accroche à la pente. Les ruelles, fort raides, convergent en montant vers l'église, dont le clocher de tuf s'impose comme un signal.
Pays à la fois de vigne et d'industrie liée à l'eau de la Loue, le village offre un étagement de maisons vigneronnes bâties sur des caves aux vastes porches datant pour la plupart des XVIe et XVIIe siècles. Ce

sont de vastes bâtiments aux façades enduites et aux encadrements de fenêtres et de portes en pierre et, pour un certain nombre d'entre eux, encore couverts de lauzes calcaires. Plus haut, un peu à l'écart, une maison forte du XIIIᵉ siècle, remaniée au XVIᵉ, aux fenêtres à meneaux, domine le village. Au pied du village subsistent quelques moulins restaurés et les restes d'une forge du XVIIIᵉ siècle, de part et d'autre de la Loue d'où émergent les ruines d'un vieux pont emporté par une crue.

Dans ce paysage de prairies et de bois traversé par une rivière, Lods est un point de départ pour de multiples excursions.

Marnay
Haute-Saône

22 km O. de Besançon

Sur les rives verdoyantes de l'Ognon, Marnay était au Moyen Age formé de deux centres distincts : Marnay-la-Ville, autour de l'église Saint-Pierre, et Marnay-le-Bourg, autour du château fort construit sur un éperon dominant la rivière. Marnay-le-Bourg se développe, bâtit son église Saint-Symphorien et s'entoure de murailles aux XIIIᵉ et XIVᵉ siècles. Marnay-la-Ville s'efface progressivement jusqu'à disparition de son église à la Révolution.

Du château démantelé par Louis XIV subsistent le pont franchissant le fossé et la poterne d'entrée. L'organisation des bâtiments féodaux (bien que détruits ou remplacés) autour de la cour carrée du château reste lisible ; seule la façade surplombant l'Ognon a été partiellement conservée. Porte et vestiges des murs d'enceinte enserrent une vieille ville où se côtoient édifices nobles des XVᵉ et XVIᵉ siècles, maisons à tourelles et maisons d'éleveurs ou de viticulteurs qui alignent leurs toitures à forte déclivité sur des rues descendant vers l'Ognon. De l'église

A Marville, l'architecture urbaine est souvent de grande qualité. En témoignent, notamment, les « maisons espagnoles », d'époque Renaissance, dont certaines présentent des façades richement sculptées.

Saint-Symphorien du XIIIᵉ siècle ne subsiste que la nef, remaniée, modifiée, embellie du XIVᵉ au XVIIᵉ siècle. L'église abrite un mobilier et une statuaire qui ont échappé par miracle aux vicissitudes de l'histoire : pietà, peinture sur bois du rosaire, statues des XVIᵉ, XVIIᵉ et XVIIIᵉ siècles.

A l'écart du bourg fut construit en 1678 le couvent des Carmes déchaussés ; celui-ci changea plusieurs fois d'affectation, petit séminaire, puis hôpital, il devint enfin collège.

La petite ville de Marnay, vouée à l'agriculture, la viticulture ou l'élevage, profite maintenant des aménagements des berges de l'Ognon et des plans d'eau autour de son moulin.

Marsal
Moselle

11 km S.-E. de Château-Salin

Dans la large vallée de la Seille au fond plat couvert de prairies, dominée par une suite de collines arrondies et boisées, une masse de végétation d'où émerge un clocher constitue un événement : Marsal apparaît posé comme une île. Dans cette vallée marécageuse asséchée au XIXᵉ siècle, l'exploitation du sel contenu dans l'eau est une activité qui remonte à la préhistoire. La méthode simple d'évaporation de l'eau dans des godets de terre chauffés que l'on cassait pour récupérer le bloc de sel a laissé sur place une quantité de débris de poteries, formant ainsi, après plusieurs siècles, un monticule de plus de 1,50 mètre, sur lequel est implanté Marsal. Les fortifications, commandées par les ducs de Lorraine au XVIIᵉ siècle, seront reprises par Vauban, puis complétées, relevées, et démantelées après 1870. Le plan général en reste totalement visible : les ouvrages de terre et les murs d'escarpe ont pratiquement tous subsisté. La cité est demeurée enfermée dans ses murs : on y pénètre par la porte de France, édifiée par Vauban et remaniée au XVIIIᵉ siècle. Le bâtiment abrite la maison du Sel, où un très intéressant musée retrace l'évolution des techniques d'exploitation du sel. A l'autre extrémité du village, les casernes et l'ancien pavillon de Bourgogne, à côté de la porte aujourd'hui disparue, abritaient les officiers de l'état-major. Comme les casernes de la porte de France, ce sont de longs et hauts bâtiments en pierre de taille calcaire aux ouvertures régulières, couverts de toitures en ardoise. En parcourant les rues de Marsal, on découvre encore, malgré les nombreuses destructions de la guerre de 1940, d'anciens bâtiments civils et militaires : des maisons du XVIIIᵉ siècle, l'église et l'hospice des Capucins, du XVIIᵉ siècle, remanié au XIXᵉ, la mairie, ancienne maison du major, du XVIIIᵉ siècle... et surtout l'église collégiale Saint-Léger, très bel édifice dont la nef du XIIᵉ siècle est de style roman rhénan, et le chœur gothique.

Le parc naturel régional de Lorraine a mis en place un circuit dans les fossés, montrant l'originalité de la flore qui se développe dans ce milieu humide et salé.

A quelques kilomètres, Vic-sur-Seille, patrie du peintre Georges de La Tour, mérite également un détour : capitale des évêques de Metz, elle fut autrefois une riche cité.

Marville
Meuse

29.5 km S.-O. de Longwy

Perché sur un promontoire dominant les vallées de l'Othain et du Credon, dans une région très souriante, couverte de pâturages, où la vue est limitée par des suites de vallons et de collines, ce village était autrefois la plus grande ville du Nord meusien. De 1270 à 1661, le statut de terre commune accordé par les deux coseigneurs de Bar et de Luxembourg lui assura une neutralité bénéfique au milieu des conflits, ce qui attira une population nombreuse et active qui s'enrichit du commerce du drap et du cuir. La ville fut occupée de 1555 à 1659 par les troupes ibériques, qui construisirent de nobles maisons. Le glacis de ce qui fut une ville fortifiée – démantelée en 1677 sur ordre de Louis XIV – est aménagé en terrasses qui s'échelonnent jusqu'à la rivière. Passé le pont, la rue fermée par les hautes façades ordonnancées des maisons de ville monte jusqu'à la Grande-Place. L'ordonnance architecturale de ces maisons, leur hauteur générale élevée, la tonalité uniforme du calcaire jaune taillé en gros blocs donnent une grande homogénéité à l'ensemble et font d'autant mieux ressortir la richesse du détail architectural et de la décoration. Les façades les plus remarquables sont pour la plupart de la Renaissance ; ainsi, la très belle façade à balcons de la maison du Chevalier Michel se découvre de la rue de Basles. La Grande-Place, avec ses admirables maisons des XVIᵉ et XVIIᵉ siècles, est fermée par l'église gothique Saint-Nicolas. L'intérieur est remarquable par ses objets mobiliers, notamment la tribune d'orgue à

balustrade flamboyante du XVIᵉ siècle. En contrebas, la rue des Prêtres se distingue par un ensemble d'architecture rurale. On y retrouve cependant quelques éléments Renaissance dont, à l'extrémité de la rue, la façade subsistante du couvent des Bénédictines. Au sommet de la colline voisine, autour de l'église Saint-Hilaire (XIᵉ siècle) s'étend le cimetière, véritable musée de la sculpture funéraire dans un site arboré (nombreuses tombes des XVᵉ et XVIᵉ siècles).

Mittelbergheim
Bas-Rhin

16 km N. de Sélestat

Situé sur un replat des collines sous-vosgiennes, orienté au midi, Mittelbergheim se trouve au centre d'un terroir qui comporte, d'ouest en est, les productions nécessaires à l'entretien de la vigne : en montagne, les châtaigniers destinés à la fabrication des échalas ; dans les marécages de la plaine, les baguettes de saule utilisées pour lier les pousses, et les prairies autrefois indispensables à l'alimentation des animaux de trait. Entre les deux, la terre est uniquement consacrée à la culture de la vigne.

D'implantation ancienne (début du VIᵉ siècle), Mittelbergheim a vu ses artisans, tonneliers, tailleurs de pierre, forgerons, disparaître. Le nombre des viticulteurs a diminué au profit des plus importants d'entre eux.

Situées à l'écart des grandes voies de circulation, les rues sans trottoir présentent encore le profil bombé, bordé de caniveaux empierrés, du début du siècle. Le croisement des deux axes principaux ménage, au centre du village, une aire plus vaste qui sert de place. Sur celle-ci s'élève le grand bâtiment communal construit au XVIIᵉ siècle, avec arcades, fenêtres à meneaux et perron coiffé d'une tourelle à bulbe. En contrebas, face à face, se trouvent les deux églises, catholique et protestante, dont la proximité témoigne de la tolérance religieuse des habitants.

Les maisons, construites pour la plupart aux XVIᵉ et XVIIᵉ siècles, sont disposées autour d'une cour rectangulaire. Elles se composent d'un rez-de-chaussée en moellons de grès surmonté d'un étage en pans de bois. Leur toit à forte pente est couvert de tuiles alsaciennes. Dans la cour étroite se trouvent le bâtiment du pressoir et la grange. Chaque propriété est clôturée d'un grand portail en plein cintre qui ne reste largement ouvert qu'au moment des vendanges.

Mont-l'Étroit
Meurthe-et-Moselle

22 km S.-O. de Toul

Mont-l'Étroit est un village de confins, où trois départements, Meuse, Meurthe-et-Moselle et Vosges ont tracé leurs frontières. Derrière la plus proche butte coule la Meuse de l'enfance de Jeanne. L'Étroit signifie « atrium », cimetière. Le village serait, dit-on, bâti près d'un lieu de sépulture. Une enceinte protohistorique, de forme ovale, occupe encore l'extrémité est de la côte de Chapion. Installé en pleine pente, le village est un petit rassemblement de maisons, grandes parois peu percées des façades du XVIIIᵉ siècle, protégées par l'avancée des toits, solides fermes du siècle suivant. Des entrées portent sur l'agrafe écussonnée 1715,

1719, époque de reconstruction pour toute la Lorraine, après l'épouvante du XVIIe siècle. Près du lavoir, le calvaire, usé par le temps.
Diverses raisons, matérielles ou mystiques, fondent en Lorraine le presque isolement des églises romanes. L'église Saint-Rémy semble appeler vers la hauteur le peuple qui lui est confié. Il dut s'y réfugier : sa tour présente un aspect défensif. Usage venu de l'époque mérovingienne, le cimetière l'entoure, où subsistent quelques tombes très ornées du XIXe siècle. Les caniveaux de pierre, la texture des toits, les auvents offrent l'une des images les plus authentiques de la vieille Lorraine rurale, celle aussi proche de disparaître et qu'il faudrait sauver.

Montbras
Meuse

> 25 km S.-O. de Toul

Dans un paysage doucement vallonné, où les prairies de la vallée alternent avec les champs cultivés du plateau et les forêts des collines, le château de Montbras se dresse sur une terrasse dominant la vallée élargie de la Meuse. Cette magnifique demeure Renaissance, formée de deux ailes rectangulaires et de quatre pavillons bastionnés, possède une quantité de détails ornementaux en façade sur la cour – niches à fronton sculpté, pilastres entre les fenêtres, statues –, mais également des éléments défensifs – mâchicoulis, meurtrières, fossé entourant les jardins et les terrasses – qui montrent que cette résidence raffinée, un des plus somptueux témoins de l'architecture de la Renaissance en Lorraine, eut aussi une vocation défensive. L'architecture et le décor intérieur sont également d'une qualité exceptionnelle.
La petite localité qui jouxte le château fut toujours très modeste. Au-delà du colombier, les maisons du XVIIIe siècle entourent une place totalement close. L'aspect des maisons, aux façades en pierre calcaire, la disposition des ouvertures, la forme de la place apparentent plutôt ce village à une cour de ferme. Au nord, les toitures en tuile de Taillancourt, village-rue homogène, avec ses maisons des XVIIIe et XIXe siècles, aux grandes portes charretières, et son très beau lavoir du XIXe siècle, ferment l'horizon. Ce simple village d'agriculteurs très soigné et mis en valeur tente par de nombreuses animations et fêtes de perpétuer les traditions et les usages.

Mouthier-Haute-Pierre
Doubs

> 20,5 km N.-O. de Pontarlier

Que l'on atteigne Mouthier venant d'Ornans en amont, ou du plateau, au décor sauvage et brutal succède une zone de calme et de verdure. A Mouthier, premier village de la vallée de la Loue en aval de sa source, les maisons se détachent sur les falaises imposantes qui les protègent, s'étageant et s'enclavant les unes dans les autres. L'ensemble est dominé par la roche du Maine, haute aiguille de rochers.
Vers le milieu du VIIIe siècle, des moines vinrent dans ce site fonder une abbaye de bénédictins ; Mouthier et Haute-Pierre formaient jusqu'au XVIe siècle deux villages distincts appartenant à la même commu-

La taillanderie de Nans-sous-Sainte-Anne. Existant depuis 1828, elle fut reconstruite vers 1870. L'énergie hydraulique que permit le captage de l'Arcange, affluent du Lison, actionnait, par l'intermédiaire d'une roue, la machine soufflante qui envoyait l'air. La retenue, aménagée en 1886, approvisionnait deux autres roues et une turbine. C'est entre 1900 et 1914 que la production annuelle de la taillanderie atteignit son apogée, avec 20 000 faux et 10 000 outils taillands.

nauté. Aujourd'hui, dans Mouthier-Haute-Pierre devenu un seul et même village, on distingue encore Mouthier-Bas, sur le bord de la rivière, et Mouthier-Haut, couronnant la colline.
Le village de Mouthier est ramassé sur lui-même autour de vastes bâtiments solidement bâtis. Si de l'ancien riche vignoble et des champs de cerisiers – d'où l'on tirait le kirsch célèbre – il ne reste aujourd'hui que quelques arpents de vigne et quelques cerisiers, le village est marqué par ces anciennes activités. De grosses maisons vigneronnes des XVIe, XVIIe et XVIIIe siècles sont construites sur un réseau complexe de caves voûtées taillées dans le roc. Les rues pentues escaladent le coteau vers les restes de l'ancienne abbaye, bouleversée et distribuée entre divers propriétaires à la Révolution, qui jouxtent l'église Saint-Laurent du XVIe siècle au fier clocher de tuf ornementé de clochetons. Plus bas un vieux pont permet de traverser la Loue. Toute proche au-dessus de la « grotte des faux monayeurs », la cascade de Syratu se jette au bord de la route et prend en hiver l'allure d'une majestueuse colonne de glace. Un peu plus haut, de la route sinueuse, le regard embrasse l'ensemble de la vallée, des grandioses gorges de Nouailles en amont à Ornans en aval.

Moyen
Meurthe-et-Moselle

> 18 km S.-E. de Lunéville

A distance des forêts, dans un large évasement de prairies, la Mortagne dispose, souveraine, entre les roselières et les bouquets d'arbres, ses boucles et de petites plages de galets. Moyen pourrait avoir signifié « medium », milieu entre deux localités du territoire gallo-romain. Le pont médiéval en dos-d'âne témoigne, en tout cas, du tracé d'un ancien « chemin ferré ». Des ruines encore importantes tiennent l'extrémité sud du promontoire. Tel nous est parvenu Qui-qu'en-Grogne, forteresse que l'évêque de Metz, C. Bayer de Boppard, fit édifier en 1441 pour défendre sa châtellenie de Moyen. Les deux enceintes successives, séparées par la basse-cour et les fossés secs – l'enceinte intérieure était dotée de sept tours –, permettent d'imaginer l'organisation d'un château fort à l'aube de l'artillerie. Après le démantèlement de 1639, le village s'enchevêtra dans les ruines. C'est par une ruelle empierrée qu'une fois passée la porte d'entrée (il reste un piédroit), on pénètre dans la cour. La maison des Seigneurs, à gauche, présente une façade mi-gothique, mi-Renaissance, tandis qu'il ne subsiste qu'un tiers du bâtiment principal, qui lui fait face. De la chaire de pierre qui orne celui-ci le châtelain s'adressait au peuple.
Au nord-ouest, l'église est une vigie. Au-dessus des maisons qui s'épaulent l'une l'autre dans la pente, le village s'établit spacieusement sur la butte, ordonné par l'usoir collectif et familial.

Nans-sous-Sainte-Anne
Doubs

42 km O. de Pontarlier

A quelques centaines de mètres au nord du village, la petite rivière du Lison sort des chaos par une ouverture magnifique où la roche s'est évidée en niche : la grotte Sarrasine, abside de calcaire parmi les éboulis et les broussailles, est plus haute qu'une basilique. A peine un torrent grondeur après sa première cascade, il va traverser le village de Nans, calme et paisible.

C'est dans ce paradis que Mirabeau, évadé du fort de Joux, rencontra Sophie dans la maison seigneuriale de Nans, appelée depuis « château Mirabeau ». Au-dessus, les murailles ruinées de la vieille forteresse de Sainte-Anne, perdue dans les ronces et les taillis, et que l'on devine à peine sur le couronnement gris des tables jurassiques ; Louis XIV en a ordonné la destruction comme dans tant de lieux en Franche-Comté.

Dans un creux de vallon, l'abbaye de Migette, dont seul subsistent un corps de bâtiment sévère et la crypte circulaire de la chapelle détruite, au bout d'une allée d'arbres. Nans-sous-Sainte-Anne au fond de sa reculée recueille les chemins et les ruisseaux venus des vallées et plateaux environnants. Du village en U encadrant une grande prairie autour d'une petite église solide au clocher comtois, les maisons offrent peu d'intérêt : c'est l'ensemble, dans son site grandiose, qui retient le visiteur.

Cependant, une ancienne faïencerie abritant une collection privée et une taillanderie attestent l'activité préindustrielle des lieux. Si de la faïencerie il ne reste que peu d'éléments, la taillanderie, ferme-atelier, spécialisée dans la fabrication des faux et des outils tranchants, a fonctionné jusqu'en 1969. Les forges, les établis, les outils, tout est là, intact. A l'étage, l'énorme soufflerie, réplique d'une planche de l'encyclopédie de Diderot, envoie l'air dans les foyers de la forge.

Neuwiller-lès-Saverne
Bas-Rhin

11,5 km N. de Saverne

Lieu de très anciens pèlerinages, Neuwiller-lès-Saverne est d'abord l'un des sites les plus remarquables du piémont des Vosges du Nord. Adossé à la forêt qui couvre le massif vosgien gréseux, bordé de vergers et de vignes, Neuwiller domine une vaste étendue cultivée qui va vers l'est, jusqu'au Bastberg, montagne des sorcières. Proche d'anciennes voies de communication reliant la Lorraine et l'Alsace, le site de Neuwiller, calme et agréable à vivre, fut propice à l'épanouissement d'une importante abbaye. Ses vestiges les plus anciens remontent au Xe siècle. De l'époque romane subsistent toujours l'église Sainte-Adelphe, dont la première mention date de 1147, le chevet de l'église Saint-Pierre-et-Saint-Paul et la salle du chapitre.

Neuwiller fut fortifié au Moyen Age. D'importantes traces en sont encore visibles au sud-est de l'agglomération. Les évêques de Metz furent les protecteurs de l'abbaye et détenaient le château du Herrenstein, dont les ruines dominent la ville. C'est au XVIIIe siècle que la communauté religieuse va connaître son apogée. L'église Saint-Pierre-et-Saint-Paul sera alors dotée d'une puissante tour occidentale. Il subsiste de nombreux bâtiments conventuels, qui rappellent que Neuwiller, pendant des siècles, fut un haut lieu de la chrétienté. Les anciennes demeures méritent une visite, comme le méritent les maisons bourgeoises aux façades classiques, dans lesquelles domine l'usage du grès rose. Les maisons typiques à colombage attestent le développement d'une importante vie rurale et artisanale. C'est aussi à Neuwiller, dans l'église Saint-Pierre-et-Saint-Paul, que trouvent refuge quatre belles tapisseries tissées du début du XVIe siècle, ainsi que les stalles en bois sculpté de l'abbaye cistercienne de Sturzelbronn. A côté de Neuwiller, la capitale de l'ancien comté de Hanau-Lichtenberg, Bouxwiller, mérite le détour, et notamment la ville ancienne aux remarquables maisons à oriels.

Nozeroy
Jura

32 km S.-O. de Pontarlier

Un tertre modeste, une rivière bien nommée la Serpentine, des plaines herbues, un cercle de villages et sur le tertre un soupçon de ville couronné d'une tour de guerre : tel est Nozeroy, l'ancien domaine des Chalon, capitale du Jura, lieu de tournois et de fêtes. Son dernier maître, Philibert de Chalon, avant d'être prisonnier de François Ier pour avoir embrassé le parti de Charles Quint, en avait fait sa résidence privilégiée. Tours, tourelles, églises et monastères, que protégeaient le château et ses remparts, hérissaient la colline. Aujourd'hui, du château, des monastères, il reste une ville charmante veillant toujours sur ce val de Mièges au sortir des profondes forêts de la Joux.
On y pénètre par la grande et massive porte de

Dominant la vallée de l'Ognon, le bourg du bas et ses maisons trapues, la haute façade du château de Pesme n'est qu'un pâle reflet de la puissante forteresse de jadis.

l'Horloge, avec ses contreforts et ses mâchicoulis, ou par la porte de Nods, vestiges glorieux de l'ancienne puissance. Les remparts, les tours réapparaissent dégagés, nettoyés, protégeant encore un ensemble de maisons des XVIe et XVIIe siècles. Dans la grande-rue, une charmante église du XVe siècle a gardé son clocher comtois. Le charme un peu endormi de ce village assis dans son vaste terroir prend tout son relief en hiver, noyé sous la neige.
La Serpentine s'éloigne en grondant et bondit d'un coup en écumant, sur une hauteur de 15 mètres dans les sapins et hêtres d'un creux boisé ; cette chute alimentait un moulin. Plus loin, une sapinière protège une paroi de rochers d'où jaillit la source de l'Ain.

Obersteinbach
Bas-Rhin

25 km E. de Wissembourg

Jardin au milieu d'immenses forêts, Obersteinbach est l'un des villages les plus typiques des Vosges du Nord. Endormie au fil des années, désertée par ses jeunes, la vallée du Steinbach entame depuis peu sa renaissance. Son slogan « la Nature haute fidélité »

reflète bien ses atouts. Le village s'étire tout en longueur sur une unique rue ponctuée de deux belles petites églises. Restaurées avec soin, les maisons à colombage d'Obersteinbach associent bois et grès des Vosges. Dans l'une d'elles, une splendide exposition permet de mieux connaître les châteaux forts de la région. Leurs ruines, au nombre d'une trentaine, dominent les pitons rocheux qui parsèment tout le massif montagneux. Au-dessus d'Obersteinbach, sur une immense falaise de grès rose, l'un de ces châteaux, le Petit Arnsberg, regarde le village de son œil béant de cyclope, témoin de la vie mouvementée de cette région souvent confrontée aux passages des armées en guerre entre Bitche et Wissembourg.

Pesmes
Haute-Saône

25 km N. de Dole

Gray-Dole est un axe de communication important. Aussi, dès le XIIᵉ siècle, la protection de cette voie amène à bâtir des points fortifiés. Parmi ceux-ci, un château s'installe sur un éperon rocheux en bordure du plateau dominant l'Ognon. Le castrum primitif va bientôt drainer dans la population dispersée dans un bourg à l'abri de murs. Située sur l'autre rive, l'ancienne église Saint-Paul va, elle, céder la place à l'église du prieuré dépendant de Saint-Germain-d'Auxerre. Épaulé par le château, le bourg va se développer sur le plateau en arrière, devenant un centre économique important : marchands et bourgeois viendront y construire, notamment au XVIᵉ siècle. Aussi, venant de Dole par la route longeant l'Ognon, Pesmes apparaît-il comme un village dense et massif avec quelques restes de grandes demeures qui surplombent moulin et pont. Il se poursuit sur le plateau entre ce qui subsiste du château, dont la partie centrale a été détruite, et l'église dédiée à saint Hilaire de Poitiers (XIIIᵉ siècle) près de la porte Saint-Hilaire. Malgré, là encore, tous les pillages, destructions, incendies ayant jalonné son existence, la ville haute recèle des trésors d'architecture, notamment des demeures du XVIᵉ siècle (château Rouillaud, maison Grandville), mais aussi des bâtiments plus tardifs des XVIIᵉ et XVIIIᵉ siècles bordant rues et place.
Au pied de la ville, sur l'Ognon, subsiste le dernier témoin des moulins au fil de l'eau implantés dès le XIIIᵉ siècle, puis agrandis et modernisés siècle après siècle. En août se déroule dans le village un important « Son et Lumière ».

Petite-Pierre (La)
Bas-Rhin

22 km N.-O. de Saverne

La Petite-Pierre se situe sur la crête des montagnes, à mi-chemin entre la plaine d'Alsace et le plateau lorrain. Son hospitalité est certainement aussi ancienne que son histoire, qui remonte à l'époque préromaine. Ce n'est toutefois qu'au début du XIIIᵉ siècle que La Petite-Pierre sera nommée dans les chroniques. Le bourg était en ce temps le siège d'un comté administré par les comtes de Lutzelstein. Château et seigneurie passeront au XVᵉ siècle aux puissants princes palatins. C'est ainsi qu'au cours de la seconde moitié du XVIᵉ siècle le territoire

comtal sera dirigé par Georges-Jean de Veldenz. Marié à Anne-Marie Vasa, fille cadette du roi de Suède, il transformera avec goût son château de La Petite-Pierre ; tours, portes, escaliers, fenêtres en sont aujourd'hui encore les témoins. Louis XIV transformera le site en forteresse française. Vocation qu'il gardera jusqu'en 1870.
Aujourd'hui, La Petite-Pierre est devenu un centre touristique et gastronomique (gibier, truites des Vosges, pot-au-feu à l'oie). Son château, bien rénové, abrite le siège du parc naturel régional des Vosges du Nord. En parcourant ses rues, le visiteur découvrira les maisons du XVIIIᵉ siècle avec leurs remarquables encadrements de portes sculptés, typiques de l'Alsace Bossue, les ateliers d'artisanat d'art et la très belle maison Renaissance, aussi appelée maison des Païens. La Petite-Pierre est également un point de ralliement des amoureux de la nature. Ses chemins de promenade foulés au siècle dernier par les écrivains Erckmann et Chatrian sont légendaires. Ils sont complétés par le sentier forestier du Geyerstein, présentant les essences des forêts environnantes et le fameux parc animalier ; un enclos où vivent en toute liberté des cerfs et des chevreuils.

Quebrux
Vosges

13,5 km S.-E. de Saint-Dié

Il faut chercher Quebrux très loin, entre deux pans de la montagne, là où les dernières prairies disputent à la forêt son règne. De grès rose, une poignée de robustes maisons de laboureurs, comme d'un même jet – vers 1830 –, a investi le confluent de deux talwegs, entre les saccades de vif-argent des ruisseaux.
Sous les lourds toits, la profusion décorative des entrées rappelle qu'habiter revêt un sens cosmogonique. A côté des signes immémoriaux qui conjurent et protègent, svastikas, losanges, cœurs et trèfles, une foi profonde s'exprime ; ostensoirs, croix, niches sont nombreux. Chaque maison a son invocation. Dans la naïveté de son écriture revient, insistant, le même message : « Paix à cette maison et à ceux qui l'habitent » et cette phrase du psaume aussi, « Si le Seigneur n'a pas bâti la maison, en vain auront travaillé ceux qui l'édifient. »
Plus haut est la solitude profonde des forêts de sapins.

Rebeuville
Vosges

2 km S.-E. de Neufchâteau

Le Mouzon est paresseux. A l'approche de Neufchâteau, il conduit sans hâte son ruban de prairies vers la « Meuse endormeuse » de Péguy. Il mire à sa gauche les hauts coteaux de feuillus. Rebeuville est en face, perpendiculaire au fil de l'eau. C'est une communauté de cultivateurs-éleveurs. Une cohorte de toits à 30 degrés, autrefois recouverts de laves, fait assaut de la pente, jusqu'à l'église, dont le clocher bulbeux est érigé sur le côté de la nef.
Les maisons, pour beaucoup du XVIIIᵉ siècle, sont d'un type marqué. Façades presque basses, où l'unique fenêtre à crossettes éclaire la cuisine ; souvent

Les pratiques communautaires ont obligé les paysans lorrains à résider au centre du finage. Les villages sont souvent compacts, le village-rue, un modèle répandu. Rebeuville offre ainsi la forme d'un T renversé, remontant vers l'église.

un oculus au-dessus de l'évier et de sa pierre d'écoulement. Une petite lucarne, de même forme que la fenêtre, ouvre sur le grand volume du fenil, tandis qu'un linteau de bois, arqué comme un joug de bœuf, surmonte la porte charretière.

La piété des orants, le cortège des saints, saint Nicolas et saint Martin, saint Pierre et saint Jean-Baptiste, ornent d'émouvants calvaires du XVe et du XVIe siècle.

La nature environnante, généreuse, servit de refuge. Sous son porche karstique, la grotte de Jeannue abrita des nomades du paléolithique moyen (45000-50000 av. J.-C.), puis du magdalénien (11000 av. J.-C.) ; celle de l'Enfer fut occupée à l'âge des métaux.

Riquewihr
Haut-Rhin

13 km N.-O. de Colmar

Nichée au cœur de la plus riche région viticole du Haut-Rhin, la petite ville de Riquewihr, traditionnellement surnommée « la Perle du vignoble », constitue un ensemble architectural d'une remarquable homogénéité.

Cet ancien fief des comtes d'Eguisheim échut ensuite aux comtes de Horbourg, à qui Riquewihr dut ses premières fortifications en 1291 et son titre de ville en 1320, puis aux ducs de Wurtemberg (de 1324 à 1796). De ses fortifications médiévales, elle a gardé son plan quadrangulaire encore ceint sur trois côtés d'une double muraille flanquée de bastions aux angles sud-ouest et nord-est. Deux tours subsistent de cet ensemble : le Dolder, porte haute de 1291 ultérieurement dotée d'une pittoresque toiture à clocheton et de balcons à colombage, et, non loin d'elle, au bout de la petite rue des Juifs, qui

conduisait à l'ancien ghetto, la tour des Voleurs, ainsi nommée car elle servait de prison. Deux autres tours disparurent au XIXe siècle : la tour des Bourgeois, au sud, pour faire place en 1846 à l'église catholique, la porte basse, à l'est, à l'endroit où se dresse l'hôtel de ville de style Empire qui ouvre l'accès à la rue principale. Le long de cette rue, mais aussi dans toutes les ruelles adjacentes, s'élève le plus beau et le plus homogène ensemble de maisons des XVIe et XVIIe siècles existant actuellement en Alsace. Des plus simples aux plus riches, toutes vaudraient la peine d'être examinées en détail, avec leurs hauts toits de tuiles en « queue de castor » (Bieberschwantz), leurs colombages plus ou moins sculptés, leurs tourelles d'escalier, leurs oriels, leurs fenêtres à meneaux... et le soin mis par leurs habitants à en fleurir les balcons. Il faut citer la maison Liebrich (cour des Cigognes), datant de 1535, dont la cour à galeries de bois abrite un puits de 1603 et un pressoir ; l'ancienne hôtellerie de l'Étoile, où se réunissait la corporation des vignerons ; la maison Kiener, datée de 1574, célèbre pour la danse macabre en bas-relief qui orne sa façade ; et la maison Dissler (1610), dont le pignon à volutes constitue un remarquable exemple d'architecture de la Renaissance rhénane.

Il faut mentionner enfin le château, édifié en 1539, qui a conservé ses pignons crénelés, sa tourelle coiffée d'un bulbe et ses fenêtres à meneaux. Il abrite le musée d'Histoire des postes en Alsace.

Rodemack
Moselle

14 km N. de Thionville

Semming, qui est un écart, offre vue sur Rodemack. Avec son clocher en bâtière, minuscule sentinelle sur la hauteur, l'église romane règne sur le patchwork des champs, des prés et des croupes boisées. Par temps clair, l'horizon se déploie du Luxembourg au front découpé de la côte de Moselle. Dans un creux, à 45° des tours de la centrale de Cattenom,

Le Dolder, porte de ville de Riquewihr, date de 1291. Il ouvre sur la rue principale, le long de laquelle se dressent quelques-unes de ces belles façades où apparaît toute la diversité du répertoire ornemental de la Renaissance alsacienne des XVIᵉ et XVIIᵉ s.

Avec son grand pignon, la poste de Rodemack, datée de 1753, offre un exemple de la permanence et du mélange des formes architecturales : si les fenêtres à crossettes et agrafes sont plein XVIIIᵉ s., la porte reprend le fronton brisé et la niche, fréquents au début du XVIIᵉ s. C'est la maison natale du général Simmer, héros des guerres de l'Empire, dont le nom est inscrit sur l'Arc de Triomphe.

adossé à l'escarpement rocheux qui supporte ce qui demeure de l'ancienne forteresse, Rodemack, Ruedemaacher.

Le site appartient en propre à la Lorraine des XIIᵉ et XIIIᵉ siècles, féodale et aventureuse. Vers 1190, Arnould, avoué de l'abbaye d'Echternach, usurpe les biens de celle-ci, prend le titre de seigneur de Rodemack et édifie le premier château. En 1492, l'empereur Maximilien confisqua la seigneurie pour la donner aux margraves de Bade. Elle passe ensuite tour à tour aux mains des Espagnols et des Français. Les Prussiens, en 1821, démantèlent le fort.

Au bout de la route sinueuse, la porte de Sierck constitue l'entrée sud-est, la seule conservée. Huit cent soixante mètres de remparts, construits au XIIIᵉ siècle par la population elle-même, courent de part et d'autre. Cheminer parmi les jardins, au sud, montre le mieux la ville rassemblée. On peut aussi la voir du dedans, vers la tour de la Prison, à l'abri de ses murs, auxquels répondent les enclos des jardins. Sous la puissante tutelle de la forteresse, que couronne le pavillon des officiers, la configuration urbaine s'adapte avec ingéniosité au lieu. Un peu entamée à l'est par la dernière guerre, elle demeure ailleurs intacte. La place des Baillis en occupe le centre, que borde le « petit château » des margraves de Bade, édifié vers 1560, puis remanié. Son portail à pilastres cannelés ouvre encore sur un vaste jardin. Au hasard des rues, c'est un paysage aux échelles, aux formes, aux décors mêlés : petites maisons entourant le lavoir et le calvaire, immeubles franchement urbains, arrières villageois, XVIIIe siècle naïf et rural, entrées rapetissées à fortes moulures, impostes de pierre ou frontons brisés, motifs réinterprétés, oves, lambrequins, colonnettes, niches et agrafes.

De l'église Saint-Nicolas, où se voient un mobilier coloré et le tombeau du margrave Herman Fortunat et de son épouse (XVIIe siècle), le visiteur remontera jusqu'à la place Baron-de-Gargan, aux pavés dressés en écailles, non loin de l'entrée de la citadelle. Au-delà de la tour Boncour, arrimée dans le roc, la vertigineuse muraille surplombe la ruelle de la Forge.

Un ruban continu de façades, que rehausse le beau pignon de la poste, mène jusqu'à l'entrée ouest et la chapelle Notre-Dame (1658). Tandis qu'hors les murs on peut rejoindre la citadelle par le sentier en pas-d'âne, la nature reprend ses droits, jardins en terrasses au lieu dit Prinzengarten, soutenus par de vieux murs, talweg accueillant du Faulbach.

Saint-Baslemont
Vosges

> 12,5 km S.-E. de Vittel

On aimera Saint-Baslemont pour sa fierté d'avant-poste, au bord du plateau, quand les deux tours rondes du château, le clocher de l'église accrochent les nuages. L'histoire a déposé ici, depuis le paléolithique, strate après strate.

Avec ses fenêtres haut perchées au-dessus de l'abrupt des terrasses, les meurtrières et canonnières des tours coiffées de bardeaux, c'est bien une défense qu'affirme le château. Résistance dans la tourmente du XVIIe siècle, qu'incarna la figure célèbre de Mme de Saint-Baslemont, l'« Amazone chrétienne », dont le portrait est au Musée lorrain de Nancy. Le village s'étire, par groupes de maisons, certaines abandonnées. En haut de la montée, le château et l'église, côte à côte, n'en rassemblent que quelques-unes. Derrière le portail semi-circulaire, la forteresse est devenue la demeure de la Renaissance, à la haute toiture d'écailles. Ravagées par un incendie en 1975, dépendances et écuries attendent d'être relevées. On s'attardera aussi dans l'église, où se voient un retable des douze apôtres et un saint Jean-Baptiste.

Au sud de Thuillières, où Boffrand, architecte de Lunéville et d'Haroué, édifia une résidence au bel avant-corps convexe, le vallon de Chèvre-Roche entremêle forêt et blocs rocheux ; y subsistent les ruines d'un ermitage et, sur un promontoire, les vestiges de deux tours du XIe siècle.

Saint-Jean-d'Ormont
Vosges

> 7 km N. de Saint-Dié

Une petite église pour la mer des collines. Seule, de chaux et de grès rouge, sous le bulbe bleuté de son clocher d'ardoise, comme chargée d'un destin trop grave. Déodat, venu fonder en 669 le monastère de Junctura, établit alentour de Saint-Dié des cellas pour accueillir ses disciples, l'une dans la montagne d'Ormont, Sanctus Johannes de Hurimonte. Le village qui se forma autour de la chapelle se plaça sous son vocable.

La région était un antique nœud de communication. L'important camp celtique de la Bure, village fortifié qui surveille la voie des Sarmates, est installé à moins de 4 kilomètres à vol d'oiseau, à l'extrémité occidentale du massif de l'Ormont.

Arrimée sur le roc, au bout du droit cortège des maisons, c'est sur le cimetière des soldats de 14 que veille l'église. 1722, 1728 sont les millésimes sur quelques entrées ornementées de fermes de grès. De même époque que l'agrandissement du sanctuaire (1692), auquel la tour du clocher, du XVe siècle, sert, avec originalité, de chœur.

Tout autour, l'écoulement des sources – non loin, un pont protohistorique enjambe le ruisseau de la Hure – et le chant des oiseaux. Au sud, tel le dos d'un dragon, fermant le site, la chaîne de l'Ormont, montagne légendaire, épouvante des enfants, qui retiendrait dans ses flancs un lac spéléen, près duquel séjournent les sotrés et les fées.

Saint-Quirin
Moselle

> 16 km S. de Sarrebourg

Dans une vallée étroite et verdoyante du massif vosgien du Donon environnée d'une profonde forêt, le village de Saint-Quirin est implanté dans une gorge presque triangulaire, couverte de prairies.

Les deux dômes à triple bulbe superposés et le clocheton à double bulbe de l'église émergent de la cime des sapins. Les magnifiques orgues (XVIIIe siècle), dues à Silbermann, de cette église baroque construite en 1722 attirent les mélomanes aux mois de mai et de juin.

Le grès, utilisé pour les encadrements de fenêtres et de portes ou pour des façades entières, et les couvertures en tuile donnent une coloration rouge dominante, sur laquelle tranche la blancheur des façades enduites de larges maisons, souvent agrémentées d'oriels. A l'Ascension, les rues s'animent grâce à la foire et au pèlerinage qui mène les fidèles de l'église à la Chapelle haute, édifice roman du XIIe siècle, dans les hauteurs de la commune.

A Lettenbach, hameau de Saint-Quirin, la chapelle des Verriers, de style rococo, rappelle par ses vitraux que Lettenbach fut le berceau de la verrerie française : la première fabrique de verre y fut créée au XVe siècle. Aujourd'hui, la verrerie est fermée, et les villageois vivent de l'exploitation des bois et de l'élevage.

Scy-Chazelles
Moselle

> 6,5 km O. de Metz

Scy et Chazelles sont deux anciens villages, implantés sur des méplats du mont Saint-Quentin. Noyés dans des masses d'arbres, ils dominent la vallée de la Moselle, qui s'écoule 200 mètres en dessous, et l'agglomération messine, dont ils font partie.

Ce sont de pittoresques villages de vignerons, avec des ruelles étroites et sinueuses, bordées de maisons souvent spacieuses mais toujours simples. Les façades enduites de ces demeures, presque toutes construites par de riches Messins, propriétaires de vignobles, avec des encadrements de fenêtres et de portes souvent ouvragés en calcaire de jaumont de ton ocre, dissimulent, à l'arrière, de grands jardins d'où s'échappent les frondaisons des arbres. Parmi les éléments décoratifs des XVIIIe et XIXe siècles, nombreux sont ceux qui évoquent la vocation viticole. L'eau qui ruisselle de toute part sur le mont est très présente dans le village, par les fontaines et les lavoirs disposés çà et là sur les placettes. Le contraste entre l'aspect resserré, l'étroitesse des ruelles, et l'ouverture soudaine sur la nature et l'horizon, au-delà de hauts murs clôturant les jardins, confère un caractère pittoresque à Scy-Chazelles.

Les points forts de cette localité sont constitués par les deux églises : l'église fortifiée de Scy, de style mi-roman, mi-gothique, est situé sur une esplanade qui offre une magnifique vue sur la ville de Metz et le val de Moselle. L'église de Chazelles, également fortifiée, a été fondée au XIIe siècle. Au-dessus de la chapelle proprement dite, à nef unique voûtée en berceau, l'étage fortifié est destiné à accueillir les villageois.

C'est dans cette église que repose Robert Schuman, le père de l'Europe. Sa maison, face à l'église, a été transformée en musée consacré à sa vie et à son œuvre. La maison forte qui lui est accolée est devenue la Maison européenne, un centre d'accueil.

Sierck-les-Bains
Moselle

18 km N.-E. de Thionville

Après avoir arrosé une large vallée, la Moselle s'étrangle dans une gorge en arrivant aux frontières du Luxembourg et de l'Allemagne. La petite ville de Sierck s'est étirée le long d'une boucle de la Moselle au pied de collines escarpées, face au Stromberg, puissant éperon rocheux couvert de vigne. Cette situation avenante et pittoresque a entravé le développement de cette petite cité qui, malgré sa prospérité, n'a pu s'étendre, conservant ainsi un cachet séduisant. La tour de l'Horloge, aujourd'hui syndicat d'initiative et musée, la tour des Sorcières et la porte Neuve sont les vestiges de l'enceinte fortifiée du XIIIe siècle qu'il faut franchir pour parcourir les ruelles et venelles d'aspect moyenâgeux. Les petites rues qui grimpent de la Moselle vers la vieille citadelle sont bordées de maisons de la Renaissance et du XVIIe siècle. De nombreux blasons de gentilshommes lorrains ornent les façades. La petite église du XVe siècle est à moitié bâtie dans le roc.

Dominant la ville, la citadelle, construite au XIe siècle, fut l'une des résidences favorites des ducs de Lorraine, jusqu'à son rattachement à la France en 1643. Le château est un impressionnant ensemble de tours et de chemins de ronde, d'où la vue panoramique est splendide.

Malgré la fermeture de la station thermale installée au pied du Stromberg, Sierck continue d'être très fréquentée. La viticulture, qui produit des vins de Moselle, et l'arboriculture s'ajoutent à ses activités touristiques.

La chapelle de Marienfloss, le sommet du Stromberg, le château fort de Meinsberg, à Manderen, sont autant d'itinéraires de promenades qui complètent agréablement la visite de Sierck.

Sous la lumière automnale glissant sur les cimes déjà jaunies des arbres, les clochers de Saint-Quirin étincellent. Ils ne sont pas sans rappeler les clochers baroques des églises de Bavière ou de Bohême.

Soultzbach-les-Bains
Haut-Rhin

> 14,5 km S.-O. de Colmar

Le village vosgien de Soultzbach-les-Bains se développe dans la vallée de Munster, presque au confluent du Soultzbach et de la Fecht.

La découverte d'eaux bicarbonatées sodiques, gazeuses et froides en 1603 entraîna, dès le XVIIe siècle, le développement d'une station thermale importante, dont les plus illustres clients furent l'archiduc Léopold d'Autriche, le comte de Ripeaupierre, puis Casanova et Euloge Schneider, célèbre accusateur public du tribunal révolutionnaire de Strasbourg. Cette activité cessa après 1789, mais la Société des eaux minérales de Ribeauvillé commercialise encore la production de la source, sous le nom d'« eau de Gonzenbach ». Un peu à l'écart, le dernier établissement de cure, transformé en hôtel, et des bâtiments plus anciens témoignent de ce passé prestigieux.

Les terres de la commune sont surtout exploitées en forêts et il ne subsiste qu'un seul agriculteur. La population n'a cessé de diminuer depuis le milieu du XIXe siècle, et aujourd'hui, le tiers de la population active travaille à Colmar.

Pour découvrir le cœur du village, il faut suivre la rue des Remparts, édifiée le long de l'enceinte fortifiée construite en 1275. Les vastes maisons qui la bordent, datant du XVIIIe siècle, avec pignon en pans de bois, façade sur rue simplement crépie, percée d'une porte rectangulaire étroite au ras de la chaussée et de multiples fenêtres, ne sont pas que d'anciennes fermes, mais aussi des maisons de rapport destinées autrefois à loger la clientèle des curistes. Dans cet ensemble, la chapelle Sainte-Catherine, construite au XVIIe siècle, possède trois tableaux baroques richement encadrés, datés de 1738. L'église paroissiale, construite au XIIIe siècle et rénovée au XVe, comporte aussi des éléments remarquables : trois autels baroques et des orgues Callinet, ainsi que les pierres tombales des seigneurs de Hattstatt. Sur la façade, une bande peinte en noir à leurs armes rappelle leur générosité vis-à-vis de la paroisse.

Valtin (Le)
Vosges

> 28 km S.-E. de Saint-Dié

Au Rudlin, auquel on accède depuis la vallée de Fraize et de Plainfaing, brusquement le paysage a obliqué. Une longue vallée en auge s'ouvre, qu'ont rabotée les glaciers du quaternaire. Des fermes isolées entretiennent le plancher parfaitement plat des prairies de fauche, qu'émaillent les floraisons. Sur les versants, les hêtres trouent le manteau sombre des sapins. On entend le chant, mezza-voce, d'une multitude de rupts et de la Meurthe allègre.

La colonisation, d'abord monastique, n'atteignit la haute vallée, dominée par la grande crête des Gazons et du Tanet, qu'au XIIIe siècle.

Le village du Valtin (en patois : *vèti*, petit val) est réfugié au plus proche du col qui le sépare du Grand Valtin, au pied des escarpements à pic et des éboulis. La petite église rustique, construite avec labeur, en quinze ans, par les paroissiens, porte la date de 1704 sur l'agrafe du portail. Sur sa terrasse, elle est à la tête de la communauté des maisons non jointi-

ves, façades peintes à la chaux, ouvertures rehaussées de rouge, demi-pignons recouverts d'essentes. Plusieurs sont datées des premières années du XIXe siècle.

Au loin, vers l'aval, la vue se développe jusqu'à l'échancrure du col du Louchbach, que ponctue la ferme du même nom.

Qui remontera la combe, adjacente, en direction de la Schlucht, pressentira la liberté des espaces sommitaux, domaine sans frontières des pelouses, où règne l'alouette.

Vandeléville
Meurthe-et-Moselle

> 39 km S.-O. de Nancy

C'est le cœur de la Lorraine, comme d'une éternité sereine. Sur l'immensité du plateau, le relief a disposé une suite d'îles. Butte de Sion-Vaudémont, butte de Pulney, puissantes, calmes buttes, se redoublant d'est en ouest, portant prairies, où processionnent les mirabelliers, et casquées de forêts. Tout est rythme, peut-être nombre d'or. Plusieurs des lumières et des brumes de l'année donnent à ces paysages la perfection des paysages d'enluminures. Vandeléville borde cet ensemble.

Le site est anciennement attesté. Un prieuré y est créé en 1097 par l'abbaye Saint-Léon de Toul. Plusieurs fois remaniée, l'église Saint-Léger a gardé une implantation typiquement romane, à l'écart, au-dessus des maisons des hommes. Aménagée dans la pente du terrain, la crypte servit de sépulture au début du XVIIe siècle ; elle abrite l'arbre généalogique de la famille seigneuriale.

Depuis le tertre et l'élégant presbytère, le village semble accosté de collines. Les grandes buttes viennent le cerner comme des proues. A vue, la plus lointaine, celle de Sion-Vaudémont. Le château des Cardon-Vidampierre, pour qui la terre de Vandeléville fut érigée en comté en 1723, émerge, austère, de la lignée des toits... Sous sa carapace de vieilles tuiles, la grande ferme l'apprivoise à peine à ce cadre rural. Spacieuse, elle groupe autour d'une cour en U habitation, colombier et bâtiments utilitaires. Alentour, façades et toitures des maisons ressautent en une chaîne continue, rythmée par les portes charretières aux chevilles de bois.

L'eau abonde en ce pays : ponctuant la rue principale et les quelques rues traversières, plusieurs fontaines ou lavoirs mêlent leurs chants bucoliques.

Vaudémont
Meurthe-et-Moselle

> 40,5 km S. de Nancy

S'il est un lieu qui symbolise la Lorraine, berceau et destin peut-être, ce lieu est Vaudémont.

Vision saisissante pour qui aborde la butte en croissant depuis le nord-ouest que la silhouette du donjon soudain dressée 275 mètres au-dessus de la plaine.

La colline est d'antique mémoire, même si les acquis historiques sont encore faibles. Les Celtes y adoraient Rosmerta, déesse de la Paix, et Wotan, dieu de la Guerre, d'où viendrait le nom de Vaudémont. La position du site, en tout cas, dont les pentes ont été rectifiées de main d'homme, en fait un observatoire exceptionnel. Vaudémont devient ca-

Établi à tiers de côte, calé entre trois buttes, Vandeléville forme à soi seul un paysage. Tout y dit l'ancien soin apporté à la terre.

pitale du *pagus Suentensis* (Saintois) après les invasions du Vᵉ siècle. C'est toute une ville qui se développe à l'abri d'un château fort, où règne la famille comtale de Vaudémont.

A l'entrée sud du village, un fossé obstrué révèle l'emplacement de la dernière ligne de fortifications. La cité connut, au fur et à mesure des extensions, plusieurs enceintes, qu'attestent ainsi les traces des fossés. Elle dut être flanquée de neuf tours. L'une d'elles, la tour du Guet, est encore visible, un peu plus loin, dans un jardin. De ce passé urbain, il ne reste rien. En une étonnante métamorphose, un village, un des plus ruraux qui soit, s'est coulé dans l'enveloppe des remparts, prenant la place de la petite ville prestigieuse, détruite sur ordre de Richelieu lors de la guerre de Trente Ans.

Au long des rues, le visiteur ne rencontrera que les façades typiques des fermes lorraines, pour la plupart des XVIIIᵉ et XIXᵉ siècles. Un détail, çà et là – baie géminée, sculpture –, rappelle une plus haute ancienneté. Mais ce destin rural, comme en plus d'une région de France, est à son tour en question, de par la désertification des campagnes.

Au centre du village, la mairie abrite un minuscule musée consacré à l'histoire du comté.

Il faut poursuivre jusqu'à la proue du promontoire pour percevoir à nouveau le vent de l'histoire. Millésimée 1748, l'église abrite, dans la simplicité de son espace, une émouvante pietà.

Longeant le flanc sud du sanctuaire, un sentier mène à travers les potagers et les vergers jusqu'au devant de l'enceinte, qu'amenuise peu à peu le temps. Défi d'autant plus fort demeure le pan du donjon, d'une hauteur de 17 mètres. Aucune marque défensive, mais une épaisseur inhabituelle des murs, dont on remarque l'appareil en écailles de poisson.

Citadelle enveloppée de silence, comme le sont les sources de l'histoire, au-dessus de la « plaine agraire tout herbacée qu'arrosent d'incessants nuages » : c'est à un Vaudémont qu'échut, en 1473, le duché de Lorraine, et l'un de ses descendants, François, en accédant au trône impérial d'Autriche par son mariage avec Marie-Thérèse, unit la destinée des Lorraine à celle des Habsbourg.

Au signal de Vaudémont se découvre le paysage presque immuable du terroir, plaine sous-vosgienne semée de villages. Sur cet archipel isolé de la côte de Moselle par l'érosion, fouetté par les vents, bat la pulsation des temps géologiques. Çà et là affleure la roche en abrupt ; la flore est celle des pelouses calcicoles.

C'est à une admirable fréquentation de l'être profond de cette région d'entre-deux qu'introduit *la Colline inspirée*. A l'autre bout, par-delà les forêts de feuillus, répond Sion, dans sa garde spirituelle. La Vierge à la colombe du XIVᵉ siècle qu'on y célèbre dans la chapelle est celle de l'ancienne église de Vaudémont.

Ville-sur-Saulx
Meuse

---
13 km S.-O. de Bar-le-Duc

Les prairies humides vouées à l'élevage qui bordent la Saulx entre ses versants boisés sont coupées par un promontoire perpendiculaire : c'est sur ce site qu'est implanté Ville-sur-Saulx, en corniche dominant la vallée.

Sur l'étroit replat, les maisons des XVIIᵉ et XIXᵉ siècles, aux façades enduites et aux encadrements de portes et de fenêtres en pierre de taille calcaire, se sont alignées le long de l'unique rue. Certaines possèdent des détails architecturaux intéressants : une porte décorée d'époque Louis XIII, un pigeonnier doté d'un cadran solaire... Une partie des toits est encore couverte de tuiles rondes.

En contrebas, au bord de la rivière, le château, construit en 1555, se dissimule derrière les communs qui bordent la route. Ce bâtiment Renaissance de plan carré, en pierre de taille calcaire, couvert d'un très haut toit d'ardoise, est flanqué d'une échauguette à chaque angle. C'est dans cette demeure au magnifique parc arboré baigné par la Saulx que Paul Claudel, en séjour chez ses cousins, écrivit *le Partage de Midi*.

Non loin de là, à Lisle-en-Rigault, un très beau château, ancienne abbaye des Prémontrés, a lui aussi accueilli des hommes illustres dans un cadre magnifique.

Notre HABITAT traditionnel

Maisons de pierre couverte en lauzes de gneiss simplement posées sur des voliges, à Bonneval-sur-Arc.

La plus grande partie des maisons rurales que l'on peut voir aujourd'hui ont été construites entre la seconde moitié du XVIIIe siècle et la première moitié du XIXe, c'est-à-dire de la révolution agraire, caractérisée par l'introduction de nouvelles méthodes de culture et d'organisation des terroirs, à la révolution industrielle, qui provoqua, avec l'exode rural, l'arrêt quasi total de la construction paysanne.

Que savons-nous des maisons rurales avant la seconde moitié du XVIIIe siècle ? Dans la plupart des régions on rencontre encore des bâtiments en bon état datés du XVIIe siècle, voire du XVIe. Ils ressortissent généralement à des exploitations – fermes ou métairies – appartenant au châtelain local et ont été construits par le maître d'œuvre qui a érigé le château. Ce sont de beaux bâtiments de pierre ou de brique, couverts en tuile. Ils ne constituaient alors qu'une infime partie des maisons rurales, mais ils ont servi de modèle aux fermes que bourgeois et paysans riches ont fait construire à partir du XVIIe siècle.

La plupart des manants, petits paysans libres, et des serfs, ancêtres des ouvriers agricoles, n'avaient que des habitations extrêmement précaires dont il ne reste que peu de chose aujourd'hui. Construites sommairement, en matériaux périssables ou instables – bois, chaume, ou autres végétaux, terre crue, pierres liées au mortier de terre –, et ne présentant qu'une surface habitable souvent limitée à une seule pièce, ces habitations ont disparu depuis longtemps, sauf cas exceptionnels, comme le logeron de Bretagne, ou la bourrine de Vendée. Mais les petits bâtiments annexes tels que remises à outils, clapiers, poulaillers, bergeries ou porcheries leur ressemblent. Les petits paysans bâtissaient eux-mêmes leur habitation, grâce à un système d'entraide familiale et villageoise. Dès le XVIIIe siècle, une évolution apparaît avec la diminution de cette main-d'œuvre non spécialisée, au profit d'artisans issus de la population villageoise. Ce sont ces semi-professionnels – car ils demeurent encore en partie des paysans – qui vont, avec les matériaux locaux et un outillage perfectionné, développer plutôt que créer des formes d'habitat plus spécifiquement régionales. Par exemple, dans les pays de montagne (Savoie, Jura), où le bois est abondant, l'emploi du passe-partout, du fardier, de la scie hydraulique permet de construire en pans de bois et en troncs posés « pièce sur pièce ». Dans les régions où seul est disponible en surface le moellon « tout-venant » (Languedoc, Provence, Touraine), des spécialistes ouvrent des carrières de pierre qu'on exploite dans le banc. Sans aller jusqu'à l'emploi de la pierre de taille, réservée à l'architecture « bourgeoise », la qualité des outils offre la possibilité de produire à moindre coût des pierres équarries et bouchardées pour les chaînes d'angle et les encadrements des baies. Dans les régions où ces matériaux de base sont rares et où l'on a utilisé la terre crue pour monter les murs ou remplir les vides des pans de bois, on commence, au XVIIIe siècle, à employer la brique cuite dans des

LE BOIS ET LE CHAUME

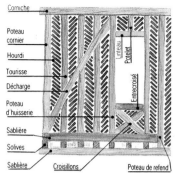

Maison de Grand-Combe-Châteleu, à dominante de bois, cheminée comprise.

Curieusement, on sait par des traces de trous de poteaux que la construction en bois date du début de l'architecture, c'est-à-dire du néolithique, entre 10000 et 5000 av. J.-C. Une charpente simple formant la toiture à quatre versants supportait une couverture végétale. Les interstices entre les poteaux recevaient un clayonnage et un remplissage de torchis (terre et paille malaxées). Ce type de construction se retrouve dans la construction en pans de bois. L'inconvénient majeur des poteaux en terre était leur courte durée : ce n'est qu'à l'âge du fer, 800 à 500 a.v. J.-C., que les

constructeurs commencent à faire des ébauches de tenons et de mortaises et apprennent à trianguler les colonnes ou colombes – d'où le nom de colombage donné au pan de bois à poteaux verticaux – par des pièces transversales (décharges, liens et guettes). Les poteaux pouvaient alors reposer sur des pierres ou dés, mais par la suite ils furent fixés dans deux pièces de bois horizontales, les sablières, haute et basse. L'ensemble était protégé de l'humidité du sol par un solin de pierres sur lesquelles reposait à bonne hauteur la sablière basse. Au Moyen Age, on a construit ainsi de

très grandes et hautes maisons en milieu urbain. Ce n'est que plus tardivement que le pan de bois fut adopté en milieu rural.

L'autre façon de construire en bois ne se rencontre plus aujourd'hui que dans le massif alpin ; mais des traces subsistent dans le Jura, le Bourbonnais et l'Agenais. Son origine remonte à l'âge du bronze ; des troncs d'arbres rectilignes étaient posés en carré ou en rectangle les uns sur les autres, en les entrecroisant aux extrémités par des encoches à mi-bois, plus rarement par un assemblage à queue d'aronde. Les plus nombreuses de ces maisons en « pièce sur

La technique rhénane du colombage (ci-dessus, à Obersteinbach) se caractérise par les nombreuses liaisons horizontales, contrairement à la technique anglo-normande (à droite, à Saint-Amand-sur-Fion), où les colonnes verticales prédominent.

Chaumière de Tourgeville, à pans de bois reposant sur un solin de pierre.

pièce » se situent en Savoie, dans les Bornes et le Beaufortin. Depuis le XIXe siècle, on a abandonné ce type de construction trop exigeant en bois pour une charpente posée sur des colonnes et recouverte d'un mantelage de planches.

Venue de la période néolithique avec la production des céréales, la couverture en chaume de blé ou, mieux, de seigle a traversé les siècles puisqu'on recouvre encore aujourd'hui les toits de certaines maisons paysannes du nord de la France avec ce matériau. Celui utilisé sur les maisons de Normandie, notamment du marais Vernier, et sur la plupart des résidences secondaires est du chaume de roseau. Les couvertures de chaume sont souvent, pour des raisons de résistance au vent, sur des toitures à quatre versants (deux longs pans et deux croupes) ou limitées par des pignons à redents qui protègent les rives.

LA TERRE

Maison de brique au Quesnoy, avec décor de briques claires. Ci-dessus : construction en assises alternées de briques et de pierres blanches à Estréelles.

Pisé renforcé de chaux et de sable, près de Digoin.

Murs de brique et toitures en pannes flamandes, à Rubrouck.

Matériau aussi dur que du béton et pouvant résister des siècles s'il est à l'abri de l'eau, il disparaît sans laisser de trace s'il ne l'est pas. La terre a été employée conjointement avec la pierre pour bâtir des murs, mais ce n'est qu'avec les Romains qu'apparaît la terre battue, le pisé, dans des coffrages analogues à ceux naguère utilisés pour couler le béton. Cette méthode est la plus répandue en France et on trouve encore des maisons en pisé en Provence, en Dauphiné, en Lyonnais, en Bresse, dans le Toulousain, le Puy-de-Dôme, la Bretagne. De la vallée de l'Eure à celle de la Vilaine, on se passait de coffrage, la terre mêlée à de la paille, et connue sous le nom de bauge, était montée à la fourche. Avec ce mélange, on a fait aussi des briques crues dans des moules : on les a surtout utilisées dans le Toulousain et un peu en Champagne. C'est encore avec ce mélange ou torchis que l'on fermait les vides des pans de bois garnis d'un clayonnage.

Les briques cuites furent réservées pendant longtemps aux bâtiments nobles et seigneuriaux, puis bourgeois. Ce n'est que vers le XVIII siècle que la brique commença à se répandre dans le milieu rural, d'abord pour remplacer le torchis des pans ae bois, puis comme matériau à part entière pour l'ensemble de la maison. Parmi les nombreux modules de briques, ce fut finalement celle de dimensions standard : $5,5 \times 11 \times 22$ cm, qui prévalut. Mais il y a plusieurs manières de l'utiliser : en croisant les éléments dans chaque assise (ou tas) ou en croisant les tas entre eux. La brique est associée à la pierre dans le nord de la France, notamment sous la forme dite « rouge barre », constituée d'une assise de calcaire (craie blanche) alternant avec trois tas de briques.

Trois types de tuiles apparurent aussi au Moyen Age : la tuile plate, sur le modèle des bardeaux de bois alors utilisés en milieu urbain ; la tuile canal, ou tuile creuse, sur le modèle d'un des éléments de la couverture romaine qui en compte deux, la tegula et l'imbrice ; enfin la panne flamande, ou tuile en S, qui regroupe les deux éléments de la précédente.

fours élémentaires conjointement avec des tuiles, notamment dans le Nord et la Picardie, dans le Midi toulousain et le Roussillon.

Selon un schéma un peu simple, qui peut être étendu à l'ensemble de l'Europe, les populations méditerranéennes situées au sud du massif alpin ont été amenées, par suite de faibles ressources en bois, à construire plutôt en pierre. Il est indéniable qu'une longue utilisation de ce matériau par des lignées de maçons a abouti à créer une véritable tradition, profondément an-

crée en Provence, par exemple. La spécialisation dans le travail du bois, introduite par les Celtes, puis les envahisseurs germaniques venus par les grandes forêts du Nord, se serait maintenue dans le domaine des montagnards et des forestiers. Ce schéma est entaché de tant d'exceptions qu'on pourrait dans certains cas inverser les correspondances, par exemple pour la Bretagne, de tradition celte, où les maisons sont à dominante de pierre, schiste et granit.

La diversité des matériaux les

plus courants, les moins coûteux, les habitudes des artisans parfois influencés par l'architecture savante, la nécessaire adaptation des bâtiments à leurs fonctions sociales et techniques ont abouti à la création de types spécifiques, parfois paradoxalement apparentés dans la mesure où ils répondaient aux mêmes besoins économiques régionaux. Mais ceux-ci pouvaient évoluer, entraînant des transformations du bâti. Lorsqu'il demeurait stable, comme dans les grandes régions d'élevage – Bretagne, Norman-

LA PIERRE

Construction entièrement en pierre au milieu des vignes, à Blanzac. Habitat troglodytique à Villaines-les-Rochers ; la maison est semi-troglodytique.

Assises de galets et de briques alternées à La Force, en Dordogne.

Maison à Saint-Suliac. Pierre de taille seulement pour l'encadrement des baies.

La pierre de taille était réservée aux maisons seigneuriales et bourgeoises ; les maisons paysannes n'en utilisaient que pour les chaînes d'angle et les encadrements des baies. Leurs murs étaient montés en moellons tout-venant, liés au mortier de terre, puis, à partir du XVIIᵉ-XVIIIᵉ siècle, au mortier de sable et de chaux. Les murs ainsi bâtis se présentent sous deux aspects, déjà décrits par un architecte romain : la maçonnerie dite en liaison, où l'on cherche surtout la cohésion des éléments, et le mur parementé, où l'aspect extérieur compte davantage. Pour bâtir celui-ci, on montait deux parois dont les faces externes étaient soigneusement jointoyées à l'aide d'un mortier mêlé à des déchets de pierre. Afin d'assurer la cohésion des parements, il fallait, à intervalle régulier, poser une pierre de la largeur du mur : parpaing ou boutisse-parpaigne. Si cette précaution n'était pas prise, le mur risquait de se fissurer dans le sens de la largeur et de « faire le ventre ». Dans des régions où l'on disposait de briques, on a utilisé des assises plus ou moins régulières pour assurer la cohésion des murs de moellon ou de silex comme en Picardie. Des tuiles jouaient ce rôle, notamment dans les murs de galets en Provence.

Une question se pose souvent : les murs de moellon étaient-ils crépis systématiquement ? Dans la mesure où l'on donnait la priorité à l'aspect de la pierre, on peut en déduire que de tels murs n'étaient pas destinés à l'être. Mais d'autres facteurs pou-

vaient intervenir pour qu'ils soient crépis (par exemple, l'érosion des joints, ou tout simplement une mode).

Dans les pays granitiques (Corse, Bretagne, Cévennes du Nord), on a utilisé de gros blocs taillés en fonction de leur place dans le mur ; ce n'est que plus tard que des pierres régulières à peine dégrossies ont été employées.

Dans les régions calcaires et schisteuses, un type particulier de maçonnerie dite à pierre sèche a été élaboré. On a construit au néolithique les murs de cabanes circulaires qu'une toiture végétale en forme de

cône recouvrait, puis, par un débordement vers l'intérieur, on a monté en encorbellements successifs une sorte de coupole avec des plaquettes de pierre se contrebutant. Ces constructions sont nombreuses dans le sud de la France, en Dordogne, dans le Languedoc et en Provence, mais leur ancienneté n'excède généralement pas deux ou trois siècles, car le matériau se dégrade. Un type d'architecture en négatif est caractéristique des pays calcaires : l'habitat troglodytique creusé par l'homme pour extraire la pierre est en quelque sorte un sous-produit.

die, Massif central, Savoie –, l'aspect extérieur des exploitations variait peu. En Bretagne et en Savoie notamment, les paysans et leur bétail vivaient dans la même pièce, juste séparés par une barrière. La promiscuité familiale n'était pas moindre. Les progrès de l'hygiène et la pression de la morale religieuse rendirent nécessaire la construction de chambres, mais l'exode rural, à partir de 1850, limita ces travaux d'agrandissement. C'est surtout dans le sud de la France que l'habitat s'est le plus transformé. Le

développement de la vigne avait conduit à construire pressoirs et celliers. Son arrêt brutal avec la crise du phylloxéra, vers 1880, puis la création, entre les deux guerres, des coopératives vinicoles entraînèrent l'abandon de ces petits bâtiments. En Provence et en Languedoc, on avait surélevé d'un étage les bâtiments existants pour y pratiquer la sériciculture lors de son introduction. Aujourd'hui, l'élevage du vers à soie n'a plus cours dans ces régions. Depuis la fin de la Seconde Guerre mondiale, on assiste à un

véritable bouleversement de l'architecture rurale. La motorisation et la concentration ont conduit à l'abandon de nombreux bâtiments qui ne correspondaient plus aux nouveaux besoins, aussi bien dans les régions d'élevage, où l'on ne fait plus sécher le foin sur les perches des balcons, que dans les vignobles où, grâce au tracteur, on n'a plus besoin de la capitelle pour abriter le matériel. Telle grande ferme-château d'Ile-de-France est à la merci de la dimension des moissonneuses-batteuses ou des corn-pickers.

Bourgogne Centre

A la limite sud des espaces beaucerons apparaît un long ruban où l'on croirait deviner la ligne de la mer. C'est la porte d'un jardin célébré par Maurice Genevoix :
« C'est au pays des lignes calmes,
Au pays du sable endormi...
C'est au pays des blancs châteaux,
Des coteaux rongés par les vignes
Et du beau fleuve au lent flot jaune. »
La Loire est en effet la reine de ce jardin ; cette blonde charrieuse de sable y égrène le long chapelet de pierre de notre Renaissance. Mais l'élégance des moindres demeures ne le cède en rien à celle des plus illustres, grâce à la présence du tuffeau dont la coloration varie avec l'heure du jour. Seules taches empreintes d'une certaine austérité : les sables de la Sologne et les landes berrichonnes. Par les vallées de troglodytes, sur la route des Dames de Touraine, la flânerie est douce entre les blés de la Beauce et les horizons de forêts et d'étangs de Sologne et du Berry habités par les rêves du Grand Meaulnes et de la Petite Fadette.
Un peu plus à l'est, des collines harmonieuses, les eaux paisibles des canaux, des vignes chatoyantes annoncent les paysages variés de la Bourgogne : Bourgogne morvandelle aux forêts sombres et aux lacs clairs, Bourgogne prestigieuse de la Côte d'Or, couleur de pampres, Bourgogne de la Montagne, du Bocage, du pays de Saône aux lignes calmes. L'unité de ce pays semble tenir à son architecture : pierres blondes ou ocrées dans lesquelles les formes romanes ont inscrit leur plain-chant, villages groupés parfois fortifiés, aux clochers polychromes, aux toits très enveloppants dégringolant d'une colline ou se blottissant au bord d'un canal.

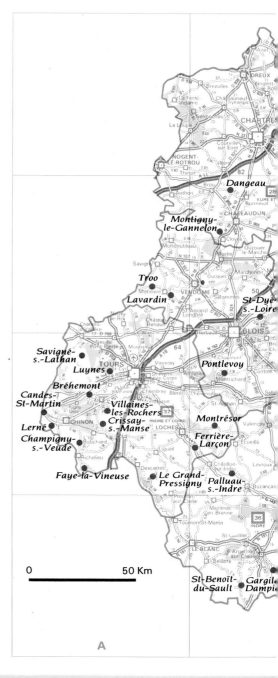

Anzy-le-Duc
Saône-et-Loire

19,5 km S. de Paray-le-Monial

Anzy-le-Duc est un petit bourg niché dans le bocage du Brionnais, au milieu des vertes prairies de la vallée de l'Arconce.

Siège d'un prieuré bénédictin fondé en 813 par Letbalt, relevant de l'abbaye Saint-Martin d'Autun, il fut ravagé par le Prince Noir en 1366, par les huguenots en 1576, par les ligueurs en 1594. Vendu comme bien national en 1791, il sera racheté par les habitants d'Anzy et restitué à l'évêché d'Autun.

L'église romane des XIe et XIIe siècles est une des plus belles églises du Brionnais. Son clocher octogonal à trois étages de baies géminées domine largement la campagne. On admirera le portail richement sculpté (la Vierge et les apôtres au linteau, et, au tympan, le Christ en majesté) et les magnifiques chapiteaux historiés. En été, des concerts ont lieu dans l'église, et une exposition artisanale est organisée dans le prieuré.

Le bourg a quelques maisons bourguignonnes, parfois à galerie, où se devine la richesse passée. Anzy-le-Duc, c'est le calme, la sérénité, la méditation. L'Arconce amène la fraîcheur souhaitée lors des chaudes journées d'été ; le poisson est excellent. La population vit de l'élevage et d'un peu de vigne. Des randonnées sont possibles dans la forêt des Charmays.

Apremont-sur-Allier
Cher

16,5 km S.-O. de Nevers

L'Allier marque ici la limite entre Bourgogne et Berry et sépare les collines mauves du Nivernais des vertes vallées du pays de Germigny.

L'ancienne forteresse féodale d'Apremont, presque complètement reconstruite au XVe siècle par les seigneurs de Nevers et embellie au XVIIe siècle, a conservé toute la puissance que sa position culminante lui confère naturellement. A son pied, au bord de l'Allier, se blottissent les maisons anciennes. D'importantes restaurations ont été entreprises par Eugène Schneider, chef de la dynastie industrielle

Généreusement arrosée par l'Allier et l'Aubois et sillonnée de ruisseaux et d'étangs, la région d'Apremont est propice aux prairies et aux belles futaies. Au premier plan, la masse imposante du château au donjon armé de mâchicoulis.

du Creusot et châtelain d'Apremont de 1894 à 1942. La route au pied du coteau longe le canal latéral à la Loire qui, à quelques centaines de mètres de l'entrée nord du village, se termine en un bassin circulaire relié par deux écluses à l'Allier. A cette entrée du village, la rue se divise en deux. La voie supérieure conduit au château. Sur la droite, la rue se resserre. Un bâtiment indique l'accès au parc floral aménagé au creux de la petite vallée du Pilori. L'entrée du château et du musée des Calèches installé dans les écuries se trouve quelques centaines de mètres plus loin. La rue basse qui borde l'Allier offre le décor moyenâgeux de ses maisons de grès ocre. Toutes les tourelles carrées, les escaliers extérieurs, les perrons et les lucarnes finement sculptées sont taillés dans la même pierre. Apremont possède de « bons coins à saumon » que les pêcheurs amateurs gardent secrets...

Arthel
Nièvre

32 km S.-O. de Clamecy

L'Arthel prend sa source au pied du vieux château du village et se dirige ensuite vers l'est, puis vers Clamecy. Le village s'inscrit dans un paysage de larges vallonnements, de hauteurs boisées, de prairies et de cultures variées (céréales fourragères, blé, seigle, vigne).
De loin, on aperçoit les masses verdoyantes des parcs boisés et des jardins qui sont la caractéristique principale d'Arthel. Sur deux petites buttes dominant la vallée de l'Arthel se dressent deux châteaux. Les remparts en ruine, les tours d'angle et le logis du XVe siècle appartiennent au château de La Motte. L'autre château, du XVIIIe siècle, est le château d'Apremont, qui a remplacé une forteresse anglo-bourguignonne du XVe, détruite pendant la guerre de Cent Ans. Le bourg s'est développé sur le flanc est de la butte du château d'Apremont. Il garde des habitations rurales traditionnelles.
L'industrie du bois et l'implantation de moulins à eau ont nécessité la création d'un système de bassins de retenue, de digues et d'un canal. A Arthel, on fait aussi de l'élevage de bœufs charolais et de chevaux pur sang.

Berzé-le-Châtel
Saône-et-Loire

15 km N.-O. de Mâcon

Ce village du Mâconnais est remarquable par son important château fort du Moyen Age qui défendait le passage entre le Mâconnais et le Clunysois. C'est le siège de la première et plus ancienne baronnie du Mâconnais (954), longtemps opposée aux moines de Cluny. Il est entouré de deux enceintes : l'une polygonale, flanquée de sept tours circulaires, avec une tour-porte à mâchicoulis ; l'autre flanquée de tours circulaires, de deux donjons carrés, d'un logis et d'une chapelle castrale. A l'intérieur du château, on découvre un joli jardin à la française avec des terrasses. Le château est bordé au sud par le vieux bourg. Les bâtiments traditionnels ont été construits avec le matériau du pays : le calcaire. On peut voir une belle maison à galerie du côté sud, au pied du château, et dans le village un lavoir typique du Mâconnais. Au-dessus du château, l'église est une robuste construction de 1739 qui vaut surtout par le bel escalier de son clocher.
Ce village a gardé un des plus vieux moulins à vent de Bourgogne. Cette vénérable ruine, qui se trouve sur une colline dominant le château, a été dégagée des broussailles par les habitants : des fêtes s'y déroulent régulièrement. De là, on découvre un des plus beaux panoramas de l'Ouest mâconnais : l'alternance de couches dures et tendres détermine le relief si particulier des roches de Solutré, de Vergisson, du Mont-Sard, qui s'alignent à l'horizon comme des proues de navires. On domine des combes marneuses occupées par le prestigieux vignoble bourguignon. On peut aussi apercevoir le petit village de Milly-Lamartine, où naquit le célèbre écrivain. L'activité économique de Berzé-le-Châtel est tournée vers l'élevage et la viticulture. De ce village on pourra se rendre à Berzé-la-Ville, et visiter sa chapelle (fresques du XIIe siècle), ou à Cluny.

Bèze
Côte-d'Or

26 km N.-E. de Dijon

Bèze est situé dans une cuvette à 214 mètres d'altitude. La rivière du même nom y prend sa source. Une promenade plantée d'arbres longe ses rives.

En 630, le duc de Bourgogne Amalgaire fonda à Bèze une abbaye suivant la règle de saint Colomban. En 834, elle devint une abbaye bénédictine. Le chanoine Kir, célèbre maire de Dijon, fut curé de la commune de 1910 à 1924.

Le bourg s'orne sur la place de deux maisons du XIIIᵉ siècle avec baies ogivales et chapiteaux. Des restes d'enceinte urbaine sont encore visibles, comme la tour du XIIIᵉ siècle avec meurtrières et mâchicoulis ; la tour d'Oysel, de la même époque, fut transformée en pigeonnier au XVIIIᵉ siècle. Dans un agréable parc, on peut admirer le bâtiment de l'ancienne abbaye du XVIIᵉ siècle avec quelques arcades romanes du XIIᵉ siècle. A proximité se trouve l'ancienne cuverie des moines. L'église fut reconstruite au XVIIIᵉ siècle ; elle s'agrémente d'un transept surmonté du clocher de l'ancienne église du XIIIᵉ siècle. A l'intérieur, deux Vierges bourguignonnes des XIVᵉ et XVᵉ siècles, des statues et un crucifix du XVIᵉ siècle. Ce petit bourg vit de la production de céréales, betteraves, houblon, et de quelques arpents de vigne. Une foire très pittoresque, celle des andouilles et des cornichons, s'y tient le 16 août. Plus poétique est la kermesse des fleurs, le troisième dimanche de juillet. Des expositions artisanales et une union des métiers d'art permettent de faire connaître la production des artistes locaux.

Blanot
Saône-et-Loire

10 km N.-E. de Cluny

L'histoire de ce village est très ancienne, puisqu'on y a trouvé des céramiques de l'âge du bronze et des vestiges gallo-romains. L'église du XIIᵉ siècle est un spécimen du premier art roman ; son abside semi-circulaire, son haut clocher du XIᵉ siècle avec arcatures lombardes et mâchicoulis, son toit de lauzes sont remarquables. A proximité se trouve le prieuré clunisien du XIᵉ siècle, remanié au XVIᵉ. Le village ancien est pittoresque avec ses vieilles maisons à galerie typique du Mâconnais. Les galeries sont plus ou moins spacieuses suivant l'importance des habitations. Parfois, la galerie n'occupe pas toute la façade : dans la petite pièce située au bout l'on s'occupait des travaux de la cuisine. Le murot, parapet qui limite la galerie du côté extérieur, est fréquemment orné de fleurs. Sous le murot, on pénètre soit dans le cellier, soit dans la « maison basse ». Dans le bourg, on peut voir aussi un ancien four, une fontaine et un lavoir. Les chemins, rocailleux, sont souvent bordés de ces murets de pierre sèche fréquents dans cette région.

Blanot est étagé sur une colline boisée du haut Mâconnais. Il est dominé par le mont Saint-Romain, haut de 579 mètres, d'où l'on découvre un immense panorama. A son pied s'ouvre une grotte-gouffre aménagée (vingt et une salles étagées jusqu'à 80 mètres de profondeur).

Le village vit de l'agriculture (pâturages, céréales, vignes). L'argile, de bonne qualité, a favorisé une activité de poteries et un artisanat créateur.

La source de la Bèze, une des plus abondantes de France, jaillit au nord du village du même nom en un spectaculaire « bouillant ». Elle donne rapidement naissance à une rivière aux eaux claires qui traverse le vieux bourg et baigne ses maisons.

Brancion

Saône-et-Loire

13 km O. de Tournus

Le hameau de Brancion, sur la rive droite de la Saône, est l'un des sites touristiques les plus fréquentés non seulement de Saône-et-Loire mais de Bourgogne. Bâti au Xᵉ siècle sur un oppidum gallo-romain, cet ancien bourg entouré d'une fortification, dont les tours de Beaufort et de la Chaul défendaient l'entrée, fut le berceau d'une puissante dynastie féodale. Josserand IV de Brancion, compagnon de Saint Louis, fut tué à Mansourah en 1250. Le château devint place forte des ducs de Bourgogne, sous la protection d'une triple enceinte, puis châtellenie royale. La plate-forme supérieure du donjon offre une vue panoramique, jusqu'au mont Blanc quand la visibilité le permet. A l'intérieur de l'ancienne enceinte du bourg en partie disparue, on peut encore voir une église romane, des halles de bois du XVᵉ siècle, et un ensemble de maisons anciennes (XIIIᵉ, XVᵉ, XVIᵉ siècle), bien entretenues. L'église romane (XIIᵉ siècle) abrite des fresques du XIVᵉ siècle et le beau gisant de Josserand IV (XIIIᵉ siècle). Du promontoire rocheux de Brancion, on découvre les vastes paysages de la vallée de la Grosne. Une particularité du village est le marché biologique qui se tient les 1ᵉʳ et 3ᵉ dimanches de chaque mois au col de Brancion.

De cette porte ouverte dans l'enceinte du château, on découvre l'église romane de Brancion. C'est l'agencement rationnel des volumes de son chevet qui en fait toute l'harmonie.

Si, à pied, on emprunte un de ces chemins de terre parfois bordés de murets de pierre sèche qui mènent aux champs et aux bois, le bourg groupé de Blanot apparaît entouré de vergers, dominé par le clocher de son église et son prieuré.

Bréhemont
Indre-et-Loire

8,5 km N.-O. d'Azay-le-Rideau

Des quais du port de Bréhemont, on découvre le paysage de Loire, si calme et si harmonieux, et les îles boisées qui occupent le lit du fleuve.

Le territoire de la commune s'étire entre la rive sud de la Loire et un ancien bras, sur les terres sablonneuses bordant le fleuve dans sa traversée de la Touraine. L'humidité y est importante en hiver, et le sol propice aux cultures maraîchères. Ici, l'occupation humaine se développa au fur et à mesure que les levées furent édifiées pour contenir la Loire. Le bourg s'est construit le long de ces levées, et en contrebas. Ses maisons sont en pierre blanche (tuffeau). Accolés aux fermes, de petits bâtiments assez hauts mais étroits, accessibles par un escalier, sont d'anciens fours à chanvre, souvent reconvertis en caves. Le chanvre fut, en effet, une des bases de l'économie locale jusque vers les années 60. On l'expédiait par voie fluviale à Nantes, où se tissaient les voiles des navires. Dans le bourg, on remarquera les belles maisons des maîtres mariniers, en pierre de taille, ornées de sculptures et de corniches.

Aujourd'hui, le fleuve ne commande plus l'activité du village. Du moins pourra-t-on voir quelque temps encore, en amont du bourg, à l'Aireau-des-Beignets, la barque noire du dernier pêcheur professionnel traquant le saumon remontant la Loire.

Bruère-Allichamps
Cher

10 km N.-O. de Saint-Amand-Montrond

En arrivant dans ce village de la Champagne berrichonne, on est intrigué par la présence, au centre de la N 144, d'une borne surmontée d'un drapeau tricolore : ce monument, sculpté dans un sarcophage d'enfant gallo-romain, matérialise le centre géographique de la France.

Là où autrefois une motte féodale commandait le passage sur le Cher, s'est développée à partir du XIIe siècle une véritable cité lilliputienne. Deux portes ouvraient les remparts du XIVe siècle. Les vestiges de celle du sud sont encore visibles à la hauteur du numéro 35 de la Grand-Rue, tout près d'une tour ronde. Émergeant de modestes maisons de journaliers, de hautes bâtisses des XIVe et XVe siècles témoignent de la richesse de la cité d'alors. Le village, qui n'a pas d'église, dépendait de la paroisse de La Celle, dont l'église romane est d'une grande beauté. Sur les rives du Cher, à 1,5 km au nord du village, le prieuré d'Allichamps conserve, sous sa toiture de lauzes, de magnifiques sculptures romanes.

L'abbaye de Noirlac est l'un des monuments les mieux conservés de tout l'art cistercien. L'ensemble des bâtiments peut être admiré depuis le belvédère aménagé au sud de Bruère sur la N 144. Sur la route Jacques-Cœur, on visitera le château de Meillant, à 6 kilomètres à l'est.

Du pont franchissant la Vienne, les maisons de Candes semblent minuscules au regard de l'imposante collégiale. A gauche, devant l'ancien embarcadère, une toue, barque de pêche traditionnelle à fond plat.

Candes-Saint-Martin
Indre-et-Loire

17 km N.-O. de Chinon

Candes-Saint-Martin se situe aux confins de l'Anjou et de la Touraine, à mi-chemin entre Saumur et Chinon. Le village, accroché au coteau, domine le majestueux paysage du confluent de la Loire et de la Vienne. Le nom de Candes viendrait du gaulois *condate*, désignant une confluence. Ce n'est qu'en 1949 que l'appellation Candes-Saint-Martin fut adoptée, en hommage à saint Martin, qui mourut ici en l'an 397.

Du sommet du coteau (que l'on atteint par un chemin fléché), on découvre un superbe point de vue sur les deux vallées et la petite région du Véron qui les sépare. En regardant vers l'ouest, on peut apprécier l'harmonie des toitures d'ardoise descendant jusqu'au fleuve.

Il est recommandé d'arriver à Candes par l'est (D 7). On découvre alors l'imposante collégiale et les maisons toutes de tuffeau et d'ardoise blotties autour d'elle. Ici, peut-être plus qu'ailleurs en Touraine, la lumière nuance de façon subtile tout au long de la journée les teintes de l'eau, du sable, de la pierre. Quelques rues pavées au nom évocateur (ruelle des Mariniers, rue du Port) rappellent le souvenir de la batellerie, et certaines ont gardé d'un lointain passé un vieux porche, un balcon de bois, un escalier couvert (rue de la Douve).

La collégiale est, bien sûr, l'édifice majeur du village. Édifiée à la fin du XIIe siècle à l'emplacement de la maison où mourut saint Martin, elle est une des rares églises fortifiées de Touraine. Tout près, trois anciens fours à pruneaux évoquent le temps où la production et le séchage des prunes pour la fabrication des pruneaux de Tours étaient une spécialité de la région de Candes.

Candes est immédiatement bordé, à l'ouest, par Montsoreau, où il faut visiter le château (XVe), et ce n'est qu'à quelques kilomètres au sud que s'élève l'abbaye royale de Fontevrault.

Champigny-sur-Veude
Indre-et-Loire

15 km S.-E. de Chinon

Au sud-ouest de l'Indre-et-Loire, le Richelais est une région de larges coteaux taillés dans la craie blanche, où les toitures à deux pans, en pente douce et recouvertes de tuiles canal, dénotent l'ancienne appartenance à la province du Poitou. C'est dans cette région que Louis Ier de Condé fit élever au XVIe siècle un château dont la splendeur rivalisait avec celle du château de Richelieu, tout proche. Détruit sur ordre du cardinal, il n'en reste rien. Les matériaux récupérés servirent à édifier la ville de Richelieu. L'actuel château est l'ancien logis du gouverneur et du concierge. Cerné de larges fossés d'eau vive, il renferme un somptueux mobilier. Mais l'édifice le plus remarquable du bourg est la chapelle dédiée à Saint Louis, très révélatrice de l'architecture de la fin du gothique et du début de la Renaissance. On y admirera un bel ensemble de vitraux du XVIe siècle.

Une promenade à l'intérieur du village amène à découvrir plusieurs maisons du XVIe siècle à fenêtres à meneaux et motifs Renaissance.

Chapaize
Saône-et-Loire

19 km O. de Tournus

Le site de Chapaize était connu dans l'Antiquité puisque deux voies romaines se croisent à proximité dans la forêt. Son occupation remonte au moins au Ve siècle, et des sépultures burgondes et mérovingiennes y ont été retrouvées. C'est sans doute une source, dénommée depuis source Saint-Léger, qui est à l'origine des premières concentrations d'habitants à l'emplacement actuel du village. Au Xe siècle, un petit ermitage y fut créé, qui se transforma bientôt en monastère. L'église est le seul édifice restant des bâtiments conventuels. C'est une église romane du XIe siècle qui a comme particularité un haut clocher barlong à arcatures lombardes, une nef à collatéraux et un transept à peine saillant. L'ancien presbytère s'orne d'une tourelle. Sur le territoire de la commune se trouvent de beaux hameaux anciens, de nombreux pigeonniers et des maisons à galeries typiques du Mâconnais.

Perdu à l'origine dans la solitude de ses forêts, Chapaize se présente maintenant comme un village groupé sur une éminence au milieu d'une plaine verdoyante. Mais la forêt est toujours là. On cultive les céréales, la vigne, et l'on fait de l'élevage (bovins, porcins, ovins, volaille). Un petit artisanat d'art s'est développé dans le village. L'association des Amis de l'église veille sur l'ensemble magnifique que constituent l'église et le cimetière qui l'entoure.

Charenton-du-Cher
Cher

11 km E. de Saint-Amand-Montrond

Dans la vallée de Germigny, Charenton, ville franche du XIIIe siècle, est placée aux confins de deux régions naturelles : Bourbonnais et Berry, dans une vaste et verte plaine ourlée de douces collines. Au nord du bourg, un alignement de peupliers signale la présence de l'ancien canal du Berry.

Le centre de la petite cité conserve son caractère moyenâgeux, auquel s'est ajoutée, aux entrées est et ouest, l'ambiance bourgeoise et ouvrière de deux petits faubourgs des XVIIIe et XIXe siècles. A la porte sud du bourg, un pont à trois arches de pierre est jeté par-dessus la Marmande. Cet affluent du Cher baigne les murailles encore très visibles de l'enceinte de Charenton, construite au haut Moyen Age. A l'est, auprès du moulin bâti en travers de la rivière, une ancienne tour de défense surgit au-dessus de la muraille, dans le jardin d'une grande bâtisse du XVe siècle. Au sud de la place du Couvent, face à une élégante maison du XVe siècle, se dresse un grand logis au toit mansardé, dernier vestige de l'abbaye Bellavalle, fondée au VIIe siècle.

Des trois forges installées sur la Marmande, qui faisaient autrefois la richesse du pays, la plus importante, au lieu dit la Forge, à l'est du bourg, a conservé la splendide maison du Maître, du XIXe siècle. Au sud-ouest, le château d'Ainay-le-Vieil assure, chaque été, l'animation culturelle de la région.

Châteauneuf
Côte-d'Or

42 km N.-O. de Beaune

Le village de Châteauneuf, c'est avant tout un château, chef-d'œuvre de l'architecture militaire en Bourgogne. Juché au sommet d'une croupe, il a été édifié en 1172 par les sires de Chaudenay. Vers le milieu du XVe siècle propriété de Philippe Pot, grand sénéchal du duc de Bourgogne Philippe le Bon, il devint un élégant logis. Il est constitué d'une enceinte polygonale datant des XIIe et XVe siècles, flanquée de hautes tours, et dominé par un donjon carré du XIIe siècle. Des deux corps de logis reconstruits au XVe siècle, l'un est en ruine.

Philippe Pot suscita l'essor du village. Il s'y construisit de belles demeures avec tourelles, fenêtres à accolade et à meneaux, colombages. On peut admirer encore de nombreux témoins de ce brillant passé, en particulier l'église, du XVe siècle, avec son clocher-tour massif à lanternon, ses baies flamboyantes, sa piscine du XIVe siècle. Dans le village, on peut voir les anciennes halles devenues mairie-école, plusieurs maisons des XVe et XVIIe siècles, la maison dite « Échoppe d'un potier d'étain », du XVIIe siècle, la maison des Bichots, du XVIe siècle.

Des fenêtres du château, ou du belvédère situé près de la croix de mission, un magnifique panorama s'offre au promeneur. L'horizon est fermé par les monts du Morvan, l'arrière-côte dijonnaise et les coteaux boisés de l'Auxois. Au nord du village s'étend la « promenade », avec ses vieux chênes noueux ; au-delà, ce sont les « grands bois ». Les forêts et les cours d'eau permettent de s'adonner à la chasse et à la pêche. A la messe de Noël, les habitants animent une crèche vivante.

Châtillon-en-Bazois
Nièvre

25 km O. de Château-Chinon

Appelé Castillione en 1185, ce gros bourg fut le siège de la châtellenie des sires de Châtillon, qui étaient au service des comtes de Nevers et des ducs de Bourgogne. Le château, qui s'inscrit dans une boucle du canal du Nivernais, fut une puissante forteresse. La tour d'angle date du XIVe siècle, le corps de logis fut reconstruit aux XVe et XVIIe siècles, et remanié au XIXe. Le haut donjon fut reconstruit après 1477.

Le bourg est pris entre un coude du canal du Nivernais et un méandre de l'Aron, dans une ample dépression creusée par les marnes. Ses ruelles tortueuses, ses vieilles maisons s'alignent le long des voies d'eau et des biefs qui alimentent les moulins. Le miroitement des plans d'eau où l'on réparait les bateaux de bois, les arbres le long du quai, la croix qui surmonte le vieux pont de la rue principale et le château donnent un charme inattendu à ce bourg dont la vocation touristique est essentiellement fluviale. Le port du canal du Nivernais a retrouvé une seconde jeunesse avec le développement du tourisme fluvial : des excursions en bateau sont organisées, et un chantier naval répare les péniches. On peut aussi pratiquer les sports nautiques, la pêche, la chasse, et goûter aux savoureuses spécialités gastronomiques. Les activités traditionnelles restent la culture des céréales et l'élevage des bovins.

Châtillon-Coligny
Loiret

25 km S.-E. de Montargis

Châtillon commande l'entrée de la Puisaye. La cité, établie dans la vallée du Loing, devint au XIXe siècle Châtillon-Coligny, en souvenir de cette puissante famille huguenote dont l'amiral, qui fut en 1572 l'une des premières victimes de la Saint-Barthélemy, faisait partie.

Le château, dont les ruines dominent la cité, a été presque entièrement détruit à la Révolution. Son donjon, de la fin du XIIe siècle, et les terrasses aménagées au XVIe siècle par l'amiral de Coligny en sont les principaux éléments. Le donjon possède une particularité notoire : au-dessus de sa base cylindrique, il présente seize faces, dont un angle sur deux est renforcé par un contrefort plat. Au pied du château, le village conserve des vestiges importants de son enceinte.

L'eau qui court dans les douves et dans le canal du Loing aux abords immédiats de la cité entretient une végétation exubérante qui déborde de minuscules jardins. En franchissant les douves par la rue de la Poterne, à l'ouest, un premier édifice s'impose par sa taille : l'ancienne prison du XVIe siècle ; derrière, dans la rue du Paradis, un autre édifice, construit à la même époque en gros moellons calcaires et rognons de silex, est couvert d'un toit pyramidal d'ardoises ; il s'agit de l'Enfer, dénommé ainsi au XVIe siècle car il abritait les réunions des huguenots. Tout près, le Paradis accueillait, lui, les réunions des catholiques.

Vers la gauche, passé la rue Belle-Croix, on atteint la grande place Aristide-Briand. Les façades et les hautes toitures de tuiles confèrent à cette place un caractère monumental. Par la rue Saint-Pierre et la rue de l'Église, on arrive à la maison qui appartint à Colette et où elle séjourna souvent. Cette maison jouxte l'ancien temple protestant à fenêtres tréflées romanes. Juste en face, la rue Belle-Croix se continue par la rue Jean-Marchand vers l'ancien grenier à sel, très belle construction des XVe et XVIe siècles. Au bord des remparts s'élève l'église Saint-Pierre-et-Saint-Paul (XVIe et XVIIe siècle).

Chitry-les-Mines
Nièvre

33,5 km S.-E. de Clamecy

Ce joli petit village domine les coteaux verdoyants de l'Yonne et le canal du Nivernais. Il doit son nom au gisement de plomb argentifère qui fut exploité aux XVe et XVIe siècles. Un vaste château qui commandait la vallée de l'Yonne fut construit au XIVe siècle et remanié au XVIIe. Il possède un corps de logis flanqué de deux ailes, quatre tours d'angle circulaires et un porche fortifié. Le portail de l'ancienne chapelle date de la Renaissance. L'intérieur est remarquable, avec sa galerie dite des Sybilles, ornée d'une série de peintures du XVIIe siècle d'après Claude Vignon, ses tapisseries des Flandres et d'Aubusson, ses lambris du XVIIe siècle et son riche mobilier. Dans le bourg, où l'église du XVe siècle conserve des vitraux et des fonts baptismaux du XVIe, on peut voir encore la maison où Jules Renard passa son enfance, avec le décor qui lui inspira *Poil de Carotte*. Sur la place s'élève d'ailleurs la statue de Jules Renard, à laquelle s'adosse Poil de Carotte.

Combleux
Loiret

6 km E. d'Orléans

Le soir est limpide sur la Patache, isthme paisible entre Loire et canal. Le crépuscule dore d'un dernier feu les vieilles maisons des mariniers alignées sur les quais de part et d'autre de l'écluse. Le Val de Loire, ici dans son voyage le plus septentrional, s'incurve en une boucle immense avant de suivre vers l'ouest sa destinée océanique. Le ciel clément des beaux jours occulte momentanément les soirs et nuits d'angoisse, quand la Loire en crue noie le village de son eau boueuse et déchaînée.

La navigation en Loire, qui date de la conquête romaine des Gaules, s'intensifia dès le haut Moyen Age : hommes et marchandises empruntaient le cours navigable de Nantes à Orléans pour rejoindre Paris par voie de terre. C'est en 1576 qu'Henri III décida la jonction Seine-Loire par canal, afin d'atteindre plus rapidement la capitale. Combleux devint ainsi « le port de Paris sur la Loire » dès la fin du XVIe siècle et le resta jusqu'en 1954, année du déclassement du canal d'Orléans. Depuis la fin du XIXe siècle, quelques villégiatures sont venues s'ajouter le long du canal aux petites maisons de calcaire blanc de l'éclusier et des mariniers. Les anciens chemins de halage parcourent les rives ombragées du canal. Des oiseaux de mer – mouettes, cormorans et sternes – qui nichent sur les îles apportent une touche balnéaire à l'ambiance paisible de Combleux, aujourd'hui lieu de prédilection des pêcheurs et des aquarellistes.

Les chapelles des bas-côtés de l'église Saint-Pierre-et-Saint-Paul, à Châtillon-Coligny, se détachent sur sa nef. Le clocher, séparé de l'église, occupe une ancienne tour des remparts.

Derrière les frondaisons des peupliers et dominant les riches pâturages où paissent des bœufs charolais, la forteresse de Châteauneuf se mire dans les eaux du canal de Bourgogne. ▷

Crissay-sur-Manse

Indre-et-Loire

17 km S. d'Azay-le-Rideau

A l'écart de la grande route d'Azay-le-Rideau à L'Ile-Bouchard, entre la forêt de Crissay et le pied d'un abrupt coteau au bord de la Manse, ce village offre une vision d'une grande harmonie, qu'on le découvre des hauteurs de Crouzilles ou des ruines du château. Le cheminement à travers les petites rues du village haut permet d'admirer les très belles demeures des XVe et XVIe siècles, témoins de l'ancienne prospérité de Crissay, et le décor grandiose de la place où se dressent, face à face, la grande maison de Charles VII, aux imposantes fenêtres à meneaux, et la plus modeste Maison de justice.

Sur le haut du coteau, le château, qui date du XVe siècle, possédait un très important ensemble de souterrains dont un, fort bien conservé, servit de refuge à la population. En contrebas du bourg, on pourra voir deux lavoirs sur la Manse. Plusieurs artisans sont installés dans le village.

Dangeau

Eure-et-Loir

18 km N.-O. de Châteaudun

Entre Beauce et Perche, le bourg de Dangeau surprend par la richesse historique et architecturale de son centre. Le village est traversé par une charmante petite rivière, l'Ozanne, qui forme une coulée verdoyante à l'entrée sud.

L'église Saint-Pierre, qui date de la fin du XIe siècle, marque le village, notamment par son ampleur et l'étendue de sa couverture en tuiles plates. On y remarquera la tour-clocher monumentale en charpente, fondée sur quatre gros poteaux qui traver-

Dans les faubourgs de Donzy, de belles maisons bourgeoises se sont construites de plain-pied sur les bords boisés du Nohain.

Charles VII séjourna à Crissay dans cette massive maison du XVe s. aux ouvertures irrégulières.

sent la nef de fond en comble. Ce mode de construction est assez caractéristique des églises de la région. Sur le côté sud de la place de l'Église, deux maisons en pans de bois, bien conservées, datent du XVᵉ siècle. Leurs façades sont décorées de sculptures, visibles en particulier sur les piliers. Église et maisons forment un espace monumental d'une qualité remarquable.

Vers la sortie nord du bourg, plusieurs demeures bourgeoises, construites au siècle dernier, créent une transition entre la monotone campagne environnante et le site historique.

Donzy
Nièvre

17 km S.-E. de Cosne-sur-Loire

Au nord du département de la Nièvre, le Donziais se compose de deux types de paysages : au nord-ouest, un plateau calcaire limité au nord par la côte de Puisaye constitue un paysage de culture ouverte ; au sud et à l'est, le prolongement du plateau nivernais est couvert de forêts. Donzy s'est implanté dans la vallée du Nohain, au milieu de collines verdoyantes et boisées. Le bourg a gardé de belles maisons à colombage des XVᵉ, XVIᵉ et XVIIᵉ siècles et tout un lacis de ruelles étroites et pittoresques. De l'ancien château fort il reste quelques vestiges, dont une tour ronde du XIIIᵉ siècle. A proximité, l'église Saint-Caradeuc est de style composite et son clocher a été reconstruit au XIXᵉ siècle. Les ruines de l'église du prieuré Notre-Dame-du-Pré (XIIᵉ siècle) ont conservé, sculptée sur le portail, une belle Vierge en majesté. L'église romane de Saint-Martin-

du-Pré, à nef charpentée, abrite la pierre tombale de Françoise de La Rivière.

Ce vieux bourg a gardé une vocation de petite capitale régionale, dominée par l'activité agricole. Les foires ont toujours lieu le lundi de Pâques et le lundi de Pentecôte.

Dans les ruines du prieuré de l'Épeau, fondé au XIIIᵉ siècle (2 kilomètres à l'est par le CD 127), on distingue encore les restes des bâtiments claustraux, le logis du prieur et quatre chapelles servant d'étables. Par le GR 3 on pourra découvrir les coins les plus pittoresques de la région. Dans la vallée du Nohain, à 4 kilomètres au nord, le château féodal de La Motte-Josserand est une superbe construction militaire du XIIIᵉ siècle.

Épineuil-le-Fleuriel
Cher

24,5 km S.-E. de Saint-Amand-Montrond

Joli nom pour un village ! On imagine le bord d'un chemin fleuri d'aubépines bourdonnantes. Un petit bourg tranquille entouré des collines du Boischaut. Les couleurs fraîches à l'approche de la Queugne, le ruisseau qui déploie furtivement son ruban, la peau chaude et lumineuse des vieilles maisons construites en grès rose de Saulzais. C'est tout cela, Épineuil, avec de surcroît une légende qui plane au-dessus du clocher, comme une mémoire collective : *Le Grand Meaulnes*, d'Alain-Fournier ; le roman de son enfance à peint minutieusement tous les coins du village, baptisé Sainte-Agathe par l'auteur.

L'ancienne province du Bourbonnais plaçait aux abords d'Épineuil ses limites décalquées sur les derniers contreforts du Massif central. Un pays de minerais et de forgerons, de moulins et de potiers qui, depuis la plus haute antiquité, jouissait d'une position commercialement stratégique, au croisement de deux voies romaines importantes. Aujourd'hui le village est un peu à l'écart. Seul l'élevage des grands bœufs blancs du Charolais retient encore les paysans à la ferme.

La Motte féodale entourée de douves (IXᵉ siècle), à l'ouest du bourg, est sans doute le plus ancien vestige visible à Épineuil. Le chemin des Petits-Coins qui serpente entre les maisons des journaliers agricoles contournait autrefois le château. Sur la place, en face de l'église, bivouaquaient les « bohémiens » du roman. Toute la rue principale vit encore un peu à l'heure du Grand Meaulnes. Au carrefour des Quatre-Routes, à l'angle des rues de Meaulnes et de Vallon, la maison du notaire dresse toujours sa tourelle du XVᵉ siècle, en face du café Daniel. Puis, en descendant vers le sud, fermant la longue place de la mairie, l'école des garçons, où les parents de l'écrivain étaient instituteurs. C'est dans cette école, où Alain-Fournier fut élève de 1891 à 1898, que naquit le personnage du Grand Meaulnes. Tout l'immeuble, y compris la classe, toujours en service, est resté imprégné de l'atmosphère du roman ; le logement a été aménagé en musée.

Faye-la-Vineuse

Indre-et-Loire

27,5 km S.-E. de Chinon

Cette commune du sud de l'Indre-et-Loire constitue presque une enclave en terre poitevine. Rattachée historiquement et géographiquement à cette province, elle fut longtemps appelée Faye-en-Poitou. Le terme de Vineuse rappelle que les terrains appartenaient ici au vignoble du Loudunais.

Du bourg perché sur un mamelon de 100 mètres de haut, la vue porte loin. Aussi ce village fut-il de tout temps un point stratégique important pour la surveillance du territoire. Les combats y furent souvent violents, et, dans la cour de l'hôtel du Chapeau-Rouge, on peut voir une tour polygonale dans laquelle, à la fin du XVIᵉ siècle, un certain capitaine La Courbe reçut la rançon soutirée aux habitants.

L'église est un beau monument roman où l'on remarquera les superbes chapiteaux du transept et du chœur. Autour d'elle subsistent plusieurs vieilles demeures, blotties les unes contre les autres, qui rappellent le temps où Faye était une ville close.

Ferrière-Larçon

Indre-et-Loire

17 km S.-O. de Loches

A une vingtaine de kilomètres au sud-ouest de la cité médiévale de Loches, à l'écart de la Touraine des châteaux prestigieux et du vin, on découvre le village de Ferrière-Larçon sur les flancs d'une des nombreuses petites vallées qui irriguent le sud de l'Indre-et-Loire. Le nom de Ferrière provient de l'existence, sur le territoire de la commune, de minerai de fer et d'anciennes forges gauloises.

La place de l'Église, à mi-pente, permet d'apprécier le portail de l'édifice et les maisons anciennes au bel appareillage de pierre. Cette église, quoique inachevée, est une des plus belles de la Touraine. Sa

La porte du Val, à double entrée et flanquée de tours rondes, s'ouvre dans les remparts de Flavigny. Elle est contiguë aux bâtiments de la maison Lacordaire, ancien couvent de Dominicains.

La maison de George Sand à Gargilesse est caractéristique des secteurs viticoles du bas Berry avec son grenier sous un toit à forte pente, sa terrasse et, dessous, sa cave voûtée et sa grange.

construction date des XIᵉ, XIIᵉ et XIIIᵉ siècles. Le bourg, dont les rues sont parallèles à la pente du coteau, s'est installé à l'endroit où la vallée du Larçon s'élargit. Juste après le pont routier, un petit pont à voûte enjambe le Larçon. Ce pont permet d'accéder à un coteau de tuffeau jaune creusé de nombreuses excavations ; ce sont d'anciennes carrières, utilisées comme habitations au XVIIIᵉ siècle et au début du XIXᵉ par ceux qui les exploitaient. Ces logements modestes furent aussi occupés par des tisserands. On utilisait alors les eaux du Larçon pour rouir le lin cultivé à proximité, sur le plateau. Un moulin existait dans le bourg ; on en distingue encore le seuil et le bassin.

A environ 500 mètres du bourg, en suivant le fil de l'eau, on découvre sur le sommet du coteau sud une muraille de pierre sèche longue de 80 mètres environ, qui date de 2 500 ans avant notre ère et qui avait un rôle défensif.

Le sentier du bord de l'eau permet de découvrir les maisons anciennes du bourg, ses murets, ses jardins accrochés à flanc de coteau, et il offre une vue remarquable sur le chevet de l'église.

Flavigny-sur-Ozerain
Côte-d'Or

23 km S.-E. de Montbard

Le bourg rassemble ses constructions sur un éperon qui domine la vallée de l'Ozerain. Facilement accessible par le plateau, comme en témoigne le tracé de l'ancienne voie des pèlerins de Saint-Jacques, il n'est relié que difficilement à la vallée de l'Ozerain par une route et des chemins qui serpentent sur les versants du vallon de la Recluse. Ce bourg a été le siège d'une abbaye bénédictine fondée vers 722 par Widerard, en l'honneur de saint Prix, évêque de Clermont. En 864, les reliques de sainte Reine y furent déposées. L'abbaye fut appauvrie par un grave incendie en 1231. Elle connut une nouvelle ère de prospérité au XVIe siècle, puis fut abandonnée à la Révolution. La ville fut prise par les Normands en 887, par les Anglais en 1359. Pendant les troubles de la Ligue, elle resta fidèle au roi et fut, de 1589 à 1593, le siège du parlement de Bourgogne. En 1848, Lacordaire y fonda le noviciat de l'ordre des Dominicains.

Flavigny conserve la plus grande partie de ses remparts. Pour compléter la défense du côté sud, un fossé s'étendait à l'emplacement actuel de l'esplanade de la promenade des fossés. Aux trois portes anciennes, celle du Val (XIIIe et XVIe siècle), de la Poterne (fin du XIVe siècle) et du Bourg (XVe siècle) s'est ajoutée au XVIIIe siècle la porte Sainte-Barbe. Du côté sud-est, les remparts anciens ont fait place aux jardins en terrasses de l'hôtel Gouthier de Souhey (XVIIIe siècle). C'est une véritable ville qui fut enfermée dans ces remparts, comme peuvent en témoigner au long des ruelles pavées, étroites et tortueuses, les maisons gothiques et Renaissance du XIIIe au XVIe siècle, ornées de niches, de tours et de tourelles, l'église Saint-Genest (à l'intérieur, Vierge du XIVe siècle et stalles en bois sculpté), le musée lapidaire, installé dans l'ancienne abbaye qui abrite aujourd'hui une fabrique d'anis. Dans ce village médiéval, l'entrée du monde rural, à la fin du XVIIIe siècle, s'est faite avec difficulté. Les constructions ne convenaient pas à l'engrangement des produits, à l'exception des caves ménagées sous les habitations ; là, le vigneron était à l'aise. A l'extérieur, il dotera souvent sa maison médiévale ou Renaissance d'escaliers de facture rurale, d'auvents, d'appentis divers, et, au cours du XIXe siècle, il construira quelques granges et écuries, que l'on peut identifier à leurs portes charretières en arc bombé. Mais la ruine du vignoble, l'exode rural et l'exiguïté de l'espace ont chassé les cultivateurs du bourg, où seuls trois d'entre eux se maintiennent encore.

A partir de Flavigny, on peut visiter le site d'Alésia et le château de Bussy-Rabutin.

Gargilesse-Dampierre
Indre

13 km S.-E. d'Argenton

Du village, qui est tout près du confluent de la Gargilesse et de la Creuse, on peut rayonner dans la vallée de la Creuse dont les gorges entaillent profondément une terre de granit et de schiste annonçant le Limousin tout proche. Ici, la rivière, le rocher, les prairies et les haies touffues composent un paysage très attachant.

Le village surplombe le cours torrentueux de la Gargilesse. Venant du nord (D 40), on le découvre, bien

homogène, et tout de tuiles revêtu, paré de son église romane et de son château, avec, sur une butte, le long bâtiment de la ferme du château, aménagé en centre d'animation culturelle. Par la rue principale, on arrive à une petite place agréablement fleurie, qui offre une vue plongeante sur la Gargilesse et la terrasse du château du XVIIᵉ siècle surplombant la vallée. Le chemin menant à l'église permet d'apprécier les ruines d'une belle tour cylindrique qui appartenait à l'ancien château féodal. Dans l'église du XIIᵉ siècle, les vingt-quatre vieillards de l'Apocalypse trônent à la croisée du transept, et des fresques des XIIᵉ et XVᵉ siècles (malheureusement endommagées) ornent la crypte.

Un peu plus bas dans le bourg, la modeste maison où vécut George Sand a été transformée en musée. Juste en face s'ouvre une échoppe de potier qui appartient à la même famille depuis plusieurs générations. D'autres artistes – sculpteurs, peintres –, séduits par la beauté du site, vivent en permanence à Gargilesse. Durant l'été, un festival de harpe de notoriété internationale contribue à entretenir dans ce village une ambiance propice à la rêverie et aux plaisirs de l'esthétique.

Grand-Pressigny (Le)
Indre-et-Loire

> *28,5 km S.-O. de Loches*

Le Grand-Pressigny est un des hauts lieux de la préhistoire. Sa situation, à la confluence de deux vallées, l'Aigronne et la Claise, en a fait depuis toujours un lieu de passage.

La renommée du Grand-Pressigny tient à une technique de taille des silex propre à cette région, consistant à préparer des « livres de beurre », sortes de grands morceaux de silex découpés en vue du débitage en longues lames. Le nombre d'éclats et d'outils préhistoriques était si élevé qu'on a parlé du Grand-Pressigny comme d'un véritable « centre commercial et industriel » exportant dans toute l'Europe.

Le vieux bourg escalade le coteau au pied de la forteresse du XIᵉ siècle, haute de 35 mètres et construite sur un éperon barré par de larges fossés. Un très beau bâtiment Renaissance abrite un musée de préhistoire et de géologie fort riche. De la tour Vironne (XVIᵉ siècle), la vue s'étend sur la ville, la vallée et l'ancien parc. Dans le bourg, sur la gauche en venant de Descartes, on remarquera une maison présentant un décor de « livres de beurre » scellé sur la façade. On plaçait autrefois ces objets préhistoriques, qu'on croyait être des pierres de foudre, dans les murs afin de préserver les constructions de l'orage.

Le Grand-Pressigny connaît une vie associative importante, liée en partie à la préhistoire, mais aussi au folklore, puisqu'on y trouve un groupe folklorique très actif, la Quiolée.

Henrichemont
Cher

> *28 km N.-E. de Bourges*

Huit routes qui ondulent entre les collines boisées du Pays Fort se croisent en une étoile rigoureuse sur la place centrale de cette cité idéale du tout début du XVIIᵉ siècle, une grande place carrée de 80 mètres de côté, aux allures de capitale. A l'origine était Boisbelle, principauté indépendante du royaume de France. Sully l'acquiert en 1605 et décide, dans le cadre de la politique de reconstruction du royaume, ruiné par les guerres de Religion, de fonder là, à mi-chemin entre Bourges et ses terres orléanaises, une ville nouvelle. Il en confie la conception à Salomon de Brosse, architecte du palais du Luxembourg à Paris. Celui-ci dessinera des rues larges et droites, qui relient des places carrées parfaitement réparties : une au centre, la place Henri-IV, et quatre autour. Quatre autres places triangulaires s'inscrivent dans un plus grand carré. Quarante-huit pavillons bordent les places : hautes et nobles, leurs façades régulières inspirent l'ordre et la raison chers aux humanistes de l'époque. Dès 1608, plus de mille artisans, attirés par l'ouvrage et les privilèges fiscaux et militaires de la principauté, arrivent des campagnes pour le chantier de la cité future. L'assassinat du roi en 1610 porte un coup fatal à l'entreprise. La cité ne sera jamais achevée selon le projet initial. Son plan encore très visible et les éléments d'architecture qui subsistent donnent une bonne idée des ambitions du fondateur.

L'édifice le mieux conservé est le pavillon du Procureur fiscal, rue Victor-Hugo, dont la façade s'orne de pilastres de brique surmontés de chapiteaux doriques.

Henrichemont fut un centre très important de tannage des peaux. Une seule entreprise y fonctionne encore. La Borne, à 1,5 km à l'est, un village de potiers. Des expositions artisanales y sont organisées tout l'été ; la visite des fours et des installations des artisans et la bonne réputation de ces créateurs méritent le détour.

Irancy
Yonne

> *16 km au S.-E. d'Auxerre*

La région d'Irancy fait partie des plateaux de Bourgogne. Les roches dominantes sont des calcaires et des marnes, qui donnent des sols favorables à la vigne. La présence de la vigne sur ce territoire est attestée en 861 par un diplôme de Charles le Chauve. Au XVIᵉ siècle, une enceinte percée de quatre portes entoura le bourg, qui fut pris d'assaut par les huguenots en 1568. Un homme illustre naquit dans cette commune en 1713 : l'architecte Germain Soufflot, constructeur du Panthéon.

Le village, niché dans une cuvette, est bordé de collines abruptes et colorées où pousse un vignoble de qualité : on y trouve des crus A.O.C. Bourgogne-Irancy, et du V.D.Q.S. Sauvignon de Saint-Bris. Le site est pittoresque, avec de jolis points de vue et de beaux panoramas.

L'église Saint-Germain date du XIIᵉ et du XVIIIᵉ siècle. Sa nef ogivale à trois travées est de la fin du XIIᵉ et un double rang de colonnes doriques orne son chœur. La tour carrée à gauche de la façade est d'époque gothique. Le bourg, très groupé, a gardé quelques vestiges de l'enceinte et des portes ; on peut voir la maison natale de Soufflot.

Le vignoble, la beauté du site et la proximité d'Auxerre ont favorisé le développement d'une activité touristique où la dégustation des vins occupe une place importante. Des sentiers pédestres et de grande randonnée (passage du GR 13) permettent de visiter la région, et les amateurs d'antiquités et de brocante pourront y faire des emplettes.

Lavardin

Loir-et-Cher

La blancheur du calcaire ou du tuffeau contraste avec les tuiles brunes des maisons de Lavardin. Elles encadrent l'église et, devant elle, la mairie, vestige du prieuré Saint-Genest.

21,5 km S.-O. de Vendôme

La vallée du Loir sépare le Perche vendômois de la Gâtine tourangelle. La rivière offre au creux de ses nombreux méandres une succession de falaises abruptes qui encadrent un large val fertile.

Le village, tant par son site que par ses constructions, est sans doute le plus harmonieux du département. Les vestiges des XIᵉ et XIIᵉ siècles sont nombreux. Jusqu'à la fin du XVIᵉ siècle, le château constituera la principale fortification du comté, avec les places considérables de Vendôme et de Montoire, toutes proches. Assiégés à Lavardin par Richard Cœur de Lion en 1188, les comtes de Vendôme lui imposèrent un échec cuisant. La forteresse, édifiée sur un promontoire rocheux, était en effet quasi imprenable. Le donjon (XIIᵉ siècle) en ruine domine le Loir à plus de 65 mètres. Trois étages de terrasses (XIIᵉ, XIVᵉ et XVᵉ siècle), renforcés par de hauts murs crénelés, poterne, tours et fossés, défendaient l'éperon rocheux. Entre le château et le Loir, le village s'est niché autour de l'église Saint-

Genest. Avec sa nef charpentée, ses grandes arcades, et la sculpture fruste de son sanctuaire, cette église a souvent été citée comme un exemple représentatif des édifices du milieu du XIᵉ siècle. Dans la nef et le chœur, remarquable ensemble de peintures murales d'époques romane et gothique. La rue principale est bordée de belles maisons du XIIᵉ au XVIᵉ siècle, notamment la maison dite de Florent Tissard (XVIᵉ siècle). Les pans de bois du XVᵉ siècle se juxtaposent aux façades de pierre de taille.

Dans la falaise nord, à 100 mètres à l'ouest du pied du château, la Cave de la Vierge domine le prieuré Saint-Martin, fondé vers 1030.

Un pont gothique franchit le Loir à la sortie du village sur la route de Troo, depuis lequel la vue sur Lavardin restera inoubliable.

Lavardin organise chaque été en juillet une fête médiévale. Le championnat mondial de chouine, qui est un jeu de cartes du XVIᵉ siècle répandu dans toute la vallée du Loir, a lieu en mars.

Lerné
Indre-et-Loire

11 km O. de Chinon

Le sommet du coteau, au nord du bourg, est couvert de bois ; la mi-pente est occupée par le bâti et les vignes, le sud étant voué aux céréales. Nous sommes ici en plein pays de Rabelais, né à La Devinière, à quelques kilomètres à l'est. C'est contre le roi de Lerné que se battit, à Seuilly, le frère Jean des Entommeures.

La mise en valeur du village a permis de restituer dans toute son authenticité le mariage du tuffeau, de l'ardoise et du bois. La promenade dans le bourg permet de découvrir de nombreuses caves et demeures troglodytiques utilisées pendant des siècles par les habitants les plus modestes. Dans l'église du XIIᵉ siècle, dédiée à saint Martin, on remarque la statue en pierre de sainte Néomoise, qui remplaça, en 1978, l'ancienne statue en bois. L'histoire de cette sainte à la patte d'oie est singulière : un jour le seigneur de Lerné, séduit par la beauté d'une bergère, la poursuivit, et celle-ci, pour se défendre, en appela au Ciel, qui la dota de cet attribut de palmipède.

De l'entrée est du bourg, on aperçoit une très belle forteresse du XVᵉ siècle, protégée par de hauts murs : il s'agit du Coudray-Montpensier, dont le jardin à la française constitue un des attraits. Et en sortant du bourg vers l'ouest, à quelques centaines de mètres, s'élève le château de Chavigny ; son beau pigeonnier cylindrique conserve plus d'un millier de boulins (trous servant de nids aux pigeons).

Luynes
Indre-et-Loire

8 km O. de Tours

Le bourg ancien s'est installé au pied de la forteresse plantée au sommet d'un coteau de la rive droite de la Loire. L'éperon rocheux qui soutient le château oblige à un certain recul pour distinguer le grand corps de logis XVᵉ siècle et surtout ses imposantes tours cylindriques (XIIIᵉ et XVᵉ).

Les halles du XVᵉ siècle, tout en bois, avec leur toiture très haute et fort pentue, étaient autrefois prolongées par un bâtiment qui servait de mairie et de palais de justice. Plusieurs logis datent du XVIᵉ siècle. Au nᵒ 4 de la rue P.-L.-Courier, une très belle maison à pans de bois de la fin du XVᵉ siècle servait d'auberge. Ses poteaux sculptés représentent des figures religieuses. Place de l'Alma, une maison à colombage est l'ancien hôtel des Dauphins. Un peu plus bas dans le bourg, près de l'entrée de la maison de retraite, une grange du XVIIᵉ siècle constitue une curiosité par sa construction en damier de pierres et de briques. Au XVIIᵉ siècle, la passementerie en soie était très développée à Luynes. Elle se fabriquait surtout dans les caves creusées dans le roc du côté de Saint-Venant (D 276 vers Tours).

A 2 kilomètres au nord-est, les restes impressionnants d'un aqueduc gallo-romain, en pleine campagne, s'étirent sur 300 mètres ; les piles demeurant en place représentent la moitié de celles qui existaient à l'origine. De Luynes, on pourra visiter les châteaux de Langeais, Villandry et Azay-le-Rideau.

Malgré la végétation qui recouvre le relief, on distingue bien la configuration du site de Luynes : un éperon rocheux – qu'une forteresse a couronné dès l'aube du Moyen Age – entre deux vallées ; c'est leur confluence que le bourg a investie.

Lys
Nièvre

16 km S.-E. de Clamecy

Le site de Lys se présente comme un décor de théâtre avec, pour toile de fond, un château du XVIIᵉ siècle et une église des XVᵉ et XVIᵉ siècles, précédée d'une superbe allée de tilleuls.
Autour du château et de l'église se sont développés deux pôles d'habitat à vocation agricole : le bourg de Lys au sud de l'église, le long de la route de Lys à Tannay, et le lieu dit la Creuse, à l'ouest du château. L'unité est donnée par la répétition des constructions et de leurs caractéristiques principales (pente de toiture, souches des cheminées, dimensions des ouvertures).
Dans un paysage de bocages et de forêts, Lys est une petite commune qui vit de la polyculture et de l'élevage.

Mareuil-sur-Arnon
Cher

32,5 km S.-O. de Bourges

L'Arnon, petit affluent du Cher, est à l'origine de l'implantation très ancienne de ce village de la Champagne berrichonne, et de son développement ultérieur. Pour faire tourner les moulins, on domestiqua le cours d'eau dès le XIIᵉ siècle. Les métiers à tisser qu'ils actionnaient servirent à la confection du drap. Puis, au XVᵉ siècle, profitant de la production locale du fer, une forge fut aménagée et complétée d'un haut fourneau au XVIᵉ siècle. Forge et haut fourneau furent rénovés au XVIIIᵉ siècle à l'initiative du seigneur de Mareuil, le duc de Béthune-Charost.
Le site de la forge, sur la grande digue de l'étang, n'est plus aujourd'hui qu'un champ de ruines. Seule une très haute cheminée (30 mètres), construite en pierre et en brique, se dresse à l'aval de la chute d'eau. En remontant vers le centre du bourg se trouvent les maisons du maître de forges et des ouvriers. La grande digue de 800 mètres de long, qui barre le cours de l'Arnon, retient l'étang d'une trentaine d'hectares au pied de Mareuil.
Deux tours rondes de l'ancien château s'ajoutent aux reflets du village sur les eaux calmes. L'église, au beau clocher roman et gothique, renferme un splendide Christ au tombeau situé sous l'autel principal et réalisé antérieurement à la Renaissance. Le centre du bourg a conservé intacte son atmosphère d'autrefois, avec ses vieilles boutiques et ses maisons bourgeoises en pierre de taille calcaire couvertes de tuiles ou d'ardoises.

Ménétréol-
sous-Sancerre
Cher

50 km N.-E. de Bourges

Un monastère constitua, au XIIᵉ siècle, le noyau de ce petit village établi sous la protection des puissants comtes de Sancerre, et lui valut son premier nom : Monasterello. Le pays de Sancerre dessine sur le flanc caillouteux de ses collines les stries régulières de son vignoble réputé. Par-delà l'immensité

Les toits de Ménétréol se serrent autour de l'église. La lumière des bords de Loire glisse sur l'ardoise gris pâle et souligne les délicates nuances des petites tuiles brunes.

brumeuse du Val de Loire, un piton, couronné par la vieille cité de Sancerre, domine l'ensemble du paysage de Ménétréol dont la meilleure vue s'obtient depuis l'ancien viaduc de chemin de fer, aujourd'hui désaffecté, qui passe à 30 mètres au-dessus des toits bruns. Il faut, pour y accéder, emprunter vers le haut du village la petite route de Saint-Bouize. Le panorama est saisissant. Vers l'est, la plaine fertile où coule la Loire entre les prairies et les pâturages ; le canal latéral à la Loire a été creusé au pied du village où un port permet encore l'escale des péniches ; derrière la double rangée de peupliers, la ferme des Aubelles, étonnante ruine polygonale, fut peut-être la résidence d'été des comtes de Sancerre ; en contrebas, la massive église Saint-Hilaire émerge des toits de vieilles tuiles et du lacis des ruelles et des placettes. Aux gargouillis des fontaines qui s'élèvent vers le piton se mêlent les cris des enfants, à l'ombre des pignons droits des hautes maisons gothiques.

Mézilles

Yonne

34 km S.-O. d'Auxerre

Mézilles apparaît pour la première fois dans les textes historiques lorsque saint Germain, évêque d'Auxerre de 389 à 448, en fait don au monastère des saints Côme et Damien. Le bourg présente deux parties distinctes de part et d'autre du Branlin : sur la rive gauche, les maisons sont groupées autour de l'église, selon un plan ramassé ; une rue appelée le « Chemin de ronde » les enserre. Sur la rive droite, les maisons s'étirent au long des rues du Ferrier et du Bief, l'ancienne route de Toucy à Saint-Fargeau, formant une sorte de village-rue. L'église, dédiée à saint Marien, date du XVIe siècle, mais son origine remonte au XIIe. Les autres monuments de cette commune sont le château du Fort (XVIIe et XVIIIe siècle) et la chapelle du XVIe siècle. On peut signaler aussi l'ancienne hôtellerie, place de l'Église, et une grange à colombage. Le vieux pont à deux arches et le gué pavé du XVIIe siècle, sur le Branlin, apportent beaucoup de charme et de pittoresque à ce village. Les rives de la rivière elles-mêmes sont ponctuées de lavoirs. La position de la commune à la charnière de la Puisaye crayeuse et de la Puisaye sableuse favorise une très grande variété de matériaux de construction : brique, grès ferrugineux, plus rarement pierre blanche.

Mézilles, située dans un pays de bois et de bocage, voit sa vie économique reposer essentiellement sur l'agriculture : cultures fruitières (poiriers, pommiers, cerisiers), polyculture. On y pratique aussi l'élevage de chevaux et de chiens beagles. Comme partout dans la Puisaye, une activité de poterie demeure.

Mont-Saint-Jean

Côte-d'Or

19 km E. de Saulieu

Mont-Saint-Jean se situe sur une butte isolée dominant la vallée du Serein. Cette bourgade fut au Moyen Age le siège des puissants seigneurs de Mont-Saint-Jean, qui s'opposèrent aux ducs de Bourgogne. De cette époque, il reste des vestiges d'enceinte urbaine dont l'arc d'une porte des XIIIe-XIVe siècles. Le château des XIIe et XVe siècles, avec son donjon carré, ses quatre tours d'angle crénelées, son logis du XIVe siècle et ses douves, a encore fière allure. Le bourg s'agrémente de quelques belles maisons des XIVe, XVe et XVIIIe siècles. L'ancien hôpital est toujours visible, rue des Bergeries. L'église romane (XIe et XIIe siècle) fut remaniée au XVe. Sa crypte renferme encore les reliques de sainte Pélagie, vierge martyre du Ve siècle, que ramena de Palestine un seigneur de Mont-Saint-Jean. Un retable de la Passion, du XVIe siècle, et des statues des XVe, XVIe et XVIIIe siècles ornent cette église. La chapelle de Fleurey, avec des statues du XVIe siècle, la chapelle de la Comme et celle de Melin méritent qu'on s'y arrête.

La « promenade de derrière les murs » et la « promenade sur les fossés », établies le long des remparts, permettent d'apprécier l'ensemble du village. De la croix Saint-Thomas, on découvre un vaste panorama sur l'Auxois, le Morvan et la vallée du Serein. L'activité principale de ce village est l'élevage du bovin charolais.

Mont-Saint-Vincent

Saône-et-Loire

31 km N.-O. de Cluny

De toutes parts s'impose la haute silhouette tabulaire du « Mont ». On la voit des plateaux de haute Bourgogne aussi bien que du Morvan, des belvédères mâconnais et brionnais. Oppidum gallo-romain, importante place forte au Moyen Age, ce vieux bourg fut le siège d'une des quatre baronnies du Charolais et d'un prieuré bénédictin qui releva de Paray-le-Monial jusqu'en 1506. Cette châtellenie fut royale en 1765. « Ville murée », le bourg de Mont-Saint-Vincent occupe tout le périmètre du sommet, entre l'ancien château, dont il ne subsiste que quelques pans ruinés, et le prieuré de l'ordre de Cluny. Les bâtiments conventuels ont disparu, mais l'église (XIe et XIIe siècle) survit, avec son rude appareil de granit, son fruste portail sculpté, sa nef voûtée de berceaux transversaux. De l'un à l'autre, le vieux bourg développe ses ruelles et ses maisons rebelles à l'alignement, toutes anciennes : grenier à sel (construit au XVIe siècle et devenu le musée archéologique Jean-Regnier), maison du Bailli avec sa tour de l'Assommoir (XVIe siècle). Les demeures particulières des XVIIe-XVIIIe siècles reflètent l'ascension rapide, dans le cours du XVIIe siècle, de quelques familles issues de la bourgeoisie : hôtel Deley (XVIIe siècle), maisons Bonamour (1658), Leclerc (vers 1750), Callard (1786), et bien d'autres encore. Dans la cour de l'école, le puits du XVe siècle est l'unique vestige du manoir détruit en 1789 par les paysans insurgés du hameau de Bourgueil.

Situé sur la route touristique de Montceau-les-Mines à Cluny, le bourg de Mont-Saint-Vincent vit essentiellement de ses pâturages où sont élevés les bovins et ovins charolais.

Montigny-le-Gannelon

Eure-et-Loir

9,5 km S.-O. de Châteaudun

Au sud de Châteaudun, la haute vallée du Loir entaille brusquement la plaine de la Beauce. Dans une boucle de la rivière, au sommet d'un coteau, se dresse le château de Montigny-le-Gannelon. Autour, sur les pentes qui descendent doucement jusqu'au Loir, le village étage ses maisons. C'est en arrivant par l'ouest, par la route de Langey, que l'on découvre le mieux le site. Une double allée de tilleuls part de l'entrée du bourg pour conduire jusqu'aux grilles du parc. Le bâtiment de pierre, devant l'entrée du parc, est l'ancien presbytère, construit en 1789. Le site du château a été occupé dès l'époque de Charlemagne. Ce n'est qu'au XIIe siècle que Jean de Montigny fit bâtir une forteresse et les premières maisons du village. Cette forteresse fut entièrement détruite pendant la guerre de Cent Ans. Un autre château fut édifié à la fin du XVe siècle. Il n'en subsiste aujourd'hui que la tour des Dames et la tour de l'Horloge, ainsi que le cloître, au milieu d'un parc boisé de 22 hectares. Du château, on a une très belle vue sur la vallée du Loir, notamment sur les vastes étendues d'eau, aujourd'hui base de loisirs, provenant de l'exploitation des graviers et des sables. Partant des grilles du château, une petite

rue passe devant une porte arasée, la porte Saint-Gilles, par laquelle on accède à l'église, dont le clocher est muni de puissants contreforts. A l'intérieur, un reliquaire, apporté là au siècle dernier, renferme les restes de sainte Félicité, martyrisée par les Romains. Au centre du village, on trouve encore quelques vestiges des fortifications, des jardins aménagés sur les anciens fossés ainsi que la porte Roland. Ses dimensions imposantes donnent une idée de l'épaisseur de la herse qu'elle abritait. A côté, au nº 1 de la rue du Quartier, une solide construction de pierre du XIIe siècle comporte de très belles ouvertures moulurées qui éclairaient la salle des gardes. En suivant la rue principale, on a une très belle vue sur les tours, à l'aplomb du rocher. L'escalier à flanc de coteau conduit à un moulin sur les bords du Loir. Un chemin, le long de la rive, conduit jusqu'à Cloyes, à 2 kilomètres en aval.

Montréal
Yonne

> *12 km N.-E. d'Avallon*

Au VIe siècle, la reine Brunehaut et son petit-fils Thierry fixèrent là, dit-on, leur résidence. C'est en souvenir de ce séjour royal que les habitants donnèrent au pays le nom de Mont-Royal. Bâtie sur un important mamelon au centre d'une plaine, telle apparaît la petite cité de Montréal au voyageur. Dès les premiers siècles de la féodalité, elle devait être transformée en forteresse. Ce qui reste des anciens remparts et des portes fortifiées atteste son importance militaire ; elle constituait la clé de la Bourgogne du côté de la Champagne, et était considérée comme une citadelle imprenable.
La voie romaine d'Avallon à Alise y passait. Vers

Il arrive que l'eau du Branlin se fasse rare à Mézilles. Peu nombreux sont les villages qui offrent comme celui-ci ce délicieux dilemme du pont ou du gué.

885, les Normands se livrèrent à un pillage en règle. Au XIe siècle, Montréal devint le berceau de la puissante famille des Anséric : ils reconstruisirent le château et fondèrent le prieuré. Montréal devint le siège d'une châtellenie des ducs de Bourgogne aux XIVe et XVe siècles. Par ordre d'Henri IV, le château et l'enceinte urbaine furent démantelés.
Le village était défendu par trois enceintes juxtaposées dont la première, au sommet, abritait le château et la collégiale ; la deuxième, un peu plus vaste, contournait l'étroit plateau formant le sommet du village ; la troisième était commandée par la « porte d'en bas », qui donne accès à l'unique rue du village, démantelée ainsi que la « porte d'en haut » par ordre du roi Henri IV ; elles constituent encore de rares et précieux spécimens de l'architecture militaire du XIIIe siècle ; ces portes n'étaient pas munies de ponts-levis mais seulement de doubles portes et de herses de fer. Aussitôt la porte d'en bas franchie, on gravit une rue bordée de demeures des XVe et XVIe siècles ; contreforts, encorbellements, tourelles d'escaliers, arcs en accolade se rencontrent à chaque pas. Nous trouvons ensuite la seconde enceinte, une importante muraille dont l'angle, dominant le village, est couronné par un ancien poste de guetteur en forme d'escargot. De la première enceinte du château, il reste des fondations recouvertes de terre.
La magnifique collégiale du XIIe siècle renferme un mobilier remarquable : des stalles, œuvre des frères Rigolley (1530), une chaire à prêches, un lutrin et un retable d'albâtre.

Montrésor
Indre-et-Loire

17 km E. de Loches

Entre les forêts de Loches et de Saint-Aignan, Montrésor surplombe la riante vallée de l'Indrois. Le village est construit au pied d'un éperon rocheux qui, au Xe siècle, appartenait au trésorier du chapitre de la cathédrale de Tours. Au XIe, il y eut là une forteresse bâtie pour le comte d'Anjou Foulques Nerra et dont il reste surtout une tour ronde au nord (ses créneaux sont de la fin du XIXe). Le château du XVIe siècle que l'on voit aujourd'hui fut élevé pour Imbert de Bastarnay, qui fit également construire l'église où se trouve son tombeau. Le beau logis rectangulaire flanqué de deux tours d'angle est bordé, au nord, d'un parc ancien planté d'essences rares.

En empruntant la rue Branicki (du nom du propriétaire du château au XIXe siècle), taillée dans le rocher, on passe sous un pont qui relie l'église au château. Au pied du rocher, on découvrira plusieurs vieilles demeures, dont une à colombage, du

XVe siècle. La halle des Cardeux, ancienne halle aux laines (XVIIe siècle), est couverte d'un toit à la Mansart en tuile et ardoise. Au sud de la halle, le logis du chancelier (XVIe siècle) est occupé aujourd'hui par la gendarmerie.

En venant de Loches par la D 760, on s'arrêtera à la chapelle Saint-Jean (très belles fresques romanes) et à la chartreuse du Liget.

Morogues
Cher

26 km N.-E. de Bourges

Une route paisible se glisse entre les collines du Pays Fort, longeant, bucolique, la petite vallée du Colin. Au détour apparaît le village, très homogène, ramassé autour de son église des XIIIe et XVe siècles. La robuste tour-clocher octogonale, taillée dans un grès sombre, domine depuis près de sept siècles l'ensemble des toits roux. L'église recèle trois statues de pierre polychromes du XVe siècle et un Christ en croix. Contrastant avec la rudesse de la nef où il trône, un banc du XVe siècle provenant de la Sainte-

Moulins-Engilbert
Nièvre

16 km S.-O. de Château-Chinon

Moulins-Engilbert se trouve à un carrefour naturel de communications au confluent de deux rivières : le Garat et le Guignon. Son nom provient des nombreux moulins établis sur les cours d'eau et qui appartenaient au sieur Angilbert. Le bourg s'est développé autour d'un camp romain auquel succéda un château des comtes de Nevers, aujourd'hui en ruine (XVe siècle). Charles le Téméraire en 1474, puis Louis XI l'année suivante s'en emparèrent. Coligny le fit incendier en 1570. L'enceinte du XIVe siècle, disparue, suivait le tracé des deux rivières, tracé qui a déterminé la forme actuelle du bourg. Le centre ancien, groupé autour de l'église, est limité par la rue des Fossés et la rue des Promenades. On y découvre, dans d'étroites ruelles, de vieux hôtels et des maisons des XIVe, XVIe et XVIIe siècles. L'hôtel de ville et l'ancien couvent des Ursulines datent du XVIIe. L'église du XIe siècle a brûlé et fut reconstruite au XVIe.

A quelques kilomètres au sud, par la D 37, s'élève l'ancien prieuré de Commagny, qui a été restauré. L'église date du XIIe siècle, le prieuré, du XVe.

En lisière du Morvan, ce pays de petites collines séparées par d'étroites vallées vit de polyculture et d'élevage. Une importante foire aux bovins se tient d'ailleurs le premier mardi du mois dans le bourg. Des manifestations traditionnelles sont organisées du 13 au 15 juillet pour le tir aux jambons, et en août pour la fête de la moisson. Les deux rivières à truites, un plan d'eau aménagé et des circuits pédestres ont permis le développement du tourisme.

Nolay
Côte-d'Or

20 km S.-O. de Beaune

Nolay est la patrie de Lazare Carnot (1753-1823), « l'organisateur de la victoire », dont la statue se dresse en face de la maison natale, et de Sadi-Carnot, son fils. Niché dans le vallon de la Cosanne, Nolay est dominé par des falaises rocheuses. L'histoire de la cité est ancienne, comme l'attestent le dolmen de Champin et surtout le camp fortifié des Quilles à double enceinte sur son éperon. Le centre-ville est très agréable, avec ses belles maisons anciennes à colombage, notamment la maison des Carnot, avec son balcon du XVIIIe siècle, la maison forte du XVe siècle, la maison seigneuriale de l'abbaye de Saint-Jean-d'Autun, à Cirey. L'église, reconstruite au XVIIe siècle, est surmontée d'un clocher-tour et d'un jaquemart en bois. On trouve dans la ville d'autres chapelles, comme celle de Saint-Pierre, celle de Saint-Philippe ou celle de Cirey. Tout près de l'église, se trouve la halle aux grains couverte de lauzes, qui a plus de six cents ans.

Du belvédère de la chapelle Saint-Philippe, on embrasse un vaste panorama sur les Hautes Côtes. A la coopérative on peut déguster les meilleurs crus d'A.O.C. Bourgogne-Hautes-Côtes-de-Beaune. Nolay retiendra aussi les amateurs de pêche, de chasse, de varappe, de randonnée (GR 7 et 76). Une foire à la brocante se tient sous la halle à Pâques et au 15 août. Aux environs de Nolay on visitera le cirque du Bout du Monde et le château de La Rochepot.

Au-delà des jardins bordant l'Indrois, de gauche à droite, on peut voir le château de Montrésor et l'immense cèdre de son parc, les tours médiévales et les vieilles demeures, dont l'une montre son pignon à colombage.

Chapelle de Bourges est très finement ciselé. Quelques maisons du XVe siècle présentent de riches façades percées de fenêtres à meneaux et de portes aux linteaux moulurés. Mais la communauté, qui fut riche à ses heures, s'est assoupie jusqu'à la fin du XVIIIe siècle. Quelques belles demeures de cette même époque et du début du XIXe siècle témoignent du sursaut agricole qui ranima pour un temps cette province enclavée. Terre d'éleveurs, de vignerons, de bûcherons et de potiers, Morogues a su maintenir ses traditions.

Tradition respectée aussi au château de Maupas, au sortir du bourg, sur la route d'Henrichemont. Du haut de la tour crénelée du XIIe siècle, on découvre un majestueux panorama où se profile, au sud-ouest, la cathédrale de Bourges. Maupas abrite une collection de plus de mille assiettes de faïence ancienne, des souvenirs de Marie-Antoinette et du comte de Chambord.

Noyers
Yonne

40 km E. d'Auxerre

Ce village appartient à la région naturelle des plateaux du Tonnerrois, pays de grandes exploitations agricoles. Il s'est développé sur un éperon rocheux aux pentes abruptes, protégé par le Serein. Une tradition veut que Noyers tire son nom des noyers dont ce lieu était planté. Hugues de Nevers fit entourer la ville d'une enceinte. Blanche de Castille vint l'assiéger en 1227. En 1419, Noyers passa aux ducs de Bourgogne puis aux Orléans-Longueville. Au XVIe siècle, il devint une place-refuge pour les protestants.

Le village médiéval est très pittoresque avec ses nombreuses maisons à arcades, pans de bois et fenêtres à meneaux ; telles la maison de l'ancien bailliage avec une inscription grecque au-dessus de la porte, celle de la Toison d'Or de style Renaissance, la maison Brandin, ancienne maison des compagnonnages. L'enceinte urbaine en fer à cheval est flanquée de seize tours rondes et ponctuée de portes : porte du Midi ou d'Avallon, porte du Tonnerre ou de Sainte-Vérote, ornée d'une statue de la Vierge. Sur un éperon dominant la ville se trouvent les vestiges du château fort, avec ses fossés, ses murs ruinés, ses bases de tours. Noyers possède une très belle église de style gothique flamboyant. Des bâtiments de l'ancien prieuré, il reste une chapelle du XIIIe siècle, convertie en grange. La fête de la « musique en liberté » a lieu le week-end de la Pentecôte, et des concerts sont organisés pendant l'été. Un artisanat créateur s'est développé à Noyers où s'est ouvert un intéressant musée d'art naïf.

Oudan
Nièvre

20 km au S.-O. de Clamecy

Oudan, c'est d'abord une clairière dans la forêt, c'est aussi une cuvette dans un paysage plat ; c'est enfin un village rural qui a gardé le caractère de ses bâtisseurs : modeste et solide. Il est constitué par trois groupements d'habitations : le bourg proprement dit et les hameaux des Crisenons et des Bouquettes, installés sur le plateau, à proximité de la route nationale. Le bourg est organisé autour d'une place centrale qui est, d'une part, un espace public planté d'arbres, d'autre part, un espace agricole. L'existence de cette place est liée à la présence d'un lavoir-abreuvoir alimenté par la source du Sauzay. Avec la mairie-école à proximité, c'est le cœur du village. L'église, sur le versant nord, en périphérie du bourg, est reliée au centre du village par un escalier monumental. La plupart des constructions datent de la fin du XVIIIe siècle et surtout du XIXe siècle. Ce sont des bâtiments agricoles, avec des maisons d'habitation. On peut distinguer les maisons des manouvriers, des petits agriculteurs, des laboureurs. Les premières sont des constructions modestes réservées exclusivement à l'habitation. L'habitat des petits agriculteurs regroupe le plus souvent, sous un même toit, l'habitation, la grange et l'étable. La maison des laboureurs, gros agriculteurs, présente la séparation du logis et des bâtiments agricoles. Enfin, les maisons bourgeoises, à étage, sont essentiellement destinées à l'habitation.

Ancienne cité lacustre, ce village garde l'emplacement de deux camps gallo-romains ou du Moyen Age, très visibles en forêt d'Arcy. Les évêques y édifièrent un château fort. Il fut détruit en 1358 par les habitants de Varzy qui craignaient que les Anglais ne menacent leur ville. Oudan fut aussi un port de flottage du bois.

Oyé
Saône-et-Loire

21 km S.-E. de Paray-le-Monial

Le village possède deux châteaux : d'abord le château de Chaumont, entouré de jardins à la française, édifié après 1638 par une famille de marchands d'Oyé, et restauré au XIXe siècle en gothique troubadour. Au voisinage, le domaine agricole de Daron est lui aussi un ancien château, de vastes proportions et orné d'élégantes lucarnes. De belles maisons rurales des XVe, XVIe et XVIIIe siècles accompagnent cet ensemble.

A partir de la fin du XVIIe siècle commence, autour d'Oyé, l'évolution qui, bouleversant l'ancien équilibre agraire du terroir brionnais, va faire de lui la plus importante région française de l'élevage bovin pour la viande de boucherie. « Tout, jusqu'aux montagnes, se convertit en prairies », note un visiteur de cette époque. L'habitat y est riche : maisons de maître aux fenêtres cintrées sous les lourdes toitures, vastes dépendances propres aux pays d'élevage.

Le village d'Oyé, au sein de ses verdoyants pâturages, entretient une petite activité d'artisanat rural.

Palluau-sur-Indre
Indre

38 km N.-O. de Châteauroux

Entre Buzançais et Châtillon-sur-Indre, la route de Tours à Châteauroux parcourt un monotone plateau calcaire. Et puis apparaissent peu à peu dans le lointain une forteresse et un bourg plantés sur le rebord du coteau bordant l'Indre.

Le château de Palluau date essentiellement des XIIe, XIVe, XVe et XVIe siècles. Son histoire a été fort troublée, notamment pendant les guerres de Religion. On notera, sur une petite tour hexagonale, une belle porte du XVe siècle chargée de guirlandes et de grappes. L'aile sud et la galerie, construites au XVIIe siècle, furent détruites au XIXe pour dégager la vue sur le parc à l'anglaise.

Par le grand mail, à la sortie est du bourg, on accède à la rue de la Garenne, la rue principale de Palluau, bordée en plusieurs endroits de maisons berrichonnes traditionnelles. L'église Saint-Sulpice, du XIVe siècle à l'exception de son chœur du XVIe, est remarquable par ses belles dimensions et ses fenêtres de style flamboyant. Elle recèle d'intéressants vitraux du XVIe siècle. Du parvis, on découvre, au sud, un grand logis du XVIIe siècle servant actuellement d'auberge et, au nord, la façade du château avec ses fenêtres à meneaux. Au chevet de l'église, la minuscule place des Tilleuls offre une splendide vue sur le val de l'Indre.

Le village de Palluau, par la qualité de son site, entièrement protégé, et par la valeur de son architecture, mérite assurément plus qu'un coup d'œil furtif depuis la route nationale toute proche, et l'Indre offre ici aux amateurs de bons coins pour la pêche.

*En entrant dans Noyers
par la porte Peinte, une des
portes fortifiées de l'enceinte
que l'on distingue à
l'arrière-plan, on accède
à la place de l'Hôtel-de-Ville.
Avec ses gros pavés
d'origine, ses maisons
à colombage et ses arcades,
elle a gardé une atmosphère
toute médiévale. Seul
l'hôtel de ville, à gauche
de la photo, passé les arcades,
introduit un parfum
de Grand Siècle par
l'ordonnance classique
de sa façade.*

*De la route qui s'en va
à Saint-Christophe-
en-Brionnais, se découvre
en contrebas le village d'Oyé,
entouré des riches embouches
du Charolais. Les parcs
boisés et les vergers de ses
maisons bourgeoises et de ses
châteaux font, avec les haies
du bocage, autant de taches
sombres dans le paysage.*

Pontlevoy
Loir-et-Cher

25 km S. de Blois

Pontlevoy dresse ses tours et ses clochers aux confins du Blésois, de la Touraine et de la Sologne, au centre d'un immense paysage agricole.

Selon la légende, son nom viendrait des ponts-levis qui gardaient l'accès du château Saint-Pierre, aujourd'hui disparu. L'abbaye bénédictine est un splendide ensemble des XIᵉ, XVᵉ, XVIIᵉ et XVIIIᵉ siècles. Depuis sa fondation en 1034, la vie du bourg y est intimement liée. A la fin du Moyen Age, l'abbaye possédait un système de défense perfectionné, dont il reste, datant de 1430, la tour à mâchicoulis construite par Charles d'Orléans, comte de Blois.

L'église abbatiale Notre-Dame-des-Blanches et l'église Saint-Pierre, aujourd'hui église paroissiale, sont les deux églises que les moines édifièrent dès la fondation du monastère. L'église abbatiale fut ruinée pendant la guerre de Cent Ans. Sa reconstruction commença en 1446 : ce devait être une véritable cathédrale dont seul le chevet put être achevé.

Les bâtiments conventuels datent du XVIIIᵉ siècle. La longue façade principale ornée d'attributs militaires rappelle l'époque où l'abbaye avait été transformée en école militaire par Louis XVI. Celle-ci accueille aujourd'hui deux centres de formation aux métiers du transport avec un musée du Poids lourd. Au sortir de l'abbaye, le cœur du village offre son lacis de ruelles et de placettes bordées de belles maisons de pierre blanche dont la maison du Dauphin, en face de l'église Saint-Pierre.

La petite cité revit pleinement l'été pendant le festival de musique, ou pendant la fête du mouton en juillet.

Quelques demeures du vieux Pontlevoy. Les parements soignés de pierre blanche, les frontons en demi-cercle qui soulignent portes d'entrée ou lucarnes trahissent des habitations bourgeoises.

L'enceinte de la forteresse de Sagonne forme une demi-couronne monumentale autour du donjon. On aperçoit les toits de ses tours, ainsi que, sur la droite, le porche d'entrée. Séparé de la forteresse par une douve, le village se groupe à son pied.

Sacy
Yonne (voir pages 176-177)

Sagonne
Cher

7,5 km O. de Sancoins

Dans cette riche campagne, pas une colline qui ne soit couronnée d'un manoir ou d'une ferme. Bœufs et moutons émaillent le bocage du val de Germigny et rappellent que le marché aux bestiaux de Sancoins a conquis la première place européenne.

La vue qu'offre ce petit village de calcaire et de tuile depuis la route de Givardon, au sud, est inoubliable. Groupé en cercle autour de la forteresse, véritable joyau de l'art militaire médiéval, il réunit en son centre la tour carrée de l'escalier du donjon et la fine aiguille d'ardoise du clocher paroissial. Les vestiges d'un moulin sur l'eau et de nobles maisons gothiques aux huis et croisées finement décorés ferment la place triangulaire, en face du portail d'entrée du château. Un petit mail de tilleuls borde les colombages ouvragés des façades. Jules Hardouin-Mansart, architecte de Versailles, vécut ici. La forteresse, ceinte de douves en eau vive, est encore pour l'essentiel celle qui fut édifiée au tout début du XIVe siècle ; six tours rondes la défendent. Le porche d'entrée, aménagé dans une tour carrée, a conservé son dispositif de défense : herse, assommoir, archères, canonnières et casemate de tir. Au centre, le donjon est une robuste construction rectangulaire cantonnée de deux tours semi-circulaires et d'une élégante tourelle d'escalier.

En continuant sur la route de Sancoins, face à l'entrée est du château se profile une allée majestueuse que Mansart avait fait border de pièces d'eau et de jardins. A droite, devant les bâtiments d'une ferme berrichonne typique, un petit lavoir abrite une source du Sagonin.

Un festival de théâtre et de musique anime chaque été le village.

SACY

par Jacques Lacarrière

« *Du sommet de cette colline, nous apercevions Sacy avec ses toits couverts de pierre. Le village est situé au confluent de quatre vallons, adossé d'une haute colline qui le défend de la bise. Nous voyions sa grande vallée de prairie qui s'élargit en descendant et se continue jusqu'à la rivière de la Cure. Au midi, nous découvrions tout proche un petit bois et dans le lointain les montagnes du Morvan et la tour de Vézelay. Au nord de notre bourg et sur la côte le vallon de Chablis. Nous ne nous étions jamais senti autant de légèreté. Il nous semblait que nous étions les rois de la nature.* »
C'est ainsi que l'écrivain Rétif de la Bretonne, l'auteur de la Vie de mon père et du Paysan perverti, né à Sacy en 1734, décrit son village natal, avec un lyrisme excessif d'ailleurs qui trouble quelque peu sa vue. De la colline où il se trouvait, il est tout à fait impossible d'apercevoir les montagnes du Morvan et la tour de Vézelay (il veut dire, bien sûr, la basilique), distante d'une vingtaine de kilomètres et masquée par les collines et les forêts. A part cela, le village n'a pas foncièrement changé depuis ces temps anciens. Il reste encore une grange avec son toit de pierres, ces pierres lourdes et plates qu'on appelait des laves, remplacées partout ailleurs par les petites tuiles bourguignonnes. Bien sûr, on voit aussi sur ces toits des antennes de télévision et au-dessus le dense réseau des fils électriques. C'est cela surtout qui surprendrait Rétif s'il revenait dans son village, car pour le reste il reconnaîtrait d'emblée sa maison natale, toujours intacte en face de l'église, et la métairie de la Bretonne où il passa son enfance et son adolescence, dont la façade est elle aussi restée intacte. Il reconnaîtrait également les belles pierres dont sont faites les maisons, toutes tirées des carrières d'alentour, un calcaire tendre, facile à tailler, qu'on nomme de la marne. Le village tout entier est fait de cette pierre ivoirine, aujourd'hui patinée, qui lui donne de loin sa lumière et son charme. Chacun était plus ou moins maçon autrefois, et beaucoup d'habitants édifièrent eux-mêmes leur maison. Certains ont même laissé des inscriptions naïves attestant et datant leur œuvre, comme celle que j'ai relevée sur le linteau d'une maison sur le chemin des Chenevières :

FAIT PAR MOI J. GARNIER CORDONNIER A SACY
M. BREVEVIN SA FEMME
LEURE ENFANS MARIE JEAN-BAPTISTE
PIERRE CHARLES BATI EN 1826

La plupart des maisons sont beaucoup plus anciennes, mais les dates importent peu en l'occurrence. Ce qui m'a d'emblée attiré à Sacy – outre le fait d'y avoir passé une partie de mon enfance dans la maison de mon grand-oncle

En arrivant de la forêt par le chemin dit du Tartre, on a tout le loisir d'embrasser le village du regard. C'est l'église qui d'abord attire, puis la mosaïque des toits. A l'arrière-plan, sur le plateau, alternent les cultures et les bois.

Bel édifice composite que cette église où se mêlent le roman et le gothique. Entre les branches des tilleuls qui bordent sa façade sud, on aperçoit les colonnes de l'ancienne entrée dite entrée des Mariés.

Nicolas Rétif passa son enfance dans cette métairie, à l'extrémité est du village. C'est d'ailleurs à cette métairie, dite de la Bretonne, qu'il emprunta son pseudonyme.

menuisier –, c'est la belle allure du village, déployé tout au long de son unique rue, l'harmonie des paysages qui l'entouraient, où alternent en un heureux damier cultures, bosquets de pins et pâturages, son isolement aussi. Sacy est situé loin des grands axes de circulation, sur une route départementale joignant la vallée de la Cure à celle du Serein, et le village est entouré de forêts encore importantes, où l'on peut se promener des heures entières sans rencontrer âme qui vive. L'église est juste à l'entrée lorsque l'on vient de Vermenton et comme Sacy est construit au cœur d'une vallée, il s'étire sans avoir de centre à l'opposé du village voisin, Nitry, village de hauteur situé sur un plateau, rond, refermé sur lui-même. Village-relais, Sacy est aussi un village-rosaire où les maisons, vues des hauteurs les dominant, se succèdent comme les Ave et les Pater d'un chapelet immémorial. C'est ainsi que j'aime le retrouver au retour de mes promenades : toujours lent à paraître, furtif en son creux vert, se dévoilant avec le dernier pas.

Ses habitants passèrent longtemps pour « hébétés ». J'ignore d'où vient cette tradition. Je puis assurer en tout cas qu'elle n'a plus de sens aujourd'hui ! Le vin peut-être y fut pour quelque chose, ce cépage clair et sec qu'on y cultivait autrefois qui se nommait justement du sacy et qui s'exporta longtemps vers Paris sous le nom de petit chablis. Le village a toujours des caves

hospitalières et, jusqu'en 1905, année du phylloxéra, les vignes recouvraient tous les plateaux environnants. Depuis, les forêts ont repris le dessus, habitat des geais, des ramiers et des buses, et les cultures au-dessus desquelles dès avril les alouettes grisolent. Trois paysans font encore leur vin – du vin rouge et rosé –, mais la dernière vigne produisant du sacy a disparu il y a quelques années après la mort de son propriétaire. Mais qu'importe, diront tous les voisins : Chablis n'est qu'à cinq lieues !

Chablis. Le seul nom évocateur de la région, connu de la Californie jusqu'au Japon. Un jour, en regardant une carte détaillée, je m'aperçus que Sacy était situé exactement à mi-chemin d'une ligne droite reliant Vézelay à Chablis. Quel symbole et quel lourd destin ! Vivre ainsi au beau milieu d'une ligne œnomystique, à mi-chemin d'un haut lieu divin et d'un haut lieu du vin ! C'est un vigneron de Chablis, justement, qui un jour m'avoua dans sa cave ce dicton de son invention : « A Vézelay, on croit, à Chablis, on a cru. » Avec le vin, les jeux de mots sont infinis. Au seuil des Portes d'or de la Bourgogne, Sacy est aussi au seuil d'un autre pays, à la croisée du vin et des mots : celui de Colas Breugnon. Clamecy n'est qu'à quelques lieues de Sacy. Les jours de fête, on voit même la ville trembler au loin avec les nuages et les collines. Comme Rétif voyait trembler Vézelay...

Saint-Amand-en-Puisaye

Nièvre

39 km O. de Clamecy

La commune de Saint-Amand est la petite capitale de la Puisaye nivernaise, région de terrains tendres (sable, grès, argiles) qui ont déterminé un relief extrêmement vallonné. L'agglomération s'allonge perpendiculairement à la vallée sur les bords de laquelle s'étire, dans la verdure, le château Renaissance en brique et pierre des Rochechouart. Les abords du bourg sont abondamment boisés sur toutes les parties en déclivité. La coexistence d'argiles rouges et blanches et de forêts importantes a permis le développement, dès le XIVᵉ siècle, de la poterie. Aujourd'hui, une dizaine de fabriques produisent des grès utilitaires ou des grès d'art. Saint-Amand-en-Puisaye est le centre national de la poterie, avec une école pour la formation de potiers.

Ce bourg était situé sur le passage de la voie romaine d'Autun à Orléans. L'agglomération s'est développée à partir du fond de la vallée où sont implantées l'église et la place de la Mairie, centre actuel du bourg. L'église date des XIIIᵉ et XVIᵉ siècles. Le château bloque, avec la rivière, l'expansion du bourg sur le versant nord de la vallée. Il garde encore un corps de logis flanqué de deux pavillons carrés, des douves sèches, des tourelles d'escalier à vis. On peut admirer un escalier droit coiffé d'une voûte. Les maisons sont mitoyennes en pignons, et alignées. Entre les maisons, on devine de nombreux jardins entourés de hauts murs.

Saint-Amand vit des produits de son terroir, de ses marchés, de ses poteries, de son artisanat rural. On y pratique de nombreuses activités sportives, folkloriques et artistiques.

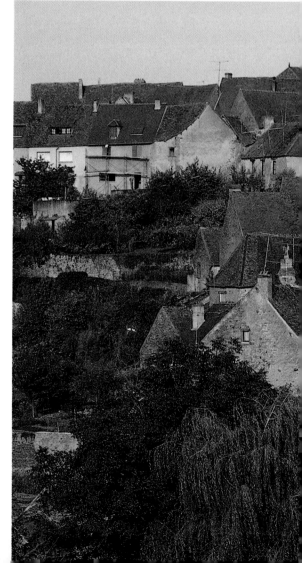

Saint-Benoît-du-Sault
Indre

27 km S.-O. d'Argenton

Ce village des marches du Poitou et du Limousin est une cité médiévale établie sur un piton rocheux surplombant la rivière Portefeuille, au milieu d'une campagne verdoyante.

En arrivant par la route de Chaillou qui domine le Portefeuille, on découvre un bel aspect du bourg occupé, dans sa partie la plus basse, par l'église et l'ancien prieuré. Cette église à trois nefs, des XIIᵉ, XIIIᵉ et XIVᵉ siècles, est située sur une terrasse d'où la vue plonge sur l'étang de retenue qui barre la vallée. En montant vers le cœur du village, on passe sous une double porte en ogive avant de découvrir les ruelles bordées de maisons aux ouvertures étroites, montrant ici un encadrement en accolade, là une porte sculptée.

Le quartier central, dont les rues sont étroites, sombres et à pente rapide, a conservé sa physionomie du Moyen Age en dépit d'un incendie, qui a détruit une partie de la ville au XIIIᵉ siècle, et des guerres de Religion. L'ensemble des maisons accolées les unes aux autres, toutes de granit et de tuile, donne au village une allure de forteresse.

Le bâtiment qui sert aujourd'hui de gendarmerie est l'ancien couvent des Augustins, fondé en 1615 puis occupé au début du siècle dernier par un collège. A cette époque, Saint-Benoît était la deuxième ville du département. De nos jours, son importance a fléchi, mais elle demeure un chef-lieu rural très actif (fabrique de matériel ménager), qui accueille l'été un festival de musique classique.

Saint-Dyé-sur-Loire
Loir-et-Cher

13 km N.-E. de Blois

Couché sur la rive gauche du « fleuve royal », entre Beaugency et Blois, Saint-Dyé occupe, à l'orée du parc de Chambord, un terroir de vignes et de champs d'asperges, de vergers et de peupleraies.

La petite cité a plus de quinze cents ans d'histoire.

Il faut s'arrêter au bord des murets sur le délicat fouillis des jardins de Saint-Dyé, entrer dans l'église qui veille sur le fondateur. A un roi ou à un seigneur peut-être emboîtez-vous le pas...

Le site escarpé de Saint-Benoît a imposé un habitat serré où les maisons, accolées les unes aux autres, s'accrochent à la pente. La rue du Portugal est comme une trouée vers le cœur du village.

Une légende fondée sur la vie de saint Déodat, moine ermite qui habitait au VIᵉ siècle une grotte du rivage, est à l'origine du village. De nombreuses têtes couronnées sont étroitement associées à son histoire. Parmi eux, Louis XI y passa souvent sur la route de ses pèlerinages à Notre-Dame-de-Cléry (à Cléry-Saint-André, 25 kilomètres au nord-est). François Iᵉʳ édifiant Chambord de 1519 à 1525 (6 kilomètres au sud) y élut plusieurs fois résidence. C'est, du reste, par le port de Saint-Dyé que transitèrent tous les matériaux qui servirent à la construction du château. Catherine de Médicis et Henri III, son fils préféré, y vinrent de nombreuses fois. Plus tard, Stanislas Leszczynski, roi de Pologne, en exil à Chambord, y séjourna à son tour quelques étés.

Les murs d'enceinte gardent au cœur du village quelques beaux manoirs gothiques à tourelles et de riches hôtels Renaissance ou classiques. Avec l'église (XVIᵉ siècle) qui abrite toujours les reliques du saint fondateur, ce sont les principaux témoins des très riches heures de la vieille cité. Reste à découvrir, au hasard des ruelles qui descendent au port, un décor où le calcaire de Beauce se mêle au tuffeau tourangeau, l'ardoise à la vieille tuile, la glycine au chèvrefeuille et à la vigne vierge. A la Maison de la Loire, aménagée par la municipalité dans l'ancien relais de poste, expositions et manifestations diverses se tiennent toute l'année.

Le château de Ménars domine la rive droite du fleuve, à quelques kilomètres en aval.

Sainte-Sévère-sur-Indre

Indre

48 km S.-E. de Châteauroux

Non loin des sources de l'Indre, là où la rivière ressemble plus à un gros ruisseau se glissant à travers le bocage, Sainte-Sévère révèle au promeneur un village ancien bien conservé. La cité se trouve sur un promontoire au-dessus du versant escarpé de la rive gauche de l'Indre. Elle doit son nom à la présence, dans ses murs, des reliques d'une abbesse mérovingienne nommée Sévère, morte à Trèves et qui est célébrée ici depuis le XIᵉ siècle.

Hormis quelques demeures anciennes, l'intérêt principal de Sainte-Sévère se trouve autour de la place du Marché, qui forme un espace de grande qualité architecturale. On y verra l'ancienne halle du XVIIᵉ siècle, soutenue par de solides piliers de bois sous une couverture de tuiles portées par une belle charpente. A quelques pas de là, une croix en pierre d'époque Renaissance est ornée d'une statue de la Vierge. Pour emprunter la pittoresque rue Porte-Rompue, il faut passer sous la porte de ville. On s'aperçoit alors que ce puissant édifice ne représente qu'une partie des fortifications élevées ici au

XIVᵉ siècle. Du donjon bâti au XIIIᵉ, il ne reste que des ruines, à l'ouest de la place du Marché, dans le parc de l'actuel château du XVIIIᵉ siècle. Du Guesclin le reprit aux Anglais en 1372, après un siège mémorable. Sainte-Sévère, qui était autrefois un centre important pour le commerce des châtaignes, attire aujourd'hui le visiteur par la qualité de son centre historique, bien mis en valeur.

Salmaise
Côte-d'Or

40 km N.-O. de Dijon

Pittoresque village sur la rive droite de l'Oze, Salmaise fut tout d'abord un camp retranché préhistorique, sans doute érigé en place forte par les Sarmates, au IVᵉ siècle. A cet emplacement fut construit, de 1015 à 1333, un château qui devint l'une des plus importantes forteresses de la région et passa aux ducs de Bourgogne. Dans le bourg on peut voir des halles des XIIIᵉ et XIVᵉ siècles, des bâtiments du XIIIᵉ au XIXᵉ siècle, à toits de lave. De nombreux lavoirs et fontaines parsèment la commune. L'église romane du XIᵉ siècle, remaniée aux XVᵉ et XVIᵉ, abrite un ex-voto romain de la déesse Sequana et de nombreuses statues anciennes. On a de jolis points de vue des roches du Parc ou du château sur la vallée de l'Oze, qui offre de nombreux buts de promenade. L'association des « Amis de Salmaise » œuvre pour la mise en valeur du patrimoine et la réanimation de la vie locale.
A 3 kilomètres à l'est, dans un site boisé, s'élève l'ermitage de Saint-Jean-de-Bonnevaux.

Savigné-sur-Lathan
Indre-et-Loire

28 km N.-O. de Tours

Savigné-sur-Lathan siège au milieu d'un plat pays autrefois coupé de nombreuses haies. La mer des Faluns arrivait jusqu'ici il y a une quinzaine de millions d'années. Sur plusieurs dizaines de mètres de profondeur, on trouve, fossilisés, des mollusques, des squelettes de poissons, voire des mammifères marins. Ceci peut être observé assez aisément dans les carrières, notamment en se dirigeant vers Rillé. Le bourg possède une intéressante enceinte fortifiée construite sur ordre de Jacques du Bellay dans la deuxième moitié du XVIᵉ siècle. On voit encore ses trois entrées à pont-levis franchissant les douves irriguées par les eaux du Lathan. Les murailles ne subsistent que sur trois côtés : nord, sud et ouest. On remarquera au nord cinq tours bien conservées, dont une incorporée à une belle demeure. Au sud, de larges fossés sont franchis par plusieurs petits ponts. Un lavoir, à proximité de la route menant à Hommes, est muni d'un plancher mobile permettant de suivre le niveau de la rivière.
L'église du XVᵉ siècle, fort bien conservée, est accolée aux maisons. A l'intérieur du bourg, le musée du Savignéen conserve une importante collection de restes d'animaux marins.

On regrette que le magnifique portail de l'église de Semur-en-Brionnais soit rongé par la maladie de la pierre. A gauche, la tourelle de la maison des hommes d'armes et une partie des bâtiments du petit séminaire, construit vers 1830.

Semur-en-Brionnais
Saône-et-Loire

30 km S. de Paray-le-Monial

La lignée des seigneurs de Semur s'illustra en la personne d'un de ses enfants, saint Hugues, constructeur de l'abbaye de Cluny. Le village est une très ancienne place forte – dont il reste le château, formidable donjon rectangulaire – édifiée sur une motte artificielle. Saint Hugues y serait né vers 1024. L'église romane toute proche a été érigée en collégiale par Jean de Châteauvillain en 1274. Les trois absides sont de 1125 environ. La nef offre le triple étagement clunisien, avec en façade une délicieuse tribune en encorbellement. Appareillée du magnifique calcaire ocre pailleté des gisements locaux, elle s'orne d'un portail sculpté, représentant, avec naïveté, le concile de Séleucie où saint Hilaire défendit contre les ariens l'orthodoxie catholique. Tout près de l'église, la mairie occupe l'ancien bailliage, élégant bâtiment du XVIIIᵉ siècle, et l'école est une magnifique habitation de la première moitié du XVIIᵉ siècle. La maison des hommes d'armes, du XVIᵉ siècle, à jolie tourelle cylindrique, ferme la perspective de la place de l'Église.
La vieille ville, dont plusieurs fragments d'enceinte et deux portes subsistent, entassait ses toits à l'est de cette esplanade, le long de la route de Saint-Christophe-en-Brionnais. Parmi ses maisons, le presbytère est une belle habitation sur cour intérieure des XVIᵉ et XVIIIᵉ siècles. Un spectacle Son et Lumière est donné en juillet et en août.

Solutré-Pouilly
Saône-et-Loire

10 km O. de Mâcon

Le paisible village de Solutré-Pouilly se niche au sein d'un paysage fait d'éperons rocheux et de combes marneuses. Si les premiers sont couverts d'une steppe herbeuse à la flore rare, les secondes abritent les habitations et le vignoble. Les constructions sont édifiées en calcaire du pays ; la couleur ocre domine. Les toits sont couverts de tuiles canal. L'outillage peu important des viticulteurs a permis d'utiliser les anciens bâtiments. Grâce aux nombreux chemins bordés de murets de pierre, chacun peut atteindre la petite parcelle qu'il exploite. Le tracteur enjambeur a remplacé le cheval pour les transports et les labours.
L'intérêt archéologique de ce village est exceptionnel. Lorsque les rigueurs du climat au paléolithique moyen obligèrent les hommes à rechercher des lieux giboyeux et abrités du froid, cette petite région leur offrit des avantages si substantiels qu'ils s'y implantèrent. Solutré a donné son nom à une culture du paléolithique supérieur, caractérisée par ses pointes de silex en forme de feuilles de laurier. Des milliers de squelettes de chevaux furent trouvés au pied de la Roche de Solutré. Le lieu dit Crôt Charnier renferme des vestiges datant du moustérien jusqu'à l'âge du bronze, que l'on pourra découvrir au musée de la Préhistoire inauguré en 1987.
Dans les caves du village, on pourra déguster l'excellent pouilly-fuissé. A 3 kilomètres à l'ouest, au pied du petit village de la Grange-du-Bois, les vestiges d'un prieuré du XIIᵉ siècle s'élèvent au bord de l'ancienne voie qui reliait la Saône et la Loire.

Très peu d'églises solognotes ont gardé un « caquetoire » de cette qualité. L'architecture de ces grands porches est originale : colombage sous un toit de tuiles plates ou brique crue et ardoise.

Souvigny-en-Sologne
Loir-et-Cher

37 km S.-O. d'Orléans

Au cœur de la Sologne, Souvigny, paradis de la chasse, de la pêche et de la gastronomie, est un village typique de ce rude et secret « pays de Raboliot ».

La forêt qui lui a donné son nom (*silvaniacum* à l'origine), la lande et les étangs, les traces d'une agriculture marginale dessinent le paysage d'une économie où, désormais, le loisir des « gens de la ville » prend une part de plus en plus importante.

Au centre du bourg, l'église des XIIᵉ et XVIᵉ siècles trône, sur une esplanade engazonnée, quadrillée de vieux platanes. Son originalité ne tient pas aux matériaux de construction qui sont, avec la brique et les colombages de bois, les mêmes que ceux des maisons d'habitation alentour, mais au « caquetoire », grand porche en charpente ajouté au XVIᵉ siècle, qui longe les façades ouest et sud de la nef. Il abrite, à la sortie des offices, les conversations pieuses ou secrètes qui nourrissent les légendes solognotes. Le reste du village bordant cette place centrale, et formé des quelques rues qui partent en étoile, s'égrène en subtiles harmonies de rouges, ocres, bruns et roux ; couleurs que l'automne rend encore plus féeriques, lorsque vient la saison des châtaignes et des cèpes, des brumes et du givre. En face du presbytère transformé en auberge communale, un buste et une plaque commémorative posés sur la pelouse témoignent qu'Eugène Labiche, installé à la propriété de Launoy, fut maire de la commune entre 1852 et 1862.

Chaque année, la très célèbre foire aux Oies (début mai), une immense foire à la brocante (fin septembre) et de nombreuses manifestations artistiques et sportives viennent ranimer le cœur de ce village.

Tannay
Nièvre

12 km S.-E. de Clamecy

Tannay est situé dans les vaux de l'Yonne. Le relief est ici formé d'éléments étagés : un plateau surmonté de buttes, raccordé à la vallée de l'Yonne en contrebas par une double cuesta. C'est sur un replat que le village s'est installé. On trouve la forêt à l'ouest, des cultures et le vignoble sur le replat, de l'élevage en bas du versant et dans la vallée.

L'ancienne ville fut fortifiée au XIVᵉ siècle, après les ravages causés par les routiers de Charles le Mauvais. Quatre portes donnaient accès au bourg : la porte sud, ou porte d'Yonne, et la porte nord, ou porte de Paris, possédaient une salle de garde au-dessus du passage. Les murailles étaient ponctuées de tours rondes. Ces fortifications furent démolies en 1652. De ce passé, il reste un village à flanc de coteau avec des restes d'enceinte et de fossé et une porte de ville. Parmi les monuments, on peut signaler l'église Saint-Léger, qui fut une ancienne collégiale des XIIIᵉ et XIVᵉ siècles, remaniée aux XVᵉ et XVIᵉ siècles. Le clocher carré à contreforts d'angle date du XIVᵉ. On peut y voir, à l'extérieur de la nef, une curieuse petite chouette sculptée. Le bourg possède quelques maisons anciennes. Les plus célèbres sont celle de Théodore de Bèze, avec une cheminée monumentale, et celle des Chanoines, du XVᵉ siècle, avec deux tours circulaire et carrée. D'autres belles habitations sont des XVᵉ et XVIᵉ siècles.

Du village, on admire les rives de l'Yonne et du canal du Nivernais, et le vallon de l'Andryes. L'école d'escalade du Club alpin français s'est installée aux rochers de Basseville. A Tannay, où persiste un artisanat rural, l'activité traditionnelle reste celle de la polyculture et de l'élevage. La chasse et la pêche offrent d'agréables loisirs.

Le bruit des battoirs et les discussions animées des lavandières ne s'entendent plus sous la toiture du plus grand lavoir du village de Varzy. C'est dans un profond silence que, lentement, chemine la rivière du Var.

Troo
Loir-et-Cher

29,5 km O. de Vendôme

Des innombrables sites troglodytiques qu'offrent, entre Vendôme et Château-du-Loir, les coteaux de la vallée du Loir, celui de Troo est sans doute le plus impressionnant. Une butte de terre dite la Grande Motte constitue, en haut du village, à côté de la collégiale Saint-Martin, un belvédère privilégié.

Depuis ses origines, la vie de Troo est conditionnée par les trois composantes de son site : le val, le coteau et le plateau. Au fond de sa large vallée, le Loir, entre prairies et pépinières, reflète paisiblement le petit hameau de Saint-Jacques-des-Guérets situé en contrebas. Le val est inondé périodiquement, et les hommes, pour leur habitat, ont choisi, dès l'origine, le coteau. Il est probable qu'avant même l'occupation gauloise la falaise de craie tendre était déjà creusée de grottes habitées (Troo serait le pluriel de Traugo qui signifie « trou » en gaulois). Aujourd'hui, le flanc de la falaise est sillonné de rampes et d'escaliers. Les coquettes maisons du village se sont implantées au-devant des caves et des habitations creusées dans le roc. Dans le bas du village, les ruines de la maladrerie Sainte-Catherine (XIIᵉ siècle) présentent de très intéressants vestiges romans.

La forteresse de Troo appartenait au XIIᵉ siècle aux Plantagenêts. Elle couronnait la crête du coteau. Les principaux monuments à l'intérieur des remparts sont le château démantelé en 1590 par Henri IV, aujourd'hui en ruine, et la superbe collégiale Saint-Martin (style gothique angevin). Le puits qui alimentait cette place forte existe toujours ; d'une profondeur de 45 mètres, ce « puits qui parle » possède un écho impressionnant. Un peu à l'écart de l'enceinte fortifiée, vers le nord, s'élève le prieuré Notre-Dame-du-Marchais, fondé en 1124.

Varzy
Nièvre

16 km S.-O. de Clamecy

Environné de collines boisées, le pittoresque village de Varzy doit son nom à un ruisseau, le Var, qui prend sa source dans le bas du bourg. Seigneurie des évêques d'Auxerre dès le Vᵉ siècle, elle le demeurera jusqu'à la Révolution. On y vénérait au Moyen Age les reliques de sainte Eugénie, conservées dans la collégiale. Les ruines de cet édifice sont encore visibles (arcatures du XIIᵉ siècle, beaux chapiteaux).

Le patrimoine architectural de Varzy est exceptionnel et varié. Citons d'abord le château des évêques d'Auxerre, des XVᵉ et XVIIIᵉ siècles, devenu un centre de vacances. Puis la chapelle restaurée de l'ancienne léproserie de Saint-Lazare (XIIIᵉ et XVIᵉ siècle), remarquable avec son plan rectangulaire, son chevet plat, son clocher carré, son porche rustique. L'église Saint-Pierre, gothique, abrite le trésor de la collégiale Sainte-Eugénie : châsse, reliquaire et bras reliquaire de sainte Eugénie, pièces d'orfèvrerie, objets du culte du XIIᵉ au XIXᵉ siècle. L'église est ornée de panneaux peints du XVIᵉ siècle et d'un triptyque représentant sainte Eugénie, de la même époque. Dans le bourg, on verra la maison Guiton, du XVIᵉ siècle, qui est l'ancien hôtel de ville, le beffroi avec ses caves voûtées, ses poutres et solives du XVIᵉ siècle, l'hôtel-Dieu, du XVIIᵉ siècle, reconstruit en 1880, l'hôtel de l'Écu, du XVIIᵉ siècle, ancien couvent des franciscains, et d'anciens lavoirs pittoresques. Un intéressant musée présente des objets recueillis lors de fouilles, des faïences, du mobilier.

Un plan d'eau de 3 hectares a été aménagé autour du moulin Naudin et des sentiers pédestres permettent des promenades dans les bois (bois de Champ Martin, de la Croix du Cerf, de Ronceaux).

Vézelay

Yonne

15 km O. d'Avallon

Le site de Vézelay est depuis longtemps considéré comme un des foyers les plus remarquables du rayonnement culturel de la Bourgogne. Considéré comme faisant partie du patrimoine de l'humanité, au même titre que Le Mont-Saint-Michel, Chartres et Lascaux, il a été placé sous la protection de l'UNESCO.

Au Moyen Age, le village de Saint-Père vit la fondation d'une première abbaye de moniales. Elles furent remplacées quelques années plus tard par des moines, qui, pour échapper aux envahisseurs normands, transférèrent l'établissement sur une hauteur voisine, à Vézelay. L'abbaye, détentrice des reliques de sainte Marie-Madeleine, devint au XIe siècle l'un des lieux de pèlerinage les plus populaires du monde chrétien et le point de départ de l'une des principales routes du pèlerinage de Saint-Jacques-de-Compostelle. La première église fut remplacée au début du XIIe siècle par une immense basilique précédée d'un narthex. En 1146, saint Bernard y prêcha la seconde croisade en présence du roi Louis VII. Philippe Auguste et Richard Cœur de Lion y rassemblèrent leurs armées en 1190 en vue de la troisième croisade. Saint Louis y séjourna à diverses reprises. Le bourg s'entoura de remparts au XIIIe siècle. Son rayonnement commença à décliner à partir de la fin de ce siècle, lorsque furent découvertes, en Provence, les vraies reliques de sainte Marie-Madeleine. L'abbaye fut supprimée en 1790, les bâtiments conventuels vendus et détruits, l'abbatiale transformée en simple église paroissiale.

Vézelay fut la patrie du réformateur Théodore de Bèze (1519-1605) et Romain Rolland, né à Clamecy, y vécut les dernières années de sa vie. Le site de Vézelay occupe la ligne de crête d'une haute colline, isolée sur trois côtés d'un grand plateau ondulé, couvert de forêts et sillonné de vallons profonds. Le point culminant est occupé par l'église abbatiale de la Madeleine. Une longue rue bordée d'échoppes, un peu tortueuse et pentue, permet d'y accéder. Du sommet de la « colline éternelle » on découvre en contrebas le village de Saint-Père et son église de style gothique bourguignon (XIIIe siècle). Un pèlerinage a encore lieu chaque année le 22 juillet. Des concerts sont organisés de juin à septembre dans l'abbatiale.

Aux temps glorieux de la chrétienté médiévale, quel pèlerin ne vint pas se désaltérer à ce puits, à l'ombre salvatrice de ce jardin, en contemplant pieusement la célèbre abbatiale de Vézelay ?

Villaines-les-Rochers

Indre-et-Loire

5,5 km S.-E. d'Azay-le-Rideau

A quelques kilomètres au sud d'Azay-le-Rideau, la D 57 mène à un curieux village étiré sur les flancs d'une petite vallée : Villaines-les-Rochers. Les habitations troglodytiques aménagées au pied du coteau s'étendent sur près de 2 kilomètres. Les sols médiocres de la commune ont conduit depuis des siècles les habitants à se tourner vers l'activité de la vannerie. L'osier, matière première de la vannerie, est encore cultivé dans certaines vallées de Touraine. L'organisation de la production fut prise en main au milieu du siècle dernier par le curé de Villaines, l'abbé Chycaise, qui mit en place la Société des vanniers de Villaines. Cette coopérative est toujours bien vivante.

Les caves restent utilisées, de façon permanente ou saisonnière, comme caves à vin ou ateliers de vannerie, car l'osier trempé garde toute sa souplesse dans ce milieu à humidité constante. De nombreux souterrains, notamment au lieu dit Jolivet, montrent comment les hommes ont vécu dans ces lieux jusqu'à la fin du XVIIIe siècle. Les maisons, très simples, sont disposées en un long ruban devant les caves. On remarquera l'église romane, coupée en deux en 1859, qui conserve encore à l'ouest sa façade médiévale.

Villaines-les-Rochers est un bourg animé où l'on peut voir les vanniers au travail dans les caves ou au-dehors. Une salle d'exposition des différents objets produits a été aménagée vers la sortie nord du village, près de la D 57.

Vitteaux

Côte-d'Or

34 km N.-E. de Saulieu

Vitteaux est établi le long des rives de la Brenne et du ruisseau de la Bâtarde. Le site fut occupé très tôt, comme l'atteste encore l'existence d'un camp au mont Myard, qui domine le village. On y a découvert des vestiges du néolithique et du bronze final. Ancienne résidence ducale, Vitteaux est intéressant par ses belles maisons anciennes : maison Bélime du XIIIe siècle avec ses fenêtres géminées, ses tympans tréflés, ses arcades sculptées ; maisons du XVe siècle, 1, rue de la Ville et rue Pelletier-de-Chambure ; maison du XVIe siècle, 3, rue de la Ville ; hôtel Piget (XVIe siècle), rue Portelle, où séjourna Henri IV. Les halles datent des XIIIe et XIVe siècles (remaniées au XVIIe). Du château des ducs, il reste des courtines, des tours circulaires et une chapelle avec crypte. L'hôpital a été reconstruit au XVIIe siècle, ainsi que l'ancien couvent des Minimes. L'église romane du XIIe siècle (remaniée au XIIIe et au XVIe) s'agrémente d'un portail à vantaux gothiques sculptés, et renferme une tribune en bois. Elle est surmontée d'un clocher-tour carré à flèche d'ardoise.

Ce gros bourg rural vit de ses pépinières, de ses céréales, de ses ovins et de sa scierie.

Yèvre-le-Châtel

Loiret

6 km E. de Pithiviers

Un souffle lent ondule dans les blés qui couvrent le plateau de Beauce. Dans ce paysage presque immobile, les trois petites vallées de l'Œuf, de la Rimarde et de l'Essonne découpent une oasis de fraîcheur.

Yèvre-le-Châtel, sur son éperon, est sans doute le plus pittoresque village de ces vallées. Passé l'ancienne chapelle Saint-Lazare, un petit pont de pierre enjambe la Rimarde. D'ici se détache tout entier sur la silhouette du village le chevet roman de l'église Saint-Gault qui fut, dès sa fondation au XIIe siècle, l'oratoire du château construit au XIe siècle par les évêques d'Orléans. Quatre énormes tours et des murs cyclopéens supportent un chemin de ronde à partir duquel le panorama est impressionnant. Au cœur du village, les hauts murs de pierre calcaire cachent, entre puits et tourelles, de vieilles demeures restaurées, de verts et secrets jardins. Au sortir de la ville close, une porte flanquée de deux tours rondes indique le chemin vers le cimetière et les ruines de l'église Saint-Lubin, construite au XVIe siècle.

La petite cité renaît aujourd'hui sous l'impulsion d'artistes installés dans ses murs, comme Vieira da Silva, peintre de renom international.

La première enceinte de Yèvre suivait la crête du promontoire. Elle enfermait le village au pied de son château. Voici une de ses portes, que la végétation a depuis longtemps colonisée.

Les ÉDIFICES PUBLICS du village

*Au village, la vie sociale se déroulait dans un décor quasi immuable.
Outre les édifices de base qu'étaient l'église et la mairie,
on pouvait y voir une école, un lavoir, une ou plusieurs fontaines,
un ou deux cafés. Et, trônant généralement au centre du village,
le monument édifié par la communauté villageoise
en hommage à ses morts.*

Dès le néolithique – cinq mille ans avant notre ère – commence avec l'architecture la création des villages, dont certains sont restés au même emplacement depuis cette époque. Cet emplacement n'a pas été adopté au hasard, mais en fonction de choix où intervenait la présence de l'eau, d'un ensemble de terres de qualités complémentaires, de forêts, pour se procurer le bois aux divers usages et aussi pour pratiquer quelques activités de cueillette et de chasse. En abandonnant les cavernes et les abris sous roche qui avaient constitué leurs structures spatiales, les hommes furent confrontés à de nouveaux problèmes d'organisation des terroirs d'où sortirent les assolements collectifs. Avec la construction de véritables maisons, des lieux spécialisés regroupèrent les chefs de familles liées par le voisinage, pour décider des cultures et les rendre propices. Comme auparavant on faisait des sacrifices dans l'ombre des cavernes, on les fit dans un sanctuaire bâti à cet effet. Le temple gallo-romain, puis l'église paroissiale prirent le relais : jusqu'à la fin de l'Ancien Régime, la communauté villageoise se réunissait après la messe du dimanche pour discuter en public des affaires de la paroisse. Avec la Révolution, le système urbain des hôtels de ville, des mairies, des maisons communales s'étendit à toutes les paroisses rurales, devenues des communes. Des maisons anciennes furent utilisées, on en construisit de nouvelles, non seulement pour abriter les réunions des chefs de famille, mais pour conserver les documents indispensables à l'administration des citoyens : en premier lieu, l'état civil – naissances, mariages, décès –, remplaçant les registres paroissiaux ; en second, le registre de délibérations du conseil municipal et surtout, à partir du Premier Empire, le cadastre : le plan cadastral et sa matrice.

Il n'y a pas de commune sans église ni mairie, mais ces édifices ne constituent que la base, essentielle certes, mais insuffisante, des besoins de la communauté. Un des plus récents, mais non le moindre, est l'école, qui s'est édifiée dans les années 80 du siècle dernier et qui souvent, avec la mairie, constitue un des pôles de la vie communale, celui des personnes d'âge mûr et des enfants. On trouve dans une grande partie des villages des lavoirs, construits en pierre et couverts en bois et tuiles au cours du XIXe siècle pour éviter aux femmes d'aller à la rivière ; les hommes, eux, se réunissaient plutôt à la forge du maréchal-ferrant et au cabaret situé près de la mairie ou de l'église quand il n'y en avait qu'un seul, mais deux étaient plus fréquents, chacun avec sa clientèle regroupée par affinités sociales ou politiques. Les halles constituent rarement un élément du décor d'un village : elles se situent plutôt dans de gros bourgs ou des villes où s'effectuaient des échanges, par exemple à la limite des riches plaines à blé de la Beauce où venaient s'approvisionner en grain les négociants parisiens. Souvent, le transport s'effectuait par voie d'eau : de fortes barques circulaient sur de petits cours d'eau ; leur contenu pouvait être débarqué au moulin à eau pour y être transformé en farine. Plus souvent que le moulin à vent, relativement récent, le moulin à eau appartenait au seigneur, qui avait le privilège de moudre le blé et parfois de cuire le pain de toute la paroisse dans le four qui était

aussi sa propriété. Ce n'est que dans ce cas qu'on peut parler de moulin ou de four banal, c'est-à-dire relevant du ban seigneurial. On ne doit pas les confondre avec les bâtiments à usages communs construits par un groupe de voisins ou de parents, four ou pressoir commun tel qu'on en trouve fréquemment en Savoie, par exemple.

Bien qu'élément essentiel à la vie des hommes, l'eau n'a pas fait, comme le bois des forêts, l'objet d'une appropriation féodale. Si des règlements draconiens étaient et sont encore en usage pour l'irrigation des jardins de la communauté, l'eau destinée aux besoins domestiques était li-

bre. Mais les sources qui la fournissaient, objets de cultes préchrétiens, ont été aménagées en fontaines avec un bassin de retenue, construit en pierre de taille, parfois en bois dans les régions de montagne. L'eau qui vient de la terre avait un caractère sacré ; le corps des humains qui y retourne, dans sa « dernière demeure », l'acquiert aussi. Longtemps avant l'histoire, les rituels funéraires révèlent ces pratiques religieuses. Plus tard, l'église regroupe autour d'elle les morts de la communauté, puis un cimetière est créé un peu à l'écart des vivants, mais symboliquement on ramène au centre, avec le monument aux morts, ceux envers qui

La source et le puits communal ont été remplacés, entre les deux guerres, par la borne-fontaine. Bien des villages disposaient aussi d'une mare pour abreuver les bêtes.

L'ensemble mairie-école est le bâtiment communal le plus caractéristique des débuts de la IIIᵉ République à la fin du XIXᵉ s.

Entre 1920 et 1925, 30 000 monuments aux morts furent édifiés en France, phénomène d'art public d'une ampleur sans précédent. Le village s'y rassemble autour de son maire pour honorer ses morts le 11 novembre et le 8 mai.

L'église est souvent le plus ancien édifice du village, dont le centre de gravité social s'est parfois détaché, comme ici, à Gaillon-sur-Montcient, dans les Yvelines.

on marque sa reconnaissance.

La communauté villageoise n'a pratiquement jamais vécu en autarcie complète. Même si les échanges économiques ont été faibles, les échanges sociaux, surtout les mariages, ont tracé des chemins entre villages voisins. Si le sentier de terre et le tronc d'arbre placé en travers du cours d'eau ont longtemps suffi, ils ont été, au fil des temps, empierré pour l'un, remplacé par un pont pour l'autre, parfois couverts comme en Savoie. Pour les échanges à plus longue distance, les transports par voiture à cheval, par diligence – la poste –, ont nécessité la construction de relais, aujourd'hui souvent transformés en auberges.

La fin du XIXᵉ siècle vit, avec l'école, l'apparition dans certains villages d'un chemin de fer sur voie étroite (1 mètre) et la construction de petites gares, aujourd'hui désaffectées et devenues des résidences secondaires.

Pays de Loire
Poitou
Charente

Terres du Maine mêlées encore des prés gras de Normandie, d'aridité bretonne et de douceur ligérienne – le granit d'Armorique voisine avec le tuffeau de Touraine et d'Anjou : c'est la rencontre de pays à multiples visages, où la terre et l'eau se confondent. L'océan est partout, et là où il peut être absent, le fleuve, les rivières des Charentes, les marais de la Brière ou de la Vendée prennent la relève. Le vent du large est aussi omniprésent ; à preuve, cette légion d'anciens moulins dressant leurs silhouettes dépouillées des varennes de l'Anjou jusqu'aux marais salants de Vendée.

C'est le contact entre les terroirs de Bretagne, les plaines du Poitou et les collines de Charente ; de la vaste prairie mancelle ponctuée de haies, aux fermes basses en pierre, sans prétention, à la lumineuse Charente aux bâtiments agricoles dispersés autour d'une cour carrée et à l'activité essentiellement orientée vers la production de cognac ou de pineau, c'est le passage progressif du Nord au Midi, identifiable par les chemins antiques des « sauniers », des chemins muletiers et, bien sûr, les chemins de Compostelle où, de Fontevrault à la Saintonge, l'art sacré offre au voyageur la pureté d'une nef, la rondeur d'un chevet, l'éloquence d'un chapiteau roman.

Dans ces pays où l'on goûte le silence, la sensation du temps retrouvé, dans ces pays de terre et d'eau, entre Sèvre et Charente, entre Brouage et Talmont, le promeneur est irrésistiblement attiré sur quelque bateau plat, au fil des eaux de la Venise verte à la poursuite de Mélusine, ou par l'appel des îles océanes, Oléron la Lumineuse, Ré la Blanche ou Noirmoutier la Paludière.

Heuligneac
Ile de Fédrun
Guérande
Le Croisic
Kervalet
Pornichet
SAI
NAZA

Noirmoutier
ILE DE
NOIRMOUTIER

Port-Joinville
ILE D'YEU

A

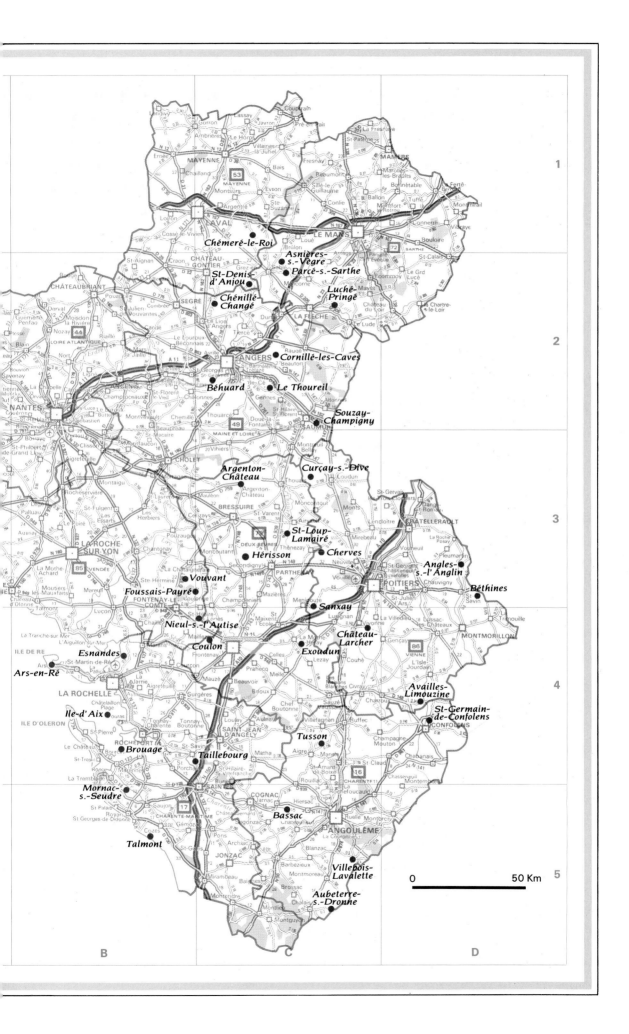

Le moulin d'Angles-sur-l'Anglin, au pied de l'escarpement où se dresse le château. Tous les éléments nécessaires à son fonctionnement – barrage, écluse, roue – sont présents.

Angles-sur-l'Anglin
Vienne

34 km S.-E. de Châtellerault

L'Anglin, petite rivière qui naît dans les dernières ondulations du Massif central, termine sa course hésitante peu après Angles, où elle conflue avec la Gartempe. Les escarpements rocheux qu'elle a dégagés contrastent avec la monotonie des plateaux qui la surplombent. Ce havre de paix attira nos ancêtres, qui laissèrent de nombreux témoignages de leur présence, notamment les sculptures pariétales de l'abri du Roc aux Sorciers.
Non loin de cet abri, les seigneurs de Lusignan édifièrent le château au XIIe siècle. Depuis que les habitants du village en ont utilisé les pierres, il ne dresse plus que ses ruines au-dessus de la rivière. Le bourg présente une organisation originale. Depuis la terrasse naturelle de l'extrémité du promontoire du château, près de la chapelle romane, on aperçoit nettement sur la rive gauche la ville basse groupée autour de l'abbatiale Sainte-Croix, le pont, puis, séparée du château par la tranchée des Anglais, la ville haute d'où émerge le clocher roman.
Le chemin qui longe la rivière et l'ancien moulin conduit, passé le pont, sur la rive gauche, où l'abbatiale Sainte-Croix montre encore son portail du XIIIe siècle. Autour d'elle, quelques demeures de la fin du Moyen Age avec escalier extérieur en pierre. Sur la rive droite, 200 mètres après le pont, débute la Cueille, ruelle pavée et ombragée qui monte vers

la place centrale de la ville haute. On peut s'attarder devant la maison natale du cardinal Jean Balue, conseiller de Louis XI. Au sommet, l'église romane Saint-Martin a gardé son clocher caractéristique du roman poitevin. Les anciennes habitations, bien conservées, de la ville haute se groupent autour de la place. Les toitures à quatre pentes sont recouvertes de tuiles plates annonçant le Berry. Les ouvertures soignées présentent les voûtements caractéristiques de la Renaissance poitevine. Enfin des toits d'ardoise (parfois mixtée à la tuile) à la Mansart nous rappellent la Touraine.
La réputation du village tient à ses jours d'Angles, broderies traditionnelles à fils tirés. Les fêtes de la période estivale (le premier dimanche d'août) sont les meilleures occasions d'aller à la découverte de cet artisanat.

Argenton-Château
Deux-Sèvres

20 km O. de Thouars

Les escarpements granitiques des vallées de l'Ouère et de l'Argenton contrastent avec les monotones sommets aplanis des collines de cette partie du Massif armoricain. Sur l'éperon qui sépare les deux rivières subsistent de rares témoignages de l'occupation ancienne du site : la salle des gardes du château du XVe siècle et les ruines de la citadelle près du grand champ de foire (place Bergeon-Brossard), la porte Gaudin du XIVe siècle et l'église Saint-Gilles, au portail historié du XIIe siècle sculpté dans le tuffeau. Les activités textiles ont fait autrefois la fortune du village. Les imposantes et massives maisons de granit couvertes d'ardoise qui y demeurent furent édifiées par ses riches artisans.

L'allure imposante du bâtiment du Temple étonne dans le petit village d'Asnières-sur-Vègre. Au premier plan, dans un potager, d'anciens puits maçonnés, communs à plusieurs maisons aujourd'hui détruites, ont été restaurés.

Ars-en-Ré
Charente-Maritime

35 km O. de La Rochelle

A l'extrémité ouest de l'île de Ré, Ars regarde vers le large, mais aussi vers les marais salants à l'abri de leurs haies de tamaris.

Le village fut à l'origine un refuge de sauniers qui exploitèrent ces îles dès le XIe siècle, sous l'impulsion de moines défricheurs. L'extraction du sel et son exportation vers les pays de la Hanse, en échange de bois, ont favorisé le développement d'Ars-en-Ré. On voit encore une fabrique de sel, aujourd'hui abandonnée, qui s'était installée au XVIIIe siècle près du port. L'extraction du sel est encore pratiquée, mais l'activité commerciale portuaire a laissé place à la navigation de plaisance. L'accès au bassin s'effectue par le Fier d'Ars. Si les voiles claquant au vent s'y succèdent à marée haute, à marée basse cette vaste vasière devenue réserve naturelle se peuple d'une faune multicolore. Au centre du village, l'église Saint-Étienne s'ouvre par un portail aux voussures travaillées, sur une nef et un transept du XIIe siècle ; au-delà du transept, jusqu'à l'abside du XVIIe siècle, se développe la partie édifiée au XVe siècle. A l'intérieur est conservé un riche mobilier. Les petites bâtisses qui entourent l'église avec leurs murs crépis en blanc, leurs ouvertures colorées et leurs toits de tuiles creuses sont caractéristiques de l'architecture traditionnelle de l'Aunis.

Asnières-sur-Vègre
Sarthe

44 km S.-O. du Mans

Sur les bords de la Vègre, où se niche aujourd'hui le village d'Asnières, s'était installée, dès le VIIe siècle, une petite chapelle. Autour de l'église, que l'on édifia un peu plus tard, du XIe au XIIIe siècle, dédiée à saint Hilaire, naquit véritablement le village. L'ensemble de peintures gothiques conservé dans cet édifice est un des plus complets de la région Maine-Anjou ; les scènes représentant l'Enfer, particulièrement, ont gardé toute leur fraîcheur et toute leur verve. Derrière l'église se serrent les plus anciennes maisons du village, aux toits très pentus couverts de tuiles ou d'ardoises, certaines d'entre elles ayant conservé tourelles d'angle et fenêtres en arc brisé ou à meneaux. L'imposant corps de bâtiment fortifié et pourvu d'une tourelle que l'on nomme le Temple ou la cour d'Asnières fut élevé au XIIIe siècle par les chanoines du Mans, seigneurs du Mans, afin d'y rendre la justice. Il est recouvert d'une magnifique charpente en berceau restée en excellent état. En été, la cour est le théâtre de manifestations culturelles (spectacles de danse, théâtre ou concerts). Depuis le vieux pont médiéval de pierre en dos-d'âne sur grosses piles rondes, on aperçoit les îlots plantés de saules qui parsèment le cours de la Vègre. Au sommet de la côte qui lui fait face, le château de Moulinvieux, construit au XVIIe siècle, fut au siècle suivant la résidence du gouverneur du Lyonnais.

Des maisons hautes et massives où les ouvertures se font rares, une végétation exubérante et méditerranéenne envahissant même le balcon, des escaliers s'élevant à l'ombre des façades, qui croirait qu'Aubeterre est dans les Charentes ?

Aubeterre-sur-Dronne
Charente

48 km S. d'Angoulême

Aubeterre est étagé dans un véritable amphithéâtre naturel qui regarde vers le sud. On a d'ailleurs souligné la parenté de ses cascades de maisons en balcon, couvertes de tuiles ocre, avec les bourgs fortifiés du Midi toulousain. Faut-il attribuer aux pèlerins se rendant à Saint-Jacques-de-Compostelle qui y faisaient halte le cheminement des influences architecturales ?

La place principale du village est dédiée à Ludovic Trarieux, instigateur et premier président de la Ligue des droits de l'homme en 1898, dont la maison natale est visible. Tout près de la place s'élève le château du XIV siècle, avec son joli balcon couvert. Par le sentier agréable qui emprunte les anciennes douves creusées dans le tuffeau, on aboutit à la ville haute. L'ancien couvent des Minimes, construit au XVII siècle, et le logis des Cordeliers, aux décorations Renaissance précèdent l'église Saint-Jacques, dont subsiste la très belle façade romane du XII siècle. En contournant l'église par l'est, deux constructions richement ornées : la tour des Apôtres et le couvent des Clarisses. Il faut apprécier depuis le bas du village l'harmonieux assemblage de ces bâtiments aux pierres apparentes.

La rue Barbecane conduit aux habitations à plusieurs étages avec balcons à balustrades de bois. Certaines ont encore une partie creusée dans le tuffeau du coteau. Sous le château, s'ouvre la très curieuse église monolithe Saint-Jean. Excavée dans la craie du coteau dès avant le XI siècle, elle servit ensuite de reliquaire, puis de lieu de culte, jusqu'en 1794, où elle abrita un atelier de salpêtre.

La présence de quelques artisans d'art et la célébration des quatre grandes fêtes (foire du deuxième jeudi d'avril, fête communale du dernier dimanche de mai, fête patronale à la fin de juillet, foire du deuxième jeudi de décembre) animent ce village tout au long de l'année.

Availles-Limouzine
Vienne

14 km S. de L'Isle-Jourdain

La rencontre des plateaux calcaires du seuil du Poitou et des dernières collines granitiques du Limousin se passe ici sans grand contraste. Le passage des plaines blondes de céréales aux vertes collines ne se signale que par l'introduction du granit et le traitement architectural des constructions. La nécessaire adaptation au milieu naturel explique que, sans éperon rocheux défensif, le village se soit développé autour du gué sur la Vienne. Près de la rivière, au point bas du coteau, furent édifiés les remparts. Les portes d'accès, encore respectées, encadrent un ensemble bâti médiéval. Les décorations simples et l'aspect massif des bâtiments sont liés aux matériaux de construction utilisés. Des ruelles ombragées au tracé complexe desservent cette partie du village.

L'activité commerciale, ne pouvant se contenter de cet espace restreint, s'est déplacée sur les pentes de la vallée. C'est en grimpant par la rue commerçante que l'on atteint l'église, de style flamboyant. La place qui l'entoure revêt un caractère particulier : les demeures y semblent plus récentes que dans le bas bourg, mais aussi plus rurales, et proches de ce que l'on peut admirer dans les villages voisins. En rejoignant notre point de départ par les petites rues qui contournent le village, on atteint le champ de foire, traditionnel dans ce pays d'élevage. Il s'y déroule, notamment au début août, des marchés importants, encore soumis au folklore des maquignons.

Bassac
Charente

23 km O. d'Angoulême

Les moines de l'abbaye de Bassac s'étaient établis en 1002 sur un des bras de la Charente, qui serpente paresseusement au milieu des basses collines viticoles du Cognaçais. L'abbatiale, dont la construction débuta au XI siècle et s'acheva aux alentours du XV siècle, ainsi que les bâtiments conventuels, édifiés au XVIII siècle, n'ont pratiquement pas subi les outrages des ans. Depuis le petit pont de pierre, situé à 50 mètres au sud de l'église, on pourra en embrasser l'étendue et admirer les riches jardins qui bordent la rivière. Les habitations qui se cachent derrière ces jardins se blottissent, côté rue, à l'abri de hauts murs de pierre sèche. Parfois, une porte cochère s'ouvre sur une cour fermée. C'est là la marque de l'activité agricole traditionnelle de cette région, le travail de la vigne, qui s'inscrit encore dans l'organisation de l'espace bâti.

Béhuard
Maine-et-Loire

13 km S.-O. d'Angers

Au XI siècle, le chevalier Buhard reçut en récompense cinq îlots réunis autour d'un rocher qui se dressait au milieu de la Loire. Sur cette étroite langue de terre s'est installé, fait rare, un village. Cette île, située à quelques kilomètres en aval d'Angers, constitue une commune indépendante. Ses maisons de tuffeau, aux pignons en damiers et aux toits d'ardoise, se serrent autour du rocher sur lequel a été édifiée l'église. Elles furent construites du XV au XVIII siècle sur des « montilles » qui suffisaient à les maintenir hors de l'eau. Lorsque la Loire est en crue, on circule alors en « plates », élégants bateaux à fond plat. Jusqu'à la fin du siècle dernier, seuls les passeurs vous emmenaient sur l'île : les ponts ne furent construits qu'en 1880.

L'île est depuis fort longtemps le lieu d'un pèlerinage à la Vierge. Saint Maurille, évêque d'Angers au V siècle, l'aurait évangélisée et aurait placé le rocher, consacré au culte d'une divinité marine protectrice des navigateurs, sous la protection de Notre-Dame l'Angevine. Les miracles, nombreux, firent la réputation de l'île. Pour remercier la Vierge de l'avoir sauvé de la noyade, le roi Louis XI fit agrandir la chapelle, qu'il dota d'un riche trésor (volé en 1975). C'est une église à deux nefs en équerre et charpente en carène de bateau renversé. Ce plan est tout aussi insolite que sa situation : à l'extrémité de la rue principale, la voie est fermée par le rocher et des escaliers menant au sommet permettent d'accéder à l'église. Chevets et murs sont percés de baies aux arcatures flamboyantes dont les meneaux dessinent des fleurs de lys. Le côté nord est le plus pittoresque : le roc sert de parement à la nef !

Béthines
Vienne

8 km E. de Saint-Savin

Le Salleron, comme ses grandes cousines la Creuse ou la Gartempe, descend lentement des collines du Massif central, en entaillant les monotones plateaux calcaires du pays des brandes. La pittoresque petite rivière encercle pratiquement un promontoire où s'étalent, au milieu de jardins, les maisons de Béthines. Sur la place principale où trône l'église du XIᵉ siècle, qui a conservé quelques éléments romans, de très belles demeures du XVIIIᵉ siècle possèdent de splendides lucarnes sculptées. Dans ce village resté rural, les habitants pratiquent toujours l'élevage des moutons.

Brouage
Charente-Maritime (voir pages 196-197)

Château-Larcher
Vienne

24 km S. de Poitiers

Les boucles régulières de la Clouère, petit sous-affluent de la Vienne, entourent le vieux village de Château-Larcher. Les demeures, qui ont adopté le style rural traditionnel de cette partie du Poitou, se blottissent le long de deux rues parallèles contre la très belle église romane fortifiée du XIIᵉ siècle. Son aspect massif provient des tours d'angle crénelées, restes de l'ancienne forteresse, qui s'adossent à la belle nef classique. Elle faisait partie intégrante de la fortification. Comme l'édifice religieux, les habitations sont généralement construites en petits moellons calcaires d'origine locale et couvertes de tuiles canal. La floraison quasi systématique des rues du bourg, construit entre deux ponts sur la rivière, participe à l'harmonie du bâti.
Les fêtes du lundi de Pâques ou de la Sainte-Croix (14 septembre) sont de très bonnes occasions de découvrir ce village.

Chémeré-le-Roi
Mayenne

31 km S.-E. de Laval

A 60 kilomètres du Mans et 20 de Laval, à l'écart des grands axes de circulation, Chémeré-le-Roi est situé dans un paysage de bocage ancien. La plupart des constructions ont gardé du XIXᵉ siècle leurs murs de moellons recouverts d'un revêtement gris ou ocre et leurs couvertures en ardoise. Les encadrements peuvent être soit en calcaire tendre, soit en calcaire dur gris-bleu à l'aspect de marbre. L'église romane a été très modifiée au XIXᵉ siècle. Place de l'Église se voit encore un témoin d'une époque bien antérieure : la maison du Porche. Construite au XIIIᵉ siècle, elle fut modifiée à la fin du Moyen Age par le percement de deux grandes fenêtres à meneaux et croisillons. Non loin, une fontaine protégée par un petit édifice à couverture de pierre, pyramidale, tient compagnie à un lavoir couvert d'ardoises alimenté par une source.
Hors du bourg, le château de Thevalles a pris son

visage actuel au XVIᵉ siècle. Il est remarquable par sa situation dominant la vallée de l'Èvre. Cette charmante rivière aux multiples visages mérite un détour. Le long de son cours, toute une série de grottes et cavernes constituent un témoignage de la préhistoire. Plusieurs d'entre elles sont visitables.

Chenillé-Changé
Maine-et-Loire

33 km N. d'Angers

Au bord de la Mayenne s'élève, sur fond de coteau boisé, une grande tour au sommet crénelé. Ce n'est pas un château mais le moulin de Chenillé. A peu de distance se dresse le clocher de la petite église construite en moellons. De grands toits d'ardoise, bien pentus, forment trait d'union entre les deux ; du cadre verdoyant émergent les pierres sombres des pans de façades. En remontant l'unique rue, on parvient à la place de l'église, bâtiment dont l'origine remonte au XIᵉ siècle. A la sortie du village, on peut (certains jours) visiter le château des Rues, construit au XIXᵉ siècle par l'architecte Hodé. En face, à proximité de la rivière, une belle maison ancienne fait office d'auberge. Dans cette construction basse sont exposées des œuvres de peintres et de sculpteurs. Elle marque l'entrée du village par la route. De retour au moulin, la petite place plantée de beaux arbres invite à flâner au bord de l'eau. A partir de Chenillé, on peut aller à la découverte des châteaux de La Lorie (XVIIIᵉ siècle) ou de Bouillé-Thévalle (XVᵉ, XVIIIᵉ siècle) et de ses jardins. On peut également, en empruntant un des nombreux bateaux que propose le tourisme fluvial, se laisser aller au fil de l'eau et des écluses, au milieu des paysages des vallées de l'Oudon et de la Mayenne.

Cherves
Vienne

34 km N.-O. de Poitiers

Isolé sur un point haut des larges plaines monotones du canton de Mirebeau, Cherves est doté d'un beau patrimoine rural bâti. Le moulin à vent Tol, aujourd'hui en état de fonctionner (normalement en période estivale), voisine avec une ferme-musée, à 200 mètres au nord, qui témoigne de la vie quotidienne dans cette région au siècle dernier.
On peut aussi imaginer, en déambulant dans les ruelles du bourg, l'ambiance qui régnait il y a plus de cent ans à Cherves, dans ces bâtiments qui n'ont rien perdu de leur allure agricole, à l'ombre des restes du curieux château féodal. De ce passé médiéval est aussi demeurée une église romane à coupoles, inspirée de celle d'Angoulême.
L'activité du groupe les Gens de Cherves a débordé le cadre des expositions du musée. Il propose une véritable animation culturelle, avec des spectacles historiques ou folkloriques et des productions audiovisuelles. La fête des artisans du 27 juin est aujourd'hui connue de toute la région.

Sur la Mayenne, le navigateur rencontre fréquemment de ces petites écluses aux berges soignées et fleuries. A la hauteur de Chenillé, le vieux moulin est toujours en activité. Il ne faut pas en manquer la visite !

Cornillé-les-Caves

Maine-et-Loire

27 km E. d'Angers

Le bourg de Cornillé-les-Caves offre l'attrait d'une situation sur un mamelon de tuffeau haut de 80 mètres. L'architecture caractéristique de ses maisons frappe par son unité. Toutes les toitures, à pente très accentuée, sont couvertes d'ardoises venues des carrières angevines. Dans ce moutonnement pittoresque, on remarque les belles lucarnes de pierre de tuffeau mouluré que possèdent même les maisons les plus simples. Cette simplicité fait l'unité et le cachet de l'architecture de ce village. Les façades sont en tuffeau bien appareillé par assises de pierre de taille. Parfois les murs sont en moellons de tuf apparents avec de gros joints de chaux grasse et de sable du pays.

Il est inutile de se demander d'où vient le tuffeau utilisé pour les façades, les corniches moulurées, les lucarnes : les constructeurs, du XVIe siècle au XIXe siècle, ont creusé la colline pour extraire la pierre. Il en est resté des grottes pittoresques, des galeries, des caves. Le pays de Cornillé-les-Caves porte bien son nom avec ses habitations troglodytiques sur lesquelles on voit encore des portes de chêne du XVIIIe siècle à grosses lames, avec leurs chevilles en saillie. Chaque maison a son puits. Dans ce pays, le cimetière est situé tout en haut. La silhouette du village est complétée par une tour en tuffeau haute de 5 mètres, construite en 1835. Cette tour-observatoire se visite, sur demande à la mairie.

Coulon

Deux-Sèvres

11 km O. de Niort

Les îles du Marais poitevin émergeaient déjà quand la région n'était encore qu'une vaste baie ouverte sur la mer des pertuis. La conquête de cette région de basses terres, au XIe siècle, sous l'impulsion notamment des moines de la proche abbaye de Maillezais, fut longue et indécise. Pour évacuer l'eau omniprésente dans le sol, ils établirent un dense réseau de canaux en relation étroite avec la Sèvre Niortaise. Ces charmantes voies d'eau, utilisées aujourd'hui surtout pour le tourisme, furent longtemps les uniques routes du marais.

Point d'embarquement pour la visite en plates de cet espace particulier, Coulon est devenu ainsi la capitale de la Venise verte. Le village, typiquement maraîchin, possède de très beaux édifices en petites pierres de taille ou parfois crépis, et aux petites ouvertures criantes de couleurs. Dans ce cadre qui fait la joie des photographes, de nombreux commerçants, artisans d'arts, et de très bons restaurateurs (autre renommée de Coulon) ont participé à la restauration du bâti. Au centre du village trône le lourd clocher carré roman de l'église. Le reste de l'édifice, construit du XIIIe au XVe siècle, est de style flamboyant.

Si l'on ajoute à l'attrait qu'offre le village les activités diverses que suscite le marais – randonnées, tourisme fluvial, pêche, etc. –, Coulon reste animé tout au long de l'année.

Richelieu avait voulu que ce quadrilatère délimité par une enceinte soit le grand port de guerre sur l'Océan. On aperçoit les écuries et la poudrière (à gauche), et l'enceinte où venaient battre les flots, flanquée de bastions avec échauguettes et ouverte par quatre portes. Ci-contre, la porte Royale et l'église, qui datent de ce XVIIᵉ s. glorieux, avant que le port soit anéanti par l'envasement.

BROUAGE

par Michel Bernard

17,5 km S.-O. de Rochefort

En classe, j'ai toujours aimé les cartes, la géographie ; et plus tard aussi, quand j'ai voyagé grandeur nature.

Dans ma prime enfance charentaise, avant d'avoir jamais vu Brouage, j'en connaissais le nom, et même un peu l'histoire. Mais si je l'imaginais bien plus grande qu'elle n'est maintenant, ayant comme rétréci depuis qu'elle est hors d'usage, ce qui me fascinait, c'était qu'elle eût été naguère un port, longtemps d'ailleurs après que Niort l'avait été aussi, sous les Romains. Il y avait donc eu une époque où Brouage n'existait pas parce qu'elle ne pouvait pas exister – impossibilité que je trouvais sans doute naïvement bien troublante –, et quand je la vis enfin, à six ans, il me semble, je fus non moins troublé par son enlisement dans des terres marécageuses qui s'étendent sans le moindre relief sous un ciel énorme jusqu'à la côte, « à 8 ou 10 kilomètres » (approximation qui me laissait perplexe et m'a conduit à douter depuis de la notion d'exactitude).

En fait, la véritable étrangeté de Brouage, c'est sa taille et sa situation, désormais en rien stratégique pour une cité fortifiée dont l'enceinte à la Vauban avant la lettre (Vauban ne naîtra que cinq ans après le siège de La Rochelle) est à peu près intacte, avec son mélancolique chemin de ronde, ses glacis en larges dalles de pierre, ses admirables échauguettes d'où l'on est l'improbable voyeur du marais, illisible et monotone pour la plupart qui n'y sont pas nés.

Il est non moins singulier en un lieu clos de murs de pouvoir répertorier des traces militaires (écuries, greniers à vivres, poudrière), d'une beauté sans faille comme l'étaient les architectures utilitaires de l'époque, et de ne pouvoir pour autant les faire coïncider avec des faits d'histoire aussi importants que le siège de La Rochelle précisément, puisque Richelieu y basa sa flotte qui finit par empêcher l'armada anglaise de ravitailler les huguenots rochelais ; aussi cruellement anecdotiques que les batailles navales que donnait jadis pour son plaisir le duc de Pons (avec tirs réels et morts

garantis) ; aussi attendrissante que l'exil de Marie Mancini, sur ordre de l'oncle Mazarin, après que son amant Louis XIV eut convolé sur la Bidassoa ; et même aussi prometteurs pour l'avenir de la Belle Province que la naissance de Champlain, le fondateur de Québec, né vers 1567, évaluation fort séduisante dans une bourgade qui semble voguer sur les terres après avoir échappé au temps.

Tout militairement géométrique qu'il soit, le plan de Brouage a quelque chose de flou, du fait des jardins potagers peut-être, qui, côté Atlantique, viennent buter sur la levée terreuse et herbeuse du mur d'enceinte. Du reste, hors saison (expression à vrai dire peu délicate pour tous les autochtones des sites touristiques), le village semble à peu près vide, les enfants allant à l'école à Hiers-Brouage, les pêcheurs et les ostréiculteurs vidant tôt les lieux. Mais nulle sensation d'abandon, une délicate mélancolie au contraire, soulignée par l'église blanche, au centre, comme il se doit, du style campagnard de la Contre-Réforme.

Difficile d'imaginer que sous Louis XIII ce village enlisé était le plus important producteur et exportateur de sel (mais qu'en adviendra-t-il, après la construction du pont qui a métamorphosé l'île en presqu'île, des marais salants d'Ars-en-Ré ?).

Passé la porte monumentale (l'autre a disparu), le temps nous happe à nouveau, mais alangui, à l'image d'un canal paresseux, de barques immobiles, de bassins modestes (les fameuses claires où l'on fait verdir les marennes), des hangars bas et badigeonnés au goudron des ostréiculteurs, et des vaches posées çà et là comme des amers énigmatiques dans le marais.

Il y a quelques années, dans l'enclos des écuries du XVIIᵉ siècle, furent organisées des courses de stock-cars. J'y ai vu des épaves amoncelées, un soir de septembre ; je me suis retourné vers la crypte des prêtres réfractaires du temps de la guerre de Vendée, au pied de l'enceinte, direction l'océan ; j'ai tendu l'oreille, mais l'on n'entendait ni les moteurs, ni les prières, ni l'écho de la mer lointaine, seulement le silence de plus en plus tangible, juste avant la nuit.

Belle porte à l'entourage de pierre d'Exoudun, typique du XVIIIe s. en Poitou. Sur le claveau sommital, la date de la construction et, sur les côtés, deux anneaux pour attacher les chevaux.

Curçay-sur-Dive
Vienne

12 km O. de Loudun

Perché sur une colline du Loudunais, point haut dans cette région aux vastes horizons, le bourg de Curçay domine la riante vallée de la Dive. Le cours calme de la rivière a permis la navigation dès le XIXe siècle ; les ouvrages de l'ancien canal en témoignent encore.

Les pentes douces du coteau où s'épanouit le village cachent un calcaire tendre : le tuffeau. Cette pierre facile à extraire et à travailler provient en majorité de caves situées sous le village. Cet ensemble troglodytique fut autrefois habité. Le tuffeau est dans la totalité du bâti ancien : dans le donjon médiéval à la silhouette élancée et les ruines de l'ancienne forteresse de Curcay, ainsi que dans les demeures du XVe siècle ou les hôtels particuliers édifiés par les notables de Loudun aux XVIIe et XVIIIe siècles. Les bâtiments de cette époque sont cependant d'un volume moyen, aux murs de moellons grossièrement dressés, parfois enduits d'un mortier local. Avec leurs cheminées de pierre à pignon, leurs toitures à deux pans faiblement pentues et couvertes d'ardoises, ils annoncent déjà la tradition angevine. Au village, le groupe des Ajasson de la Dive fait revivre les traditions du folklore loudunais.

Près de Curçay (à 2 kilomètres au sud-est), un musée d'Art et de Traditions populaires anime le petit bourg de Ranton.

Esnandes
Charente-Maritime

10 km N.-E. de La Rochelle

Ce petit village du littoral est établi aux confins de deux terroirs différents qui ont contribué à sa fortune : les plateaux de l'Aunis aux larges plaines céréalières au sud et le Marais Poitevin au nord.

Les incursions des Normands et les multiples conflits des potentats locaux qu'attiraient les richesses de cette région sont responsables de l'édification de la très originale église gothique fortifiée. L'édifice, isolé à l'est du village, vit l'épaisseur de ses murs tripler au XIVe siècle, tandis que l'on couronnait la façade d'une ligne de mâchicoulis, et l'ensemble d'un chemin de ronde à créneaux. Son portail roman de type saintongeais est flanqué de deux arcatures aveugles. Le vieux village aux maisons basses crépies de blanc domine de sa terrasse l'anse de l'Aiguillon. On y pratique toujours la mytiliculture, l'ostréiculture et la pêche au carrelet. Par les ruelles fleuries du village, en direction de la mer, on accède au musée de la Mytiliculture : les techniques de l'élevage des moules y font l'objet d'une présentation intéressante.

Cachées sous leur chapeau de chaume, n'offrant aux regards que leurs pignons aveugles et les fleurs de leurs jardins, les maisons de Fédrun se veulent aussi secrètes que le marais qui les entoure.

Exoudun
Deux-Sèvres

14 km S.-E. de Saint-Maixent-l'École

Les dragonnades qui se déroulèrent lors des luttes religieuses du XVIIᵉ siècle furent une succession de tragédies endeuillant notre histoire. L'un de ces épisodes peu glorieux eut pour cadre Exoudun. En 1681, l'intendant de la province fut autorisé par Louvois à se servir des dragons du roi comme missionnaires. Logés chez ceux qui refusaient de se convertir, ils ne repartaient qu'à la capitulation de leurs hôtes. Le souvenir de ces événements, après plus de trois cents ans, est encore étonnamment vivace dans le village, ce qui explique sans doute pourquoi les fêtes communales restent des moments primordiaux de la vie villageoise d'Exoudun. De cette époque troublée date également la ruine du château, dont le démantèlement ne fut, heureusement, pas total.
De nombreuses demeures anciennes, le plus souvent parfaitement restaurées, entourent le château, dans un cadre vallonné et verdoyant. Elles se caractérisent par leur simplicité : construites en moellons généralement enduits, hautes d'un étage, et couvertes de tuiles creuses. De nombreuses ouvertures cintrées témoignent de l'ancienneté des constructions. Cloisonné par des murets de pierre sèche, le bourg s'encastre étroitement dans une vallée aux pentes escarpées, où naît, dans le lit même de la Sèvre Niortaise, la Fontaine Bouillante, source effective de la rivière. Ses bâtisses s'étendent sur les deux versants et celles qui sont baignées par le fleuve ne sont pas, avec leurs jardins fleuris, les moins pittoresques.

Fédrun (Ile de)
Loire-Atlantique

27 km N.-E. de La Baule

En arrière de la baie de La Baule se trouve une vaste zone de marais, la Brière, fermée par une ceinture de petits villages. Fédrun est l'une des îles (île et village se confondent) qui émergent des 7 000 hectares d'eau et de roseaux, aujourd'hui parc naturel régional, parcourus par 100 kilomètres de canaux. Une route étroite en fait le tour, soulignée par les pignons des maisons traditionnelles, les chaumières, basses, le plus souvent en torchis, souvent enduites de chaux (à l'intérieur comme à l'extérieur), couvertes de toits de chaume. Quel spectacle lorsque ces toitures fleurissent au printemps ! Dans le prolonge-

L'industrie salicole de la presqu'île de Guérande fut autrefois prospère. Cette demeure de paludier, à Kervalet, a l'allure d'une maison bourgeoise. Ses murs de pierre et son toit d'ardoises fines traduisent l'influence de la maison bretonne.

ment de la chaumière, côté marais, un jardin mène à la curée, étroit chemin d'eau entourant le village, autrefois voie de communication essentielle permettant de rejoindre les canaux des marais sur des chalands, longues barques noires. Elles vous emmèneront sur ces chemins d'eau, au milieu des iris et des roseaux qui ondulent, à la découverte du silence rompu par la vie des bruants, mésanges à moustache, sarcelles et autres oiseaux. C'est là que se déroulait la vie traditionnelle du Briéron, autour de l'élevage des canards, de la chasse, de la pêche et de l'exploitation de la tourbe. L'une des chaumières, transformée en musée, permet de découvrir un artisanat particulier à Fédrun, celui des couronnes de mariées. Des auberges vous invitent à faire une halte – les pimpenaux, sorte d'anguilles, y sont un des éléments de la gastronomie locale –, avant de partir vers le village-musée de Kerhinet ou, près d'Herbignac, vers les ruines du château de Ranrouet.

Foussais-Payré
Vendée

14 km N.-E. de Fontenay-le-Comte

Dans le Bocage vendéen, au creux d'une vallée fertile, se niche le village de Foussais. On peut trouver banals ces haies vives, ces chemins creux, ces gras pâturages et ces corps de fermes solidement charpentés sur leurs murs de pierre sèche, couverts de tuiles romaines. Ordinaire encore l'entrée de ce bourg paisible, aux maisons poitevines sagement alignées. Mais que dire de ce cœur de village où l'histoire a laissé en place de si belles pages d'architecture ? De l'église Saint-Hilaire, étonnant mélange de roman et de gothique ? D'abord construite par les bénédictins de Bourgueil, au XIe siècle, puis ravagée et incendiée, elle fut presque entièrement remaniée au XVe siècle. A l'ouest, pourtant, le très beau portail roman a résisté. Son décor, admirablement sculpté au XIIe siècle par Giraud Audebert, de la grande abbaye saintongeaise de Saint-Jean-d'Angély, force l'admiration. A la Renaissance, artisanat et négoce se développent (filature, tissage, tannerie...). De cette époque datent de superbes logis : l'auberge Sainte-Catherine, ancienne demeure du marchand Jacques Viète, père d'un célèbre mathématicien, la maison du drapier François Laurent, datée de 1552, et son élégante façade. Elles forment, avec l'église et les halles placées en retrait, un ensemble très pittoresque. L'ancien prieuré, racheté par la commune, a vu son portail monumental et le grand logis du XVIIIe siècle restaurés.
A la Quasimodo, on fête les « vieux métiers », savoir-faire séculaire de paysans et d'artisans qui ont fait là réputation de Foussais et de sa campagne.

Hérisson
Deux-Sèvres

14 km O. de Parthenay

Le Massif armoricain n'est plus, depuis quelques millénaires, une zone montagneuse. Cependant, de nombreux blocs de granit aux curieuses formes sphériques émergent des collines du village et témoignent de l'existence de ces antiques sommets. La Roche branlante, appelée aussi la Merveille, qui se dresse à la sortie ouest d'Hérisson, en est assurément l'exemple le plus curieux. Malheureusement, elle est particulièrement défigurée par la proximité de hangars agricoles.
Le vieux village a conservé les demeures massives en granit des agriculteurs de la Gâtine où les ouvertures, petites, supportent des linteaux travaillés. Il se groupe à la manière des bourgs traditionnels de la Gâtine : autour d'une large place, que borde l'église à l'abside romane. Quelques pas vers le nord nous mènent directement aux vestiges du château féodal qu'accompagne une chapelle du XIIIe siècle.
A environ 15 kilomètres du village, le plan d'eau du Cébron offre les attraits de la pêche et des sports nautiques.

L'omniprésence de l'océan dans les pertuis favorise un climat tempéré. Une douceur marine qui, dans cette rue de l'île d'Aix, fait se multiplier à l'infini les fragiles floraisons des roses trémières.

Ile-d'Aix
Charente-Maritime

16 km N.-O. de Rochefort

En séjournant une semaine, en juillet 1815, sur l'île d'Aix, avant d'embarquer pour l'île d'Elbe, Napoléon Bonaparte propulsa au premier plan cette petite terre, clé du pertuis d'Antioche.

L'île, peuplée de pêcheurs, acquit un intérêt stratégique lorsqu'il fallut protéger des Anglais, au XVIIᵉ siècle, l'entrée de la Charente, les ports de Rochefort et Brouage. Vauban en amorça les fortifications, qui se développèrent au XVIIIᵉ siècle et qu'acheva Napoléon. Autour du fort de la Rade, construit en 1810 dans la partie sud de l'île, s'édifia un ensemble d'habitations ordonné selon un plan quadrillé, à l'intérieur de fortifications à la Vauban. Le bourg occupa l'emplacement d'un prieuré bénédictin du XIᵉ siècle, dont est demeurée la crypte de l'église, sous l'actuelle église paroissiale. Dans ces rues tracées au cordeau se plaisent les roses trémières, agrémentant les maisons de moellons calcaires recouverts du traditionnel crépi blanc. La maison de l'Empereur, devenue Musée napoléonien, ou le Musée africain constituent un but de visite. Mais l'on peut aussi, sans crainte, vagabonder sur cette île ignorant les voitures, parmi les bois de pins, les landes ou les tamaris, le long des plages du littoral ; ou encore pêcher la crevette, déguster quelques huîtres arrosées d'un vin blanc produit sur place et s'initier à l'artisanat de la nacre. En regardant vers Oléron, on apercevra l'étrange silhouette du fort Boyard, ouvrage napoléonien, qui servit un temps de prison.

Kervalet
Loire-Atlantique

8 km O. de La Baule

Cerné de toutes parts par les marais, le hameau de Kervalet occupe la partie centrale d'une presqu'île étroite. Son économie a toujours été tournée vers l'exploitation du marais et non vers la mer. On ramasse le sel en petits cônes blancs qui scintillent au soleil et ponctuent les vastes plans d'eau quadrillés. Construit sur un bombement rocheux, ce village de paludiers s'organise le long de trois axes formant triangle. Les maisons aux façades étroites, en moellons de granit, s'égrènent le long des rues. A l'arrière, les jardins potagers isolent les maisons des marais. Au centre, la chapelle romane de Saint-Marc veille sur le hameau. On est surpris en se promenant de la pénétration très forte du paysage au cœur du hameau. A chaque instant le regard est attiré par la lumière très vive, les couleurs changeantes des marais qui surgissent entre deux maisons grâce à la transparence créée par les fenêtres. Kervalet était habité uniquement par les paludiers. Aujourd'hui se sont installés crêperies, ateliers d'artisanat, brocante. Mais, le soir venu, on voit encore, rentrant de son travail, le paludier à vélo, le las sur l'épaule. Vous ne verrez plus qu'au musée de Batz le traditionnel costume du paludier avec ses pantalons courts bouffants et son chapeau à une corne. A Batz, l'église Saint-Guénolé, dédiée au patron des paludiers, a été remaniée au XVᵉ siècle ; elle renferme des orgues réputées et d'étranges clés de voûte. Juste à côté, les ruines de Notre-Dame-du-

Mûrier, construite au XVe siècle à la suite d'un vœu, sont d'un élégant style gothique.

Une vue inoubliable s'offre du haut des 60 mètres de la tour du XVIIe siècle de l'église Saint-Guénolé. Le marais, la mer et le ciel s'unissent pour former un spectacle grandiose dans lequel Balzac situa son roman *Beatrix*.

Luché-Pringé
Sarthe

13,5 km E. de La Flèche

Luché et Pringé sont les deux parties constituant l'une des communes les plus intéressantes de la vallée du Loir. Le hameau de Pringé a gardé un caractère essentiellement rural. Les maisons y sont de type rural traditionnel, composées d'une pièce d'habitation prolongée par l'écurie ou l'étable, les combles abritant les récoltes. Ce sont parmi les plus anciennes constructions de la commune, faites de moellons de tuffeau enduits, couverts de tuiles. Elles s'alignent le long d'une pente douce au sommet de laquelle veille la petite église du XIIe siècle dans laquelle on pénètre par un portail roman. A l'intérieur sont conservées des peintures murales du XVIe siècle, une statue de bois du XVe siècle, ainsi que des terres cuites du XVIIe. Le vieux cimetière entouré de murs se blottit contre l'église. Les maisons de Luché sont, dans l'ensemble, plus récentes. L'ardoise a remplacé la tuile au XIXe siècle. Des maisons bourgeoises de belle qualité composent la place de l'église et celle de Sainte-Apolline. La silhouette compacte du village est dominée par l'église, construite au bord de la rivière, comme pour protéger le village.

Le canoë-kayak est une façon originale d'arriver à Luché-Pringé : la commune est une des cinq étapes d'un parcours sur le Loir entre Marçon et La Flèche. Mais on peut préférer la pratique plus tranquille de la pêche à la ligne ou du pédalo.

Mornac-sur-Seudre
Charente-Maritime

13 km N. de Royan

L'estuaire de la Seudre serpente au milieu d'un littoral peu élevé. Ici la limite entre la terre et l'eau est incertaine. Elle a varié au cours du temps selon les travaux des hommes et la colère des éléments. Les marais salants témoignent de cette lutte incessante. Le village de Mornac tient son origine de cette antique vocation paludière. Les tout premiers occupants du site s'installèrent près du port, non loin de la zone lacustre. L'animation du village est surtout liée à l'implantation de très nombreux artisans d'art. Ils ont contribué à la mise en valeur de bon nombre de bâtiments anciens : dans le vieux bourg, surnommé la « ville arabe » à cause de l'aspect labyrinthique de ses rues étroites, aux maisons serrées autour de l'église ; dans le quartier plus récent, au-delà des limites des anciennes fortifications, où des demeures plus massives cachent quelques petits jardins. La superbe halle du XVIIIe siècle, dont la charpente de chêne est soutenue par de massifs piliers, est un témoignage de la prospérité ancienne de ce bourg agricole. Au nord-est de celle-ci se trouve l'église romane, avec ses curieux chapiteaux historiés, ses restes de fresques médiévales et son trésor-

La maison de la Meunerie, à Nieul-sur-l'Autise, dernier moulin à eau en état de marche de Vendée. Outre l'habitation du meunier, il abrite un atelier de sabotier et un four à pain.

reliquaire. Du clocher, la vue s'étend sur les terres plates en damier que forment les marais et les parcs à huîtres. A 100 mètres au nord de l'église, il subsiste quelques bâtiments d'habitation du beau château de Mornac, à la silhouette massive, qui date du XVIIe siècle et domine les marais de la Seudre.

Si le sel aujourd'hui n'est plus exploité aux alentours du village, car trop concurrencé par les salines du Midi, les claires qui se recouvrent d'eau à marées hautes sont encore utilisées pour l'ostréiculture. Cette activité rend un peu de vie au petit port. L'attrait pour le littoral atlantique et la station de Royan a contribué à sa renaissance.

Nieul-sur-l'Autise
Vendée

11 km S.-E. de Fontenay-le-Comte

Située aux confins d'une vaste plaine céréalière, entre Bocage et Marais poitevin, tout à côté de l'accueillante Venise verte, Nieul-sur-l'Autise resserre ses maisons riantes autour d'un des plus beaux ensembles monastiques de la Vendée romane.

L'abbaye de Saint-Vincent, fondée en 1068 par le seigneur de Vouvant, connut longtemps les faveurs des ducs d'Aquitaine. Il faut dire qu'en 1122 Aliénor était née en ces lieux. L'église abbatiale, le cloître et les bâtiments conventuels furent bâtis aux XIe et XIIe siècles. Nieul n'échappa cependant pas aux terribles guerres de Religion, et l'église fut incendiée par les huguenots en 1568. Il fallut attendre le XIXe siècle pour que, séduit par sa façade aux chapiteaux finement ciselés, sa triple nef voûtée en berceau et son chœur surmonté d'une coupole octogonale sur trompes, Prosper Mérimée décidât de sa restauration. Le cloître roman est demeuré intact, avec ses quatre galeries voûtées d'arêtes reposant sur d'énormes piliers.

Le village, groupé autour de son centre, a gardé son lacis de ruelles circulant entre maisons, appentis et petits murets soigneusement maçonnés en moellons de calcaire. Aux premiers rayons du printemps, l'ensemble, très homogène, se tamise d'une blonde clarté.

Sur l'Autise, dont le cours rejoint le marais mouillé, la roue du vieux moulin à eau s'est remise à tourner. On y vient nombreux à la Pentecôte, pour la fête de la Meunerie, que prolonge un spectacle nocturne apprécié. On ne saurait trop recommander au randonneur épris de nature de faire une halte au Centre d'accueil du Vignaud ; on y connaît les belles histoires de Nieul et des marais voisins.

203

Parcé-sur-Sarthe
Sarthe

38 km S.-O. du Mans

Quand l'amateur de vieilles pierres se promène dans le vieux Parcé, il est arrêté à tout instant par de nombreux vestiges : échauguette, coquille de pèlerin, tourelles, fenêtres à meneaux...

Ce village du Moyen Age domine une boucle de la Sarthe, qui coule, majestueuse et paisible, à son pied. A l'époque de la guerre de Cent Ans, Parcé avait déjà un passé vieux de six cents ans.

En 1370, un incendie détruisit les remparts sur l'emplacement desquels de nombreux logis, encore visibles, seront construits aux XVe, XVIe et XVIIe siècles. Il faut se laisser aller au hasard des noms évocateurs des rues et ruelles : ruelle des Jardins, carrefour de la Tête-Noire, rue de l'Échelle, du Four, du Pont, de l'Épervier... Le siège de la prison seigneuriale se situait, jusqu'en 1658, dans une ancienne maison à tourelles de la rue du Moulin : on dit que Villon y séjourna. Cette rue mène au bord de la Sarthe qui offre une agréable promenade le long des jardins qui dévalent la pente du coteau ; ils mettent en valeur les belles maisons anciennes situées plus haut. La chapelle aux Hommes est la partie subsistante de l'église Saint-Martin du XVe siècle : elle sert de sacristie. Le portail Renaissance, sculpté, présente, sur le pignon, une effigie de saint Martin. Une élégante échauguette contient une petite cloche nommée Mademoiselle de La Galissonnière (fille du donateur). L'église actuelle fut reconstruite au XIXe siècle. C'est dans ce village qu'un jour de 1791 Claude Chappe fit l'essai de son télégraphe aérien.

Saint-Denis-d'Anjou

Mayenne

39 km N.-E. d'Angers

Aux confins des provinces du Maine et de l'Anjou, Saint-Denis s'appuie contre une ligne de collines. Ce bourg d'origine médiévale offre aux flâneurs ses rues et ruelles enchevêtrées. De petits jardins, souvent potagers, soignés, se déploient en arrière de l'église Saint-Denis. Celle-ci possède une nef et un chœur du XIIᵉ siècle. Au XVIᵉ siècle la construction d'une chapelle et d'un bas-côté s'est accompagnée du percement de fenêtres de style flamboyant. L'église conserve un important ensemble de peintures murales des XVᵉ-XVIᵉ siècles : épisodes de la vie de saints ou scènes d'inspiration médiévale comme *les Bavardes* ou *les Diables*. A certains endroits, on peut constater qu'elles recouvrent des fresques plus anciennes des XIIᵉ et XIIIᵉ siècles. Les stalles sculptées datent du XVᵉ siècle. L'hôtel de ville s'est installé dans la Maison canoniale du chapitre, construite au XVᵉ siècle. La demeure communiquait autrefois par un pont et des souterrains avec ses dépendances, devenues aujourd'hui une auberge. Cette dernière a conservé son four à ban, un cadran solaire, ainsi qu'une belle cheminée de tuffeau.

Une suite de rues étroites mènent aux halles, sans doute les plus belles du Maine et de l'Anjou réunis. Construites en 1509, elles devinrent au XVIᵉ siècle un important carrefour pour la vente du vin. De nos jours, seules quelques maisons des vignes témoignent d'une production réputée. Saint-Denis fut aussi, au XVIᵉ siècle, un des « greniers à grains » de l'Anjou.

Rue Pilardière, un manoir offre une délicate image de la Renaissance. On peut découvrir tout au long des rues d'autres belles demeures des XVᵉ et XVIᵉ siècles (parfois modifiées au XVIIIᵉ).

Aujourd'hui, ce village actif et accueillant permet à un artisanat d'art d'être bien représenté. Le 8 mai s'y tient un marché à l'ancienne et au mois de janvier une exposition artistique.

Saint-Germain-de-Confolens

Charente

6 km N. de Confolens

La Charente est un département en grande partie composé de bas plateaux calcaires. Aussi le Confolentais, son extrémité nord orientale caractérisée par un sous-sol riche en granit, est-il une région à part de l'espace charentais.

Les flancs escarpés des vallées de la Vienne et de l'Issoire isolent un éperon sur lequel s'installèrent les premiers châtelains de Saint-Germain-de-Confolens. Les ruines des énormes tours du château se dressent encore, envahies par la végétation. A son pied se blottit une petite église romane.

Le village-rue de Saint-Germain s'est implanté le long de l'axe de communication et s'étire du nord au sud ; seul le faubourg de Sainte-Radegonde, installé au-delà du pont, vers l'ouest, semble s'en détacher. Depuis le pont qui enjambe la Vienne et à travers la végétation des petits jardins qui bordent la rivière, c'est une vision différente du village qui s'offre au regard avec les revers des nombreuses maisons anciennes aux toits couverts de tuiles canal.

Dans le faubourg, il faut remarquer de beaux exemples d'architecture rurale. Ces constructions massives de la fin du XVIIIᵉ siècle, où de petites et rares ouvertures percent les murs de granit, sont caractéristiques du Confolentais. Près du bourg (à environ 200 mètres au sud), sur une île de la Vienne, un dolmen témoigne de l'antique vocation de passage du site.

A 12 kilomètres au sud-est du village, l'abbaye de Lesterps a gardé un clocher-porche du Xᵉ siècle, caractéristique des débuts de l'art roman.

Dans cette maison bourgeoise du XVIᵉ s. qui borde la Sarthe à Parcé-sur-Sarthe, on entre par l'étage qui ouvre sur la rue. Lorsque la rivière est basse, on aperçoit à cet endroit les vestiges d'un pont prétendu romain.

Une maison médiévale, sur la grande rue de Saint-Loup-Lamairé. La restauration de sa façade à colombage a été soignée : organisation parallèle ou en figures géométriques des hourdis de briquettes, décrochement traditionnel des étages.

Saint-Loup-Lamairé

Deux-Sèvres

20 km N.-E. de Parthenay

Dans une boucle du Thouet et un cadre de prairies verdoyantes fut construit le village médiéval et son donjon carré à échauguettes à la fin du XIVᵉ siècle. Ce n'est que sous le règne de Louis XIII que Claude Gouffier, grand écuyer de France, fit réaliser le très beau château Renaissance dont les toits à la française coiffent deux ailes de style classique. On n'en visite que l'extérieur. Les douves du château sont alimentées par un canal parallèle à la rivière qui isole le bourg de Saint-Loup.

La rue principale, qui structure cette île bâtie, possède de très beaux exemples d'architecture citadine de la fin du XVᵉ siècle. Le trait caractéristique de ces constructions est leur façade à pans de bois. Le rez-de-chaussée est plus souvent en pierre ; il s'ouvre par une porte basse latérale qui côtoie une ancienne échoppe. Quant aux étages en encorbellement, ils n'ont bien souvent qu'une fenêtre à meneaux sur la rue. Le plus étonnant reste cependant la façade côté cour, en pierre taillée et éclairée de magnifiques fenêtres Renaissance. C'est pratiquement face à l'église, qui a conservé de rares parties romanes, que l'on peut visiter l'une des bâtisses les plus caractéristiques : la maison natale du bienheureux Théophane Vénard (1830-1861), qui trouva la mort en mission au Tonkin. Elle conserve des ponnes à lessive, larges récipients bombés fabriqués dans la région et destinés autrefois à faire bouillir le linge. Par les ruelles qui rayonnent de la Grand-Rue, on observera des bâtiments beaucoup plus ruraux avec escalier extérieur et toits à génoise.

Sanxay
Vienne

31 km S.-O. de Poitiers

A 1 kilomètre à l'ouest de Sanxay, au hameau de Herbord, cœur de la pittoresque vallée de la Vonne, s'était installé, au IIe siècle de notre ère, un important sanctuaire païen. De nombreux vestiges galloromains d'un complexe qui comprenait un temple, un théâtre et des thermes y ont été dégagés depuis la fin du XIXe siècle. Des ruines, il faut emprunter le chemin de randonnée et passer le pont médiéval des Bergers pour gagner rapidement le bourg de Sanxay. Du jardin aménagé près du pont, la vue sur le village est remarquable : de l'ensemble du bâti villageois, blotti sur une rive peu pentue de la Vonne, émerge la curieuse église gothique remaniée au XIXe siècle. L'habitat ancien groupé autour de son édifice religieux est entouré d'une ceinture de jardins dont la végétation se reflète sur la surface calme de la rivière. Il est constitué de bâtisses simples couvertes de tuiles creuses qui datent parfois du XVe siècle. Les fenêtres en accolade des maisons de la Grand-Rue ou celles à meneaux du bâtiment situé route de Vasles sont les éléments les plus caractéristiques de l'architecture de cette époque.
La vie de ce petit bourg commerçant est égayée par de nombreuses festivités tels les spectacles organisés dans les arènes en juillet.

Souzay-Champigny
Maine-et-Loire

6 km S.-E. de Saumur

Sur la rive gauche de la Loire, entre Saumur et le département d'Indre-et-Loire, s'étire un coteau calcaire coupé de petites vallées étroites. Sur le plateau se déploie un paysage de vignes fermé par la lisière sombre de la forêt de Fontevraud. En arrivant à Souzay, le manoir de Marguerite d'Anjou, élevé au XVe siècle sur le coteau, est la construction la plus immédiatement repérable. Marguerite, fille du roi René d'Anjou, y mourut en 1482. Sous le bâtiment, se cache un logis seigneurial plus ancien, entièrement souterrain. Dans le coteau, aux flancs de tuffeau, des passages souterrains où règne la pénombre, le long desquels s'alignent des entrées de caves, débouchent sur de vastes espaces souterrains ponctués d'énormes piliers ou sur des zones éblouissantes de lumière. Dans la partie du village dominée par l'église, construite au XVe siècle, les habitats troglodytiques s'organisent le long de ruelles

parfois escarpées. Les rues anciennes de tous les villages longeant le coteau entre Saumur et Montsoreau sont bordées de maisons troglodytiques ou semi-troglodytiques, habitat permanent, résidences secondaires, dépendances, pigeonniers. Superposés sur deux ou trois niveaux, ces habitats sont modestes, exception faite des maisons bourgeoises. Parfois, un escalier intérieur taillé dans le rocher menait à la vigne. Les plus anciens logis ont gardé leur mobilier puisque, pour l'essentiel, il était creusé dans le roc. Ces villages présentent aussi des aspects traditionnels avec leurs belles maisons en tuffeau et leurs églises du XVe siècle.

Taillebourg
Charente-Maritime

13 km N. de Saintes

Devant le petit bourg saintongeais, les méandres de la Charente se font de plus en plus amples. Car le fleuve touche enfin au but. Les marées océanes, malgré la faiblesse du relief, ne peuvent remonter en amont du barrage de Saint-Savinien (à 6 kilomètres au nord de Taillebourg). A partir de ce point, le tourisme fluvial est possible jusqu'au-delà d'Angoulême. Cet attrait a provoqué la rénovation du petit port fluvial villageois. Des berges du fleuve, il faut remonter la rue commerçante du bourg pour atteindre la grande place, début de l'esplanade du château.
Au village de Taillebourg reste associée la victoire de Charlemagne sur les Maures en 808. Un premier château y fut édifié au XIe siècle sur un rocher dominant la vallée : il fut plusieurs fois rebâti. Seules les ruines d'une tour du XVe siècle et deux corps de logis du XVIIIe sont encore en place, au milieu d'un très beau parc.

Talmont
Charente-Maritime

16 km S.-E. de Royan

Ce charmant bourg fortifié, perché sur un promontoire rocheux de la rive droite de la Gironde, domine l'anse de Caillaud, que ferment de petites falaises calcaires. Il devient presqu'île à marée haute.
Talmont, composé de petites maisons saintongeaises, cache ses vieilles pierres sous un crépi blanc et ses ouvertures sous de vives couleurs, au milieu de jardinets abrités. Il est desservi par un réseau régulier de petites rues où se plaisent entre autres les roses trémières. Il est agréable de flâner dans ces ruelles pour y rencontrer les artisans locaux. Par le sentier situé à l'est du village on accède rapidement au grand plan gazonné créé sur les remparts, situés à l'aplomb des falaises qui enserrent le site. Seules quelques pêcheries classiques de la côte charentaise, témoins d'une architecture traditionnelle, osent s'aventurer au-delà des murs protecteurs.
Un large panorama s'offre au visiteur dans cette partie du bourg : les jardins privés, l'estuaire et ses vasières (suivant la marée), et surtout la surprenante basilique. Cet édifice solitaire, dans son cimetière marin aux tombes sur pilotis, possède un portail du XIIe siècle aux voussures ornées et une très belle nef amputée par l'écroulement des premières travées au XVe siècle. On aura une connaissance complète de Talmont par la visite de son musée historique.

Thoureil (Le)
Maine-et-Loire

> *20 km N.-E. de Saumur*

Les bords de la Loire, fleuve royal, sont en toutes saisons un merveilleux spectacle. Il est des emplacements privilégiés où le tableau est encore plus pittoresque. Au Thoureil, les soirs d'été, la Loire au cours élargi scintille, paisible, autour du sable blond de ses îles. Son éclat rehausse celui du tuffeau doré des maisons. C'est l'heure où cette pierre somptueuse se met à vibrer, restituant la chaude caresse du soleil. Le coteau boisé en pente raide contre lequel le village s'appuie apporte un contrepoint de fraîcheur : cette atmosphère apaisante et soyeuse, ne serait-ce pas la douceur angevine ? Ici ou là, des taches de couleur sont apportées par les fleurs au pied des murs.

Le Thoureil fut au XVIIe siècle un des centres de la batellerie de Loire, activité dont la localité tirait toute sa richesse. De belles maisons des XVIe et XVIIe siècles en témoignent. Sur leurs façades, à hauteur d'homme, des graffiti tracés dans la pierre et représentant des bateaux voisinent avec les traits horizontaux qui marquent les différentes crues.

Le clocher de l'église, du XIIe siècle, est l'un des rares exemples subsistant en France de clocher-phare : dans l'étage supérieur ses grandes arcades romanes, un feu-signal guidait les bateliers, la nuit. A l'intérieur, des châsses en noyer sculpté datant du XVIe siècle proviennent de l'ancienne abbaye de Saint-Maur-de-Glanfeuil, située à quelques kilomètres au nord du village. Ses bâtiments actuels datent du XVIIe siècle. Derrière cette abbaye, la chapelle Saint-Martin, du XIIe siècle, est une belle expression de l'architecture Plantagenêt.

Chaque année au mois d'août, une grande fête nautique mêle les courses sur plates de Loire aux prouesses d'intrépides pilotes de hors-bord.

Tusson
Charente

> *15 km S.-O. de Ruffec*

La vue se perd loin vers le seuil du Poitou à travers les larges espaces du Ruffécois. Au milieu de ces plaines céréalières, le gros bourg de Tusson s'est attaché à la mise en valeur de son patrimoine rural traditionnel. Le conservatoire d'Art et Traditions populaires, place des Halles, s'efforce, entre autres, de transformer de nombreux bâtiments inoccupés en espaces d'accueil, afin de redonner une âme au village. La fête patronale y a lieu le deuxième dimanche de septembre et la foire s'y installe une fois par mois. Témoins de l'occupation précoce du site, les tumulus du Vieux Breuil et de la Justice sont l'occasion, avec la forêt de Tusson, de quelques randonnées. L'histoire de Tusson ne commence réellement qu'à l'installation, à l'époque médiévale, de l'abbaye des Dames. Ses vestiges, que l'on peut encore observer à l'ouest du bourg, datent des XIIIe et XVe siècles. L'ensemble conventuel, fondé par Robert d'Arbrissel, fut le berceau de l'ordre de Fontevraud. Une tour carrée de 35 mètres de haut a été reconstruite sur l'église mutilée par les vicissitudes de la guerre de Cent Ans. De nombreuses maisons furent construites du XIIIe au XVIIIe siècle par les riches notables de Tusson, qui profitèrent du développement des échanges stimulé par le monastère. Leurs murs sont en pierre calcaire locale taillée en petits moellons, disposés en assises régulières, et percés d'ouvertures soignées en pierre de taille, parfois à meneaux. Les tuiles creuses qui les recouvrent sont de facture typiquement charentaise. On remarquera aussi les nombreuses cours intérieures, autrefois à vocation agricole.

Villebois-Lavalette
Charente

> *25 km S.-E. d'Angoulême*

Sur un éperon escarpé qui domine de larges plateaux ouverts, aux confins du Périgord et de l'Angoumois, un oppidum gaulois a précédé la construction féodale des Lusignan au XIe siècle. A l'exception de la chapelle, il ne reste que peu de vestiges des premiers bâtiments du château. Ils furent cependant réutilisés dans l'appareil de défense de la forteresse actuelle, qui date du XVIIe siècle. Son propriétaire le plus illustre fut le duc d'Épernon, favori d'Henri III. De ce site perché, la vue s'étend sur l'ensemble du vieux bourg. De l'église située à seulement quelques mètres du château, une rue bordée de très belles maisons charentaises en petits moellons smillés et aux décorations d'époque Renaissance, mène à la place commerçante de Villebois. C'est là que la superbe halle du XVIIe siècle accueille encore régulièrement les marchés du village.

Vouvant
Vendée

> *15 km N. de Fontenay-le-Comte*

En pays de bocage, à l'orée du plus grand massif forestier de Vendée, la petite rivière de la Mère enserre le village dressé sur un éperon rocheux. Ceinturée d'eau telle une presqu'île, la butte offrait un intérêt stratégique que les seigneurs de Lusignan, turbulents vassaux des comtes de Poitou, ne manquèrent pas de remarquer. Ils y édifièrent une de leurs nombreuses forteresses, qui donna naissance au village actuel. Du château construit au XIIe siècle subsistent encore les remparts et le donjon appelé tour Mélusine. La légende veut que, par une nuit sombre, la fée Mélusine, d'« une dornée de pierres et une goulée d'eve », bâtit le château. Quoi qu'il en soit, c'est Théodolin, abbé de la puissante abbaye de Maillezais, qui, au XIe siècle, jeta les fondations de l'église dont il reste le chevet, reconstruit au XIIe siècle, et un admirable portail roman.

Le village, ramassé sur lui-même, est toujours limité à ses fortifications. Les maisons, bâties sans alignement précis, bordent des ruelles étroites et tortueuses, dont l'une mène à la Poterne, superbe porte dans la muraille de schiste. Simplicité des volumes et sobriété des façades enduites à la chaux grasse sont de mise. Çà et là, cependant, quelques maisons anciennes ou maisons de notables, à la forte stature, aux murs bien appareillés et aux toitures reposant sur une corniche à génoise. Habitants et artisans ont renoué avec la tradition des fêtes locales sur la place du Bail ou la place Saint-Louis. Il faut monter au sommet de la tour Mélusine et goûter le panorama immense sur Vouvant et sa forêt feuillue, invitation à d'agréables promenades en sous-bois ou au bord du lac de Mervent.

L'église de Vouvant est
une remarquable
réalisation de l'art roman
poitevin. Au-dessus
d'un soubassement élevé
correspondant à la crypte
à demi-enfoncée, s'élève
l'abside et ses deux
absidioles. Remarquer les
arcatures et les contreforts
qui scandent leurs murs.

Dans la Loire, ici lisse
et peu profonde,
où s'étirent les bancs
de sable, Le Thoureil a
trouvé son miroir.
On y contemple les reflets
immobiles des maisons et,
pâlies, les clartés blondes
de ses tuffeaux et le
gris de ses ardoises.
Et ce que l'usure du temps
a nuancé de brun se fond
dans les sables
de la rivière.

PAYS DE

209

Les JARDINS du village

« Ce sont les jardinages qui fournissent à l'ornement utile de nostre mesnage innumérables espèces de racines, d'herbes, de fleurs, de fruits avec beaucoup de merveilles. »

Olivier de Serres, grand agronome français du XVIe siècle et auteur d'un célèbre *Théâtre d'agriculture et mesnage des champs*, tient le jardin en particulière estime : il nomme le jardinier « l'orfèvre de la terre », et le « fruit du jardinage » la « quintessence du rapport de la terre ». Potager, bouquetier, jardins médicinal et fruitier seront réunis dans le même enclos, « pour éviter que les poulailles ne les dégastent fort », enclos situé tout près de la maison « tant pour le plaisir que pour le profit », de telle manière qu'il puisse être vu de ses principales fenêtres. Il y faudra un point d'eau « coulante » (fontaine, ruisseau) ou fixe (puits, citerne) pour l'arrosage ; enfin, ce jardin type sera divisé en allées, soit découvertes, soit couvertes de treillages.

Un enclos près de la maison, un mélange de légumes, de fleurs, d'arbres fruitiers, un petit coin d'herbes condimentaires et médicinales, nous avons là l'image même d'un jardin familial de nos campagnes, tel qu'il se dissimule ou se donne à voir derrière sa clôture plus ou moins opaque, selon qu'elle est muret de pierres, haie vive ou simple grillage. La clôture est l'élément fondateur du jardin : contrairement aux espaces de grande culture, ouverts à tous les vents et à tous les yeux, le mouvement propre du jardin est de s'enclore

sur lui-même, comme pour abriter un secret, qui est peut-être la plante de vie que lui a attribuée la tradition. C'est ainsi que la clôture initiale se double toujours d'une autre clôture, végétale celle-ci (poiriers ou pommiers en espaliers, groseilliers, fleurs), et que chaque planche de légumes sera elle-même bordée la plupart du temps d'autres plantes (herbes condimentaires). La porte qui donne accès au jardin, de fer forgé ou de bois, est lieu de passage symbolique ; aussi sera-t-elle ornée d'une glycine, d'un rosier grimpant, d'une vieille treille. Une fois celle-ci franchie, on voit presque invariablement un allée centrale de part et d'autre de laquelle se distribuent de petites planches rectangulaires – un ou deux rangs, huit au maximum, les grandes étendues étant le lieu privilégié de développement des maladies et des parasites. Le tout est plus ou moins rectiligne, selon la configuration du terrain et le goût du jardinier. Ici,

du travail humain, prix des graines –, s'il n'est plus indispensable à la survie familiale, c'est à la gourmandise qu'il s'adresse. Avoir un jardin, c'est manger mieux, sain et frais.

La vie des légumes n'est pas sans histoire : ainsi les pois, les lentilles, les fèves, qui régnaient en maîtres dans les jardins du Moyen Age, ont été détrônés au XVIe siècle par le haricot venu d'Amérique. Ce dernier, lui aussi, a vu son statut se modifier au cours de ces trente dernières années par la révolution du congélateur ; on le cultivait autrefois en plus grosse quantité, car on faisait grande consommation de haricots secs pendant l'hiver. De même, certains légumes – panais, choux-raves, choux-navets – ont été supplantés par des cultures plus délicates et plus diversifiées.

« Entre les beautés du mesnage, les plantes et herbes médicinales paroissent, tenans rang honorable au jardin. » Apprivoisant toutes les puissances bénéfi-

sous son oreiller (« C'est bon pour l'arthrose »), et cet autre jardinier est grand mangeur d'ail (« Ça liquéfie le sang »).

« Après suivent les fleurs, partie des plus exquises : dont la rareté et l'excellence rendent les jardins magnifiques. » Omniprésentes, en bordures, en massifs ou disséminées un peu partout, les fleurs attestent que « le plaisir tient rang ès jardinage ». Certaines appartiennent au fonds ancien du jardin et ont connu plusieurs générations de jardiniers : ce sont celles dont les noms mêmes sont des souvenirs d'enfance : gueules-de-loup, giroflées, corbeilles-d'argent, désespoirs-du-peintre. S'y ajoutent de nouvelles espèces, achetées au marché, rapportées de voyage ou données par parents et amis. On échange beaucoup les fleurs entre voisins : bouquets, graines, boutures. Si les fleurs donnent lieu à de bonnes relations de voisinage, elles ne resserrent guère les liens conjugaux ! Car l'esthéti-

1. fraises ; 2. haricots ; 3. salades ;
4. échalotes ; 5. radis ; 6. carottes ;
7. oignons ; 8. fleurs ; 9. p. de terre ;
10. tomates ; 11. chicorée ; 12. fèves ;
13. poireaux ; 14. persil ; 15. dahlias.

Jardin à Culles-les-Roches (Saône-et-Loire)

des bataillons de choux, alignés militairement, redressent fièrement la tête au-dessus d'un sol soigneusement ratissé ; là, au contraire, on aura traité la flore originelle avec plus d'indulgence, et des pensées sauvages, égrenées çà et là, voisineront avec les salades. Presque partout, pommes de terre, carottes, poireaux, haricots, tomates, et, bien sûr, ail, oignons, échalotes et des ribambelles de salades aux noms évocateurs : chicorées rondes à cœur plein, laitues reine de mai, reine des glaces, blonde du Châtelet, grosse blonde paresseuse, merveille des quatre saisons...

Le jardin est terre nourricière, avant d'être espace décoratif. Et si, de nos jours, son rôle économique est moins évident – coût

ques de la nature, le jardin se devait de fournir un remède à tous les maux. On y trouvait donc de nombreuses plantes à usage médicinal, qui maintenant ont émigré sur le bord des chemins ou dans les prairies, chassées par le médecin et la chimie, tels le bouillon-blanc, la centaurée ou la valériane. Toutefois, de nos jours, on ne dédaigne pas de prendre, après le repas du soir, une tasse de mélisse pour s'endormir plus facilement ou de menthe pour aider la digestion. Aussi ces herbes, et d'autres encore comme sauge, lavande, camomille, ont-elles droit d'asile au jardin. Les légumes ont également des vertus thérapeutiques : cette grand-mère jardinière ne s'endort jamais sans une feuille de chou

que du beau chou revendiquée par le jardinier se heurte souvent à l'esthétique de la belle fleur prônée par la jardinière. « Les fleurs, c'est inutile, ça prend trop de place », proclament les hommes ; « Il me fiche tout en l'air », gémissent les femmes, qui vont subrepticement glisser quelques graines de capucines au milieu des tomates.

Rien de fondamentalement nouveau sous le soleil de nos jardinets campagnards ; pourtant, disent les jardiniers, rien non plus n'est comme avant : les saisons ne se font plus, les graines dégénèrent, les carottes poussent fourchues : « Avant, les jardins étaient plus beaux que maintenant, les saisons étaient tranchées, l'hiver était l'hiver... »

Aquitaine

Il est entre Dordogne et Pyrénées une mosaïque de pays, une diversité infinie de paysages, pays de vins et de pins, de dunes et de lacs, de collines et de vallées, de villages médiévaux et de châteaux, d'églises et d'abbayes.

C'est le pays aux grottes magiques, où des « chapelles sixtines » à fresques de mammouths dorment sous une terre qui garde le charme des premiers matins du monde. Aquitaine : pays empreint de la présence océane, ourlé de longues vagues de dunes immobiles, pays jaune et vert, de maïs et de vignes, de chemins étouffants et de forêts de pins, pays aussi de la solitude hantée par Mauriac et Thérèse Desqueyroux, seulement troublé par une palombe ou le cri obsédant des cigales.

Aquitaine du soleil qui marie aux coups de boutoir du grand large « la verte douceur des soirs sur la Dordogne », à l'immense « pignade » parfois brûlante la fraîcheur de l'airial planté de fermes à colombage avec remplissage de torchis et au grand auvent ou sorte de galerie cintrée appelée « estendad ». Presqu'îles du vin, le Médoc et l'Entre-deux-Mers alignent leurs rangs de vignes comme à la parade au bord des allées plantées de multiples « châteaux ». Partout, les bastides, ces villes neuves du Moyen Age, offrent l'ombre de leurs « couverts » ordonnés autour de la place centrale ; de vallée ou de hauteur, leur plan régulier traduit une certaine volonté d'équité de la part de leur créateur. La variété des architectures est le reflet de la diversité des paysages : somptueuses demeures Renaissance, manoirs de calcaire doré dominant la Dordogne, fermes aux pigeonniers ornés de clochetons à toiture conique. Au sud, là où les dalles obliques des schistes plongent dans l'Océan, le Pays basque expose ses collines éternellement vertes, ses villages regroupant autour de l'église et du fronton de pelote ses maisons rouges et blanches ; c'est Ascain, là où Pierre Loti écrivait Ramuntcho, ou Ainhoa, aux poutres débordant sous les toits, couverts de tuiles rondes.

Ainsi l'Aquitaine, océan de vignes, de forêts et de sable, invite à découvrir Domme ou Moulis-en-Médoc à la vitesse du pas, en laissant le temps s'écouler au rythme des eaux ocrées de la Gironde.

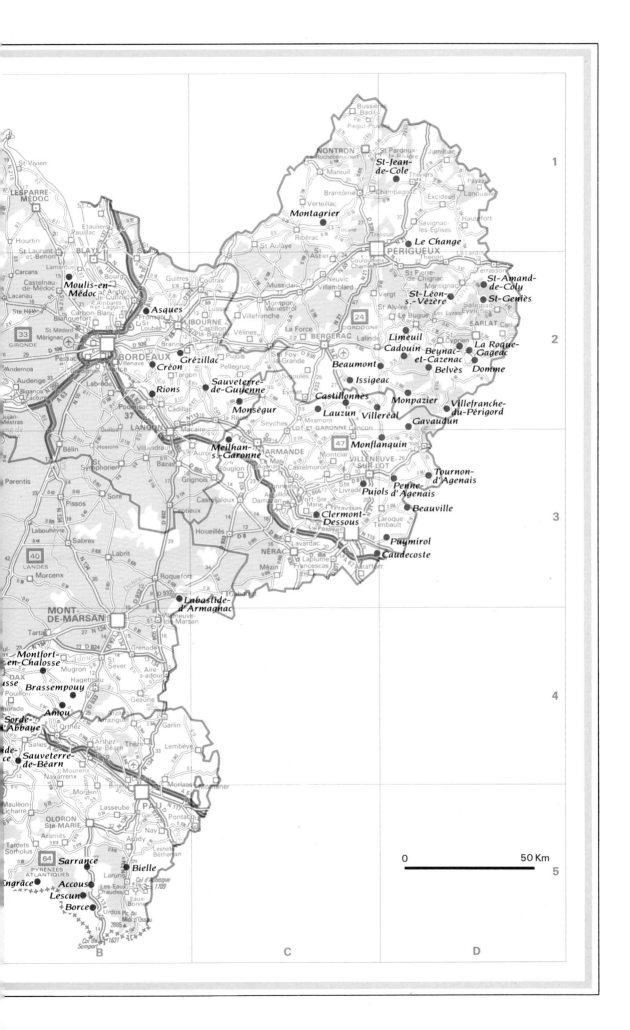

Accous
Pyrénées-Atlantiques

27 km S. d'Oloron-Sainte-Marie

Anciennement Aspaluca, étape sur la voie romaine d'Antonin, Accous fut longtemps la capitale de la vallée d'Aspe. Situé sur la Berthe, au confluent de celle-ci avec le gave d'Aspe, en un lieu où les rives du gave s'élargissent, le village est aujourd'hui le chef-lieu de canton de la vallée.

Au XIVᵉ siècle s'installa une abbaye laïque dont l'abbé résidait à Jouers, à moins de 1 kilomètre au nord d'Accous. Des bâtiments datant du XIVᵉ au XVIIᵉ siècle y subsistent encore, ainsi qu'une chapelle romane du XIᵉ siècle, et un curieux pigeonnier octogonal.

L'église d'Accous, du XVIIᵉ siècle, remaniée au XVIIIᵉ siècle, a été restaurée au XIXᵉ.

En 1840 a été érigé au bord de la Berthe un obélisque à la mémoire du poète Cyprien Despourrins, né à Accous en 1699, qui vécut à Versailles sous Louis XV.

Accous possède un potentiel touristique important. On y organise des randonnées estivales dans la montagne et le parc national des Pyrénées. Du village, un chemin balisé remontant la vallée de la Berthe, puis passant par le col d'Iseye et les gorges du Bitet, rejoint la vallée d'Ossau à hauteur du barrage d'Eaux-Chaudes. On pratique en été le deltaplane et le canoë-kayak, dans un des plus beaux sites des Pyrénées béarnaises ; en hiver, le ski de fond à Peyranide. L'activité agricole reste l'élevage.

Ainhoa
Pyrénées-Atlantiques

30 km S.-E. de Saint-Jean-de-Luz

C'est dans la première moitié du XIIIᵉ siècle que les Prémontrés décidèrent de créer à Ainhoa l'un de leurs cinq vicariats prévus sur la route de Compostelle, dans une zone de pâturages, coupés de bois de chênes, peuplée de bergers transhumants, propriété de Juan Perez de Baztan, haut personnage de la cour de Navarre. Entre celui-ci et l'abbé prémontré d'Urdax fut convenu que ce petit vicariat formerait enclave sur la propriété seigneuriale. Ce serait le bourg d'Ainhoa.

Ce bourg connut de nombreux avatars sous la suzeraineté anglaise pour redevenir en 1451, sous Charles VII, une commune française. Au moment de la guerre de Trente Ans, les incendies endommagèrent sérieusement la localité. Il ne reste, hormis l'église, qu'une seule maison, datée de 1629, antérieure à cette période. La paix des Pyrénées, en 1659, fut le signal du renouveau du village. La tourmente révolutionnaire de 1789 provoqua quelques destructions, et aussi les guerres napoléoniennes d'Espagne en 1813-1814.

Construite en grès rose, sur un plan roman avec abside semi-circulaire à voûte en cul-de-four, la masse robuste de l'église domine le bourg. La partie la plus ancienne paraît dater du début du XIVᵉ siècle. Elle fut surélevée dans la seconde moitié du XVIᵉ pour permettre l'installation d'un second étage de galeries en chêne sculpté, aux balustrades de bois tourné où l'on trouve, gravée, la date de 1649. L'église renferme un magnifique retable de style espagnol.

Devenu peu à peu un important relais muletier entre Pampelune et Bayonne, Ainhoa connut aux XVIIᵉ et XVIIIᵉ siècles la grande époque de la restauration ou de la reconstruction des maisons, dont les façades, remarquables, sont caractéristiques de l'architecture labourdine. Elles comportent au niveau du sol de grandes remises dites *lorios* qui se prolongent, en arrière, par des jardins de même largeur que la bâtisse. A l'étage logeaient les muletiers attendant de faire convoi.

Dans un pays essentiellement agricole, Ainhoa est un agréable centre de villégiature et de tourisme, passage vers Pampelune.

Amou
Landes

31 km S.-E. de Dax

Au sud de la Chalosse, dans la vallée du Luy, Amou conserve les traces de son riche passé. Son église romane surmontée d'un clocher gothique en forme de donjon abrite de belles boiseries et un maître-autel en marbre polychrome. Tout autour, les coteaux plantés de vignes et de maïs offrent de vastes horizons sur les Pyrénées. La rue principale est bordée de maisons aux façades blanchies et aux menuiseries colorées en vert, rouge, marron, gris ou bordeaux. Certaines entrées sont datées. On lit les années 1762, 1808, 1830 ou 1847. Alentour, l'architecture rappelle celle du Pays basque voisin. Les façades des fermes n'ont pas d'auvent comme dans les Landes forestières. Quelques murs conservent apparentes de belles compositions de cailloux roulés. Les ouvertures sont dans le pignon, face au levant, sous un toit à deux eaux. Celles des étables forment de grands porches voûtés.

De part et d'autre du pont qui enjambe le Luy de Béarn, la place de la Técouère, ornée de platanes centenaires, forme une large promenade au bord de la rivière. L'impression est rafraîchissante en été et forte en hiver, car ces arbres ont conservé toute leur majesté. Sous les frondaisons on aperçoit d'un côté le fronton, de l'autre les arènes. Chacun de ces édifices témoigne de la vivacité des traditions culturelles basques et landaises.

Le printemps annonce la saison des fêtes. Au rythme des bandas, les écarteurs affrontent la fougue des vaches landaises. Les restaurants alignent confits, saumons et foies gras en portions pantagruéliques.

En empruntant la route de Gaujacq (D 158), on aperçoit le château de Caupenne, qui aurait été construit par Mansart, au travers de fort belles grilles en fer forgé, au bout d'une allée majestueuse.

Ascain
Pyrénées-Atlantiques

7 km S.-E. de Saint-Jean-de-Luz

Situé sur le passage d'une voie romaine, Ascain formait, dans la première moitié de notre siècle, entre la Nivelle et la Rhune, une pittoresque agglomération avec ses fermes blanches reliées capricieusement par un réseau de chemins rustiques clôturés de larges dalles de pierre et de sentiers fleurant, selon les saisons, l'aubépine, la menthe sauvage et le chèvrefeuille.

Depuis une trentaine d'années, de nombreuses mai-

Environné de montagnes boisées d'où l'on a de magnifiques vues sur la chaîne des Pyrénées, le village d'Accous est établi dans un riant vallon que baignent les gaves d'Aspe et de la Berthe. Au fond, on aperçoit les clochers de l'église et de la chapelle de Jouers.

Les vieilles maisons labourdines d'Ainhoa se serrent le long de la route menant à la frontière espagnole. Sous le toit à double pente de tuiles rouges, un colombage très simple, brun-rouge ici, vert foncé ailleurs, tranche sur le crépi blanc de la façade.

sons et résidences secondaires moins typées ont rempli, peu à peu, beaucoup des espaces vides. Devenu en toutes saisons un important centre de villégiature en raison de son doux climat, de la proximité des belles plages de Saint-Jean-de-Luz et Hendaye et des facilités de communication avec l'intérieur du Labourd, le centre de la petite ville actuelle a malgré tout gardé son caractère typiquement labourdin : une grande place avec sa vieille église, sa mairie du XVIIe siècle, son fronton animé et ses maisons à colombage.

Cette place fut au début du XVIIe siècle le théâtre de scènes pénibles. A cette époque la Rhune fut un lieu de sabbat et de « diableries ». L'affaire alla jusqu'au roi Henri IV, qui désigna deux magistrats du parlement de Bordeaux pour réprimer les crimes de sorcellerie. Quelques sorciers et sorcières furent exécutés sur la place. Parmi eux, le propre curé du village. Plus tard, sous le règne de Louis XIV, les Azkaindars, au pied du clocher massif de l'église, qui rappelle un donjon, firent le coup de feu contre les troupes envoyées par le parlement de Bordeaux pour arrêter leur notaire, maître Martin de Chourio, syndic du Labourd.

L'église primitive, dédiée à Notre-Dame de l'Assomption, construite au XIIIe siècle, fut agrandie au XVIIe et inaugurée en 1626 sous Louis XIII. Elle compte trois étages de tribunes en bois sculpté. Le sol est recouvert de grandes dalles de pierre de la Rhune, dont quelques-unes portent des inscriptions funéraires.

Asques
Gironde

> 4 km S.-E. de Saint-André-de-Cubzac

Surplombant la Dordogne sur sa rive droite, Asques connut la prospérité au XIXe siècle comme port viticole. Encadré par l'église au sud et par le château de Barès au nord, le village se situe sur un éperon calcaire qui domine des prairies et des vignes. Ses maisons présentent de très belles façades de pierre.

Le château de Barès se trouve à l'entrée du village, au lieu dit Saint-Martin. Ancien manoir édifié au XIIIe siècle par les Barès, famille attachée à la couronne d'Angleterre, il fut fortifié au XVe et remanié au XVIe. A l'autre extrémité du village, l'église d'Asques dresse fièrement son clocher. Elle présente des vestiges romans et fut reconstruite au XVIIIe siècle. En contrebas du cimetière accolé à l'église, une place a été aménagée pour permettre d'admirer le point de vue : au pied de la falaise calcaire, la Dordogne nonchalante vient lécher les maisons du port d'Asques dans une vaste courbe majestueuse. On peut accéder au port depuis le village par la route ou par un petit escalier aménagé à cet effet. Des ruelles de terre battue desservent les habitations du port, qui disposent de pontons sur la Dordogne où s'amarrent les bateaux.

Beaumont
Dordogne

> 29 km E. de Bergerac

Beaumont du Périgord, au milieu d'un paysage doucement vallonné, où alternent les bois de chênes, les champs de maïs, les pâturages, domine plusieurs vallées, dont celle de la Couze. Cette bastide a été fondée en 1272 par Lucas de Thaney, sénéchal de Guyenne, sur ordre du roi d'Angleterre Édouard Ier, qui devait la nommer plus tard « ma première bastide royale ». De forme absolument rectangulaire, elle était entièrement entourée d'une double enceinte fortifiée ; seule subsiste la porte Luzier. La place centrale était ceinturée de cornières dont il ne reste plus aujourd'hui que trois côtés incomplets. L'un d'entre eux a été remanié au XVIIIe siècle. La plupart des maisons de la bastide datent des XIIIe et XIVe mais aussi du XVIIIe siècle. Toutes sont en bel appareil de pierre.

Érigée dès la construction de la place forte, l'église avait aussi une fonction militaire. C'était en effet le dernier réduit de la défense en cas d'attaque victorieuse de l'ennemi. Restaurée entièrement au siècle dernier, elle conserve un aspect militaire impressionnant, surtout souligné par les tours carrées qui flanquent la façade. Le portail, orné d'une galerie et d'une frise sculptée, est fermé par une porte en anse de panier qui s'ouvre sous un arc brisé à cinq voussures.

Beaumont ne vit pas que du tourisme. C'est aussi un centre commercial et artisanal très important. La polyculture, pratiquée dans de petites exploitations à caractère familial, donne des produits recherchés par tous les gastronomes : volailles, vins, fruits, truffes. Sur les parcelles les plus importantes, on trouve aussi des céréales, blés et maïs.

De la D 660 en direction de Bergerac, on aperçoit sur la gauche, dressé sur un éperon rocheux, le château de Bannes, édifié au XVe siècle.

Au nord-est, en pleine forêt, Molières est aussi une bastide anglaise du XIIIe siècle. Mais au contraire de Beaumont, elle ne fut jamais terminée. L'église gothique semble gigantesque par rapport aux modestes proportions du village.

A une dizaine de kilomètres à l'est, on s'arrêtera à Montferrand-du-Périgord (belles maisons périgourdines, halle, église romane).

Beauville
Lot-et-Garonne

> 26 km E. d'Agen

Siège d'une baronnie très importante au Moyen Age, Beauville fut tour à tour propriété de la famille Bôville et de la famille Talleyrand-Périgord.

Situé au sommet d'un promontoire dominant la rive gauche de la Séoune, ce bourg fortifié fait corps avec le rocher dont il épouse tous les contours.

Du château, édifié aux XIIIe et XIVe siècles, il reste un ensemble important mais très remanié, puisqu'il accueillit, jusqu'à ces dernières années, la gendarmerie. L'église est du XVIe siècle et a été restaurée. Elle possède une nef unique et un beau clocher pyramidal. Sur la place centrale, elle fait face à la mairie, édifice très caractéristique du siècle dernier. Les autres côtés de la place sont occupés par des maisons à cornières.

La plupart des maisons sont construites dans un bel appareil de pierre, mais certaines, plus anciennes, sont à colombage. Des restes de remparts sont encore visibles.

Placé au centre d'une région agricole où domine la polyculture, Beauville est un gros bourg commerçant, avec des marchés réguliers. L'artisanat traditionnel – objets en bois, tissages, poteries – joue aussi un certain rôle. Un plan d'eau a été aménagé pour favoriser les activités de détente.

La masse de l'église fortifiée domine la bastide de Beaumont et se voit de loin. Commencée à la fin du VIIIᵉ s. et achevée au XIVᵉ s., cette église avait été conçue pour la défense et la protection des habitants de la bastide. Les deux tours carrées qui flanquent la façade constituaient en effet de véritables donjons et s'achevaient par des mâchicoulis. Seule la tour sud (que l'on voit ici) est restée à peu près dans son état d'origine. Les maisons de Beaumont, en bel appareil de pierre, constituent un ensemble architectural digne de ce remarquable édifice.

Belvès

Dordogne

25 km S. des Eyzies

Belvès est un gros bourg juché sur un promontoire dominant la vallée de la Nauze, à l'avant du plateau boisé de la Bessède. On trouve dans cette vallée de nombreux moulins en ruine dont certains servaient jusqu'au siècle dernier à la fabrication du papier. Le bourg actuel correspond à peu près aux limites de la cité médiévale qui occupait déjà ce site défensif. A cette époque, des remparts l'entouraient complètement. Ils ont aujourd'hui disparu. Un boulevard planté d'arbres les a remplacés. Au centre du bourg de nombreuses maisons anciennes subsistent encore : la tour du beffroi qui date du XVᵉ siècle, l'ancienne maison des Consuls et l'hôtel Bontemps, du

XVIᵉ, ainsi que la tour de l'Hôpital et la tour de l'Auditoire qui mêlent dans leur décoration les derniers feux du gothique flamboyant aux délicatesses de la Renaissance. La halle de bois remonte au XVᵉ siècle. Aujourd'hui encore, elle abrite chaque mois un marché paysan actif où s'échangent volailles et produits fermiers.

Le village possède le rare privilège de disposer d'un aérodrome aménagé sur le plateau.

A proximité, Capelou est un lieu de pèlerinage encore très fréquenté. Plus au nord, à 4 kilomètres par la D 710, Siorac-en-Périgord est un pittoresque village qui domine la rive gauche de la Dordogne. Ses maisons se groupent tout autour d'un château élevé au XVIIIᵉ siècle.

Point d'industrie dans cette région, mais de nombreuses activités à caractère artisanal, et un commerce particulièrement actif pendant la période estivale.

Beynac-et-Cazenac
Dordogne

10,5 km S.-O. de Sarlat

A Beynac, on entre de plain-pied dans le monde des romans de cape et d'épée. Au sommet d'une falaise de craie blanche à pic au-dessus de la rive droite de la Dordogne se dresse le château. Nid d'aigle occupant une position stratégique, il fut maintes fois disputé, pris et repris. Occupé par Richard Cœur de Lion en 1195, il fut démantelé par Simon de Montfort en 1214, puis relevé de ses ruines.

A son pied, tellement tassées les unes contre les autres qu'on les croirait encastrées dans la paroi rocheuse, les maisons du village montrent encore leur origine médiévale : ici un pignon sculpté, là une fenêtre à meneaux, là encore un balcon ou une façade à colombage. La seule ruelle, fortement pentue, qui mène au château permet au promeneur de découvrir à chaque instant le riche passé de Beynac.

Tout en bas, sur les rives de la Dordogne, les gabarres, sortes de péniches qui transportaient le vin de l'arrière-pays vers le port de Bordeaux, s'amarraient encore au XIXe siècle aux quais bien visibles de l'ancien port.

Presque au sommet du village, l'église, à toit couvert de lauzes, construite au XIIe siècle, était à l'origine la chapelle du château. Un beau clocher-mur la surmonte.

Le château lui-même n'a rien d'une forteresse austère avec ses fenêtres à meneaux de la Renaissance et ses encadrements finement sculptés. Restauré au début du XXe siècle, il présente, à l'intérieur de deux enceintes successives, un bel ensemble de bâtiments allant du XIIe au XVIIe siècle.

De la terrasse, ou encore du haut des tours du château, on découvre un prodigieux paysage ; d'abord la rivière qui traverse mollement, de méandres en méandres, une plaine plantée de peupliers et de noyers. De toutes parts, encadrant la vallée, des collines boisées portent villages, hameaux et châteaux. Castelnaud au sud, Fayrac juste de l'autre côté de la rivière et, perdu au milieu des champs de maïs et de tabac, le château des Milandes, où naguère Joséphine Baker avait accueilli des orphelins venus du monde entier.

Bielle
Pyrénées-Atlantiques

29,5 km S. de Pau

Ancienne ville gallo-romaine, incorporée au Béarn au début du XIᵉ siècle, capitale de la vallée d'Ossau jusqu'à la Révolution de 1789, le village de Bielle connut son plein épanouissement pendant les XVᵉ et XVIᵉ siècles.

De nombreuses maisons aux fenêtres à meneaux surmontées de sculptures provenant, dit-on, d'une ancienne abbaye brûlée au XVIᵉ siècle, datent de cette époque. Le château, aux salons lambrissés, édifié au XVIIIᵉ siècle, possède une belle grille en fer forgé. L'église Saint-Vivien, robuste édifice en pierre grise avec contreforts, fut construite entre la fin du XVᵉ siècle et le dernier quart du XVIᵉ. A l'entrée du chœur, six colonnes en marbre bleu proviennent, croit-on, d'une villa gallo-romaine. La nef est encadrée par le clocher carré et par la sacristie surmontée de la salle des Jurats où se trouvaient autrefois les archives de la vallée d'Ossau. Le portail, gothique flamboyant, est orné des écussons de Gaston Phébus et de la Navarre. De part et d'autre de la porte en accolade figurent la vache et l'ours.

En empruntant la D 294 qui part vers la vallée d'Aspe, on passe devant le hameau de Bilhière, bâti en amphithéâtre juste au-dessus de Bielle et remarquable par ses vieilles maisons-fermes. L'activité de Bielle repose sur l'élevage, la production de fromages, l'exploitation forestière. Quelques fabriques de meubles de style régional se sont installées. La pêche à la truite se pratique dans le gave.

Bielle est aussi un centre de randonnées et d'excursions dans la montagne environnante ; citons celles de : bois du Boila, bois de Bergouets, col d'Aran, pic de l'Ourlène.

Borce
Pyrénées-Atlantiques

37 km S. d'Oloron-Sainte-Marie

Traversé par une ancienne voie romaine devenue chemin royal, aujourd'hui étape sur le sentier de grande randonnée nº 10, Borce est un pittoresque village avec vues panoramiques sur les Pyrénées, le Béarn et l'Espagne. Dominant le gave d'Aspe de plus de 50 mètres, il joua au Moyen Age, par sa situation escarpée, un rôle de place forte qui résista aux troupes envoyées pendant les guerres de Religion par Jeanne d'Albret, la mère du futur Henri IV. De cette époque subsistent au long de la rue principale quelques maisons des XVᵉ et XVIᵉ siècles, aux portes ogivales et fenêtres à meneaux, au nombre desquelles la Maison forte avec partie du XIIIᵉ siècle, la maison de Bernard de Sallefranque, notaire sous Jeanne d'Albret, au portail gothique armorié, la maison de Tarras du XVIIᵉ siècle. L'église, remaniée au XVIIᵉ siècle et restaurée au XIXᵉ, comporte une nef avec chapelles latérales. Le bénitier gothique à coquilles rappelle le passage des pèlerins allant à Compostelle.

A Urdaspe, cinq tumuli, dont le plus important présente une allée couverte, témoignent de l'existence d'une très ancienne transhumance.

Sur l'autre flanc de la vallée d'Aspe, se trouve le village d'Etsaut, porte du parc national des Pyrénées-Orientales. En suivant, au sud, la N 134 qui conduit au Somport, on arrive au pont de Sebers. De là, un chemin muletier conduit au chemin de la Mature. Ce sentier vertigineux, creusé artificiellement dans une paroi rocheuse et parfaitement lisse, permettait aux bûcherons de faire parvenir jusque dans la vallée les immenses troncs d'arbres rectilignes dont la marine à voile avait besoin pour les mâts de ses navires.

Ce chemin domine les gorges de l'Enfer, défilé très encaissé au fond duquel bouillonne le torrent de Sescoué. De là, on aperçoit, sur l'autre versant, le fort aujourd'hui désaffecté du Portalet, auquel on peut encore accéder par le pont de l'Enfer et un escalier de 506 marches. De nombreuses personnalités politiques : Blum, Mandel, Gamelin, y ont été incarcérées.

Le château des barons de Beynac, véritable nid d'aigle fièrement dressé sur le rebord d'une falaise bordant la Dordogne, baigne dans une atmosphère de légendes. A son pied, les maisons du village montent en grappes serrées depuis la route de la vallée.
Le séchoir à maïs, au premier plan, évoque l'une des principales productions de la région.

Brassempouy
Landes

37 km S. de Mont-de-Marsan

Célèbre par ses grottes préhistoriques, Brassempouy propose à ses visiteurs un spectaculaire panorama sur les collines chalossaises jusqu'au Béarn et aux Pyrénées.

Ce village porte un nom universellement connu. C'est là, derrière un bosquet en retrait de la D 58, que se trouve la grotte du Pape. Piette et Laporterie y ont découvert en 1894 la Dame à la Capuche, premier visage humain de la préhistoire, taillé dans l'ivoire de mammouth 23 000 ans avant Jésus-Christ. Aux mois de juillet et août, des fouilleurs de toutes nationalités étudient encore ce site, ainsi que la grotte des Hyènes, découverte en 1985. Le village est situé sur l'axe d'un promontoire naturel. Sur la rue unique, dans l'ancien château de Poudenx, le musée municipal expose des reproductions des principales statuettes féminines découvertes de par le monde. Autour, les maisons sont simples, en enfilade, de volumes identiques, et aux couleurs de terre en automne. L'église remonte à l'époque romane, avec un clocher flamboyant et une tour-porche du XIIIe siècle. Par temps clair, de l'esplanade derrière l'église, on découvre une vue splendide sur 51 clochers des environs. Le paysage est typique de la Chalosse, avec ses coteaux cultivés et ses vallons forestiers. La route de crête (D 58) qui va vers Donzacq est un itinéraire à ne pas manquer.

Cadouin
Dordogne

46 km E. de Bergerac

Blotti au milieu d'un cirque de collines perdues dans la forêt de la Bessède, Cadouin respire l'harmonie et la douceur de vivre. Ses maisons, selon la lumière du soleil, prennent tour à tour des teintes allant des bruns doux mêlés de gris à l'ocre clair.

Le village, installé au carrefour des routes qui menaient des bastides de Beaumont et de Monpazier à la vallée de la Dordogne, s'est organisé autour de son abbaye et de sa halle de bois aux piliers de pierre qui semble aujourd'hui bien trop vaste pour ce modeste village. En effet, Cadouin, qui dépend aujourd'hui de la commune de Buisson, s'est un peu assoupi. Pourtant, jusqu'au début du XXe siècle, les pèlerins y étaient nombreux. Ils venaient vénérer une pièce de tissu rapportée d'Antioche en 1117 par Adhémar de Monteil, évêque du Puy, et qui passait pour être l'authentique suaire du Christ. Une expertise effectuée en 1932 établit que le « suaire » ne datait en réalité que du XIe siècle.

Le bourg, après plus de huit siècles de prospérité, se vida presque d'un seul coup. De cette splendeur passée, il reste l'abbaye, qui est un des derniers exemples complets d'abbaye cistercienne, et les maisons qui, depuis le haut Moyen Age, accueillaient les pèlerins. Toutes sont recouvertes de belles tuiles rondes. Seul le clocher est de bardeaux de châtaignier de couleur noire.

Chaque mois, la halle revit à l'occasion du marché où les agriculteurs viennent proposer leurs produits et Cadouin est aussi un des hauts lieux des amateurs de cinéma, puisque c'est ici que naquit Louis Delluc, l'un des pères du septième art.

Canon (Le)
Gironde

6 km N. de Cap-Ferret

Le Canon est l'un des villages ostréicoles de la côte noroît du bassin d'Arcachon, situé sur le territoire de la commune de Lège-Cap-Ferret. Il est composé de cabanes de pêcheurs et d'ostréiculteurs. Ce sont de petites maisons en bois peintes de jolies couleurs gaies. Aucune barrière ne délimite les parcelles. Implanté sur le territoire du Domaine public maritime, ce village a un statut foncier particulier : les ostréiculteurs et professionnels maritimes sont prioritaires pour s'installer dans ces cabanes, afin de pouvoir travailler en bordure du Bassin.

Le village du Canon s'étire au creux d'une petite conche entre la route de Cap-Ferret et le rivage. Il s'arrête, au sud, à la limite d'un tertre parsemé de pins maritimes sur lequel est bâti l'hôtel de ville. Les nombreuses cabanes de pêcheurs, de part et d'autre de l'étroite rue Sainte-Catherine parallèle au rivage, sont séparées par des ruelles se coupant à l'équerre. Cédant au charme de ce lieu, le promeneur se laissera séduire par la vue sur le Bassin : dans la brume les maisons sur pilotis de l'île aux Oiseaux et au couchant la ligne boisée des dunes de Cap-Ferret. A l'heure de la marée les ostréiculteurs quittent le port du Canon sur leurs pinasses pour se rendre sur les parcs à huîtres du Bassin.

Castillonnès
Lot-et-Garonne

33 km N. de Villeneuve-sur-Lot

A la limite des départements de la Dordogne et du Lot-et-Garonne, Castillonnès semble monter la garde, perché sur son éperon.

C'est une ancienne bastide, fondée en 1259 par Alphonse de Poitiers, frère de Saint Louis. Elle fut par la suite entourée de fortifications sur ordre du roi d'Angleterre. Durant la guerre de Cent Ans, puis au temps des guerres de Religion, elle eut à souffrir de nombreux sièges, entraînant destructions et incendies. Le territoire sur lequel a été édifiée la bastide dépendait de l'abbaye de Cadouin. C'est la raison pour laquelle on trouve sur la place les vestiges de l'ancienne maison abbatiale du XIIIe siècle.

La place centrale était ceinturée de cornières, dont elle conserve le nom. Sur un côté, la maison dite de Carbonnier était celle des gouverneurs de la bastide. A un angle, un bâtiment détonne par son allure ; construit au début du XXe siècle dans un style maniéré, il n'en reprend pas moins le rythme des arcades, le rez-de-chaussée servant de halle.

Dans une rue toute proche, une intéressante demeure du XVIIIe siècle est attribuée à l'architecte Louis, celui qui réalisa le théâtre de Bordeaux. L'église, qui remonte à la fondation de la bastide, a été entièrement remaniée au siècle dernier. Le presbytère est un bel édifice du XVIIIe siècle.

Dans les rues régulièrement tracées, qui se coupent à angle droit, les maisons conservent leur volume d'autrefois, mais ont été souvent transformées pour s'adapter à leur utilisation nouvelle. Car Castillonnès est un bourg très commerçant, possédant des fabriques artisanales, qui traitent sur place une partie de la production agricole des alentours : conserves fines, charcuteries, foies gras.

Clermont-Dessous est un village perché sur une colline d'où l'on découvre parfaitement la riche vallée de la Garonne. Derrière les ruines de l'ancien château se dresse l'église, autrefois fortifiée.

Caudecoste
Lot-et-Garonne

18 km S.-E. d'Agen

Caudecoste est une bastide de forme inhabituelle : elle est ronde. Fondée au XIIIe siècle, elle était à l'origine entourée de remparts et de fossés reliés à la ville par deux ponts-levis. La place centrale est particulièrement typique, avec ses cornières, soutenues ici par des piliers de bois et non, comme on le rencontre le plus souvent, par des colonnes de pierre. De nombreuses maisons ont conservé leurs pittoresques pans de bois en encorbellement, qui débordent sur la chaussée. L'une d'entre elles possède encore une tour qui servait aux guetteurs à donner l'alarme.

Placé au cœur de la riche vallée de la Garonne, Caudecoste est un bourg commerçant, de petit artisanat, dont le caractère rural a attiré de nombreux résidents.

Change (Le)
Dordogne

12,5 km E. de Périgueux

Pour franchir l'Auvézère il a fallu de tous temps passer par Le Change. A cet endroit, en effet, la rivière se resserre dans un méandre et son lit, coincé entre deux rangées de collines boisées, n'est pas bien large.

C'était, il y a encore moins d'un siècle, le passage le plus praticable pour arriver à Périgueux. Le site a donc toujours été fortement défendu. Il en reste un château restauré ces dernières années, trop peut-être au goût des puristes de l'architecture militaire du XVe siècle, un pont à avant-bec, qui franchit la rivière depuis le Moyen Age, et ici et là quelques maisons fortifiées, pour la plupart recouvertes de grands toits de tuiles plates et dont les façades,

malgré les restaurations successives qui ont commencé dès la Renaissance et se sont poursuivies jusqu'au XVIIIe siècle, conservent des éléments de l'architecture d'origine.

Au sud-est, sur un éperon rocheux, la chapelle d'Auberoche est tout ce qui reste d'un autre château fort qui défendait le passage et qui fut démantelé pendant la guerre de Cent Ans.

Le Change est surtout devenu un village de résidences secondaires où viennent se reposer les habitants de Périgueux. Les quelques agriculteurs qui y vivent encore cultivent le tabac, et les céréales dans la plaine de l'Auvézère.

Clermont-Dessous
Lot-et-Garonne

19 km O. d'Agen

Une seule route, très pentue, conduit à Clermont-Dessous, une ancienne place forte mentionnée dès le XIIIe siècle. Des restes de remparts et une porte d'enceinte rappellent l'existence d'un système défensif. On peut suivre à pied le chemin de ronde qui fait le tour du bourg.

Les maisons, en bel appareil de pierre patinée par le temps, conservent, malgré de multiples restaurations ou adaptations, une certaine austérité médiévale. L'église, datée du XIe siècle, mais plusieurs fois remaniée, était autrefois fortifiée. Elle présente une belle coupole octogonale. En arrière, au bout d'une petite esplanade, les ruines du château fort, à l'allure romantique avec sa végétation envahissante, surveillent la route d'accès.

Clermont-Dessous est au centre d'une région agricole dynamique où dominent les céréales et, dans la vallée, la culture intensive des fruits et légumes. Des hauteurs qui surplombent le village, on aperçoit, à l'ouest, les maisons de Port-Sainte-Marie et, au nord, la vallée de la Masse serpentant au milieu de collines arides.

Le Change. Près du pont qui franchit l'Auvézère, le vieux moulin conserve sa roue, souvenir de l'époque toute proche où on lui portait du grain à moudre. Il a été bien restauré. ▷

Construite au XVIᵉ s., l'imposante demeure du gouverneur de Domme, flanquée d'une tourelle ronde, ouvre sur la place de la Halle. Naguère justice de paix, celle-ci est surmontée d'un étage à balcon de bois. Au-dessous se trouve l'entrée des grottes, et derrière, dans une des plus belles maisons de la place, a été installé un musée d'art et de traditions populaires.

Créon
Gironde

24 km E. de Bordeaux

Dans ce pays d'Entre-deux-Mers qui s'organise entre la Dordogne et la Garonne (peu avant qu'elles ne se rassemblent pour former la Gironde), le bourg de Créon a su garder tout son caractère. Ancienne bastide fondée au début du XIVᵉ siècle par Amaury de Craon, sénéchal du roi d'Angleterre en Aquitaine, Créon possède encore aujourd'hui une charmante place entourée de couverts sur trois de ses côtés : la place de la Prévôté, où se situe l'hôtel de ville. Le promeneur découvrira avec plaisir de belles maisons aux façades de pierre et aux toits couverts de tuiles canal dans les vieilles rues du village. Elles sont pour la plupart en bon état et ont souvent été habilement restaurées. Le très beau clocher-porche a été ajouté au XVIIᵉ siècle à l'église gothique.

Aujourd'hui, Créon est un centre économique actif et prospère qui abrite plusieurs coopératives agricoles et une cave coopérative des vins d'Entre-deux-Mers. Foires mensuelles, marché du mercredi et fête locale le premier week-end de septembre animent ce village.

Domme
Dordogne

12,5 km S. de Sarlat

Campée orgueilleusement sur son rocher abrupt qui domine la vallée de la Dordogne, la vieille bastide de Domme, dans l'enceinte de ses remparts à demi cachés par la végétation, rappelle une histoire tumultueuse. A l'avant de la bastide, les ruines du château portent la trace d'enceintes successives. A la fin du premier millénaire, il a vu refluer vers l'Espagne les hordes sarrasines et remonter les bateaux allant au pillage.

La bastide, telle qu'elle apparaît aujourd'hui, fut bâtie au XIIIᵉ siècle, à l'initiative de Philippe III le Hardi, qui avait compris la valeur stratégique du site. Ses murailles découronnées subsistent presque toutes, ainsi que les anciennes portes fortifiées. La maison du Gouverneur, édifice du XVIᵉ siècle, s'élève en face de la halle, qui est surmontée d'un étage. Dans la rue de l'Abbaye, on peut voir les restes d'un cloître du XVIᵉ siècle. Il faut parcourir les rues étroites de la bastide un soir d'été, lorsque les nombreux visiteurs se sont retirés, pour comprendre ce que pouvait être la vie dans cet espace clos, à la fois colonie de peuplement et centre stratégique pour toute la région. Domme recèle dans ses flancs des grottes magnifiques, marquées par la nature et par l'homme, que l'on peut admirer en partie depuis l'entrée qui s'ouvre sous la vieille halle.

Du haut de sa célèbre Barre, sorte de vaste terrasse, c'est un peu de l'histoire du Périgord que l'on peut imaginer devant le grandiose panorama que les siècles passés ont su transmettre et respecter.

Espelette
Pyrénées-Atlantiques

26,5 km E. de Saint-Jean-de-Luz

Ce charmant village du Labourd, blotti dans un nid de verdure au pied du Montdarrain, est traversé par le Laxia, petite rivière à truites qui se jette dans la Nive à Ustaritz.

Les rues sinueuses sont bordées de vieilles maisons labourdines à pignons et encorbellement. Les murs blancs contrastent avec les volets de teintes traditionnelles. Groupées autour du château, maison forte à grosse tour reconstruite au XVIIe siècle qui abrite aujourd'hui la mairie et le presbytère, elles donnent au village un aspect médiéval.

En contrebas du bourg près de la rivière se trouvent le fronton et l'église-forteresse du XVIIe siècle, flanquée de contreforts et d'un clocher-donjon. Dédiée à saint Étienne, c'est une des plus belles églises du Pays basque.

Le village possède une tannerie et a, d'autre part, une grande activité agricole. Il s'y tient un marché toutes les deux semaines, le mercredi, et de célèbres foires annuelles : foire aux pottoks le dernier mercredi de janvier, fête du piment, fin octobre. Espelette est une étape gastronomique réputée. Les spécialités culinaires du terroir sont le hacho (le veau aux piments) et la piperade, où la douceur de la tomate s'allie au piquant du piment.

Gavaudun
Lot-et-Garonne

28 km N.-E. de Villeneuve-sur-Lot

La Lède traverse ici une gorge étroite. Un immense donjon de six étages, construit entre le XIIe et le XIVe siècle, couronne une muraille de rocher qui tombe à pic dans le torrent. Un chemin contourne l'amas rocheux et mène au village, gardé par une porte fortifiée dont les salles sont le cadre d'expositions temporaires. Les autres maisons, médiévales ou Renaissance, toutes en pierre, ont été soigneusement restaurées. Le village vit presque exclusivement du tourisme et de l'artisanat d'art.

Grézillac
Gironde

39 km E. de Bordeaux

Situé légèrement à l'écart de la D 936 qui relie Bordeaux à Branne et se dirige ensuite vers Bergerac, Grézillac est un petit village très bien conservé qui domine une campagne où la vigne est omniprésente. Sa jolie place publique est bordée par une église romane et par un massif clocher fortifié du XIe siècle coiffé d'une coupole byzantine unique dans la région.

Sur le territoire de la commune, près de la jolie petite ville de Branne, le hameau de pêcheurs Pey-du-Prat offre un remarquable point de vue sur la Dordogne. Composé de maisons très pittoresques, il abrite un ancien port sur la Dordogne. La commune de Grézillac a un territoire très étendu qui compte d'anciens manoirs féodaux, de très belles chartreuses et maisons bourgeoises des XVIIIe et XIXe siècles en pierre de taille et plusieurs moulins.

Hastingues
Landes

38 km E. de Bayonne

La bastide d'Hastingues domine la plaine du pays d'Orthe que traverse le gave de Pau.

Sur la rive gauche des Gaves réunis, gave de Pau et gave d'Oloron, aux confins des Landes et des Pyrénées-Atlantiques, le village apparaît brusquement sur un promontoire qu'encadrent deux plaines alluviales qu'on appelle ici des barthes et qui en période de crue sont recouvertes par les eaux.

Du village on domine un méandre évasé des Gaves réunis qui enserre de vastes champs plantés de maïs. Vers le sud, le regard se porte sur un paysage étonnamment varié, composé de vallons, de bosquets, de champs cultivés. Lorsqu'on arrive de Peyrehorade par la D 23, la première chose qui s'impose, c'est l'énorme masse du château d'Estrac ; construit au XVIIIe siècle, il forme une sorte de balcon au-dessus de la rivière.

Hastingues doit sa fondation à un traité passé en 1289 entre Édouard Ier, roi d'Angleterre et duc d'Aquitaine, et les moines de l'abbaye d'Arthous. Ce traité, signé au nom d'Édouard par le sénéchal de Gascogne, Jean de Hastings, prévoyait en ce lieu la fondation d'une bastide. De cette époque, Hastingues a conservé ses fortifications, une porte, ses maisons anciennes et surtout son plan général. Ce dernier témoigne d'un souci d'ordonnance très strict, mais les particularités du site ont contraint les constructeurs à modifier son immuable géométrie. La rue du centre est constituée d'un alignement continu de maisons aux façades à pignons de même largeur. Elle n'a pas l'animation que l'on trouve généralement au cœur des bourgs de cette importance. En effet, les activités économiques se sont développées à l'extérieur. Ici, c'est la couleur qui crée l'ambiance. Comme au Pays basque tout proche, le blanc domine sur les façades. En revanche, les volets sont vert foncé, rouges ou bruns. De nombreuses maisons présentent des portes en anse de panier, des fenêtres ouvragées à meneaux, des percements intéressants. Les proportions sont toujours harmonieuses.

Au fond de la rue principale apparaît la porte sud-ouest de la bastide. Elle s'ouvre dans une tour rectangulaire traversée par un passage voûté en berceau brisé. Des fragments de murs sont attachés à sa face nord-ouest. Autrefois, cette porte était encadrée par des remparts de terre. Près de la tour, la maison dite du Chevalier ou du Gouverneur, en ruine, conserve encore une belle porte gothique.

L'axe de la rue est cassé dans sa partie nord-est par la place en légère déclivité. On y trouve l'église, la mairie, la maisons des jurats des XVe-XVIe siècles, qui se remarque par ses fenêtres à meneaux sur les deux étages supérieurs. Le rez-de-chaussée était autrefois constitué d'arcades qui ont été bouchées.

Le bourg ne compte que deux rues et des chemins transversaux. Pour découvrir le site et les paysages environnants, il faut emprunter la voie périphérique au bourg en forme de chemin de ronde.

A environ 2 kilomètres à l'ouest s'élève l'abbaye d'Arthous. Fondée vers 1176 par les moines de l'ordre des Prémontrés, elle témoigne de l'importance du pays d'Orthe au début du second millénaire. Avec l'abbaye de Sorde, voisine, c'est le deuxième établissement monastique au sud du gave érigé sur le passage des pèlerins de Compostelle.

Issigeac
Dordogne

19 km S.-E. de Bergerac

La légende rapporte que la déesse égyptienne Isis, séduite par les charmes de ce pays, aurait tracé le sillon circulaire de son domaine, véritable fondation de l'actuel bourg d'Issigeac. Ce sillon correspondrait à la ceinture de remparts et de fossés baignés par la Banège, qui enserraient les vieilles maisons à toits pointus, pressées les unes contre les autres en bordure des rues étroites et tortueuses. Les restes des remparts se fondent aujourd'hui dans le mur extérieur d'habitations qui ont trouvé là un moyen facile – et solide ! – de s'établir. Très souvent construites de bois et de torchis, que l'on devine sous l'enduit, les maisons débordent parfois sur la chaussée, accentuant le pittoresque de ces lieux.

La guerre de Cent Ans puis les troubles des guerres de Religion ont plusieurs fois meurtri Issigeac. Du XVe siècle, on retiendra la Prévôté, appuyée contre le rempart, et la maison à têtes de bois, le long de la rue principale. Dès la Renaissance s'édifie l'église. Au XVIIe siècle, l'évêque de Sarlat construisit, à l'emplacement de l'ancienne forteresse, un nouveau château, résidence agreste organisée pour le calme et le repos. Flanqué de deux pavillons à tourelles en encorbellement, il est devenu, après d'importantes restaurations, un lieu de rencontres.

La région d'Issigeac est connue pour ses vins réputés qui bénéficient de l'appellation de Bergerac et de Monbazillac. Élevage et cultures, souvent céréalières, sous-tendent également l'économie du lieu, où un effort particulier est entrepris pour développer le tourisme.

Dans la partie sud de la commune, de curieuses maisons à empilage de poutres de bois rappellent les isbas par leurs techniques d'assemblage. Il en reste peu d'exemplaires.

Labastide-Clairence
Pyrénées-Atlantiques

26 km E. de Bayonne

Fondée en 1312 par Louis X le Hutin, roi de France et de Navarre, peuplée par des immigrants venus de Gascogne, cette bourgade forme un îlot gascon en Pays basque. Au XVIIe siècle la population reçut l'appoint de juifs fuyant l'inquisition espagnole. Au-dessus de l'église, dans un champ, un petit cimetière juif embroussaillé témoigne ici de leur passage. La place principale du village, rectangulaire avec des constructions à arcades, est typique des bastides ; les maisons anciennes à colombage et encorbellement comportent parfois des linteaux sculptés. L'église possède un porche roman, elle fut remaniée aux XVIIe et XVIIIe siècles. Sa particularité est due à son déambulatoire extérieur couvert dont le dallage est formé de dalles funéraires.

Le village s'étend au flanc de la vallée de la Joyeuse qui se jette près d'Urt dans l'Adour. A une époque où les chemins étaient rares et peu sûrs, la possibilité de communiquer directement par voie d'eau avec Bayonne a maintenu pendant une longue période l'activité du village en facilitant l'écoulement vers la ville de la production agricole de la région.

La campagne environnante, formée de vallons boisés, est un pays de polyculture et d'élevage de che-

Ces façades, appareillées en pierre, brique et bois, donnent sur la place Royale de Labastide-d'Armagnac. Henri IV, qui confia la bastide aux protestants, aurait utilisé cette place comme modèle pour la construction de la place des Vosges, à Paris.

vaux et de vaches de course. On visitera au nord l'abbaye bénédictine de Belloc et sa chapelle de style d'avant-garde et, un peu plus loin, le couvent des sœurs bénédictines, qui exercent des activités agricoles. Dans la première, on goûtera ses fromages de brebis ; dans l'autre, on appréciera ses fromages de vache et son beurre. On verra à Ayherre, à quelques kilomètres au sud, les ruines du château de Belzunce où fut signé en 1451 le traité qui mettait fin à trois siècles d'occupation anglaise, à Isturits les grottes d'Oxoceylhaya avec leurs peintures rupestres uniques au Pays basque.

Labastide-d'Armagnac
Landes

28 km E. de Mont-de-Marsan

Labastide-d'Armagnac est située dans le bas Armagnac, à la limite du Gers.

Fondée au XVIIIe siècle par le comte d'Armagnac, c'est la plus pittoresque des bastides landaises. Son urbanisme témoigne du caractère volontaire de la fondation de ces villes neuves du sud de la France édifiées en quelques années, aux XIIIe et XIVe siècles, par les rois d'Angleterre et leurs sénéchaux. Seule l'ancienne enceinte a disparu. Les rues et ruelles de la bastide formant damier convergent vers une vaste place rectangulaire : la « place royale ». Une remarquable église romane au clocher massif et la mairie occupent l'un de ses côtés. Les couverts y sont de bois et de pierre, sans unité de forme ou de matériaux. Détail de l'urbanisme, sur la place Royale les façades sont sans pignon tandis qu'ils sont présents sur la rue.

Au quartier de Géou, à 2 kilomètres du bourg, une modeste chapelle, Notre-Dame-des-Cyclistes, ac-

Lescun, petit village aux toits d'ardoise, est adossé à une soulane, face au magnifique cirque de même nom, qui est, durant l'été, un important alpage pour les troupeaux montant de la plaine. A droite, le pic d'Anie (2 504 m), scintillant au soleil.

cueille régulièrement les rois de la « petite reine ». C'est dans les années 50 que l'abbé Massié, curé de Créon-d'Armagnac, surnommé le « pape du cyclotourisme », a créé ce « sanctuaire national des cyclistes ». Les champions y viennent en pèlerinage à la Pentecôte. La chapelle originelle datait du XIe siècle. L'actuelle a été reconstruite sur les ruines de l'ancienne ville fortifiée de Géou, brûlée en 1335 par le Prince Noir. Le bocage, le vignoble, les vallons et les coteaux de cette région fertile recèlent des sites pittoresques et un grand nombre de fermes et de chais à l'architecture rurale traditionnelle.

Lauzun
Lot-et-Garonne

45 km N.-O. de Villeneuve-sur-Lot

Lauzun fut érigé en duché par Louis XIV en faveur du fameux maréchal de Lauzun, favori de la Grande Mademoiselle. Le village est situé sur un mamelon occupé d'un côté par le château et, de l'autre, par le village. Pour découvrir le château, il faut pénétrer dans le parc. Cette demeure du XVIe siècle présente une belle façade sur cour, une partie Renaissance et, au centre, un pavillon coiffé d'un dôme construit au XVIIe siècle par Lauzun. L'église est un bel édifice gothique sur bases romanes qui fut restauré au siècle dernier. Près de la place centrale, rue Eugène-Mazelie, une curieuse maison à cariatides attire l'attention. En bordure du village une belle demeure fut sans doute un prieuré.
A l'écart des grandes voies de communication, Lauzun a conservé tout son caractère, avec ses toits de tuiles aux pentes irrégulières dominés par le clocher de l'église et ses murs de belles pierres grisées par le temps. La vie s'y écoule paisible, au rythme des saisons, au milieu d'un monde rural animé l'été par les migrations touristiques.

Lescun
Pyrénées-Atlantiques

36 km S. d'Oloron-Sainte-Marie

Lescun est situé sur la bordure du cirque dolomitique qui porte son nom, cirque grandiose de pics calcaires, pic d'Anie, pics de Peneblanque et de Billare, Table des Trois Rois, pic et aiguilles d'Ansabère qui jalonnent la frontière espagnole.
La Table des Trois Rois doit son nom au fait que les rois d'Aragon, de Navarre et de Béarn auraient pu, au Moyen Age, s'y rencontrer sans qu'aucun sorte de son État. La contrée constitua l'une des douze baronnies du Béarn. La rivalité resta toujours vive entre voisins des deux côtés des Pyrénées. En septembre 1794, un bataillon de troupes pyrénéennes, en garnison dans la vallée, repoussa avec l'aide des habitants une division espagnole qui avait franchi la frontière.
Le village date du XIe siècle, on y trouve encore des maisons des XVe et XVIe siècles, un vieux château et une tour de défense décrépie du XIVe siècle. L'église, dédiée à sainte Eulalie, possède un clocher carré à contreforts romans ; la porte en accolade date du XVIe siècle.
Lescun est une station climatique d'été, où passe le chemin de grande randonnée n° 10, sur lequel se trouve l'important refuge de Labérouat.
Le cirque de Lescun est le domaine des estives. En été, il se couvre de troupeaux de brebis, de vaches et de chevaux. Au printemps, le sol est parsemé de fleurs. Lis des Pyrénées, iris, soldanelles, rhododendrons aux fleurs rouges se mêlent aux saxifrages, gentianes, fritillaires et chardons bleus. Près des cascades fleurit l'asphodèle. Sur les vastes replats, dans une enceinte de forêts et de pics, les prairies sont parsemées de fermes et de granges que séparent des haies et des clôtures.
On pêche la truite dans les ruisseaux, et aussi, dans les lacs, l'ombre-chevalier. Pendant la période de la chasse, on peut y poursuivre l'isard, difficile à approcher, le grand tétras, qui se gave de myrtilles, et, au détour d'une sente, rencontrer l'ours, actuellement protégé.

Limeuil
Dordogne

40,5 km E. de Bergerac

C'est à Limeuil que se trouve le confluent de la Vézère et de la Dordogne. Un port de batellerie très actif occupait autrefois le pied de la falaise.

Pour accéder au bourg, enfermé jadis dans ses enceintes successives, il faut franchir une première porte qui a conservé ses défenses. Passé cette porte, une rue en pente raide grimpe à travers le bourg. Les maisons massives, faites de belles pierres, aux toits très pentus, paraissent défier le temps. Un réseau de petites rues, montantes et descendantes, s'entrecroisent en délimitant des groupes de maisons, dont les volets restent aujourd'hui trop souvent clos. La cité médiévale, si active et d'une importance capitale sur le plan stratégique, s'est quelque peu assoupie.

Au bout de cette ascension, on parvient sur un terre-plein, délimité par deux autres portes également fortifiées. La vieille église a conservé son chœur du XIVᵉ siècle, mais a été très restaurée au siècle dernier. Un peu plus loin, le château du XIIIᵉ siècle est totalement ruiné.

Du haut de ce promontoire, l'œil n'en finit pas de contempler le cingle, courbe naturelle de la Dordogne, le doux camaïeu des champs fertiles cultivés avec soin, les horizons lointains aux formes arrondies. Pour franchir Vézère et Dordogne, deux ponts coudés se rejoignent à angle droit. On peut aussi rêver à la belle Isabelle de Limeuil, nièce et demoiselle d'honneur de Catherine de Médicis.

Dans la vallée, la petite église Saint-Martin, du XIIIᵉ siècle, élevée en commémoration du meurtre de Thomas Becket, a conservé son cimetière.

Par la route de crête D 31, on accède, à quelques kilomètres à l'ouest, à autre cingle, également prestigieux, celui de Trémolat, aux trois escarpements rocheux séparés par de profonds ravins.

Meilhan-sur-Garonne
Lot-et-Garonne

13,5 km O. de Marmande

Du haut d'une colline dominant le canal latéral et une large boucle de la Garonne, Meilhan jouit d'un panorama très large sur les coteaux plantés de vergers du Marmandais. Certains jours, la vue porte jusqu'à Agen, à 60 kilomètres au sud-est.

A l'origine lieu de défense, Meilhan est devenu un grand bourg rural, résidentiel et commercial. Au siècle dernier, la création du canal latéral à la Garonne a entraîné la réalisation, en ce lieu, d'un port destiné à accueillir les péniches en transit. Ce port existe toujours. Péniches et bateaux de plaisance s'y côtoient aujourd'hui.

L'accès au bourg peut se faire soit par un cheminement piéton depuis le port, soit, pour les automobilistes, par une route en forte pente, à travers les vergers et les champs de tomates. Les maisons sont typiques de l'habitat local : généralement à un étage, à façades étroites, avec un petit jardin à l'opposé de la rue. Les toits sont en tuiles rondes, et les murs faits de pierres crépies. Au centre du village, la place avec son kiosque est aussi une sorte de terrasse où le promeneur peut contempler la Garonne, qui n'en finit pas de s'étirer.

Monflanquin
Lot-et-Garonne

17 km N. de Villeneuve-sur-Lot

Sur une butte isolée qui domine la vallée de la Lède, le site de Monflanquin a été occupé dès la préhistoire. On pense aussi qu'il y eut, au Xᵉ siècle, un premier château sur cette hauteur, mais il n'en reste plus de trace.

C'est en 1279 que le frère de Saint Louis, Alphonse de Poitiers, reçoit la « montagne » de Monflanquin (en latin : *Monsflanquinus*) pour y créer une bastide. Les géomètres dessinèrent la place centrale, le tracé des rues délimitant des quadrilatères réguliers et les parcelles profondes des futures maisons. Chaque nouvel occupant reçut un lot à l'intérieur des murs pour édifier sa maison et un lot autour des murs pour le jardin. Les remparts qui défendaient la ville étaient hérissés de onze tours détruites au cours des guerres de Religion. Car la bastide a été souvent ruinée et reconstruite. Le Prince Noir, qui commandait les armées anglaises, séjourna à Monflanquin ; une maison de la rue Sainte-Marie porte son nom.

La place centrale a conservé ses cornières caractéristiques, mais la halle centrale a disparu au XIXᵉ siècle. L'église, légèrement décentrée, a été construite en même temps que la bastide, mais a été modifiée au XVIIᵉ, puis au XIXᵉ siècle.

Aux abords de la bastide, des quartiers nouveaux se sont créés, soulignant la vitalité de ce gros bourg commerçant et touristique, rayonnant sur une campagne agricole qui délaisse de plus en plus les techniques et les cultures traditionnelles pour se reconvertir dans les primeurs, selon les méthodes les plus modernes. Un vaste plan d'eau attire de nombreux visiteurs durant la saison estivale.

Monpazier
Dordogne

45 km S.-E. de Bergerac

Construite en bordure d'un ensemble de collines boisées dominant le Dropt, Monpazier est sans doute l'exemple le mieux conservé et le plus typique des nombreuses bastides fondées au XIIIᵉ et XIVᵉ siècle par les rois de France ou les ducs d'Aquitaine, rois d'Angleterre.

Monpazier a été créée en 1285 par Jean de Grailly, sénéchal d'Édouard Iᵉʳ, roi d'Angleterre, au terme d'un contrat de pariage passé avec Pierre de Gontaut, seigneur de Biron. Cette colonie de peuplements devait aussi servir de poste de surveillance et de défense des routes allant de l'Agenais vers le Périgord. De fait, Monpazier tomba aux mains des Anglais, puis des Français, avant d'être secouée par la Réforme.

La bastide est bâtie sur un plan rectangulaire, orienté nord-sud, de 400 mètres sur 220 environ. Elle est parcourue par des rues rectilignes, se coupant à angle droit et débouchant sur les portes de la ville, fortement défendues. Ces portes commandent encore les entrées de la bastide. La place centrale est entourée de profondes maisons du XIIIᵉ siècle qui, pour la plupart, ont conservé leurs arcades, les « cornières ». Les maisons n'étaient pas mitoyennes ; un léger espace ménagé entre elles, appelé « androne », servait de coupe-feu et de vide sanitaire. La halle, du XVIᵉ siècle, avec sa belle char-

pente, abrite toujours les mesures autrefois en usage les jours de marché.

Commencée en même temps que la bastide, la vaste église a été modifiée par la suite. Le portail d'entrée est flanqué au sud d'un enfeu du XIVe siècle et présente de belles sculptures.

La commune de Monpazier est une des plus petites communes de France, puisqu'elle correspond très exactement aux limites de la bastide. C'est assez dire que ses activités économiques se limitent au commerce et à l'artisanat, orientés durant la saison estivale vers un tourisme toujours très actif.

A quelques kilomètres au sud, le château de Biron occupe le sommet d'un mamelon d'où il domine la région. Il est constitué d'un ensemble de constructions disparates, mais de grande qualité, qui lui donnent un charme très particulier. Le petit village qui s'étire à son pied fait l'objet d'une mise en valeur méthodique et justifiée.

Monségur
Gironde

24 km N.-E. de La Réole

Dominant la vallée du Dropt, le village de Monségur se dresse fièrement du haut de ses remparts. Tout en teinte ocre, celle des pierres calcaires de la région, ce village présente une homogénéité et une qualité architecturale qui prennent un charme particulier sous le chaud éclairage du soleil couchant.

C'est en 1265 qu'Éléonore de Provence, femme d'Henri III Plantagenêt, octroie la première charte aux habitants de Monségur (*Mons securus*, « mont sûr »). Cette charte a déterminé le plan d'urbanisme caractéristique des bastides qui a subsisté malgré les nombreuses destructions dues aux guerres successives : guerre de Cent Ans, guerres de Religion et Fronde. En 1652, une terrible peste ravagea la cité

Place centrale de la bastide de Monflanquin, fondée en 1279 par Alphonse de Poitiers. Elle a conservé ses arcades typiques, les cornières. On aperçoit, à droite, une haute maison qui s'ouvre à l'étage par deux baies géminées sous un arc ogival et, en arrière-plan, le clocher de l'église.

La houle des toits aux tuiles rondes de la bastide de Monségur, que fend la rue menant à la place où s'élève la célèbre halle métallique, curiosité de la région. A Monségur, l'harmonie des couleurs est particulièrement remarquable, allant de l'ocre clair des façades aux teintes rosées des toits.

et 62 maisons furent alors rasées et incendiées. Monségur a gardé de nombreux témoignages de son passé. La place Robert-Darniche, sur laquelle se tient un marché animé tous les vendredis, est une place carrée de 66 m de côté, qui ouvre un large espace au cœur de la ville. Les cornières qui l'entourent agrandissent encore cet espace voué aux échanges et aux rencontres en offrant un abri apprécié contre les intempéries. En 1865, le maire proposa de démolir l'ancienne halle en bois et de la remplacer par des galeries circulaires en fonte où se tiendrait le marché aux pruneaux. A cette galerie en fonte soutenue par 72 colonnes, un dôme central fut ajouté vers 1900. Par sa structure, ses dimensions exceptionnelles, son style Baltard, cette halle est une réelle curiosité régionale.

En flânant rue des Victimes, rue Saint-Jean et surtout rue Barbe, on voit disséminées dans la ville de belles maisons à colombage. Le ruet du Soleil, entre l'église Notre-Dame et la rue Porte-du-Drot, est encore empreint de son passé médiéval. On y remarque des fenêtres à meneaux, des ouvertures en arc brisé, des poulies pour hisser les lourdes charges jusqu'au grenier, des corbeaux qui ont soutenu des passerelles permettant, à l'étage, de traverser la rue. L'église, du XIIIᵉ siècle, a gardé le plan caractéristique des églises de bastides : un rectangle avec des chapelles latérales adjacentes. Elle fut plusieurs fois restaurée : la voûte gothique date de la fin du XVIIIᵉ, le clocher actuel, dans l'angle sud-ouest, a été refait en 1866.

En face de la rue Barbe, rue Latraine, subsiste un corps de logis du XIVᵉ siècle, à tour d'escalier polygonale, appelé maison du Gouverneur. C'était sans doute la résidence du prévôt, qui, dès le XIVᵉ siècle, exerça la justice dans la ville tandis que les consuls la gouvernaient.

Les remparts de Monségur subsistent essentiellement dans la partie sud, où, au cours d'une restauration, on a scellé dans la muraille cinq boulets rappelant, selon la légende, qu'au cours des guerres de Religion la ville fut prise cinq fois dans la même journée.

Les amateurs de panoramas ne manqueront pas de faire le tour des remparts par le chemin de ronde côté nord d'où l'on a une magnifique vue sur le glacis de la bastide, puis sur toute la vallée du Dropt, jusqu'au rebord du plateau de l'Entre-deux-Mers.

Montagrier
Dordogne

26 km N.-O. de Périgueux

Dominant la vallée de la Dronne qui serpente entre deux rangées de collines sur lesquelles alternent les champs cultivés et les bois, Montagrier fut une place forte dès l'époque gallo-romaine et un centre administratif important jusqu'à la Révolution.

Du château féodal, érigé au XIIIᵉ siècle, il ne reste plus que quelques murs en ruine et un grand corps de bâtiment ajouté au XVIIIᵉ. Les maisons, serrées les unes contre les autres le long de rues étroites, sont constituées pour la plupart d'un bel appareil de pierre. Couvertes de tuiles rondes, elles n'ont qu'un seul étage.

Passé l'ancienne porte fortifiée, dont les créneaux ont été ajoutés il y a seulement quelques années, une belle allée bordée de marronniers qui longe l'école communale conduit à l'église Sainte-Madeleine, dernier vestige d'un prieuré disparu aujourd'hui. Son architecture, avec sa coupole et ses cinq absidioles rayonnantes, en fait un exemple unique en Périgord.

Depuis l'esplanade, le regard embrasse la vallée et les villages voisins. Au sud, sur l'autre rive de la Dronne, s'élève l'ancienne bastide de Toscane, aujourd'hui centre actif de la région. Chaque semaine s'y tient un marché où les paysans viennent vendre leurs produits.

Montfort-en-Chalosse
Landes

18 km E. de Dax

Allongé sur un balcon proche de la vallée de l'Adour, le bourg de Montfort domine l'immense forêt landaise au nord et les paysages vallonnés de la Chalosse au sud. Sa situation et la trame orthogonale de ses rues évoquent toujours une ancienne bastide dont les traces auraient disparu. Autour du bourg, dans de petits quartiers, plusieurs vieux manoirs et l'église du village portent l'empreinte d'époques et de styles très divers. La grand-rue traverse le village entrecoupé de fines ruelles. La rue de l'Escaraillette est la plus pittoresque. Au nord-ouest, tout près de la mairie, la place des Tilleuls offre un panorama remarquable. Par la D 7, on rejoint rapidement le quartier de Batsempé où se trouve l'église. Celle-ci possède une nef romane du XIIIᵉ siècle et un clocher aux murs de 2 mètres d'épaisseur. En Chalosse, région productrice de ca-

nard gras, la gastronomie est fine. L'automne apporte en plus les palombes et les cèpes de Bordeaux. Le marché du mercredi et les courses landaises sur la place du Foirail sont une bonne occasion de se mettre en appétit. Dans ce pays des frères Boniface, la fête a l'exubérance des supporters de rugby. Le musée des Arts et Traditions populaires de la Chalosse est établi sur un éperon rocheux, à proximité du bourg. Il occupe une magnifique demeure bâtie au XVIIᵉ siècle. D'autres belles fermes traditionnelles subsistent, notamment la maison Bizencine à portail sculpté. Le château de Poyanne, beau fleuron du pays d'Auribat, situé sur la route de Tartas, mérite aussi la visite.

Moulis-en-Médoc
Gironde

33 km N.-O. de Bordeaux

Entre Bordeaux et la pointe de Grave, le long de la rive gauche de la Gironde, s'étend un terroir privilégié, le Médoc, plaine ondulée que couvrent les vignes. Au cœur de ce vignoble déjà chanté par le poète latin Ausone et peint par Odilon Redon au XIXᵉ siècle, entre Margaux et Pauillac, le village de Moulis est à vingt minutes des lacs, de l'océan et de la pinède landaise.
Au milieu de champs où paissent des moutons, ceinturé de bois et de bosquets, le petit village dresse ses maisons aux façades de couleur ocre et aux volets blancs, recouvertes de toits de tuile.

L'église (fin XIIᵉ - début XIIIᵉ siècle), érigée sous l'invocation de saint Saturnin, patron des églises, présente une abside ornée d'arcatures au décor luxuriant, et une belle façade gothique, mais encore d'ordonnance romane. Au XVIᵉ siècle, et jusqu'au concordat de 1802, Saint-Saturnin-de-Moulis était un archiprêtré qui s'étendait sur 31 paroisses. Derrière l'église, au milieu d'un grand parc, le château Biston était au XVIᵉ siècle le siège de l'archiprêtré. Il fut restauré au XVIIIᵉ siècle. Sa façade crépie blanche est flanquée d'une tour ronde coiffée d'ardoises.
Moulis doit son nom aux nombreux moulins à eau implantés sur la Jalle et ses affluents. Les modestes granges qui avoisinent les demeures du village contrastent avec les nombreux et prestigieux châteaux disséminés sur le territoire de cette commune : les châteaux Moncaillou, Mauvezin, Chasse-Spleen, Guitignan, Dutruch Grand Pujeaux, Anthonic, Bouqueyran, Moulin à Vent, Duplessis-Fabre, Moulis, Brillette... pour la plupart du XIXᵉ siècle. En effet, favorisé par des conditions naturelles exceptionnelles et par une tradition viticole remontant au règne de Louis XIV, le haut Médoc est le pays des « châteaux » et des grands crus.
Cette région est célèbre dans le monde entier par la qualité de ses vins rouges, parmi les plus fins.

L'imposante église Saint-Saturnin, à Moulis-en-Médoc, ouvre sur une place ombragée par un large portail à arcature d'ordonnance romane. Elle présente une tour à l'allure puissante avec ses étroites ouvertures et sa couronne de créneaux.

Vieille maison de Pujols, datant de la reconstruction du village après la guerre des albigeois (fin XIIIᵉ s.). Elle a conservé sa façade d'origine, en pierre pour le rez-de-chaussée, à colombage avec bâti de chêne noir pour l'étage et le grenier. C'était, jusqu'à la Révolution, la maison du notaire. En face se dresse la halle, construite vers 1850 avec des matériaux de récupération provenant de l'ancienne église Saint-Jean-des-Rouets. Chaque dimanche s'y tient un intéressant marché fermier, où les producteurs de la région vendent les produits de leur ferme.

Penne-d'Agenais
Lot-et-Garonne

10 km E. de Villeneuve-sur-Lot

A flanc de colline, regardant vers le nord, vers le confluent du Lot et du Boudouyssou qui se rejoignent à son pied, l'ancienne ville forte de Penne-d'Agenais surveillait facilement la vallée du Lot. La tradition rapporte que c'est Richard Cœur de Lion lui-même qui fonda Penne-d'Agenais. Prise par Simon de Montfort au temps de la croisade contre les albigeois, elle passe ensuite aux mains des Anglais, puis des Français. Elle devient aussi un refuge pour les protestants, chassés d'Agen en 1562. Penne avait été dotée d'une charte communale en 1242 et fut administrée par des consuls élus.

La route d'accès monte rudement. Elle aboutit sur une place où s'ouvre la porte donnant accès au bourg fortifié. Deux autres portes, la porte Ferracap et la porte Ricard, également fortifiées, ont été conservées. Un dédale de petites rues tortueuses desservent des maisons des XIIIᵉ et XIVᵉ siècles, qui gardent des éléments de décor ou des ouvertures de l'époque médiévale. L'église, de substructure romane, a été remaniée au siècle dernier.

A l'ouest du bourg, sur un promontoire, un important sanctuaire construit à la fin du XIXᵉ siècle est un lieu de pèlerinage fréquenté dédié à Notre-Dame-de-Peyragude.

Un boulevard contourne la colline et conduit vers le plateau encore appelé Tranchée des Anglais, en souvenir d'une bataille de la guerre de Cent Ans.

Au pied de Penne, un port fut créé sur le Lot dès le XIIIᵉ siècle pour le commerce de transit. C'est dans ce village de Port-de-Penne que se sont développés les quartiers modernes.

Des foires et des marchés réguliers sont la marque d'une intense activité agricole, favorisée par des terres de vallée très fertiles. Un artisanat traditionnel s'est installé dans les vieux quartiers.

Pujols
Lot-et-Garonne

2 km S. de Villeneuve-sur-Lot

Pujols était une place forte, construite sur un promontoire d'où l'on a une vue circulaire sur toute la région. Elle joua un rôle important pendant la guerre des albigeois, dont elle était l'un des fiefs. Leur défaite entraîna le démantèlement du château et l'exode d'une partie de la population.

Le bourg était défendu par trois enceintes. Si la première a disparu, la seconde subsiste en partie, délimitant à peu près le bourg actuel. La troisième ceinturait le château et fut détruite au siècle dernier. Le clocher de l'église Saint-Nicolas sert aussi de porte de ville. Cette église date des XIVe et XVe siècles ; elle fut chapelle seigneuriale. Pujols possède une autre église, Sainte-Foy, qui conserve des fresques du XVIe siècle, et une halle à la belle charpente.

Le bourg surplombe l'agglomération de Villeneuve-sur-Lot, fondée par Alphonse de Poitiers en bordure du Lot. Le contraste entre elles est saisissant : l'une est regroupée et n'a guère changé d'aspect depuis des siècles ; l'autre ne cesse de s'agrandir ; Pujols est faite de bonnes pierres bien appareillées, Villeneuve fait une large part à la brique. Cette proximité a permis à Pujols de développer des activités liées à l'artisanat traditionnel et au tourisme.

Puymirol
Lot-et-Garonne

16,5 km E. d'Agen

Puymirol est une des nombreuses bastides établies au XIIIe siècle, dans toute cette région, celle-ci fondée en 1246 par Raymond VII comte de Toulouse. Elle fut prise en 1574 par les protestants, qui en firent un centre important de la R.P.R. (religion prétendue réformée) jusqu'à l'avènement d'Henri IV. Les remparts furent par la suite rasés sur ordre de Louis XIII.

Juché sur une colline dominant la paisible vallée de la Séoune, Puymirol bénéficie d'une vue circulaire sur les plaines plantureuses de l'Agenais.

Le bourg conserve de belles maisons anciennes à pans de bois, une partie de ses cornières, et de beaux hôtels des XVIIe et XVIIIe siècles, notamment dans la rue principale, qui rappellent le rôle joué jadis par cette bastide. L'église s'inscrit dans un angle de la place. Reconstruite au XVIIe siècle, elle possède un porche du XIIIe siècle.

Ce bourg fut un centre commercial important jusqu'au début de ce siècle. Mais la proximité d'Agen l'a transformé en lieu résidentiel, rayonnant sur un arrière-pays à dominante agricole.

Rions
Gironde

31 km S.-E. de Bordeaux

Dans le val de Garonne, au détour des champs de vignes et des vergers, se présente le beau village de Rions, au pied d'un coteau ensoleillé et couvert de vignes, en rive droite du fleuve. Rions est entièrement encerclé de remparts remarquablement bien conservés, ponctués par des tours défensives et par une citadelle des XIVe-XVe siècles. Après avoir admiré, dans son parc, le couvent des Cordeliers (XIVe siècle), on pénètre dans le vieux village par la porte du Lhyan. Cette porte monumentale du XIVe siècle a conservé ses éléments défensifs d'origine : mâchicoulis, assommoir, rainures de herse et loges latérales pour les hommes d'armes. Dans les rues étroites se tiennent serrées les unes contre les autres de belles maisons de pierre et d'anciennes boutiques. Quelques petites placettes ombragées aèrent ici et là ce tissu urbain moyenâgeux. Sur l'une d'elles se dresse l'église Saint-Seurin. Sa très belle abside date du XIIe siècle, tandis que la nef fut reconstruite au XIVe siècle et le clocher à bulbe édifié au XVIIIe siècle.

Après avoir traversé le village par la rue de Lavidon en direction du sud, et fait un crochet à l'ouest pour admirer le Clos des remparts, imposante bâtisse construite au XVIIe siècle, on arrive sur une vaste esplanade, la place d'Armes. De l'autre côté de cette place s'élève la grande maison Salin, du XVIIIe siècle, environnée d'un parc.

Le chemin rural dit des Grands Vins longe le pied des remparts face au fleuve. Il donne accès à une grotte où Charles VII s'arrêta après la bataille de Castillon (13 juillet 1453) puis remonte vers la tour du Guet en contournant la citadelle.

L'été, marchés aux primeurs et aux vins, festival et expositions artisanales animent ce village touristique. La dégustation des aloses est l'un des attraits gastronomiques de Rions. Excellents poissons migrateurs qui remontent la Garonne au printemps, les aloses sont pêchées dans de grands filets carrés montés sur des cerceaux et suspendus au bout d'une perche sur les rives du fleuve où les attendent des pêcheurs professionnels.

Sur les coteaux face au village de Rions, le hameau de Bouit offre un vaste panorama sur le val de Garonne, tandis que l'immense forêt des Landes marque l'horizon. Sur les coteaux toujours, le château Jourdan, construit au XVIIIe siècle, se trouve en direction de Cardan, au nord.

Roque-Gageac (La)
Dordogne

16 km S. de Sarlat

Blottie entre une falaise dorée et les eaux vertes de la Dordogne, qui s'incurve mollement, La Roque-Gageac est un miracle d'harmonie. Harmonie entre la roche, les bâtiments, l'eau, les arbres. L'ensemble forme un tout que le premier regard a bien du mal à séparer.

Au sommet de la falaise, juste en amont du village, une église du XVIe siècle monte la garde. De son parvis, on jouit d'un admirable paysage sur les méandres de la Dordogne.

Sous le rebord de la falaise, surplombant les toits des premières maisons noyées au milieu des chênes verts, le petit manoir de Tarde a été construit au début de la Renaissance. C'est là que naquit, à la même époque, le philosophe érudit Gabriel de Tarde qui dessina les plans de la ville toute proche de Sarlat.

Ce qui frappe le plus dans l'architecture des maisons, ce sont les toits. Fortement pentus, recouverts de tuiles romaines ou plates, ils forment un camaïeu qui allie toutes les nuances du rouge : du plus vif au plus sombre. Les murs des maisons, eux, sont tous de pierre calcaire allant du blanc presque pur à l'ocre jaune. D'innombrables ruelles, sentes, passages se faufilent entre les bâtiments et la falaise.

Au pied du village, les vestiges d'un petit port le long de la Dordogne rappellent qu'autrefois la batellerie tenait ici une place importante.

De la Renaissance au XIXe siècle, le village abritait environ 1 500 personnes : artisans, commerçants, tonneliers, tisserands, et aussi bateliers qui conduisaient à Bordeaux les vins réputés de la région de Domme.

La Roque-Gageac est maintenant un village essentiellement tourné vers les activités touristiques. Les agriculteurs, encore nombreux dans la commune, cultivent surtout le tabac sur les terres fertiles de l'arrière-pays.

La Roque-Gageac a miraculeusement échappé à la destruction le 17 janvier 1957. Ce jour-là, un énorme bloc de rocher se détachait de la falaise et s'écrasait au milieu du village. Il y eut plusieurs morts et de nombreuses maisons détruites ou endommagées. Mais un plan de restauration a permis de redonner à La Roque-Gageac l'aspect qu'elle avait au temps de sa splendeur.

Saint-Amand-de-Coly
Dordogne

21,5 km N. de Sarlat

L'abbaye augustinienne aurait été fondée au VIIe siècle par saint Amand. Très active en ses débuts, elle fut ruinée et désertée au XVe siècle et transformée au siècle suivant en forteresse protestante.

Les vieilles maisons du petit village aux toits de lauzes se pressent le long de rues où espaces privatifs et espaces publics tendent à se confondre. L'ancien hôpital est un bel édifice à étage. Des bâtiments conventuels de l'ancienne abbaye, il ne reste que quelques vestiges. Une partie des remparts a été maintenue. L'église abbatiale s'ouvre à l'extrémité de la voie principale, au bout d'une légère montée procurant un remarquable effet de perspective. Elle est le plus bel édifice religieux du Périgord et l'un des plus originaux de France. Les dispositifs de défense dont elle est pourvue lui confèrent une allure exceptionnelle. C'est qu'elle est curieusement pla-

Groupées en une masse compacte, les maisons de Saint-Geniès s'élancent vers le ciel en une futaie de toits à forte pente, couverts de lauzes. A gauche, les ruines du château d'en haut et, sur la droite, le clocher fortifié de l'église qui jouxte la tour à créneaux du château d'en bas.

Régulièrement alignées le long de la Dordogne ou montant à l'assaut de la falaise qui les surplombe, les demeures de La Roque-Gageac composent avec les calcaires ocre de leurs parements et la gamme rouge sombre de leurs toits une architecture soignée. Adossée à la falaise, la tour au toit conique du manoir de Tarde.

cée au pied d'un escarpement qui la domine ainsi que les habitations alentour. De nombreuses fortifications ont donc été prévues, non seulement sur le clocher, mais aussi autour de l'abside. La nef est voûtée en berceau brisé, une coupole sur pendentifs la sépare du chœur à chevet plat. Des escaliers dérobés, de multiples passages, un trottoir de circulation qui court à la naissance des arcs sont à découvrir lors de la visite pour mieux comprendre cet édifice.

Cette commune, où dominent des activités à caractère agricole, vit un peu au ralenti, à l'exception de la saison estivale, durant laquelle l'association des Amis de Saint-Amand organise des concerts et des expositions.

Saint-Geniès

Dordogne

14 km N. de Sarlat

Au milieu de coteaux boisés au pied desquels on cultive tabac et maïs, sur les bords d'un ruisseau, le Chironde, qui se perd quelques kilomètres plus au nord dans un petit étang, Saint-Geniès est célèbre pour ses beaux toits de lauzes. Sous ces grands toits, chaque maison, même modeste, prend des allures de manoir.

Pourtant, sous son aspect aujourd'hui paisible, le village a beaucoup souffert des guerres. En 1370, du Guesclin, se dirigeant vers Limoges assiégé par le Prince Noir, enlève Saint-Geniès aux Anglais. Ces

L'église de Saint-Léon-sur-Vézère, construite au bord de la Vézère, est un bel exemple, avec sa triple abside et ses toits de lauzes, de l'architecture romane locale. Son clocher, au rigoureux dessin carré, s'élève au-dessus de la croisée. ▷

Un imposant clocher s'élève en un massif rectangulaire percé de baies plein cintre sur le côté nord de la façade occidentale de l'église Saint-Jean-de-Côle. Lui est accolé le cloître Renaissance à deux étages qui s'ouvre sur la Côle. Ses arcs brisés supportent à l'étage une galerie où donnent les chambres et pourvue de fenêtres losangées aux carreaux de couleur.

derniers reprendront le village sept ans après, puis le rendront moyennant finances. En 1574, le village est pris d'assaut et pillé par les protestants.

Du château d'en haut, il ne subsiste qu'une tour en ruine. Celui d'en bas résulte de la réunion de plusieurs bâtiments du XIIIᵉ siècle remaniés au XIVᵉ. Il jouxte l'église à clocher fortifié, édifiée au XVIᵉ siècle. Un peu à l'écart, sur un mamelon parsemé de boqueteaux, la chapelle de Cheylard est un édifice gothique orné de très belles peintures murales.

Le pays est essentiellement agricole. L'exploitation forestière joue aussi un rôle important. Sur le Chironde, un moulin continue à moudre selon les traditions un blé de qualité « biologique ».

Saint-Jean-de-Côle
Dordogne

25 km E. de Brantôme

Il faut arriver au bourg de Saint-Jean par la vieille rue bordée de maisons à colombage, qui surplombent un peu la chaussée. On arrive alors sur la place du village où se trouve réuni un des plus beaux ensembles du Périgord.

Tout d'abord le château de la Marthonie, ou mieux les châteaux, puisque la demeure féodale, puissante et dissymétrique avec ses grands toits et ses tours crénelées, est soudée à un pavillon plus bas rigoureusement rythmé par des arcs et des pilastres construit au Grand Siècle. Un peu plus loin, la vieille halle rustique repose contre le chevet de l'église ; église romane étonnante avec sa large et courte nef à une seule travée, admirable avec ses deux chapelles rayonnantes, ses sculptures vigoureuses, sa coupole de 12 mètres de diamètre. Le portail s'ouvre sur le cloître Renaissance, paisible à l'ombre du clo-

cher. Les maisons en bordure de la place ou le long de rues étroites et tortueuses conservent des décors fort anciens dans un apparent désordre de formes et de toitures, résultat de nombreuses restaurations.

La Côle ne fait plus ronronner le moulin abbatial, mais le promeneur aura plaisir, du haut du pont médiéval à la chaussée empierrée de gros galets ronds, à regarder son image réfléchie dans l'eau si claire. Au printemps, le marché aux fleurs attire de nombreux curieux dans le bourg tranquille qui rayonne sur une campagne où alternent forêts et exploitations agricoles.

Saint-Léon-sur-Vézère

Dordogne

14,5 km N.-E. des Eyzies

Le village de Saint-Léon-sur-Vézère doit son charme particulier à la couleur ocre de ses maisons. Il se niche dans une boucle accentuée de la Vézère au cœur de ce qu'on appelle la « vallée de l'Homme ». En effet, depuis la nuit des temps, les hommes ont habité les falaises, les grottes et les cavernes de cette vallée, de Lascaux aux Eyzies. C'est un des sites les plus prestigieux de la préhistoire. A Saint-Léon même, on a trouvé des traces d'habitat humain datant de cette époque.

Aujourd'hui, les promeneurs, après avoir franchi le pont sur la Vézère, découvrent l'église, un bel édifice à coupole datant du XIIe siècle, qui a été merveilleusement restauré. Son plan rappelle celui des basiliques byzantines avec une vaste abside et deux absidioles.

Fiché presque en plein centre du village, le château de La Salle est en réalité un donjon du XIVe siècle, flanqué d'une tour ronde à l'un de ses angles. Il est pratiquement intact avec son chemin de ronde à mâchicoulis et son grand toit de lauzes.

Le cimetière de Saint-Léon mérite lui aussi une halte, car il a conservé sa chapelle expiatoire du XVIe siècle.

A 2 kilomètres en aval, le château de Chabans, manoir des XVIe et XVIIe siècles, jouit d'un site privilégié qui a attiré une communauté bouddhiste.

Sainte-Engrâce
Pyrénées-Atlantiques

32,5 km S. de Mauléon-Licharre

Siège d'une collégiale fondée au XIᵉ siècle, sur les rives escarpées du gave de Sainte-Engrâce, tout au fond des Pyrénées, cette commune n'a pas de centre. Le village est formé d'une bonne centaine de fermes dispersées, se dressant chacune sur un promontoire dominant ses propres champs. Les maisons ont des murs épais, blanchis au lait de chaux, des fenêtres étroites, et leurs toits, à forte pente et à quatre pans, sont couverts d'ardoises bleutées en provenance de carrières régionales.

Deux quartiers seulement, en bordure de la D 113, présentent quelques constructions groupées. Le premier réunit une dizaine de maisons autour de la mairie et du vieux fronton. 2 kilomètres plus loin, le second, celui de l'église, avec son cimetière à stèles discoïdales, se limite à un restaurant, une petite auberge, deux ou trois bâtiments anciens et un vieux trinquet auquel a été accolé un nouveau fronton.

Entre ces deux quartiers se trouve le site classé des gorges de Kakouéta, le plus beau cañon de la région, aux parois verticales de 250 mètres, au fond duquel coule le torrent ; sur la rive droite, une cascade tombe de la falaise. Au fond du cañon règne une humidité constante et un faible éclairement, générateurs d'un peuplement remarquable par la taille gigantesque des plantes et l'abondance de certaines espèces, notamment lichens et mousses.

L'église, ancienne chapelle de la collégiale – clocher carré, portail roman décalé, tympan à chrisme signé Bernardin –, est, avec celle de L'Hôpital-Saint-Blaise, le seul édifice roman du Pays basque à n'avoir pas été défiguré. La triple nef en berceau comporte trois absides semi-circulaires couvertes en cul-de-four et supportées par des piliers massifs surmontés de chapiteaux sculptés et polychromes. Le chœur est fermé par une grille en fer forgé du

La fontaine de Sarrance, édifiée en 1828 sur la place de l'église, fut dédiée au comte de Chambord, qui venait de naître. Elle porte, gravée dans la pierre, l'inscription en patois « Au naibeugt Henric », au nouvel Henri. Derrière elle, le vieux lavoir.

Au milieu des prairies et flanquée de son cimetière, à droite, l'église de Sainte-Engrâce allie à la massivité de ses contreforts et de son chevet percé de baies étroites une étonnante asymétrie, résultant de l'implantation décentrée de son clocher.

XIIIe siècle. Le retable, de type espagnol, du XVIIe siècle, représente la vie et le supplice de sainte Engrâce. Un pèlerinage s'y tient à la Pentecôte.

Les brebis constituent la ressource principale du pays. Durant l'été, les hommes de la commune montent sur l'alpage pour garder les moutons ; l'artisanat a presque complètement disparu.

L'agglomération constitue le campement de base pour les spéléologues qui explorent le massif de la Pierre-Saint-Martin. Le chemin d'accès au tunnel de l'E.D.F. et à la salle de la Verna s'ouvre derrière l'église.

A l'automne, toute la région connaît une grande activité avec l'ouverture de la chasse à la palombe. Les truites abondent dans les gaves et torrents. Truite, palombe, agneau, mouton, fromage de brebis figurent à longueur d'année au menu des restaurants de la région.

Sare
Pyrénées-Atlantiques

13,5 km S.-E. de Saint-Jean-de-Luz

Dans un paysage de collines et de vallons boisés, sillonné de petits ruisseaux aux eaux claires, Sare est un des villages les plus typiques du Labourd. La commune longe sur 29 kilomètres l'Espagne.

Au fond de la place centrale, la « plaza » pour les Saratars, devant les maisons à arceaux, se dresse le vieux fronton avec, d'un côté, ses gradins de pierre, de l'autre, la mairie, contemporaine de l'église, dont la façade porte une inscription avec les armes accordées par Louis XIV à Sare, en témoignage de sa loyauté. Un peu en retrait, l'église entourée du cimetière avec sa croix à colonne cannelée.

Le village comprend quatre quartiers ; le plus important est celui de Lehenbiscay avec ses vieilles et gracieuses maisons blanches, leurs toits en tuiles canal, leurs volets d'un rouge particulier, le rouge basque. De ce quartier on découvre de magnifiques perspectives sur la montagne et sur le bourg. On remarquera au passage les maisons nobles : Ibaria (XVIe), Lehetia (XVIIe) avec deux tourelles et une chapelle (1727), et les maisons à « lorios ».

L'église du XIIe siècle, Saint-Martin, fut agrandie au XVIIe siècle. Le clocher porte, en langue basque, l'inscription : « Toutes les heures blessent, la dernière tue. » La commune compte également, disséminés sur son territoire, onze chapelles ou oratoires dus à la dévotion d'anciens marins heureusement revenus au pays.

Le mont Larroun, « Larre Ona » : les bons pâturages, appelé la Rhune par la fantaisie de la transcription française, est la montagne la plus célèbre du Pays basque maritime. On y accède facilement par un petit train à crémaillère partant du col de Saint-Ignace sur la route reliant Ascain à Sare. De ce sommet-frontière, à 900 mètres d'altitude, on jouit d'un panorama exceptionnel, au nord et au nord-est sur la forêt des Landes et la plaine du Labourd, à l'ouest sur la côte basque et l'Océan, au sud et à l'est sur les Pyrénées espagnoles et françaises. A visiter aussi, les grottes préhistoriques de Huriella-Harria avec des peintures du magdalénien.

Les principales activités de la commune reposent sur l'élevage et le tourisme. On y exploite aussi quelques carrières de calcaire rose utilisé pour les carrelages sous la dénomination de « dalles de la Rhune ». De Sare, les excursions en territoire espagnol sont faciles et nombreuses.

Sarrance
Pyrénées-Atlantiques

18 km S. d'Oloron-Sainte-Marie

Une histoire qui débute par une légende. Il exista jadis en ce lieu un taureau qui délaissait son troupeau et que son vacher surprit, un jour, agenouillé devant une statue de Notre-Dame. Le seigneur évêque d'Oloron y fit bâtir une église puis un hôpital, dont il confia la gérance à l'ordre des Prémontrés. Sarrance devint rapidement un actif lieu de pèlerinage qui reçut les visites successives de Gaston Phébus, Charles le Mauvais, roi de Navarre, et Pierre IV d'Aragon. Marguerite de Navarre y fixa, plus tard, le lieu de son *Heptameron*. Par la suite, le village fut brûlé au cours des combats qui opposèrent catholiques et protestants.

Au XVIIe siècle, ce fut le renouveau. Presque toutes les constructions que l'on voit aujourd'hui, vieilles maisons béarnaises, murs en galets et toits d'ardoises bleutées, datent de ce siècle. Et, aussi, le cloître du monastère des Prémontrés, si particulier avec ses galeries à colonnes superposées et ses petits toits pointus. L'église et son clocher, le chœur resplendissant de dorures, furent détruits à la Révolution. De nos jours, il ne reste à Sarrance que l'ancienne chapelle des Prémontrés avec ses hauts-reliefs en bois polychrome.

La route qui longe le gave conduit, par le col du Somport, à Jaca et à Saragosse et, au-delà, à Madrid, Barcelone ou Valence.

Saubusse
Landes

16 km S.-O. de Dax

Ramassé autour d'une église fortifiée au XIIIe siècle, le bourg de Saubusse se glisse délicatement sur la rive droite d'un méandre de l'Adour. L'architecture landaise et basque s'y côtoient avec justesse. Les barthes proches, terres inondables, résonnent des chants d'une avifaune exceptionnellement riche. L'église remonte à l'époque de transition entre le roman et le gothique. Au-dessus du porche d'entrée on lit une date : 1242. C'est la date présumée de sa construction. Le centre, aux ruelles étroites, est constitué de vieilles maisons, autrefois habitées par des mariniers. Elles s'étagent jusqu'au quai du port. Celui-ci connut un commerce florissant pour le transit des produits agricoles et forestiers à destination de Bayonne. Aujourd'hui, barques et bateaux permettent de faire apprécier le site de l'Adour aux visiteurs. Du pont sur l'Adour, on découvre un panorama remarquable sur le bourg et les barthes. Dans ces vastes prairies naturelles se perpétue l'élevage des poneys landais ou des canards gras.

La gastronomie jouit à Saubusse d'une juste renommée. Les produits landais sont ici enrichis par la chasse au gibier d'eau et par la pêche saisonnière à l'alose, l'anguille, la lamproie ; sans oublier la pibale, alevin d'anguille dont la pêche de nuit constitue en hiver une véritable attraction. Aux côtés de la culture du maïs et de l'élevage, le tourisme et un thermalisme dynamique constituent aujourd'hui l'essentiel des activités du village. Le carnaval et le défilé de chars fleuris, la fête patronale à la Saint-Jean, les parties de pelote basque ou la foire aux poneys landais contribuent à l'animation de Saubusse.

Sauveterre-de-Béarn
Pyrénées-Atlantiques

9 km S. de Salies-de-Béarn

Bâtie à l'emplacement du camp de Castera sur la voie romaine de Pampelune à Dax, à la jonction du Béarn, de la Soule et de la Basse-Navarre, dans un très beau site, sur le rebord d'un escarpement dominant le gave d'Oloron, cette petite ville fut jadis une résidence des vicomtes de Béarn.

En 1276, Philippe le Hardi y réunit une puissante armée pour défendre les prétentions du fils de Blanche de Castille sur ce royaume. Le prince d'Orange en fit le siège, au cours duquel le pont fortifié fut sacrifié pour la défense de la place. A la fin du XIVe siècle, Sauveterre avait acquis une grande importance ; en 1506, elle devint le chef-lieu d'un bailliage ; en 1523, elle fut prise par les Espagnols ; en 1569, elle fut saccagée par les Basques. Cependant, une partie des murs du château de Montréal et le donjon étaient restés debout. En avant, une place ombragée, en terrasse, offre un très beau panorama sur la chaîne des Pyrénées. De l'autre côté s'élève l'église Saint-André, contemporaine du vieux pont. Datant du XIIe siècle, remaniée au XIVe siècle, ravagée au XVIe siècle par les Espagnols puis par les protestants, elle fut restaurée en 1867. Le clocher, quadrangulaire, est un vrai donjon à créneaux. Sous le porche, le portail roman représente le Christ entouré des symboles des évangélistes. Commencée avant le départ des croisés pour l'Orient, l'église est romane jusqu'à la hauteur des chapiteaux des piliers. Elle fut terminée après la fin des croisades dans le style gothique. La ville a aussi conservé une partie de son enceinte médiévale avec les deux portes du Lester et du Datter.

Principales activités de la région, les élevages de bovins, d'ovins, d'oies et canards gras, les cultures du maïs et de la vigne sont à la base des productions des conserveries. Au printemps, se tient sur le gave un concours de pêche au saumon de renommée mondiale qui attire de nombreux étrangers. En été, une active animation culturelle et sportive règne dans la ville, tandis que sur le gave se pratiquent nautisme et canoë-kayak.

Sauveterre-de-Guyenne
Gironde

14 km N. de La Réole

La région de Sauveterre est verte et vallonnée. Les vignes, les bois, les vergers se succèdent, avec ici et là un village pittoresque, un vieux château, une petite église romane.

Fondée en 1281 par le roi d'Angleterre Édouard Ier à l'emplacement d'un prieuré bénédictin mentionné dès le IXe siècle, Sauveterre-de-Guyenne est restée pendant sept siècles une des plus petites communes de France, enserrée par ses portes gothiques et par un chemin de ronde qui délimite les anciens fossés. Cette bastide anglaise fut réunie à la couronne de France en 1386 par Charles VI, mais la ville fut reprise par les Anglais en 1420 et ne devint définitivement française qu'en 1451. Blaise de Montluc châtia cruellement la ville qui avait pris parti pour la Réforme.

Des fortifications édifiées au XIIIe siècle subsistent aujourd'hui quatre imposantes portes de ville, les murs ayant été démantelés en 1838. Une vaste place occupe le centre de cette bastide au plan en damier caractéristique. La place est entourée de couverts, arcades sous lesquelles se tient un marché animé tous les mardis matin. C'est aussi le lieu des foires et fêtes traditionnelles. Chaque année, la fête des vins enfièvre la petite ville le dernier dimanche de juillet.

L'église reconstruite au XIXe siècle se dresse dans un des coins de la place. Son abside polygonale gothique est remarquable. En sillonnant les ruelles de la petite bastide on peut admirer plusieurs maisons médiévales à colombage.

Sorde-l'Abbaye
Landes

32 km E. de Bayonne

Ancienne halte sur un des nombreux chemins de Saint-Jacques-de-Compostelle, Sorde-l'Abbaye, au bord du gave d'Oloron, est un lieu chargé d'histoire et de préhistoire.

Le site de Barat-de-Vin (du gascon barat de bi, qui signifie « fossé de vie »), à 2 kilomètres du village, est un lieu de passage millénaire, attestant la très ancienne présence de l'homme, attiré par la fertilité des vallées de l'Adour.

C'est là, au pied d'une falaise, que plusieurs gisements préhistoriques, en particulier l'abri Duruthy, ont fourni des pièces magdaléniennes remarquables. Au-dessus existe un oppidum protohistorique dit de Larroque. La voie romaine reliant à travers les Pyrénées l'Aquitaine aux pays ibériques par le col de Cize et celui de Roncevaux y passait et des fouilles ont mis au jour une villa gallo-romaine ornée de mosaïques.

Sorde a conservé son abbaye du Xe siècle, entourée de remparts, et son urbanisme issu de l'ancienne bastide. En 1290, le « paréage » conclu entre l'abbé de Sorde et Eustache de Beaumarchais, sénéchal du Toulousain, a mis la ville et ses appartenances, menacées par le roi d'Angleterre, sous la protection du roi de France. L'abbaye fut alors entourée de remparts. De cette époque, il reste quelques rares maisons avec leur auvent traditionnel. Celles d'aujourd'hui datent pour la plupart du XVe au XVIIIe siècle, mais restent implantées sur l'alignement des anciennes rues. L'église, dont l'abside et les deux absidioles remontent au XIIe siècle et la tour-clocher au Xe siècle, laisse deviner la splendeur ancienne de l'abbaye, dont les vestiges, en particulier le logis abbatial, doivent être visités.

Tournon-d'Agenais
Lot-et-Garonne

26 km E. de Villeneuve-sur-Lot

Tournon-d'Agenais est un de ces villages perchés si nombreux en Lot-et-Garonne. C'est aussi une bastide fondée par Alphonse de Poitiers et fortifiée par Édouard Ier d'Angleterre.

La ville haute possède une forte identité. Sur la place de la mairie, l'ensemble des cornières, quoique en partie ruiné, demeure très lisible. Sous des enduits et des rejointoiements parfois discutables se cachent souvent des immeubles de caractère ; les

Villefranche-du-Périgord
Dordogne

> 38 km N.-O. de Cahors

Porte du sud du Périgord, aux confins de l'Agenais et du Quercy, prise dans une suite de collines verdoyantes, Villefranche-du-Périgord est une bastide fondée en 1260 par Alphonse de Poitiers, frère de Saint Louis. Elle s'est appelée autrefois Villefranche-de-Belvès.

Sa position stratégique, à l'intersection de pays rivaux, lui a valu au cours des siècles d'être l'enjeu de nombreux sièges et combats, au cours desquels elle fut souvent mise à mal.

Son plan est celui d'une bastide, avec ses rues se coupant à angle droit et délimitant un parcellaire régulier. Il subsiste de nombreux vestiges de l'époque médiévale, notamment la tour des Consuls et un ensemble de maisons bâties sur arcades. La halle ancienne, bien restaurée, a conservé ses mesures à grain. L'église, avec sa façade insolite, est récente, puisqu'elle a été édifiée au XIXe siècle.

Dans une des plus vieilles maisons de la bastide a été créée la Maison du châtaignier, marron et champignon, dont la vocation est de mieux faire connaître ces produits, d'en améliorer les techniques de production et d'en favoriser la vente. C'est que Villefranche est aussi un marché important où, à la saison, les produits locaux sont primés. Plus récemment a été mise en place une foire à la brocante, qui draine toute la région.

Ici, le rôle de la forêt est très important. Elle cerne en effet le village de tous côtés. C'est pourquoi on trouve dans les alentours immédiats de nombreuses scieries, ainsi que des usines de transformation telles que les papeteries et des fabriques de meubles artisanales.

Depuis le lieu dit « les Trois Piles », on a un beau point de vue sur la campagne environnante.

Villeréal
Lot-et-Garonne

> 30 km N. de Villeneuve-sur-Lot

Cette vaste bastide fondée en 1267 par Alphonse de Poitiers possède la particularité d'avoir deux places. La première est entourée de cornières, dont plusieurs sont encore en place. La belle halle du XIVe siècle qui occupe son centre est édifiée sur des poteaux de bois : elle est surmontée d'une construction plus tardive, qui servit longtemps de mairie. L'autre place est celle de l'église, contemporaine de la bastide. Elle fut dès l'origine fortifiée et pourvue d'un chemin de ronde. La façade est flanquée de deux tours, surmontées de clochetons aux toits pentus.

Cette bastide, non close, était entourée de fossés. Les rues régulières se coupent à angle droit, délimitant un parcellaire nettement marqué. Entre les maisons, il n'est pas rare de retrouver les andrones (espaces entre deux maisons), dont la fonction était à la fois sanitaire et de sécurité.

Villeréal est aussi un gros bourg commerçant, aux marchés très fréquentés. Durant la saison estivale, des expositions, des concerts, des animations diverses sont proposés.

Le haut clocheton-donjon de l'église romane de Sauveterre-de-Béarn et la tour Montréal, vestige d'une vieille maison fortifiée à quatre niveaux, surplombent un bras du gave d'Oloron, formé par la réunion des gaves d'Aspe et d'Ossau.

éléments des XIIIe et XVIe siècles y sont fréquents et attendent une restauration. L'église primitive ayant été détruite pendant les guerres de Religion, une vieille demeure du XIIIe siècle a servi de lieu de culte. Une autre demeure de la même époque est pourvue de belles fenêtres géminées. Le rez-de-chaussée de la mairie, imposante construction du siècle dernier, sert de halle.

La bastide domine l'intersection de grandes voies de communication où s'est développée, ces dernières années, une ville basse, attirant équipements et habitations.

Tournon-d'Agenais, sans abandonner les activités traditionnelles de l'agriculture – culture des primeurs et des arbres fruitiers, élevage de volailles –, se tourne de plus en plus vers les activités touristiques telles que : randonnées pédestres, circuits gastronomiques, etc.

Uza
Landes (voir pages 242-243)

La fin du XIXᵉ s. fut, pour les Landes, l'ère des mules, tracteurs incomparables. L'« airial » (ci-dessus) leur servait d'aire de repos. Ces temps sont révolus. Les écuries ont fermé leurs grandes portes.

On appelait ces maisons à colombage serré (ci-contre, en haut) des « maisons bien boisées », c'est-à-dire riches. Elles connurent une certaine vogue après 1820.

Les corons des forges (ci-contre, en bas), malgré la promiscuité des familles, représentaient un progrès sur les maisons landaises en torchis. Les Landes passaient de la préhistoire à la modernité.

La retenue d'eau des forges (page ci-contre, à droite). Les forges landaises, au siècle dernier, pendant les guerres carlistes, ont fait la fortune de plus d'un village.

UZA

par Bernard Manciet

35 km N.-O. de Dax

D'un château à quatre tours d'angle et d'un morceau de lac en aluminium, Uza vous fait un village, ou du moins un semblant de village. Car le château s'estompe, se dissout dans le pollen jaune de la forêt landaise, en avril, et le lac, par un renversement du vent, tourne au rose comme une main de Sénégalais. L'église même se confond avec le brouillamini des peupliers. Quelques pincées de pommiers en fleur, quelques glissades du soleil dans l'herbe, et vous avez, en guise de solide, des trous.

Le village vous paraît en somme désaffecté, sans même un vol de pigeons, sans une volée d'enfants. Voilà bien cent ans que les « corons » des forgerons sont alignés de la sorte, en angles obtus, pour mieux accueillir le soleil. Mais leur four à pain, qu'ils entretenaient en commun, s'effondre maintenant. Des forges, dans le bas-fond, subsiste seul le grondement de la chute d'eau. Personne sur les routes. L'un après l'autre, les cinq sabotiers du canton, depuis la guerre, sont bel et bien morts. Exception faite, cependant, d'une touffe d'herbe qui jaillit à l'angle d'un toit, cet abandon prend quelque chose de suspect, d'un peu trop ordonné. Les haies viennent d'être taillées avec rigueur, les

cours de l'usine balayées net ; le bitume de la route, d'un beau violet, sort de chez le teinturier ; entre un rhododendron en fleur et l'ancienne gare, le petit bois du fourneau s'empile soigneusement. La mairie, qui comporte deux pièces, les garde bien symétriques pour les jours d'ouverture. Ce sont deux dames symétriques qui tiennent aussi le café-tabac, âgées comme on ne fait plus, strictes, et leurs regards reflètent la pelouse et le lac, qui reflète à son tour leur maison blanche. Elles disent avec précaution du bien de M. le Doyen, qui va beaucoup mieux depuis qu'il se surveille.

En réalité, le village continue, mais avec cette lenteur qui appartient aux chênes, aux pins parasols, aux platanes squameux, à pousser et s'épanouir.

Depuis bien huit siècles l'on a travaillé ici la fonte et le fer. A la longue, nos gisements de minerai se sont épuisés. Il aura fallu recourir au minerai espagnol. Vers 1920, les forges d'Uza en consommaient encore 4 000 tonnes. Aujourd'hui, reconverties, elles produisent du plastique. Mais le lac émane les mêmes heurts de lumière : une même tourterelle fuit, avec désormais un froissement d'emballage en plastique. Nous aurions tort, en effet, de nous fier à tant de sérénité. Tout étranger au village est ici vite repéré, même si aucun arbre ne bouge. Un oiseau, surpris, suffit à vous

dénoncer. Sans un cri, d'un coup d'aile, il a traversé le vallon. Sous une énorme branche qui frôle l'étang, quelqu'un a remué – des amoureux ? – dans une voiture arrêtée. Sortant du fourré, du côté de l'ancienne école libre, un homme ne tenait visiblement pas à notre rencontre. Il porte une scie neuve et, en bandoulière, un grand parapluie gonflé comme une gibecière. Cela fait si longtemps que le village reste aux aguets, depuis avant la reine Jeanne, depuis l'heureux temps « où nous étions anglais »... Des siècles durant, les « vesins », en d'autres termes les habitants reconnus, ont farouchement défendu leur noblesse en face de celle du château. Ce sont les Valois, nous dit-on, qui érigèrent en « marche » les dunes côtières de Lur, tout près d'ici. Mais les tribus d'Uza viennent de plus loin, et de plus haut. Que les rois le sachent bien : nos pasteurs, nobles de tout temps, ne paient jamais la taille. Que les Albret, bons brigands et mauvais voisins de nos estuaires, le sachent : il est encore, au beau milieu de leur domaine, de vastes étendues qui ne connaissent « d'autre seigneur que le soleil ». On comprend mieux comment Uza fait partie de ces Landes d'habitat dispersé, où jamais la politique des bastides n'a pu réussir. Une bastide, c'est un camp de concentration où ne saurait résider un Landais libre et seigneur, toujours prêt à un écart comme pour les courses de vaches, et à la rébellion dans son attitude hautaine. Le gascon même que l'on parle ici, assez sobre, comme une sorte de feu noir, se distingue du gascon de la Grande-Lande, sarcarstique, du Born, solide comme les femmes de Parentis, du Marenne, rocailleux. Le parler d'Uza, comme ses froissements de feuillages, a ses lenteurs, et il garde sa noblesse secrète, comme l'éperon de sable du château conserve jalousement ses passages et ses cavernes souterraines, moins légendaires qu'il n'y paraît.

Mieux que par les terriers et les arpentages, Uza se repère à des nuances, à des reflets. Du côté de la mer toute proche, il arrive qu'il monte une sorte d'éclat, celui des embruns que dorent les dunes côtières. Du côté de la forêt haute naissent aussi, diffuses, de longues traînées de sable mauve où s'étirent les semis de pins. Vers Castets, vers l'intérieur des terres, des mauvais hectares de molinie, cette herbe d'ocre pâle, se succèdent, bande après bande. Mais ici, la lumière argentée de l'eau, dans un tourbillon de saules. Il arriverait même à sainte Marie-Madeleine, patronne d'Uza, d'aller se promener dans le Born, de l'autre côté du ruisseau de Contis, où elle a gardé ses habitudes. Revenant chez elle, le soir, elle suit exactement la frontière du Born et du Maransin, traçant un long sillage d'eau et de clarté.

Les GROUPES SOCIAUX au village

En cette fin du XXᵉ siècle, les villages ont subi et subissent encore des transformations radicales au niveau de leur structure sociale.

Notaires, avocats et marchands de grain, ces grands et intouchables notables du XIXᵉ siècle et de la première moitié du XXᵉ, ont, les premiers, quitté le village pour la ville la plus proche, tout en continuant pendant quelque temps à se partager entre la ville et la campagne d'où ils étaient issus, et en vivant grâce au revenu de leurs terres. Plus tard, ayant vendu leurs champs, ils ajoutèrent à leurs fonctions celles de conseil immobilier et de banquier, prêtant de l'argent, s'occupant des transactions de terres et plaçant les économies de leurs clients. Cela eut pour conséquence qu'ils perdirent le contrôle politique du village au bénéfice des « paysans riches ». S'enrichissant de plus en plus, les

gros fermiers abandonnèrent la culture directe de leur terre et, dans bien des cas, transformèrent leur ferme en petit château, en attendant d'aller rejoindre, à la mauvaise saison, les bourgeois du bourg voisin parmi lesquels ils se comptaient désormais.

Aujourd'hui, les villages voient coexister agriculteurs modernistes, paysans routiniers, employés, retraités et artisans modernisés. Si les exploitants agricoles, ainsi qu'on les nomme aujourd'hui, font courir aux autorités un interminable marathon agricole à Bruxelles où se construit l'Europe verte, les « paysans routiniers » qui s'accrochent à la société lente de la ruralité ont aujourd'hui des allures de sages. Ces paysans ne sont nullement opposés au progrès, dont ils ont parfaitement

compris les côtés positifs, mais à la folie productiviste qui ne va pas forcément avec la culture de la terre ; terre dont on commence à reconnaître la fragilité et les limites. Ce sont ces paysans, en tout cas, qui ont freiné l'exode agricole, et surtout rural, déclenché par la fatidique « Révolution silencieuse » qui, de 1950 à 1965, bouleversa nos campagnes et par contrecoup nos villes. De l'entraide spontanée et joyeuse à travers laquelle le village tissait et maintenait les relations sociales entre les villageois, ces paysans étaient passés à l'ère du groupement par l'intermédiaire des CUMA puis des GAEC pour résister à une disparition à court terme. Toutefois, ils n'ont pu éviter que dans les années 1978, 8 fils d'agriculteurs sur 10 « sortent » de l'agriculture pour aller rejoindre la vie citadine étudiante et devenir des employés ou, plus souvents, l'un de ces « cadres dirigeants » dont parla Georges Pompidou en mai 1968 dans un discours où il estimait qu'il était « indispensable de maintenir la classe paysanne ». Avec le temps et la crise économique, les choses ont changé, la « classe paysanne » n'a pas vécu et les cadres souhaités sont le plus souvent chômeurs. En 1980, les « petits paysans », dont le choix d'une vie modeste basée sur l'autosubsistance relève plus d'une mentalité que de la fatalité, ne sont plus à la tête que de 404 000 exploitations, contre 1 137 000 en 1955, mais ils résistent mieux que ne l'avaient prédit les tenants du modernisme agricole.

Jusqu'à la Seconde Guerre mondiale, la relative stabilité géographique et socio-professionnelle ainsi que la hiérarchie fondée sur les rapports de personne à personne permettaient un contrôle social direct et continu qui favorisait la reproduction du pouvoir religieux, note un sociologue. A partir des années 60, tout change au village avec la diffusion des masses-médias et de l'automobile. L'espace social villageois éclate aussi bien sur le plan culturel, scolaire, matrimonial qu'économique. En même temps que la petite exploitation disparaît, disparaissent ou se marginalisent les professions qui allaient avec les techniques alors

utilisées. Ferronnier, maréchal-ferrant, bourrelier, et avec eux les fameux commis de ferme, les migrants saisonniers, les vagabonds ou « routiers » qu'on employait par charité, ou encore les « trimards », anciens légionnaires, déserteurs ou repris de justice, que le village adoptait par sympathie et qui souvent en devenaient des « figures », disparaissent...

LE BON VIEUX TEMPS

Il faut imaginer la vie d'un village, il n'y a pas un siècle encore, quand s'échappaient par les fenêtres des ateliers les bruits familiers des tonneliers, des tisserands, des scieurs de long, de celles des cuisines des aubergistes, alors présents partout, les cris du cochon, une fois la semaine, comme un appel au boudin et au saucisson frais... les claquements des sabots des chevaux partant au labour, le meuglement des vaches suivi du glapissement des chiens au travail, et les voix douces des vachers qui contrastaient avec les mots rudes des charretiers commandant à leur attelage. A cela s'ajoutaient les odeurs vivantes de ferme et la coloration irremplaçable et inimitable, parce que insaisissable, de ce que furent les échos et les fragrances du village.

Pourtant, les villageois ne connaissent pas la nostalgie de ce que les citadins à la recherche de racines appellent le « bon vieux temps ». Le monde rural a fait le choix d'une adaptation au confort minimal : électricité en 1914, eau courante en 1939, réfrigérateur et machine à laver dans les années 60, salle de bains et W.-C. en 1965, télévision pour les Jeux olympiques de Grenoble, en 1968, chauffage central, congélateur dans les années 70 et aujourd'hui lave-vaisselle, hotte aspirante et ordinateur pour gérer l'exploitation. La campagne a largement rattrapé la ville, car, en plus du confort, elle a l'espace et le calme. Hélas ! le progrès, ou plus exactement le réflexe de consommation, n'est pas arrivé tout seul. Premier inconvénient pour un monde peu habitué aux transactions financières, aux emprunts et surtout aux crédits : sortir du système traditionnel de

---

Coexistant dans les campagnes avec les agriculteurs modernistes, les paysans routiniers s'accrochent à la société lente de la ruralité.

thésaurisation, abandonner la fameuse lessiveuse aux pièces d'or pour le compte de chèques, la carte de crédit et le grand jeu de la comptabilité double. L'accès à une consommation plus large oblige à sortir presque quotidiennement du village ; il faut aller au bourg pour le Crédit Agricole (originellement banque paysanne créée et administrée par les paysans), à la ville pour le gros matériel, les réunions du syndicat professionnel, la chambre d'agriculture ou la D.D.A., à Paris pour le Salon agricole, et de temps en temps à l'étranger pour un voyage d'agrément. Avec ces « sorties », l'espace relationnel s'élargit tout autant, on fréquente un peu moins les voisins, mais on connaît plus de « monde », et surtout on rapporte chez soi des amis, des idées, des modes et des produits nouveaux, qui créent des goûts et des habitudes nouvelles, la variété n'étant pas traditionnellement ancrée dans le monde paysan. Désormais lié par des liens supplémentaires à la sphère non agricole, avec ses contraintes et ses aléas, le village perd beaucoup de son autonomie, notamment au niveau de sa subsistance directe.

UN COMMERCE SURVIVANT

Le boulanger, jusqu'à une date récente, était le commerçant qui avait le mieux résisté à l'appel de la nouveauté. Sa façon de faire, l'aspect, la saveur de son pain, inscrits dans les habitudes et le goût des villageois, expliquent sans doute cette survie, bien qu'il ne faille pas se faire trop d'illusions. Quand vient le moment de la retraite, il est rare qu'un jeune accepte de reprendre une affaire sans avenir. Liés au système économique qu'exige notre société moderne, les jeunes ne peuvent plus accepter de vivre comme les anciens, c'est-à-dire en symbiose avec un monde lui aussi finissant, qui se contentait de peu et trouvait son bonheur dans les relations de voisinage. Mies chaudes et croûtes croquantes sortant tout juste du four disparaîtront bien vite du paysage culinaire, et avec elles le compenage, ce vieux mot attaché au pain et échappé de l'époque médiévale. Un pain nouveau entrera sous une forme presque clandestine par le biais d'un dépôt de pain anonyme chez quelqu'un du village, puis par celui de la boulangerie-pâtisserie du bourg voisin, à une portée de voiture, à moins que ce ne soit un libre-service, un supermarché ou un hypermarché drainant sa clientèle jusqu'à 50 kilomètres à la ronde et qui, en plus de la baguette industrielle, fournira croissants et pains au chocolat pour le « quatre-heures » de la maisonnée. Avec ces immenses espaces commerciaux, les dernières habitudes de consommation restreintes aux aliments de première nécessité (sucre, farine, huile, café) vont tomber et les petites épiceries de village vont péricliter, malgré une tentative dans les années 70 d'achats groupés par le biais de coopératives, rassemblant surtout des agriculteurs, mais dont la nécessité fut plus psychologique qu'économique. C'est la congélation qui a sans doute le plus bouleversé les habitudes alimentaires : le cochon n'est plus salé mais mis en sachets dans le congélateur ; quant aux légumes, les bocaux pour les conserver sont remplacés par des sacs en plastique soumis eux aussi à la réfrigération. Juste retour des choses, ce progrès permet en fait une capacité de stockage domestique bien supérieure à ce qu'elle était jadis, et les villageois retrouvent, de façon artificielle, le plaisir de l'autoconsommation traditionnelle. Si la satisfaction existe au niveau domestique, du point de vue de la société villageoise, la disparition des petits commerces signifie l'absence d'un point de communication, et aussi le déclin de la notion d'entreprise, d'initiative. Autrefois principal facteur d'innovations dans les habitudes de consommation et dans les modes de vie, le commerçant, quand il existe encore, n'est plus qu'un simple relais d'innovations nées « en amont » de lui et véhiculées par les médias sur l'ensemble du territoire. Quant aux hypermarchés, s'ils ont fasciné au début par leur gigantisme et ces étranges chariots que l'on pousse devant soi, ils subissent eux aussi la loi de la publicité et ne font plus que proposer à l'étalage ce qui est déjà connu par des consommateurs éduqués ailleurs...

Au village les groupes sociaux ont bien changé. Si le pouvoir reste, au niveau municipal, aux mains des agriculteurs, et ce plus par respect de la tradition que par besoin, la puissance économique appartient à ces étranges absents-présents que sont les « migrants pendulaires ». Ce sont souvent d'authentiques villageois qui ont suivi une formation et sont d'abord allés là où ils trouvaient un emploi avant de se rapprocher du village et finalement d'y faire construire une maison. Ces derniers n'ont rien à voir avec les néo-ruraux, souvent d'origine citadine, qui choisissent d'habiter à la campagne même s'ils se rendent plusieurs fois par semaine à la capitale pour y travailler : ils cherchent une qualité de vie dont le principal atout serait l'espace et la dimension écologique de leur cadre de vie. Le cas des « migrants pendulaires » est intéressant à plus d'un titre, puisque ce sont eux qui font vivre ou revivre des structures d'animation comme les foyers ruraux, des cours de gymnastique, des clubs photo, des clubs nature, bref, des sociétés de fête ou de loisir qui existèrent jadis sous d'autres formes et qui permettaient aux villageois de se retrouver autour d'occupations communes. Ce sont également ces enfants prodigues qui, parce que salariés dans des entreprises ou des administrations voisines, introduisent des types nouveaux de consommation et surtout de dépenses, le salariat sécurisant ses bénéficiaires et surtout les sortant des habitudes ancestrales d'épargnants possesseurs non pas d'un magot mais d'argent futur, ce sont ces jeunes couples qui vont faire construire, c'est-à-dire créer des emplois pour des artisans ou les maintenir au village. Maçons, plombiers, menuisiers ont surgi dans les campagnes ces derniers temps et s'emploient à faire pousser les pavillons de leurs concitoyens, dont tous ne sont pas des anciens du pays mais de nouveaux retraités, c'est-à-dire des vieux.

LES VIEUX AU VILLAGE

Les vieux sont au village une catégorie qu'il importe également de localiser dans les structures sociales, ne serait-ce qu'en tant que classe d'âge puisqu'ils représentent aujourd'hui un cinquième de la population totale de l'espace rural : un villageois sur cinq a plus de soixante-cinq ans. Les agriculteurs âgés, retraités effectifs ou plus souvent fictifs, conservent toujours un poids social au village, même si l'on observe aujourd'hui le dessaisissement progressif de la

gérontocratie dans les rapports sociaux et familiaux, mais ce ne sont plus les plus nombreux parmi le « troisième âge ». Des retraités d'origine citadine viennent souvent finir leurs jours dans un petit village pour les commodités de déplacement et de loisir que cela représente, ainsi que pour la modicité du coût de la vie. Pour s'inscrire dans la vie du village, ce sont eux qui sont à l'origine des clubs du troisième âge, associations qui leurs permettent une ou deux fois par semaine de se retrouver autour d'un concours de belote ou de boules et qui désenclavent cette catégorie isolée, marginalisée par un système qui n'a plus de place pour elle. Célèbres sont également les voyages des vieux qui vont courir la France et même l'Europe en autocar, emportant avec eux un peu de cet esprit de village dont on sait très bien qu'il existe encore face au monde extérieur. La notion de « pays », si elle passe du plan national au plan local, se renforce et caractérise bien notre monde moderne qui se protège en s'archaïsant.

Les vieux représentent un cinquième de la population locale rurale. Marginalisés par le système économique et familial moderne, ils s'organisent pour vivre entre eux.

La disparition des petits commerces dans les villages signifie la fin des rencontres journalières et la difficulté de faire circuler les nouvelles locales.

L'ardoise industrielle se pose comme la tuile plate ; un simple maçon peut le faire.

Midi
Pyrénées

Conques, au nord, Saint-Bertrand-de-Comminges, au sud, Fourcès, à l'ouest, Cordes, à l'est, font partie de cette même région, la plus vaste de France, dont les limites ne répondent à aucune logique historique, géographique ou économique. C'est le pays des campagnes hautes en couleur, de la vigne, du maïs et du tournesol ; et au-delà des visions grandioses du cirque de Gavarnie ou de la montagne pyrénéenne aux accents de sierra, c'est la discrète harmonie des grands vallonnements, de la campagne piquetée de boqueteaux et de grands toits de tuiles rondes, cette étonnante correspondance entre les paysages, la richesse monumentale, les traditions locales qui frappent le voyageur. Le patrimoine bâti est prestigieux et très varié : églises romanes, monastères et abbayes cisterciennes, châteaux forts, castelnaux, fermes opulentes...

Comme en l'Aquitaine voisine, c'est aussi le pays des bastides, ces villes venues du Moyen Age, construites sur un plan géométrique, autour de la place aux couverts de pierre et de bois.

L'habitat est dispersé dans les collines, les « bardes » (fermes) soulignent les points hauts, les villages se situent dans les vallées. Les maisons changent de peau selon la région : torchis du Gers encore quelquefois visible, pierre jaune de Lomagne, brique du Toulousain, lauze du Rouergue ou galets de l'Adour. C'est un pays chaleureux, parfois aux allures de Toscane, pétri d'histoire encore vivante, et dont la terre est chargée de fruits évocateurs qui s'appellent madiran, armagnac, chasselas ou gaillac.

A

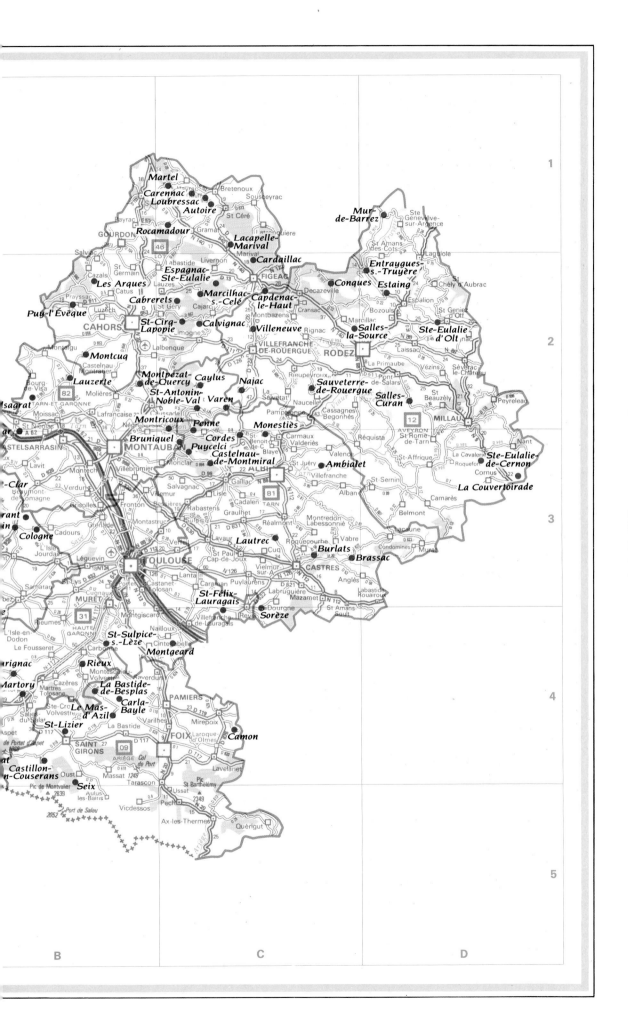

Le haut clocher à flèche d'ardoise de l'église Saint-Exupère d'Arreau émerge des toits du village. Il est encore de conception romane comme le portail à chrisme et les chapiteaux du porche. Le corps de l'église est de style gothique flamboyant.

Ambialet
Tarn

> 28 km E. d'Albi

Depuis Saint-Juéry, célèbre par la cascade du Saut-du-Tarn, la route suit le cours de la rivière. Après deux tunnels très étroits, on débouche sur des falaises schisteuses qui se resserrent de plus en plus. Et soudain, c'est le village d'Ambialet, avec ses deux pitons surmontés chacun d'une église, coincé dans une presqu'île à l'intérieur du méandre le plus resserré d'Europe.

On accède au village en traversant le Tarn sur un pont de pierre. En prenant à gauche, on arrive à l'église devant laquelle se dresse une croix du XIᵉ siècle, sculptée sur ses deux faces. Un château féodal en ruine surplombe l'ensemble. A partir du pont, un autre chemin, à gauche, après être passé sous un tunnel, débouche au pied d'une usine d'E.D.F. qui a la particularité de ressembler à un petit château du XIXᵉ siècle.

En remontant le Tarn sur sa rive gauche, on accède au porche d'une ancienne ferme noyée dans les châtaigniers et les chênes. De là, un rude sentier, bordé par les douze stations d'un calvaire, monte jusqu'au prieuré, qui du haut de la presqu'île domine tout le site. Ce prieuré renferme un musée missionnaire dont la principale curiosité est l'Auder, un arbre qui aurait été rapporté de Terre sainte par un croisé. De la terrasse on longe les deux tours rondes du prieuré bénédictin jusqu'à la chapelle du XIᵉ siècle qui lui est accolée. Le porche très dépouillé donne accès à l'intérieur roman, très sobre et très sombre.

Modeste village, Ambialet a su tirer profit de sa position géographique exceptionnelle. Le tourisme, les randonnées pédestres, la pêche et le canoë-kayak sur le Tarn redonnent peu à peu la vie à ce village qui s'éteignait.

Arques (Les)
Lot

> 34 km N.-O. de Cahors

Quittant à Castelfranc les larges méandres – les « cingles » – du Lot, on prend vers le nord une petite vallée adjacente. Le village des Arques, à 12 kilomètres à peine, est déjà au contact du Périgord noir, de ses paysages de bois et de prés. Les Arques, c'est d'abord, au milieu de maisons anciennes, une église romane du XIIᵉ siècle, vestige d'une abbaye bénédictine ; son architecture et ses reliefs séduisirent le sculpteur Zadkine, qui en permit la restauration. C'est aussi, sur le versant opposé, la chapelle Saint-André. Elle est de dimensions modestes mais elle vaut par d'étranges fresques du XVᵉ siècle qui racontent la vie du Christ. L'ensemble est un peu fruste et presque naïf d'exécution, mais très frais de couleurs, et d'une composition qui ne manque pas d'un bel équilibre instinctif. Ces fresques sont peut-être dues, comme celles, proches, de la Masse ou de Rampoux, à quelque moine inspiré.

Arreau
Hautes-Pyrénées

> 32 km N.-O. de Bagnères-de-Luchon

« Tripassés d'Arrèu », les « marchands de gras d'Arreu » ! C'est le sobriquet des habitants de l'ancienne capitale des Quatre Vallées (Aure, Barousse, Neste et Magnoac). Un sobriquet que vous comprendrez si vous visitez Arreau un jeudi, jour de foire, et surtout le jeudi des Rameaux. Les gens des vallées les plus proches – Louron, Aure et Bareilles – se retrouvent alors autour des halles tandis que bestiaux et stands débordent sur l'autre rive de la Neste de Louron. A midi, tous vont honorer la lourde cuisine pyrénéenne chez un « tripassé ».

La recherche d'un couvert vous permettra de découvrir la fameuse maison des Lys. Cette bâtisse du XVIᵉ siècle à la façade à colombage sculpté de fleurs royales évoque le rattachement de la Bigorre à la couronne de France. L'encorbellement, cette avancée du premier étage des maisons, constitue le témoignage d'une architecture originale. A noter aussi dans la rue principale, après le pont sur la Neste d'Aure, un linteau de porte orné d'un svastika. Cette croix, dite basque, est utilisée dans une large partie des Pyrénées, jusqu'en Ariège.

Pour apprécier le site d'Arreau, il faut du recul. Prenez un sentier au-dessus de Jézeau. Vous dominerez Arreau et vous imaginerez sans peine quel rôle a pu jouer ce gros bourg, commandant la route d'Espagne et le passage d'un chemin vers Saint-Jacques-de-Compostelle.

Arrens-Marsous
Hautes-Pyrénées

> 25 km S.-O. de Lourdes

Une vieille légende du Lavedan prétend que Dieu déversa les dernières merveilles de sa création dans le val d'Azun. Il est vrai que cette vallée suspendue reflète bien l'équilibre écologique auquel sont parvenues les anciennes communautés pyrénéennes. Le paysage se répartit harmonieusement entre les bordes (granges) à la limite des forêts, les pâturages, les métairies et les hameaux dispersés au fond de la vallée, entre deux villages. En arrière-plan, quelques pics prestigieux : le Balaïtous, le Gabizos, le pic du Midi d'Arrens et le Cabaliros.

Arrens-Marsous forme la capitale de ce val d'Azun, au pied du col du Soulor menant en Béarn. Si le pastoralisme ne fait plus vivre les habitants, Arrens semble, là aussi, avoir trouvé un équilibre avec des activités touristiques d'hiver (ski de fond) et d'été (alpinisme). Les montagnards font halte dans une des belles maisons d'Arrens où l'association Randonnées pyrénéennes tient un gîte bien restauré, avec notamment une imposante salle commune. C'est la demeure historique de Miqueu de Camelat, félibre pyrénéen (1871-1962) dont la *Béline* gasconne vaut la *Mireille* provençale de Mistral.

Arrens-Marsous a longtemps figuré sur la liste des pèlerinages pyrénéens non pas pour son église fortifiée entourée d'un curieux mur d'enceinte crénelé, mais pour la chapelle de Pouey-Laün, où des bergers virent une apparition de la Vierge. Le sanctuaire construit au XIVᵉ siècle, somptueux, reçut le surnom de « Capére daurade » (chapelle dorée). Il en reste trois splendides retables baroques dorés à la feuille.

Aurignac
Haute-Garonne

15 km N.-E. de Saint-Gaudens

Découverte en 1860 par Édouard Lartet, la grotte d'Aurignac fit la renommée du village. Ce site a donné son nom à une période du paléolithique : l'aurignacien, 30 000 ans avant notre ère. La grotte-abri se trouve à 1,5 kilomètre du village, sur la route de Boulogne, ainsi qu'un musée de la préhistoire.

En arrivant de Toulouse, dans un cadre vallonné habillé de bois de chênes et de prairies, Aurignac apparaît soudain sur la crête et s'étage depuis le donjon et l'église jusqu'à la pente plus douce des faubourgs. Le passage voûté de la porte de la Benque se prolonge par la rue des Nobles, bordée d'anciennes échoppes aux ouvertures en arc de cercle. Percé d'une porte ogivale fortifiée, le clocher du XVIe siècle, en pierre jaune, orné de gargouilles, conduit au porche de l'église. Quatre colonnes torses soutiennent des chapiteaux aux formes insolites. Le tympan s'illumine d'un Christ aux outrages (fin du XVe siècle) et d'une émouvante Vierge à l'Enfant (XVIIe siècle).

Au sommet de l'arête, sur la droite, un petit escalier permet d'atteindre l'emplacement de l'ancien château comtal dominé par les rondeurs épaisses d'un donjon décapité du XIIIe siècle. Ce point culminant favorise une large vue, barrée au sud par la chaîne des Pyrénées ariégeoises et luchonnaises. Des restes de remparts conduisent à un alignement de maisons en encorbellement ; leurs façades sont en torchis pour les plus anciennes, en brique pour les autres. A la jonction avec la rue des Nobles, une belle maison Renaissance s'orne d'une gargouille à l'angle du toit.

3 kilomètres à l'ouest, la D 8 mène aux thermes romains de Montoulieu, puis au proche village d'Alan, avec son clocher à pignon du XIVe siècle et l'ancien palais des évêques du Comminges.

Auvillar est l'une de ces paisibles bourgades qui jalonnent le cours de la Garonne. Sa grande église Saint-Pierre dresse son clocher et ses clochetons du XIXᵉ s. sur une tour démolie en 1794.

Autoire
Lot

8 km O. de Saint-Céré

Autoire est à deux visages, très différents suivant l'approche que l'on en fait.

La route du bas, après Saint-Céré, suit la vallée de la Bave, passe sous le château de Montal, dont la cour Renaissance vaut un arrêt, puis elle serre au plus près la falaise verticale du causse. Brusquement, à gauche, s'ouvre une reculée, un profond entonnoir taillé dans le plateau. On s'y engage, et, à 3 kilomètres à peine, on tombe soudain sur le village. Il étire parmi les vergers et les prés, au bord de la rivière vive, des maisons à encorbellement, une fontaine, de raides toitures de tuiles brunes coupées de lucarnes ornementées, une église, des demeures à l'allure de gentilhommières, surmontées de tourelles, le tout ayant conservé cette marque des siècles passés qui fait le charme de la région. Puis on lève les yeux et on découvre le cirque : une enceinte de murailles à pic que l'on dirait infranchissables, un bout du monde secret, à la fois sécurisant et inquiétant. Mais si l'on aborde Autoire par les hauteurs, en venant du gouffre de Padirac, à 10 kilomètres à peine, c'est au contraire l'ouverture lointaine et le ciel à perte de vue. Il faut alors s'arrêter au bord de la reculée, à l'endroit où la pente décroche d'un seul coup, où la rivière plonge en cascade. Au premier plan, comme collées à la paroi, les ruines du château des Anglais ; dans le bas, la route en corniche, le creux de l'entonnoir, le village caché ; et au loin, après la vallée de polycultures déjà aquitaines et la forteresse de Castelnau, des échappées infinies et bleutées dont on ne se lasse pas.

Auvillar
Tarn-et-Garonne

22 km O. de Moissac

Après une longue ligne droite, la route de Castelsarrasin à Auvillar ondule, descend doucement, remonte, et c'est un village groupé autour d'une église imposante qui apparaît soudain au sommet d'une colline. Le regard est aussitôt accroché par cette vaste église dédiée à saint Pierre, ses puissants contreforts rouge sombre, son mur-clocher de pierre blanche et son chaos de remaniements des XIIᵉ et XVIIᵉ siècles. Mais à peine a-t-on le temps de s'y attarder qu'une porte surmontée d'une tour invite à pénétrer dans la vieille ville.

Comme si la vie respectait le passé, calme et silence règnent dans les ruelles étroites ; l'élégance d'un portail, l'ébauche d'une arcature ou la majesté d'une façade, tout ici évoque une splendeur disparue. A quelques mètres, voilà le cœur du village, avec sa place triangulaire bordée de maisons à arcades des XVᵉ et XVIᵉ siècles où le soleil sans se lasser joue sur la brique et les pans de bois. Secrètes et pleines de charme, elles témoignent de l'animation de jadis autour de la petite halle ronde, sur piliers de pierre tout aussi ronds, abritant encore les mesures à grains médiévales. Le cœur de la ville est toujours là avec sa mairie restaurée, dépositaire de la plus belle collection de faïences du département.

A Auvillar, les faïenceries prestigieuses ont fermé leurs portes mais les farandoles des vignerons continuent le jour de la Saint-Noé. Commerçants, artisans et ouvriers voient affluer une population nouvelle insufflée par la centrale nucléaire de Golfech, à 10 kilomètres de là. De la falaise escarpée qui domine la Garonne, à quelques pas de la place, on l'aperçoit d'ailleurs, menaçante ou sécurisante selon le goût de chacun, telle une immense tente berbère dressée sur une plaine verdoyante.

Dans le village de Saint-Michel, au sud-est, l'église, du XIIᵉ siècle, mérite le détour.

Bassoues
Gers

35 km O. d'Auch

La plaine creusée par les vallées parallèles de la Baradée et de la Guiroue est barrée à l'ouest par la crête d'une colline d'où émerge l'architecture très militaire d'un donjon de 43 mètres. Son aspect massif est accentué par la présence aux quatre angles d'épais contreforts couronnés par une gracieuse ceinture de mâchicoulis.

Au-dessus d'un plan d'eau réservé à la pêche, la basilique de Saint-Fris, dédiée au neveu de Charles Martel, toute en longueur, est contiguë à un cimetière planté de cyprès. Simple église à l'origine, elle fut embellie par les bénédictins au XIᵉ siècle et agrandie par l'archevêque d'Auch en 1520, qui la dota entre autres de ses portes Renaissance. Les restes du château, avec ses tours rondes à mi-hauteur et ses fenêtres à vitraux, tempèrent l'aspect un peu lourd du gros donjon qui le surplombe. De là, la rue principale s'engouffre sous une longue halle. A sa droite, un alignement de couverts à colombage s'appuie sur des piliers de bois. A sa gauche, l'espace plus ouvert laisse la place à un puits monumental, juste devant l'église Sainte-Marie, légèrement en contrebas ; son clocher du XVIᵉ siècle est de la même pierre brune que le château. Quelques marches dévalent vers le porche d'entrée orné d'un blason et d'un bénitier sculpté du XVᵉ siècle. Entièrement polychrome, l'intérieur conserve une chaire en pierre sculptée du XVᵉ siècle, un grand tableau représentant saint Fris bataillant contre les sarrasins, et plusieurs statues en bois doré. Face à l'église, au coin de la halle, un passage couvert débouchant sur des croupes fortement vallonnées longe un bel édifice à balcon de bois et colombage à croisillons. Au-delà de la halle, l'artère principale redescend doucement jusqu'à la sortie de Bassoues. Aux portes du village, les énormes silos d'une coopérative témoignent d'une intense production céréalière.

Bastide-de-Besplas (La)
Ariège

43 km N.-O. de Foix

Regroupée sur la rive gauche de l'Arize, cette petite bastide fondée en 1249 s'épanouit dans une grasse plaine plantée de céréales et délimitée par deux coteaux étirés comme d'énormes serpents jumeaux. Une façade en brique à pans de bois conduit à la minuscule place centrale bornée par une double arcade sur piliers de bois. En face, le clocher ajouré sur deux étages avec deux tourelles carrées porte un arbuste à la survivance miraculeuse. D'un grès jaune, le porche de l'église est encadré de deux énigmatiques statues phalliques sur fond de rosiers grimpants. Immédiatement à gauche, le presbytère où a vécu jusqu'en 1987 l'abbé Casy Rivière. Son amitié avec Paul Claudel a valu à l'église deux grandes fresques illustrées de citations : hommage insigne du célèbre auteur à l'humble abbé. Jacques Brel, un autre de ses amis, est souvent venu se reposer dans le village.

Du cœur de la bastide, trois voies rejoignant la rivière sont coupées par des ruelles anonymes, certaines en passages couverts larges d'à peine 1 mètre. Beaucoup de maisons de torchis à encorbellement paraissent abandonnées, mais de cette impression de temps arrêté se dégage un certain charme. En se rapprochant du cours d'eau, quelques bâtisses faites de briques et de galets mènent à une grande place où la mairie ressemble à un cabanon de garde-barrière. De l'autre côté du pont à deux arches, qui traverse l'Arize, une chapelle toute simple renferme un splendide retable baroque.

Trois gros châteaux sont établis dans les environs, non loin de la D 628, en direction de Montesquieu-Volvestre. Le premier se remarque par sa façade claire au fronton et aux fenêtres richement décorés. A gauche, celui de Fornex (du XVᵉ siècle), dont le donjon rond émerge d'un bouquet de cyprès. Et au bout d'une allée de platanes, l'impressionnante bastille de brique crénelée du château de Palays, identifiable à ses grosses tours circulaires et à ses alignements de mâchicoulis.

Brassac
Tarn

24 km E. de Castres

Sinueusement descendu du lac de la Raviège, l'Agout arrose un fond de vallée dans un panorama de verdure où les prairies alternent avec des vallonnements boisés. Bien abrité au sud-est des monts de Lacaune, le gros village de Brassac s'est étalé sur les deux berges de la rivière. Deux châteaux se font face de part et d'autre de la rivière et semblent se défier. Rive droite, celui de Castelnau, le pied dans l'eau, présente deux tours rondes et une façade blanche percée de 22 fenêtres encadrées de granit gris. Rive gauche, plus modeste et légèrement en retrait, celui de Belfortes s'orne d'une tourelle d'angle. Le pont de pierre sombre qui les relie nargue les nombreuses crues depuis 1193. Il porte encore de gros crochets de fer sur lesquels les teinturiers faisaient sécher leurs toiles. Après le pont à droite, l'arrière du château abrite un bureau du parc du Haut-Languedoc très bien documenté. En continuant, le visiteur parvient au départ d'un vieux pont en léger dos-d'âne pavé de galets roux et dorés. Rue du Moulin, deux maisons à encorbellement mènent au passage voûté des Rafaldis descendant en escalier vers la rivière. Toujours au bord de l'Agout, plusieurs fabriques de textiles demeurent en activité. En remontant place Saint-Georges, on trouve une église à double rangée de carillons encadrés par deux colonnes rondes. Dans la rue de la Fusarié, un humble habitat, dont les façades exposées aux intempéries sont couvertes de grands rectangles d'ardoise, abrita jusqu'à 1 200 fileurs de laine au XVIIIᵉ siècle. Tout au bout, à la limite de la forêt, une large vue s'ouvre sur le bourg, combinant, en dégradé, le gris du granit et le noir des ardoises.

A 1 kilomètre en amont, le site de Sarazi témoigne de la présence maure au bord de l'Agout jusqu'au Xᵉ siècle. A 7 kilomètres au nord-ouest, le village de Ferrières mérite le détour pour son château médiéval, un musée très complet du protestantisme en haut Languedoc, et la Maison du luthier, avec son atelier de facture instrumentale.

A ses demeures cossues et à ses gentilhommières, Autoire dut le surnom de « petit Versailles ». Le château du Busqueilles reprend comme en écho toute la diversité des toits du village. ▷

Bruniquel
Tarn-et-Garonne

28 km E. de Montauban

Un château ancré au sommet d'un rocher vertigineux dominant l'Aveyron, des maisons serrées les unes contre les autres, des venelles caillouteuses, pavées ou en pas-d'âne, des jardinets en terrasses attendrissants et dérisoires, et aussi des pans de murs, des herbes folles et des demeures béantes, ainsi se présente Bruniquel, cité médiévale par excellence où tout suggère le grouillement d'une population à l'intérieur d'une enceinte. L'enceinte n'existe plus, mais l'on distingue toujours le « barry » du village.
Faste et humilité s'y côtoient avec bonheur. Qu'elle soit grise ou dorée, la pierre est omniprésente. Maisons basses aux caves insoupçonnées, bâtisses majestueuses développées en hauteur avec un escalier à vis desservant les étages, même les ruines témoignent d'un éclat révolu. Avec ses arcades en tierspoint, ses portes en accolade, ses fenêtres géminées, trilobées et à meneaux où pétunias et géraniums s'épanouissent avec langueur, partout l'architecture honore les hommes d'affaires qui ont jadis illustré la vie de Bruniquel. Ne surent-ils pas hisser le commerce de leur village au niveau international avec la culture de la vigne, du chanvre et du safran ?
A la fin du XVIIIe siècle, l'industrie prend le relais avec la découverte de minerais. Forges, scieries et carrières alimentent ensuite la région grâce au chemin de fer. Quand celui-ci disparaît (1956), Bruniquel a perdu son énergie depuis longtemps. Élevage de chèvres et cultures diverses (maïs, tabac, vigne, prunes) constituent désormais ses seules ressources.
Sur le site de Bruniquel, les grottes contiennent des vestiges importants de la préhistoire. L'église romane du hameau de Saint-Maffre, sur la commune de Bruniquel, à l'ouest, présente un portail et des chapiteaux intéressants.

Des sept portes autrefois percées dans les remparts de Bruniquel trois susbistent : la porte du Roca, la porte Méjane (ci-dessus) et la porte Neuve. Avec le château (XIIe-XVIe s.), elles rappellent le passé guerrier de ce village qui connut, au XIIe s., les horreurs de la croisade contre les albigeois.

Burlats
Tarn

9 km N.-E. de Castres

Au débouché des gorges de l'Agout, Burlats se regroupe sur la rive droite, au pied de fortes pentes boisées. Cette petite localité est riche d'une brillante histoire dont témoigne un ensemble monumental impressionnant. Dès le Xe siècle, on note la présence d'une église dépendant de l'abbaye de Castres. Vers la fin du XIIe siècle, l'ordre de saint Benoît implante à Burlats un prieuré et Constance, épouse du comte de Toulouse Raymond V, fait construire un château. Sa fille Adélaïde épouse Roger de Trencavel, le protecteur des cathares, et fonde une cour d'amour attirant les troubadours les plus célèbres.
L'église du prieuré, transformée en collégiale, conserve une belle abside et deux façades aux fines sculptures romanes. En face, dans une vaste cour en U, le château à la grosse tour carrée s'est enrichi d'un décor du XVIIe siècle.
Sur le quai de l'Agout, le pavillon d'Adélaïde, demeure romane parfaitement restaurée au pied d'un canal sortant d'un tunnel voûté, s'éclaire de quatre baies géminées. En remontant vers le pont à trois arches, des encadrements ocre et une sirène sculptée égayent la sombre façade de la maison d'Adam, de la même époque. Depuis l'actuelle église, une rue étroite conduit par un passage couvert à la tour de la Bistoure, rescapée des anciens remparts.
Un peu d'agriculture, une fabrique de textile et une scierie complètent l'activité dominante d'exploitation du granit. C'est que nous sommes ici juste au pied des monts du Sidobre, dont les énormes blocs granitiques parsèment les forêts.

Cabrerets
Lot

33 km N.-E. de Cahors

C'est un refuge. On n'y accède que par des gorges, par des routes étroites au ras de la rivière que la roche domine de haut et surplombe quelquefois en voûte avancée. On tourne à l'infini dans ces longues tranchées creusées dans le causse et l'on tombe soudain sur une large cuvette où confluent le Célé et la Sagne. Mais cette cuvette est encore défendue en amont par le château du Diable, dont les ruines vertigineuses s'accrochent à la falaise de Roche-courbe, et en aval par le château de Gontaut-Biron, des XIVe et XVe siècles, intact et imposant. Ainsi protégé, le village se cale sur la rivière ; elle est belle et lisse, avec de lentes coulées de lumière frémissante sous les arbres. Ce refuge, les hommes de jadis l'avaient déjà trouvé. Ils ont laissé d'amples traces de leur très ancien séjour – il y a 20 000 ans et plus – dans les grottes de Pech-Merle, à un quart d'heure du village. Elles furent découvertes par hasard en 1922 par deux garçons en escapade : tout un dédale de salles et de galeries dont 1 600 mètres sont accessibles au public. On y voit de superbes concrétions, des forêts de stalagmites, des cascades de stalactites comme souvent dans le monde souterrain des causses. Mais la merveille ici réside dans les peintures rupestres : une longue frise de bisons et de mammouths, des silhouettes de chevaux, des empreintes de mains, des ponctuations mystérieuses. Particulièrement émouvante encore est une trace de pas faite dans l'argile humide par un homme préhistorique, si fraîche, sous une pellicule d'eau, qu'on la dirait d'hier.

Calvignac
Lot (voir pages 258-259)

Camon
Ariège

35,5 km S.-E. de Pamiers

Le petit village de Camon s'épanouit dans une boucle de la vallée de l'Hers cernée de coteaux. Au cœur d'un paysage mi-agricole, mi-forestier, ses toits de tuiles claires encadrent une légère élévation dominée par le puissant volume du château. Face à un alignement de six gros platanes, la Maison-Haute, du XVIe siècle, s'intègre dans le système défensif originel. Sa façade, en pierre et en bois, percée d'une porte cloutée et de fenêtres à meneaux, se prolonge par un double encorbellement enrichi de colombages à croisillons. On accède au village par la porte voûtée de l'église surmontée d'une Vierge et d'un petit clocheton. A l'est, une croix sculptée du XIVe siècle, dans un encadrement du XVIIIe, annonce l'imposante façade du château, sa grosse tour carrée et son balcon sur double arcade. Une promenade longe les remparts édifiés au XVIe siècle par Philippe de Lévis, évêque de Mirepoix, et percés de meurtrières en 1560 par le cardinal Georges d'Armagnac. L'intérieur du château ne se visite pas mais l'on a accès aux salles voûtées de l'abbaye et au jardin de l'ancien cloître. De la même époque, le clocher carré de l'église soutient une tourelle ronde. Dans le chœur, une représentation symbolique des quatre évangélistes et deux bas-reliefs remarquables : d'un côté, Adam et Ève ; de l'autre, Jésus et Marie.
A 6 kilomètres au sud du village, en bordure de la forêt de Léran, le lac de Montbel constitue une base de loisirs et de détente très agréable.
Pour les amateurs d'architecture médiévale, la proche cité de Mirepoix est un enchantement de tous les instants. Ils verront, en particulier, la vaste place centrale et ses maisons sur des couverts en charpente, et l'ancienne cathédrale Saint-Maurice, du XVe siècle.

Campan
Hautes-Pyrénées

5,5 km S. de Bagnères-de-Bigorre

Peu de villages pyrénéens ont donné leur nom à une vallée. C'est le cas de Campan, dans le haut Adour. Campan a conservé plutôt bien que mal son caractère de gros bourg frileusement tassé autour de sa halle et de son église. Mais, malgré le charme de ce haut Adour aux prairies tondues par les troupeaux, on a peine à imaginer l'extraordinaire vogue que connut Campan au siècle dernier. La bonne société qui venait soigner ses excès aux eaux de Bagnères, toute proche, parcourait Campan, Baudéan et jusqu'à Payolle en galops endiablés.
Les toitures d'ardoise ont succédé aux anciens toits de chaume, dont seules quelques bordes (granges) sont encore coiffées, plus par pauvreté que par goût du pittoresque. Et puis un incendie, en 1694, a détruit la plupart des vieilles demeures de Campan. Malgré tout, les maisons gardent leur traditionnel aspect de double habitation : l'une réservée aux gens ; l'autre au foin et aux bêtes. Une grande galerie de bois exposée à la soulane (adret) orne le premier étage. Les fameux pignons à redents, caractéristiques des maisons à toit de chaume, ont également survécu.
A l'église de Campan, vous serez accueilli par la statue d'une mère drapée dans sa cape de deuil qui domine le monument aux morts. Statue émouvante, figée devant l'ahurissante liste des tués des dernières guerres qui ont saigné à blanc les vallées pyrénéennes.

Capdenac-le-Haut
Lot

7 km S.-E. de Figeac

Imaginez un éperon calcaire abrupt pointant dans un méandre presque fermé du Lot qu'il domine de 120 mètres. C'est là une de ces positions de citadelle qui, au cours des siècles, attira les armées, les grands capitaines et les seigneurs puissants. César l'assiégea, prétendent certains. Pépin le Bref y vint ; des troupes diverses l'environnèrent pendant la croisade des albigeois et lors des guerres de Religion. Galiot de Genouilhac, grand maître de l'artillerie de François Ier, y eut un château qui fut ensuite propriété de Sully ; celui-ci s'y retira après la mort de Henri IV ; il y vécut plusieurs années. Tous ces mouvements ont fait naître un village riche d'ouvrages et de vestiges : un donjon, des restes de remparts, une tour, une porte du XIVe siècle, des maisons médiévales en encorbellement à pans de bois et des ruelles dont le calme vous transporte. Capdenac-le-Haut connut une longue période d'éclipse ; il se vida presque de ses habitants lorsque naquit, en 1855, au ras de la voie ferrée neuve, l'autre Capdenac, Capdenac-Gare, situé au pied de la butte, sur l'autre rive du Lot. On y domine des terrasses du belvédère, uniforme, moderne et industriel, en contraste total d'aspect et même d'administration, puisque l'« ancien » est du Lot et, la rivière faisant frontière, le « nouveau » est de l'Aveyron. Puis est venue l'époque du passé retrouvé, de la recherche du beau, si bien que les vieilles maisons des hauteurs trouvent acquéreurs et sont restaurées, que le village aujourd'hui se repeuple, s'anime, revit.

Lorsque la vigne vierge serpente à l'assaut du mur en revêtant sa robe pourpre, la pierre austère se fait plus accueillante.

CALVIGNAC

par Georges Borgeaud

34 km S.-O. de Figeac

Le nom même de Calvignac garde encore l'éclat de son passé stratégique. Un château fort couronnait le village au sommet d'un promontoire. Il n'en reste rien aujourd'hui, quand bien même on en montre un pan d'anciennes fortifications et la trace de fondations recouvertes d'une herbe drue et odorante. Il demeure toujours dans les lieux anciens une aura. La rivière Lot en contourne l'éperon en suivant son capricieux et lent cours d'un bord à l'autre de la vallée, jusqu'à Cahors. Sur son roc, le village se voit de loin. On comprend ainsi pourquoi il a été un poste de guet qui permettait d'allumer le feu grégeois pour informer le seigneur voisin de la menace d'envahisseurs ou de bandes.

L'âge des maisons n'est pas très vieux mais les architectes ruraux, entre 1850 et la guerre de 1914, obéissaient encore dans leurs plans à la tradition quercynoise, l'une des plus harmonieuses de la province française. Ni prétentieuse ni misérable. De jolies maisons à un seul étage desservi à l'extérieur par un escalier de pierre, laissant sous lui une cave voûtée où se faisait gentiment le vin de Cahors. Le toit est pentu pour retenir les pluies qui emplissent la citerne pareille à une chapelle romane voûtée. Les fenêtres s'ouvrent au couchant, sur l'étendue de la vallée.

Les démolisseurs, les maniaques de la restauration n'ont pas encore gravement défiguré l'aspect général du village qui garde la discrétion de ceux qui préfèrent la mesure du bien-être au chambardement du confort excessif, le jardin de curé aux perspectives des châteaux. La perfection intime et tranquille de Calvignac comble le besoin de simplicité des habitants.

Accotée au rocher, la modeste mairie représente la bonhomie campagnarde des fonctions de la République. Aux fêtes officielles, on suspend un drapeau sur sa porte, toujours un peu las, l'été, de la forte chaleur et de la soif de toutes choses. A ses côtés s'élève un bâtiment désaffecté qui fut l'école laïque quand il y avait encore des enfants pour l'animer. Jules Ferry aurait pu l'inaugurer. Le temple de l'enseignement est entré dans le sommeil et sa façade s'est couverte d'un lichen blanc comme si peu à peu elle entrait dans la moisissure. En face de lui, le bouleversant monument aux morts décline la liste de ses victimes dont on repeint parfois en caractères romains les noms.

Cette place est un passage obligé où le soir, à la fraîche, le village se rassemble en attendant la nuit. Les gens prennent place sur un petit mur tournant le dos à la vallée, au Lot touché par un soleil couchant de feu ou d'or. Le Calvignac d'en bas, celui que l'on a joliment baptisé le Communal, a allumé les lampes de ses maisons et de la route. On fume, on parle. On est entouré de

Une cascade de maisons et de sentes se cache sous les frondaisons à ce moment délicieux où sous le vert s'annonce le mordoré. Sur le chemin de l'église, on rencontre encore, avant qu'ils ne chancellent, quelques arcs bien appareillés.

Avec les six boules qui en ornent les angles, ce pigeonnier quercynois a une allure de pagode. Son toit débordant orienté selon les vents dominants facilitait l'envol des pigeons.

la splendeur du monde sans paraître y porter beaucoup d'intérêt. Les enfants vont et viennent comme les hirondelles. Les lances d'arrosage sur le maïs et le tabac chantent comme une pluie. Bientôt le mois d'août préparera la fête votive. La jeunesse de Calvignac résidentielle ou indigène coupe de petits chênes sur le causse de Limogne et les dresse sur la place. Les filles y accrochent des roses de papier. Le pont de danse va bientôt subir des rythmes fracassants. Il est donné à la nostalgie des aînés, le lundi soir, une autre musique, celle qui fait chanceler les tendres cœurs.

Depuis trente ans que je suis un citoyen rapporté du pays quercynois, je n'ai envers lui aucune lassitude. Il y a là un art coutumier de vivre sans hâte que la modernité considère comme ennuyeux. Jusqu'à quand ? Les choses changent, il est vrai, imperceptiblement, sans trop blesser l'âme ou l'esprit. On sait ce que le progrès apporte, moins ce qu'il vous prend. Bien entendu, l'épicerie était longtemps demeurée en retrait des nouveautés. La vieille femme qui la tenait s'en allait peu à peu dans la légende, mais enfin elle vivait encore, et cela nourrissait chez nous une nostalgie. Je la voyais perdue dans son désordre. Je lui demandais du safran, elle me répondait : « Cherchez-le, je ne sais pas où je l'ai mis ! » Ce monde sans hâte associé aux odeurs de café, de vanille et de poussière séculaire me plaisait. Des pains de savon de Marseille séchaient sur les plus

hauts rayonnages. Les conversations des gens du pays étaient savoureuses parce qu'elles utilisaient l'occitan dans son intégrité.

A la mort de ma frêle protégée, l'épicerie fut reprise par une laborieuse gérante qui voulut réanimer le commerce avec des denrées rares : moutarde de chez Fauchon, boîtes de crabe soviétique, whisky de toutes les marques, bouteilles d'appellation contrôlée... Hormis quelques Parisiens, on bouda ces innovations. Comment ajouter des raffinements à la cuisine des Lotois, pour lesquels le foie gras, les pâtés, les truffes sont le comble de la subtilité ? Et puis, il y eut brutalement l'annulation par les instances postales du bureau auxiliaire de Calvignac. Peu après, celle de la micheline des voyageurs. La gare fut laissée à des gens à l'esprit nomade. Le beau rosier qui mangeait le crépi du mur au-dessus de la salle d'attente s'écroula en pleine floraison et en demeura accablé jusqu'à ce qu'il fût arraché.

Il faudrait encore parler de l'église, bâtie selon les connaisseurs à une mauvaise époque, mais pourtant non sans qualités ni charme. Sa nécessité est de sonner trois angélus par jour, donnant l'heure à ceux qui labourent leurs terres, récoltent ce qu'ils ont semé. Millet est bien loin, même s'il orne encore quelque manteau de cheminée quercynoise. La piété n'est plus ce qu'elle était, mais la beauté d'un pays est plus tenace que l'on ne pense.

259

Cardaillac
Lot

11 km N. de Figeac

Le nom de Cardaillac claque avec autorité ; il a déjà la couleur du Sud-Ouest ensoleillé ; il rappelle une famille puissante qui domina longtemps la région de la Limargue. Son repaire d'origine est dans ce village presque perdu au cœur d'un paysage haché de vallons secrets et masqué de bois sombres. Cardaillac, aujourd'hui, c'est surtout le Fort. Le Fort n'est pas un simple château, c'est une ville miniature sur l'avancée triangulaire d'un plateau bordé de vigoureux abrupts. Trois tours visibles de loin le dominent : celles des Barons et de l'Horloge, massives et carrées, celle de Sagnes, plus isolée et ronde. Franchie la porte qui garde l'accès par le plateau, on se retrouve transporté d'un coup au Moyen Age. Les venelles capricieuses à caniveau central sont à peine empierrées ; elles serpentent, semées d'herbes folles, entre des murs de grès ocre. Un vieux puits, une chapelle à façade presque aveugle, des arcatures un peu frustes, une courette étroite, de courtes impasses, un angle de rue tout arrondi par le passage des roues de charrettes, une maison restaurée en terrasse débordant sur le vide. Le silence. Et voilà que l'imagination trotte, reconstitue la vie et le mouvement d'autrefois. Pour finir, il faut prendre le sentier qui tourne autour de l'enceinte, descend dans les creux, longe le pied de la roche verticale. Et l'on comprend, levant les yeux, pourquoi les Cardaillac, ainsi défendus dans ce petit « Carcassonne du Quercy », furent si longtemps craints et invincibles.

Carennac
Lot

21 km N.-E. de Rocamadour

En quelque climat que j'erre
Plus qu'en tout autre lieu
Cet heureux coin de la terre
Me plaît et rit à mes yeux.

Ainsi Fénelon chantait-il Carennac et ce pays de contact entre la vallée fruitière et les sévères pâtures à moutons des hauteurs. Et cet attachement s'explique si l'on songe qu'il fut ici prieur de l'abbaye de 1681 à 1685 et qu'il y écrivit son *Télémaque*. Presque au bas de la falaise du causse, cette abbaye borde la Dordogne, au plus près, d'un mur qui s'élance d'un jet à hauteur des grands arbres. Une seule porte voûtée en ogive s'y ouvre. Elle donne sur le porche de l'église et sur son tympan qui présente, en deux registres superbement ordonnés, les apôtres aux pieds du Christ. Comme tout l'édifice roman et sa Mise au tombeau, il est de cette facture aquitaine que l'on trouve ailleurs aussi, à Beaulieu ou à Moissac. Le cloître adjacent, mi-roman, mi-gothique, a été restauré dans son état primitif ; il constitue avec les bâtiments conventuels qui l'enveloppent en carré un ensemble à visiter longuement. Le village, autour de ce noyau monumental, est tout de pierres calcaires, de toits compliqués, de terrasses en surplomb où s'attardent les touristes, de tourelles, de balcons fleuris, de coulées de verdure, au-dessus de la rivière noire de feuillages reflétés, lisse et calme, puis, au crépuscule, soudain animée de ces cercles d'argent concentriques que font les poissons « mouchant » à la surface.

Carla-Bayle
Ariège

35 km N.-O. de Foix

Entre les monts du Plantaurel et la grande plaine de la Lèze, ce village se remarque de loin. Pour Napoléon Peyrat, chantre du catharisme, « il apparaît comme un vaisseau suspendu sur une vague, la poupe au couchant ». Protégée par une double enceinte dès le Moyen Age, cette bastide de crête devient le siège d'une châtellenie du comté de Foix. Au XVIᵉ siècle, Le Carla s'impose comme farouche bastion protestant. En 1629, la paix d'Alès ordonne le démantèlement de ses murailles. En hommage à son fils le plus célèbre, le philosophe Pierre Bayle (XVIIᵉ siècle), le village se rebaptise de son nom.

Un assemblage confus de maisons basses, que courettes intérieures et venelles étroites à peine distinguent, se découvre du haut de la tour de Sagnes, à Cardaillac.

Dans la région de Carennac, fréquentes étaient autrefois les demeures pourvues de tours carrées, coiffées de toits à quatre pentes. Ici, majestueuses, elles dominent la Dordogne.

Deux anciens moulins à vent dressés en sentinelles accueillent le visiteur. Très sobre, la façade de l'église en gros moellons de pierre jaune s'orne d'une rosace et d'un clocher ajouré à deux étages en brique. Étirée au sommet de la crête, la rue centrale, coupée nord-sud par quelques ruelles plus intimes, mène à la place de l'Europe, ainsi baptisée en 1987 pour le trentième anniversaire du traité de Rome. Un bassin octogonal tout blanc porte une sphère gravée d'une citation de Pierre Bayle : « Je suis citoyen du monde et chevalier au service de la vérité. »

Une maison au gracieux balcon de fer forgé balise le début de la promenade sud, superbement ouverte sur la chaîne des Pyrénées toute proche et bordée d'épaisses bâtisses de pierre brune et ocre jusqu'au retour à l'église. A quelques pas de la falaise nord, plus abrupte et plus sombre, beau point de vue sur la vallée de la Lèze.

Carla-Bayle a profité de sa situation exceptionnelle pour retrouver un certain dynamisme. Bon nombre de maisons ont été rénovées avec goût, et chaque été le bourg s'anime de fêtes, de concerts et de stages artistiques.

Castelnau-de-Montmiral

Tarn

35 km O. d'Albi

Fondée en 1222 par Raymond VII, comte de Toulouse, cette bastide fortifiée commandait une bonne partie du bassin de la Vère. Elle occupe le sommet d'un mamelon au milieu d'un large paysage de collines partagées entre prairies et cultures, parmi lesquelles la vigne, classée en appelation contrôlée gaillac.

Une porte ogivale en gros moellons ocre conduit par une chicane aux arcades de la petite place centrale. Elle résume bien la tonalité dominante du village avec son heureux mariage de pierres blanches et de briques autour d'un puits octogonal. A l'angle à droite, l'église de l'Assomption, du XVᵉ siècle, restaurée, se remarque à son clocher carré incrusté de pierres noires. Très sobre, son portail en arc brisé est encadré d'un motif feuillagé et d'une tête sculptée. Dominant le maître-autel, un tableau de la Crucifixion et un bas-relief illustrant la Cène s'inscrivent dans un retable orné de ceps de vigne et de statues. La croix-reliquaire gemmée des comtes d'Armagnac (XIIIᵉ siècle) présente un fin assemblage de pierres précieuses. La rue de la Poste débouche sur une maison d'angle à gros blocs percée d'une baie géminée, et se prolonge jusqu'à l'éperon calcaire de Pechmiral et sa longue esplanade ouverte sur la forêt de Grésigne. En revenant vers l'église, la place de l'Hôpital abrite un édifice paré d'une jolie tourelle d'angle et de fenêtres à meneaux. La rue de la Porte-Neuve rejoint ensuite les grosses bâtisses jumelles Costes et Golsse, celle située à l'angle portant une loggia de style florentin. De retour à la porte du village, la rue des Chiffonniers, sur la gauche, permet de découvrir un alignement de maisons à colombage. Des vestiges de fortifications conduisent à la promenade du Pradel.

Les équipements de loisir satisfont aux goûts les plus divers avec un centre équestre et un plan d'eau de 7 hectares ; quatre dolmens, un menhir et l'oppidum du Cayralet entourent le château de Lafage, dans la forêt de Grésigne.

Castelsagrat

Tarn-et-Garonne

15,5 km N.-O. de Moissac

Un coteau d'où le regard embrasse l'horizon et une frontière ne pouvait laisser insensible le comte de Toulouse Alphonse de Poitiers. Il y créa une bastide, à charge pour les habitants de surveiller leur glorieux voisin le roi-duc, roi d'Angleterre et duc de Guyenne en toute légalité (1270).

Si l'église et la maison-tour (XIIIᵉ siècle) donnent la mesure de cette ambition stratégique, le reste n'est que charme, paix et lumière : la ravissante place à cornières avec ses arcs brisés, en plein cintre ou en anse de panier, ses façades de pierre blanche éblouissante sous le soleil, et son puits élégant taillé profond dans le roc, par les Romains, dit-on. Dans les rues avoisinantes, d'humbles maisons offrent encore quelques bribes d'un art rayonnant de finesse.

Aimable et pittoresque, Castelsagrat somnole mais lutte pour survivre avec sa terre, son bétail et l'exploitation de ses bois. Ses fermes-auberges et ses stages de cuisine de confits attirent le touriste, qui ne s'en repent pas.

A 3 kilomètres au nord-ouest du village, au bord de la Séoune, fut créée une autre bastide, celle de Montjoi.

Castillon-en-Couserans

Ariège

13 km S.-O. de Saint-Girons

En bordure de la très verte vallée du Lez, le village apparaît dans un cadre typique des Pyrénées ariégeoises aux grasses prairies, aux vallonnements boisés parcourus de rivières, aux torrents et neiges éternelles sur les plus hauts sommets.

A l'entrée du village, un petit pont surplombe l'énorme roue à pales d'un vieux moulin. Sur la gauche, une grosse fontaine en pierre noire contraste avec un minuscule amphithéâtre en marbre rose. Un boulevard bordé de platanes aux branches tressées en couronne grimpe vers le clocher ajouré de l'église. En face d'un petit lavoir couvert de tuiles, on remarque deux « gloriettes », cabanes de jardin en forme de pigeonnier, typiques du Couserans. Quelques maisons tout en hauteur, certaines en encorbellement, conduisent à la rue de la mairie.

Sous un bouquet de conifères, les petites niches d'un calvaire retraçant la Passion du Christ conduisent à la chapelle romane de Saint-Pierre, élevée sur les restes d'un ancien château et dont l'abside à modillons est garnie de créneaux. Du haut de son clocher ajouré sur trois étages, on profite d'une vue plongeante sur les toits de tuile et d'ardoise du bourg. De l'autre côté de la rivière, un château du XIXᵉ siècle est agrémenté d'une fine tourelle pointue. En redescendant par la rue de Nougarol, de vieilles ouvertures d'échoppes rappellent la vocation commerciale du village. L'économie actuelle repose sur la survivance d'un élevage mixte, vaches-brebis, et sur la présence d'une activité fromagère. Au confluent de quatre vallées, Castillon est le point de départ idéal de nombreuses randonnées du côté de Bethmale, du Biros ou du Riberot.

Caylus
Tarn-et-Garonne

22 km N.-E. de Caussade

Au-delà de Septfonds, la route, comme tirée au cordeau, épouse creux et bosses dans un décor aride où chênes et buissons envahissent un sol scandé capricieusement de murettes de pierre grise. Dans un large virage, le causse s'humanise puis s'ouvre brusquement sur une faille imprévue où se niche un village tranquille.

Au cours de la descente, le miroir d'un plan d'eau attire l'attention sur une proéminence hérissée d'une tour dominant la Bonnette. C'est l'emplacement du château primitif conquis par les cathares en 1211, près duquel se tenait le terrain octroyé en 1227 par le comte de Toulouse afin qu'on y bâtisse... Devenue ville royale (1270) et siège d'une châtellenie importante du Quercy, Caylus garde maintes traces de sa fortune tardive : ses couverts et sa halle (XIVe siècle), ses riches maisons de pierre le long de la rue Droite et de la rue Dulong, son église fortifiée d'où l'on admirera la façade singulière de la maison des Loups (XIIIe et XIVe siècles). Mais sa fidélité au culte catholique lui vaut des déboires (1562) que racheta plus tard le séjour de Louis XIII avant qu'il fasse le siège de Saint-Antonin (1622). En attirant à elle quelques nobles, bourgeois et officiers royaux, une cour de justice redonna à Caylus un lustre éphémère dont il ne reste hélas aucune marque concrète.

Déclin économique et dépopulation ont atteint gravement ce village où abondent aujourd'hui les résidences secondaires. Du moins n'ont-ils pas entamé sa bonne humeur : la foire aux Célibataires et la cavalcade de la Pentecôte remportent un vif succès. Mais plus solide encore est la réputation de ses délicieuses conserves, de foie gras en particulier.

A 2 kilomètres au nord du village, la chapelle de Notre-Dame-de-Livron constitue un agréable but de promenade.

Cirès
Haute-Garonne

13 km N.-O. de Bagnères-de-Luchon

Juste après le hameau de Trébons, on quitte la route du col de Peyresourde pour remonter la neste d'Oueil. Les deux églises de Benque-Dessous (XIIe siècle) et Benque-Dessus (XIVe siècle) conduisent au belvédère de Mayrègne, d'où l'on admire l'ensemble du massif frontalier de la Maladetta, dominé par les 3 400 mètres du pic d'Aneto, plus haut sommet des Pyrénées. La D 51 parvient bientôt à Cirès, étagé en triangle au milieu de prairies et de bois à fortes pentes.

A la hauteur d'un petit pont, les façades pointues de quelques grosses granges sont fermées par des planches de bois brun doré à claire-voie. Un étroit labyrinthe se faufile au milieu d'un habitat très regroupé. Certaines maisons sont crépies ; d'autres, à pierre nue, présentent un assemblage coloré d'ocres, de bruns et de gris. Le clocher carré de l'église se pare d'une fine pointe en ardoise. Un promontoire de pierre sombre orné de mousses rousses sert d'assise à un minuscule cimetière présidé par une vieille croix. Le tympan gris du portail de l'église est sculpté de trois personnages de style naïf. A l'intérieur, aux voûtes peintes de motifs géométriques, une étroite ouverture en ogive donne accès à l'escalier à vis du clocher. Depuis ce nid d'aigle, les toits en amphithéâtre répercutent le grondement d'un torrent bondissant.

En poursuivant jusqu'au port de Balès, les randonneurs grimpent au lac de Bordères ou au mont Né offrant de larges ouvertures sur les points culminants des Pyrénées. De retour au carrefour avec le Peyresourde, 2 kilomètres sur la droite conduisent à Saint-Aventin et sa majestueuse église romane, décorée notamment d'une merveilleuse Vierge à l'Enfant.

Cologne
Gers

39 km E. d'Auch

A l'extrémité est du département, Cologne occupe le sommet d'un coteau. Cette petite bastide a été fondée en 1286 par Philippe le Bel et le seigneur Odon de Terride. Métissée de pierre et de brique, elle semble hésiter entre identité gasconne et influence toulousaine. Rues et ruelles convergent à angle droit vers la place centrale. En son centre, une halle du XIVe siècle encadre un donjon carré à pans de bois, surmonté d'un fin clocheton. Abritant d'anciennes mesures à grains, elle est cernée par des maisons sur arcades, de hauteurs et de styles différents, mais toutes percées de larges ouvertures. Leurs pans de bois à croisillons sont garnis soit de brique, soit de pierres claires composant un graphisme très varié que colorent des bacs à fleurs et quelques rosiers grimpants. Les maisons des rues adjacentes, avec leurs façades en encorbellement, sont bâties en torchis. A la sortie sud-est, sur la gauche, l'église semble gigantesque par rapport aux dimensions modestes de Cologne. Elle abrite une collection d'anciens objets de culte. La pureté de son acoustique permet des concerts de musique classique. L'association culturelle La Pléiade anime le village avec des manifestations théâtrales, poétiques, et une tentative de relance du carnaval.

Vers le sud, la D 654 traverse de vastes étendues céréalières jusqu'aux 75 hectares du lac de Saint-Cricq, à 3 kilomètres. Pêche, loisirs nautiques participent à l'animation estivale.

Conques
Aveyron

35 km N.-O. de Rodez

Conques s'accroche aux pentes escarpées des gorges de l'Ouche, à l'endroit où elles débouchent dans celles du Dourdou, plus âpres et plus encaissées. Le village s'étale à flanc de colline, groupé autour de son extraordinaire église abbatiale, l'église Sainte-Foy. Au IXe siècle s'élève déjà ici une abbaye bénédictine. La vénération des reliques de la jeune martyre sainte Foy, dérobées à Agen au IXe siècle par un des moines de Conques, Avariscus, a fait de cette modeste abbaye, du XIe au XIIIe siècle, un sanctuaire prestigieux de la chrétienté, centre de pèlerinage et étape du chemin de Saint-Jacques-de-Compostelle. L'église Sainte-Foy, de pur style roman, est surmontée de deux tours de façade, refaites au siècle dernier, et d'un clocher-lanterne octogonal. Le portail ouest, de teinte ocre, est orné d'un tympan représentant le Jugement dernier. L'intérieur du bâtiment est très austère et très sombre. En revanche, le trésor comporte, entre autres, des pièces d'orfèvrerie religieuse du IXᵉ au XVIᵉ siècle. La pièce maîtresse, le reliquaire de sainte Foy, du Xᵉ siècle, est une statue en bois recouverte de lames d'or et rehaussée de pierres précieuses et d'émaux. Au-dessous de l'église, le village s'allonge dans la rue Charlemagne, qui mène jusqu'à la vallée du Dourdou, qu'elle franchit par un pont gothique datant du milieu du Moyen Age. Au-dessus, un dédale de ruelles et de placettes bordées de maisons à encorbellement escalade le coteau jusqu'à son sommet. Presque toutes les maisons de Conques (des XVᵉ et XVIᵉ siècles) sont couvertes de toits de lauze grise. Souvent, seul le rez-de-chaussée est construit en pierre, les étages supérieurs étant faits de colombages et de torchis de terre et de paille. Juste avant d'atteindre la porte de Vinzelles, on peut admirer sur une petite place le château d'Humières, construit au XVIᵉ siècle, avec ses consoles de bois sculptées.

On a une vue globale du site et du village à partir du Bancarel, situé à 1 kilomètre au sud en direction de Marcillac.

Cordes

Tarn

25 km N.-O. d'Albi

Le site de Cordes s'impose de loin de quelque côté que l'on arrive. Perché au sommet d'une colline du bassin du Cérou, la cité médiévale est pratiquement intacte. Sa véritable histoire commence en 1222. Simon de Montfort dévastant la région, Raymond VII, comte de Toulouse, décide de fortifier ce nid d'aigle. Au début du XIIIᵉ siècle, Cordes vit son âge d'or. Elle trouva une nouvelle prospérité en 1870 grâce aux machines à broder mécaniques importées de Suisse par un Grosse (membre d'une famille importante de la région). En 1930, l'apparition de nouvelles techniques ruine Cordes à nouveau. Depuis 1950, de nombreux artistes et artisans, éblouis par ce cadre exceptionnel, s'installent dans le village. C'est le début d'une nouvelle renaissance. Parmi les amoureux de la première heure, il y a Albert Camus, qui y terminera ses derniers livres. Au sujet du village, il écrit : « C'est bien là ce qui fait l'enchantement de Cordes, tout y est beau, même le regret. »

Les faubourgs pentus conduisent à la vieille ville entièrement pavée et dont les murailles sont percées de portes fortifiées. Au cœur du village trône l'église Saint-Michel, du XIVᵉ siècle, avec son clocher octogonal doublé d'un beffroi. Plantée sur 24 piliers, la halle toute proche abrite un puits profond de 114 mètres, tout à côté de la promenade ombragée de la Bride. Très représentatives du style gothique médiéval, plusieurs belles demeures présentent des façades parfaitement conservées. On peut rêver des heures devant les gracieux agencements de fenêtres géminées, d'arcs trilobés, de fines colonnettes et de chapiteaux décorés. Citons la maison du Grand Veneur, avec sa scène de chasse en haut relief sur la façade, les maisons du Grand Fauconnier, de Fontpeyrouse, de Gaugirant, de Prunet et du Grand Écuyer. Pour les curieux d'érudition et d'esthétisme, signalons les musées Charles-Portal et Yves-Brayer. Un grandiose défilé médiéval a lieu le 14 juillet. De multiples manifestations musicales sont étalées sur août et septembre. Dernière création : un centre de musique ancienne et contemporaine.

Couvertoirade (La)

Aveyron

41 km S.-E. de Millau

La rencontre avec La Couvertoirade tient du mirage. L'horizontalité désertique du causse du Larzac est subitement rompue par de puissantes murailles fortifiées. D'une heure ou d'une saison à l'autre, la lumière change à l'infini les couleurs du calcaire avec lequel elles ont été construites.

Restaurée et entretenue avec soin, cette petite cité bâtie par les Templiers et les Hospitaliers entre le XIIᵉ et le XVᵉ siècle s'aborde par la tour Carrée, au nord. A l'intérieur des fortifications garnies de sept tours, on trouve, regroupés autour du château, l'église, le cimetière des Templiers, les vieux hôtels de la Scipione et de Grailhe, le four banal, ainsi que les maisons caussenardes avec leurs toits de lauze et leurs escaliers extérieurs. De grandes vasques de pierre, les « conques », servent de réserves d'eau et permettaient autrefois aux pèlerins de se désaltérer. En sortant de l'enceinte par la tour du Sud, on arrive devant une « lavogne », mare empierrée de forme ovale, typique de la région des Grands Causses. Aujourd'hui, le village compte six artisans d'art. L'agriculture est toujours bien vivante : 3 000 brebis, sans compter celles des troupeaux transhumants venant du Gard, produisent le lait qui servira à la fabrication du roquefort. Au nord, dans la vallée de la Dourbie, le village fortifié de Nant mérite d'être vu.

Au-dessus des toits de lauzes grises du village de Conques jaillissent les trois clochers de l'ancienne abbatiale Sainte-Foy, construite au XIᵉ s. dans ce vallon perdu du Rouergue.

Au carrefour de l'Albigeois, du Quercy et du Rouergue, plantée en plein azur sur son massif calcaire, la cité médiévale de Cordes enchante le regard avant même qu'on l'ait atteinte.

Entraygues-
sur-Truyère
Aveyron

27 km N.-O. d'Espalion

A sa confluence avec le Lot, la vallée de la Truyère s'élargit ; les coteaux sont alors couverts par les prairies, les arbres fruitiers et la vigne. Là s'est installé, au XIIIe siècle, en surplomb, le château des comtes de Rodez : deux tours du XIIIe siècle encadrent un corps massif du XVIIe. Du XIIIe siècle, on peut aussi admirer le pont gothique sur la Truyère, avec ses trois arches en forme d'arc brisé que séparent de hautes piles quadrangulaires. Par l'avenue du Pont-de-la-Truyère puis celle du Tour-de-Ville, on accède au pont sur le Lot. Sur l'avancée de terre ainsi délimitée, derrière le château, se concentrent, autour de la place Albert-Castanié, les plus anciennes ruelles et les plus anciennes maisons du village, des XVe et XVIIe siècles, certaines à colombage et encorbellement. C'est d'ailleurs à cette époque que prospéra le port d'Entraygues, dont les bateaux portaient vins et fromages à Cahors et remontaient chargés de produits venant de Bordeaux.
L'abondance des cours d'eau à proximité du village a favorisé la pêche et les sports nautiques. Fidèles aux traditions, les restaurateurs d'Entraygues ont conservé les menus de jadis : les tripoux et l'aligot, qu'arrosent de bons vins blancs secs.

Entraygues mire ses maisons dans les eaux paisibles de la Truyère, paradis incontesté des pêcheurs (classée 1re catégorie) pour la riche variété des poissons qu'elle leur offre.

Espagnac-
Sainte-Eulalie
Lot

20 km O. de Figeac

Notre-Dame-du-Val-Paradis : ainsi s'appelait le prieuré d'Espagnac. Il est vrai que la vallée du Célé est étonnante : c'est, sur 40 kilomètres de long, une « trouée héroïque », une suite de défilés où la route s'insinue entre de hautes falaises colorées et la rivière vert et argent. Quelques moulins, quelques vieux villages la jalonnent, mais que l'on découvre toujours à l'improviste, à la sortie d'un virage. Ce merveilleux pays de solitude se nommait aussi, au Moyen Age, l'Hébrardie, car il était fief des Hébrard de Saint-Sulpice, une puissante famille de guerriers farouches et de pieux prélats. L'un d'entre eux précisément fut à l'origine de l'extension d'Espagnac ; il s'appelait Aymeric ; il devint évêque de Coïmbra, au Portugal. Le prieuré date en fait du XIIe siècle ; construit le pied dans l'eau par Bernard de Grifeuille, il appartint aux Augustines. Il souffrit d'incursions diverses et d'innombrables inondations. En

1283, déplacé et mis hors d'atteinte des eaux, il fut ensuite victime des hommes : la guerre de Cent Ans le détruisit en partie. Il en reste aujourd'hui des bâtiments conventuels, dont les appartements de l'abbesse, et une étrange église gothique dont quelques travées brûlèrent au XVᵉ siècle. Elle est à chevet pentagonal et flanquée d'un surprenant clocher surmonté d'une chambre carrée à colombage de bois et de brique, coiffée d'un toit octogonal de tuiles patinées. L'ensemble du village, de taille réduite, se reflète tout entier, comme dédoublé, parmi les arbres, dans un court miroir de la rivière.

Estaing
Aveyron

---
10 km O. d'Espalion

A l'entrée des gorges du Lot, étroites et sauvages, au confluent de ce dernier et de la Caussane, qui dégringole des monts d'Aubrac, Estaing semble coincé entre les pentes abruptes des collines boisées de châtaigniers, de hêtres et de chênes et la rivière. Entièrement construit sur la rive droite d'une large boucle du Lot, le village s'agglutine autour de son château bâti sur un piton rocheux. Construit principalement au XVᵉ et au XVIᵉ siècle, il surprend tant par la variété de ses styles architecturaux que par celle des matériaux de construction : schiste, calcaire, grès rouge, bois, galets du Lot... C'est en fait un ensemble de bâtiments qui s'imbriquent les uns dans les autres autour du donjon. Estaing est le berceau d'une famille illustre. En 1214, Dieudonné d'Estaing sauve la vie du roi Philippe Auguste pendant la bataille de Bouvines. En face du château, l'église du XVᵉ siècle abrite les reliques de saint Fleuret, évêque de Clermont mort ici au VIIᵉ siècle. La vieille ville renferme de nombreux hôtels particuliers de style Renaissance. Ils sont construits en schiste gris et couverts de toits de lauze en « écailles de poisson ». Le plus beau d'entre eux, la maison Cayron, est aujourd'hui occupé par la mairie. Certaines maisons ont des toits en forme de coupole qui abritaient jusqu'au siècle dernier des greniers à foin. En contournant le château vers l'est, on arrive sur les rives de la Caussane, franchie par plusieurs ponts de pierre qui datent du Moyen Age.
Estaing vit aujourd'hui du tourisme et aussi de l'agriculture. On y cultive sur de minuscules terrasses à flanc de coteau des vignes qui donnent un vin rouge agréable mais peu connu. Chaque année, le premier dimanche de juillet, la procession de la Saint-Fleuret regroupe des centaines de personnes en costumes médiévaux. On peut voir, dans les environs immédiats d'Estaing, le château Renaissance de Hauterive, la chapelle d'Ouradou, du XVIᵉ siècle, les églises romanes de Vinnac et de Sébrazac.

Fourcès

Gers

12,5 km O. de Condom

Avant d'atteindre Fourcès, la D 114 traverse des étendues vallonnées, couvertes de vignes, de champs de céréales et de tournesols au milieu desquels le village surgit comme un îlot de verdure. On y accède par un petit pont de pierre aux belles arches du XVe siècle, qui enjambe l'Auzoue près de l'église. Depuis le Xe siècle, Fourcès a gardé l'intimité d'une ville close. Élevée au rang de bastide au cours du XIVe siècle, elle a gardé l'originalité de son plan circulaire.

Hors les murs, l'église, récente, étonne avec son clocher pointu flanqué d'une tour polygonale. Franchissant le petit pont, on passe sur l'autre berge où l'on remarque l'ancien moulin de Fourcès et un joli pigeonnier d'angle. Légèrement en amont, les trois étages ocre et gris clair d'un château du XVe siècle retiennent l'attention. Ses fenêtres à meneaux et sa grosse tour ronde ont échappé aux destructions qui ont suivi un litige avec le seigneur voisin de Balarin. Après le passage du pont, le visiteur découvre la place ronde ombragée de platanes encadrant une simple croix de pierre. Tout autour, des couverts bas sur arcades ou piliers de bois supportent un bel ensemble de maisons à colombage. Dans le fond de la place, une ruelle mène à la tour fortifiée de l'Horloge (dite aussi des Anglais) dont la porte ogivale, surmontée d'un clocheton à quatre pentes, débouche sur une campagne verdoyante. Par la belle bâtisse de l'actuel syndicat d'initiative, on rejoint la place excentrée des Cornières, avec ses petites maisons à gros blocs de pierre.

Il faut découvrir Fourcès le dernier dimanche d'avril pour la fête des Fleurs. La grande place disparaît alors totalement sous un tapis multicolore qu'ont composé les nombreux horticulteurs.

Ibos

Hautes-Pyrénées

6 km O. de Tarbes

D'où que vous arriviez dans la plaine de l'Adour et pour peu que le temps soit dégagé, vous ne verrez qu'eux : le pic du Midi de Bigorre et la collégiale d'Ibos. Cet énorme monument marque tout le paysage de la plaine alluvionnaire tant il est massif et d'aspect peu courant avec son clocher-donjon carré aux puissants contreforts.

Les habitants d'Ibos tirent une certaine fierté à servir de point de repère dans ce paysage pyrénéen. Et cela a provoqué sans doute la jalousie de leurs voisins, qui ont affublé les Ibosiens du sobriquet de « pépis » (simplets), en inventant de multiples histoires niaises à leur sujet.

Une dizaine de tumulus de l'âge du fer indiquent l'ancienneté d'occupation de cette zone pastorale. Ibos fut une des six places fortes de Bigorre, disputée depuis la guerre de Cent Ans jusqu'aux guerres de Religion. Aujourd'hui, ce village d'à peine 1 900 habitants sert de dortoir aux Tarbais, et beaucoup des grosses maisons de maître entourant la collégiale ont perdu leur fonction de propriété agricole. Les murs de ces maisons sont composés de lits de galets superposés provenant de l'Adour. En Bigorre intérieure (et en Béarn), on retrouve ce parement de galets jusqu'à une trentaine de kilomètres vers le nord. C'est simplement la distance parcourue autrefois par un attelage de bœufs avec son chargement, et les marchands de galets n'acceptaient pas de livrer à plus d'une journée de transport...

Au cœur de l'Armagnac, comme posé au milieu des vignes et des champs, le village fortifié de Larressingle, surnommé « le petit Carcassonne du Gers », a conservé ses remparts et ses douves.

Lacapelle-Marival

Lot

20 km N.-O. de Figeac

Les croupes disséquées du Ségala cristallin au nord, les tables planes du causse au sud, Lacapelle-Marival est à la lisière de la longue dépression du Limargue : un paysage de collines douces, de bois et de prés mêlés. On arrive d'abord sur une large place aux platanes presque méridionaux. De là, on voit le château ; édifié entre le XIIIᵉ et le XVᵉ siècle, il est massif et carré ; il est surmonté, sous un toit à quatre pans, d'un chemin de ronde à mâchicoulis flanqué d'échauguettes en tourelles d'angle. Il fut aux Cardaillac, qui contrôlèrent longtemps toute la région. Il faut ensuite contourner l'église qui fait pendant à la forteresse pour découvrir brusquement des restes de l'enceinte ancienne et une porte monumentale qui débouche sur un petit quartier médiéval : une place resserrée, une halle rectangulaire couverte de tuiles romanes, de hautes maisons aux arcatures en ogive, le tout monté de blocs apparents de ce grès de la région, un peu bigarré, passant du jaune à l'orangé, et tout truffé de petits graviers de quartz polis qui brillent au soleil. Tout en haut du village, on peut voir enfin, en position dominante, un important couvent du XVIIIᵉ siècle dont les bâtiments élégants à fronton bordent une large terrasse ouverte. Lacapelle-Marival, dans ce pays de vieille polyculture, est un lieu de passage et son marché local est vivant. C'est aussi le pays des conserves d'oie et de canard, du cèpe, du gâteau aux noix, des crêpes de blé noir, le tout arrosé d'un vin de Cahors.

Étonnante géométrie toute en rondeurs de Fourcès. Exemple unique en Gascogne de bastide circulaire, elle est située dans la verdoyante vallée de l'Auzoue, plantée de peupliers centenaires.

Larressingle

Gers

5 km O. de Condom

En face d'un petit lac en bordure de la D 15, une route s'élève à flanc de coteau jusqu'à la découverte d'un château entouré de cyprès. En approchant, on s'aperçoit qu'il s'agit aussi d'un minuscule village fortifié dans un remarquable état de conservation. Entouré de murailles dès le XIIIᵉ siècle, Larressingle a servi de résidence aux évêques de Condom jusqu'au XVIᵉ siècle, époque à laquelle ils allèrent s'installer à Cassaigne, plus au sud, en emportant la charpente et la toiture du château. Les fossés, asséchés, permettent d'admirer l'assise des remparts sur le rocher. D'une circonférence de 270 mètres, ils sont percés par une unique porte d'accès fortifiée dans un bel appareil ocre et gris. Un pont sur double arcade passe entre les deux piles qui soutenaient le pont-levis et sous l'ogive de l'entrée. A l'intérieur, sur moins d'un demi-hectare, l'habitat apparaît très regroupé autour du château et de l'église Saint-Sigismond, de facture romane. Deux piliers ornés de gros chapiteaux sculptés encadrent un chœur couvert d'une coupole ; un deuxième chœur, du XIIIᵉ siècle, très dépouillé, le prolonge à l'est et abrite une Vierge à l'Enfant. Le château, décoiffé, possède un donjon hexagonal muni d'un escalier à vis. Le contraste est saisissant entre la modestie de la superficie et le fort volume des bâtiments aux gros blocs bien alignés ; leurs chaudes couleurs se mêlent sur les façades à la verdure et aux fleurs.
A côté du château, une crêperie laisse imaginer ce qu'était l'habitat médiéval, avec sa grande cheminée, ses murs très épais portant de grosses poutres et son escalier de bois. On y trouve également tout un assortiment de produits régionaux : conserves, miel, confitures et gâteaux du pays, parmi lesquels la croustade aux pommes et à l'armagnac.

Lautrec

Tarn

30 km S. d'Albi

A la bordure méridionale d'un long plateau calcaire, ce gros bourg doit d'abord sa réputation aux vicomtes de Lautrec, lointains ancêtres du peintre. En dépit de son altitude modeste, le village domine les molles courbures de la vaste plaine castraise barrée au sud-est par les hauteurs de la Montagne Noire.
Face à la route de Réalmont, des restes de murailles rappellent le passé fortifié de ce riche centre de commerce. Une voie étroite le pénètre et croise la bien nommée rue Obscure. A l'angle de la place, sur la gauche, deux superbes bâtisses à colombage, dont le bord des toits se frôlent, laissent peu d'espace à la rue dallée de la Caussade, dévalant vers la porte fortifiée du même nom (XIIIᵉ siècle). En remontant, on découvre la gracieuse place centrale et son vieux puits autour duquel s'agence un encadrement de maisons en encorbellement du XIVᵉ siècle sur gros piliers de bois. En brique claire, la garniture de leur colombage compose un séduisant graphisme géométrique. Au coin de la rue d'Engouzy, une porte en ogive annonce un édifice en pierre blanche paré d'une tourelle d'angle. Un grand porche donne accès à la place des Marronniers, puis à la rue de l'Église, plus intime, entre deux alignements de façades à pans de bois. La collégiale Saint-Rémy renferme un retable de marbre du XVIIIᵉ siècle et un joli lutrin. Au bout de la rue de la Roche, à droite, un passage s'ouvre vers le sommet d'un calvaire.
Économiquement, Lautrec se maintient dans une relative prospérité, partagé entre les productions de céréales et, surtout, de l'ail rose qui fait sa célébrité. Trois ateliers de granit sont en activité.

Lauzerte

Tarn-et-Garonne

23 km N. de Moissac

A peine quitte-t-on la route nationale que la nature s'enrichit de vallons, de bois et de prés, le relief s'anime, l'horizon se découvre et soudain, au détour d'un virage, un choc : là-bas, une colline différente des autres, encapuchonnée de maisons sur toute sa longueur, surgit et disparaît. L'image rejaillit puis s'apprivoise, la pente s'accentue, Lauzerte, enfin, se laisse aborder.
Bâtie sur le roc par le comte de Toulouse (fin XIIᵉ siècle), cette cité en forme de fuseau surprend par sa lumière et sa superficie. Son plan aéré, ses hautes maisons de pierre blanche, ses deux églises paroissiales et son couvent des Clarisses (devenu gendarmerie) lui confèrent une prestance que n'entament nullement ses jardins suspendus ponctués de lilas, d'ifs et de cyprès. Ville de magistrats, d'ecclésiastiques et de nobles frondeurs, elle en a gardé l'allure sans pour autant nier les bienfaits du négoce qu'attestent l'enfilade d'arcs brisés en tiers-point de ses anciennes boutiques et sa place à cornières.
Avec son collège d'enseignement supérieur préparant la jeunesse à affronter toutes les agressions et sa maison de retraite pour les plus désarmés, Lauzerte a conservé ses vocations d'antan. Forteresse et refuge, elle est aussi restée un centre commercial dynamique et prospère grâce aux melons et au chasselas de ses coteaux voisins.

Lavardens

Gers

21 km N.-O. d'Auch

Surplombant la grasse plaine délimitée par la Guzerde et la Loustère, Lavardens occupe le sommet d'un coteau prolongé par les puissantes verticales d'un énorme château. Cet ancien fief des comtes d'Armagnac règne sur un vaste territoire céréalier interrompu seulement par quelques arrondis boisés dans les parties culminantes.
L'entrée du village est marquée par une grosse colonne ronde d'où la rue centrale gagne la mairie pourvue d'arcades. A angle droit, une ruelle monte vers l'église du XVᵉ siècle, précédée d'un clocher-porche. A l'intérieur, une chaire représentant les quatre évangélistes et des stalles en bois sombre contrastent avec les nombreuses sculptures immaculées du maître-autel. La masse imposante du château, remanié au XVIIᵉ siècle par le duc de Roquelaure, jouxte l'église. Le mieux est d'en faire d'abord le tour par la promenade longeant ses façades ponctuées de fenêtres à doubles meneaux et de deux énormes tours carrées en encorbellement sur la vallée. A l'entrée principale, un escalier en partie taillé dans le roc donne accès à une longue galerie voûtée. L'ancienne forteresse accueille des expositions et des concerts dans ses immenses salles. La promenade au sud du village permet de découvrir un chapelet de maisons du XVIIIᵉ siècle, certaines à galerie supérieure, surplombant des petits jardins soigneusement entretenus.
A noter, l'abondance de l'eau, secrète ou découverte, puisque ce promontoire est pourvu de six puits et de deux lacs.

Loubressac

Lot

11 km O. de Saint-Céré

On passerait au pied du village sans le voir, tant il est haut perché sur une butte, à l'extrême bord du plateau, où l'on accède par une route en lacet. Loubressac. Une place ombragée, des rues étroites d'atmosphère médiévale, de belles demeures de pierre calcaire qui se dore au soleil, une église composite édifiée entre le XIIᵉ et le XVIᵉ siècle, et, tout au bout du promontoire, visible de tous côtés, le château, sur une terrasse surplombante. Il contient des collections de meubles et d'objets datant de la Révolution, jadis rassemblés par Henri Lavedan, qui écrivit quelquefois ici. Malheureusement, il ne se visite plus. On s'en consolera cependant à la vue du paysage étonnant que l'on découvre de ce belvédère. On y domine la vallée de la Dordogne et sa confluence avec la Bave, à l'endroit où elle amorce, à angle droit, en un large entonnoir, sa trouée entre le causse de Martel, au nord, et celui de Gramat, au sud. C'est une ample vallée agricole, au printemps par endroits toute blanche d'arbres en fleurs. On saisit d'un coup d'œil, tout à l'entour, et proches, bien des lieux qu'il faut visiter : le château de Montal, à mi-pente ; Saint-Céré et ses tours Saint-Laurent ; et, surtout, sur une colline isolée, Castelnau, si chargé d'histoire. Puissamment érigée, presque rouge sombre, à la fois militaire et résidentielle, la forteresse intacte compte, dans ce vieux pays rural, parmi les plus importantes de la France méridionale.

Marcilhac-sur-Célé

Lot

32 km O. de Figeac

Marcilhac est tapi sous la roche à pic que la rivière serre de près. La vallée du Célé s'ouvre ici en un cirque de falaises, troué de grottes que l'on visite, et autrefois propice aux implantations monastiques et aux fertiles installations rurales.

L'abbaye de Marcilhac est ancienne. Ne parle-t-on pas d'une fondation du Xᵉ siècle ? Elle fut prospère et puissante, au point qu'elle disputa longtemps aux moines de Tulle la possession des lieux saints de Rocamadour. Déboutée après de longues procédures, elle déclina, fut ravagée par les bandes anglaises et les Grandes Compagnies, et presque anéantie lors des troubles de la Réforme. Le miracle, c'est qu'elle existe encore, coincée entre la rivière qui rase ses murs et la route où le village, mi-agricole, mi-touristique, étire ses belles maisons de pierre calcaire et ses terrasses ombragées. C'est de la rivière, précisément, qu'il faut la voir. Close par une enceinte carrée, à peine échancrée de quelques fenêtres à meneaux, d'un balcon à balustrade de bois, elle est toute en décrochements de toitures brunes dominées par les masses de l'église et d'un sobre clocher vertical. Portes ou poternes passées, l'ensemble vaut une longue attention. Le sanctuaire est mi-roman, mi-gothique : un porche sculpté d'un Jugement dernier, un chœur voûté en étoile, un déambulatoire, des boiseries anciennes, une salle capitulaire... Et partout, cette atmosphère du passé, si présente encore que l'on s'attend, dans le silence, à quelque écho de plain-chant ou à quelque rumeur de prières lointaines.

Par les pittoresques carrelots (ruelles, en gascon) de Lavardens, on arrive à l'église, bâtie au sommet du coteau. Son massif clocher-porche est l'ancien donjon du château.

Lauzerte égrène ses hautes maisons de pierre blanche au toit presque plat au sommet d'une colline dominant le confluent de la Barguelonnette et du Lendou, au milieu des champs et des prés.

L'hôtel particulier de la Raymondie fut construit à Martel par Raymond de Turenne entre 1280 et 1330. On accède à sa cour d'honneur par un long passage voûté.

Martel

Lot

22 km N. de Rocamadour

C'est « la ville aux sept tours ». Il en fallait bien autant, il fallait bien une double enceinte pour protéger jadis l'agglomération trop en vue, trop exposée aux « montées » guerrières du sud-ouest. Sa fondation remonterait à Charles Martel, venu ici battre les Arabes, d'où le nom et le blason à trois marteaux. Plus tard, il y eut les sombres querelles anglaises, au cours desquelles le fils d'Aliénor d'Aquitaine, Henri Court-Mantel, mourut à Martel en 1183 dans un hôtel que l'on désigne encore. La cité appartint ensuite aux vicomtes de Turenne. De ces épisodes et d'autres Martel a gardé de multiples traces. Les remparts ont été en partie remplacés par des boulevards, mais il en reste des tours et des portes. Au centre, parmi les maisons aux arcades en ogive, se distinguent quelques édifices importants. L'église Saint-Maur est gothique, mais, sécurité oblige, elle est toute disposée pour la défense : clocher à meurtrières, échauguettes et mâchicoulis. Son allure militaire est adoucie par un tympan roman avec un beau Christ du Jugement dernier. La Raymondie, d'abord maison de justice puis hôtel de ville, présente également un beffroi crénelé et des tourelles d'angle, mais aussi des fenêtres à rosaces qui trahissent le XIVe siècle. Et encore la halle de lourde toiture sur des piliers massifs... Partout, dépouillement élégant et sévère. Et sourire en même temps, à cause des promenades de verdure, des marchés aux truffes, aux noix, aux conserves, qui fleurent bon les saveurs du Lot d'aujourd'hui.

Mas-d'Azil (Le)

Ariège

31 km N.-O. de Foix

Bien étalé dans une boucle de l'Arize, Le Mas-d'Azil règne sur un petit territoire agricole bordé au nord de collines boisées. Au sud, des falaises calcaires plus sèches barrent l'horizon. Au centre du village, la place du Champ-de-Mars, plantée de platanes, offre une belle perspective sur le clocher à bulbe de l'église Saint-Étienne, construite de calcaire gris et ocre clair.

C'est là le dernier vestige d'une puissante abbaye bénédictine sous l'autorité de laquelle fut fondée en 1286 la bastide fortifiée du Mas-d'Azil. Au début du XVIIe siècle, les huguenots de toute la région y trouvèrent asile et repoussèrent en 1625 les assauts du maréchal de Thémines. La halle sur de gros piliers ronds est accolée en L à l'église. Dans la rue du Moulin, croisée d'étroits passages, se regroupe un habitat du XVe au XVIIe siècle composant un bel ensemble d'encorbellements, de pans de bois à croisillons et de fenêtres sculptées. La plus étrange, toute de guingois, se remarque à son rez-de-chaussée entièrement en bois sombre orné de piliers sculptés. En parallèle, la rue Droite conserve quelques vieux ateliers et boutiques surmontés de fines galeries. Face à l'église, le musée de la Préhistoire est particulièrement bien présenté. Dans les environs, plusieurs dolmens, dont celui, énorme, du Cap del Pouech, sont faciles d'accès. Étonnante curiosité naturelle enfin : à 2 kilomètres, la route de Saint-Girons suit un double méandre de l'Arize dans un passage souterrain sur près de 500 mètres. Dans l'intimité sombre de ces voûtes calcaires où résonne la rivière, la fameuse grotte du Mas-d'Azil, parfaitement aménagée, témoigne, avec son accumulation d'ossements, d'outils et de galets peints préhistoriques, des périodes magdalénienne et azilienne.

Mauléon-Barousse

Hautes-Pyrénées

8 km S. de Saint-Bertrand-de-Comminges

A l'écart de la vallée de la Garonne et de l'affluence touristique ou thermale drainée par Luchon, la Barousse forme une vallée aboutissant, en cul-de-sac, à Mauléon.

Le village semble effectivement perdu, d'autant que la vallée de l'Ourse se resserre en défilé à l'approche de cette ancienne capitale féodale. Ce sont d'ailleurs les vieilles pierres évocatrices de ce passé que l'on remarque dès l'abord à Mauléon. Le château du XVᵉ siècle occupe le devant du village, à cheval sur les deux torrents donnant naissance à l'Ourse. Couronnent cette bâtisse un donjon carré, une étonnante tour pentagonale et une grande tête sculptée. C'est le dieu Janus, divinité tutélaire de Mauléon ; d'autres vestiges gallo-romains, notamment à la chapelle du château, nous rappellent que nous sommes tout près de Saint-Bertrand-de-Comminges, l'antique Lugdunum Convenarum, capitale du piémont pyrénéen.

Les maisons de Mauléon ont la particularité d'être couvertes de tuiles canal et non pas d'ardoises. La galerie de bois a disparu aussi pour laisser la place à la pierre et au marbre. Les carrières de Troubat, à l'entrée de la vallée, ont fourni ces gros linteaux de porches et de portes, souvent ornés d'une date sculptée sous un motif végétal. Ce sont les derniers signes témoignant de la modeste richesse de l'ancienne baronnie, où régna la famille de Mauléon pendant plus de trois siècles, avant son rattachement à la France en 1453.

Mauvezin

Gers

30 km N.-E. d'Auch

Née en bordure de la petite vallée de l'Arrats, bordée de coteaux partagés entre bois et cultures, Mauvezin se déplaça et grandit vers son oppidum sous la menace des invasions barbares. Franchisée par Géraud V, comte d'Armagnac, en 1275, elle conserva ses fortifications jusqu'au milieu du XVIIᵉ siècle ; Richelieu fit raser le château vicomtal et combler les fossés. La promenade ombragée qui l'a remplacé s'ouvre sur les toits de tuile multicolores de la basse ville. Au niveau de la rivière, le petit lac aménagé de la Millette fait le plaisir des pêcheurs et des promeneurs. Sur la gauche, le clocher octogonal du XIIIᵉ siècle, soutenu par d'épais contreforts, pointe dans le ciel une élégante balustrade. La place centrale surprend par ses dimensions et la couleur très blanche des édifices du XVIIIᵉ siècle qui l'entourent. Dans un coin de ce vaste rectangle cerné d'arcades toutes en pierres, l'immense halle du XIVᵉ siècle présente un admirable travail de charpente. Elle abrite un marché actif des productions locales (volailles, oies et canards gras), et chaque lundi d'été celui de l'ail de Lomagne couronné par un concours de tressage artistique dans la deuxième quinzaine d'août.

A un angle de la place, la tour carrée d'une demeure du XIVᵉ siècle a plusieurs fois servi d'étape à Jeanne d'Albret. Les ruelles descendant vers l'Arrats ne manquent pas de charme avec leurs passages couverts, leurs vieux commerces et leurs maisons à deux étages surmontées de galeries.

Mauvezin sait séduire par la qualité de sa gastronomie (foie gras, confits, croustades, etc.). Frontière architecturale à l'est de la Gascogne, elle ignore le briquetage omniprésent du proche Toulousain pour mieux affirmer son identité dans un joli contraste de pierre claire, de poutres sombres et de toits colorés.

Monestiès

Tarn

24 km N. d'Albi

Après avoir dépassé le site industriel de Blaye-les-Mines, la D 73 suit une crête verdoyante avant de plonger sur le petit village de Monestiès, blotti au fond d'une cuvette cernée de collines boisées. Délimitée par une courbe de la vallée du Cérou, la petite cité médiévale de forme ovale s'aborde par un pont et sa vieille croix de pierre. Sur la gauche, un boulevard longeant les berges de la rivière conduit, au niveau d'un vieux puits, à une porte fortifiée décorée d'un cadran solaire et jouxtant la tourelle ronde du château médiéval de Candèze.

La promenade du Griffoul passe devant la tour rectangulaire de la Directe, du XVIIᵉ siècle, où les villageois payaient les impôts, avant d'atteindre une fontaine monumentale en pierre noire du XVIᵉ siècle. En face, la route de Pampelonne mène à la chapelle de Saint-Jacques. La sacristie, garnie de vestiges gallo-romains, précède une salle éblouissante de chefs-d'œuvre provenant du proche château de Combefa. Grandeur nature, une pietà et une Mise au tombeau composée de onze personnages en calcaire polychrome (XVᵉ siècle) retiennent l'attention. Retour à la fontaine, d'où une sombre ruelle conduit à l'église Saint-Pierre (XIᵉ-XVIᵉ siècle). Son clocher octogonal est flanqué d'une élégante tourelle d'angle. Un porche gothique protège une croix et un tympan sculpté d'un buste de femme accompagné d'un démon (XVᵉ siècle). Dans le chœur, un retable de 1660 porté par six colonnes de marbre grenat encadre un grand tableau du XVIIIᵉ siècle représentant une Vierge évanouie soutenue par saint Jean.

Tennis et plan d'eau constituent l'essentiel des équipements sportifs. On peut aussi pratiquer la pêche. La gastronomie est haute en couleur : écrevisses, daubes de sanglier, confits de poule, soupes de jarrets de porc et pâtisseries régionales.

Montcuq

Lot

25 km S.-O. de Cahors

Le nom est étrange et d'étymologie incertaine. Mont des coucous ? Mont conique ? Le village est beau sur sa butte bien détachée dans ce pays de collines. Il est massé en rond sur les pentes, si bien que l'on devine le tracé de l'enceinte rasée sur ordre du roi de France en 1229 et dont il subsiste des vestiges. Il est rose et ocre au soleil, de ces couleurs un peu passées qui prennent avec l'âge la pierre d'Aquitaine et la tuile romane. Il est centré par la verticale du donjon du XIIᵉ siècle qui s'enlève, tout au sommet, d'un jet puissant. Deux églises, des maisons anciennes, des promenades de verdure, des terrasses de café, des amateurs de pétanque, des parfums subtils de confit, de truffe, de cèpe, et, en automne, de pruneau et de chasselas doré. Toute la douceur du Sud-Ouest rural...

Montgeard
Haute-Garonne

42,5 km S.-E. de Toulouse

Au sommet d'un promontoire boisé ouvert sur les Pyrénées, ce petit village bâti de brique rouge foncé règne sur les fortes ondulations typiques du Lauragais. Fondé en 1317 par le sénéchal de Toulouse Guy Guiard, associé au seigneur de Nailloux, il illustre parfaitement le principe de découpage orthogonal d'un plan de bastide. L'afflux considérable de richesses que provoqua la culture du pastel à la fin du Moyen Age poussa les notables locaux à donner à l'église des dimensions spectaculaires. Contrairement aux apparences (énorme tour carrée, créneaux sur mâchicoulis et rares ouvertures), cet imposant vaisseau de brique n'a de militaire que l'aspect. A l'entrée, un bénitier de marbre daté de 1516 est signé d'un sculpteur de Pise. La nef unique à quatre travées est ornée d'écussons, de personnages bibliques et de clefs de voûte enrichies de polychromies. Les chapelles adjacentes sont également décorées de fines sculptures, complétées par quatre bas-reliefs en albâtre du XVe siècle provenant sans doute des ateliers anglais de Nottingham.
A côté de l'église, le château Durand conserve des fenêtres à meneaux, des salles voûtées et des cheminées ornées du blason seigneurial. Autour s'étalent les dépendances vastes et riches d'une ancienne ferme et un parc. Le tracé comblé des fossés forme aujourd'hui le tour de ville séparant la bastide originelle de ses faubourgs.

Montpezat-de-Quercy
Tarn-et-Garonne

34 km N.-E. de Montauban

Figée en vagues douces, la terre, avec bonhomie, déroule ses richesses : vergers, vignes, champs de blé, serres mystérieuses, et aussi boutons-d'or, taillis et bouquets d'arbres. Bientôt, le relief s'amplifie et, au loin, tache claire et frémissante sur une vaste colline, se prélasse Montpezat, caressé tour à tour par l'ombre et le soleil.
D'entrée, sur fond de marronniers et d'arbres de Judée, sa puissante collégiale suggère une opulence que ne démentent pas son trésor et ses tapisseries des Flandres du XVIe siècle. Avec un petit sourire empreint d'éternité, son fondateur-mécène, le cardinal des Prés, gît d'ailleurs en son chœur, tandis qu'à l'extérieur, humble et émouvante avec ses colombages et sa galerie de bois, subsiste la demeure (XVe-XVIe siècle) où vivaient les chanoines.
Continuons notre route vers la pente la plus douce et cherchons à gagner le boulevard des Fossés. De la porte (XIVe siècle) qui conduit à la place des couverts, c'est toute une atmosphère qui aussitôt séduit : éclatantes de lumière, des façades en pierre ou en brique à pans de bois vous accueillent gaiement et annoncent l'alliance, constante à Montpezat, de la simplicité, de la distinction et des fleurs omniprésentes. Si la place a souffert dans son ordonnancement, les rues qui s'en échappent ont gardé tout leur charme. Beauté de la pierre, grâce des colombages, fraîcheur des rues piétonnes, allégresse des jardins de toutes les couleurs

chantent la joie de vivre au-delà du silence. Actif et florissant, ce village tire parti non seulement de ses fruits et de ses vins locaux, mais encore de son site et de sa collégiale. Concerts, expositions, visites commentées couronnent une palette d'installations sportives, et gîtes et hôtels de bonne renommée dispensent à plaisir l'équilibre de la cité.
A 4 kilomètres au nord-ouest de Montpezat, l'église Notre-Dame de Saux est décorée de peintures murales des XIVe et XVIe siècles.

Montréal
Gers

15 km O. de Condom

Proches de la plaine agenaise, les coteaux de la Ténarèze constituent le plus vaste vignoble de l'Armagnac. Élevée sur un oppidum celtibère contourné par l'Auzoue, cette bastide compte parmi les plus anciennes de Gascogne, ses coutumes datant de 1255. Prospère dès le Moyen Age, s'accommodant de l'occupation anglaise, mais ruinée par les guerres de Religion, la petite cité affiche aujourd'hui une belle santé alimentée par le commerce et le tourisme. Épousant la légère pente d'une ligne de crête, une longue rue descend vers le centre-ville sous l'œil clair de façades à colombage. De part et d'autre d'une transversale en contrebas, quelques passages couverts servent de lien entre les maisons. En remontant, le panorama s'élargit sur les arcades de la place de l'Hôtel-de-Ville, entourée de toits de tuiles sombres et de balcons en fer forgé. Dans un angle, la collégiale fondée en 1510 par Mgr Marre, évêque de Condom, est intégrée aux fortifications. Son grand porche, encadré de huit socles de statues, se détache d'une façade sombre d'un fort-clocher à toit plat. L'intérieur gothique se signale par la haute élévation de ses nefs latérales éclairées par de grandes ouvertures flamboyantes. La rue du Docteur-Menville s'orne d'une demeure bourgeoise en L, remarquable par son pigeonnier et son perron d'entrée coiffé d'une arcature en bois et de colombages. Alentour, de nombreux châteaux rivalisent dans la production des meilleurs armagnacs. Les amateurs d'art sont comblés avec une palette de styles allant des mosaïques de la villa gallo-romaine de Séviac, au sud-ouest, à l'église gothique de Luzanet, au sud, en passant par les restes romans de l'église de Genens, au nord.

Montricoux
Tarn-et-Garonne

23 km E. de Montauban

Rectiligne et monotone, c'est l'ancienne voie de chemin de fer qui relie Montauban à Nègrepelisse. 8 kilomètres plus loin, l'embranchement de Montricoux vire, plonge et réserve un spectacle inattendu : celui d'un village accroché au versant d'une colline au bord de l'Aveyron.
Du pont de pierre qui enjambe le fleuve, il offre une rangée de façades irrégulières, modestes et paisibles, aux toits de tuiles roses empilés en désordre d'où émergent une tour et la flèche élancée d'un clocher toulousain (XVIe siècle). Et nous voici déjà dans la rue des remparts qui enserrent le village, ponctués de trois tours rondes minuscules et en ruine.

En dépit d'une histoire mouvementée, le patrimoine architectural de Mur-de-Barrez a été relativement épargné. La grosse tour de l'Horloge, ou tour de Monaco, veille toujours sur les toits d'ardoise du village, dont la forte pente et les hautes cheminées annoncent les rudes hivers aveyronnais. Presque toutes les maisons sont construites avec de gros blocs de pierre laissés généralement apparents, ou recouverts parfois de crépi.

Anti-anglais puis anti-calviniste, Montricoux a souffert, et de ce passé sombre subsiste un îlot austère et déconcertant : l'église maintes fois remaniée, le donjon carré (XIIIᵉ siècle), unique survivance du château initial édifié par les Templiers, et une petite place silencieuse et vide qui a tenté de gommer le cimetière de jadis. Quelques pas suffisent pour se trouver plongé dans un autre univers, celui de la prospérité triomphante des marchands du XVᵉ siècle, avec un festival de maisons à colombage qui, dans chaque ruelle, enchante le regard. Planes ou en encorbellement, les façades rivalisent de coquetterie et d'ingéniosité. Les pans de bois se croisent ou s'alignent, le torchis ondule ou se raidit, les briques dansent en rangs serrés, et tout là-haut, parfois, une galerie de bois regorgeant de plantes vertes suggère les délices d'une soirée de repos. Fabriques de toiles, filatures et briqueteries ont dis-

paru et l'immense moulin s'est tu définitivement. Montricoux vit de sa terre, de ses champs de colza et de maïs. La châsse de Saint-Eutrope n'attire plus les pèlerins le 30 avril, mais en juillet une jeunesse sans emploi accourt pour déflorer le maïs de semence.

Mur-de-Barrez

Aveyron

---

35 km S.-E. d'Aurillac

A la pointe nord du département, Mur-de-Barrez occupe la crête d'un promontoire basaltique battu par les vents. Au nord-ouest des monts d'Aubrac, à mi-chemin des monts du Cantal et des gorges de la Truyère, c'est la capitale d'une petite région, le Carladez. Le village, à 800 mètres d'altitude, domine un paysage de larges croupes moutonneuses et herbeuses. Parfois, au beau milieu d'une pâture, un amoncellement de roches volcaniques attire le regard. Les calvinistes en firent une de leurs places fortes, mais en 1643, Louis XIII en fait don au prince de Monaco. C'est de cette époque que date la massive tour de Monaco, parfaitement conservée. Les rues, étroites, abritent quelques demeures médiévales à plusieurs niveaux. Rue de l'Église, l'hôtel de Mandilhac s'enorgueillit d'un Christ en bois polychrome alors que la Grande-Rue s'orne de la façade Renaissance de la Maison consulaire. Trait d'union entre ces diverses époques architecturales, l'église du XIIe siècle remaniée après les dégradations des huguenots. En bordure du village, l'esplanade du château et la promenade de la Corette offrent de larges perspectives sur les hauteurs bleutées de la chaîne du Cantal.

Les environs de Mur-de-Barrez favorisent les balades à pied, à vélo ou à cheval et les berges de la Truyère font les délices des amateurs de pêche au gros. Au détour des chemins se succèdent de vieilles croix sculptées de manière naïve et couvertes de mousses. Dans un périmètre aisément accessible, les églises romanes de Brommes, au nord, et de Taussac, au sud-ouest, les châteaux de Vallon, au sud, et de Messilhac (Cantal), et la pittoresque vallée du Goul font partie des excursions favorites.

Najac
Aveyron

25,5 km S. de Villefranche-de-Rouergue

Construit sur la ligne de crête d'un éperon rocheux que contourne une des boucles les plus étroites des gorges de l'Aveyron, Najac est situé aux confins du Rouergue et du Quercy. Les ruines de son château fort dominent les toits d'ardoises des maisons construites de part et d'autre de la seule rue du village. Convertis à l'hérésie cathare dans les années 1200, les habitants de Najac furent condamnés à construire l'église actuelle par Alphonse de Poitiers, frère de Saint Louis, tandis que le château fort était démantelé. Ce château, dont on peut voir deux des trois enceintes primitives, possédait un important système de fortification.

Après être passé sous une poterne, on accède à la plate-forme de l'ancien donjon. De là, la vue sur le village et la vallée encaissée de l'Aveyron est très étendue. En arrivant dans le village par l'est, on traverse une place bordée de couverts. C'est là, dit-on, que Rabelais fit une orgie de jambon cru, qu'il rapporta dans son œuvre. En continuant la rue du Barriou, qui se rétrécit, on passe devant de belles maisons dont certaines remontent au XIIIe siècle. Les murs sont en moellons joints par un mortier de sable blond. Les encadrements des portes et des fenêtres sont en pierre taillée. Les toits très pentus sont recouverts de lauzes. En continuant vers le centre du village, on arrive à une fontaine creusée en 1334 dans un monolithe de granit. Légèrement en contrebas, l'église gothique est une des plus vastes du Rouergue. Perché sur son piton, le village domine un paysage de collines aux pentes accentuées recouvertes de sombres forêts de chênes et de hêtres. Les sommets sont parfois occupés par des champs de céréales et des pâturages. L'agriculture y est difficile. C'est pourquoi, aujourd'hui, Najac et sa région vivent essentiellement du tourisme.

Penne
Tarn

39 km N.-O. de Gaillac

Penne, c'est un squelette de pierre au sortir des gorges de l'Aveyron. Lorsqu'on arrive d'Antonin-Noble-Val, on ne voit tout d'abord qu'une écaille de rocher ocre. On s'aperçoit ensuite que ce rocher est surmonté d'un château en ruine et qu'un village se blottit à son pied. Un alignement de puissantes bâtisses longe cette crête au sud.

Une rue pavée conduit à la petite place de l'église (XIIe siècle) dont l'abside porte des vestiges de créneaux. Sur cette place, un balcon de pierre domine un large méandre des gorges de l'Aveyron. Faisant face à l'église, une curieuse maison d'angle toute en pointe délimite deux ruelles pavées ombrées par l'équerre de longs encorbellements. Derrière une porte fortifiée, un vieil escalier de pierre donne accès à la partie la plus ancienne du bourg. En perpendiculaire, quelques passages couverts s'ouvrent sur les vallées de part et d'autre dans un jeu contrasté d'ombres et de lumière. Une seconde porte massivement fortifiée permet de gagner en chicane le haut du village, où la vue s'élargit peu à peu. Au niveau d'une croix de pierre, sur un léger replat, on admire par en dessous la masse impressionnante des ruines du château au ras des falaises à pic. Ce nid d'aigle pratiquement imprenable conserve d'énormes pans de murs percés de meurtrières ainsi que des vestiges de grosses tours rondes sur un périmètre laissant imaginer l'importance originelle de cette place forte. A la descente, le village apparaît étroitement étiré le long de son échine rocheuse.

Penne, qui bénéficie d'un bon ensoleillement grâce à sa position dominante et à son orientation est-ouest, est le lieu de passage de nombreux randonneurs à pied ou à vélo.

Puy-l'Évêque
Lot

32 km O. de Cahors

Puy-l'Évêque, jadis ville de l'évêque de Cahors, est à cheval sur une longue croupe étirée à l'amorce d'un méandre serré du Lot. C'est de la rive gauche de la rivière et du pont suspendu que l'on saisit le mieux l'articulation de l'ensemble : la longue succession étagée de châteaux et de maisons fortes de pierre ocre, depuis l'hôtel de ville et l'esplanade de la Truffière, au sommet, jusqu'au ras de l'eau, le donjon de l'ancien palais épiscopal, l'église, avec son clocher-porche, si curieusement isolée et qui avait jadis son enceinte propre. Puy-l'Évêque est une ville de sanctuaires : outre l'église gothique à l'abside polygonale, des XIVe et XVe siècles, et une chapelle des Pénitents-Bleus au cœur du bourg, il existe dans la proche campagne bien d'autres oratoires. Dans la plaine, Issudel domine le vignoble où se fait le vin de Cahors aux sombres chatoiements. Courbenac, au bord du Lot, en aval, protégeait les mariniers d'autrefois et leurs longues gabares. Quant à Martignac, sur le plateau de garrigues aux senteurs d'herbes de la rive droite, elle était, elle est restée, lieu de recueillement des bergers, mais aussi, parce que le Quercy confine ici au Périgord, celui du paysan accompagné d'un chien ou d'un cochon en laisse, à la recherche, parmi les chênes, du « diamant noir ».

Puycelci

Tarn

27 km N.-O. de Gaillac

Juste après les façades claires de Larroque, Puycelci se détache tout en longueur au sommet d'une crête. Ce village perché et bien défendu servait de protection dès le XIIIᵉ siècle aux habitants de la vallée de la Vère, tout en garantissant le contrôle des comtés et des évêchés de cette région frontalière.

Il fut le centre d'une civilisation médiévale brillante et fastueuse. Dominé par la pointe de son église, le village s'abrite encore derrière ses murailles dorées bien conservées (XIIIᵉ-XVᵉ siècle), ponctuées de plusieurs tours de défense. La route sinueuse débouche sur un belvédère ouvert plein sud sur la plaine barrée par des collines boisées. Un vieux puits de pierre annonce la chapelle romane de Saint-Roch précédant les deux tours rondes du château des Gouverneurs du XVᵉ siècle. A angle droit, la promenade des remparts longe la pointe ouest de la forêt de Grésigne. Au niveau de la maison des Gardes, à double ogive, la porte d'Irissou s'ouvre dans les épaisses fortifications. Dan le prolongement de la maison Communale, la maison Feral, du XVᵉ siècle, porte trois fenêtres à meneaux et un joli portail. Au coin de la rue de l'Ancienne-Auberge, une autre bâtisse de la même époque donne accès à un passage couvert et se prolonge par une élégante perspective d'encorbellements à colombage aérés de longues galeries boisées. En remontant, le visiteur parvient à l'église Sainte-Corneille, datée du XIVᵉ siècle et bordée d'un clocher fortifié en 1777.

Le village de Puycelci s'anime de nombreuses activités artisanales (émaillage, peinture sur bois, tissage, etc.). Outre les randonnées le long du GR 46, les amateurs de plein air profitent également d'un centre équestre.

A l'entrée de Rieux, face à la cathédrale, ces vieilles demeures ont conservé leurs façades à pans de bois et brique en encorbellement soutenus par des solives reposant sur une sablière.

Rieux

Haute-Garonne

47 km S. de Toulouse

Grâce à sa position centrale entre Toulouse et les Pyrénées, Rieux est réputé pour son activité commerciale au Moyen Age. Sa cour épiscopale et une brillante confrérie d'avocats favorisent le maintien d'une vie intellectuelle intense jusqu'au début du XIXᵉ siècle.

Un long faubourg étiré le long de l'Arize se resserre juste après les platanes de la place de la Caserne. La petite halle du XVᵉ siècle apparaît étroitement imbriquée dans l'habitat. Ses douze piliers de brique ont été consolidés au ciment mais la charpente reste en bon état. Du joli pont d'Auriac (XVᵉ siècle), portant en son milieu un petit oratoire, on aperçoit l'ensemble des maisons, construites entre le XVᵉ et le XVIIᵉ siècle dans un bel agencement de brique très rouge et de bois, à colombage, parfois en encorbellement. Place de la Halle, la très étroite rue de l'Évêché rejoint l'entrée en demi-lune de l'ancien palais épiscopal. On accède à sa cour intérieure par un gros portail de la fin du XVIIᵉ siècle. La vue est superbe sur le clocher octogonal de pur style toulousain avec ses fenêtres à colonnettes sur trois étages (43 mètres de hauteur) et une ceinture de gargouilles à chaque angle. La cathédrale est bâtie de briques claires. Dans le chœur des évêques, les 58 stalles en bois de noyer sont du XVIIᵉ siècle, ainsi que l'autel en marbre polychrome. La sacristie renferme, entre autres, le buste de saint Cizi (1672), pièce unique recouverte de lames d'argent. De l'autre côté de la place, on remarquera la façade de briques de l'ancien séminaire. En dos-d'âne, le pont de Lajous enjambe une grande boucle de l'Arize cernant les fortifications est de la cathédrale. Le premier dimanche de mai, à la fête traditionnelle du Papegay, des archers tentent de faire tomber un perroquet factice, l'« oiseau du diable », qui avait voulu séduire la fille du seigneur du lieu.

Rocamadour
Lot

48 km N.-O. de Figeac

Jadis il y eut saint Amadour, saint Bernard, saint Dominique, saint Louis et sa mère, Robert d'Artois, Alphonse de Poitiers, et, les jours de grand pardon, jusqu'à 30 000 fidèles amassés. Aujourd'hui, plus d'un million de visiteurs par an. C'est que le pèlerinage de Notre-Dame est toujours célèbre. Le site est à vous couper le souffle. Rocamadour, sur le versant raide de l'Alzou, est un village à étages. « Les maisons sur la rivière, les églises sur les maisons, le rocher sur les églises, le château sur le rocher », disent les gens du lieu. Tout un échelonnement vertical, de bas en haut, articulé par le grand escalier de 216 marches que les pénitents, autrefois, gravissaient à genoux. L'agglomération, au plus bas, c'est d'abord une rue médiévale. On l'aborde par le Camin Roumieu, la voie sainte, et par la porte du Figuier. S'ouvre alors une étroite et longue perspective de façades ocre, de boutiques accolées, de maisons bourgeoises, de palais, dont celui de la Couronnerie (XVᵉ siècle), aujourd'hui hôtel de ville. Et l'on passe ainsi, flânant, admirant, sous les arcades de deux autres portes successives, jusqu'à la porte Basse, qui donne sur la vallée. L'étage au-dessus est celui de la cité religieuse, du recueillement, de la prière. Autour d'un parvis assez restreint, c'est un emboîtement, une superposition de sanctuaires collant à la pierre, mordant dans le rocher. On y voit ainsi, de marches en marches, de terrasses en esplanades, le Fort, ancien palais des évêques de Tulle, la basilique Saint-Sauveur, la crypte de Saint-Amadour, et rien de moins que cinq chapelles dont celle qui abrite la statue-reliquaire de la Vierge miraculeuse. Le roman et le gothique du XIIᵉ au XVᵉ siècle dominent ici, encore que beaucoup de choses aient été remaniées et reconstruites après les sauvages destructions des protestants et les longues périodes d'abandon. Les divers édifices, le musée-trésor tout proche conservent bien des souvenirs des splendeurs passées : des fresques du XIIᵉ siècle, d'innombrables ex-voto, des châsses émaillées, une cloche de fer qui « sonnait d'elle-même pour annoncer les miracles », de vieux insignes de pèlerinages appelés sportelles, et, enfoncée dans la paroi rocheuse, une épée que la légende prétend être la Durandal de Roland. Un chemin de croix en lacet conduit, enfin, au ras du plateau, à l'étage supérieur ; il n'est plus bourgeois ni religieux, mais militaire. Sur une avancée du causse, le château, érigé au XIVᵉ siècle et depuis lors très restauré, rappelle toute l'histoire des siècles de violence : les querelles du temps des Plantagenêts, les Anglais et les routiers battant les environs, les ravages des religionnaires. L'on y domine la vallée, les tables des alentours et, le soir tombé, un Rocamadour isolé dans le noir et tout exalté par de superbes illuminations sur l'écrin d'un ciel profond.

Romieu (La)
Gers

11 km N.-E. de Condom

Ce petit village ancré sur un léger plateau se repère de loin grâce à ses deux tours claires. Dès le XIᵉ siècle, un prieuré attira un premier peuplement. Après la période troublée des invasions anglaises, le cardinal Arnaud d'Aux, cousin du pape Clément V, profita de son influence pour doter le village d'une puissante collégiale. Elle sera mutilée successivement par les huguenots, à la fin du XVIᵉ siècle, et par l'agitation révolutionnaire. Le grand cloître gothique, agencé en carré autour d'un puits de pierre, conserve quelques jolis chapiteaux décorés de feuilles, d'animaux, de personnages et d'anges sous des arcades en trèfle couronnées de rosaces à cinq lobes. Une arcature trilobée donne accès à l'église à nef unique sous un massif clocher carré agrémenté d'une tour octogonale. Une petite porte permet de contourner la collégiale en admirant au passage la fine tour carrée rescapée du palais épiscopal. A l'angle de la place E.-Bouet, un autre vieux puits avoisine une suite d'arcades dessinant le cœur du village. La tour nord, intacte, conserve ses mâchicoulis et quelques meurtrières d'angle évoquant son origine médiévale.
La Romieu apparaît comme la capitale d'un territoire agricole diversifié ; volailles, vins, fruits, céréales, ail et melons sont les fleurons de sa production.

Saint-Antonin-Noble-Val
Tarn-et-Garonne

19 km E. de Caussade

Isolement, protection de hautes falaises et confluence de deux voies d'eau – la Bonnette et l'Aveyron –, tout était réuni pour fonder un monastère appelé à un bel avenir. Ainsi naquit la riche abbaye de Saint-Antonin, signalée dès le IXᵉ siècle, bientôt pôle d'une communauté dynamique et exceptionnellement en avance sur son temps.
Centre de rayonnement spirituel et d'activité architecturale intense, nœud de circulation et de commerce international (blé, draps, safran, pruneaux), Saint-Antonin reconstruit sans relâche les ruines semées par les cathares et les Anglais. Avec la même ardeur, elle se fit protestante, mais, vaincue par Louis XIII, elle ne retrouva plus son prestige passé.
Avec son ancien hôtel de ville (XIIᵉ siècle), surmonté d'un beffroi restauré par Viollet-le-Duc, son dédale de rues aux noms évocateurs, ses demeures et ses boutiques du XIIIᵉ au XVIᵉ siècle, ses sculptures débridées, ses façades, ses fenêtres, ses portes et ses clés de voûte, cette ville-musée de l'art du Moyen Age laisse le visiteur étourdi et conquis.
Les anciennes tanneries en bordure de la Bonnette n'ont plus qu'une valeur de curiosité et les inondations de 1930 ont emporté l'espoir de thermes florissants. Agriculture, élevage et scieries se sont substitués au commerce de jadis ; avec ses concerts, ses expositions, ses stages d'artisanat et son petit musée, Saint-Antonin, l'été, enchante le touriste. A 4 kilomètres à l'ouest, il faut s'aventurer dans le pays sauvage des gorges de l'Aveyron.

L'ancien hôtel de ville de Saint-Antonin-Noble-Val, du XIIᵉ s., est un des plus anciens exemples d'architecture civile romane. Il renferme un intéressant musée de préhistoire et d'ethnographie.

Sûrement l'un des plus jolis bureaux de poste de France, avec ses façades à colombage et sa tourelle, la maison Bridaut, à Saint-Bertrand-de-Comminges, a été bâtie en 1420 et restaurée dans les années 60.

Saint-Béat
Haute-Garonne

23,5 km N.-E. de Bagnères-de-Luchon

En remontant le cours supérieur de la Garonne, une large plaine s'étrangle en entonnoir dans un demi-cirque de pics dépassant les 1 800 mètres. Ce paysage aigu aux allures de cul-de-sac est cependant tranché comme à coups de sabre par un carrefour en équerre donnant le choix entre le pont du Roi, frontière avec l'Espagne, et la station de ski du Mourtis, vers l'est. A cette croisée de chemins, l'ancienne place forte de Saint-Béat est aussi connue sous le nom de « clé de France » depuis son rattachement au domaine royal en 1391.

Étroitement blotti entre les falaises et la rivière, un faubourg s'étire dans une belle unité de granit gris avec une succession de toits en pas de moineaux. Surplombant le village, l'ombre de Gaston Phébus hante les ruines du château du XIᵉ siècle dont il subsiste un donjon crénelé pourvu d'un clocheton ajouré. 50 mètres après le pont, rive droite, une sombre falaise sert d'écrin à une petite église romane. Sous un clocher à double arcade, paré d'une élégante tourelle octogonale, un tympan sculpté dans une pierre très noire représente le Christ entouré des quatre évangélistes.

Près du pont sur la Garonne, d'imposantes maisons consulaires font bon ménage avec un habitat plus humble. Rive gauche, une halle en arcades faite de gros blocs de pierre permet d'admirer quelques jolis balcons suspendus sur la rivière.

Saint-Béat reste un village vivant, fidèle à ses activités traditionnelles d'exploitation du marbre et du bois. La pêche y attire les plus calmes, tandis que les sportifs ont le choix entre pistes de ski et randonnées en montagne. Écrivains et poètes ont déjà succombé aux charmes de Saint-Béat : Edmond Rostand aurait trouvé ici l'idée du balcon de Roxane pour son *Cyrano de Bergerac*, tandis que Paul Fort et José Maria de Heredia y ont puisé leur inspiration.

Saint-Bertrand-de-Comminges
Haute-Garonne

33,5 km N. de Bagnères-de-Luchon

Saint-Bertrand-de-Comminges, du nom de l'évêque qui fit ériger sa cathédrale en 1120, fut auparavant, à la fin du IVᵉ siècle av. J.-C., puis sous la domination romaine, la cité fortifiée de Lugdunum Converanum. Dans la plaine, d'importantes fouilles ont révélé la présence d'un forum romain, de thermes et de deux lieux de culte. De nombreux vestiges gallo-romains ont été remployés dans les murs des maisons.

Au bout d'une plaine tapissée de prairies, perchée au sommet d'un promontoire, la puissante cathédrale Sainte-Marie a des allures de vaisseau. Un porche conduit à la place en pente dominée par le clocher-donjon de la cathédrale. L'aspect massif de la façade est adouci d'un portail roman coupé par une colonne en marbre blanc. Les douze apôtres sculptés du linteau soutiennent un tympan représentant l'adoration des rois mages, une Vierge à l'Enfant et saint Bertrand. Passé la première travée romane, la nef de style gothique méridional entoure un chœur riche de 66 stalles Renaissance de chêne finement

Attenant à la nef de l'ancienne cathédrale de Saint-Lizier, le cloître développe ses trente-deux arcades, dont les chapiteaux sont inspirés des motifs les plus caractéristiques des ateliers toulousains.

sculpté. Curieusement élevé en angle sur cinq colonnes corinthiennes, le buffet d'orgue du milieu du XVIᵉ siècle est décoré de scènes champêtres et mythologiques. Chaque été, des concerts d'orgue sont donnés en la cathédrale. Les quatre galeries pavées du petit cloître roman qui jouxte l'église surprennent par la délicatesse de leurs chapiteaux sur colonnes géminées. A l'est du village, face à une barbacane, la porte Cabirole s'ouvre dans la partie de l'enceinte encore debout. L'actuel bureau de poste est établi dans un superbe édifice du XVᵉ siècle en pierre claire avec deux façades à colombage garni de brique. Au bout de la rue, plus sombre, une maison à encorbellement s'orne de fenêtres à meneaux de bois encadrant des vitraux multicolores au-dessus d'une jolie porte. Vers l'ouest, une rue à forte pente et dont le caniveau central est pavé permet de quitter l'enceinte par la porte Majou.

Quelques commerces, un peu d'artisanat et beaucoup de tourisme animent ce bourg quelque peu déserté.

A 2 kilomètres à l'est du village, la basilique Saint-Just est un véritable chef-d'œuvre d'art roman. Les grottes de Gargas, près d'Aventignan, à 6 kilomètres au nord-ouest par la D 26, offrent aux visiteurs de remarquables gravures d'animaux et d'énigmatiques peintures de mains mutilées datant de 25 000 à 30 000 mille ans avant notre ère.

Saint-Cirq-Lapopie
Lot

35 km E. de Cahors

« Saint-Cirq », à cause des reliques de saint Cyr rapportées d'Asie Mineure, dit-on, par saint Amadour. « Lapopie », du nom des seigneurs qui eurent d'abord le château, au plus élevé de la falaise. Saint-Cirq est un village qui monte, qui monte, tout le long du versant tendu, de la vallée du Lot jusqu'au ras du plateau. On y flâne par un lacis de ruelles pentues, entre des façades en encorbellement à poutres apparentes, des murs de calcaire vibrants de soleil, troués d'ouvertures en ogive ou de fenêtres à meneaux : plusieurs générations de résidences dans ce lieu jadis multiseigneurial. On s'arrête pour souffler dans un tournant et on domine une cascade de toitures aux tuiles patinées, un étagement d'étroites courettes fleuries, puis, au loin, par-delà le méandre de la rivière et la vallée au damier de cultures, le brutal décrochement de la table opposée. Tout cela est soigné, restauré, habité souvent par des artistes et des artisans – peintres, sculpteurs, potiers, tourneurs – attirés ici par l'éclat perlé du ciel et le charme du site. L'église du XVᵉ siècle couronne l'ensemble ; son chevet donne presque à pic sur la boucle du Lot ; elle est précédée d'un clocher puissant avec une tourelle d'angle ronde. Elle est gothique et flanquée d'une chapelle romane plus ancienne. Du château, jadis encore plus haut perché et démoli sur ordre de Louis XI, il ne reste que quelques vestiges. Ils rappellent l'importance qu'eut autrefois cet étonnant point défensif devenu aujourd'hui l'un des joyaux du tourisme aquitain.

Saint-Clar
Gers

35 km N.-E. d'Auch

Bénéficiant de terres particulièrement fertiles arrosées par l'Arrats au tombant de crêtes rondes et boisées, Saint-Clar s'est imposé comme le premier producteur d'ail blanc et d'échalotes du département.

Le bourg doit son nom au premier évêque d'Albi, martyrisé à Lectoure. Dès la fin du XIIIᵉ siècle, Géraud de Monlezun, évêque de Lectoure, s'y fait bâtir un château dont la chapelle devint l'église actuelle, remarquable par ses arcs-boutants, son clocher à rosace encadré de tours octogonales, et son porche à chapiteaux sculptés.

A l'angle de la D 7 vers Tournecoupe et de la D 953 vers Fleurance, une grande fontaine au fronton à la grecque fait face à un vieux lavoir couvert de tuiles. De forme triangulaire et bordée d'arcades, la place de la République conduit à celle de l'église, entourée de marronniers. Au nord, place de la Mairie, des arcades de pierre d'un blanc éclatant délimitent un carré où trône une halle centrale sur vieux piliers de bois adossée au beffroi couvert d'un campanile reconverti en mairie.

Tout autour, les ruelles bien alignées se coupent à angle droit. De l'autre côté de l'église, la rue du Prieuré se faufile au milieu d'un habitat encore plus ancien jusqu'à la tour en polygone irrégulier rescapée d'un monastère.

Parfois maltraité par les assauts successifs des troupes anglaises, des comtes d'Armagnac et de la couronne de France, Saint-Clar affiche aujourd'hui une belle vitalité. Récemment jumelé à Gilroy, capitale de l'ail californien, le village célèbre chaque été, le deuxième jeudi d'août, le précieux condiment qui entretient sa réputation.

Saint-Félix-Lauragais
Haute-Garonne

42,5 km S.-E. de Toulouse

Perché aux confins orientaux du département, un œil sur le voisin tarnais, l'autre sur l'horizon audois, le belvédère de Saint-Félix a d'abord intéressé les Romains. Siège du concile cathare de 1167, la cité originelle fut durement punie par Simon de Montfort en 1211. Mais dès la fin du XIIIᵉ siècle, elle renaissait, avec toutes les garanties de liberté octroyées aux bastides.

Le clocher gothique de style toulousain et percé de fenêtres en mitre sous une pointe élancée s'aperçoit de la route de Toulouse. En bout de côte, une rue droite longe le bâtiment des chanoines, aux portes sculptées surmontées de fenêtres à meneaux. Couverte de mousse, la façade mitoyenne de l'église offre un contraste saisissant avec un grand porche voûté dans un bel appareil de pierres claires. A l'intérieur, une nef unique décorée de motifs géométriques s'achève sur un chœur enrichi de quatre toiles monumentales illustrant la vie de sainte Thérèse. Sur la place centrale du village, la halle carrée sur d'antiques piliers de bois s'adosse aux rondeurs d'un beffroi béni par une Vierge en bleu et blanc. Tout autour, l'aspect médiéval reste présent avec de remarquables maisons à encorbellements. Petits bâtis de pierres claires au rez-de-chaussée et colombages garnis de briques croisées ou de crépi à l'ancienne rappellent l'âge d'or d'un pays inventeur de l'appellation « de cocagne ». Un peu plus haut, le rectangle plutôt austère du château médiéval enferme une cour intérieure métissée de pierres claires ou plus sombres mariées à quelques fantaisies de brique.

Les rue transversales de cette bastide de crête s'ouvrent sur les rondeurs du Lauragais et deux anciens

Dans cette ruelle de Saint-Cirq où travaillaient les tourneurs sur bois, les maisons ont gardé fenêtres à meneaux et colombage sous les toits de tuiles plates ou romanes, plus récentes.

moulins à vent, dont un fort bien conservé. Le tour de ville sud dévoile un panorama très varié, de la plaine du canal du Midi à la chaîne des Pyrénées, en passant par la Montagne Noire. Tous les ans, la fête de la Cocagne a lieu aux Rameaux et à Pâques (expositions artisanales et défilé historique). Le festival Déodat-de-Séverac, du nom d'un compositeur de la fin du XIXᵉ siècle dont le village conserve la maison natale, se déroule la première semaine d'août avec des stages de piano et quelques concerts.

Saint-Lizier
Ariège

2 km N. de Saint-Girons

Magnifiquement exposé plein sud, Saint-Lizier surplombe la rive droite du Salat. Avec ses hauteurs variées, ses prairies et ses bois, le site offre tous les attraits du Couserans. Au-dessus d'une large chaussée, un ensemble de façades claires s'étage au flanc d'un promontoire couronné de tours de formes et de couleurs diverses.

A la sortie du pont, à droite, un faubourg monte à la place des Étendes, bordée de jolies maisons à balcons de bois. La rue du Puits grimpe vers un gros édifice polygonal sur quatre arcades, tandis que la rue de l'Horloge mène à un clocher fortifié. Sur la magnifique place de l'église, on peut admirer autour d'un bassin de pierre sombre une maison à double encorbellement et des couverts du XVᵉ siècle. Sur un beau porche au portail finement travaillé, le clocher crénelé de la cathédrale est de pur style toulousain.

Ici, les époques se mélangent du XIIᵉ au XVIIIᵉ siècle et l'intérieur abrite des restes de fresques, une émouvante pietà et un retable enluminé. Jouxtant la cathédrale, le cloître roman en parfait état conserve un trésor d'orfèvrerie et un buste reliquaire.

Au sommet du village, l'ancien palais épiscopal – Saint-Lizier fut le siège d'un évêché prospère du VIᵉ siècle à la Révolution –, immense, est assis sur des restes de remparts romains. Longues de 740 mètres, ces fortifications intègrent six tours demi-rondes et six autres carrées. Une vaste esplanade plantée de marronniers bicentenaires permet d'admirer les plus hauts sommets pyrénéens. Le plus beau, le mont Valier, a été baptisé du nom du premier évêque de Saint-Lizier, Valerius. A 2 kilomètres à l'est, le minuscule village fortifié de Montjoie et son église romane font partie des excursions favorites. Durant l'été, une galerie d'art présente diverses expositions et le festival de musique de juillet est paré d'une réputation internationale.

Saint-Martory
Haute-Garonne

20 km E. de Saint-Gaudens

Adossé à une petite falaise calcaire, Saint-Martory a franchi la Garonne pour s'étaler plus au sud vers la plaine. Le bourg a longtemps dû sa prospérité à la présence d'importantes papeteries. Rive droite, dans la périphérie immédiate, quelques grosses granges à croisillons de bois témoignent d'une vocation agricole. Près de la berge, un château Renaissance émerge d'un parc avec ses tours rondes en pierre claire coiffées de toits à forte pente en ardoise grise. Trait d'union entre les deux périodes du village, le pont de 1727 à trois arches est gardé par un porche qui servait de péage. En aval, la pile rescapée d'un pont plus ancien précède une belle chaussée. Rive gauche, face à une placette surplombant la Garonne, l'ancienne gendarmerie mérite le détour. Sa façade romane provient du cloître de la proche abbaye de Bonnefont et jouxte la maison natale de Norbert Casteret, pionnier de la spéléologie. En revenant vers l'est, la rue du Centre conduit à la mairie, derrière laquelle subsistent des restes de remparts. Au bout de la rue, l'église se signale par sa grosse tour carrée et un contrefort portant un cadran solaire. A l'intérieur, dans la première chapelle à gauche, un grand tableau bien restauré montre une Mater dolorosa peinte par Flandrin en 1845. Face à la rivière, la muraille sud présente un bel appareil de pierres ocre, jaunes et roses. Au pied du flanc opposé, plus sombre, une stèle funéraire du Iᵉʳ siècle côtoie un imposant menhir de granit gris.

En remontant vers Toulouse, on passe devant les ruines du château féodal de Montpezat avant d'atteindre Martres-Tolosane et ses célèbres faïenceries.

Saint-Savin
Hautes-Pyrénées

16 km S. de Lourdes

Saint-Savin domine le Lavedan et la plaine du gave de Pau depuis une position privilégiée, à la soulane (l'adret) du massif du Cabaliros (2 334 mètres). Orgueilleux Saint-Savin, dont les moines bénédictins connurent une prospérité qui s'étendit jusqu'à la vallée de Cauterets, dont ils possédèrent même les

Au centre de Sainte-Eulalie-d'Olt, la haute silhouette du château des Curières (XVᵉ s.), du nom d'une noble famille rouergate, les Curières de Castelnau, apparaît au-dessus des toits du village.

thermes. Si aujourd'hui Saint-Savin a perdu ses moines, il est difficile de ne pas penser à eux tant l'abbatiale (des XIᵉ et XIIᵉ siècles) et son énorme clocher s'imposent à l'approche du village. Ce clocher octogonal a la particularité de posséder une flèche couverte d'ardoises, au-dessus d'un toit en éteignoir. Il s'agit en fait d'un rabat-son par lequel les puissantes cloches de l'abbaye imposaient à la vallée le rythme des heures et des célébrations.

Ce qu'il reste des richesses accumulées ou créées par les moines constitue un des trésors les plus intéressants des Pyrénées : panneaux peints du XVIᵉ siècle, Christ en croix du XIVᵉ siècle, étonnantes Vierges dites « à la grande main » (XIIᵉ siècle) côtoient la châsse de saint Savin et de précieux objets de culte dans l'ancienne salle capitulaire.

Autour de la place du Castet, au centre de Saint-Savin, plusieurs maisons ont gardé leur aspect traditionnel depuis les XVIᵉ et XVIIᵉ siècles. Autres beaux témoignages de l'architecture pastorale bigourdane, les granges et habitations du Bouits, près de Saint-Savin. De là, vous apercevrez la chapelle de Pouyasté, à l'emplacement de l'ermitage d'un certain Savinus, venu se retirer ici au VIIIᵉ siècle. Son zèle religieux et quelques miracles lui ont permis de passer à la postérité.

Saint-Sulpice-sur-Lèze
Haute-Garonne

35 km S. de Toulouse

Délimité par les bassins convergents de la Garonne et de l'Ariège, Saint-Sulpice s'étend en bordure de la sage et fertile vallée de la Lèze, bornée de coteaux doucement arrondis que couvrent de grandes parcelles céréalières tirées au cordeau. Cette bastide du XIIIᵉ siècle, parfaitement conservée, a la rigueur d'une organisation urbaine strictement orthogonale.

Tout se recoupe à angle droit : la rue de la République, avec une enfilade d'arcades bientôt coupées à droite par la rue de Verdun. Au coin, une imposante bâtisse de briques maintenues par des pans de bois donne le ton ; ces deux matériaux constituant l'image de marque du village. Au bout de cette même rue, une façade, penchée vers l'arrière et couverte de bois, s'ouvre sur l'immense périmètre de l'esplanade André-Maurette. A l'opposé, le volume massif de l'église se trouve compensé par une tour octogonale, bien élancée sur deux étages et prolongée par un clocher pointu. D'une grande sobriété, le porche d'entrée, encadré d'un mariage de briques et de pierres claires, est surmonté d'une fine tourelle d'angle aux ouvertures parcimonieuses. Bordées de couverts, les rues Pasteur et de la Poste descendent en parallèle vers le cœur du village. La place de l'Hôtel-de-Ville a été entièrement restaurée. Entourée d'arcades, la mairie jouxte une antique véranda dont les épais croisillons de bois sombre sont à claire-voie.

Le village est réputé pour ses trois « super foires » : foire aux chevaux de la Saint-Marc, en avril, foire aux chiens de la Saint-Amour, en août, et foire aux grains de la Saint-Nicolas, en décembre.

Sainte-Eulalie-de-Cernon

Aveyron

26 km S.-E. de Millau

Dans leur partie occidentale, les immensités désertiques du causse du Larzac sont coupées par la dépression verdoyante de la vallée du Cernon. La présence de la rivière permet la culture de petits vergers et de minuscules champs de céréales. Sainte-Eulalie-de-Cernon se niche à 5 kilomètres de la source du Cernon, au pied d'une falaise. Le village doit son existence à une commanderie bâtie au XIIe siècle par les Templiers et fut fortifié au milieu du XVe siècle. Sainte-Eulalie-de-Cernon, considéré comme la capitale du Larzac, a aussi beaucoup souffert des guerres de Religion. Le village s'articule autour d'une place centrale ornée d'une grande fontaine du début du XVIIIe siècle, près de l'église romane remaniée en 1641. En passant devant la façade nord de la commanderie, on arrive à la tour des Quarante, qui remonte à l'époque des Templiers. Un ensemble de maisons du XVe siècle adossées aux remparts conduit à une tour d'angle fortifiée. Les fortifications cernent pratiquement tout le bourg. Un de leurs plus importants éléments est constitué de la tour Mude et du château des Templiers dont la cour intérieure est richement décorée. Les maisons sont pour la plupart à un seul étage. Bâties en calcaire et couvertes de lauzes de calcaire, le seul matériau du pays, elles se serrent les unes contre les autres, formant de véritables blocs. A une vingtaine de kilomètres à l'ouest, les caves de Roquefort, moteur économique de toute la région, sont un intéressant but d'excursion.

Sainte-Eulalie-d'Olt

Aveyron

24 km S.-E. d'Espalion

Coincé entre les monts d'Aubrac et les derniers contreforts du causse de Sauveterre, le Lot, qu'on appelait autrefois l'Olt, serpente difficilement de méandre en méandre. A la hauteur de Sainte-Eulalie-d'Olt, sa vallée s'élargit et forme un bassin verdoyant, bordé au nord et au sud par des collines couvertes de bois de chênes et de châtaigniers. Le village s'est installé sur la rive droite. Du XVIIe au XVIIIe siècle, Sainte-Eulalie-d'Olt a vécu de la fabrication du drap. On voit encore au hasard des étroites ruelles quelques belles maisons du XVIIIe siècle construites en basalte, vestiges de cette prospérité. Certaines, plus anciennes, sont à colombage et en torchis. Avec ses trois absidioles et son déambulatoire, le chevet de l'église s'apparente à celui de l'église Sainte-Foy de Conques. Ses trois nefs ogivales ont été ajoutées au XVIe siècle. Autre curiosité, le vieux moulin à roue verticale, unique en Rouergue. Par broyage d'écorces il donnait la poudre nécessaire aux tanneries de la région.
Deux événements marquent la vie locale : chaque deuxième dimanche de juillet, les reliques de la sainte Épine font le tour du village, suivies par une procession haute en couleur. A la Toussaint, une vente aux enchères cède aux plus offrants les produits du terroir : charcuterie, fruits, fromages.
En aval, le joli bourg fortifié de Saint-Côme, dominé par son curieux clocher en vrille, voit encore passer chaque année les troupeaux transhumants qui vont paître sur l'Aubrac. Plus au nord, les pistes de Brameloup et de Laguiole, célèbre pour ses couteaux et son fromage, font la joie des skieurs de fond.

Dans la partie basse du paisible village de Salles-la-Source, on découvre, en se promenant dans ses étroites ruelles que bordent des édifices de caractère, le château et l'église romane Saint-Paul, dont les tours et les tourelles recouvertes d'ardoises se profilent ici sur une verdoyante vallée.

La bastide de Sauveterre-de-Rouergue fut fondée sur ordre de Philippe III le Hardi, en 1281, par le sénéchal du Rouergue Guillaume de Vienne et de Mâcon, pour protéger la région contre les incursions des brigands. Son plan géométrique en damier s'organise autour d'une place centrale à couverts, dont les quarante-sept arcades sont de dimensions identiques.

Salles-Curan
Aveyron

45 km S.-E. de Rodez

Bien avant la civilisation des loisirs, les évêques de Rodez avaient fait de Salles-Curan une de leurs résidences d'été, et ce jusqu'à la fin du XVIIIe siècle. Solidement plantées au centre du département, ces hautes terres du Lévézou, ingrates l'hiver, deviennent un paradis d'équilibre verdoyant à la belle saison. Agriculture et tourisme font ici bon ménage pour le plus grand plaisir des amateurs de nature intacte et d'air pur. L'économie repose sur la production céréalière et l'élevage des vaches et des brebis (Roquefort n'est pas loin). Depuis la construction du barrage de Pareloup, le plus grand lac du sud-ouest de la France avec 1 260 hectares, l'activité s'est orientée vers un tourisme florissant. Plusieurs bases nautiques et divers lieux d'hébergement se sont implantés.

Sur les rives du lac, Salles-Curan ne manque pas d'attraits. D'étroites ruelles bordées de maisons de pierres grises ou blanches, parfois même crépies de couleurs vives, escaladent les flancs d'un petit coteau.

Le château de l'évêché, délicatement préservé, est reconverti en hostellerie de luxe. Du XVe siècle également, l'église gothique est remarquable avec ses stalles en bois sculpté, ses vitraux et un petit trésor d'orfèvrerie religieuse. Ces deux joyaux d'architecture sont agréablement complétés par quelques solides bâtisses médiévales accrochées à la pente.

Salles-la-Source
Aveyron

10 km N. de Rodez

Au flanc de la falaise calcaire qui termine abruptement le causse Comtal, le village apparaît, groupé autour d'une abondante cascade. La partie haute, claire et sèche, contraste avec celle du bas, boisée, verdoyante et plus sombre. Salles-la-Source bénéficie d'un microclimat privilégié, ce qui explique que ce village resta longtemps le lieu de villégiature préféré des comtes de Rodez.

Partagé par la D 901, le bourg s'aborde au mieux sur sa droite par une rue en pente conduisant au pied d'une cascade, résurgence des infiltrations caussenardes. A proximité, une ancienne filature a été transformée en musée des Traditions rouergates. En haut du village, la tour d'un petit château Renaissance mène à l'église Saint-Loup à celui des Ondes (XVe siècle), encadré de tours rondes à mâchicoulis. En redescendant, on domine la partie basse du village. Dans l'intimité d'étroites ruelles pentues, de belles maisons sont regroupées autour de l'église romane Saint-Paul, flanquée du château du même nom.

Le village s'anime chaque 1er mai lors de la fête du Muguet, abondant dans les sous-bois environnants. En suivant la vallée du Créneau, on croise la chapelle romane de Saint-Austremoine et le château de Cougousse, pour atteindre Marcillac et ses coteaux rouges plantés de vignes classées en V.D.Q.S. A la Pentecôte, la Saint-Bourrou rassemble les vignerons dans une fête mi-religieuse, mi-païenne très originale, célébrée dans la chapelle Notre-Dame de Foncourieu, à 1 kilomètre au nord-ouest de Marcillac.

Sarrant
Gers

43 km N.-E. d'Auch

Aux confins du Tarn-et-Garonne et de la Haute-Garonne, cette bourgade gersoise subit l'influence de la proche Lomagne. Sur la rive gauche du Sarrampion, dans une double enfilade de collines, Sarrant se remarque à la fine pointe très blanche de son clocher sur fond de conifères.

Au fond d'une place en triangle ombragée par une double allée de platanes à l'emplacement des anciens fossés, le porche couvert d'une chapelle s'orne d'un clocheton ajouré. Juste en face, en pierre ocre, le gros donjon carré sert de porte d'entrée au centre du village. Percé de meurtrières et ceinturé de mâchicoulis, il abrite l'actuelle mairie. Lorsque l'on est passé sous ses énormes poutres, une ruelle concentrique se faufile entre des maisons à colombage de torchis, de pierre et de brique, jusque devant l'église, au centre du village. Romane, elle fut complétée au XIXe siècle d'un clocher épaulé par deux tourelles rondes. Son intérieur, sobre, s'enrichit d'un remarquable confessionnal en bois sculpté et d'un reliquaire en cuivre du XVIe siècle abritant les restes de saint Vincent, patron de la paroisse.

Le gracieux château Renaissance de Sédail, à 1 kilomètre au nord-ouest, se cache derrière son long paravent de cèdres du Liban, rares dans cette contrée. A 2 kilomètres à l'ouest, celui de Savaillan se signale par sa grande cour intérieure fortifiée au XIVe siècle et gardée par de puissantes tours d'angle.

Sauveterre-
de-Rouergue
Aveyron

42 km S.-O. de Rodez

Depuis la modernisation, les terres ingrates du Ségala, le pays où on ne pouvait cultiver que le seigle, sont devenues le grenier à blé de l'Aveyron. C'est au centre de cette région, entourée des molles inclinaisons des collines couvertes de champs séparés les uns des autres par des rideaux d'arbres, que se trouve Sauveterre-de-Rouergue. Dès sa fondation, ce village a été un marché et un centre commercial très important. C'est en 1281 que le pouvoir royal imposa la création d'une bastide fortifiée à l'emplacement du château féodal de Lusufran, pour combattre la puissance des seigneurs locaux.

On aborde le village par une imposante place centrale cernée de 47 arcades dont les façades ont été restaurées. Autour d'un puits surmonté d'une croix en fer forgé, le sol a retrouvé son dallage d'origine. Alignées sur un plan rectangulaire, les maisons à colombage et quelques ruelles couvertes sont du plus bel effet. Elles débouchent sur quatre tours et les portes Saint-Christophe et Saint-Vital.

Intégrée au système défensif, la collégiale du XIVe siècle se signale surtout par ses stalles sculptées et son grand retable du XVIIe siècle. La croix du vieux cimetière et celle dite de la Mérette (XVIe siècle) méritent une attention particulière. Au coin de la place, l'Oustal (= maison) rouergat reconstitue un intérieur d'autrefois. Sauveterre s'anime surtout lors des journées artisanales à la Pentecôte et à la traditionnelle fête de la Châtaigne et du Cidre doux, à la Toussaint. Plus permanent, l'atelier de la Licorne s'active à de remarquables reproductions de tapisseries anciennes exportées jusqu'aux États-Unis.

Aux alentours, on verra, au sud, le viaduc du Viaur, lancé à 120 mètres au-dessus de la rivière par un élève d'Eiffel, l'ingénieur Bodin ; et au sud-est, le château du Bosc, berceau de Toulouse-Lautrec, reconverti en musée familial.

Seix
Ariège

18,5 km S.-E. de Saint-Girons

Une étroite vallée baignée par le Salat semble buter en cul-de-sac sur un cirque de pentes boisées. A leur pied, le village de Seix se regroupe sur les deux rives sous le regard majestueux du mont Valier et du mont Rouch, s'élevant à près de 3 000 mètres d'altitude.

Des façades aux volets peints de couleurs vives bordent la départementale. Les encorbellements ont dû être supprimés pour cause de circulation intensive. Près d'une halle sur piliers gris, de grandes maisons à galeries de bois sur trois étages égayent le paysage dans un mélange de vert amande et de rouge brun. Daté de 1760, le fronton de l'église est surmonté d'un campanile ajouré gardé par deux pignons. Il faut cependant aller jusqu'au milieu du pont pour apprécier son étrange clocher fortifié en pierre ocre (XIIe et XVe siècles) avec ses deux tours crénelées sur mâchicoulis. Derrière l'église, la ruelle du Roi épouse les courbes d'un torrent bordé de petites maisons à encorbellements et balcons de bois. Rive droite, près d'une vaste place, depuis le moulin ancien reconverti en maison du tourisme, on aperçoit les tours rondes et la façade claire d'un manoir du XVIe siècle niché dans les sapins.

A Seix, l'agriculture ne compte plus que quelques chevriers, et une fromagerie réputée reste en activité. Cependant, l'activité croissante d'une association d'artisanat d'art regroupée sous l'appellation Cardabel permet à des jeunes de s'établir dans un pays qui a souffert de l'exode. La proximité immédiate de la moyenne et haute montagne offre un large éventail de randonnées adaptées à tous les niveaux dans un cadre grandiose et vierge de toute pollution.

Simorre
Gers

33 km S.-E. d'Auch

La plaine traversée par la Gimone est occupée par d'opulentes propriétés où se cultive le maïs et se pratique l'élevage des oies et des canards. Les gros conserveurs du Gimontois (« Ducs de Gascogne », « Comtesse du Barry », etc.) et le plus important marché au gras du pays, chaque lundi à Samatan, offrent à cette production son principal débouché. Simorre se remarque surtout par la masse de son église fortifiée, énorme tache rouge sombre dans un cadre toujours très vert. Juste avant le monument aux morts, on quitte la départementale pour bifurquer sur la gauche. Un palmier décore le jardin d'une demeure sur double encorbellement enrichi de colombages, de fenêtres à meneaux et d'une fine tour octogonale. La rue débouche sur l'église-forte-

Le long de l'unique rue de Tillac s'alignent des maisons à un étage en encorbellement reposant sur des piliers de bois grossièrement équarris. A chaque extrémité, une tour carrée défendait la rue.

resse du XIVe siècle toute de brique foncée, remaniée par Viollet-le-Duc. Son gros clocher carré, plus militaire que religieux, est allégé par six tourelles d'angle. Sa façade est en gros moellons gris clair et le porche à chapiteaux sculptés en pierre beige. Derrière l'église, les platanes assaillis de rosiers sont dominés par un très bel ensemble de maisons à « mirandes », sortes de loggias en bois sous combles que l'on retrouve un peu partout dans le village. Une petite halle sur piliers de bois sert de jonction entre deux ruelles parallèles remontant vers la départementale.

Plusieurs fois gravement endommagé au cours de son histoire, décimé par la grande peste de 1563, Simorre s'est toujours relevé. A deux pas de la Haute-Garonne, son identité gasconne demeure farouchement préservée, même si ses constructions de brique dénotent une certaine influence toulousaine.

Sorèze
Tarn

25 km S.-O. de Castres

Frontalière avec la Haute-Garonne, une large plaine agricole vient buter sur les premières aspérités de la Montagne Noire. Après la destruction en 1212 du premier village médiéval installé sur l'oppidum de Berniquaut, la population se déplaça près du monastère bénédictin, au pied d'un promontoire en bordure d'un ruisseau. En 1682, les bénédictins de Sorèze y établirent un collège destiné à rivaliser avec l'Académie protestante de Puylaurens. Il devint une école royale militaire sous Louis XVI. Au Second Empire, le père Lacordaire en fit un lieu d'étude de réputation internationale.

A l'entrée du village, disposé en arc de cercle, on longe l'école militaire jusqu'à une superbe bâtisse d'angle à colombage garnie d'une combinaison de petites pierres, de briquettes et de crépi rose. De l'autre côté, le chœur ouvert en plein air d'une ancienne église fortifiée a souffert des guerres de Religion. Beaucoup de ses matériaux ont d'ailleurs été remployés pour la construction du village. Au bout de cette rue, un triangle ceinturé de maisons anciennes en parfait état précède les couverts en arcades d'une place plus grande. Le tour de ville ombragé de platanes apparaît plus aéré avec quelques ouvertures sur parcs et jardins. Il conduit par les allées Notre-Dame à une église au clocher ajouré sur deux étages et gardé par deux tourelles arrondies.

A l'inverse de la plupart des vieux villages, Sorèze reste étonnamment vivant autour de sa célèbre école, avec des activités aussi diverses que l'agriculture, l'exploitation forestière, l'artisanat du meuble. Au chapitre des loisirs, le parc naturel régional du Haut-Languedoc propose de nombreuses excursions autour de la Montagne Noire. A 5 kilomètres, le lac de Saint-Ferréol, régulateur du canal du Midi, offre tous les plaisirs de l'eau dans un paysage très vert. Principales manifestations estivales à Sorèze : des stages de musique et une grande foire des produits du terroir durant la deuxième quinzaine d'août.

Varen

Tarn-et-Garonne

34,5 km E. de Caussade

Un ksar doré se profilant au loin dans un cirque de verdure entouré de collines, c'est pour le moins inaccoutumé. Le mirage s'adapte, les formes se précisent et, bientôt, un ensemble monumental d'une rare stature émerge de maisons banales et familières. Ocre et radieuse, fascinante et insolite, la réalité rejoint bel et bien la fiction.

Une église à énigmes (fin XIe siècle), un superbe donjon avec mâchicoulis, tourelle à échauguette et croisées à meneaux (XVe siècle) et, entre les deux, un bâtiment austère (XIVe siècle) amputé de son cloître, tels sont les vestiges grandioses d'un monastère bénédictin et du château de son doyen, seigneur de ce même lieu. La visite de l'église reste inoubliable tant il émane d'elle une impression de force, de grandeur et de spiritualité.

A quelques mètres de là, une ancienne porte qui s'ouvre sur une curieuse tourelle pentagonale (XVIIe siècle) cache une enfilade de maisons à pans de bois datant d'une période où foires et paix chèrement acquise insufflaient une vie aujourd'hui disparue.

Culture du chanvre, fabrication du plâtre et commerce des prunes ne sont plus que souvenirs. La cimenterie Lafarge attire à Lexos toute la force vive de ce village étrange où une petite cloche aurait l'insigne pouvoir de détourner la foudre.

Villeneuve

Aveyron

11 km N. de Villefranche-de-Rouergue

Malgré son nom, Villeneuve compta parmi les plus anciennes bastides rouergates. Créée en 1271 autour d'un monastère fondé deux siècles plus tôt par Odile de Morlhon, la petite cité se développe rapidement sous la double impulsion des consuls et du clergé. Située entre les vallées du Lot et de l'Aveyron, elle centralise les activités rurales du plateau, malgré la concurrence de la proche Villefranche.

Des anciens remparts subsistent la porte Haute et la tour Savignac, massivement fortifiées le long d'un tour de ville ombragé. A l'intérieur, la place du Marché bordée de couverts donne accès à un ensemble de maisons dont les rez-de-chaussée portent encore les traces d'échoppes médiévales. Quant à l'église, sa partie romane est calquée sur le plan du Saint-Sépulcre de Jérusalem et complétée par une extension gothique du XIVe siècle. Elle abrite d'intéressantes fresques témoignant du passage des pèlerins de Saint-Jacques-de-Compostelle, un beau retable, des stalles et quelques sculptures dont une pietà et un Christ du XVe siècle. Parée des lumineuses variations ocre du calcaire, Villeneuve séduit aussi les gastronomes avec ses spécialités rouergates (tripoux, confits, cèpes, fouaces, etc.). Fidèle à la tradition, le village de Salles-Courbatiès, à 6 kilomètres au nord-est, organise chaque été une reconstitution de la moisson et du battage à l'ancienne.

A une vingtaine de kilomètres au sud-ouest, on remarquera l'abbaye cistercienne de Loc-Dieu, superbement entretenue, où furent cachés un grand nombre de tableaux du Louvre – dont la Joconde – pendant la dernière guerre.

Tillac

Gers

39 km S.-O. d'Auch

A l'ouest d'une barre boisée, la vallée du Bouès s'ouvre sur une grande plaine étalée vers Marciac. Le petit village de Tillac, anciennement fortifié, commande un grand territoire agricole demeuré très actif. On y accède par une porte en ogive défendue par des meurtrières et surmontée d'un clocheton, vestige des fortifications médiévales. Parée de pans de bois, la tour donne sur une ruelle encadrée de deux galeries couvertes, dont les encorbellements reposant sur de gros piliers de bois sont rehaussés de briques ou de torchis. Cette rue mène à une église du XIVe siècle. Autre vestige des fortifications élevées par Bernard VII, comte d'Armagnac, une épaisse tour carrée a résisté aux assauts du temps et des hommes. Entre celle-ci et l'église, une ferme intra-muros, avec son séchoir à maïs et un troupeau d'oies à gaver, rappelle l'appartenance du village au département classé en tête des producteurs de foie gras. En contournant l'église par la gauche, on passe devant une ancienne grange dont le grenier sur double arcade s'agrémente d'un réseau serré de croisillons de bois.

8 kilomètres au sud, le grand lac de Miélan est une aire d'activités nautiques.

Les bouleversements récents qui ont affecté les villages de France et que l'on peut lire dans le paysage et dans le bâti (restauration des maisons « traditionnelles », développement de lotissements) sont consécutifs d'un profond remaniement des relations entre les hommes qui les occupent.

Les RÉSEAUX de PARENTÉ et de VOISINAGE dans les villages

La société villageoise du XIXe siècle est composée essentiellement de cultivateurs, hiérarchisés en propriétaires, fermiers et journaliers, et secondairement d'artisans. Le fond local de la population reste très stable, même s'il existe un courant régulier de migrants vers les petites agglomérations rurales ou les grandes villes. Les relations sociales se nouent entre les unités domestiques qui composent les unités d'exploitation au village, et sur lesquelles vont reposer toutes sortes de formes de coopération, qu'il s'agisse de l'entraide de travail agricole, ou des échanges de services tout au long

Une noce en Sologne vers 1900. Une belle noce que solemnise toute la communauté.

du cycle de la vie familiale. En effet, dans une société où la production agricole repose sur l'effort humain (en l'absence de machines performantes), sur le savoir empirique pour guérir (en l'absence de médecine et de Sécurité sociale), les villageois ont un besoin impérieux de s'unir, de s'obliger mutuellement dans un système de réciprocité implicitement mais soigneusement comptabilisé.

Les liens humains se tissent sur une double trame : celle de la parenté, celle du voisinage, l'un et l'autre n'étant pas exclusifs. Le premier stéréotype qui vient à l'esprit lorsqu'on évoque les sociétés villageoises du XVIIIe et du XIXe siècle (si l'on se restreint aux périodes sur lesquelles des études approfondies ont été conduites), c'est que les relations de parenté ordonnaient toutes les relations sociales. Ceci est tout à fait exagéré. Les unités domestiques qui constituent un village ne sont pas toutes apparentées : la mobilité inter-régionale n'était pas négligeable ; dans les régions

de fermage, les paysans se déplaçaient ; enfin il était impossible d'établir tous ses enfants au village, de sorte que ceux-ci se mariaient dans les villages voisins. On peut en revanche être assuré que les réseaux de parenté restaient circonscrits au sein d'aires géographiques très étroites puisque l'endogamie, c'est-à-dire le mariage au sein d'un groupe de villages contigus, était dominante. Cependant, ces réseaux n'associaient pas tous les résidents d'un même village, et ce d'autant moins qu'il existait une forte différenciation sociale et professionnelle : les paysans aisés s'alliaient entre eux exclusivement, les artisans aussi ; l'endogamie géographique se doublait d'une stricte endogamie sociale et professionnelle, ce que l'on désigne souvent sous le terme d'homogamie. Il n'en reste pas moins que l'ossature des relations sociales était fondée sur la chair de la parenté.

Le mariage était en conséquence un des moments majeurs de la vie collective au village, puisqu'il allait renouveler les maillons de la chaîne parentale. Quelle qu'en soit la forme, le mariage n'est jamais l'association de deux individus, mais celui de deux groupes de parenté, créant des liens entre les nouveaux alliés. Lorsque les généalogies villageoises sont reconstituées, on peut remarquer des formes préférentielles des unions. Il apparaît qu'on nouait souvent des mariages doubles entre frères et sœurs, ou encore des « renchaînements d'alliance », selon l'expression maintenant fixée, qui associaient au fil des générations les mêmes lignées : les deux époux se trouvaient avoir des parents communs dans les générations supérieures, mais n'étaient pas consanguins. Enfin, selon les régions et surtout selon les types d'activité économique, des mariages consanguins pouvaient être noués dans des proportions diverses. Parfois ceux-ci unissaient des cousins germains, plus souvent des cousins lointains jusqu'aux issus issus de germains (mariage pour lequel l'Église exigea une dispense jusqu'en 1919). Du fait que la nouvelle unité familiale créée devait devenir une unité de production, on ne pouvait laisser le choix du conjoint au seul penchant amoureux (même si celui-ci n'en était pas absent). Le contrôle de la génération aînée sur les unions était grand, puisqu'elle détenait les biens et

devait s'assurer que l'unité domestique-unité de production se perpétuait. On sait qu'il existe dans les sociétés rurales françaises une grande diversité de modes de transmission des biens qui renvoie à une diversité de types de mariage.

Les régions du centre et du sud de la France favorisaient un seul des enfants, généralement l'aîné, même au XIXe siècle, en dépit des injonctions du Code civil. Dans ces régions, les paysans étaient de longue date propriétaires de leurs exploitations : ils s'efforçaient ainsi de maintenir l'intégrité de celles-ci en instituant un héritier ; les autres enfants étaient exclus du patrimoine, dotés, contraints d'émigrer ou de vivoter localement. Dans ces régions, le mariage de l'aîné est particulièrement soigné : la forme préférée est l'union double frère-sœur, issus de deux « maisons » différentes ; l'héritier de l'une épouse la cadette de l'autre. Les mariages consanguins sont généralement peu nombreux et associent souvent les plus pauvres, les cadets exclus de l'héritage qui n'ont d'autre recours que d'épouser un parent pauvre, un exclu lui aussi.

Les régions du nord de la France connaissent au contraire un système égalitaire ; les paysans sont plus souvent fermiers que propriétaires de leurs terres : il leur est donc plus aisé de faire des parts égales évaluées en argent. La famille et une terre sont moins souvent confondues aussi, de sorte qu'on accepte de se déplacer plus facilement d'un village à l'autre. Contrairement à ce que l'on imagine volontiers, les mariages entre parents n'ont donc pas pour rôle de rassembler des terres que l'héritage égalitaire aurait divisées. Dans les régions où l'héritage est inégalitaire, l'important est de s'allier entre maisons de même rang ; et dans les régions égalitaires, la mobilité des personnes et des terres rend inutile une telle stratégie. On se marie entre parents, proches ou éloignés, on renchaîne les unions entre lignées pour rester entre soi, entre gens qui se connaissent et qui occupent une place relativement identique dans les hiérarchies sociales locales. La fréquence des unions consanguines reste cependant remarquable dans certaines régions de viticulture où l'héritage égalitaire, parcellisant les exploitations, rendrait toute exploitation impossible. C'est le cas, par exemple, de certaines régions de Champagne, ou encore des communes autour de Paris – Romainville, Nanterre, Suresnes, sur les coteaux desquelles la vigne fut cultivée jusqu'au milieu du XIXᵉ siècle.

Ce rapide aperçu de la diversité locale des modes de transmission des biens explique aussi la diversité des trames familiales observées dans les sociétés villageoises. Mais il faut tenir compte également du mode d'habitat, soit groupé le long des rues centrales, comme dans les villages de l'est de la France, ou dispersé en hameaux de quelques fermes, comme c'est le cas dans la plus grande partie de la Bretagne.

Dans l'exercice de la vie sociale, le réseau de parenté reste souvent en compétition avec celui de voisinage. L'existence de liens de parenté n'est pas toujours gage de bonne entente : des querelles familiales dont la mémoire est gardée de génération en génération peuvent interdire qu'on fasse appel à tel parent en cas de besoin ; à l'inverse, des brouilles induites par des relations de voisinage peuvent aussi conduire à des haines tenaces qui obligent à recomposer les réseaux desquels on ne peut se passer pour vivre et travailler au village.

Les occasions au cours desquelles les réseaux de parenté et/ou de voisinage sont sollicités sont de deux types : quotidien, exceptionnel ; ils concernent deux domaines : la vie de travail, la vie familiale. Au fil des travaux et des jours, les membres de la maisonnée sont généralement en nombre suffisant pour accomplir les travaux agricoles, soigner les bêtes ; il faut en revanche une main-d'œuvre nombreuse à l'époque des grands travaux saisonniers (moisson, battages) ou encore pour écobuer un champ. Dans les régions les plus riches, on peut faire appel à des équipes de saisonniers rémunérés ; ailleurs se constituent des équipes (par exemple de battage) qui associent plusieurs fermes et se déplacent d'une ferme à l'autre. On aura recours soit aux parents, soit aux voisins dans des combinaisons réinventées chaque fois qu'il est nécessaire. Dans les villages du Nord et de l'Est, dont les travaux agricoles s'effectuent sur une base collective, le voisinage réglemente le travail et les dates auxquelles se feront les semailles, les labours, les récoltes. Plus ou moins institutionnalisé selon les

régions, le voisinage est toujours un élément essentiel de la solidarité villageoise, prêt à porter secours en cas d'incendie ou de malheur, réquisitionné pour les travaux collectifs d'empierrage d'un chemin, de transport des matériaux nécessaires à l'édification d'une maison, ou pour aider à tirer un chariot embourbé dans une ornière.

L'entraide au quotidien, ce peut être les soins pour la jeune accouchée ou le parent mourant, et là aussi il est de règle que le voisinage prenne en charge ces événements de la vie familiale. Les parents doivent être libérés de ces soucis, à charge de réciprocité à la prochaine occasion : les liens de voisinage ne sont pas facultatifs, mais tissent des obligations et des droits. La voisine a longtemps fait office de sage-femme ; les voisins servent les repas de la noce ; ils sont particulièrement présents lors du deuil, déchargeant la famille de toute tâche matérielle et assumant des tâches qui lui sont interdites : faire la toilette du mort, porter le cercueil jusqu'à l'église.

Lorsque l'entraide de parenté ne se confond pas avec celle du voisinage, elle se spécialise dans les problèmes familiaux : on recueillera un enfant orphelin, on prêtera de l'argent à tel cousin qui vient d'acheter sa ferme, on cherchera à trouver parmi les alliés un conjoint qui pourrait faire l'affaire. Là aussi, la réciprocité est nécessaire afin de maintenir les liens sociaux. Qu'elles soient de parenté ou de voisinage, toutes ces relations ont un caractère contraignant et obligatoire, même si aucune mention n'en est faite dans les codes juridiques contemporains. C'est sur leur activation constante que repose la vie sociale au village.

On peut donc s'interroger sur leur devenir dans les villages de France d'aujourd'hui, largement transformés depuis les années 50 par la dépopulation, la forte diminution du nombre des exploitants agricoles, et l'éventuelle repopulation par des non-originaires venant s'installer dans le lotissement construit dans le village qui n'est pas situé trop loin de la ville, de ses usines, de ses bureaux. Que reste-t-il des relations de parenté et de voisinage dans ce village « réinventé » ? Du côté des agriculteurs et, là encore, avec des variations importantes selon les régions et les types d'agriculture, on peut dire que les relations sociales ont été

recomposées. Le travail quotidien repose essentiellement sur le couple, ses parents éventuellement ; la mécanisation a remplacé la main-d'œuvre nécessaire pour les grands travaux. Il n'en reste pas moins que subsistent des réseaux d'entraide, nécessaires en cas de « coup dur », si le chef d'exploitation tombe malade, par exemple. On s'appuie généralement moins sur ses proches voisins qui ont émigré ou ne sont plus des exploitants : la base locale de l'entraide est souvent élargie. Au niveau local, on peut encore compter sur le proche voisinage pour les événements du cycle de la vie familiale. Si les jeu-

nes femmes accouchent toutes à la maternité la plus proche, elles s'entraident pour conduire les enfants à l'école. La mort reste encore un moment fort de l'entraide de voisinage, si le défunt a trépassé chez lui.

On s'appuie sur son réseau de parenté large pour les travaux agricoles, et paradoxalement peut-être plus que par le passé, lorsque la main-d'œuvre était abondante et bon marché. Pour tout un type d'agriculture moyenne, les parents citadins apportent souvent un appoint de main-d'œuvre appréciable pour les grands travaux. Les neveux des villes sont enchantés de monter, lors des vacances, sur le tracteur des oncles des champs, et n'ont guère conscience que leur travail constitue un appoint important à l'exploitation agricole. Plus généralement, les réseaux de parenté unissent maintenant les familles de la campagne et de la ville : les enfants retournent souvent voir leurs parents, les migrants édifient au village des maisons en vue de leur retraite. La restructuration sociale des campagnes françaises a plutôt renforcé les liens de parenté qu'elle ne les a

Nouveau venu au village depuis vingt-cinq ans, le groupe du troisième âge, dont les activités animent régulièrement la vie sociale : la solidarité se renforce dans les parties hebdomadaires de dominos à la Maison pour tous, par les sorties mensuelles en car. Par ailleurs, les nouveaux venus développent au village les activités de citadins autour du sport, et de la sociabilité de loisir ; de même, attachant beau-

de ses parents, on réside souvent en ville, on est ouvrier ou employé, et la noce est une occasion rare de rassembler des parents qui se sont déplacés dans l'espace géographique. L'entraide des voisins pour cette célébration n'est plus requise : on prendra son repas au restaurant, les jeunes iront danser dans un bal. Le choix du conjoint n'a maintenant plus rien à faire avec la perpétuation des unités d'exploitation, et

Battage dans le Finistère vers 1950 (ci-contre). La première mécanisation n'a pas réduit le besoin en main-d'œuvre. Autour de la machine, tout le « quartier », avec femmes et enfants, est mobilisé. Sur le tracteur qui emporte le foin bottelé vers la grange (ci-dessous), grands-parents et petits-enfants. Ceux-ci ont donné un bon coup de main. En Vaucluse, vers 1980.
La machine moderne, ici une cueilleuse automotrice de haricots verts (ci-dessus), remplace la main-d'œuvre. Brie, 1988.

dissous. Ces réseaux continuent d'être d'autant plus forts que leur ossature n'était point faite de patrimoine foncier. Ainsi, en Bretagne, les parentèles ont toujours associé des familles non propriétaires qui cherchaient à rester entre elles ; la mobilité des groupes domestiques vers les petites capitales régionales ou vers la région parisienne n'a donc pas rompu des liens qui n'avaient pas d'assise terrienne. Aussi observe-t-on une entraide entre les familles restées au village et leurs membres émigrés.

coup d'importance à la scolarisation de leurs enfants, ils seront actifs dans les associations de parents d'élèves.

La recomposition sociale des villages explique donc que, sous l'aspect de continuité, la traditionnelle photo de noces rassemble aujourd'hui un groupe social bien différent. Autrefois, autour des mariés, leurs parents, proches ou éloignés, tous paysans ou artisans, tous originaires du même village ou des quatre ou cinq villages alentour. Aujourd'hui, si l'on se marie au village, entouré

même dans le cas d'un fils d'exploitant agricole, on ne cherchera plus à trouver une dot.

Les relations sociales se sont fracturées autour des groupes familiaux avec leurs ramifications urbaines, abandonnant au passage leur obligation de réciprocité qui unissait toutes les unités domestiques du village. Toutefois, si le temps leur en est donné, une fusion s'accomplira entre les anciens et les nouveaux, et le tissu social du village se reconstituera sur la base de liens de voisinage et de liens électifs.

Auvergne Limousin

L'Auvergne est la vieille citadelle hercynienne de la terre gauloise, bousculée par le cataclysme alpin. Elle est douceur et rudesse, secrète et encore sauvage. Les dômes somnolent, les arêtes des orgues chantent dans les vents, les riches planèzes et les landes avec leurs vagues de bruyère offrent une variété infinie de paysages. Les forêts s'ouvrent sur des lacs de cratère ou de barrage.
Ces pays sont verts des « pelouses » et des châtaigniers, jaunes des genêts et des gentianes. Vallées et bassins se creusent autour de bourgades actives, et la vigne parfois s'accroche aux collines pierreuses des Limagnes. Les eaux vives bondissent du plateau de Millevaches et le Limousin déroule ses horizons calmes, chers à Giraudoux.
La douceur océanique à l'ouest, le soleil déjà périgourdin au sud nuancent les paysages, les hommes et leurs demeures. Les luttes du Moyen Age hantent châteaux et forteresses. Du Dorat à La Chaise-Dieu, l'art roman, puis l'art gothique, ont sculpté leurs voûtes dans la roche mère du terroir, le granit exact et rigoureux ; pas plus que les lauzes des toits, les schistes ou les pierres basaltiques, il ne se prête à la fantaisie ; pourtant, à Salers, les noirs et les gris savent s'iriser dans les reflets de la lumière. Burons rugueux des montagnes, longues fermes limousines, granges ventées aux petites fenêtres, tout est ténacité, mais aussi diversité : toits à quatre pentes, en écailles, à la solide charpente de châtaignier, angles de murs noirs de pierre de Volvic, tourelles légères ; et vers l'Aquitaine, la tuile rougit le toit et le crépi blanchit les façades. Les clochers-peignes à deux ou trois cloches veillent sur des villages souvent perchés, dont les chemins s'en vont là-haut, où l'air est si pur « qu'il lave de toute canaillerie ! » (H. Pourrat).

0   50 Km

A

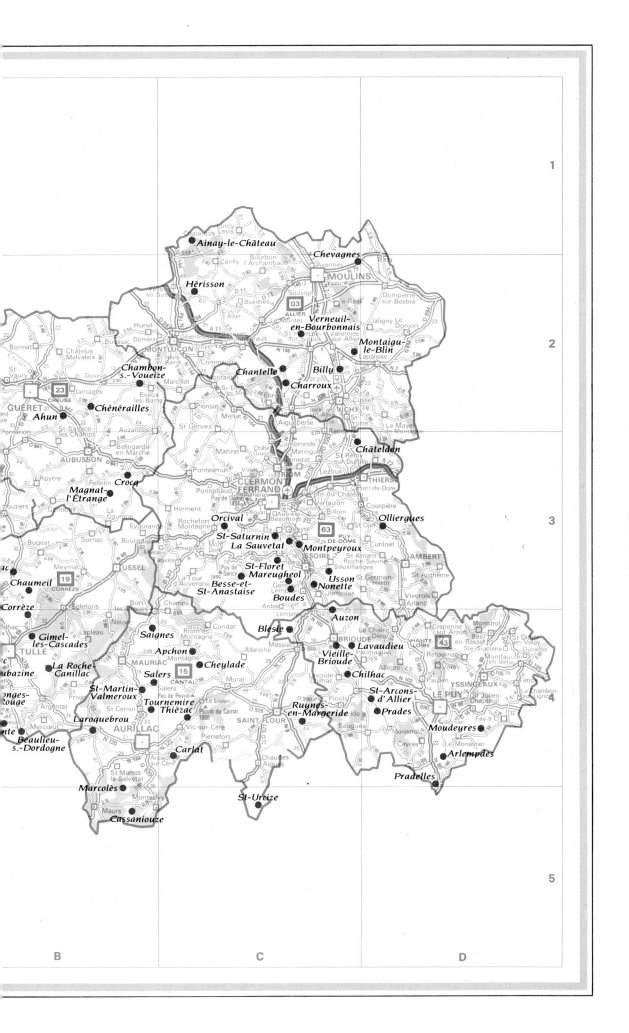

Ahun
Creuse

> 20 km S.-E. de Guéret

Près de la vallée de la Creuse, le bourg d'Ahun et le village du Moutier-d'Ahun, tout proche, s'inscrivent dans le paysage verdoyant de collines boisées et de prairies de la haute Marche. Ils constituent en quelque sorte un village gémellaire, l'un d'origine seigneuriale, l'autre monastique. Importante ville à l'époque gallo-romaine, Ahun resta florissante au Moyen Age, protégée derrière son enceinte, regroupée autour de son château fort. Les remparts subsistent encore à l'ouest et au sud-ouest. Les maisons les plus anciennes remontent au XVᵉ siècle, comme semblent l'indiquer leurs petites ouvertures et leurs arcs en accolade au-dessus des portes. Les hôtels particuliers du XVIIᵉ siècle, dont un des plus beaux exemples se situe à l'angle de la Grande-Rue et de la route de Limoges, montrent des baies soulignées de pilastres et des lucarnes amorties de frontons à boules. L'importante église romane dédiée à saint Sylvain, martyr local, a conservé du XIIᵉ siècle

son élégant chevet, et du XIᵉ siècle sa crypte. Le Moutier-d'Ahun, village-rue entre Ahun et le pont gothique qui enjambe la Creuse, détache ses toitures de petites tuiles sur un fond de verdure. Le portail flamboyant de son église, aux voussures rehaussées de petits personnages (anges, jongleurs, danseurs), s'ouvre aujourd'hui sur un jardin et sur une allée d'arbres plantés à l'emplacement de la nef. Dans l'abside, les stalles et boiseries du XVIIᵉ siècle, sculptées par maître Simon Baüer, constituent une œuvre unique qui a fait la renommée du Moutier. En été, des expositions de peintures et de tapisseries d'Aubusson sont présentées dans ce lieu.

Ainay-le-Château
(Allier)

> 38 km N.-O. de Bourbon-l'Archambault

Étagé sur un coteau verdoyant du vallon de la Sologne qui baigne ses maisons les plus basses, Ainay-le-Château n'a gardé de la position défensive qui fut la sienne aux confins du Berry et du Bourbonnais

constituèrent alors d'importantes activités, tandis que l'exploitation devenue organisée de la forêt de Tronçais, à 3 kilomètres au sud du village, entretenait un artisanat fécond. Ses futaies plusieurs fois séculaires de chênes, hêtres, pins sylvestres, qui s'étendent sur 10 000 hectares, offrent aujourd'hui de nombreux sentiers et étangs aménagés, et, en hiver, de grandioses chasses à courre.

Apchon
Cantal

6 km S.-E. de Riom-ès-Montagnes

« Haut et clair. » Ce cri de guerre des seigneurs d'Apchon, qui portaient titre de « comptours », résonna longtemps du château qui donne large vue, tout alentour, sur les planèzes découvertes et les sommets du volcan au sud, sur les vallées en berceau qui vont en combes verdoyantes vers le nord. Étrange histoire que celle de ces grands personnages tumultueux : tout un roman plein de nonnes violées, de pénitences, d'assassinats, de pèlerinages à Rome, de croisades, de pillages, de sièges, de beaux mariages, de guerres contre l'Anglais, d'expéditions lointaines et de captivités chez les Turcs, de reliques, de fleurs de lis frappant les armes, de source miraculeuse jaillissant sous le sabot d'une mule... Il ne reste de tout cela, sur le rocher, visible de loin, qu'une ruine impressionnante depuis près de deux siècles trouée de grandes ouvertures béantes sur le ciel de la montagne. Il reste aussi, couleur de roche grise, presque mimétique dans le paysage, le village tassé sous l'abrupt, avec une église massive et trop courte, dirait-on. Le tout jadis clos de murs et aujourd'hui comme écrasé par l'orgueil de la ruine et la gloire passée. Telle fut cette gloire qu'Apchon eut autrefois le privilège de fournir au corps des trompettes du roi... Des foires importantes se tinrent longtemps ici. On y élève toujours ce bétail sonnaillant qui va, l'été, pâturer sur les hauteurs. Mais de plus en plus on s'y trouve dans l'orbite de la petite ville de Riom-ès-Montagnes, qui n'est qu'à deux pas.

Arlempdes
Haute-Loire

27,5 km S. du Puy

On ne passe pas à Arlempdes, on décide de s'y rendre. Une route sinueuse conduit des hauteurs du plateau vellave aux rives encaissées de la jeune Loire. Le site surgit. Nature et histoire y sont intimement liées. On imagine la lave faisant intrusion dans des sédiments que le temps et l'érosion ont ensuite dégagés avec une patience d'archéologue. L'énorme rocher ainsi déblayé porte, précieuse couronne, un imposant château fort. Les murs crénelés, flanqués de proche en proche de tours, suivent fidèlement le périmètre du rocher.

Dans cette enceinte toute militaire, la meilleure place revient à l'architecture de la foi. Une petite chapelle romane aux airs antiques trône sur son pié-

que de pâles vestiges. Le château qui défendait cette châtellenie du Bourbonnais, devenue par la suite châtellenie royale, fut rasé au XVIe siècle ; les grosses tours rondes tronquées aménagées en terrasse du côté de la Sologne sont un des restes de la muraille. La rivière, autrefois barrée par un étang, alimentait des fossés profonds et visibles encore par place. Autre vestige de l'enceinte, la porte de l'Horloge, flanquée de deux tours à l'entrée de la rue du même nom et surmontée d'un beffroi du XIIe siècle. L'église Saint-Étienne, pour la plus grande part du XVe siècle, précédée d'une tour massive à fenêtres romanes et ornée d'un superbe portail Renaissance, domine le bourg ancien. Les vieux logis modestes, à deux étages, crépis et couverts de petites tuiles rouges, imbriqués le long d'étroites ruelles, ont perdu les lucarnes caractéristiques d'une architecture encore bourbonnaise. Certains d'entre eux remontent au XVIIe ou au XVIIIe siècle, époque durant laquelle les lieutenants généraux du prince de Condé tinrent la place ; c'est leur ancienne résidence, bâtiment du XVIIIe siècle situé rue du Vieux-Château, que l'on désigne comme le Vieux Château.

Au XIXe siècle, la population d'Ainay s'étendit hors de l'enceinte : scieries, tanneries, fabriques de tissus

destal de basalte, grosse colonne torsadée qui s'élève de 100 mètres au-dessus du fleuve.

Ce fleuve, c'est la Loire. Quoique fougueuse encore, elle a dû se résigner à contourner cette masse volcanique reliée à la terre ferme par sa seule face sud. C'est là que l'on a construit le village d'Arlempdes, protégé par une enceinte basse dont subsiste une porte fortifiée.

A l'abri de ces murs, un calvaire du XVe siècle et l'église Saint-Pierre, remarquable par sa façade. Le portail roman, bâti en brèche volcanique rouge, est enjambé par un puissant clocher-peigne en granit blanc du XVIe siècle.

Arlempdes et ses seigneurs ont une histoire riche. On évoquera seulement le marquis d'Arlandes, qui effectua, avec Pilâtre de Rozier, en 1783, le premier vol de l'histoire sur un ballon des frères Montgolfier.

Aubazine
Corrèze

15 km E. de Brive

Dans un pays très accidenté et fortement boisé, le bourg d'Aubazine s'accroche sur un éperon en avancée sur les gorges du Coyroux. De tout temps, ce site a constitué un lieu privilégié pour l'occupation humaine, comme en témoignent les mégalithes alentour, tels le cromlech du puy de Pauliac ou le dolmen de Rochesseux. Au XIIe siècle, l'anachorète Étienne vint s'y retirer. Par la suite, un monastère fut construit à mi-pente, sur un promontoire ensoleillé, autour duquel naquit le village. L'église contiguë aux bâtiments monastiques est le seul édifice cistercien conservé en Limousin. A l'intérieur, les vitraux en grisaille du XIIe siècle éclairent de leur douce lumière le tombeau de saint Étienne, chef-d'œuvre de la sculpture gothique. Accolés au bras nord du transept, les bâtiments du monastère des XVIIe et XVIIIe siècles conservent d'intéressants vesti-

ges, dont la salle capitulaire romane, la cuisine et un couloir pavé de petits galets. Le cloître a disparu, signalé aujourd'hui par sa vasque en granit au centre du jardin. Le canal des Moines, devenu un lieu de promenade, fut creusé, dans le rocher, par les cisterciens pour alimenter en eau l'abbaye distante de plus de 1,5 kilomètre.

Dans le village, on chemine sous des passages-porches, devant des maisons peu loquaces qui ne laissent rien percevoir des façades arrière ouvertes sur de petits jardins enserrés de hauts murs. Les maisons anciennes, dont certaines datent du XVe siècle, à deux niveaux avec tourelles et porches, s'alignent le long des pittoresques et tortueuses ruelles, qui suivent les pentes en favorisant la découverte du jeu des toitures bleutées en ardoise.

Dans les gorges du Coyroux, en amont des cascades, se dessinent les vestiges imposants de l'abbaye féminine cistercienne du XIIIe siècle. Il ne faut pas quitter Aubazine sans avoir visité la pisciculture et le plan d'eau de 23 hectares du Coyroux, agrémenté d'un golf.

Auzon
Haute-Loire

12,5 km N. de Brioude

Les vastes espaces situés dans le nord du Massif central s'engagent profondément dans la montagne par les limagnes, qui bénéficient d'une altitude basse, de communications faciles, d'un climat d'abri et de sols riches contrastant avec les reliefs voisins. Le bassin de Brioude est une de ces petites limagnes. Dans sa partie nord des charbonnages s'étaient jadis développés autour de Brassac-les-Mines.

Le village d'Auzon se trouve à la limite exacte de la plaine et de la montagne. Perché sur un promontoire allongé nettement délimité par deux petites

La chapelle des Pénitents, du XIIᵉ s., à Beaulieu, est entourée de vieux logis à étages et grands toits de tuiles. La présence des balcons atteste le climat plus doux du sud de la Corrèze.

vallées parallèles, il évoque irrésistiblement un navire. L'architecture a dû s'adapter à ce relief escarpé. Il en résulte un plan complexe où maisons, cours et jardins, terrasses et murs de soutènement dessinent une géométrie irrégulière.

Comme les villages perchés de Provence, Auzon est naturellement fortifié et on ne pourrait imaginer les maisons sans la protection d'une enceinte. Plus forte encore, la citadelle fait face à la plaine d'où pouvait venir le danger.

On a réservé à la collégiale Saint-Laurent la partie centrale et la plus élevée du village. Cette église romane du XIIᵉ siècle renferme de véritables trésors.

Au début du siècle, la vigne et la mine fournissaient du travail aux hommes tandis que les femmes s'employaient à des ouvrages de passementerie. L'écomusée d'Auzon, articulé autour de ces trois activités principales, constitue, suivant les termes de ses promoteurs, une mémoire de sueur et de sang.

Ayen
Corrèze

Au nord-ouest de Brive, l'Yssandonnais est un pays de petites collines aux douces ondulations dominées brutalement d'une centaine de mètres par des buttes témoins calcaires, les buttes d'Ayen. Le village-corniche d'Ayen s'accroche sur le flanc d'un puy, sur un étroit replat. Face à la butte de Saint-Robert et les hauteurs du plateau de Perzac, il embrasse un large paysage verdoyant de prairies et de bosquets de chênes. Le bourg est très étroit et tout en longueur, les maisons qui bordent l'unique rue sont bâties en calcaire, à deux niveaux dont un étage de lucarne avec toitures en ardoise ; toutes jointives, elles constituent un alignement d'une remarquable unité. De la voie principale part un dédale de ruelles étroites et tortueuses qui, lorsque la pente est trop forte, se transforment en escalier. Elles viennent buter très vite sur les pans des falaises intégrées au village. Les maisons qui occupent la partie arrière du bourg sont basses, sans étage, de type vigneron avec toitures à forte pente à deux ou quatre eaux recouvertes en ardoise.

Le village primitif d'Ayen-Bas se regroupait autour de son église, du monastère et du château, tandis que sur la hauteur s'élevait le château fort du vicomte de Limoges, avec le village d'Ayen-Haut. La dualité des deux bourgs conduisit en 1894 à la destruction de l'église romane. Mais l'importance passée d'Ayen-Bas se lit dans l'architecture de ses maisons nobles et de ses fermes. Le château de Chabroulix présente une imposante silhouette médiévale, modifiée au XVIIᵉ siècle. De plan rectangulaire, il est flanqué de deux tours massives.

Ce bourg rural aux activités agricoles multiples (élevage, pépinière, primeurs, tabac) s'est tourné vers le tourisme avec, notamment, le centre artisanal du domaine de la Boissière (peinture, poterie, tissage). A partir d'Ayen, il faut aller à la découverte des autres buttes témoins, celles de Saint-Robert et de Segonzac, au nord, et celles de Perpezac et d'Yssandon, au sud.

Beaulieu-sur-Dordogne
Corrèze

44 km S.-E. de Brive

Aux bords de la Dordogne qui glisse entre ses rives boisées, Beaulieu bénéficie d'une situation privilégiée. Les eaux de la Dordogne, largement étalées, viennent battre contre les quais du Port-Haut, souvenir de l'intense activité des gabariers qui, jusqu'au XIXᵉ siècle, descendaient la rivière pour acheminer le bois ou le charbon vers Bergerac et Libourne.

La fondation de l'abbaye bénédictine au IXᵉ siècle est à l'origine du noyau primitif de Beaulieu. L'ancienne ville, divisée en deux quartiers, le « barri majeur » et le « barri mineur », était enserrée de murailles et de fossés dont le boulevard de Turenne emprunte le tracé. L'abbatiale Saint-Pierre appartient aux grandes églises de pèlerinage, avec son abside à déambulatoire, d'importants bas-côtés et un étage de tribunes. Mais la renommée de Beaulieu s'est cristallisée sur le portail méridional, avec son tympan sculpté d'un Jugement dernier, œuvre de référence de la sculpture romane. Le trésor comprend des chefs-d'œuvre d'orfèvrerie médiévale, dont une Vierge à l'Enfant du XIIᵉ siècle, en bois, recouverte de plaques d'argent.

Les maisons en grès rose ou gris bien appareillés, sous leurs toits d'ardoise d'Allassac, portent les marques des XVᵉ et XVIᵉ siècles avec leurs façades sculptées de modillons, et leurs tourelles. La maison Renaissance, dite maison d'Adam et Ève, est ornée sur sa façade de remarquables têtes sculptées et de hauts reliefs. Tout autour de l'église, de vieux hôtels seigneuriaux ont gardé leurs fenêtres à meneaux et leurs portes en arc brisé.

Hors les murs, dans un quartier d'anciennes maisons à balcon de bois, la chapelle des Pénitents reflète son clocher-mur à cinq baies dans l'eau argentée de la rivière.

Beaulieu, qui doit son nom à la beauté de son site, offre à ses visiteurs l'attrait de la vallée de la Dordogne.

Besse-et-Saint-Anastaise
Puy-de-Dôme

35 km O. d'Issoire

Sur un dernier replat de la montagne, la petite ville de Besse (de *bettia* : « bouleau ») est bâtie à un carrefour de routes, en limite des massifs des monts Dore et du Cézallier, à l'altitude de 1 032 mètres. Elle occupe un promontoire, isolé au nord par la gorge encaissée de la couze de Pavin, au midi par un vallon sur lequel se sont développées de nouvelles constructions.

Une enceinte fortifiée, élevée dans la première moitié du XVᵉ siècle, entourait la ville. Quelques éléments de fortification sont encore visibles au nord, où fait saillie la tour de l'ancien château. Il reste surtout, au sud-ouest, l'ancienne porte du Mèze, où s'élève le beffroi. A l'intérieur de cette enceinte s'enchevêtrent, sous leurs lourds toits de lauze, un ensemble de vieux logis construits dans une andésite locale, faisant de Besse l'ensemble architectural

Derrière les maisons à pans de bois de Blesle s'élèvent le donjon, ou « tour aux vingt angles », seul vestige d'une forteresse médiévale de 4 200 m², et le clocher, seul conservé de l'église Saint-Martin.

le mieux conservé en basse Auvergne pour la période médiévale. D'anciennes boutiques s'alignent rue des Boucheries, où s'élève l'hôtel de la Reine Margot, à l'escalier sous voûte en parapluie. Nombreux sont d'ailleurs les logis qui ont conservé escalier en tourelle, fenêtres et linteaux sculptés.

A la pointe orientale de l'enceinte s'élève l'église collégiale Saint-André, comme dressée à la poupe d'une sombre carène voguant sur la dernière lame d'un océan de lave. Elle conserve de l'époque romane nef, bas-côtés et transept, avec plusieurs chapiteaux historiés. Le chœur, du XVIe siècle, a été élevé grâce aux libéralités de Catherine de Médicis, héritière des La Tour, possesseurs de Besse depuis la fin du XIe siècle. Il renferme des stalles aux miséricordes sculptées d'un intérêt exceptionnel. L'abside a été élevée en 1822 pour abriter la statue de Notre-Dame de Vassivière, dont la « montée » jusqu'à la chapelle montagnarde de Vassivière (le 2 juillet) et le retour à Besse, ou « dévalade » (le dimanche qui suit la Saint-Matthieu), donnent lieu à des processions accompagnées de réjouissances populaires.

Cette « capitale de la montagne » reste le centre d'un commerce important. Le marché du samedi, place de la Gayme, est animé et onze foires annuelles, remontant à une longue tradition, connaissent une grande affluence. Privilégiée par sa position intermédiaire entre la montagne et le bas pays, la ville de Besse, centre commercial du saint-nectaire, est aussi une station climatique appréciée, à laquelle le développement des sports d'hiver, la création de la station de Super-Besse, au pied du cirque de la Biche, ont apporté un considérable essor. Les excursions sont nombreuses vers les hautes pâtures du Cézallier, les lacs de montagne (celui de Pavin à 4 kilomètres), les sommets culminants du Massif central, ou vers la douceur limagnaise, par les gorges qu'ont évidées les couzes dans le socle primitif.

Billy
Allier

15 km N. de Vichy

Le voyageur venant du nord découvre Billy au-dessus d'un étang tranquille où se mire le calme village couronné de son château ruiné. La forteresse a été établie au XIIe siècle sur un piton calcaire dominant la rivière de l'Allier, alors navigable, et à proximité d'une voie romaine. Ce château hexagonal était défendu par sept tours. Celles qui encadrent l'entrée, côté rivière, sont les plus impressionnantes. Billy, qui fut le siège d'un bailliage et d'une châtellenie, dont dépendait le village de Vichy, a débordé des contours des trois enceintes successives. Tout y est intimement imbriqué. Dans les ruelles, ce riche passé est inscrit dans la pierre : crypte du XIIe siècle, porte de ville, échauguette, linteaux de portes, inscriptions, tourelles.

La proximité de Vichy a nui au développement de Billy, où seul un marché hebdomadaire maintient une petite activité.

Blesle
Haute-Loire

22,5 km O. de Brioude

Blesle comptait plus de 2 000 habitants au XVIe siècle, la vie économique y était active : on dénombrait 19 boulangers, 13 tailleurs, 12 bouchers... Les vignerons étaient partis à la conquête des coteaux des Fontilles, construisant ces milliers de murs en pierres sèches dans ces terrains si abrupts.

Construit sur l'eau de deux rivières, le village était très fortement structuré : les tanneurs, sur les quais de la Voireuse, voisinaient avec de nombreux moulins ; les vignerons près du Merdan ; les tisserands au quartier de la Bonnale... Le monastère était protégé par sa propre enceinte, de même que la résidence des puissants seigneurs de Mercœur, tandis qu'une troisième fortifiait l'ensemble du bourg. La tour de guet du Massadou, dans l'axe des trois vallées, surveillait d'éventuelles incursions.

Pourtant, ce lieu à l'écart de tout axe de circulation aurait pu rester désert. Et il devait être propice au recueillement et à la méditation lorsque, au IXᵉ siècle, Ermengarde, comtesse d'Auvergne, y établit une abbaye bénédictine dont l'essor est à l'origine de celui de la cité.

L'intensité de la vie passée se lit dans le village riche de témoignages architecturaux. Architecture religieuse avec l'église Saint-Pierre du XIIᵉ siècle et la place du couvent encore entourée de bâtiments du XVᵉ siècle ; architecture militaire avec le donjon des Mercœur du XIIᵉ siècle et les fortifications du Vallat ; architecture civile avec de nombreux bâtiments remarquables comme l'ancien hôpital, les quarante-trois maisons à pans de bois, les nombreuses portes et fenêtres sculptées.

Site protégé, exceptionnel par son unité et son état de conservation, Blesle est fier de son passé et prétend à juste titre être un des plus beaux villages de France.

Boudes
Puy-de-Dôme

15 km S. d'Issoire

Le long du ruisseau auquel il a donné son nom, le village de Boudes est abrité des vents d'ouest par le pic basaltique de Lavoiron (727 mètres), des vents du nord par une haute pente ensoleillée dont les vignes donnent un vin un peu âpre mais fruité : un des rares crus auvergnats à s'être maintenu sur le plan commercial et qu'il est possible de déguster chez le producteur.

Au centre du village, dont les maisons sont

construites en lave sous les génoises ourlant les toits couleur du temps, s'élève un ancien « fort » enveloppé de courtines de basalte présentant des traces de bretèches, et deux tours à l'est. Dans sa partie occidentale s'étend un curieux lacis de rues étroites bordées de vieux logis. D'époque romane, construite en belle arkose blonde, l'église paroissiale Saint-Loup présente un chevet arrondi, un portail occidental à l'archivolte décorée de sculptures et aux vantaux cloués de pentures anciennes. Tout près subsistent les restes importants d'un ancien donjon carré.

A quelques centaines de mètres au sud, la « vallée des saints », découpée de formes étranges et fantastiques, est l'un des sites les plus curieux d'Auvergne.

La D 48 conduit à deux villages dont chacun possède, sur un éperon rocheux, une église romane entourée d'un cimetière avec ossuaire : Saint-Hérent, à 4 kilomètres, et Dauzat-sur-Vodable, à 9 kilomètres à l'ouest.

Carlat
Cantal

15 km E. d'Aurillac

Carlat, tout comme Cros-de-Ronesque, à 15 kilomètres plus à l'est, c'est d'abord une « table » : un fragment plat d'une vieille coulée volcanique, haut perché et tout cerné d'à-pic vertigineux. Le massif cantalien derrière lui, ce belvédère donne au sud sur

---

Sous leurs toits de lauze largement débordants, les maisons de Carlat sont construites en blocs irréguliers de basalte jointoyés à la chaux. A droite, une ancienne grange dont le portail est précédé d'une rampe en terre pour l'accès des chars de foin.

une longue échappée de pays coupés de gorges profondes.

Jadis s'y trouvait un château énorme autour duquel se battirent les Anglais montés d'Aquitaine pendant la guerre de Cent Ans, les armées de Louis XI, puis de François Iᵉʳ, venues mettre le châtelain récalcitrant à la raison, les protestants et les catholiques lors des guerres de Religion. Y demeura aussi quelque temps, en 1585, la reine Margot, première épouse d'Henri IV, dont la vie amoureuse mit tous les damoiseaux de la région en émoi. La forteresse passant pour foyer de résistance à la royauté, Henri IV la fit raser. Et depuis lors, le rocher, auquel on accède par un boyau en escalier taillé dans la pierre, ne porte plus guère trace du vaste édifice.

Le village, avec l'ensemble du Carladez, passa en 1643 aux mains des Grimaldi, princes de Monaco. La table leur appartient encore. Carlat étage ses superbes toits de lauze et ses murs sévères sur le versant ensoleillé, au pied de la falaise. Dans l'église, il faut voir le retable du maître-autel et un vieux panneau de bois daté de 1604 qui commémore le « rasement ».

Carlat, dans ce pays d'élevage, reste en partie village agricole : il s'oriente vers Aurillac, avec les migrations professionnelles ; il croit pour l'avenir au tourisme.

L'église Saint-Vincent et l'abbaye de Chantelle. On peut distinguer l'enceinte et sa tour, qui protégeaient le château, l'église avec son abside, ses absidioles, sa nef et son transept que couronne le clocher. Sur la droite, le bâtiment principal de l'abbaye.

Cassaniouze
Cantal

40 km S. d'Aurillac

Cassaniouze n'est pas un village. C'est un semis, un éparpillement de fermes isolées, de hameaux, de maisons fortes, depuis le plateau, sur lequel se tiennent les belles maisons du bourg principal, jusqu'à la vallée du Lot. Près de 400 mètres de dénivellation brutale. Un versant buriné de gorges, hérissé de crêtes aiguës, en automne roses de bruyères. On s'y arrête à chaque tournant pour découvrir, pour admirer : une vieille demeure de schiste argenté, un châtaignier torse découpé en silhouette sur le ciel, les tables bleues du causse au sud, ou encore la longue plongée sur la coulée du Lot où le cerisier fleurit bien plus tôt que celui des hauteurs. Ce coin écarté du Cantal fut longtemps refuge et lieu de traditions vivaces. Dès le haut Moyen Age, un certain Gausbert choisit dans le creux de la rivière le site de Saint-Projet pour y fonder une communauté. Issue des châteaux épars dans la commune – Eyrolles-Vieille, La Guillaumenque, Roquemaurel –, toute une noblesse attachée au passé fit de Cassaniouze, sous la Révolution, un centre actif du royalisme. Plus frappante encore l'histoire des Enfarinés, tenants de la Petite Église qui avaient refusé le Concordat de 1801 et le clergé issu de cette « trahison ». En signe de protestation, ils portaient cheveux poudrés. Irréductibles, ils se baptisaient, priaient, s'enterraient entre eux. Les derniers, dans ce superbe pays sauvage, vivaient encore au tournant du siècle.

Chambon-sur-Voueize
Creuse

47 km E. de Guéret

« Au fond de cette gorge, qui bientôt se ramifie, coulent des rivières de vrai cristal,... c'est un pays d'herbe et de feuilles, un continuel berceau de verdure. » C'est en ces termes que George Sand décrivait l'arrivée sur le village de Chambon-sur-Voueize. Au pied d'une pente qui l'abrite du nord, et qui porte à son faîte un petit château à deux tours coiffées de poivrières, Chambon-sur-Voueize s'étend entre la Voueize et la Tardes autour de l'église abbatiale, joyau de l'art roman français du début du XIIe siècle. C'est vers la fin du Xe siècle que l'abbaye Saint-Martial de Limoges fonde un prieuré dans cette région. On y transporte les reliques de sainte Valérie, martyre de Limoges et disciple de saint Martial. La localité devient un lieu de pèlerinage important, ce qui nécessite la construction d'un imposant édifice à déambulatoire. Le chevet à cinq absidioles, à baies limousines richement décorées, demeure la partie la plus remarquable de l'édifice. Tous les sept ans, le buste-reliquaire de sainte Valérie est porté en procession.
Ce bourg monastique était jadis fortifié comme l'indiquent certains noms de rues : rue des Forts, rue des Remparts, rue des Fossés. Les constructions à deux niveaux se succèdent, à l'alignement, de chaque côté des rues tortueuses ; certaines ruelles

sont bordées de maisons de taille plus modeste, formant une succession de petites impasses, sorte de « courées ».
Dans les environs, les sentiers pédestres conduisent à de nombreux sites pittoresques, tels le château de Barbe-Bleue, les mines d'or du Châtelet, ou le viaduc sur la Tardes conçu par Eiffel. A 5 kilomètres, Evaux-les-Bains connaît une importante fréquentation en raison des propriétés bienfaisantes de ses eaux thermales, exploitées depuis l'époque romaine.

Chantelle
Allier

36 km N.-O. de Vichy

Sur le promontoire escarpé que contourne une boucle de la Bouble se dresse l'abbaye bénédictine Saint-Vincent. Avec son allure massive, ses hautes murailles, ses tours qui semblent la défendre, les habitants de Chantelle l'appellent le Château. Car cette abbaye, dont un prieuré de 937 constitue l'origine, était enclose dans l'enceinte de la forteresse des ducs de Bourbon et séparée du château proprement dit par des jardins. Le château, qui s'élevait sur la « motte Bourbon », entre l'abbaye et le bourg, fut rasé au début du XVIe siècle sur ordre de François Ier après la trahison du connétable de Bourbon. Anne de Beaujeu, duchesse de Bourbon et régente du royaume, séjourna dans cette forteresse qu'elle avait transformée en demeure de plaisance. Les murailles ainsi que les tours de gué de la forteresse du XVIe siècle entourent aujourd'hui l'abbaye, dont les bâtiments datent du XVe siècle, à l'exception de l'église, romane, du XIIe siècle.
Le village, un peu plus haut sur le plateau, s'étale en pente douce vers la Limagne bourbonnaise, ses collines recouvertes de grandes forêts que trouent çà et là vignes et champs cultivés. Le bâti, peu dense, est ponctué de vieilles demeures (XVe-XVIIIe siècle) en grès gris pâle, massives et carrées, que coiffent de hautes toitures à deux ou quatre pans de tuiles rouges brunies et quelques grosses tours carrées. Rue de la République, une de ces tours est percée d'une porte à tympan en arc brisé et au décor trilobé (XVe siècle).
Outre la promenade dans les gorges de la Bouble que des sentiers permettent d'atteindre depuis la terrasse devant l'abbaye, le village de Chantelle offre chaque année, le dernier week-end de juin, une foire à la brocante et, début août, une fête de la Lyre, société musicale du village.

Charroux
Allier

32 km N.-O. de Vichy

De ce qui fut dès le Moyen Age une ville fortifiée autonome, avec ses privilèges et son administration, ses églises, son couvent, sa commanderie, Charroux a gardé la complexité et l'étendue d'une structure urbaine. Située au bord de la Grande Limagne d'Auvergne et bastion avancé du Bourbonnais, elle ne fut épargnée ni par la soldatesque au XVe siècle, ni par les huguenots aux XVIe et XVIIe. Et seuls ses demeures bourgeoises de pisé ou de pierre, ses places et ses puits attestent que vécut là une population de marchands et d'intellectuels, riches et cultivés. La rue de la Poulaillerie, la rue de l'Horloge, la rue Hennequin, pavées de grosses pierres, sont bordées de belles façades sculptées, édifiées du XVe au XVIIIe siècle ; la maison du prince de Condé a gardé, au premier étage, ses belles fenêtres à meneaux. Au centre, mais aussi sur le point haut de la butte, la cour des Dames, que cernent des bâtiments à façade concave, ou la citadelle ; non pas un château mais une place où se rassemblaient et où se réfugiaient les bourgeois de la ville.

A l'ombre de l'église Saint-Jean-Baptiste, médiévale, qui faisait partie du système de fortification, se tient la plus vieille maison de Charroux, construction du XIVe siècle, à colombage et encorbellement. Lorsqu'on a franchi la porte d'Orient ou la porte de l'Horloge et son beffroi (XIIIe-XIVe siècle), ou passé la halle du XIXe siècle qui jouxte le corps de garde surveillant la porte disparue du Guichet, on pénètre, au-delà de la première enceinte, dans les faubourgs. Une seconde ligne de fortifications, disparue, les protégeait. Dans le bas du village, vers la vallée, les fermes dispersées au milieu des jardins et des bosquets sont des maisons bourgeoises des XIVe et XVe siècles qu'entouraient les vergers et les champs de foire, autrefois enclos dans l'ancienne Charroux. Du belvédère (ancienne porte du Berry, partie de la seconde ligne de fortifications), la vue s'étend sur la Montagne bourbonnaise à l'est, le Massif central au sud, la plaine de Moulins au nord-est, la forêt des Colettes plantée par Colbert au nord-ouest.

La riche histoire de Charroux, les traditions ethnographiques de la ville et de son canton sont évoquées dans un musée installé rue de la Poulaillerie.

Chasteaux
Corrèze

14 km S. de Brive

Sur un piton calcaire qui commande l'entrée de la vallée sèche d'Entrecor, Chasteaux surplombe le lac du Causse, aménagé à des fins touristiques. L'église, le presbytère, l'école et huit maisons composent tout le bourg qui couronne la butte. Les maisons en moellons de calcaire sont couvertes de toitures à deux ou quatre pentes en petites ardoises. Des arcs en ogive du porche de l'église (du XVe siècle) on aperçoit le miroir argenté du plan d'eau.

Au pied de Chasteaux, deux beaux villages forment un ensemble indissociable d'une grande qualité : Le Soulier et Roziers. Le Soulier, au nord-est de Chasteaux, s'étage sur les premières pentes de la vallée de la Couze, en bordure du ruisseau qui a ressurgi depuis le gouffre du Blagour ; il se compose d'un ensemble de maisons et de demeures nobles du XVIIIe siècle, à toitures à quatre pentes avec croupes et lucarnes ; l'une d'elles, dont la façade d'entrée comporte un escalier extérieur, est encadrée par deux pigeonniers en forme de tourelles carrées couvertes de petits toits en pavillon. On retrouve ce type d'édifice au village de Roziers, un peu plus au sud. Ces trois villages ruraux aux teintes blanches et bleutées participent de l'harmonie colorée du paysage, où le tapis vert foncé des boisements de la vallée révèle la blancheur des falaises calcaires.

Des villages alentour qui peuplent le causse corrézien et qui en ont gardé l'architecture traditionnelle, on retiendra celui de Lissac, groupé autour d'une église du XIVe siècle et d'un château du XVe siècle, celui de Peuch, avec son bel ensemble de maisons du XVIIIe siècle, et celui de Laroche, d'une remarquable unité architecturale.

Châteldon
Puy-de-Dôme

20 km N. de Thiers

Au pied du massif granitique des Bois Noirs, Châteldon était au XIIIe siècle sous la protection d'un château fortifié hissé sur un éperon au confluent du Chasserelle et du Voiron. Le bourg s'entoura au XIVe siècle d'une enceinte fortifiée et dépendit tour à tour du Bourbonnais et de la basse Auvergne. Châteldon aurait eu des industries coutelière et de tannerie, qui en seraient parties après la peste de 1348. Au nord-est du château (qui appartint à Pierre Laval) s'élève le beffroi marquant l'entrée du bourg castral qui présente une série de vieux logis aux murs en granit, certains avec tourelle ou ossature à pans de bois (maison sergentale). La tuile canal s'est substituée à la petite tuile plate des anciens toits bourbonnais dont subsistent quelques exemplaires.

L'église, agrandie au XVe siècle, renferme une précieuse crucifixion sur bois de la fin du XVe siècle ou du début du XVIe.

Cette petite ville, dotée depuis 1344 d'un marché hebdomadaire (le samedi), a vu sa fonction commerciale réduite par le déclin du vignoble et la fermeture de son petit établissement thermal (deux sources sont néanmoins commercialisées).

A 3,5 kilomètres au nord, le village fortifié de Ris, où s'élevait un prieuré clunisien, conserve une église des environs de l'an 1000. A 4 kilomètres au sud, les restes de l'église cistercienne de Montpeyroux sont visibles près des anciens bâtiments abbatiaux.

La porte d'Orient, bastion de l'enceinte intérieure, à Charroux, n'a plus tout à fait l'aspect qu'elle avait au XIIIe s. ; elle fut transformée en un immense pigeonnier.

Chaumeil
Corrèze

30 km N.-E. de Tulle

La plupart des hameaux disséminés dans le massif des Monédières, principale montagne du Limousin, sont situés le plus souvent au pied des puys qui culminent aux alentours de 900 mètres. Ils se distinguent par la qualité de leur architecture. Le village de Chaumeil, au cœur même des Monédières, avec les hameaux satellites de Freysselines, du Mas Michel et de Chauzeix, apparaît le plus représentatif de cette architecture typique.

L'ensemble du village ouvert sur la place de l'église avec l'auberge et l'ancien presbytère se profile sur le puy de la Jarrige, où subsistent encore des landes à bruyères, vestiges d'une économie pastorale prospère. Cette petite bourgade de granit et d'ardoise possède un noyau ancien gothique, dont l'église du XVe siècle, transformée au XVIIe siècle. La croix en fleur de lis située sur la place de l'église, ajourée, lancéolée et festonnée, appartient à un ensemble de croix monumentales bien représentées dans tout le massif. L'art des constructeurs anonymes s'affirme dans les assises alternées à joints vifs de grand appareil, dans les linteaux monumentaux aux claveaux sculptés, dans les jambages et pierres d'angles en pierre de taille.

Il subsiste quelques exemples de couverture de chaume à Freysselines ou au Mas Michel. Le village-rue de Freysselines possède un ensemble de maisons du XVIe siècle, dont la maison des Anglais, avec fenêtres à meneaux moulurés, escalier extérieur, balcon et auvent en bois tout à fait remarquables.

Chauzeix, sur la commune de Saint-Augustin, est typique de l'architecture des Monédières, où sont bien lisibles les structures d'organisation d'un village, avec les chemins bordés de murets en pierre sèche ponctués de croix de carrefour, les cours pavées et le système de circulation des eaux.

L'agriculture traditionnelle demeure la principale activité du massif, centrée autour de l'élevage bovin. Elle tend à se diversifier par la culture de plantes médicinales et de petits fruits (myrtilles, framboises).

Chaumeil et les Monédières doivent beaucoup à l'accordéon de Jean Ségurel et à la fameuse course cycliste du Bol d'Or, qui attirent chaque année de nombreux touristes.

La table d'orientation du Suc-au-May, à 912 mètres, donne à voir un vaste panorama vers la chaîne des puys d'Auvergne.

Chénérailles
Creuse

20 km N. d'Aubusson

Dans le terroir cloisonné de nombreux ruisseaux et de collines, parsemé d'étangs au creux des vallons, la table granitique qui porte Chénérailles constitue un site défensif.

L'enceinte qui enserrait le promontoire est encore présente dans le tracé des boulevards extérieurs, et la tour tronquée du Portet continue de surveiller le chemin pavé qui monte de la vallée. Un ensemble de ruelles tortueuses aux maisons tassées autour de l'église forme la vieille ville des XVIe et XVIIe siècles. Linteaux sculptés, arcs surbaissés et tours d'escalier signalent les constructions du XVIe siècle. Dans la rue Barthélemy, une ancienne boutique de cette époque, au rez-de-chaussée ouvert par un arc surbaissé, a gardé son escalier extérieur protégé par un auvent. Du XVIIe siècle, on retiendra l'élégant hôtel à deux avant-corps qui abrite aujourd'hui la mairie, face à l'église. On se doit de franchir le portail gothique de cet édifice, pour admirer le haut-relief du XIVe siècle représentant saint Barthélemy de la Place, son fondateur.

Dans les faubourgs, qui sont apparus en extension au noyau primitif du village, en direction du plateau, de beaux exemples d'architecture classique ont trouvé place : la maison Chapy, face au jardin public, l'ensemble constitué par la maison du Préfet, le presbytère et la maison des Sœurs, implantés sur les anciens remparts. De cette symphonie urbaine riche et touffue, les toits constituent la ligne mélodique, par leurs hauts pans recouverts d'ardoises ou de tuiles locales, leurs lucarnes à ossature bois et leurs épis de faîtage en terre cuite, leurs souches de cheminée et leurs fines tourelles d'escalier.

Chénérailles est aussi une station de monte des haras nationaux ; ses importantes foires aux chevaux contribuent à la renommée de la cité.

Chevagnes
Allier

18 km E. de Moulins

Assis sur un plateau dans une clairière, près du confluent de l'Huzarde et de l'Acolin, Chevagnes est né de l'exploitation des bois. Avant l'évolution agricole du XIXe siècle, cette région de terrains argileux était la plus pauvre de tout le Bourbonnais, ce qui lui a valu le surnom de Sologne bourbonnaise. De légères ondulations de terrain accueillent aujourd'hui de très nombreux étangs peuplés d'oiseaux. C'est le gibier qui a su attirer en ces lieux les premiers peuplements, puis des seigneurs amateurs de chasse, les ducs de Bourbon et les Valois-Angoulême. François Ier fut un fidèle de Chevagnes, où il fit édifier une maison royale, ce qui vaudra au village le nom de Chevagnes-le-Roi, qu'il portera de 1531 à la Révolution.

En contournant l'église du XIIe siècle, très remaniée, on découvre une grande maison à pans de bois datée de 1466, puis une maison longue et basse en brique de la fin du XVIIe siècle. Revêtue de l'habit bourbonnais de briques roses et noires, elle témoigne de l'élégante ingéniosité dont a fait preuve une région dépourvue de carrières de pierre.

La Grosse Maison, important logis de brique datant de 1754, avec son perron et ses chaînages en pierre de taille, est apparentée aux châteaux voisins, celui de Paray-le-Frésil, à 6 kilomètres du village, celui de Pomay, à 9 kilomètres. Au sortir du pays, en direction de Moulins, une construction retient l'attention, le relais Saint-Jacques, relais de poste de la fin du XVIIe siècle, intact, avec ses dépendances.

Chevagnes est resté fidèle à sa vocation agricole avec un marché mensuel aux volailles. Comme du temps des ducs de Bourbon, la chasse reste son meilleur atout.

La vallée de la Rhue, qui entoure Cheylade, est une large vallée glaciaire en auge, bordée de crêtes volcaniques. Les pâtures y sont coupées de haies vives. On aperçoit, au centre, une ferme isolée.

Au XVᵉ s., des officiers de la vicomté de Turenne résidaient à Collonges. Le castel de Maussac est un des manoirs qu'ils édifièrent. Il possède un donjon orné d'une tourelle en encorbellement.

Cheylade
Cantal

15 km S. de Riom-ès-Montagnes

Les vallées glaciaires du Cantal sont superbes. Elles éventrent le massif de leurs berceaux largement ouverts, jusqu'au pied des sommets où elles s'achèvent en cirques accolés. S'y alignent des hameaux épars, mais aussi de beaux villages de pierre volcanique et de lauzes pesantes. Tel Cheylade.
Cheylade fut prospère autrefois. Les prairies coupées de cascades, les pâtures d'élevage des hauteurs y attirèrent force gens de qualité qui y voulurent maisons cossues et châteaux. Il y en a encore : Le Cayre, Tissonnières, Escorolles – qui sont austères, avec de petites ouvertures, et montés de gros blocs à peine jointoyés. Demeure aussi de ce temps l'église, qui est unique dans la région. Construite au XIIᵉ siècle, remaniée au XVᵉ, elle fut restaurée entre 1610 et 1614. De cette époque datent ses trois voûtes de bois en plein cintre, composées de caissons de chêne peints : 1 428 compartiments, représentant dans une exécution libre et colorée, au hasard, dirait-on, et pêle-mêle, des fleurs, des anges, des fruits, des animaux familiers ou fantastiques, des armoiries, des emblèmes cabalistiques. On voit aussi dans l'église un saint Léger du XVᵉ siècle ; les habitants, autrefois, lui portaient le jour de sa fête toutes sortes de victuailles qui profitaient... au curé. Un jour, on oublia l'usage. Le saint disparut. Grand émoi à la ronde. Les bonnes gens firent... aumône honorable. Le saint reparut aussitôt. Cheylade est aujourd'hui agréablement rural, mais touristique aussi, de plus en plus.

Chilhac
Haute-Loire

24,5 km S. de Brioude

Au-dessus des eaux de l'Allier, un curieux empilement s'offre aux yeux du voyageur. Les colonnes parfaitement verticales d'orgues basaltiques supportent la masse exubérante d'une coulée figée comme à regret. Sur ce présentoir naturel, les maisons, l'église et l'ancien château du village de Chilhac se découpent fièrement dans le bleu du ciel.
L'exposition plein sud de la falaise, sa couleur noire en font un formidable accumulateur de chaleur et l'on n'est pas surpris d'apprendre que ce site bénéficie d'un microclimat méditerranéen, que des cactus y poussent naturellement. Naguère la vigne constituait d'ailleurs l'activité principale et les maisons sont, pour la plupart, bâties sur le modèle vigneron, la cave au rez-de-chaussée, l'habitation à l'étage. Serrées dans les remparts médiévaux dont tours, courtines et portes fortifiées subsistent, elles ont été peu à peu délaissées : 850 habitants à la fin du XIXᵉ siècle, 175 en 1982. Le tourisme a pris le relais avec une originale opération de réhabilitation et l'aménagement d'un village de vacances intégré dont les logements sont dispersés dans les maisons rénovées.
Chilhac est un site très ancien. Des pierres taillées datant de 1,7 million d'années remettent en question l'arrivée tardive en Europe de notre ancêtre africain *Homo habilis*. De très importantes découvertes paléontologiques sont présentées dans un musée qui évoque les temps où tigres, cerfs et mastodontes peuplaient la région.

Collonges-la-Rouge

Corrèze

20 km S.-E. de Brive

A la lisière du Limousin, face au Quercy qui n'est qu'à 4 kilomètres, Collonges-la-Rouge enflamme de ses maisons de grès rouge, hérissées de tours, les vertes collines qui l'enserrent. Le village s'inscrit en amont d'un large vallon incliné en pente douce vers le sud. Des hauteurs, au nord, on découvre un large panorama, jusqu'aux monts du Cantal.

Le bourg, héritier d'un passé qui vit sa splendeur avec le commerce des vins et huiles de noix du XVIᵉ siècle au XVIIIᵉ siècle, détient un grand nombre d'édifices remarquables. La bourgeoisie, enrichie et ennoblie, se fit construire les maisons, châteaux et hôtels particuliers qui composent aujourd'hui l'ensemble du village. On remarquera la maison de la Sirène, ouverte par un passage sous porche, la maison de ville des Ramade de Friac et ses deux tours jumelles, l'hôtel des Beuges, qui se distingue par ses éléments de fortifications et ses belles fenêtres à meneaux, le manoir de Vassinhac, avec sa tourelle en encorbellement sur la rue de la Garde. L'église romane Saint-Sauveur, qui élève vers le ciel ses trois clochers de grès rouge, est l'édifice le plus ancien.

Son clocher principal appartient à la série des clochers romans limousins d'Uzerche et Saint-Léonard. Il faut s'attarder devant le tympan sculpté du portail. La blancheur du calcaire enchâssé dans le grenat de la pierre ajoute à la surprise de cette magnifique œuvre sculptée du XIIᵉ siècle de l'école languedocienne qui illustre le thème de l'ascension du Christ. La structure du village, à l'habitat concentré aux abords de l'église, est restée défensive, resserrée sur un cheminement de voies étroites. Deux portes demeurent de l'ancienne enceinte du XVᵉ siècle. Après avoir gagné la porte Plate, on débouche sous la halle aux grains, pavée de grès avec son four banal.

A Collonges-la-Rouge, l'agriculture est restée traditionnelle, centrée sur l'exploitation des noyeraies ; l'attrait touristique du site a entraîné la création d'ateliers d'artisanat d'art.

Corrèze

Corrèze

17 km N.-E. de Tulle

Ancienne terre de la maison de Ventadour, le bourg de Corrèze, étagé sur les pentes verdoyantes des coteaux au bord de la rivière qui porte le même nom, a gardé de son passé de belles maisons Re-

naissance groupées autour de l'église Saint-Martial (XVe siècle), dans l'enceinte de la vieille ville médiévale.

Lorsqu'on pénètre dans le bourg en venant du nord, on aperçoit les reflets bleutés des toitures d'ardoise des maisons disposées en cercle autour de l'église et de part et d'autre de la route qui traverse le bourg. On entre dans la vieille ville par la porte Saint-Martial, ou porte Margot, seul vestige des anciens remparts. Le haut clocher carré de l'église romane, très remaniée, couvert d'une toiture hexagonale d'ardoise, domine la place où se dresse la statue du général Trumond, général de la IIIe République, né à Corrèze. Chaque été un marché pittoresque s'y installe. L'hôtel de Rohan et son décor à bossages, ainsi que l'ensemble des demeures à trois niveaux qui entourent l'église et bordent les étroites rues avoisinantes présentent, sous leurs couvertures d'ardoise où s'ouvrent des lucarnes, de nombreux détails architecturaux du Moyen Age et de la Renaissance : élégantes tourelles, portes à colonnettes et à linteaux sculptés en accolade, lucarnes à fronton.

Corrèze possède deux autres édifices religieux : la chapelle des Pénitents blancs (XVIIe siècle), près du cimetière situé en haut du bourg, et Notre-Dame-du-Salut sur le bord de la Corrèze. La statue de la Vierge à l'Enfant qu'elle renferme, en pierre, du XVe siècle, aurait été ramenée d'Espagne par un maçon local. Le pèlerinage y est encore vivace le 8 septembre.

Du pont de Neupont, au nord, jusqu'à l'entrée du village, la route et les chemins alentour offrent de belles vues sur la Corrèze. Bordée de chênes et de hêtres, jonchée de nombreux rochers aux formes étranges, érodés par les courants, elle est très prisée des amateurs de pêche sportive.

tion, petit édifice de style roman remanié au XVe siècle, présente un clocher-mur à l'ouest et une lanterne des morts au-dessus de l'abside.

La Vierge en carton bouilli, une des plus anciennes de France, conservée dans la chapelle, est portée en procession le premier dimanche de juillet, sur les remparts et le chemin de ronde.

Crocq est une petite cité très active du pays du Franc Alleu, avec une pelleterie issue d'une longue tradition. Appréciés des amateurs, le circuit automobile du Mas du Clos et son musée de voitures de course contribuent à l'animation des lieux.

Crocq
Creuse

24 km S.-E. d'Aubusson

Crocq, village des « Croquants », s'est groupé à près de 800 mètres d'altitude sur le versant sud du puy de Rochat, qui surveille la vallée de la Tardes dans un environnement de collines boisées, de larges prairies et d'étangs.

Les deux grosses tours rondes reliées par une courtine qui dominent le village sont les seuls témoins de la forteresse construite en 1190 par Robert, dauphin d'Auvergne. Le village originel, Crouville, bâti sur le versant nord de la colline, fut totalement anéanti au XIVe siècle. Le nouveau village fut entouré d'un mur d'enceinte fermé de quatre portes et doublé de fossés. Les vestiges visibles aujourd'hui datent de cette enceinte du XVe siècle. On se doit de pénétrer dans l'église Saint-Éloi, reconstruite au XIXe siècle sur l'emplacement d'une église antérieure, pour admirer un triptyque en bois peint du XVe siècle, rare œuvre conservée d'un peintre primitif en Limousin. Ses sept panneaux relatent la vie de saint Éloi. Les constructions, en moellons de granit sous enduit, sont venues s'implanter en demi-cercles concentriques sur le flanc sud du château. Ces maisons semi-rurales ont gardé, rue Bardolle, un rez-de-chaussée surélevé auquel on accède par un escalier extérieur. Bien souvent, les remaniements ont fait disparaître les anciennes baies commerçantes à étal de pierre, dont Eugène Ciceri a conservé le souvenir dans ses dessins. La chapelle de la Visita-

Curemonte
Corrèze

35 km S.-E. de Brive

Situé sur un plateau ondulé de l'extrême sud du Limousin, le village de Curemonte est bâti sur une longue éminence de grès qui sépare et surplombe les larges vallées de la Sourdoire et du Maumont. Le caractère pittoresque de ce village médiéval, hérissé de tours aux couleurs rousses des tuiles et des grès, tient aux contraintes topographiques qui ont commandé son développement linéaire sur une ligne de crête, les flancs de l'éperon n'étant pas bâtis. Le château de Saint-Hilaire, construit au XVe siècle, avec ses énormes tours rondes, et celui des Plas, du XVIe siècle, avec son donjon carré à mâchicoulis et meurtrières, sont entourés d'une vaste enceinte d'où se détachent d'anciennes tours de garde. A l'extrémité sud de l'éperon s'élève le château de Johannie qui a gardé le caractère austère des édifices militaires, mais sans éléments défensifs. La plupart des constructions du village remontent aux XVe et XVIe siècles et tout au long de la rue centrale s'échelonnent des maisons en grès aux allures de castels, qui présentent un décor Renaissance. Dans les barris, au nord et au sud, se regroupent des maisons de vignerons à cuvage en soubassement et balcons de bois, couvertes de tuiles plates. La grande place sur laquelle on débouche après avoir pénétré dans Curemonte par le nord a été construite au XIXe siècle sur l'emplacement de la barbacane, sorte de plate-forme rocheuse qui constituait la première défense des châteaux de Curemonte. Si l'église du bourg a

Les derniers rayons du couchant glissent sur les toits d'Hérisson pour mourir au pied des tours en ruine de son château. Alentour s'étend le bocage avec ses arbres solitaires ou en bouquets.

été fortement remaniée aux XVᵉ et XIXᵉ siècles, les petites églises rurales, romanes, de Saint-Hilaire, à La Combe, et de Saint-Genest, aux Granges, situées à proximité du bourg, méritent d'être mieux connues.

Le climat doux, l'exposition des coteaux bien abrités ont donné à ce pays une vocation agricole de prairies naturelles et de cultures maraîchères ; fruits et primeurs variés abondent sur le marché local.

A 3 kilomètres, le site préhistorique de la Chapelle-aux-Saints évoque la découverte d'un des premiers squelettes complets de l'homme de Neandertal.

Donzenac
Corrèze

10 km N. de Brive

En limite du Limousin et du Périgord, Donzenac s'accroche sur le rebord d'un plateau de schiste cristallin qui s'abaisse au sud vers la riante vallée du Maumont couverte de prairies, de vergers, de bois de chênes ou de chataîgneraies. On est surpris d'emblée par l'unité des toitures d'ardoise qui s'étirent entre l'église bâtie sur un col au nord et le rebord de l'éperon au sud. Près de la tour de ville s'élèvent les vestiges des murailles d'enceinte, complétées de deux passages sous porche ; celui des Fontanche donne accès à la rue du Puy-Broch où se trouve une belle maison du XIIIᵉ siècle. L'organisation des bâtiments en lignes concentriques rappelle encore la présence de cette enceinte. Les maisons de grès rose ou bigarré, aux lourds toits d'ardoise à deux ou quatre pans s'étagent à partir de l'église le long de ruelles sinueuses.

La rue du Docteur-Laubie présente un ensemble de maisons médiévales qui s'ouvrent au rez-de-chaussée par des arcades en plein cintre, utilisées pour les commerces, et à l'étage par de grandes baies moulurées et fenêtres à meneaux. Dans la rue Catherine-de-Médicis, qui a possédé la ville en héritage des Stuarts, on peut admirer une élégante façade Renaissance, agrémentée d'une tour. La place du marché, où jaillit la fontaine, constitue le seul espace ouvert de la vieille ville au bâti particulièrement dense. Le quartier des Pénitents, au sud, a été construit aux abords de l'ancien château de la Ro-

bertie. Déjà en ruine au XVIᵉ siècle, il fut cédé au XVIIᵉ siècle à la confrérie des Pénitents blancs, qui y fonda une chapelle.

Les sites environnants permettent de découvrir des paysages aussi inattendus et variés que les ardoisières de Travassac, les gorges de Maumont, le cirque des Saulières ou les cascades de la Rochette.

Gimel-les-Cascades
Corrèze

13 km N.-E. de Tulle

Gimel occupe un promontoire défendu naturellement par la profondeur des gorges de la Montane, affluent rive gauche de la Corrèze. Il était barré à l'est par le Château-Bas et son enceinte, détruits à la fin du XVIᵉ siècle. Complétant la défense de l'éperon en amont des cascades, le Château-Haut se dressait sur une éminence rocheuse. De la construction primitive de la fin du XIVᵉ siècle il subsiste d'importants pans de murs et de remparts.

Le bourg fortifié de Gimel s'étend entre les deux châteaux. Des demeures des XVIᵉ et XVIIᵉ siècles témoignent de l'ancienne prospérité de Gimel. De hautes maisons en granit couvertes d'épaisses ardoises d'Allassac bordent la route de l'église à l'ancien pont du péage. Située sur un replat où aboutissent les rues du village, l'église a été construite au XVᵉ siècle. Son clocher-mur rectangulaire est typique de l'architecture religieuse du Limousin. Le trésor contient plusieurs objets, tous remarquables, dont le buste-reliquaire en argent doré de saint Dumine, du XIVᵉ siècle, et la châsse en émail champlevé du XIIᵉ siècle de saint Étienne.

Sur un rocher qui domine les gorges de la Montane, en aval du bourg, la petite église romane de Saint-Étienne-de-Braguse a été bâtie à la fin du XIIᵉ siècle sur le lieu de retraite de saint Dumine. Ce lieu singulier est investi par les plus grandes cascades du Limousin, qui, en trois chutes successives, totalisent un dénivelé de plus de 130 mètres que l'on peut admirer du parc Vuiller. Site touristique, le village voit se développer les ateliers d'artisanat.

Hérisson
Allier

24 km N.-E. de Montluçon

Quel seigneur n'eût pas, aux temps si troublés du haut Moyen Age, remarqué le parti à tirer de l'imposant rocher qui surplombe l'Aumance ? Le comte sire de Bourbon vit là, à la fin du Xᵉ siècle, une excellente occasion d'étendre son fief et de contrôler la route du Berry en Bourbonnais. Au premier château du XIᵉ siècle succéda, au XIIIᵉ siècle, une forteresse, renforcée et agrandie par Louis II de Bourbon au XIVᵉ siècle. Avec le château, le village était né ; il fut aussi fortifié. De son enceinte et de ses vingt-deux tours ne sont restées que la porte de Gatœil ou de la Rivière et la porte d'Enfer ou de Varenne (XVᵉ siècle). Sur la rive droite de l'Aumance, en contrebas du château, le village semble toujours se lover en circonvolutions de ruelles étroites. Ses maisons à deux étages s'imbriquent et se mêlent en blocs compacts que trouent çà et là quelques cours intérieures. Du Chat Pendu, point dominant sur la CD 3, on peut en observer les toits fortement pentus hérissés de lucarnes bourbonnaises à deux pans. Et le rose brunâtre des quatre puissantes tours et du donjon du château, dont les pierres furent employées dans les constructions du village au XVIIe siècle, compose avec les petites tuiles rouges vieillies des toitures et le verdoyant bocage bourbonnais une délicate symphonie colorée. Parmi les hôtels qui servaient de pied-à-terre aux familles nobles de cette châtellenie du Bourbonnais, on remarquera le parement lisse et sobre de la maison de la Mousse, ancienne résidence du doyen du chapitre construite au XIVe siècle, qui s'agrémente d'une porte en arc brisé, de fenêtres à meneaux et de corbeaux sculptés.

Au centre du village, de ce qui fut au Moyen Age l'église du chapitre royal d'Hérisson, est demeuré l'imposant clocher-porche carré qui précédait la nef. Ce village encaissé que cernent les collines a attiré les pêcheurs et les artistes. Le peintre paysagiste Harpignies y séjourna, au milieu du XIXe siècle. Le Saut du Loup, cascade sur l'Aumance, à 3 kilomètres en amont, fut par lui immortalisé sur la toile.

Les « rencontres théâtrales » d'Hérisson se déroulent chaque année à la mi-juillet, tandis qu'un festival de musique classique anime en août le petit village de Châteloy, à 2 kilomètres au nord-ouest d'Hérisson. L'église de Châteloy, du XIIe siècle, conserve de remarquables fresques, dont un Christ en majesté à l'allure byzantine, du XIIIe siècle, qui domine le chœur.

Laroquebrou
Cantal

24 km O. d'Aurillac

D'où que l'on vienne, on découvre Laroquebrou à l'improviste, dans une ample cuvette, juste à l'entrée des gorges de la Cère. Laroquebrou est un village d'eau. Il domine la rivière, ici assagie en un miroir calme où jadis, nous rappelle la chanson, croisaient d'étroites barques noires : « A Laroque comme à Venise, à Laroque il y a des bateliers. » L'agglomération, longtemps massée à flanc de versant, fut ville forte et souvent assiégée. Il en reste, le long des ruelles montantes, un bel ensemble de maisons anciennes dont l'hôtel de ville, édifice construit au XIVe siècle pour une communauté de prêtres : tout un étagement compliqué de toits que l'on surplombe du haut du château. Il eut, ce château, cinq tours crénelées et de vastes bâtiments en triangle ; ils se ruinèrent peu à peu ; mais leurs vestiges ont toujours grande allure sur le rocher. Au bas de la pente, presque à l'entrée du pont du XIIIe siècle, l'église gothique est du XIVe siècle. C'est de ce pont que l'on découvre la Cère : en amont, bordée d'une promenade ombragée ; en aval, filant vers l'entrée noire des gorges proches. Laroquebrou est environné de châteaux – Messac, Nèpes, La Barthe – qui, aux périodes d'insécurité, barraient avec la ville tout le passage. Les anciennes industries – tanneries, cordonneries, poteries – ont aujourd'hui disparu, si bien que le lieu, avec sa rivière et l'animation estivale du grand lac voisin de Saint-Étienne-Cantalès, est désormais de plus en plus un village d'eau.

Lavaudieu
Haute-Loire

10 km S.-E. de Brioude

La limagne de Brioude se prolonge, à son extrémité sud-est, par un petit appendice enchâssé au milieu de hautes terres. C'est la basse vallée de la Sénouire, abritée des excès du climat et des bruits du monde. Au XIe siècle, saint Robert, fondateur de l'abbaye de La Chaise-Dieu, y érigea un monastère de bénédictines.

Lavaudieu offre un paysage peint tout en douceur, douceur de la lumière, de l'ocre des pierres, qui s'harmonise au vert tendre des prairies, des senteurs et du murmure de l'eau. Le village est bâti le long de la Sénouire, vers laquelle il tend ses balcons de bois. Les ruelles tortueuses laissent découvrir les maisons vigneronnes et conduisent à la place centrale où se tient la Maison des arts et traditions populaires de la Haute-Loire.

Lavaudieu est avant tout intéressant par l'ensemble des bâtiments abbatiaux. Le cloître est le seul de l'époque romane conservé en Auvergne. A la fois simple et léger, surmonté d'une galerie de bois au premier étage, il a été merveilleusement restauré par le sculpteur Philippe Kaeppelin. Les fresques de l'église et celle du réfectoire, au Christ d'inspiration byzantine, forment un ensemble très riche...

Lavaudieu rappelle aussi l'étrange destinée de son Christ roman. Découvert par un antiquaire dans un champ où il servait d'épouvantail, ce chef-d'œuvre a quitté les rives de la Sénouire en pièces détachées : sa tête est conservée au musée du Louvre, et son corps au Metropolitan Museum de New York.

Magnat-l'Étrange
Creuse

29 km S.-E. d'Aubusson

Aux confins du Puy-de-Dôme et de la Corrèze, Magnat-l'Étrange, du nom de ses derniers seigneurs, les de Lestrange, regroupe une douzaine de maisons en bordure nord-est du plateau de Millevaches. Le village est bâti au creux d'un vallon parcouru par la Rozeille, pittoresque affluent de la Creuse, sur une légère proéminence granitique, probablement à l'emplacement d'un oppidum. Le centre ancien, groupé autour de la place de l'église et du château, est délimité par une rue semi-circulaire au nord et le tracé d'anciennes terrasses au sud ; il fut ceinturé au XIXe siècle d'un ensemble de bâtiments commerciaux et communaux. Sur la petite place centrale, signalée par un tilleul centenaire, l'église du XIe siècle, remaniée au XVIe, possède deux clochers-murs disposés en équerre, dont il existe très peu d'exemples en France. Son chevet polygonal, décoré de modillons à masques humains, est l'un des plus anciens du Limousin, de la fin du XIe siècle. Le château du XVe et du XVIIe siècle est attenant à l'église. Dispersés dans un cadre vallonné de champs et de prairies entourées de haies, arrosés de nombreux ruisseaux, les hameaux de la commune ont conservé des constructions rurales typiques. Parmi eux, on retiendra Tralaprat, Cherboucheix, la Chérie et Solignat. Les fermes, aux murs de granit et toits de chaume, sont reliées par des chemins bordés de murets en pierre sèche groupés autour des espaces communs, les « couderts ».

A Marcolès, on est déjà loin du massif volcanique. Le long des ruelles étroites, les maisons du village ont souvent adopté le dalles de schiste pour les murs et les toits. L'habitation est généralement au premier étage, accessible par un escalier, et les dépendances agricoles au rez-de-chaussée.

L'église de Lavaudieu date de l'époque romane. A l'extérieur, le clocher attire l'attention : sur une base quadrangulaire, une tour octogonale est percée d'un double niveau de fenêtres en plein cintre. En 1791, un habitant démolit la flèche. Il aurait mis à terre tout le clocher si la population ne l'avait arrêté.

Marcolès
Cantal

25 Km S.-O. d'Aurillac

Marcolès, à 750 mètres d'altitude, est en pays de châtaigneraies, sur un vaste plateau bocager autrefois de petite culture et désormais tourné vers l'élevage laitier. Le village comptait au XVIe siècle parmi les « bonnes villes » du haut pays. Il fut ravagé et ruiné par les religionnaires au temps de Charles IX. Mais il conserve de l'époque glorieuse deux belles entrées fortes et les traces d'une enceinte qui avait résisté aux Anglais lors de la guerre de Cent Ans. On y voit aussi, à côté de l'église gothique qu'il faut visiter, de vieilles maisons un peu frustes mais de si grande allure que Marcolès passe pour être un « Salers paysan ». Aux portes mêmes de cette agglomération aujourd'hui toujours active, le château de Poux veille dans un grand parc d'eaux vives et de verdure.

Mareugheol
Puy-de-Dôme

10 km S.-O. d'Issoire

Au sud du fertile petit bassin du Lembronnet, golfe de lumière qu'entourent des reliefs volcaniques anciens, Mareugheol possède, comme beaucoup de vieux bourgs auvergnats, l'un de ces « forts » utilisés pendant la guerre de Cent Ans pour protéger la population contre les exactions des nombreuses bandes qui harcelaient le pays.

L'enceinte en est particulièrement bien conservée. Construite en basalte, elle affecte la forme d'un quadrilatère régulier flanqué à chaque angle d'une tour circulaire. On y pénètre au sud par une porte que surmontait une galerie sur mâchicoulis. La petite place sur laquelle elle débouche précède l'église romane à l'entrée de laquelle se trouve une « pierre des morts » et qui renferme, outre un retable du XVIIᵉ siècle, une élégante statue en calcaire de la Vierge allaitant, du XVᵉ siècle.

Les quartiers resserrés à l'intérieur de ce fort ont été progressivement délaissés, tandis que le village s'étendait tout autour, vers le sud et l'ouest. Les maisons, de type limagnais, sont construites en matériaux volcaniques, tirés de la proche montagne. Les activités agricoles restent présentes, et la vigne garde encore une certaine place.

A 2 kilomètres au sud-est, le château de Villeneuve-Lembron (fin XVᵉ siècle) conserve un riche décor peint ; 2 kilomètres plus loin, le village de Chalus est perché autour de son château féodal, tandis qu'à l'ouest surgit le village de Vodable, dont le puissant rocher portait le château des dauphins d'Auvergne.

Montaigu-le-Blin
Allier

18,5 km N.-E. de Vichy

Un village autour d'une place, mais quelle place ! Ce site classé d'une superficie de 2 hectares est planté d'ormes bicentenaires que remplacent progressivemet les tilleuls. Cette masse de verdure est entourée depuis le Premier Empire par des parcs privés dans lesquels se blottissent de grosses maisons bourgeoises qualifiées de châteaux, tels le château de la Boulaize avec un parc de 4 hectares et le château Therry de Beaumanoir.

De cette place, une rue conduit à l'église Notre-Dame du XIIᵉ siècle ; son chevet fut reconstruit au XVᵉ siècle.

L'attention est retenue par les ruines du vieux château qui domine la place. Il fut édifié au XIIIᵉ siècle sur un « tureau » calcaire. Les tureaux, nombreux dans le pays et formés par les calcaires à phryanes accumulés au bord du petit lac de Besbre, ont été exploités par des cimenteries, à l'exception des abords du château. La commune de Montaigu-le-Blin appartient à la riche région de la Forterre et les nombreux pigeonniers qu'elle recèle témoignent qu'elle fut un pays de blé. Un musée installé dans la mairie met en valeur l'histoire de cette « petite Limagne ».

A Montaigu-le-Blin, en Forterre, ainsi nommée pour la richesse de ses terres, les maisons sont cossues. Dans leurs toits de tuiles plates, à quatre pans, s'ouvrent des lucarnes « à la capucine ».

Montpeyroux
Puy-de-Dôme

13 km N. d'Issoire

A 7 kilomètres en aval du pittoresque village perché de Saint-Yvoine, dominant l'Allier au-dessus de la petite ville de Coudes, la butte de Montpeyroux présente de larges bancs d'arkose, exploités notamment pour la construction de nombreuses églises romanes. Elle est coiffée d'un vieux village aux maisons étagées autour d'un donjon circulaire du début du XIIIe siècle élevé au centre d'une enceinte flanquée de tours (deux subsistent au nord), ouvrant à l'ouest par une porte fortifiée surmontée de mâchicoulis. La couleur des toits de tuiles rondes, que soulignent des génoises, celle de la belle arkose dorée locale dont sont construites les habitations donnent à ce village, remarquablement situé, un caractère très méridional.

Renommé pour sa production viticole au temps où l'Allier emportait les barriques vers le nord, Montpeyroux connaît depuis quelques décennies un renouveau dû à l'intérêt manifesté par des amateurs d'art qui y ont acquis, puis restauré, nombre de maisons anciennes, à l'installation d'artistes, d'ateliers, d'auberges, à une réfection soignée des constructions et des cheminements, offrant un cadre plus agréable aux habitants que des migrations journalières conduisent vers les industries de Clermont ou d'Issoire. Ainsi sorti de la période d'abandon liée au déclin de la vigne, Montpeyroux est devenu foyer d'art et de tourisme, au loin signalé par son donjon puissant, d'où l'on découvre l'un des panoramas les plus étendus de l'Auvergne.

Mortemart
Haute-Vienne

43,5 km N.-O. de Limoges

Adossé aux dernières pentes septentrionales des monts de Blond, Mortemart s'ouvre sur une large plaine vallonnée de prairies et d'étangs. Quelques bosquets de chênes et de châtaigniers entourent le bourg, en particulier sur les hauteurs. Le nom de Mortemart (Mortuum Mare) évoque un site de plaines humides et marécageuses.

Mortemart fut le berceau d'une famille célèbre à laquelle appartenait la marquise de Montespan.

Le village s'est développé autour du château au nord et d'un important ensemble monastique, trois établissements religieux et deux églises (du XIVe siècle), qui limite son extension à l'est. La modestie générale du bâti et l'ensemble de ses constructions basses rendent plus évidents les volumes des édifices majeurs.

Le château des ducs est bâti sur une légère motte, ceinturée de douves ; il est formé par un corps de logis en arc de cercle autour d'une cour intérieure et flanqué à l'est d'une tour ronde qui semble dater du XIVe siècle. Il fut démantelé au XVIIe siècle, sur ordre de Richelieu. L'ensemble conventuel, fondé au XIVe siècle par le cardinal Pierre Gauvin, natif de ce village, regroupait trois ordres différents : chartreux,

Une foire mensuelle dès 1681, puis un marché hebdomadaire depuis 1730 avaient fait de la place Royale de Mortemart, où se tient la halle, le lieu d'importants échanges économiques et sociaux.

La ferme des frères Perrel, à Moudeyres. Construite dans la seconde moitié du XVIIIe s., elle comprend plusieurs bâtiments aux murs de basalte. Certains ont gardé un toit en chaume de seigle : à l'intérieur de la grange, que l'on visite, on découvre l'habile et impressionnant agencement d'une toiture. D'autres sont couverts de lauzes.

Lors de la procession de l'Ascension, Notre-Dame-d'Orcival, précieuse Vierge en majesté de la basilique, est transportée sur un promontoire rocheux portant le « tombeau de la Vierge ». Du sommet, on embrasse le village d'Orcival et les prés vallonnés coupés de haies d'arbres où paissent quelques troupeaux.

carmes et augustins. Le monastère occupé par les chartreux a totalement disparu, mais le couvent des augustins, bâti sur un plan carré, a conservé son aspect général du XIVe siècle, malgré les remaniements du XVIIe siècle. Le couvent des carmes, bâti sur le même plan, s'est agrandi au XIXe siècle d'un bâtiment néoclassique. L'église des augustins, du XIVe siècle, amputée sur sa façade nord, présente un élégant clocher-campanile en ardoise et un portail gothique de type limousin. L'intérieur est décoré de stalles en bois sculpté du XVe siècle, figurant des vices et des monstres. L'ancienne demeure de Balestat, dite du Sénéchal, qui comporte une tour carrée des XVe-XVI siècles, détient dans son jardin les restes du portail de l'ancienne église Saint-Hilaire. Les halles construites au XVIIe siècle face au château rappellent le passé commercial du bourg. Deux maisons anciennes dites de Verdilhac possèdent des éléments gothiques sur les fenêtres et les tourelles.

Entre le haut Limousin et la basse Marche, les monts de Blond ont marqué la limite entre la langue d'oc et la langue d'oïl. Ils ont su conserver une nature sauvage qu'il est agréable de redécouvrir, en cherchant pierres légendaires et mégalithes.

boucle de la rivière, une puissante forteresse reconstruite et aménagée au XVe siècle par le duc Jean de Berry. On découvre de son sommet (578 mètres) un panorama s'étendant du Livradois, à l'est, jusqu'au Cézallier et aux monts du Cantal, au sud-ouest ; en face, sur la pente joignant le terrain d'aviation d'Issoire (centre de vol à voile), s'étale le village fortifié du Broc ; et se dressent, au sud, les chevalets de mine du bassin houiller de Brassac.

L'église paroissiale du XIIe siècle, agrandie aux XIVe et XVe siècles, renferme un buste du Christ ressuscité attribué à André Beauneveu. Elle possède à l'ouest un curieux portail roman ; un prieuré jouxtait son bas-côté nord et dans le village une porte fortifiée témoigne d'une ancienne enceinte.

Les cultures céréalières, un peu d'élevage forment l'essentiel des activités agricoles. Seules quelques vignes témoignent de l'activité viticole passée. L'artisanat a également sa place et les industries du bassin de l'Allier offrent un certain nombre d'emplois.

A quelque distance au nord du bourg, le château de Beaurecueil (XVe siècle) s'élève non loin des anciennes carrières de « marbre de Nonette ».

Moudeyres
Haute-Loire

25 km S.-E. du Puy

Les hauteurs du massif du Mézenc offrent au promeneur de vastes étendues ouvertes. Qu'elles aient pris leur blanche parure d'hiver ou qu'elles soient couvertes de leur pelouse d'été jaunissante, ces formes doucement arrondies invitent le regard et l'esprit à se porter au loin, sans aucune entrave.

Pourtant, jadis les communications étaient si difficiles que les habitants devaient vivre en autarcie, avec les seules ressources de leur sol. C'est ce qui nous vaut d'admirer les maisons si typées de Moudeyres qui, à 1 200 mètres d'altitude, composent une remarquable harmonie construite sur deux ou trois notes. Quand la pierre volcanique abonde, basalte naturellement débité en prismes, elle sert de moellon pour la construction des murs ; phonolite délitée en minces dalles, elle couvre lourdement une robuste charpente. Une des principales productions de l'agriculture de ces hautes terres était le seigle. Le grain était moulu (Moudeyres, autrefois Molinaris, trouve là son étymologie) dans un des nombreux moulins de la proche et charmante vallée de l'Aubépin. La paille, réunie en gerbes, ou « clouassoux », offrait un couvert léger aux maisons.

Aujourd'hui encore, une vingtaine de chaumières alternent dans le village avec des bâtiments aux toits de lauze. La plus remarquable, par la complexité de son plan et l'ampleur de ses versants de toiture, est la ferme des frères Perrel. Aménagée en musée des Arts et Traditions populaires, elle nous offre un voyage au XIXe siècle, au cœur de la vraie vie rurale.

Nonette
Puy-de-Dôme

11 km S. d'Issoire

Le village rassemble ses maisons aux toits roses le long d'une croupe hissée sur la rive droite de l'Allier, qui vient buter, au sud, sur un piton volcanique dégagé par l'érosion, où s'élevait, au-dessus d'une

Olliergues
Puy-de-Dôme

23 km N.-O. d'Ambert

C'est dans un élargissement de la vallée de la Dore, au bas des pentes adoucies, que s'est bâtie la petite ville d'Olliergues, étagée en amphithéâtre autour de la butte du château des vicomtes de Turenne, ducs de Bouillon. Une grosse tour carrée témoigne de cet ancien château, que protégeait une enceinte dont subsistent certains éléments. Cette tour et le bâtiment qui lui fait suite abritent un musée d'art local. Le quartier du château, la rue du Pavé conservent d'anciennes maisons aux murs de granit et toits de tuiles creuses, certaines avec étages à pans de bois et tourelles. Un pont de pierre, à becs formant refuges, a été jeté en 1612 sur la Dore. L'église, du XVe siècle, ancienne chapelle castrale, abrite le tombeau (1340) de Marguerite Aycelin de Montaigut. L'ancienne église paroissiale était celle de La Chabasse, à 2 kilomètres au sud-ouest. Elle est caractéristique du gothique livradois le plus pur.

Lieu de passage sur la route de Vichy au Puy et d'échange entre les massifs granitiques du Livradois et du Forez, Olliergues conserve marchés (le samedi) et foires (1er samedi du mois). Le tissage n'y est plus qu'un souvenir, tandis que sur les pentes recule l'activité pastorale au profit de la forêt. Aussi la population, employée dans de petites usines sur place ou à proximité, est-elle, pour une part, descendue de la montagne, que couronnent les hautes chaumes piquetées des jasseries où se fabriquait la savoureuse fourme d'Ambert.

Orcival
Puy-de-Dôme

27 km S.-O. de Clermont-Ferrand

Au creux de la vallée du Sioulet, le village d'Orcival (Ourche val : le vallon de la source) groupe ses maisons aux toits couverts de lauze et aux façades construites en pierre andésite locale d'un gris uni, un peu violacé, autour de la célèbre basilique romane dont la façade ouest est adossée à la montagne et le chevet, à couronne de chapelles absidales, est dégagé par la place sous laquelle coule le ruisseau.

Construite au XIIᵉ siècle, cette basilique appartient à la série des églises majeures du roman auvergnat. Remarquable par son clocher octogonal, les vantaux à pentures de ses portails sud, la série de ses chapiteaux, elle renferme la statue d'une Vierge en majesté de la fin du XIIᵉ siècle, recouverte de feuilles d'argent : Notre-Dame d'Orcival, la plus vénérée sans doute de toutes les Vierges auvergnates. Le grand pèlerinage, qui remonte au moins au XVIᵉ siècle, est fixé à l'Ascension.

D'anciens hôtels témoignent du lustre de ce village, qui est aussi un centre rural (foires du mercredi saint, du lendemain de l'Ascension, du 14 août et du 19 septembre) et d'accueil touristique. A 6 kilomètres au sud se dressent les curieuses roches Tuilière et Sanadoire et, à 2 kilomètres au nord, Cordès, le château du *Démon de midi*, au fond de son parc aux charmilles géantes tracé par Le Nôtre.

Pierre-Buffière
Haute-Vienne

20 km S.-E. de Limoges

Perché sur un éperon rocheux au confluent de trois rivières, la Briance, le Blanzou et le Breuil, le bourg de Pierre-Buffière s'articule autour de deux centres anciens : la ville haute près de l'église et la ville basse à l'emplacement de l'ancien château.

Ces deux centres ont toujours connu une grande activité, comme l'attestent les fouilles de la ville romaine d'Antonne, sur le plateau des Boissière en face du bourg.

La cité murée semble s'être développée autour d'un monastère, fondé au IXᵉ siècle par Goscelin de Pierre-Buffière, dont l'église Sainte-Croix est devenue l'église paroissiale. Elle domine de son haut clocher octogonal le centre du bourg. Les vantaux du portail du XIXᵉ siècle présentent une décoration originale de douze médaillons en porcelaine de Limoges, polychrome, figurant les apôtres. Aux abords de l'église, les maisons à pans de bois, hourdées de torchis, s'étagent en encorbellement sur les rez-de-chaussée en moellons bruts de gneiss ou de schiste. Ce type de maisons hautes, aux toitures de petites tuiles plates, se retrouve dans tout le val de Briance. On accède à la ville basse par la petite rue Dupuytren, où l'on peut voir la maison natale du célèbre chirurgien de l'Hôtel-Dieu de Paris, ainsi qu'un ensemble de maisons datées pour la plupart du XVIIIᵉ siècle. La Maison Historique propose des expositions de mai à septembre. La rue Basse conduit à l'emplacement de l'ancien château, propriété jusqu'en 1789 de la famille de Mirabeau et où subsistent les traces des remparts et une baie géminée de la chapelle castrale. A l'entrée nord de la ville, les vestiges de l'autre château féodal, dit de Tranchelion, sont encore visibles dans le bâtiment de l'ancienne fabrique. Hors les murs, l'église Saint-Cosme-et-Saint-Damien (XIIᵉ siècle), avec son abside circulaire, a été transformée en maison d'habitation. La vallée de la Briance, site protégé, offre de nombreux centres d'intérêt pour les pêcheurs et les promeneurs. Un sentier de randonnée conduit au pied des imposantes ruines du château médiéval de Chalusset, qui se dresse sur un promontoire à la confluence de la Briance et de la Ligoure.

Pradelles
Haute-Loire

34,5 km S. du Puy

Le plateau du Velay, hautes terres ondulées ponctuées de cônes volcaniques, où alternent le vert des prairies et le rouge sombre du sol, s'abaisse brusquement lorsqu'on arrive à proximité de Pradelles. Ce village regarde vers le soleil. L'attraction du Midi se respire dans l'air, et les Pradellains ne voulaient pas être rattachés à la Haute-Loire lors de la création des départements en 1790. Singulière situation, à la limite exacte de trois régions historiques, de trois départements et de trois régions administratives actuelles !

La ville a su, dans le passé, tirer parti de sa position sur une importante voie de circulation, la Régordane. Cela lui a valu une triple fonction, militaire (dès 1043, elle est qualifiée de place forte), commerciale (elle sert au Moyen Age d'entrepôt pour les échanges entre le Languedoc et l'Auvergne) et religieuse (le culte de Notre-Dame s'est développé à la suite de la découverte miraculeuse d'une statue orientale de la Vierge en 1512).

De cette richesse passée, il reste un remarquable ensemble architectural. Une promenade dans Pradelles, dans ses rues étroites bordées de demeures Renaissance, sur la place du marché de Mourrefreyt aux maisons à arcades, nous replonge dans l'atmosphère d'une autre époque. La ville et le château (XIIIᵉ et XVIᵉ siècle), serrés dans leurs fortifications, semblent sinon à l'abri des ennemis, du moins hors d'atteinte du temps.

L'histoire reste vivante à Pradelles : chaque année depuis 1588, les habitants commémorent leur héroïne, Jeanne la Verde, qui a repoussé l'assaut d'une troupe de protestants. Les fêtes du quatrième centenaire ont été particulièrement fastueuses.

Le dynamisme de la population et de la vie associative, la proximité de l'Allier et de la retenue de Naussac font aujourd'hui de Pradelles un pôle touristique et culturel.

Prades
Haute-Loire

39 km O. du Puy

Dans son cours supérieur, l'Allier est profondément encaissé dans des gorges étroites entre le massif du Devès et le plateau de la Margeride. Le granit domine. Cette roche se fracture naturellement, donnant ici des reliefs aigus, des blocs anguleux, empilés ou basculés. Le confluent de la rivière et de deux affluents, la Desges et la Besque, provoque un modeste élargissement dont le fond, comblé d'alluvions, constitue un minuscule delta. Des éruptions volcaniques compliquent cette topographie, élevant de noirs et massifs monuments de basalte. Une excessive falaise domine et menace la plaine qu'un piton plus raisonnable transperce en son milieu.

L'homme, à la recherche du moindre espace un peu plus favorable, s'y est installé. Il a cultivé le fond de la cuvette en jardins et en vergers tandis que la vigne colonisait les premiers degrés des pentes les mieux exposées. Le piton médian, abri naturel contre le débordement des eaux et l'attaque des hommes, a reçu un château fort. A ses pieds, le village de Prades. Les maisons où alternent les moel-

lons noirs du basalte et ceux clairs du granit résument la géologie locale. L'église romane est construite à 50 mètres au sec, sur une petite éminence.

L'eau est partout. Elle saute et elle danse sur les pierres et elle chante en traversant le village. Elle est à la base de l'industrie : hier la papeterie, aujourd'hui le tourisme, avec des atouts traditionnels comme la pêche au saumon et des pratiques en plein développement comme le canoë, le kayac et le rafting.

Roche-Canillac (La)
Corrèze

25 km S.-E. de Tulle

Le village de La Roche-Canillac domine en rive gauche la vallée encaissée et riante du Doustre, affluent de la Dordogne dans laquelle il se jette en amont d'Argentat.

Deux villages s'étagent sur le versant occidental de la vallée : La Roche-Haute et La Roche-Basse. Les maisons de La Roche-Haute, aux pierres de granit apparentes et aux toitures en lauzes ou en ardoises, se pressent contre l'église gothique à clocher-mur caractéristique de la région. La place, agrémentée d'une fontaine en granit, est entourée des maisons les plus anciennes. Derrière le presbytère, une ruelle étroite et tortueuse bordée de petites maisons à balconnets de bois conduit à La Roche-Basse.

L'ancien château du XVe siècle, dont il subsiste une fine tour ronde, a été détruit pendant les guerres de Religion. La placette, ornée d'une fontaine gothique nichée dans un mur, a beaucoup d'unité et de caractère. De la rue qui passe au pied de la tour, par-dessus les toits des maisons construites en contrebas, sus-

La ruelle principale de La Roche-Basse à La Roche-Canillac est bordée de maisons à balcons de bois. Au-delà des toitures et de la tour Canillac se découvrent les pentes boisées de la vallée du Doustre.

la vue s'étend largement sur la vallée du Doustre. Un petit pont de pierre enjambe la rivière parsemée de rochers. On remonte à La Roche-Haute en longeant le parc paysager du château de Beaufort, qui assure la transition avec les bois et les escarpements rocheux des alentours.

De nombreux sentiers balisés traversent dans le calme des forêts une série de grands sites naturels comme celui de la cascade de Crevesac, haute de plus de 30 mètres.

Au nord, le château de Sédière (sur la commune de Clergoux), édifice Renaissance restauré par Viollet-le-Duc, abrite pendant l'été des expositions dans un cadre de bois et d'étangs.

Ruynes-en-Margeride
Cantal

13 km S.-E. de Saint-Flour

Ruynes serait l'ancienne capitale du peuple gaulois des Gabales et qui fut ensuite « ruinée ». Le village s'étire au pied de la longue échine des monts de la Margeride, en vue du massif cantalien qui se profile tout entier à l'horizon. C'est ici le pays du granit gris et de la sobre maison appareillée de blocs taillés net et montés à joints vifs. C'est aussi le pays de l'arbre – le pin le plus souvent – qui escalade la pente vers l'est jusqu'à ces hauteurs perdues et silencieuses dont la Résistance, au mont Mouchet, se fit un refuge. Ruynes eut une enceinte et un château ; ils su-

315

birent sièges, assauts et ravages à cause du passage nord-sud, de bonne heure fréquenté, que facilite aujourd'hui, à 8 kilomètres à peine, le prestigieux viaduc de Garabit construit par Eiffel. C'est pourquoi l'on trouve ici, de part et d'autre de la N 9, tout un verrouillage de châteaux. Chaliers commandait de haut la vallée de la Truyère ; le connétable du Guesclin, chassant l'Anglais, s'en vint en personne l'assiéger en 1380. Pompignac, avec ses tours à mâchicoulis, a gardé une allure médiévale. Ligonès, restauré, a pris par contre aspect plus moderne. Quant au vigoureux donjon de Ruynes, à quelque distance de la vieille église curieusement isolée, il a été repris et aménagé par l'association de l'écomusée de la Margeride, qui anime également, aux environs immédiats, une Maison du paysan, une Forge d'autrefois, une École de jadis. Bien assez de centres d'intérêt pour que l'on fasse de Ruynes, aussi, une base de départ de circuits passionnants.

Saignes
Cantal

> 27 km N.-E. de Mauriac

L'Artense, aux portes nord-ouest du massif cantalien, est un pays surprenant où se mêlent de raides pitons volcaniques, des tables vigoureuses, des fragments de plateaux polis par les glaciers, des creux où l'eau s'attarde, des vallées en longues traînées de verdure. C'est aussi un vieil axe de passage où vinrent les Celtes, qui laissèrent des tumuli, les Gallo-Romains, qui bâtirent villas et thermes, puis, bien plus tard, les mineurs, occupés il y a vingt ans encore au bassin charbonnier de Champagnac. Dans cette région vivante et de peuplement dense, Saignes est un peu centre et capitale. On y voit, sur un rocher proche, les vestiges d'un château, et, dans le village lui-même, une claire place rectangulaire bordée de belles maisons bourgeoises de pierre blonde, avec une jolie église mi-romane, mi-gothique. Mais on ne va pas à Saignes sans faire le détour, à 2 kilomètres à peine, par le vieux bourg d'Ydes. L'élan ici fut donné à l'origine par une commanderie de templiers qui passa ensuite aux Chevaliers de Saint-Jean. L'église d'Ydes, d'un parfait roman auvergnat du XIIe siècle, est l'une des plus belles du diocèse et l'une des plus riches en sculptures sans doute. Aussi le zodiaque et les scènes bibliques du porche, les modillons à tête d'hommes ou d'animaux sont-ils justement célèbres. Le monument admiré, on ira pour finir, tout à côté, au château du Châtelet, d'où l'on embrasse à la ronde l'étonnant paysage artensier.

Saint-Arcons-d'Allier

Haute-Loire

> 42 km O. du Puy

Sur un promontoire basaltique enserré entre l'Allier et son affluent la Fioule, le village s'élève en une admirable composition qui culmine avec le clocher de l'église.
Saint-Arcons est moins remarquable par ses monuments (le château, résidence d'été des abbesses des Chazes au XVIe siècle ; l'église qui le jouxte, ancienne chapelle seigneuriale) que par son unité. Cette unité est due à la nature, qui a fourni les matériaux, aux hommes d'hier qui les ont rassemblés et liés, à ceux

d'aujourd'hui qui restaurent et font vivre le village. Il faut déambuler dans ses rues pavées : rien, pas même un fil, ne vient rompre l'harmonie de cet ensemble de pierre et de bois. Les ruelles conduisent au château dont les accueillantes terrasses gazonnées dominent la paisible vallée de la Fioule, où trois pigeonniers voisinent avec un imposant moulin planté dans la verdure.
Au-dessus de l'église, l'ancien cimetière, étranger au bruit des hommes, résonne de ceux de la nature. L'été, des voix s'y élèvent pour déclamer : c'est le festival de poésie du Haut-Allier.
En 1973, la plupart des maisons étaient abandonnées, beaucoup écroulées. Depuis, artisans et bénévoles s'affairent. Le bilan est impressionnant : plus de ruines, une base de canoë-kayak, un relais équestre, un séduisant musée du fer-blanc et un hôtel éclaté qui fera des maisons réhabilitées autant de chambres dispersées.
La parenté entre Saint-Arcons et Chanteuges n'est pas due à la seule proximité. Les deux villages semblent s'épier et il n'est guère de plus beau point de vue sur l'un que de l'autre. Chanteuges aussi est enserré entre l'Allier et un affluent, la Desges. Au lieu de pointer vers le ciel, l'éminence basaltique s'aplatit en une étroite table qui porte un imposant et ravissant prieuré qui, dit-on, abritait au XIIe siècle des moines brigands.

Saint-Auvent
Haute-Vienne

> 32 km O. de Limoges

Le bourg s'est établi à la confluence de la Gorre et du Gorret, sur un plateau délimité au nord-est par leurs deux vallées encaissées ; d'importants chaos rocheux entourés de bruyères affleurent sur les pentes boisées de chênes. Au nord, sur un long plateau, le château médiéval remanié aux XVIe et XVIIe siècles domine la confluence des deux ruisseaux. Cet ancien château fort de la famille des Rochechouart comprend deux corps de logis disposés en V et des dépendances plus basses, qui se referment sur les deux ailes principales en délimitant une cour.
Le bourg s'est installé plus au sud ; il s'est développé depuis la crête, autour de l'église, jusqu'à la rivière de la Pouge. Rebâtie au XIIIe siècle, l'église possède un portail limousin à deux voussures, abrité par un porche. Son clocher octogonal, percé d'étroites baies en plein cintre, s'élève sur une souche carrée.
Les maisons se succèdent le long des axes routiers ; pour la plupart du XVIIe siècle, elles possèdent toutes un étage attique. Les murs en pierre du pays, parfois recouverts de crépi, sont percés de grandes fenêtres rectangulaires moulurées, avec croisées à meneaux. Les toitures, en tuiles courbes, présentent des débords de toit sur abouts de poutres sans console. Des génoises constituées par deux ou trois rangs de tuiles canal agrémentent les façades de manière typique. Les jardins occupent la façade arrière des maisons qui sont entourées de hauts murs de pierre percés par endroits de belles portes charretières en plein cintre.
La grotte Notre-Dame-de-la-Paix a été aménagée en 1947 par l'abbé Élias dans une anfractuosité rocheuse sur le versant boisé en rive gauche de la Gorre, à l'est du bourg. Ce site est particulièrement fréquenté lors des deux pèlerinages du lundi de Pentecôte et du dimanche suivant le 15 août.

Au-dessus d'un jardin paisible enclos de vieux murs s'élèvent le clocher de Saint-Floret, l'ancien donjon et la tour de guet hissée à la pointe de l'éperon.

Saint-Martin-Valmeroux
Cantal

35 km N. d'Aurillac

Saint-Martin-Valmeroux est assis sur la Maronne, à l'endroit où la vallée passe de l'auge glaciaire à la gorge étroite. Avant Salers, ce village-pont devint lieu de justice et siège du bailliage des Hautes-Montagnes d'Auvergne. Les marques de ces temps de grandeur se groupent aujourd'hui tout autour de la petite place centrale : d'élégantes maisons à tourelles et à portes en ogive qui furent demeures de la magistrature, une importante église gothique du XIVe siècle avec un tympan figurant saint Martin, une halle enfin, à piliers carrés et massifs sous une lourde couverture de lauzes grises qui abrite d'anciennes mesures à grain en pierre. Saint-Martin, il n'y a guère longtemps, était encore centre de ganterie ; il balance maintenant entre le commerce local, l'agriculture et le tourisme.

Saint-Robert
Corrèze (voir pages 318-319)

Saint-Saturnin
Puy-de-Dôme

20 km S. de Clermont-Ferrand

A mi-chemin de la chaîne des Dômes et du couloir limagnais, le village de Saint-Saturnin s'étale en faible pente sur une arête basaltique issue de la coulée inférieure des volcans de la Vache et de l'Assolas ; il domine, sur sa rive gauche, la vallée encaissée de la Monne.
En 1040 y fut fondé un monastère de bénédictins, dont la chapelle romane de la Madeleine fut sans doute la première église. Elle jouxte l'ancien cimetière, à l'entrée surmontée de cette inscription : « Nous avons été comme vous. Un jour vous serez comme nous. Pensez-y bien. » Devant lui s'arrondit le chevet aux absidioles de la belle église paroissiale dédiée à l'apôtre des Gaules qui a donné son nom au village. Construite dans une belle arkose blonde, elle appartient à la série des églises majeures du roman auvergnat. Dans la sacristie est conservée la triple arcade sur colonnettes géminées qui ouvrait sur le cloître de l'ancien prieuré, et dans le chœur étincelle le retable doré du maître-autel aux chiffres couronnés d'Henri IV et de Marguerite de Valois.
La reine Margot fut en effet la dernière dame de Saint-Saturnin, de la lignée des La Tour d'Auvergne, qui en furent possesseurs depuis le XIIIe siècle. Son souvenir est présent dans l'allée d'arbres en direction de Saint-Amant-Tallende, dont la plantation lui est attribuée, et dans le château aux cinq tours, tourelles et hautes toitures, où, après sa fuite de Carlat, elle fut un moment retenue prisonnière par sa

Saint-Floret
Puy-de-Dôme

12 km O. d'Issoire

Au fond d'une gorge étroite entaillée dans le socle granitique, les maisons du bourg, assises sur la roche dont elles sont construites, étagent leurs toits de tuiles rondes au pied du château : élevé à la fin du XIIIe siècle sur l'éperon, il surveille toujours le passage. Son donjon renferme une salle voûtée dont les douze nervures retombent sur des culots finement sculptés. On y voit les restes importants d'un décor peint dans la deuxième moitié du XIVe siècle inspiré des romans de chevalerie et de la littérature courtoise.
Enjambant la Couze au milieu du village, le pont de la Pède (XVIe siècle) supporte un petit oratoire ; il renferme une statue-reliquaire de la Vierge en majesté du XIIIe siècle.
De la route de la vallée, un chemin empruntant la pente des calcaires marneux conduit, à 1 kilomètre environ, à l'église du Chastel. Cet édifice du XIIIe siècle abrite une peinture murale du début du XVe siècle : Jean de Bellenaves, seigneur de Saint-Floret, est présenté par Jean-Baptiste à la Vierge et à l'Enfant. Il est entouré d'un cimetière avec ossuaire et sarcophages évidés dans le rocher.
A 6 kilomètres en amont, la route conduit à Saurier, village médiéval à l'entrée des gorges de Courgoul, puis, un peu plus loin, au pied des grottes de Jonas (peintures rupestres du XIe siècle).

SAINT-ROBERT

par Claude Michelet

Il en est des odeurs comme des paysages, certaines se gravent à jamais dans la mémoire. Elles sont là, bien installées, fixées en vous, prêtes à ressurgir lorsque, d'aventure, la vie vous met en présence d'effluves se rapprochant peu ou prou de la première et indélébile imprégnation.

Du village de Saint-Robert, je conserve ainsi le parfum délicat et précis qu'il m'offrit lorsque nous fîmes connaissance, dans les années 40. C'était au lendemain de la guerre, en ces temps où, dans nos campagnes corréziennes, la rareté des automobiles rendait les distances plus grandes et permettait ainsi aux hameaux et aux villages de rester mieux cachés, secrets, indépendants.

J'ai oublié les circonstances exactes qui me mirent en présence de Saint-Robert. Oublié aussi la personne que mon père venait voir en ces lieux ; peu importe, j'étais du voyage, là est l'essentiel. J'avais alors sept à huit ans, l'été resplendissait comme jamais, et le parfum nous sauta au visage avant même que nous ne sortions de la 11 chevaux familiale qui nous avait conduits là. Un parfum à la fois si délicieux et puissant qu'il ruisselait dans chaque ruelle du bourg. Et plus nos pas nous rapprochaient du cœur du village, plus s'intensifiait le délicat arôme. Et plus chantaient aussi dans le ciel les myriades d'abeilles et de guêpes attirées elles aussi par l'odeur. Odeur succulente, enivrante presque, que dégageaient les tonnes de reines-claudes que les agriculteurs de toute la commune venaient livrer là.

Pour moi, Saint-Robert, ce furent d'abord ces subtiles et précieuses senteurs qu'exhalaient alors les prunes du pays ; fruits incomparables et sublimes, gorgés de sucre, de suc et de soleil. Ce fut le premier souvenir que me laissa ce village. Il m'en donna bien d'autres au fil des ans. Il vous en concédera aussi pour peu que vous sachiez l'apprivoiser. Car il ne suffit pas d'aller flâner dans ses ruelles ou de muser sur la place de l'église pour découvrir ce village. Et s'il est important de se familiariser un peu avec son histoire, il faut, de surcroît, ne pas l'effaroucher par les intempestives et bruyantes expéditions dont certains touristes cultivent le monopole. Ceux-là ne connaîtront jamais Saint-Robert.

Certes, à la rigueur, s'ils possèdent une once de curiosité, leur sera-t-il facile de savoir que ses premiers vestiges remontent aux Mérovingiens, en ces temps où le hameau avait nom Murel. De même apprendront-ils que sa très belle et imposante église fut érigée dans les années 1122 par des moines bénédictins, disciples de Robert de Turlande en ces temps où les pèlerins, en marche vers Compostelle, aimaient faire halte en des lieux

Lorsque le soleil voilé étend une lumière diaphane, les ardoises et les tuiles d'où émerge l'église, les pierres jaunies des castels se fondent dans une nouvelle harmonie. Au fond d'une ruelle, le sieur Beauroire du Temple avait élu domicile (page de gauche). Un autre de ces nobles personnages vécut près d'une des sept portes fortifiées qui protégeaient le bourg (ci-contre).

saints et accueillants. S'ils insistent un brin, on leur expliquera même que l'édifice doit l'étrangeté de son actuelle physionomie à toutes les insultes que lui firent subir les ans, les guerres de Religion, la Révolution. Mais cela suffit-il pour comprendre Saint-Robert ? Non, ce serait trop simple.

Il est en effet indispensable de ne jamais oublier que Saint-Robert est avant tout un bourg bien vivant, animé par une sympathique assemblée rurale. Une assemblée que l'on devine solide, car plantée et enracinée dans sa terre natale et sur son piton qui défie les quatre vents. A preuve, lorsqu'il advint que le village serve de lieu de tournage pour le feuilleton télévisé « Des grives aux loups », les agriculteurs, artisans et autres autochtones que l'on embaucha pour la figuration n'eurent pas à mimer gauchement des attitudes qu'on leur imposait. Ils évoluèrent et travaillèrent comme chaque jour, avec cette aisance dans l'allure et les gestes que seule peut donner une très longue habitude.

Je le redis, ce qu'il faut d'abord apprendre à connaître dans ce village, ou du moins à rencontrer, c'est sa communauté rurale. Ce qu'il faut voir et comprendre, c'est sa façon de vivre, son sens du travail et de l'accueil et tout le plaisir qu'elle ressent à vivre là, à l'abri de son clocher, de sa mairie, de son école.

Alors, si d'aventure notre civilisation moderne –

c'est-à-dire de plus en plus urbaine – vous a fait oublier ou vous a jusque-là empêché de voir respirer un vrai village, n'hésitez pas, faites l'effort de grimper jusqu'à celui-ci.

Il est là-haut, accroché sur son plateau, le dos à la Dordogne et les yeux vers la Corrèze, décoiffé et purifié par les vents, presque caché dans le ciel. Allez-y, montez, il vous attend. Mais surtout, si vous voulez vraiment profiter de tout son charme, apprécier la beauté de ses venelles, de ses vieilles maisons de brasier et d'ardoise, de ses porches moussus, de ses minuscules mais superbes jardins, de sa fontaine dédiée à saint Maurice, entrez-y sans faire trop de bruit. Car si vous désirez pleinement ressentir et jouir de la qualité de sa vie, s'il vous plaît, soyez discrets. Entrez poliment, en invité, pour ne pas l'effaroucher.

Alors, peu à peu, de visiteurs inconnus et badauds que vous étiez jusque-là, vous serez des amis. De vrais amis, c'est-à-dire des privilégiés que l'on choiera, que l'on soignera et surtout à qui on révélera tous les secrets et toute la beauté de ce petit village corrézien, qui deviendra un peu le vôtre.

Enfin, si vos pas vous y guident par une chaude soirée d'été toute bourdonnante de chants d'abeilles, se logera en vous, et pour toujours, l'inoubliable parfum des reines-claudes bien mûres, aussi gorgées d'odeurs exquises qu'un rayon de miel frais. C'est un bonheur que je vous souhaite.

Le village de Saint-Saturnin vu du château. Au fond, à droite, l'échancrure de la Monne et Saint-Amant-Tallende, et, barrant l'horizon, la montagne de la Serre qui s'incline vers la Limagne.

machiavélique mère Catherine de Médicis (on y montre la « chambre de la reine Margot »...). Et l'on a voulu voir des marguerites écloses parmi les branchages ornant le fût et le bassin polygonal de la fontaine Renaissance sur la place devant le château.

Au long des rues (de la Boucherie, des Nobles...), rayonnant de la place de l'église, les anciens logis aux toits de tuiles canal et aux façades de lave percées d'ouvertures aux encadrements moulurés dégagent une atmosphère médiévale.

Saint-Saturnin garde aussi un caractère rural et, par sa position intermédiaire entre plaine et montagne, une fonction commerciale dont témoignent deux foires annuelles, le 1er mai et le 13 octobre.

Le charme de ces lieux pétris d'histoire a retenu artistes et écrivains en quête de sincérité et d'une certaine lumière : ainsi Paul Bourget, pour qui Saint-Saturnin était également l'échappée vers la montagne et le proche lac d'Aydat (à 11 kilomètres vers l'ouest) ; ce plan d'eau de 60 hectares, au pied des volcans, a reçu son nom du sénateur arverne Avitus, qui fut empereur romain et qui y avait sa villa.

Plus près, dominant les gorges profondes de la Monne, à 2 kilomètres en amont, s'élève l'abbaye bénédictine de Randol, de fondation récente, à une centaine de mètres du hameau du même nom, dont les toits roses posés en bordure du plateau humanisent un paysage austère et grandiose.

Saint-Urcize

Cantal

26,5 km S. de Chaudes-Aigues

Le plateau de l'Aubrac est une région d'hivers mordants et enneigés, de vents sauvages, de pâtures découvertes jusqu'au bout du ciel, d'innombrables troupeaux de vaches blondes et râblées qui, à votre

passage, lèvent un instant leur mufle noir. Saint-Urcize s'y voit de loin. C'est un village d'allure montagnarde et groupé pour la défense. Contre les rigueurs du temps. Contre les routiers et les batteurs d'estrade qui menaçaient jadis les fidèles hasardés sur la route de pèlerinage du sud.

Du château perché qui veillait à la ronde il n'y a plus que ruines. Mais demeure l'église, dont le clocher à peigne est caractéristique. Elle a appartenu, selon la tradition, à un couvent d'ursulines. Un mur d'enceinte aurait renfermé l'église, le couvent et le château qui en dépendait. De l'édifice, d'abord à trois nefs, ne subsistent que le chœur, son abside et cinq chapelles latérales. C'est le seul sanctuaire à déambulatoire que possède le Cantal. Il est de dimensions réduites, mais il est superbe avec ses voûtements purs, ses chapiteaux travaillés et son Christ au tombeau du XVᵉ siècle. Saint-Urcize avait autrefois un petit bailliage ; il attira des familles bourgeoises qui eurent des maisons à tourelles dont certaines se voient encore. Le village, pendant longtemps, fut aussi un centre textile ; il s'y faisait, dans des ateliers paysans, quantités de « serge » et de « cadis ». Aujourd'hui, il est lieu de foires pittoresques mais aussi, depuis peu, une débutante station de ski.

Salers
Cantal

25 km S.-E. de Mauriac

L'approche du massif cantalien par l'ouest se fait par une longue succession de planèzes en pente douce vers la ligne des sommets découpés à l'horizon, de la pyramide du Violent jusqu'au plomb du Cantal. C'est un large pays de verdure, de pâtures semées de vaches rouges aux cornes amples, de silence à peine troublé par le cri aigre d'un rapace qui tourne très haut sous les nuages. Loin des hommes, dirait-on. D'où la surprise que l'on éprouve de la présence, à près de 1 000 mètres d'altitude, au bord abrupt du plateau, de l'inattendu village de Salers. De la ville faudrait-il dire, tant son dense amas de toitures de lauzes, tout en camaïeu de gris

Un des nombreux hôtels de Salers, qui évoque son ancien rôle de cour de justice. C'est une construction imposante de basalte noir, dont le toit de lauzes s'interrompt pour la tourelle d'escalier.

La maison en granit avec fenêtres à meneaux qui borde la rue principale de Ségur-le-Château est appelée maison Henri IV. Doit-elle ce nom à la naissance à Ségur de Jean d'Albret, ancêtre de ce roi ?

et de noir, évoque d'emblée la cité médiévale. Salers fut d'abord le siège d'une baronnie importante, ceinte de remparts et toute ramassée pour la défense en ces pays perdus et rudes. La cité devint en 1564 siège du bailliage des Hautes-Montagnes d'Auvergne, résidence, par conséquent, d'un certain nombre d'officiers de judicature ; et ces messieurs voulurent en ces lieux maisons et hôtels particuliers dignes de leur fonction.

Salers ne se décrit pas. On s'y promène au hasard des ruelles étroites, entre de hautes façades de basalte noir ; l'on va ainsi de l'église importante et remaniée, où il faut voir une admirable Mise au tombeau en pierre polychrome du XVe siècle et un ensemble de belles tapisseries d'Aubusson, jusqu'à la promenade de Barouze ouverte en vaste balcon sur les vallées confluentes. Un portail armorié, des fenêtres à meneaux, une porte à vieilles ferrures qui s'ouvre sur le départ d'un escalier tournant... Et, la tour de l'Horloge franchie, au haut d'une pente dallée de pierres lisses, on débouche soudain sur la place qui rassemble, autour de l'hôtel du Bailliage, tout un ensemble d'édifices uniques. Noirs et gris,

Sévères au point de prendre allure de forteresses toutes recluses derrière leurs fenêtres armées de fer et leurs poternes étroites. Revenu à la vie agricole après la disparition du bailliage, endormi dans la vague souvenance de son passé, Salers, pendant longtemps, ne fut plus que la capitale de l'élevage de la race de Salers qu'y inventa Tyssandier d'Escous au XIXe siècle ; c'est pourquoi s'y tiennent aujourd'hui encore des foires et de bruyants et colorés comices agricoles. Puis vint une ère nouvelle avec le tourisme, au moins le temps de la belle saison. C'est alors le flux des voitures, exclues du centre, où elles seraient anachroniques, les visiteurs flânant parmi les boutiques, les ateliers d'artisans, les expositions temporaires, ou s'arrêtant à quelque spectacle de danses folkloriques au son de la cabrette.

Et, l'agglomération quittée pour la montagne proche et le sommet du puy Mary, on s'émerveille de l'étrangeté de ce village si urbain de caractère, si monumental dans une région d'édifices généralement plus agrestes.

Sauvetat (La)
Puy-de-Dôme

23 km S. de Clermont-Ferrand

Au centre d'un petit bassin de vieille tradition céréalière, le village de La Sauvetat se signale, à partir de la N 9, par la silhouette massive d'une tour circulaire du XIIIe siècle et la flèche élancée de son église paroissiale.

Comme son nom l'indique (*Salvitas* : « refuge »), le lieu fut fortifié pour servir d'asile aux populations. Les templiers y élevèrent le donjon cylindrique dressé dans la partie sud-ouest du « fort », dont chacun des quatre angles possédait une tour (seules subsistent celles de l'est) et dont l'entrée se faisait par deux portes fortifiées. Comme le donjon qui servit de tribunal et de prison, les maisons du village sont construites en arkose et en calcaire ; les toits sont couverts de tuiles canal et certaines, avec leur escalier extérieur accédant à l'« estre », au-dessus du cuvage, évoquent l'ancienne activité viticole.

L'église du XIXe siècle englobe l'ancienne église du XIIIe siècle, qui en forme le transept. Elle conserve une statue de la Vierge à l'Enfant en cuivre ciselé et émaillé, du XIVe siècle.

Deux villages voisins, Authezat, à 1 kilomètre, et Plauzat, à 2 kilomètres, avec leur église, leur château, le dédale de leurs vieilles rues, témoignent d'un même enracinement au passé.

Ségur-le-Château
Corrèze

47 km N.-O. de Brive

Dans la vallée sinueuse et étroite de l'Auvézère, aux confins du Périgord et du Limousin, Ségur-le-Château apparaît brusquement au détour d'un méandre, dominé par les vestiges de son château féodal. Ce village a été pendant un temps le cœur du Limousin : les premiers vicomtes de Limoges l'ont élu pour résidence favorite et la Cour des Appeaux étendit du XVe siècle au XVIIIe siècle son ressort judiciaire sur tout le Limousin et le Périgord. D'élégantes maisons nobles, de beaux hôtels particuliers côtoient des maisons plus modestes, le plus souvent en schiste sous enduit. Leurs hautes toitures à forte pente, en tuiles plates ou en ardoise de Travassac, s'étagent sur les pentes entre le château et la rivière de l'Auvézère.

Parmi les édifices les plus remarquables, il faut signaler la tour des Appeaux, la Maison Henri IV et la maison à colombage du XVe siècle qui la jouxte, ainsi qu'une maison en granit avec tour et échauguettes du XVe siècle également. Les constructions se sont par la suite implantées le long de la rivière, tournant le dos au château. Celui-ci, accroché au rocher, s'est laissé envahir par la végétation. Souvent pris et saccagé, son donjon carré épaulé de contreforts se dresse encore au-dessus du village. L'actuelle fonction du chemin de ronde est de servir de balcon panoramique sur les hautes toitures de Ségur-le-Château et la vallée de l'Auvézère.

A 5 kilomètres, le château de Pompadour et ses haras nationaux constitue un autre grand site historique, aujourd'hui un centre international du cheval.

Thiézac
Cantal

25 km N.-E. d'Aurillac

Passé le château de Pesteils et son donjon, puis la station de Vic-sur-Cère, franchi par la route en surplomb les gorges de la Cère et leurs cascades, on débouche dans le bassin de Thiézac. Il est presque circulaire ; il est, au cœur du massif, environné de crêtes et de pics que l'on dirait alpestres. Les géologues le prétendent instable ; ainsi le village lui-même, comme accroché sur la pente d'adret, aurait-il bougé et littéralement glissé jadis ; ainsi le flanc opposé est-il entaillé d'un gigantesque arrachement à vif qui a créé l'étonnant chaos de Casteltinet. Thiézac fut longtemps refuge dans les solitudes ; des ermites s'y établirent aux aurores du christianisme. Le rocher de Saint-Michel, que l'on atteint en quelques minutes par un sentier, devint lieu de pèlerinage. Il s'y trouve encore une petite chapelle basse et longue entièrement décorée de fresques intéressantes. La reine Anne d'Autriche y vint pour demander au ciel un fils, qu'elle eut quelque temps après. De bonne heure, Thiézac fut aussi lieu de passage vers le col du Lioran. La grand-route le traverse dans sa longueur, étrangement tortueuse et coupée de raidillons soudains. On s'y arrêtera pour admirer des maisons que l'on dirait exsudées de la roche un peu ocre et dont certaines ont escaliers extérieurs et balcons de bois. On y verra l'église gothique à quatre travées et la fontaine.

Agricole encore, Thiézac, avec ses hôtels, est aujourd'hui une base arrière de la station de ski du Lioran qui est à moins de 15 kilomètres. Il est aussi centre vivant de stages artistiques.

Tournemire
Cantal

24 km N. d'Aurillac

Nous sommes ici à mi-versant de la vallée de la Doire : une de ces positions de surveillance d'où l'on contrôle, de l'œil, dans le bas le cours de la rivière, vers le haut l'accès à la montagne. Du coup, le village s'étire en longueur, resserrant ses maisons de pierre volcanique sur une étroite ruelle fleurie coupée de placettes successives. Et tout au bout, on découvre brusquement l'église. Elle est du XIIe siè-

cle ; on y vénère une épine du Christ rapportée des croisades par un Tournemire. Les Tournemire ? Ils furent jadis seigneurs du lieu, mais de leur château il ne reste, à deux pas, qu'un vague amas de pierres mangées par le végétal. Ils furent de bonne heure, et dès le XVe siècle, remplacés à l'issue de querelles féroces par les seigneurs d'Anjony, qui plantèrent leur demeure à une portée de flèche à peine, au débouché de l'allée qui part de l'église. Il est intact, ce château « neuf », au point que l'on s'attend, le voyant soudain, à quelque éclatante sonnerie de trompe. Il est impressionnant : un énorme corps carré monté d'un jet vertical et flanqué de quatre tours d'angle rondes. Il est d'une rigueur sauvage, à peine adoucie par l'or du lichen qui colore la pierre et par une aile basse rajoutée au XVIIIe siècle. On mettrait des heures à y visiter la salle des Chevaliers et ses fresques, l'écrin polychrome de la chapelle, le chemin de ronde à tourelles charpentées à l'ancienne. Des heures aussi à contempler, de très haut, l'étonnant paysage circulaire de pâtures, sous un infini ciel de lumière.

Treignac
Corrèze

42 km N. de Tulle

Accroché au flanc d'un des derniers contreforts du massif des Monédières, Treignac, entre les ruines de sa forteresse médiévale et son église, surplombe les gorges de la Vézère. Ses demeures, coiffées de toits d'ardoise à l'aspect sévère, s'étagent dans un paysage de rochers que colorent des jardins en terrasses, jusqu'aux rives de la rivière. En contrebas du village, l'église paroissiale Notre-Dame-des-Bans, autrefois chapelle castrale, et son lourd clocher octogonal datent du XVe siècle, avec des parties du XIIIe. Son plan carré est dû aux contraintes de la topographie. Deux autres monuments religieux doivent être signalés : la chapelle des Pénitents-Blancs (1661), qui reçoit des expositions en été, et Notre-Dame-de-la-Paix (1726), occupée par la mairie. A partir de la porte de ville, on va de ruelles en venelles, à travers un bâti très dense. La plupart des maisons de Treignac furent construites au XVIIe siècle. Mais les hautes demeures en pierre de taille de granit de la place de la Mairie et la rue de Fleyssac datent des XVe et XVIe siècles. Parfois le rez-de-chaussée est occupé par une boutique s'ouvrant par une ou deux baies en ogive. Les maisons de notables se reconnaissent par leur tour d'escalier carrée, hors œuvre, et percée d'étroites baies. La halle aux grains du XVe siècle témoigne de l'ancienneté de l'activité économique de Treignac, tout comme le collège des doctrinaires du XVIIe siècle témoigne de la tradition ancienne de l'enseignement. La place plantée où se trouve la statue de Charles Lachaud, grand avocat d'assises né à Treignac, a été aménagée sur les fossés comblés au XIXe siècle. Du vieux pont à trois arches du XVe siècle qui mène à la rive droite, on a une belle vue sur Treignac. Le musée des Arts et Traditions populaires de la moyenne Vézère présente les objets traditionnels de la vie paysanne locale.

L'appareil de blocs volcaniques de cette maison de Tournemire est caractéristique du massif cantalien. Son architecture se ressent de la proximité du château : escalier en demi-voûte et porte d'entrée avec tympan en ogive. ▷

Turenne

Corrèze

16 km S. de Brive

Silhouette féodale érigée sur une butte témoin du causse de Martel, Turenne surprend par son émergence brutale dans le paysage aux douces ondulations du bassin de Brive. Durant huit siècles, jusqu'en 1738, les puissants vicomtes de Turenne régnèrent en totale indépendance de la forteresse sur une partie du bas Limousin, du Quercy et du Périgord. Les vestiges des trois enceintes concentriques et du château se dressent encore sur la plateforme rocheuse : tour de Mauriol et tour du Calvaire (enceinte), tour de l'Horloge ou du Trésor, du XIVᵉ siècle, au sud, tour de César, circulaire, du XIIIᵉ siècle, au nord.

Le pittoresque de la cité tient à la qualité et à l'ho-

Les maisons de Turenne s'accrochent à la butte, où se succèdent les jardins en terrasse. Derrière l'église, la maison du grenier à sel. Plus haut, celle du sénéchal flanquant la porte de la ville.

mogénéité de son architecture ainsi qu'à sa structure médiévale caractérisée par des rues étroites pavées de galets irréguliers, des petites places, des portes et passages sous porche, et l'imbrication des maisons serrées les unes contre les autres. Les riches demeures construites en fin calcaire presque blanc montent à l'assaut de la forteresse sur le flanc sud de la colline, le long de la rue Droite, unique voie d'accès au château. A partir de la place du Foirail, il faut aller à la découverte des hôtels particuliers, des XVᵉ, XVIᵉ et XVIIᵉ siècles, avec leurs tourelles en encorbellement et leurs tours coiffées en poivrière.

Il faut prendre le temps de découvrir les maisons à échoppes du quartier du Marchadiol qui évoque l'ancien marché d'huile, ainsi que les deux monuments religieux : l'église collégiale (XVIe siècle) et la chapelle des Capucins (XVIIe siècle). Un ensemble de châteaux et de tours de guet complétaient en avant-garde le système défensif de Turenne. Parmi les plus proches et les mieux conservés, le château de Lapeyrouse, qui fut édifié au XVIIIe siècle sur une ancienne maison forte, et le château de Linoire, du XVe siècle.

Usson
Puy-de-Dôme

> 12 km E. d'Issoire

Le piton basaltique d'Usson ferme à l'est la limagne d'Issoire, au-devant des monts granitiques du Livradois. Son sommet, que signale une statue de la Vierge, objet d'un pèlerinage annuel (dernier dimanche de mai), domine, au-delà de la vallée de l'Allier, où le château de Parentignat dessine ses architectures classiques, le vaste panorama des monts d'Auvergne. Il était couronné d'un puissant château, embelli par Jean de Berry et restauré par Louis XI, qui servit de résidence forcée à Marguerite de Valois de 1586 à 1605.
Le village, dont les toits roses égaient les façades de basalte, conserve des restes d'anciens hôtels et d'un rempart flanqué de tours. L'église, d'époque romane, a été complétée au XVIe siècle par la chapelle de la Reine, dont la voûte en étoile abrite deux précieuses peintures sur bois (fin XVe siècle et XVIe siècle). Dans la chapelle au sud de la nef, la reine Margot et Henri IV sont portraiturés sur les volets d'un tabernacle daté de 1620...
La polyculture et quelques vignes ont conservé au village son caractère rural. Un artisanat d'art s'y est installé aujourd'hui.
Un sentier au sud de l'église accède à une coupe basaltique aux orgues d'une exceptionnelle régularité. Plus bas, au sud-est, le château de Bois-Rigaud (XVIe siècle) évoque le macabre souvenir de la « dame au doigt coupé ».

Verneuil-en-Bourbonnais
Allier

> 29 km S. de Moulins

Les flancs de la colline sur laquelle est bâti Verneuil sont assaillis par les vergers et les jardins.
De la forteresse du XIIe siècle seuls quelques vestiges de l'enceinte et du château sont encore debout. Car, pour avoir résisté à Louis XI au temps de la ligue du Bien Public, Verneuil, siège d'une châtellenie du Bourbonnais, fut démantelé en 1465. Le village a gardé des maisons anciennes des XVe, XVIe et XVIIIe siècles. Il faut franchir sa porte de ville, du XIIIe siècle, pour découvrir les restes de l'enceinte et du château. Dans cet espace restreint, au fond à droite, s'élève la chapelle Notre-Dame-sur-l'Eau ; sa nef du XIe siècle est érigée aux bords des remparts escarpés. En été, elle abrite des expositions. Plus importante est l'église Saint-Pierre, en majeure partie du XIIe siècle. Son riche mobilier et ses peintures murales méritent une visite détaillée.
L'ombre de Jean Sureau, frère d'Agnès Sorel, plane sur Verneuil dont il aurait été un jour châtelain.

Vieille-Brioude
Haute-Loire

> 4 km S. de Brioude

C'est à Vieille-Brioude que l'Allier abandonne son parcours montagneux pour les basses terres de la limagne de Brioude. Le village est perché sur un étroit cordon rocheux entre l'Allier et le ruisseau du Céroux. Les vestiges de son église romane se dressent sur une falaise au-dessus de la rive gauche de l'Allier. La rencontre entre la montagne et la plaine pose des problèmes de communication. En 1832, on a construit un pont qui enjambe l'Allier pour remplacer celui du XVe siècle qui s'était écroulé.
Une aire de stationnement offre la plus belle vue sur ce village tout allongé qui domine fièrement la rivière. La vallée de l'Allier est ici une oasis où se développe une végétation luxuriante de feuillus : noisetiers, frênes, chênes, tilleuls, peupliers... Le végétal montre une telle volonté d'expansion que lierre et ampélopsis partent à l'assaut de la roche et des maisons.
Un petit sentier descend au bord de la rivière et permet d'admirer les 24 mètres de hauteur et 45 mètres de portée de l'impressionnante arche du pont.
Vieille-Brioude a vu, en des temps reculés, un mariage royal. Louis V le Fainéant, dernier des Carolingiens, y épousa Blanche-Adélaïde d'Anjou en 982. Il était âgé de quinze ans, et elle de quarante. Le mariage, dit-on, ne fut pas très heureux.

Voutezac
Corrèze

> 25 km N.-O. de Brive

Le bourg de Voutezac s'est implanté en haut d'un coteau, en position dominante au-dessus d'un vallon encaissé qui lui procurait une défense naturelle. Le bourg bâti en schiste et couvert d'ardoises étage sur le coteau ses maisons serrées les unes contre les autres, séparées par la rue unique qui relie le cimetière à l'église. Certaines demeures ont conservé leurs façades en encorbellement, d'autres montrent des traces de colombage, ou des portes en plein cintre, des fenêtres surmontées d'un arc en accolade, des écussons armoriés ou datés et des tourelles pour les constructions plus importantes. A l'intérieur de l'église fortifiée, qui présente un clocher-tour du XIVe siècle, on remarquera principalement un retable en bois doré du XVIIe siècle.
A Vertougit, jadis propriété des moines de Cluny, une table d'orientation aménagée au milieu d'un vignoble permet la découverte d'un espace panoramique vers les buttes témoins d'Ayen et d'Yssandon. Le Saillant, petit village traditionnel à 4 kilomètres au sud-est de Voutezac, est doté d'une architecture simple mais de remarquable qualité. Les matériaux employés, schiste et ardoises de Travassac aux teintes sombres, se révèlent sur le vert clair des prairies et des eaux de la Vézère. Au sortir de gorges étroites où elle était enserrée depuis Comborn, la Vézère se disperse au Saillant, à travers de nombreuses îles boisées qu'enjambe un pont gothique. En rive droite, le château du Saillant, où séjourna Mirabeau, date du XVe siècle ; la chapelle attenante possède de magnifiques vitraux de Chagall. Chaque été sont organisés au château des concerts de musique classique.

Les PERSONNALITÉS du village

*Le village a changé non dans sa forme mais dans ses personnalités.
Jadis – naturellement, pourrait-on dire –, venait en tête
le seigneur des lieux, qui souvent dominait le village ;
village duquel il vivait, mais où il ne descendait guère,
laissant à ses hommes le soin de réclamer aux « vilains »
les vivres et les biens qui lui étaient dus.*

LE MAIRE

La Révolution libéra les villages de la tutelle du seigneur et transforma l'organisation politique des villages, qui ne dépendirent plus alors que du pouvoir central par l'intermédiaire de ses agents qui, depuis Napoléon Ier, sont le préfet et le sous-préfet. Dégagée de l'autorité ecclésiastique, la commune fit gérer les intérêts désormais laïques des villageois par un conseil municipal élu. Une nouvelle figure apparut alors : le maire. Désigné par le conseil municipal, le maire est à la fois le délégué des habitants et, comme tel, le gérant de la commune, ainsi que le représentant du gouvernement pour exercer la police et faire exécuter les lois. Élu pour sa popularité, popularité qui aujourd'hui repose surtout sur sa probité et sa disponibilité, le maire tient de plus en plus son autorité de son habileté à monter des dossiers pour la commune ou à démêler des affaires difficiles pour l'un ou l'autre de ses concitoyens. La couleur politique importe de moins en moins. Avec la régionalisation de la France, sa tâche devient administrative, même s'il est pour cela largement

Monsieur le maire, premier citoyen de la commune.

secondé par le secrétaire de mairie, qui, en liaison avec le receveur-percepteur, met au point le budget communal. Comme il est plus absorbé par les programmes d'équipement (voirie, service des eaux, génie rural, etc.), on ne demande plus à un maire d'être jeune, on lui demande avant tout d'être serviable et disponible. C'est la raison pour laquelle les petits villages cherchent de plus en plus à faire élire comme premier magistrat un retraité dont la carrière aura été la plus administrative possible et qui connaîtra toutes les façons d'agir et de réagir quand la commune est soumise à un plan d'aménagement rural ou à un plan d'occupation des sols dont les caractéristiques sont généralement établies par la Direction départementale de l'équipement. Se devant d'être au fait des sigles administratifs comme E.D.F., G.D.F., DDASS, D.P.E., etc., le maire ne gère plus seul une commune, et sa vie est faite de réunions, de démarches aux quatre coins du département, et même parfois son autorité est partagée au sein d'un syndicat intercommunal qui regroupe plusieurs communes pour bénéficier d'avantages en équipements. Du folklore de la mairie il ne reste plus guère que le « passage » obligé devant M. le maire pour les mariés. C'est pour lui l'occasion de ceindre l'écharpe tricolore qu'il doit porter à toute occasion officielle comme insigne de cette loyauté et de cette indépendance républicaine dont la France est si fière.

C'est avec l'instituteur que le nouveau monde laïque trouva son chantre ; frère ennemi du curé, avec qui il alimentait son inimitié beaucoup plus de la lutte acharnée qu'ils se livraient pour l'autorité que de leurs indéniables différences idéologiques. Leur position, comme le note Eugen Weber, n'était pas fondée sur des richesses matérielles, mais sur la possession d'un savoir ésotérique et sur le rôle clé qu'ils jouaient dans les affaires communales. Cette rivalité classique domina longtemps la vie politique des villages et enclencha ici et là des mouvements de défense de la civilisation terrienne, bien que ce ne soit pas la seule explication aux résistances systématiques des villageois vis-à-vis des notabilités « parachutées ».

Superstitions et traditions anciennes servirent également de remparts à la parole chrétienne, que l'Église tentait de diffuser – et que les paysans trouvaient à juste titre un peu trop universaliste –, ainsi qu'à la diffusion de l'instruction laïque et républicaine. République qui, en guise d'éducation, réduisit de façon parfois très brutale des langues et des patois au nom d'une égalité que, là encore, les ruraux devinaient mal et d'une centralité commercialement et administrativement abusive.

Même si ces dernières affirmations ne sont pas à négliger pour comprendre la disparition de la société régionale et paysanne française, il serait injuste de dire que le rôle acculturant de l'instituteur a été ce qu'il y a de plus néfaste et que son action éducative fut négligeable.

Autant que le curé, l'instituteur a marqué chaque village et chaque villageois de son passage. Les années d'école obligatoire, avec leur corollaire l'« école buissonnière », sont, avec l'apprentissage familial à la ferme, les grands souvenirs d'enfance de tout villageois. C'est encore dans les campagnes que l'on récite par cœur et dans l'ordre les numéros et les noms des départements avec leurs préfectures ou que l'on chante sans hésitation les tables de multiplication. C'est là aussi que les destins se jouèrent lorsque, « détecté » par l'instituteur, un enfant s'élevait de l'école primaire au lycée, poussait du certificat d'études au baccalauréat, et finalement pénétrait dans le monde inconnu de la grande industrie et surtout du salariat, notion incongrue pour une société lente, entièrement fixée sur les saisons et les cultures...

Enseignant, professeur de morale, éducateur, l'instituteur était, au début du siècle, un des notables du village (photographie de 1905).

LE CURÉ

Le curé partageait pleinement la vie de ses ouailles. Représentant intouchable et intangible de l'Église, incrustée partout dans la France pré- et post-révolutionnaire. Ce personnage ne semblait guère être aimé au fin fond des campagnes si l'on en juge par ce proverbe corrézien : « Si votre fils est intelligent, faites-en un maçon ; s'il est méchant, faites-en un curé », et par une multitude d'autres, toutes régions confondues, dans lesquels les pauvres prêtres étaient montrés proverbialement comme l'exemple même de l'avidité.

Malgré la vision peu positive des paysans à l'égard du curé, il a fallu la République et ses lois pour que lui soit réellement contestée son autorité. Outre la fameuse loi du 12 juillet 1880 qui abrogea celle de 1814 interdisant de travailler le dimanche et cer-

LE CATÉCHISME,
tableau de Constantin Meunier (1831-1905).

LA VISITE AU MALADE, *tableau d'Alexander Struys (1852-1941).*
*Aujourd'hui, le curé du village a bien souvent troqué sa soutane
pour un habit civil. Mais ses fonctions restent toujours
de célébrer le culte, de catéchiser les enfants,
de réconforter les malades et, au besoin, d'exorciser.*

ment religieux », comme le définit son ardent promoteur Marc Sangnier, a laissé peu de villages indemnes. Contemporain des troubles dus à la politique anticléricale qui aboutira à la séparation de l'Église et de l'État, le Sillon s'inspirait directement des enseignements de l'encyclique *Rerum novarum* et de la politique qui marqua le pontificat de Léon XIII. Le curé de village n'était plus la figure souvent sympathique, parfois pourtant un peu trop sectaire, du style Don Camillo, mais un mobilisateur de la jeunesse et un organisateur de conférences ouvertes sur la vie extérieure au village.

Cela eut pour effet de décomplexer le monde paysan et de promouvoir à travers un message chrétien qui se voulait plus authentique la démocratie à tous les niveaux.

Certes, le long combat entre le parti clérical et le régime républicain avait créé bien des clivages à l'intérieur des villages, et la nouvelle mentalité des chrétiens comme celle des anticléricaux ne mit pas fin d'emblée aux contestations. Les traditionnelles batailles rangées que se livraient ardents républicains et pratiquants irréductibles à la sortie de la messe ou à la fin des enterrements, montrent que les passions l'emportaient souvent sur la peine des villageois, que ce soit au détriment ou en l'honneur du défunt...

tains jours fériés – loi qui faisait d'ailleurs beaucoup plus l'affaire des employeurs que des employés, même si ces derniers étaient anticléricaux –, c'est l'année 1905, date à laquelle, République oblige, l'État se sépara de l'Église, qui marqua le plus les villageois-citoyens en introduisant

bien des changements dans leurs habitudes de vie et dans nos villages. Bien qu'il ne faille pas négliger l'importance de Dieu, ou plus précisément de ses intermédiaires, en ce qui concerne leur modernisation. Un mouvement comme celui du Sillon, « mouvement laïque mais aussi profondé-

LE MÉDECIN

Avec l'affirmation de la science, un nouveau personnage s'est imposé dans les campagnes : le médecin, ou plus exactement « le docteur » ; « homme toujours sur la brèche, qui ne se fait pas prier pour venir, même s'il se fait payer », comme on dit dans les villages pour marquer la différence d'avec les curés qui, eux, « se faisaient prier et payer en plus » ! La bataille avec les curés ne tira pas à conséquence, l'Église et la médecine se superposant et s'épaulant mutuellement, l'une soignant les âmes, l'autre le corps. Quant à la lutte avec les « panseurs de secrets », les « jeteurs de sorts » ou les sorciers, elle fut inégale ; le rationalisme scientifique ayant beau jeu de montrer l'ineptie des pratiques ancestrales. Cela dit, la médecine guérit mais n'intervient pas seule,

et l'humanité n'exclut pas de se rattacher à quelque système philosophique ou métaphysique

Le cabinet du « docteur ». Aujourd'hui, il se trouve généralement au chef-lieu de canton.

pour accélérer la guérison, la seule habileté du praticien et sa personnalité ne suffisant pas toujours à opérer un miracle ! « Qui boit, qui bat, qui cuit sous cette peau m'ôte sommeil et repos » ou « Ante, super ante, super antété » servent encore à guérir des panaris ou des anthrax. De plus en plus le médecin qui, jadis, guérissait par sa seule présence, délègue aux spécialistes – c'est-à-dire à la ville et aux hôpitaux – le soin de diagnostiquer et de soigner petites et grandes maladies. Ce n'est pratiquement plus lui qui va au village, mais le village qui va à la médecine. Pour ces derniers terriens coupés de plus en plus de leur territoire et du monde naturel, lorsque la Science les découpe en tranches au scanner « comme à la télé », c'est une aventure nouvelle qui commence.

LE GARDE CHAMPÊTRE

Le maire délègue ses pouvoirs de police à une figure souvent haute en couleur : le garde champêtre, agent de la force publique préposé à la garde des propriétés rurales. Ses insignes, très folkloriques eux aussi, n'ont guère changé : képi, plaque de cuivre, et surtout tambour, trompette, clairon ou cloche qu'il bat ou sonne pour déclamer l'« avis à la population ». Quand résonne l'annonce publique, chacun et chacune fait silence pour écouter la date de l'ouverture de la chasse, le titre du film qui sera projeté à l'école, la venue de marchands ambulants sur la place, l'obligation de vacciner chiens et chats contre la rage, les coupures d'eau, etc. ; le plus important restant les commentaires qui aussitôt fuseront sur les dernières nouvelles. Quand les sacristains puis les enfants de chœur disparurent, la tâche de sonner les clo-

Le garde champêtre, peut-être le dernier lien avec le folklore français.

ches à midi lui revint, mais l'heure, désormais municipale et officielle, varia du fait de la situation de proximité ou d'éloignement du garde champêtre de l'église – lui-même attendant que la radio lui donne l'heure juste pour éviter de flouer les travailleurs des champs, puis prenant son vélo pour monter à l'église sonner midi à midi cinq ou midi dix...

Plus cocasse est sa situation en campagne, où son rôle est de veiller à ce que des récoltes ne soient pas dérobées et que la loi soit strictement respectée. Hélas ! l'étrange discours dit « sécuritaire » qui caractérise notre époque fait de plus en plus de ces personnages si fortement liés au village de simples policiers avec tout un attirail d'amendes et de menaces qui, au nom de l'efficacité, étouffent la poésie dont ne peut pourtant se passer la vie bucolique.

Rhône Alpes

De la Bourgogne aux « Pays de Lumière », de
« l'Alpe à la Rhodanie », la diversité des paysages,
des pays, des habitats s'affiche fortement, même si le
Rhône, parfois, tente d'être l'élément fédérateur.
L'histoire, la culture ne se superposent que rarement
aux limites naturelles et, a fortiori, administratives ; et
même si la montagne et l'isolement semblent imposer
leurs contraintes de manière uniforme, tout semble
différent entre Sixt-Fer-à-Cheval, Bonneval-sur-Arc
et Le Poët-Laval. Autour de son clocher à bulbe, les
maisons trapues en pierre et aux vastes toits
d'ardoises grises imposent à Sixt, dans un site
exceptionnel, une image un peu austère.
A Bonneval-sur-Arc, dominé par les glaciers de la
Vanoise, les habitations de pierre creusées dans
le sol se serrent si fort autour de l'église, à la flèche
de pierre à facettes, que les ruelles sont réduites au
minimum ; en fait, c'est aussi pour lutter contre
le froid que les toits de lauzes faiblement pentus
retiennent d'épaisses couches de neige opérant
ainsi comme isolant thermique. Plus au sud,
au Poët-Laval, dans la Drôme, les maisons
de calcaire à deux étages, aux ouvertures de formes
diverses, aux toits de tuiles canal, cherchent,
elles, à se protéger des chaleurs estivales.
Architectures de bois dans le nord de la Savoie, de
torchis en Bresse ou dans la Dombes, de pierre dans
le Vivarais, la Chartreuse, le Trièves ou le
Grésivaudan, par exemple, toits de lauzes, de bois,
de zinc ou de tôle ondulée, de tuiles canal...
la diversité de la région Rhône-Alpes s'inscrit
dans l'habitat, dans le village, témoignage des
activités et de l'histoire des campagnes.

A

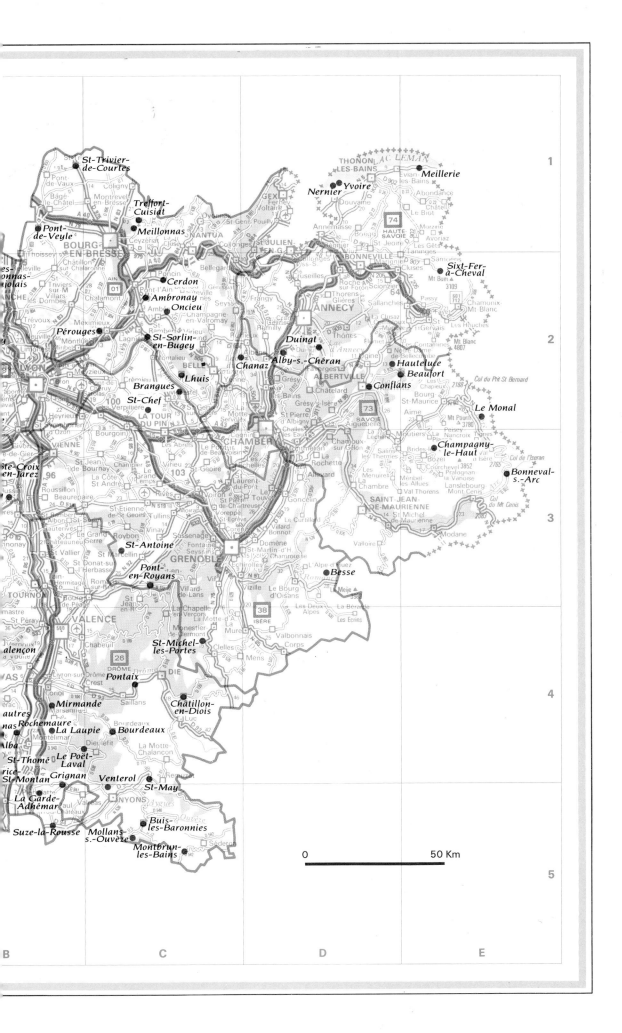

Alba
Ardèche

13 km N.-O. de Viviers

Alba fut la capitale romaine de l'Helvie, dont le territoire s'étendait sur toute la moitié sud du département. Le village est situé dans une vaste plaine argileuse entre le couloir rhodanien, le massif du Coiron et le plateau calcaire du bas Vivarais. De très nombreux vestiges ont été mis au jour : deux édifices ont été reconnus sous l'église romane Saint-Pierre (XIIe siècle), une basilique paléochrétienne (IVe-Ve siècle) et un temple de l'époque de Septime Sévère (fin du IIe, début du IIIe siècle). En descendant vers le ruisseau de Saint-Martin apparaît le théâtre romain. Enfin, au quartier du palais, on peut admirer une rue très bien pavée, certainement l'axe nord-sud, le « cardo » de la cité romaine, et les restes de ce qui fut soit un forum, soit un important édifice religieux : une esplanade d'environ 56 mètres sur 43, bordée sur les quatre côtés par de grands portiques. Le village médiéval, plus défensif, s'est regroupé sur la hauteur autour d'un château massif construit sur un promontoire basaltique, qui surgit des champs de vigne environnants.

Le château a été presque entièrement reconstruit au XVIIe siècle. Les maisons du village, construites en basalte et en calcaire ocre, d'une très grande homogénéité, se serrent au pied du château. Bon nombre d'entre elles présentent des sculptures ou des restes de bas-relief, comme celui représentant la nativité sur une demeure proche de l'église. Le hameau de La Roche, situé un peu en contrebas du château, présente également un ensemble de très anciennes maisons groupées autour d'un magnifique dyke volcanique autrefois surmonté d'une imposante forteresse. Aux beaux jours, on peut voir travailler sur le site quelques équipes d'archéologues.

Alby-sur-Chéran
Haute-Savoie

14 km S.-O. d'Annecy

Du viaduc de l'autoroute surplombant les gorges du Chéran, les toits à dominante brune et grise du vieux bourg d'Alby-sur-Chéran signalent ce village médiéval, autrefois domaine des comtes de Genève, tapi au creux d'un vallon verdoyant et encaissé, auquel le Semnoz sert de lointaine toile de fond.

Dès le Moyen Age, un pont, qui figure sur les armoiries du village, est à l'origine de ce dernier. A l'abri de ses remparts, le bourg s'est d'abord développé sur la rive gauche entre le Pont-Vieux, pont en pierre d'une seule arche, et le « Donjon », éminence occupée jadis par le château comtal et, aujourd'hui, par l'ancienne église paroissiale Saint-Maurice et son presbytère.

Sur la rive droite, dès la fin du Moyen Age, les maisons hautes du faubourg de Capetaz se sont alignées le long de la route entre le Pont-Vieux et Châteauvieux, autre château installé sur une hauteur et dont il ne reste que quelques murs. Les vestiges de l'enceinte et deux maisons fortes en haut du village, où résidaient les nobles, la place triangulaire du Trophée, bordée de maisons sur arcades, au centre du bourg, et, plus bas, le bâtiment massif de la mairie constituent les témoins architecturaux les plus marquants de l'époque médiévale. De celle-ci date une industrie du cuir qui prospéra jusqu'au début du XXe siècle.

De nos jours, alors que les échoppes des cordonniers qui subsistent encore sous les arcades de la place ont toutes fermé leur porte, un musée de la Cordonnerie rappelle, à la mairie, l'histoire de cette activité. Les truites du Chéran, la fête du vieux bourg en août et quelques artisans locaux attirent également de nombreux visiteurs.

A Alby-sur-Chéran, la place du Trophée, d'époque médiévale, est bordée de maisons basses sur arcades où subsistent d''anciennes échoppes de cordonniers. La place est agrémentée d'une jolie fontaine en pierre, de forme circulaire.

Ambierle

Loire

17,5 km N.-O. de Roanne

Édifié sur un promontoire granitique de 400 mètres d'altitude, le village s'étage depuis les hauteurs de la Madone jusqu'au pied des coteaux. Mais seule une vue aérienne permettrait d'en saisir le curieux plan, avec ses maisons disposées concentriquement, s'enroulant comme une coquille d'escargot autour de l'enceinte prieurale. Ambierle est l'un des plus anciens lieux habités du Roannais, à proximité du mont Chatelux (856 mètres), dont les flancs recèlent des sources dites « miraculeuses ». Le village, s'il compte peu de demeures anciennes de grand caractère, n'en conserve pas moins une certaine harmonie par les volumes et les tons de ses constructions : murs blancs ou crème, toits rouges des maisons étagées sur les premières pentes, entremêlées d'îlots de verdure. Des demeures bourgeoises du XVIIIᵉ siècle avec leurs propriétés attenantes composent « un vaste cercle de verdure entourant Ambierle comme un écrin ». L'une de ces demeures, le musée forézien Alice-Taverne, est consacrée essentiellement aux arts et traditions populaires du Forez et du Roannais. Plus haut, les vieilles ruelles Ferrachat et Saint-Vincent au nord, Sainte-Anne au midi sont dominées par les formes élancées de l'église prieurale au toit couvert de tuiles vernissées formant motifs. Car l'histoire d'Ambierle a surtout été conditionnée par le développement d'une abbaye rattachée dès le Xᵉ siècle au puissant ordre de Cluny. L'église actuelle date du XVᵉ siècle, avec ses vitraux, ses stalles et surtout le retable à triptyque du maître-autel peint à Beaune en 1466 par un élève de Van der Weyden.

Mais à Ambierle, le cadre n'est pas inférieur au décor. Au couchant, un rideau semi-circulaire de montagnes dresse une barrière protégeant les vignes des vents froids de l'ouest et du nord, et le regard s'étend vers les lointains bleutés du Charollais, du Beaujolais, du Lyonnais, jusqu'au Pilat.

Ambronay

Ain

6 km N. d'Ambérieu-en-Bugey

Au centre d'un hémicycle de montagnes aux croupes ondulantes et gracieuses s'étale la vieille cité d'Ambronay, haut lieu spirituel du Bugey, négligemment adossée à une colline. Amphithéâtre de maisons grises et brunes aux toits débordants et aux balcons de bois – dont beaucoup ont souffert des injures du temps et des hommes –, le village s'est formé autour d'une abbaye bénédictine fondée à la fin du VIIIᵉ siècle par Barnard, chevalier de Charlemagne. Il nous apparaît aujourd'hui à demi enfoui sous les frondaisons, avec, à son pied, un tapis de verdure que bordent des bouquets de saules argentés. Depuis la disparition des remparts qui en faisaient une ville, Ambronay n'est qu'une longue rue où s'est regroupée la vie de la cité, avec, au centre, les

bâtiments restants de l'abbaye, maintes fois reconstruite depuis sa fondation : l'église avec la chapelle de Beauvoisin (XVᵉ siècle), le cloître à étage (XVᵉ-XVIIᵉ siècle), la sacristie (XVIIIᵉ siècle) et, au nord de l'église, le logis abbatial qui débouchait jadis sur des jardins à la française ; seule demeure l'allée-promenade bordée de tilleuls tricentenaires. Au sud, le monastère entourant le cloître est relié à la tour des Archives (XIVᵉ siècle), de 31 mètres de hauteur, et à la tour Dauphine, décapitée en 1595. Des remparts, la cité n'a conservé que la porte de la Gargouille (XIIᵉ siècle), où l'on peut remarquer, dans la pierre, les échancrures qui recevaient les pièces de bois servant chaque soir à barrer les deux grands vantaux.

A la fin du XVIIIᵉ siècle, le bourg disposait de plusieurs hôpitaux, d'un four banal, de plusieurs écoles, de trois auberges et d'un marché aux bestiaux. La plupart des impasses, des ruelles se reconnaissent encore, ainsi que les nombreuses maisons du XVIᵉ siècle à fenêtres à meneaux, les arcades des boutiques et les places. Depuis quatorze ans des concerts d'une qualité exceptionnelle sont donnés en septembre-octobre dans l'église et dans le cloître. Peut-être aussi aurez-vous la chance de déguster quelques galettes cuites dans le four banal ?

Aubignas

Ardèche

13 km O. de Montélimar

Une route très étroite, s'échappant rapidement des grands axes de circulation, conduit à travers une campagne souriante, ponctuée de-ci de-là de très belles fermes aux formes trapues, au village d'Aubignas. Construit à mi-hauteur d'un vallon dont les pentes boisées contrastent avec les versants du plateau basaltique laissant poindre par endroits la tranche noire de la lave, le village semble minuscule dans la vaste étendue du paysage qui l'entoure. Rien ou presque ne vient détruire l'homogénéité des solides maisons qui se serrent autour du rocher supportant le château et l'église. Mais on ne peut évoquer Aubignas sans parler de ses couleurs, qui lui confèrent tant d'attrait : le noir du basalte se détachant sur des joints de sable rosé, la teinte vieille paille de ses toits de tuiles canal, mais aussi les éclairages incomparables de son ciel aux couleurs souvent orageuses.

Balazuc

Ardèche

19 km S. d'Aubenas

Accroché à la falaise, surplombant de plusieurs dizaines de mètres les eaux bleu-vert de l'Ardèche, Balazuc s'est installé dans une petite dépression de la paroi calcaire comme pour se protéger des vents et mieux veiller sur les défilés de la rivière. Cet ancien village fortifié, qui s'échelonne aujourd'hui à l'intérieur et au pied de remparts dont il ne reste que quelques vestiges, s'est construit petit à petit autour du château du XIIIᵉ siècle, remanié aux XVIIᵉ et XVIIIᵉ, et de l'église romane dominant majestueusement ce bel ensemble. Le cheminement jusqu'à l'église se fait par de petites rues grimpantes, où de nombreux passages voûtés et des arcs-boutants créent tout un jeu de lumières et d'ombres. Une chapelle, petite et d'une grande simplicité, a d'abord été construite au XIIᵉ siècle, avec des voûtes en berceau sur pilastres. Au XVIIᵉ siècle, la nef romane fut doublée au nord par un vaisseau de trois travées, voûtées d'arêtes. Un passage couvert permet d'accéder au clocher-mur percé de trois baies. Des expositions et concerts de qualité sont donnés chaque saison estivale dans la chapelle.

En continuant à travers les ruelles bordées de petites maisons aux larges terrasses couvertes ou « couradou », dont la couleur claire du calcaire contraste avec l'ocre rosé des tuiles canal, on remarquera de nombreuses échoppes anciennes. Sur l'autre rive de la rivière, un sentier serpente dans la garrigue, puis descend le long de la paroi rocheuse jusqu'au hameau du Vieil-Audon, paisible et pittoresque, qu'une association restaure depuis quelques années.

Ruelle pavée montant en haut du village de Banne, bordée de maisons étroites et hautes, en pierre de grès grossièrement taillée.

Dominé par sa modeste chapelle, le hameau de l'Écot, commune de Bonneval, est le plus élevé de la haute Maurienne (2 050 m). Ses maisons en pierre à toits de lauzes presque plats contemplent l'aiguille et la pointe de Méan Martin, dans le parc de la Vanoise.

Banne
Ardèche

9 km S.-E. des Vans

Le vieux village cévenol de Banne s'est groupé en position défensive sur un magnifique éperon rocheux, autour des vestiges du château féodal qui le domine. Une très belle vue s'offre aux yeux depuis le sommet du bourg, balayant d'un seul coup tout le bas Vivarais, d'où émerge le massif du Tanargue, jusqu'aux confins du Gard, en passant par le pittoresque bois de Païolive. Des ruelles étroites et tortueuses disparaissant sous les voûtes des maisons en grès, dont certaines possèdent de belles fenêtres à meneaux, conduisent au château qui fut un des plus opulents de la région à l'époque médiévale. Malheureusement, un incendie le détruisit presque entièrement à la Révolution. Seules les écuries, immense local voûté de 80 mètres de long sur 12 de large, sont intactes, ainsi que les soubassements de l'entrée principale et des cuisines.

Beaufort
Savoie (voir pages 338-339)

Besse
Isère

21 km N.-E. de Bourg-d'Oisans

C'est le soir, depuis la piste d'alpage qui monte vers les chalets du Rif-Tort, sur le plateau d'Emparis, qu'il faut découvrir en contrebas le site du village de Besse, lorsque la lumière rasante du soleil couchant accentue le moindre relief : un immense damier de parcelles, composé de pâturages piquetés d'arbres isolés et strié par une piste d'alpage, couvre tout le versant de l'adret. Les multiples nuances de vert de ce paysage pastoral ne sont interrompues que par les taches brunes ou claires de rares potagers ou champs, cultivés autour du village. Tranchant avec la douceur de ces pentes humanisées, les Grandes Rousses dressent à l'horizon leurs arêtes désertes de rocher et de glace. La forêt occupait ces herbages jusqu'en 1540, quand un incendie la détruisit. Seuls subsistèrent des bouleaux (bès, en patois) qui donnèrent son nom au village. Sa forme ramassée, plaquée sur la pente, s'explique par les contraintes du relief, du climat, et la volonté d'épargner les terres agricoles. Un dédale de venelles, parfois en escalier, se faufile entre les maisons, souvent à demi enter-

rées, au faîtage incliné dans le sens de la pente. L'économie des moyens et des matériaux mis en œuvre – lauze, que remplace progressivement la tôle ondulée, schiste, moellons, bois – crée une architecture rustique de formes et de volumes divers. Besse est le point de départ de splendides randonnées, en particulier vers le plateau d'Emparis (belvédère exceptionnel sur la Meije) ou vers le col de la Valette par les crêtes (panorama sur les Grandes Rousses).
Autre témoin typique de l'architecture locale, le village de Clavans, tout proche, mérite une visite.

Bonneval-sur-Arc
Savoie

34 km S.-E. de Val-d'Isère

La haute vallée de la Maurienne offre un paysage austère mais attachant, jalonné de croix et d'oratoires, modestes chefs-d'œuvre d'un art religieux populaire. Sur ses versants abrupts d'où s'élancent torrents et cascades, les arbres chétifs du bas des pentes cèdent vite la place aux pelouses alpines et à une végétation rampante agrippée aux rochers. Au pied du col de l'Iseran, entouré de sommets coiffés

Par désir d'égalitarisme, les révolutionnaires rasèrent bon nombre de tours et de clochers en Savoie. Mais le clocher de l'église de Beaufort, massif et puissant, leur résista.

Lorsque, sous le pont Henri-IV, bouillonne le Doron, c'est qu'un gros orage a éclaté. Capté par le barrage de Roselend, il ne coule plus qu'à cette occasion.

BEAUFORT

par Roger Frison-Roche

20 km N.-E. d'Albertville

Beaufort, c'est mon village ! Bien que né à Paris, je renie ce lieu de naissance, car, qu'on le veuille ou non, je suis savoyard et beaufortain de père et de mère, ayant une ascendance plusieurs fois centenaire !
Alors vous comprendrez ma joie de retourner au pays lorsque, dans les années 10, le temps des vacances arrivé, nous débarquions, mon frère et moi, du « train de plaisir » en gare d'Albertville. Devant la gare nous attendait l'« auto », un char à bancs témoin des premiers âges de l'automobile, qui assurait, grand événement, la première correspondance rail-route de notre histoire. Dans ce véhicule s'entassaient les montagnards du pays de Beaufort, vallée fermée par un cirque de hautes montagnes où s'ouvraient des cols déneigés quelques mois seulement et interdisant, de ce fait, toute communication avec les gens qui vivaient derrière ces montagnes. Dans l'« auto » qui menait à Beaufort s'engageaient des conversations animées entre maquignons et éleveurs. La route se glissait dans de profonds défilés bordés de futaies de hêtres ; puis, les gorges franchies, elle débouchait dans une large vallée. A trois

kilomètres de Beaufort, le paysage s'élargissait en cirque où confluaient trois torrents : le Doron de Beaufort, l'Argentine et le Dorinet. On cherchait vainement Beaufort. Car devant nous, la vallée se fermait par une haute muraille rocheuse et forestière, tranchée en son milieu par une gigantesque entaille découvrant un cañon étroit, haut de cinq cents mètres. La route contournait un éperon rocheux formant rideau. On voyait alors pointer le clocher, puis se découvrir dans son ensemble, Beaufort. Le vieux village étageait ses très anciennes maisons sur la rive gauche escarpée du Doron.
L'« auto » s'arrêtait sur la grande place, devant la mairie, après avoir traversé le Pré de foire bordé de platanes ceinturés de chaînes de fer, où l'on attachait le bétail. Le chauffeur coupait les gaz. On éprouvait alors une sensation étrange. Un silence mystérieux planait sur le village. Ce silence était tellement irréel qu'on en oubliait la grande, la profonde rumeur du Doron grossi par la fonte des neiges et couvrant de sa clameur le chant cristallin des clarines des troupeaux.
Beaufort, chef-lieu d'un immense canton montagnard borné au nord et à l'est par le mont Blanc et ses satellites, n'était desservi, jusqu'en 1940, que par une seule route en cul-de-sac

A l'arrière-plan, la rivière de l'Argentine creuse une vallée profonde dominée par le massif du Grand-Mont. Le vieux village de Beaufort s'étage à sa confluence avec le Doron.

aboutissant à l'alpage de Roselend, dans le haut pays où paissaient, durant l'été, un millier de vaches, la principale richesse de la vallée. Entourant l'église, imposante avec son clocher donjon, la vieille ville aux ruelles muletières pavées de galets ronds s'étageait entre le Doron et l'Argentine. Elle était reliée à la ville nouvelle par un pont de pierre d'une seule arche, lancé sur le Doron à la fin du XVIᵉ siècle et connu sous le nom de pont Henri-IV. La ville nouvelle aux maisons cossues s'allongeait sur la rive droite du torrent, face à la mairie logée dans un château Renaissance, le seul des trois châteaux qui avaient fait la renommée de Beaufort au Moyen Age et à la Renaissance, à n'avoir pas été pillé ou détruit. Rien n'a changé dans cette disposition. On a simplement détruit la chapelle des Pénitents à l'entrée du cimetière. Elle ne sert plus ! Il faut savoir que jusqu'à la fin de la dernière guerre, le haut pays n'était relié au chef-lieu que par des sentiers muletiers. La chapelle des Pénitents servait alors de reposoir aux corps des défunts descendus à bras d'homme ou à dos de mulet des villages perchés sur les versants.
Le canton de Beaufort est l'un des rares ayant conservé jusqu'à nos jours son mode de vie rural ; il symbolise la « civilisation de la vache », ce

précieux animal qui assurait jusqu'à ces dernières années l'économie d'un pays replié sur lui-même et vivant de son élevage et de ses maigres cultures. Le Beaufortin comptait, à l'époque, beaucoup plus de têtes de bétail que d'habitants. Chaque famille disposait de plusieurs fermes étagées à des altitudes différentes. On « remuait » d'une ferme à l'autre, soit pour paître l'herbe, soit, l'hiver, pour manger le foin recueilli durant l'été. Chaque année, on « descendait » les taureaux les plus âgés à la Foire du Trois, la grande foire aux taureaux qui se tenait le 3 septembre sous les platanes de Beaufort. Les taureaux vendus devaient ensuite être rassemblés en un seul troupeau, puis conduits à pied jusqu'à la gare d'Albertville. Parcours difficile, long de vingt kilomètres ! On les lâchait tous en même temps sur la route, harde sauvage encerclée par les chiens, les bergers et les maquignons. Ce départ devait ressembler à une feria navarraise. Pour rien au monde je ne l'aurais manqué. Je courais derrière le troupeau en furie ; une sorte d'exaltation intérieure me possédait. Puis la harde disparaissait dans un nuage de poussière, et Beaufort retrouvait son calme, sa sérénité, sa paix. Alors le Doron, qu'on avait oublié, faisait à nouveau entendre le grondement de ses eaux déchaînées.

de glaciers, Bonneval est le plus haut village habité des Alpes du Nord, à 1 835 mètres d'altitude. Autour de son église qui a conservé un clocher du XVIIe siècle, surmonté d'une flèche en pierre, terrées sur la rive droite de l'Arc, ses maisons basses aux murs épais de gneiss, couvertes de lourds toits de lauzes, se pressent les unes contre les autres pour se protéger des rigueurs du climat. A l'étage, à l'abri d'un large auvent de bois en saillie, sèchent les grains, le linge, le bois et les bouses de vache qui servent de combustible. Sa population, qui au fil des siècles a dû résister tant aux invasions étrangères qu'aux risques naturels, a su prendre en charge son destin grâce à une intense vie communautaire. Son mérite est d'avoir maintenu ses activités traditionnelles (exploitation des alpages, fabrication du beaufort, d'objets artisanaux sculptés, forgés, tissés) tout en développant modérément un tourisme fondé sur une tradition d'accueil et des équipements respectueux du paysage montagnard. Sur le chemin du cirque glaciaire des Évettes, il ne faut pas manquer de se rendre à pied au hameau de l'Écot, avec sa dizaine de maisons ancrées dans le rocher parfaitement fondue dans le paysage.

Bourdeaux
Drôme

24 km S.-E. de Crest

Couronné par les vestiges des trois forteresses médiévales qui autrefois le défendaient, Bourdeaux, installé sur les deux rives du Roubion, est entouré de champs de lavande, de pâturages parsemés de genêts et de magnifiques bois de hêtres. De petites ruelles pavées pénètrent dans le quartier ancien où les vieilles maisons rurales en grosses pierres s'imbriquent les unes dans les autres sous la tour de l'Horloge et forment un ensemble plein de charme. Un détour par la rue du Vieux-Bourdeaux permettra d'admirer une très belle maison à la façade du XVe siècle. La fête des estivants, le 15 août, fait resplendir le village de ses illuminations et offre un magnifique défilé historique sous la flamme de 10 000 bougies. Mais Bourdeaux propose aussi la douce saveur de ses petits pâtés de grives, mais surtout du picodon, spécialité fromagère au lait de chèvre que les habitants sont heureux de faire déguster. A l'horizon, à l'ouest du col de la Chaudière, surmonté des Trois Becs, la splendide forêt de Saou forme sur 2 000 hectares un des plus beaux sites de la région.

Brangues
Isère

22 km N.-E. de la Tour-du-Pin

Dans la plaine alluviale et marécageuse où le Rhône a dessiné de vastes méandres et étendu de multiples bras enserrant des îlots boisés, le clocher de l'église de Brangues signale de loin le village, perché sur un monticule, face aux ondulations des monts du Bugey, de l'autre côté du fleuve. De part et d'autre de la rue centrale alignée sur l'éperon, l'urbanisation se déploie en boucle comme les pétales d'une fleur. C'est une impression d'unité architecturale qui ressort de la visite de ce bourg agricole. Elle tient d'abord aux amples couvertures à quatre pans en tuile écaille qui recouvrent les maisons nobles en

pierre, celles des anciens artisans reconnaissables à leur girouette figurative, enfin celles en pisé, nombreuses, des agriculteurs. Elle est due aussi à l'orientation générale des bâtiments dont les pignons, souvent à mantelure, bordent la rue, ce qui crée une suite de lignes de faîtage parallèles. Elle tient enfin à la continuité du bâti, qui, alliée aux rues en pente, aux murs de soutènement et aux terrasses, donne au village un aspect fortifié. Fours banaux, lavoirs, fontaines, croix témoignent d'une vie communautaire intense. Sur la place centrale, l'église du XIXe siècle fut le théâtre d'un drame de la jalousie qui inspira Stendhal pour son roman le Rouge et le Noir. Un peu à l'écart du village, l'imposante bâtisse du château du XIIIe siècle, souvent remanié, propriété de Paul Claudel depuis 1927, est entouré d'un parc où repose le poète. Des manifestations culturelles y sont organisées chaque été par l'association qui porte son nom. Par ailleurs, les amoureux de la nature ne manqueront pas de visiter les îles du Rhône, face au village, réputées pour leur richesse écologique.

Buis-les-Baronnies
Drôme

31 km S.-E. de Nyons

Au cœur des Baronnies, sur les rives de l'Ouvèze, dans un petit bassin fertile où se côtoient oliviers, arbres fruitiers, vigne, lavande et tilleuls, Buis-les-Baronnies bénéficie d'un climat à la douceur déjà méditerranéenne. Deux grands cours bordés de magnifiques platanes centenaires permettent de pénétrer dans le bourg. De solides arcades en pierre surmontées de maisons à deux ou trois étages bordent la place du marché, formant ainsi de véritables halles couvertes. Elles furent sans doute construites au XVe siècle par des Allemands ou des Suisses installés

L'ancienne chapelle du couvent des Ursulines, aménagée au XVIIᵉ s. au rez-de-chaussée d'une tour de la rue des Ouiastres à Buis-les-Baronnies, s'ouvre par un monumental portail encadré de deux colonnes surmontées d'un linteau sculpté de volutes.

par Louis XI, afin de repeupler la ville dont la population avait beaucoup diminué après la terrible peste de 1348. A quelques pas, sur la rue des Ouiastres, s'ouvre le très beau portail Renaissance, de l'ancienne chapelle des Ursulines ; le couvent qui lui faisait face était relié à la chapelle par un passage à deux étages au-dessus de la rue. L'ancien couvent des dominicains, aujourd'hui centre de vacances, possède un très beau cloître, ainsi qu'une salle (de la justice de paix) décorée de somptueuses boiseries. Dans la rue du Planet, une belle maison à la porte Louis XIV retient le regard ; il s'agit de la demeure des frères Catelan, archéologues de la fin du XIXᵉ siècle. Près de la gendarmerie, une ancienne tour d'angle, reste des remparts qui entouraient autrefois la ville. Mais Buis est avant tout le premier marché européen du tilleul avec 90 % de la production française. Le 1ᵉʳ et le 2ᵉ mercredi de juillet, toutes les rues s'animent pour la foire et la fête du tilleul : les fleurs les plus blondes et les plus odorantes cueillies sur les hauteurs environnant Buis sont apportées pour être vendues, dans de grandes toiles de jute nouées aux quatre côtés.

Cerdon
Ain

24 km N.-E. d'Ambérieu-en-Bugey

Le bourg se situe à un carrefour de vallées près de la route de Lyon à Genève, au sein d'une vaste combe qui a profondément entaillé le plateau du Bugey. Ses constructions se sont blotties au creux de ce paysage escarpé dominé à l'est par la montagne de l'Avocat. A mi-pente, l'église isolée possède un chœur bâti au XVᵉ siècle par ses chanoines et le caveau de l'un d'eux demeure près de l'autel. Le reste de l'édifice date des XVIIIᵉ et XIXᵉ siècles. En contrebas, le vieux quartier s'est tassé le long du vallon de la Suisse. On peut y admirer les belles façades à meneaux du XVᵉ siècle du bâtiment dit « de l'ancienne école libre » et visiter la cuivrerie, industrie traditionnelle locale, dont le musée perpétue le souvenir. Contrastant avec le caractère abrupt du cadre naturel, le versant ouest surplombant la route nationale regroupe de nombreux vignobles, dont le maillage serré et régulier est quadrillé par tout un réseau de chemins et de petits bâtiments d'exploitation. Le vin rosé de Cerdon, agréablement champagnisé, est fort célèbre et apprécié.
Pays de la vigne, Cerdon est aussi la patrie des eaux vives puisqu'on y dénombre 19 fontaines et 11 ponts. Deux ruisseaux au courant torrentiel traversent l'agglomération. C'est un spectacle fascinant que de contempler le passage de ces canaux au milieu des vieilles maisons bugistes des vignerons, aux toitures largement débordantes, avec quelquefois des escaliers extérieurs en pierre et des balcons en

bois. Cerdon est riche de nombreuses ressources touristiques sur son territoire (grottes, chapelle de Préau, cascade de la Fouge, château d'Épierre). La commune a subi de lourdes représailles en 1944 et le Val d'Enfer abrite un cimetière et un monument de la Résistance à la mémoire des maquis de l'Ain et du haut Jura.

Cervières
Loire

28,5 km E. de Thiers

A quelques kilomètres de Noirétable, les maisons de Cervières se sont accrochées en gradins sur les pentes d'une colline des monts du Forez, au milieu d'un paysage de prairies planté de nombreux bosquets. Ce lieu privilégié, qui commandait le passage de la voie de Lyon à l'Auvergne, accueillit en 1180 un château fortifié érigé par le comte du Forez Guy II. A l'abri des remparts, la cité prospéra rapidement et devint un centre important. Deux portes de l'enceinte épaulées chacune par une tour de garde sont encore visibles aujourd'hui, la porte de Bise exposée au vent froid dresse sa double arcade à l'arrivée de la route de Noirétable, la porte des Farges s'ouvre en direction des Salles. Le chemin de ronde sur l'ancien tracé des murailles relie ces entrées et dégage d'intéressantes perspectives à la fois sur la

La maison de l'Auditoire de justice, à Cervières, siège de la vie administrative au XVIIᵉ s. Côté jardins, ses fenêtres à meneaux et son passage voûté ouvrent sur l'ancien chemin de ronde.

plaine et sur l'arrière des bâtiments. La rue principale est bordée de hautes façades de granit, dont celles de belles demeures Renaissance. Certaines de ces constructions ont encore gardé leurs baies en anse de panier qui abritaient les échoppes et les boutiques. Parmi elles, l'ancien auditoire dont le passage voûté donne accès au chemin de ronde. Dans ce quartier édifié du XVIᵉ au XVIIIᵉ siècle, on trouve aussi une église de style gothique flamboyant. Au sommet du belvédère où se tenait le château (démoli au XVIIᵉ siècle), la vue s'étend d'ouest en est sur les Bois Noirs, la vallée de l'Ain, les ruines des Cornes d'Urfé et l'étang de Roybon. A signaler la maison de l'Artisanat et le musée, où est présentée d'une manière très vivante et très documentée toute l'histoire de Cervières.

Chalençon
Ardèche

34 km N. de Privas

Situé en balcon au-dessus de la profonde et verdoyante vallée de l'Eyrieux, aux confins du plateau Vernousain et du pays des Boutières, Chalençon fut autrefois le siège d'une très importante baronnie. De très puissants remparts, dont il ne subsiste que quelques vestiges sur le coteau surplombant les maisons, entouraient autrefois Chalençon, si bien que lors des guerres de Religion l'armée catholique en demanda la démolition avant de conclure la paix. La rue principale grimpe en direction de la ville haute et débouche sur la place de Valla, occupant l'emplacement d'anciens fossés. En poursuivant le chemin vers le temple, on passe sous la vieille porte à pont-levis dite porte des Autrichiens. D'anciennes demeures seigneuriales possèdent des fenêtres à meneaux et de beaux porches. Sur la place du marché, le regard s'arrête un instant, surpris par trois magnifiques mesures à grain en granit, de différentes contenances. Non loin de l'église, se dresse la tour des Pendus, haute et carrée, datant des XIVᵉ-XVᵉ siècles, ornée au rez-de-chaussée de quatre coquilles d'où partent des trompes formant une coupole. Chalençon est avant tout un bourg rural, et il n'est pas rare de voir à proximité les troupeaux de moutons et de chèvres paître au milieu des genêts et bruyères. Ce petit village prend ses habits de fête durant la saison estivale avec ses rues magnifiquement fleuries ; de très bons concerts sont donnés soit dans le temple, soit dans l'église et, lors de la fête traditionnelle du 14 août, est distribuée à tous la « soupe au lard », composée de mets typiquement ardéchois.

Chambonas
Ardèche

2 km N.-O. des Vans

Le bourg et le château de Chambonas, situés sur une colline alluvionnaire, dominent la vallée étroite du Chassezac encaissée entre les croupes majestueuses que forment le Serre de Barre au sud-ouest et la corniche du Vivarais cévenol au nord-est. Un pont de cinq arches, étroit, du XIVᵉ siècle, permet d'accéder au village. Sa partie haute est marquée par la présence imposante du château et de son parc. Le château, qui fut à l'origine un ouvrage de défense, est un des mieux conservés du Vivarais. Ce

grand quadrilatère est flanqué de quatre tours recouvertes de chapeaux de tuiles vernissées. De son origine médiévale, il ne reste que l'angle nord-ouest, le reste datant du XVIIᵉ siècle. Devant la façade sud du château, s'étend le parc, composé de cinq terrasses, et la tradition locale voudrait qu'il fût l'œuvre de Le Nôtre. Les maisons du village viennent se regrouper en contrebas de ses murs de soutènement et s'égrènent doucement le long de la route descendant au Chassezac. Elles ont conservé presque intact leur ancien cachet : murs en pierre d'une belle couleur ocre-gris variant suivant l'exposition et contrastant avec les toitures en tuiles canal. Au centre de ces maisons se trouve l'église de Chambonas, datant de la fin du XIIᵉ siècle, avec sa frise extérieure sculptée.

L'activité agricole, tournée essentiellement vers les productions fruitières, domine dans la commune. Le Chassezac offre, durant les mois d'été très chauds, un havre de fraîcheur et un lieu de baignade très appréciés des vacanciers.

Les trois hameaux des Maisons, des Sielves et de Champmajour, construits en terrasse et témoins de l'architecture rurale cévenole, peuvent être le but de belles et intéressantes promenades.

Chamelet
Rhône

26,5 km O. de Villefranche-sur-Saône

Brusquement, à un détour de la route sur le flanc d'une colline dominant la rive gauche de l'Azergues, apparaît Chamelet. Le village bas s'étire le long de la route entre colline et rivière. Le village haut, sous son donjon carré surplombant le vallon du Cocon, affluent de l'Azergues, apparaît couronnant la colline en un point de la vallée où la forêt de sapins s'affirme face aux herbages et à la vigne. Ce vallon verdoyant ponctué de grands arbres (frênes, peupliers) est surplombé par le rempart, dont subsiste une massive tour ronde, et par les façades arrière des maisons du village débouchant dans les anciens fossés sur des jardinets bien entretenus, desservis par des escaliers reliés parfois au bourg par des passages en traboule. Chamelet, devenu une place forte sous les sires de Beaujeu (XVe siècle), fut ravagé en 1562. Ses vieilles halles aux poutres de beau chêne noirci par le temps seront relevées en 1575 et restaurées en 1971. De l'ancien château fort il ne sub-

siste qu'une tour. Les petites ruelles tortueuses aux pierres dorées, dont les maisons élevées sans ordre ni régularité comportent assez souvent des arcs de décharge en brique rose au-dessus des ouvertures, ont gardé beaucoup de caractère. L'église, très restaurée, au clocher pointu de tuile vernissée, possède de beaux vitraux du XVe siècle et des statues de saint Benoît et sainte Madeleine. Jadis, l'Azergues, descendue des Écharmeaux, fournissait aux artisans une eau sans calcaire, propre au blanchiment des toiles de chanvre, que vendaient sous les halles les marchands de la région. Reste la Grenouillère, ancienne blanchisserie appartenant à la famille Bréchard depuis plus d'un siècle. Mais ici, Papa Bréchard, né à Chamelet quand le siècle avait quatre ans, est plus connu comme « Vigneron du Beaujolais », ce qui n'est que justice puisque l'essor de la vigne donne à son tour à Chamelet ses lettres de noblesse.

Le village-forteresse de Chamelet regarde, à l'est, le vallon du Cocon. De son château féodal, il n'a conservé que le donjon, carré. Des jardins potagers occupent les anciens fossés au pied de la tour ronde.

Champagny-le-Haut
Savoie

21,5 km N.-E. de Courchevel

Par une route vertigineuse qui s'accroche au rocher en surplomb des gorges de la Pontille, on accède au vallon suspendu de Champagny-le-Haut après avoir franchi un étroit verrou glaciaire. A 1 450 m d'altitude, au cœur de la Tarentaise, les hameaux de la Chiserette, le Bois-Dessous, le Bois-Dessus, Friburge, le Laisonnay-d'en-Bas, le Laisonnay-d'en-Haut qui composent Champagny-le-Haut s'égrènent le long du Doron de Champagny. A l'entrée de l'une des portes du parc national de la Vanoise, le décor naturel est rude mais grandiose : les hameaux resserrés sur eux-mêmes en rive droite occupent le fond d'une vallée en auge tapissée de prairies, ponctuée de bouquets de mélèzes, d'épicéas, de bouleaux et surplombée d'une couronne de glaciers, tandis que sur les versants abrupts marqués par l'érosion, de nombreux torrents chutent en splendides cascades. Ces hameaux ont conservé un mode de groupement et une architecture caractéristiques des hautes vallées de la Tarentaise : les bâtiments séparés par des ruelles parfois pavées abritent sous un même toit à larges débords, souvent encore en lauzes ou tavaillons, les locaux d'exploitation agricole et les pièces d'habitation. Murs en schiste, bardages verticaux en bois, escaliers extérieurs en pierre, balcons en bois à lattes découpées sont quelques-uns des éléments marquants de cette architecture. Les occupations traditionnelles (élevage bovin, fabrication du beaufort dans les chalets d'alpage) restent vivaces. En août, la population locale en costume traditionnel fait revivre les métiers d'autrefois.

Chanaz
Savoie

21 km N.-O. d'Aix-les-Bains

Étagé sur les premiers contreforts boisés du mont Landard, face à la plaine de Chautagne, le village de Chanaz s'étire harmonieusement le long d'une courbe du canal de Savières raccordant le lac du Bourget au Rhône. Sa situation géographique explique l'importance historique qu'il eut dès le Moyen Age ; poste de péage par terre et par eau, bureau de douane jusqu'en 1860, Chanaz vit passer quotidiennement, de 1841 à 1856, des bateaux à vapeur reliant Lyon à Aix-les-Bains. Plusieurs personnages illustres empruntèrent le canal, entre autres le pape Innocent VI, le roi de Sardaigne Victor-Amédée III et Louis XVIII. Une visite du village, le long des berges du canal ou en suivant ses rues pentues, permet d'admirer la richesse de son patrimoine architectural : la maison de Boigne, du XVIIIe siècle, l'ancienne chapelle gothique et sa façade du XVe siècle, plusieurs fours banaux encore en activité, un moulin à blé qui a conservé sa roue à eau et sa machinerie. Nombre de portes et fenêtres à meneaux mettent en valeur les façades en calcaire des maisons trapues couvertes en tuiles plates. Promenades sur les bords du Rhône ou du canal, pêche, chasse, navigation de plaisance sont quelques-unes des activités offertes. Les visiteurs ne manqueront pas d'apprécier les fritures du lac, arrosées de gamay de Chautagne, que servent les restaurants locaux.

Charnay
Rhône

13 km S. de Villefranche-sur-Saône

La route qui serpente de Lozanne à Villefranche gravit la colline, ménageant des points de vue sur la vallée de l'Azergues, les monts du Lyonnais et du Beaujolais, sur la vallée de la Saône, avec parfois en toile de fond les sommets des Alpes. C'est dans ce beau cadre que se situe Charnay, village fortifié au sommet d'une colline. Ses maisons, parmi les plus belles des « pierres dorées », sont groupées sur la crête de la colline et abritées des vents du nord par le promontoire du Chevronnet, d'où la vue s'étend à l'infini sur les prés, les bois et les vignes.
L'église se dresse au centre du village et son abside semi-circulaire en calcaire blanc est un beau spécimen de l'art roman du XIIe siècle. Le chœur de l'église abrite une curieuse statue monumentale de saint Christophe probablement du XIIIe siècle, la seule en Europe à présenter le saint portant l'Enfant Jésus à cheval sur l'épaule gauche, à la mode syro-palestinienne. Jouxtant l'église, mais séparé d'elle par une étroite ruelle coiffée d'un chemin de ronde, un bâtiment couronné par de beaux mâchicoulis en pierre dorée et servant d'hôtel des postes est tout ce qui reste du château du Moyen Age bâti par les chanoines-comtes de Lyon, coseigneurs de Charnay. Au nord de l'église fermant une place, le château des seigneurs laïcs est une belle construction dans le style du XVIe siècle mais datant du XVIIe siècle. Il dresse sa masse importante surmontée par un grand toit d'ardoise. Les tours carrées flanquant les deux ailes et la cour d'honneur constituent un ensemble de grande allure. L'absence de plan caractérise le village, mais en fait le charme, avec ses maisons imbriquées les unes dans les autres comme si elles étaient encore prisonnières des remparts.
Des chemins très anciens formés de murettes en pierre sèche relient le bourg aux différents hameaux et aux fermes isolées, et donnent au paysage façonné par les générations sa véritable unité.

Châtillon-en-Diois
Drôme

14 km S.-E. de Die

Le village de Châtillon étage ses maisons à 500 mètres d'altitude entre l'imposante montagne de Glandasse qui le domine de ces 2 000 mètres et la rive droite du petit ruisseau du Bès dont les eaux tumultueuses descendent de la montagne. Autrefois, le vieux bourg était enfermé dans des remparts dont quelques vestiges sont encore visibles à proximité du ravin du Bain. L'ancienne porte de ville surmontée par la tour de l'Horloge à campanile du XVIIIe siècle invite le promeneur à pénétrer dans les anciens quartiers. De petites ruelles étroites, appelées localement les « viols », s'échappent de la rue principale et conduisent aux vieilles maisons trapues serrées les unes contre les autres dont les vastes porches ouvraient jadis sur des étables. En revenant sur la place Reviron, on remarquera la belle maison du XVIe siècle contiguë à la tour de l'Horloge et aujourd'hui occupée par la mairie ainsi que, non loin, le temple et l'église du XVIIIe siècle. Mais la nature est proche à Châtillon et le regard se porte souvent sur les coteaux couverts de vignes ou sur les pentes

Deux des hameaux de Champagny, le Bois-Dessous (au premier plan) et le Bois-Dessus, apparaissent entourés de prairies de fauche. Derrière le village, une ligne d'arbres souligne le cours du Doron de Champagny. A l'arrière-plan, à gauche, sur le versant de l'Envers, la plus grande aulnaie des Alpes, paradis des coqs de bruyère. Au fond, au centre, la Grande Motte et son glacier dans le parc national de la Vanoise.

boisées de la montagne de Glandasse, contrastant avec les couleurs ocre de ses falaises flamboyantes au soleil couchant. De nombreuses fêtes, dont la foire à la brocante aux environs du 15 août, et la fête du vin, le 1er samedi du même mois, animent en été le village, qui est aussi le point de départ de belles randonnées pédestres dans les sites grandioses du sud du Vercors.

Conflans
Savoie

1 km E. d'Albertville

Conflans se dissimule au confluent de l'Arly et de l'Isère sur une croupe boisée d'où n'émerge que le clocher à bulbe de son église. Sa situation à un carrefour sur l'ancienne route de la Tarentaise lui valut une grande prospérité qui cessa quand l'endiguement des rives de l'Isère permit le déplacement de cette voie dans le fond de la vallée, au bénéfice du petit bourg de l'Hôpital. La réunion des deux cités par le roi Charles-Albert en 1835 mit fin à leur rivalité et fut à l'origine de la création d'Albertville. Du passé prestigieux de Conflans subsiste un ensemble médiéval remarquable, dominant d'une centaine de mètres la ville moderne. La porte de Savoie et la porte Tarine, son homologue, au sud, constituent, avec quelques pans de murs, les seuls éléments encore debout des remparts du XVe siècle, abattus après le siège de la ville par Henri IV. Au-delà de cette porte, la rue Gabriel-Pérouse, d'où partent des ruelles en pente, bordées de vieilles demeures soutenues par des arcs-boutants, mène au cœur du vieux Conflans. A l'entrée de la rue, la tour Ramus, du XVe siècle, dessert par son escalier à vis l'ancienne résidence des seigneurs de Beaufort.

Ceinturant le pied du château de Grignan, ces belles toitures de tuiles canal verdies par le temps s'imbriquent les unes dans les autres en recouvrant les maisons du faubourg.

La façade de l'église du XVIIIe siècle à fronton peint en trompe-l'œil, sa chaire et son retable doré baroques en font un monument religieux typique de la Tarentaise.

Autour de la Grande Place, des façades d'époque classique, qu'ornent encore les enseignes en ferronnerie des boutiques d'artisans. Avec ses arcades au rez-de-chaussée et ses fenêtres géminées à colonnettes à l'étage, la Maison Rouge, bâtiment en brique du XIVe siècle, est une élégante construction de style florentin occupée par un musée savoyard. La maison Perrier de la Bathie (XVIIIe siècle), toute proche, abrite un centre culturel. Depuis la terrasse de la Grande-Roche la vue s'étend en demi-cercle jusqu'au mont Charvin, dans les Aravis, en passant par la verdoyante combe de Savoie, bordée par le Grand Arc et les contreforts des Bauges et barrée au loin par le massif de la Chartreuse. De l'autre côté, le regard se porte, au-dessus des toits des maisons, vers le château Rouge, du XIVe siècle, ancienne demeure des princes de Savoie.

Crozet (Le)
Loire

25 km N.-O. de Roanne

A proximité de La Pacaudière, le donjon et le clocher du Crozet surgissent d'une des premières hauteurs des monts de la Madeleine. Le village s'est développé sur le sommet accidenté de la colline, en surplomb d'un vallon où coule un ruisseau torrentueux. Au XIIe siècle, une enceinte protectrice, dont il reste de nombreux vestiges, fixa le dessin de ses limites. La Grande Porte, encadrée de deux tours massives, reste le seul accès au bourg, qui a conservé son atmosphère médiévale.

Les teintes rosées très lumineuses des matériaux utilisés (pierres, enduits, briques) sont rehaussées par des encadrements de pierre calcaire jaune donnant à l'ensemble une ambiance particulièrement colorée. Les types de constructions sont très variées, allant de la riche résidence jusqu'à la simple habitation villageoise, et leur architecture se ressent de la double influence de la montagne et de la plaine. On y rencontre successivement la maison à pans de bois du Connétable (XVe siècle), la halle de la Cordonnerie, les restes de l'ancienne église du XVIIe siècle, la maison du Cadran Solaire du XVe siècle, la maison de Mgr Dauphin, le musée d'histoire locale, la maison Renaissance de Jean Papon en briques vernissées, décorée de médailles et de sculptures. Sur un promontoire, à côté de l'église du XIXe siècle, le donjon du XIIe, couronné de créneaux et surmonté d'une tourelle, garde encore le souvenir de ses seigneurs.

De ce point haut, le regard embrasse un splendide panorama s'étendant de la plaine du Roannais jusqu'aux monts du Morvan et du Beaujolais.

L'ancienne porte de ville de Châtillon-en-Diois, surmontée par la tour de l'Horloge. Le grenier de la belle maison au large porche voûté, à gauche, est éclairé et aéré d'ouvertures en œil-de-bœuf.

Garde-Adhémar (La)
Drôme

5,5 km E. de Pierrelatte

Perché comme une sentinelle sur son promontoire rocheux dominant la vallée du Rhône, le village fortifié de La Garde-Adhémar offre une vue magnifique sur toute la partie ouest du Tricastin avec en toile de fond les montagnes ardéchoises. Un lacis de vieilles rues pavées grimpent en serpentant au flanc de la colline. En suivant la rue principale, qui passe sur les anciens remparts, apparaissent les vestiges du château Renaissance, qui ont conservé une partie de leur décor. Au bord de la falaise calcaire, l'église Saint-Michel est un pur joyau de l'art roman provençal. Avec sa nef de trois travées voûtées en berceau brisé et ses bas-côtés en quart de cercle, l'édifice étonne par sa hauteur. Non loin de l'église, la chapelle des Pénitents, fort ancienne, devint au XVIIe siècle le lieu de culte de la confrérie des Pénitents blancs. Sur le mur du fond de la nef une fresque représente deux pénitents agenouillés. Des expositions et spectacles audiovisuels de qualité ont lieu chaque été dans la chapelle. On remarquera aussi la belle tour d'angle et la porte de la maison de Pauline de Simiane, petite-fille de Mme de Sévigné, aujourd'hui le presbytère. En contrebas de l'église, un jardin rassemble, dans un cadre enchanteur, 175 variétés de plantes aromatiques cultivées dans la région. Une visite aux galeries d'art et d'artisanat très dynamique dans le village permettra de découvrir l'architecture intérieure des vieilles maisons bien restaurées. A l'est du village, une petite route bordée de chênes verts et d'anciennes terrasses aux murets de pierre sèche conduit dans un vallon ombragé où sommeille la chapelle à demi-ruinée de Notre-Dame du Val des Nymphes.

Grignan
Drôme

18 km E. de Donzère

Grignan apparaît au détour de la route, au sommet d'un promontoire rocheux entouré d'une vaste plaine, à la limite du Dauphiné et de la Provence. Le village est couronné d'un magnifique château, un des plus beaux exemples de la Renaissance française dans la région. Mme de Sévigné y séjourna souvent à partir de 1669, lorsque sa fille eut épousé le dernier descendant des Adhémar, comte de Grignan. Au XVIe siècle, Gaucher Adhémar fit construire sur l'emplacement de l'ancien château fort médiéval un grand corps de logis à trois étages percés de grandes fenêtres ouvertes au sud. Par la suite furent ajoutés le perron, l'aile des Prélats au nord et l'escalier au sud, d'après les plans de Jules Hardouin-Mansart. De grandes terrasses permettent de jouir d'une vue sur les maisons du village. Dans le château restauré ont lieu de très nombreux concerts et expositions ainsi que, en été, un spectacle Son et Lumière avec reconstitution historique. La collégiale Saint-Sauveur, construite en 1535, appuyée au rocher qui supporte le château, possède une façade Renaissance. Dans son chevet repose Mme de Sévigné, morte à Grignan le 17 avril 1696. Le centre ancien s'adosse au nord aux anciens remparts de Grignan, dont le beffroi est un des derniers vestiges, et se love au sud autour des contreforts du château.

Duingt
Haute-Savoie

12,5 km S.-E. d'Annecy

A la pointe de l'éperon rocheux du Taillefer qui plonge dans les eaux du lac d'Annecy, le village médiéval de Duingt occupe un site admirable, à l'endroit le plus étroit du lac. Avancée sur une presqu'île verdoyante, d'où l'œil découvre sur la rive opposée les falaises du roc de Chère et la baie de Talloires, la forteresse médiévale de Châteauvieux s'est transformée en une agréable résidence du XVIIIe siècle, flanquée depuis 1860 d'une tour à créneaux. Postée sur une éminence, en retrait du rivage, une tour hexagonale décuouronnée, vestige du château de Duingt, se dresse au-dessus du village. Son centre a conservé, le long de ses venelles tortueuses, un ensemble de maisons typiques d'agriculteurs, dont les plus anciennes remontent au XVIe siècle. Parois reliées par un passage couvert, ornées de fenêtres avec linteaux en accolade, bardées de bois, desservies par des escaliers extérieurs, souvent décorées de treilles, ces bâtisses confèrent au village un charme rustique.

Derrière l'église néogothique, un sentier escarpé conduit à la grotte de Notre-Dame-du-Lac (pèlerinage en août), puis au-delà, à l'esplanade de Bellevarde, d'où la vue embrasse tout le lac. Des concerts sont organisés l'été au château d'Héré, maison forte médiévale remaniée. Des prairies en pente douce qui entourent ce manoir à l'écart du village, la vue sur le lac d'Annecy et les sommets environnants est splendide.

La station estivale de Duingt est réputée pour les promenades variées que le lac et ses abords offrent à ses visiteurs, tant en bateau qu'à pied, le long du rivage ou sur les sentiers balisés des pentes boisées.

Hauteluce
Savoie

25 km N.-E. d'Albertville

La descente en lacet du col des Saisies vers le vallon du Dorinet offre une vue resplendissante sur les lointaines solitudes glacées du massif du Mont-Blanc, encadrées progressivement par les pâturages du col du Joly. Plus bas, un élégant clocher à bulbe, chef-d'œuvre du genre, annonce l'église du XVIIe siècle de Hauteluce, dont la façade est décorée en trompe-l'œil. Serrées autour d'elle, les maisons s'étagent sur la pente, reliées par des ruelles en escaliers. La masse vert sombre des forêts de résineux qui occupent « l'envers » contraste avec le vert tendre des alpages du « versant du soleil ». Sur celui-ci, les chalets et leur grenier séparé, aux murs en poutres de bois empilées, couverts d'ancelles ou de tôle, se groupent en hameaux égrenés le long de la route en balcon sur le Dorinet. Sur chacun veille une chapelle à clocheton, la plus remarquable étant celle de Belleville, de style roman, décorée d'une fresque sur le tympan. Au-dessus s'accrochent sur tout le versant les chalets de « remue », nécessaires à l'exploitation des alpages et à la fabrication du beaufort. Dans un cadre pastoral typique, Hauteluce offre de multiples activités aux visiteurs : ski de piste aux Saisies, boucles variées de ski de fond, promenades en traîneau, excursions estivales vers les alpages des cols de Véry, du Joly, des Saisies, vers le lac de la Girotte, mais aussi expositions à l'écomusée du village.

Joyeuse
Ardèche

22 km S.-O. d'Aubenas

Émergeant d'un paysage doucement vallonné, où les murets de pierres dorées des terrasses couvertes de vignes et de bouquets d'arbres fruitiers brillent au soleil, le vieux bourg de Joyeuse souligne la crête d'une colline au-dessus de la vallée de la Baume. Peut-être prédestiné par son nom, ce petit bourg semble animé tout au long de l'année d'une fébrile activité, depuis les touristes flânant dans les vieilles rues jusqu'aux commerces, foires et marchés. Au mois de février, un merveilleux carnaval fait resplendir Joyeuse durant une semaine. Du château style Renaissance, édifié au début du XVIe siècle, il ne reste que la partie est. Il faut remarquer sur le corps central des fenêtres à meneaux ainsi qu'un très bel escalier à vis intérieur sur la façade nord. De l'enchevêtrement des vieux toits émerge le clocher de l'église Saint-Pierre, reconstruite au XVIIe siècle. Le chœur gothique constitue la partie la plus ancienne avec la chapelle ducale de style flamboyant. Mais Joyeuse, c'est aussi le charme discret de ces vieux hôtels particuliers du XVIIIe siècle qui, de la place de l'église à la place de la Recluse, se succèdent en présentant de belles façades classiques. L'hôtel de Montrevel, un des plus anciens, est orné au-dessus d'un élégant portail d'un très beau balcon de ferronnerie. Deux des six portes percées dans les fortifications au XIVe siècle restent encore : la porte Sainte-Anne au nord et la porte de Jales au sud.

Labastide-de-Virac
Ardèche

12,5 km S. de Vallon-Pont-d'Arc

Après avoir traversé en venant d'Orgnac ou de Vagnas un paysage de forêts de chênes verts et de garrigues odorantes, la silhouette du village dominé par le château de Roure apparaît brusquement au détour de la route, entourée de vignes et de cultures. Le bourg de Labastide s'est développé autour du château construit au XVIe siècle, le hameau de Virac, qui abritait un prieuré bénédictin au Moyen Age, étant d'origine beaucoup plus ancienne, sans doute gallo-romaine. Le château, remarquable témoin de la Renaissance languedocienne, est construit en moellons de calcaire avec au sud deux grosses tours rondes, en partie arasées en 1629, suite à une virulente rébellion protestante. L'intérieur a conservé de magnifiques salles voûtées en plein cintre, ainsi qu'une belle cheminée Renaissance. Un chemin de ronde passe sur le haut des murailles, d'où l'on découvre une large vue sur le village et le bas Vivarais. Les maisons de couleur ocre, aux murs enduits ou en pierres apparentes et aux toitures en tuiles canal, se serrent au pied des remparts et sont desservies par de petites ruelles, des passages couverts et des placettes. De belles façades avec des arcades de fileuses rappellent le rôle joué jadis dans la région par le travail de la soie et l'importance des magnaneries. On rendra visite à l'aven d'Orgnac, tout proche, qui séduira par la splendeur de ses galeries souterraines.

A Labeaume, la pierre est omniprésente. Sous cette très belle voûte de pierre passe une ruelle grossièrement pavée qui dessert, un peu plus bas, des maisons à façades de pierre apparente.

Lorsqu'on arrive à Labastide-de-Virac par la route d'Orgnac, on aperçoit, à droite, les grosses tours rondes du château de Roure. Des abords du château, le village s'est étendu dans la plaine, jusqu'à l'église. Sa structure reste défensive, et l'éparpillement des maisons limité. La circulation intérieure se fait par des passages couverts.

Labeaume
Ardèche

26 km S. d'Aubenas

Au fond de gorges profondes, entaillées dans le plateau calcaire des Gras, le petit village de Labeaume, paisible et ensoleillé, se blottit contre la falaise, regardant couler l'eau de la rivière sous son pont aux multiples arches. Les maisons sont accrochées aux rochers ruiniformes et majestueux, travaillés par l'érosion, et troués de multiples grottes. Le village, dévalant la « calade » centrale, est jusqu'à ce jour demeuré presque intact, avec ses maisons à arcades en pierre identique à celle du rocher, les piliers grossièrement taillés de ses terrasses couvertes et l'enchevêtrement de ses ruelles pavées de galets de la rivière. Quelques artisans font revivre les anciennes échoppes durant les mois d'été. De belles promenades sur les rives de la Beaume permettent d'admirer les paysages insolites qu'ont créés les falaises tourmentées.

Laupie (La)

Drôme

12 km N.-E. de Montélimar

Perché sur une colline boisée, le vieux village de La Laupie, ceinturé jadis d'une double enceinte de remparts, domine la petite vallée du Roubion. L'église romane Saint-Michel, datant du XIIe siècle, couronne la colline adjacente que l'on gravit par un vieil escalier de pierre. Un cimetière pittoresque, ombragé par de très beaux pins et cyprès, jouxte cette chapelle tranquille. Le vieux village, construit au XIe siècle à l'emplacement d'un oppidum romain, est en cours de restauration, après avoir été abandonné par ses habitants au profit de la plaine, à la suite de la dernière guerre. Une promenade à travers un dédale de vieilles maisons aux murs dorés, entrecoupées d'agréables jardins suspendus, conduira en haut de la colline, au pied du château. On y admirera la magnifique vue des Cévennes au Vercors incluant le mont Ventoux.

Lhuis

Ain

27,5 km O. de Belley

La position de ce bourg, calé au creux d'un vallon dominé par la gorge du Creux du Nant, entre le Rhône et les pays de la haute montagne, suffit à expliquer son nom (en vieux français, l'huis signifie la

porte). Le château féodal des sires de La Tour du Pin, dont il ne reste que le donjon tronqué du XIIe siècle haut d'une trentaine de mètres, fermait l'entrée du vallon comme le ferait une porte. Lhuis est situé à 400 mètres d'altitude entre le Rhône, distant de 2 kilomètres, et la montagne de Tanteray (1 028 mètres), dont il occupe un ressaut. Sur une colline voisine s'élève le manoir Renaissance de la Guillotière. L'ensemble du bourg profite de l'ombrage d'une végétation dense, et les flancs de la montagne sont couverts de bois jusqu'à la limite des vignes et de hauts résineux qui couvrent le promontoire occupé par la « ville ». Il faut approcher du bourg par le sud pour jouir d'une vue traditionnelle sur l'église, côté abside, chef-d'œuvre clunisien de l'architecture romane du XIIe siècle. Mais la plus belle échappée sur le village se trouve à mi-pente en grimpant vers la « ville ».

Soudain, imprévisible, dans une échancrure entre deux maisons, on découvre un ensemble de toitures homogènes, couvertes de tuiles plates anciennes variant du brun au jaune foncé, et dont le rythme est ponctué par les pignons et les refends à redents couverts de lauzes, dépassant le niveau des toits, les cheminées, les lucarnes. Certaines débordent parfois sous forme d'un avant-toit soutenu par des consoles de bois. En parcourant les rues, on découvre quelques très belles maisons typiques de l'architecture bugiste, aux murs sans fondation, en pierre calcaire dure de teinte gris clair ou coquille d'œuf parfois légèrement rosée. De nombreux fours banaux témoignent encore du passé. En repartant, on pourra, par Benonces, pousser jusqu'à la chartreuse de Portes, nichée dans les sapins.

Manoirs à tourelles aux toits de tuiles écaille et murs pignons à redents, à Lhuis. Les coyaux relèvent agréablement le bas des toits à pentes raides, caractéristiques du Bugey.

Malleval
Loire

25 km N. d'Annonay

Malleval, dans le parc naturel régional du Mont-Pilat, s'est retranché sur les flancs d'une barre granitique effilée, battue par les eaux de deux torrents qui l'enserrent à sa base. Le caractère escarpé et sévère du site lui a valu son appellation de *Mala Vallis*, d'où découle l'actuel nom du village. L'itinéraire sinueux qui mène de Pelussin, au nord-ouest, donne une vue d'ensemble pittoresque et vertigineuse des toitures des habitations accrochées en cascade, sur les gradins surplombant le ravin où l'Éparvier roule ses eaux dans un grondement sourd.

Du belvédère situé devant le cimetière, la vue s'étend sur l'immensité de la vallée du Rhône, et par beau temps jusqu'à la ligne du massif du Vercors et aux sommets lointains des Alpes. L'église en position dominante sur un replat de terrain garde des chapelles des XVe et XVIe siècles et un clocher du XVIIe qui comporte une salle de guet accessible par des degrés très raides. La seigneurie fut rattachée aux archevêques-comtes de Vienne, puis aux comtes du Forez, qui, aux XIIIe et XIVe siècles, développèrent le château et assurèrent son rayonnement sur tout le Forez. Il n'en reste aujourd'hui que peu de traces. De très belles habitations témoignent encore par contre du riche passé de Malleval. A la pointe ouest de l'agglomération apparaissent le grenier à sel, amputé d'un angle pour laisser passer la voirie, et l'ancien siège du bailliage, avec sa tour carrée et son perron spacieux. Face à la place de la mairie se remarque une très belle façade fleurie.

Partout, la teinte brune de la pierre s'allie à la roche qui affleure et aux tonalités rouges des toitures. Au fond du vallon, le cours de l'Éparvier rencontre la Batalon au saut de Lorette. Cette cascade jaillissante porterait d'après la légende le nom d'une bergère gauloise qui s'y jeta pour échapper aux avances d'un riche Romain de Vienne.

Meillerie
Haute-Savoie

10 km E. d'Évian

Lorsqu'en venant d'Évian, on suit la route du Simplon qui longe le lac Léman, des falaises hautes de plus de 200 mètres, les plus imposantes du rivage, annoncent le village de Meillerie niché à leur pied. Avant leur exploitation en carrière, qui connut une grande prospérité tout au long du XIXe siècle – la pierre de Meillerie servit à bâtir nombre d'immeubles à Thonon, Évian et Genève –, ces falaises plongeaient directement dans l'eau. Le village s'étage au bas d'un versant abrupt, couvert de châtaigniers, depuis l'église de l'ancien prieuré des Bernardins qui a conservé du XIIIe siècle son chœur et son clocher carré massif, jusqu'à son petit port, bordé d'une rangée de maisons. Pour y accéder, depuis la route qui traverse le village à mi-pente, il faut emprunter l'un des étroits passages en escalier ménagés entre les bâtisses, qui débouchent sur la rive agrémentée d'une agréable promenade plantée et où sont arrimées des barques de pêche. En juillet, pour la fête de sauvetage, le port est animé par des courses franco-suisses de bâteaux à rames. Entre la route et le port, dans la rue pavée des Pêcheurs, une plaque, sur l'ancien hôtel de la Couronne qui a conservé sa porte du XVIIIe siècle, rappelle les séjours qu'y fit J.-J. Rousseau. Le site du village, adossé aux rochers, caressé par le lac, mis en valeur par les cimes du Chablais, qu'une promenade au large permet de contempler dans son ensemble, inspira à cet auteur une page de *la Nouvelle Héloïse*, et fut aussi célébré par Lamartine et Byron.

Meillonnas
Ain

12 km N.-E. de Bourg-en-Bresse

Depuis la route touristique (D 52) qui, passé Treffort, musarde au milieu des prairies, les silhouettes du clocher à bulbe de l'église de Meillonnas et des tours de l'ancien château se découpent au lointain sur un horizon d'arbres et de coteaux. De l'entrée nord jusqu'à l'église Saint-Oyen, la route est bordée de vieilles demeures campagnardes. Ce bel édifice d'origine gothique est couvert d'une ample toiture à petites tuiles « écaille ». Reconstruit aux XVIIe et XVIIIe siècles, sauf l'abside qui semble remonter au XVIe siècle, il renferme une intéressante chapelle du XIVe siècle. Tout autour, les maisons abondamment fleuries tressent une couronne de pierre blonde, piquetée de constructions à pans de bois dont les encorbellements surplombent les ruelles. De longs murs coupés de hauts portails à auvent cachent tout un monde de jardins. A l'autre extrémité du village, le château dresse ses trois tours majestueuses reliées entre elles par des corps de logis, vestiges du bâtiment défensif édifié vers 1350 par Humbert de Corgenon. Un sentier en balcon vers la route du col de France dégage une excellente perspective sur les structures de cet édifice.

Gaspard Constant, de Marron, neveu particulièrement industrieux du seigneur du lieu, créa en 1759 dans le château une manufacture de faïences. Anne-Marie Carrelet de Loisy, son épouse, donna une âme à la faïencerie, en décorant les pièces des fleurs de Meillonnas. Cette femme cultivée fut en relation avec Voltaire et tint au château un salon littéraire. L'écrivain Roger Vailland y composa aussi plusieurs de ses romans ; il repose aujourd'hui dans le cimetière.

Le hameau de Sanciat (au sud, par D 52) abrite un lavoir, une chapelle et un calvaire du XVe siècle.

Mirabel
Ardèche

16 km E. d'Aubenas

Sur le rebord sud du massif volcanique des Coirons, Mirabel se blottit à l'abri du vent du nord, au pied d'une impressionnante falaise basaltique. Une splendide tour carrée du XIIIe siècle, ancien donjon du château de la Roche, détruit durant les guerres de Religion, se dresse sur le bord de la falaise d'où la vue embrasse un vaste panorama sur les Cévennes et tout le bas Vivarais. Cette situation a fait jouer à Mirabel un rôle important dans toute l'histoire de cette région. D'anciennes portes permettent d'accéder dans le village presque encore entièrement enfermé dans ses anciens remparts. De la porte est, flanquée d'une chapelle XIXe et surmontée d'un clocheton, on peut accéder à la placette centrale bordée de belles maisons des XVe-XVIe siècles. L'une d'elles a été en partie bâtie sur un passage couvert dans lequel on pénètre par une magnifique porte. Un des éléments les plus surprenants du village est l'emploi simultané dans la construction du basalte sombre et d'un calcaire ocre doré, ce qui crée un effet pictural insolite. Une promenade à l'est du village, vers le hameau des Rochers, permettra d'admirer la masse sombre de l'imposante falaise basaltique ; de gros blocs s'en sont détachés et ont roulé au gré de la pente pour former un paysage chaotique assez spectaculaire. En redescendant dans la plaine, on ne quittera pas Mirabel sans aller voir le musée Olivier-de-Serres. Avec sa ferme modèle au Pradel, cet enfant de Mirabel a révolutionné les méthodes agricoles au XVIe siècle.

Mirmande
Drôme

19 km N.-E. de Montélimar

Non loin du Rhône dont on aperçoit le ruban sombre, Mirmande est un des plus beaux villages médiévaux de la Drôme. Il étage ses maisons au flanc d'un piton rocheux dominé par de grandes collines boisées. Dans la partie basse du village, les habitations assez hautes en pierre ocre doré s'alignent en terrasse au-dessus de grands murs de soutènement. La partie haute, longtemps abandonnée et en ruine, est progressivement restaurée. Le peintre André Lhote, très ému par la beauté de ce site et bouleversé par l'état d'abandon des vieilles maisons, fut un des premiers à les faire revivre. De petites ruelles escarpées grimpent à travers le village entre les anciennes boutiques des tisserands et drapiers, nombreux jusqu'au XIXe siècle. Les vieilles maisons à loggia et fenêtres à meneaux ont encore parfois un four à pain ou un pigeonnier. Tout en haut du village se dresse l'église Sainte-Foy, sanctuaire roman des XIe-XIIe siècles, qui abrite durant l'été de nombreuses manifestations, concerts ou expositions. Une chapelle avec croisées d'ogives a été adjointe au sud au XVe siècle. Du parvis de l'église, la vue plonge sur les toits en tuiles canal se détachant des masses vertes des petits jardins suspendus, et balaye d'un seul coup d'œil toute la vallée du Rhône jusqu'aux montagnes du Vivarais. Une magnifique pinède plantée à la fin du siècle dernier sur la colline derrière l'église sert d'écrin naturel à cet ensemble.

Mollans-sur-Ouvèze
Drôme

12,5 km E. de Vaison-la-Romaine

A quelques pas du mont Ventoux, Mollans-sur-Ouvèze, surnommé la Clé des Baronnies, fut au Moyen Age une place forte importante et un centre d'échange très actif. Ce fief fut partagé au XIIIe siècle, ce qui explique la présence des deux châteaux, l'un dominant sur un éperon le village, et l'autre, qui gardait les rives de l'Ouvèze, et dont il ne subsiste qu'un très beau pont enjambant la rivière et d'anciennes tours de défense. Un beffroi, édifié sur une des tours, surmonté d'un campanile avec une hor-

loge et un cadran solaire, fait face sur l'autre rive à une petite chapelle de Notre-Dame-du-Pont, construite en encorbellement au-dessus de l'Ouvèze. En montant à pied vers le haut du village, on s'arrêtera pour admirer la fontaine surmontée d'un dauphin et le lavoir couvert aux magnifiques arcades datant de la fin du XVIIe siècle. De petites ruelles fleuries grimpent entre de vieilles maisons aux portes et fenêtres sculptées et aux jardins ombragés, jusqu'au pied du château fort à la masse carrée et trapue.
Construit au XIIe siècle par les comtes de Simiane, il a conservé une partie médiévale et une autre Renaissance.
Non loin, l'église construite au début de la Révolution abrite de nombreuses peintures en trompe-l'œil. En contrebas de l'église, l'ancienne chapelle des Pénitents a été construite sur une arcade au-dessus de la rue. A la fin du mois de juillet, l'exposition « les Peintures dans la rue » attire beaucoup de visiteurs dans le vieux village.
Aux portes de Mollans, les gorges du Toulourenc offrent sur quelques kilomètres une succession de falaises aux formes mouvementées.

Monal (Le)
Savoie

18,5 km S.-E. de Bourg-Saint-Maurice

Sur le versant est de la haute vallée de la Tarentaise, en amont du chef-lieu de Sainte-Foy, de nombreux sentiers difficiles mènent des bords de l'Isère aux alpages des hauts vallons suspendus. Plusieurs hameaux bâtis dès le XVIe siècle autour de leur chapelle servent, le long de ces pistes, d'étapes à l'exploitation pastorale.
Sur le chemin du vallon du Clou, réputé pour son excellent beaufort, Le Monal est un exemple typique de ces hameaux de chalets « de remue ». Installé dans une cuvette au relief animé par un moutonnement de rochers, au pied de hautes falaises schisteuses, Le Monal est ceinturé de prés de fauche que l'été transforme en un tapis de fleurs multicolores, tandis que le soleil fait chanter de ses rayons le vert tendre des mélèzes, avant de les parer de feu à l'automne. Vive dans le ruisseau du Clou, alanguie dans les mares occupant les creux, l'eau, où se mirent les glaciers du versant opposé, égaie aussi ce paysage superbe. Autour de sa modeste chapelle trônant sur un rocher, Le Monal constitue un véritable musée de l'architecture de la haute Tarentaise : de lourdes dalles de lauze supportées par de solides charpentes de mélèze coiffent les murs de schiste des chalets. Sous leur toit, les granges abritaient le foin tandis que beurre et fromage étaient conservés dans des caves en pierre voûtées.
La situation du hameau, en balcon sur le versant, permet d'admirer vers l'ouest un panorama grandiose – l'un des plus beaux des Alpes du Nord – sur le mont Pourri entouré de glaciers, dans le parc national de la Vanoise. La richesse de la flore, de la faune, des paysages et la vie des alpages peuvent servir de thèmes à de multiples randonnées à partir du hameau et des itinéraires balisés sur le versant.

Un chalet de « remue », au Monal, avec son jardinet. Au premier plan, une cave surbaissée est construite en schiste et lauzes, à cheval sur un système de petits canaux traversant le hameau.

Par la porte est, on accède à la placette centrale de Mirabel. Les maisons sont en basalte et calcaire. Celle de droite garde sur sa façade des traces d'enduit. Souvent signe de richesse, l'enduit servait aussi soit à protéger la pierre, soit à la cacher si elle n'était pas d'assez belle facture.

Montbrun-les-Bains
Drôme

12 km N. de Sault

Installé en amphithéâtre sur un éperon rocheux dominant un petit bassin fertile, entouré de montagnes sèches d'où se détache la masse imposante du mont Ventoux, le vieux village de Montbrun présente les façades hautes et étroites de ses maisons serrées les unes contre les autres. Le clocher de l'église, une tour et les très belles ruines du château du seigneur de Montbrun émergent de ce jeu de gradins et de petites terrasses. Un peu plus bas dans la plaine s'est installé le village moderne entre les vergers où coulent le Toulourenc et le torrent d'Anary. Alentour, les champs de lavande et de plantes aromatiques alimentent la petite distillerie locale. Dans ce site au climat privilégié, l'implantation humaine est attestée depuis la préhistoire. Limité à l'époque médiévale au sommet de l'éperon rocheux, et entouré de remparts, le village s'est progressivement étendu jusqu'à l'emplacement actuel. La tour de l'Horloge, à créneaux et mâchicoulis, surmontée d'un campanile, était une des quatre portes fortifiées construites au XIVe siècle pour fermer le bourg. Un peu plus haut le château, reconstruit en 1564 par le protestant Charles Dupuy-Montbrun, a été en partie détruit à la Révolution mais conserve encore une fière et belle allure avec ses quatre tours en calcaire ocre doré se dressant vers le ciel. Plus bas, l'église, fort remaniée depuis le XIIe siècle, conserve un splendide retable.

Le thermalisme, relancé depuis peu, procure un regain d'activité à ce petit village ensoleillé, animé par quelques manifestations dont la très typique fête de la Lavande à la fin du mois de septembre.

Nernier
Haute-Savoie

20 km O. de Thonon-les-Bains

Implanté sur un versant verdoyant qui descend doucement vers le Léman, le centre ancien de Nernier, derrière son petit port de pêche et de plaisance aux quais de pierres appareillées, a conservé la trame médiévale de ses rues et placettes. La flèche en pierre de style lombard du clocher-porche de son église et, sur la rive, au cœur d'un vaste parc, les quatre tours d'angle d'un château bâti sur les bases d'une construction ancienne, encadrent un ensemble harmonieux de maisons couvertes en tuiles écailles. Murs en pierres apparentes, escaliers extérieurs, balcons de bois abrités sous les débords de toiture, statuettes nichées dans les façades caractérisent leur architecture sobre mais homogène. Les platanes du port et des placettes, les jardinets en façade ou sur l'arrière des bâtiments, les treilles accrochées aux escaliers apportent une agréable touche de verdure.

Au bord du lac, une plaque commémore sur le mur d'une maison le séjour qu'y fit Lamartine. Deux tableaux conservés à la mairie et à l'église rappellent que le peintre graveur Vegetti composa ici la majeure partie de son œuvre. Le musée du Lac organise chaque été des expositions qui, avec les régates nautiques, la messe du 15 août à Notre-Dame-du-Lac, animent ce petit port qui a su conserver un cachet authentique chablaisien.

Oingt
Rhône

19,5 km S.-O. de Villefranche-sur-Saône

Sur la route qui gravit le flanc est de la vallée de l'Azergues, après la traversée du bois d'Oingt, la silhouette du village émerge de la mer des vignobles. A l'abri tutélaire de la haute tour et du clocher finement ouvragé, les maisons se sont édifiées sur un éperon allongé. Toutes ces constructions du pays dit des Pierres Dorées sont en roche calcaire d'un ton chaudement ocré, qui compose avec la teinte rousse du sol et la trame verdoyante de la vigne striée par ses échalas un paysage plein de charme. La configuration du site en a fait très tôt une redoutable place fortifiée prospère et puissante, où demeure encore très vivant le souvenir de Marguerite d'Oingt, qui fut le premier écrivain lyonnais en langue franco-provençale. Trois portes commandaient l'accès des remparts : une seule au nord subsiste aujourd'hui. On pénètre en passant sous sa voûte ogivale dans une petite cité qui a gardé tout son caractère ancien avec des façades à meneaux, des linteaux en accolade, des voûtes en plein cintre. A mi-parcours de la rue Causeret, une belle maison du XVe siècle reçoit des expositions. L'église, campée sur le rocher du Chautard, ancienne chapelle du château, garde dans le chœur des culots sculptés avec les visages des seigneurs d'Oingt.

Du sommet de la tour du XVe siècle on découvre dans le lointain le splendide panorama environnant, depuis le Pilat, les monts du Soir (Lyonnais et Forez) jusqu'aux lointaines Alpes enneigées. Le château de Prony, sous le bourg, mérite un détour.

Oncieu
Ain

12 km E. d'Ambérieu-en-Bugey

Oncieu surplombe la cluse de l'Albarine, sur le flanc gauche de la vallée de la Mandorne. Pour découvrir ce village dans son cadre naturel, il est préférable d'emprunter la D 102 du col d'Évosges par Tenay plutôt que la voie plus directe mais bien moins pittoresque de la D 34. Au débouché du col, après un paysage de plateau, le site d'Oncieu apparaît soudainement dans toute son ampleur.

C'est tout d'abord un immense amphithéâtre naturel de 300 mètres de dénivelé, terminé par des vignobles en gradins. La route en lacet en épouse le dessin semi-circulaire. Au centre de ce vaste panorama, le village d'Oncieu, en forme d'anneau, couronne une croupe arrondie et allongée au pied des falaises environnantes. La prairie centrale entourée par les constructions est plantée d'arbres fruitiers. Il y a une correspondance harmonieuse entre le plan en anneau tout à fait curieux du village et le cirque de falaises qui constitue son cadre grandiose.

Au titre des curiosités naturelles on verra la grotte d'Évosges, vers le col du même nom, et le rocher massif de la Cathédrale (702 m), contourné au nord-est par la D 34 en direction de Résinand avec, en pied de falaise, la grotte de Buire.

Harmonieuse composition pyramidale de Montbrun-les-Bains, couronnée par les tours du château, où le clocher de l'église et le campanile émergent de la première ligne de maisons.

Pérouges
Ain

27 km N.-E. de Lyon

Sous les verdoyants ombrages du mont Châtel, aux confins de la Dombes, de la Bresse, du Dauphiné et du Lyonnais, la cité médiévale de Pérouges est une forteresse en forme d'ellipse à la dimension de son talus. Derrière ses vieux remparts d'un beau gris patiné, entre la porte d'En Haut et la porte d'En Bas, les vieilles maisons, aux poutres apparentes, hérissées d'encorbellements où les galets de l'Ain se mêlent aux quelques « carrons » (briques) et au tuf, datent presque toutes de la Renaissance. La maison Vernay en est l'exemple le plus frappant. Les petites rues silencieuses, pavées de galets usés où le pas se dérobe, s'enroulent autour de ces hautes maisons aux fenêtres croisillonnées, aux toitures débordantes et aux curieuses souches de cheminée de briques roses. Au parapet de la courtine se déploie vers le midi un immense décor. Au premier plan, le fossé des fortifications transformé en promenade des Terreaux, avec les dernières vignes des Chevalières. Foires et jeux de quilles s'y tenaient autrefois. Dans le bas de la côte, le hameau du Péage, prolongé par le tertre de Saint-Georges, est le berceau de la cité. Au second plan, l'immense plaine de la Valbonne noyée dans la brume, limitée au loin par le Rhône. A l'horizon, les montagnes du Bugey qui semblent se fondre dans les Préalpes dauphinoises. En plein cœur de la cité, voici la place de la Halle où un tilleul, authentique arbre de la liberté, planté en octobre 1792, étale toujours une abondante frondaison. Autour de cette place dissymétrique, les lo-

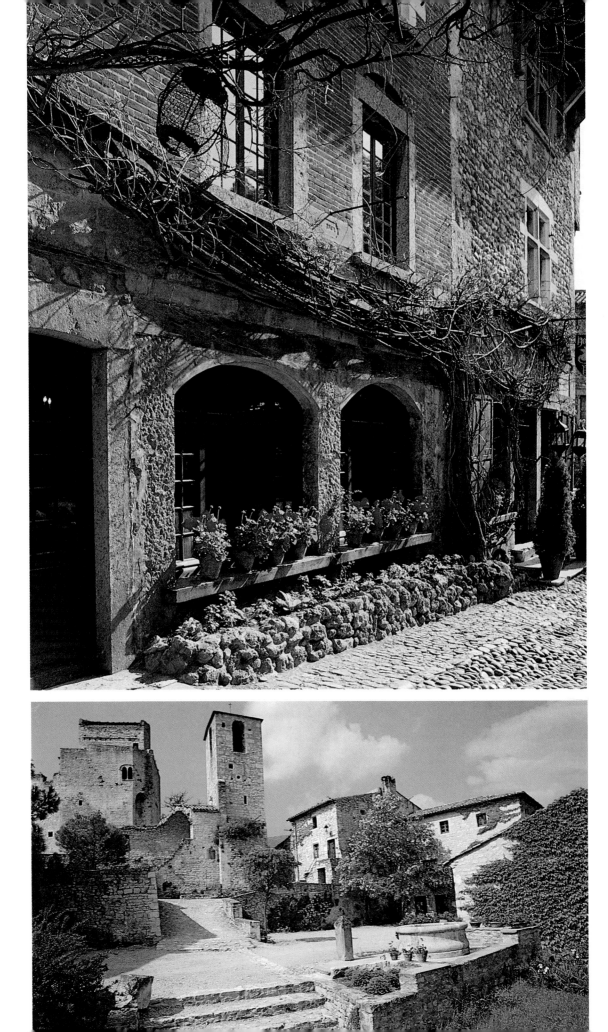

Maisons de brique aux toitures débordantes, rue du Prince, à Pérouges. De large baies cintrées s'ouvrent au rez-de-chaussée. L'hostellerie, à droite, est établie dans un logis du XVe s.

gis semblent se bousculer. Voici l'Hostellerie du XVe siècle, et le musée, ancien logis de Jean Escoffier. Dans la rue des Contre-Forts, on peut encore admirer le dernier pressoir à écureuil du tertre vineux de Pérouges. Aujourd'hui, tous les restaurants, « caveaux » et auberges de Pérouges, installés dans les vieux logis, vous offrent la possibilité de déguster la fine tarte pérougienne, arrosée d'un pétillant montagnieu.

Poët-Laval
Drôme

5 km O. de Dieulefit

Dans un paysage déjà provençal, où la petite rivière du Jabron serpente doucement entre les champs de céréales et de lavande, le village de Poët-Laval s'étire mollement sur les flancs boisés de la montagne du Poët. L'ancien bourg naquit autour de la commanderie des Chevaliers de Saint-Jean-de-Jérusalem, une des plus importantes de toute la Provence, qui y fut établie au XIIe siècle pour soigner les malades et apporter protection aux pèlerins. Le clocher de son église et le donjon de l'ancien château dominent le village. A l'intérieur des remparts, dont les vestiges sont particulièrement bien conservés au nord et au sud, les constructions sont tassées et imbriquées au gré du relief. Les maisons en pierre souvent à deux étages et construites sur de magnifiques caves voûtées, ouvrent sur de petites terrasses ombragées desservies par un escalier extérieur. De nombreux détails dans l'architecture des maisons, médaillons, linteaux travaillés, prouvent que le village fut en partie reconstruit au XVe siècle, période de prospérité qui vit se développer le tissage de la laine et la poterie, encore très dynamiques aujourd'hui. Mais, au XVIe siècle, la commanderie des Chevaliers de Saint-Jean-de-Jérusalem se convertit au protestantisme et Poët-Laval devint le théâtre de sanglants combats qui durèrent pendant toute la période des guerres de Religion. Le musée du Protestantisme dauphinois, qui a été installé dans l'ancien temple, est très riche en informations sur toute cette époque. Après avoir été largement pillé au XIXe siècle et délaissé de ses habitants qui préféraient la plaine, le village renaît petit à petit de ses ruines grâce aux nombreuses restaurations et au tourisme.

Pommiers
Loire

20 km N.-O. de Feurs

Il faut aborder Pommiers par le sud et la D 42 et le contempler des bords de l'Aix. Cette petite localité de la plaine du Forez, entourée de prairies, est située sur une ancienne voie romaine. Elle fut le siège

Terrasse et escalier montant à l'ancienne commanderie des Chevaliers de Saint-Jean-de-Jérusalem de Poët-Laval (XIIe s.), dont le clocher et le donjon dominent toujours le village.

d'une circonscription de l'ancien *pagus* romain du Forez, et un prieuré bénédictin donna naissance au village. Selon une légende, il aurait été fondé au XIe siècle par Gérard II, comte de Forez, en expiation du meurtre perpétré par ses fils à l'encontre de leur sœur, sainte Prêle. Le village s'intègre si étroitement au prieuré qu'il a gardé un plan circulaire marqué au sud par une ligne continue de fortifications et par des poternes. Le prieuré se présente actuellement côté campagne avec de hautes tours couronnées de poivrières. Son élégante façade du XVe siècle donne sur la place de l'église ; les bâtiments conventuels comportent un cloître du XVIIIe siècle. L'église des XIe-XIIe siècles, presque vierge de tout décor et volontairement austère, privilégie les masses architecturales, notamment celles, harmonieuses et sobres, de son clocher, typiquement forézien. Fortement marquée par le passé romain des lieux, on y voit tant à l'intérieur qu'à l'extérieur des colonnes de réemploi, une tombe gallo-romaine, des bornes milliaires.

De l'enceinte du village, il ne reste que deux portes : celle du XIIIe siècle, donnant sur le « pavé » (le chemin romain), dite porte du Pavé, et celle du monastère, datant du XVIe siècle, à l'ouest.

Depuis le pont de la Valla, sur l'Aix, on a la plus belle vue d'ensemble sur le village. C'est là que le prieur remettait les condamnés au bras séculier...

Pont-de-Veyle
Ain

8 km S.-E. de Mâcon

Non loin de la vallée de la Saône, à la hauteur de Mâcon, Pont-de-Veyle est une des capitales du bocage bressan. Le maillage serré des bouquets d'arbres et des haies vives donne à ce pays une allure d'immense parc paysager où l'eau surabondante vagabonde dans un lacis de rivières.

Parmi les seigneurs qui ont présidé jadis aux destinées des lieux, il faut noter la maison de Savoie qui au XIIIe siècle dota la ville de fortifications. La porte de l'Horloge, du XIIIe siècle, surmontée d'un beffroi du XVIe, est le dernier reste du grand rempart hérissé de multiples tours qui encerclait la cité derrière ses solides « carrons » (brique rouge). Sur le tracé des anciens fossés, un bras de la Veyle agrémenté de lavoirs et traversé de petits ponts s'enroule au pied des constructions et de leurs jardins. L'agréable promenade ombragée du Grapin longe cet itinéraire. Toutes les maisons sont alignées le long de la Grande-Rue, et c'est un plaisir que de la parcourir en flânant dans les ruelles et passages latéraux pour découvrir de très belles demeures. A l'angle de la place du Marché s'ouvre, sous sa triple arcade surmontée de fenêtres à meneaux, le logis du gouverneur de Savoie, du XVIe siècle, avec son remarquable escalier. En face, le prieuré Saint-Benoît, également du XVIe siècle. Au centre de l'agglomération, l'église de style jésuite, construite au XVIIIe siècle, déploie un volume de toitures impressionnant, avec à l'intérieur une coupole peinte en trompe-l'œil. La rue adjacente mène à l'hôpital qui a conservé son ancienne pharmacie et sa salle du conseil. La pierre, le bois, la brique et le pisé composent à travers tous ces bâtiments une symphonie harmonieuse de formes et de couleurs. A l'extrémité de la promenade du Grapin, le château de Lesdiguière, environné d'un vaste parc, a reçu Voltaire et Lamartine ; il abrite maintenant les Compagnons du Devoir.

Pont-en-Royans
Isère

> 24 km O. de Villard-de-Lans

Vu de l'ouest le site du village de Pont-en-Royans frappe par sa singularité, au pied des contreforts occidentaux du massif du Vercors ; de hautes falaises gracieusement festonnées, sur lesquelles s'accroche une végétation rabougrie, ont été profondément tranchées par les eaux torrentielles de la Bourne. La résistance de la roche a créé un dernier goulet servant d'assise au village. Dès le Moyen Age, le caractère défensif des lieux avait séduit les seigneurs de Sassenage, qui firent fortifier la position pour contrôler le passage. Depuis la porte de France, vestige des remparts de la place forte, un parcours escarpé mène aux ruines des Trois-Châteaux, où un belvédère permet de découvrir la fertile campagne royannaise. L'industrie prospère de la laine, de la soie, du bois a favorisé le développement du village : sur la rive droite, la Grande-Rue, étroite, est bordée de maisons hautes, d'un côté encastrées dans le rocher, de l'autre accrochées au-dessus de l'eau. Faute d'espace, l'habitat a essaimé en terrasse sur les premiers contreforts de la falaise. Un cheminement tortueux, parfois en escalier, rattache la partie haute du village à la partie basse. Sur la rive gauche, seule une étroite bande de maisons s'étire au pied du défilé. Le pont Picard relie les deux rives. Stendhal a immortalisé ce tableau si pittoresque. Vin de noix, ravioles aux herbes sont quelques-unes des spécialités qu'il ne faut pas manquer de déguster, alors que les articles de table en bois du Royannais témoignent de la qualité de l'artisanat local.

Pontaix
Drôme

> 10 km O. de Die

Au fond d'un défilé étroit, le petit bourg de Pontaix se tasse entre le pied de la falaise et la Drôme. Un alignement de très anciennes et belles maisons datant pour partie du XVIe siècle surplombe les eaux agitées de la rivière ; leur couleur ocre apporte lumière et gaieté à cet ensemble un peu sévère. Les ruines du château féodal détruit par le duc de Mayenne pendant les guerres de la Ligue dominent du haut de la falaise le vieux quartier où serpentent de nombreuses ruelles en escalier, ou voûtées, comme celle, très pittoresque, longeant le bord de la rivière. On s'attardera devant l'ancienne église Saint-Apollinaire, transformée en temple en 1805, accompagnée au sud de la très belle maison curiale.

Riverie
Rhône

> 34 km S.-O. de Lyon

Fièrement campé à 750 mètres d'altitude sur un promontoire rocheux de la partie méridionale des monts du Lyonnais, Riverie surplombe le plateau de Mornant, là où le vert tendre des prairies se mêle à la masse plus foncée des premiers boisements. C'était jadis le siège d'une baronnie puissante dont le territoire s'étendait à de nombreux villages. L'accès dans le bourg se fait par la Barre, au bas de la

Grande-Rue, emplacement de la porte principale de l'enceinte, démolie au début du XIXe siècle. Cette rue étroite garde toute son atmosphère ancienne, au milieu d'une double rangée de hautes et sombres façades dont les toitures débordantes semblent se rejoindre. Sur la place du Marché, s'élève l'ancien hospice des Chevaliers de Saint-Jean-de-Jérusalem, qui abrite une auberge rurale. Un passage voûté rejoint la rue Morte, au tracé sinueux, dont le nom rappelle le triste souvenir du massacre de 1590, où le sang avait coulé, selon la légende, jusqu'à Saint-Didier. Au-dessus du « bourg » abrité par des fortifications au XIVe siècle, le château, reconstruit au début du XVIIe, comprend un bâtiment central avec deux ailes en retour d'équerre. Sa terrasse ombragée par un majestueux tilleul de Sully domine le spectacle coloré des constructions du village, avec leurs toitures de tuiles rouges et roses et leurs pierres d'un ton brun orangé qui donnent un relief saisissant. L'église du XIe siècle fut entièrement transformée à la fin du XVIIe ; son portail d'entrée est surmonté du blason des Grimond-Bénéon, les derniers barons de Riverie. Un chemin de ronde planté d'arbres ceinture le village et conduit au pied des restes des remparts avec leurs massives arcatures en ogive. Sur son trajet, la vue s'étend depuis la plaine du Dauphiné jusqu'au Jura et aux Alpes. A son activité agricole, Riverie a ajouté de nombreuses industries, telles celles des forgerons au XIVe siècle et, depuis 1800, de la cordonnerie.

Roche
Loire

> 14 km O. de Montbrison

La route de Roche grimpe depuis Montbrison (D 101), à travers la vallée encaissée du Vizezy, dans les monts du Forez. Le village se situe à 945 mètres d'altitude sur un replat en terrasse, bordé par le cours du Probois, dans un cadre de montagnes où les herbages montent au pied des hêtraies et des sapinières. Les constructions se sont réparties dans le champ clos, tracé par les limites des anciens remparts sous la garde vigilante de belles croix de granit et du clocher carré de l'église ; ce remarquable monument du XVe siècle offre un imposant portail sculpté et renferme un baptistère décoré de médaillons. Sur la face ouest du site, on retrouve le souvenir de l'enceinte d'origine avec ses hautes maisons bordées de murs de soutènement et dont certaines sont contemporaines de l'église (ancien château abritant l'école et maison voisine). Le côté longé par le ruisseau et la source Saint-Martin est noyé dans la végétation et beaucoup moins structuré. Depuis le XVe siècle, chaque époque a laissé de multiples empreintes sur les constructions, mais Roche n'en a pas moins gardé une certaine unité. Les matériaux locaux employés : granit, bois, tuiles rondes, et la simplicité et le dépouillement de cette architecture sont d'ailleurs en parfait accord avec le milieu montagnard environnant. Après ce contact avec l'habitat villageois, une visite aux jasseries des Hautes Chaumes toutes proches donnera un aperçu de la richesse de l'architecture rurale des monts du Forez.

Les demeures de Pont-en-Royans, soutenues par des étais de bois, sont suspendues au-dessus de falaises calcaires plongeant dans la Bourne. A droite, le pont Picard, 40 m au-dessus des gorges.

Rochemaure

Ardèche

5 km N.-O. de Montélimar

Face à Montélimar, Rochemaure constitue un des sites les plus pittoresques du rivage ardéchois en bordure de la vallée du Rhône. Bâtie sur les dernières hauteurs du massif des Coirons, au milieu de roches basaltiques dont la couleur sombre et l'aspect confèrent au paysage une beauté sévère, l'agglomération de Rochemaure, dominée par les vestiges importants du château médiéval, est étagée au gré de replats le long de la pente jusqu'au Rhône. A l'époque romaine, la découverte de sources importantes au quartier aujourd'hui appelé les Fontaines permit la création d'une petite station balnéaire : les Fonts de Collaxionis. A cet emplacement, on trouve actuellement le siège d'une industrie d'eaux minérales. Édifié sur un des splendides dykes basaltiques bordant le plateau, le château surplombe la vallée par un à-pic impressionnant. Sur une vaste terrasse se dresse l'important donjon de 40 mètres, sans porte ni fenêtres, construit au Xe siècle et dont l'accès se faisait au premier étage par une échelle.
Son immense enceinte fortifiée, construite au XIIIe siècle, dévale la pente par deux épaisses murailles crénelées, jusqu'au bourg situé en contrebas. L'église Notre-Dame-des-Anges, édifiée au XIIe siècle, en partie reconstruite au XVIe, présente un beau campanile à arcades. En redescendant, le quartier fort pittoresque de la Violle, qui est l'ancien bourg médiéval, renferme de très belles maisons dont certaines présentent sur les façades de belles sculptures, ainsi que de splendides fenêtres à meneaux. A 3 kilomètres environ au sud de Rochemaure, le château de Joviac a été construit à l'emplacement d'une grosse maison forte dont est restée l'une des plus belles tours carrées du Vivarais.

Saint-Antoine

Isère

24 km N.-E. de Romans-sur-Isère

En descendant le col de la Madeleine, la puissante silhouette de l'abbaye de Saint-Antoine surgit dans un paysage agricole vallonné, barré à l'horizon par les falaises blanches du massif du Vercors. La basilique fut bâtie du XIIe au XVe siècle par les Antonins, autour des reliques d'Antoine dit l'Égyptien. Ce somptueux édifice gothique a conservé des fresques médiévales, un mobilier baroque et une grande partie du trésor des Antonins. Les bâtiments conventuels furent presque entièrement reconstruits au XVIIe siècle. De l'époque féodale date un faubourg sans rues, fait de maisons serrées autour d'une place, séparées par des venelles, au pied d'un château disparu, localisé à l'emplacement du cimetière actuel ; dès le XIIe siècle, la prospérité de l'abbaye donna naissance à un bourg qui s'aligna le long de la rue haute. De belles demeures en pierre de molasse, aux façades décorées de couleurs vives, conservent des éléments anciens : portes, fenêtres trilobées ou à meneaux, moulures Renaissance. Enfin, à l'époque classique, le bourg se développa le long de la rue basse, autour d'une halle et de placettes où dominent des maisons de pisé à colombage. D'étroits passages pentus, pavés de galets, les « goulets », relient ces quartiers entre eux.
Saint-Antoine a toujours été une terre d'accueil : pendant des siècles les reliques du saint attirèrent les foules en pèlerinage, tandis que sa vocation hospitalière, développée par les Antonins, s'est maintenue jusqu'en 1945, année de fermeture de son dernier hôpital. L'animation culturelle, surtout estivale, perpétue cette tradition : concerts, expositions de peinture du musée Jean-Vinay, foire à la brocante, aux vieux papiers, exposition de voitures anciennes.

Saint-Chef

Isère

15,5 km N.-O. de La Tour-du-Pin

Au creux d'un vallon encaissé, une route ombragée monte de la plaine marécageuse vers le bourg de Saint-Chef, entre deux collines verdoyantes où les taillis de châtaigniers se mêlent harmonieusement aux lopins de vignes et aux jardins. Cet écrin de verdure met en valeur les maisons de pierre et de pisé installées dès le Moyen Age le long de la côte et sur les coteaux, sous la protection de l'ancienne abbaye. En haut du village, sur la place agrémentée par la triple vasque de pierre d'une fontaine moussue, l'église abbatiale romane, l'un des trois plus vieux édifices religieux du Dauphiné, doit une bonne part de sa réputation à ses peintures murales du XIe siècle. Ce site retiré fut choisi en 567 par saint Theudère pour y créer un monastère qui rayonna sur tout le Sud-Est jusqu'à la Révolution. Bien que beaucoup de bâtiments conventuels aient été démolis, plusieurs d'entre eux subsistent autour de l'église, en particulier l'ancien doyenné des XVIe et XVIIe siècles, occupé par la mairie. De nombreux détails d'architecture portent encore la marque de cette époque : tours, linteaux en accolade, baies à meneaux, blasons sculptés, etc. Autre témoin de l'architecture médiévale, la tour au Poulet, reste de l'ancien château démoli pendant les guerres de Religion, surveille la plaine sur une butte au nord-est de l'église.
Tout près de là, la chapelle et les tours du XVIe siècle du château Teyssier de Savy se nichent dans un cadre boisé. A la sortie est du village, le manoir du Marchil dresse son élégante silhouette rehaussée par quatre tours d'angle surmontées de poivrières. Saint-Chef célèbre chaque année le jour de la Saint-Valentin, la fête des vignerons.

Autour de l'abbaye, dont on distingue, de gauche à droite, l'église gothique et les bâtiments conventuels, se masse le noyau ancien de Saint-Antoine. A l'extrême droite, les deux tours couvertes de tuiles vernissées qui marquent l'entrée du domaine abbatial.

Bordée de maisons ventrues à larges encorbellements, la rue de la Fleur-de-Lys, à Saint-Haon-le-Châtel, conduit au manoir du même nom dont l'élégante tourelle s'élève à un carrefour du quartier de Palerne. Sur l'une des belles cheminées qu'il abrite, on peut lire : « Heureux celui qui a pu convoiter le sens caché des choses. »

Saint-Haon-le-Châtel

Loire

13 km O. de Roanne

Saint-Haon-le-Châtel s'est perché à 450 mètres d'altitude sur un promontoire de roches roses fermé par l'avancée d'un contrefort des monts de la Madeleine dans la plaine du Roannais. En venant d'Ambierle par la route départementale n° 8, on en aperçoit les toitures ornées de nombreuses tourelles, au flanc de la colline. Ce bourg ceinturé par ses remparts élevés aux XIIe et XIVe siècles a gardé fidèlement le dessin et les structures d'une cité médiévale. Depuis la place de Verdun, une promenade aménagée sur le tracé des anciens fossés ouvre un large passage entre les hautes murailles de l'enceinte et le glacis boisé en contrebas. On rencontre la porte de la Trahison qui conduit à l'hôtel Jean-Pelletier (mairie) : élégant manoir du XVe siècle avec tourelle polygonale, porte sculptée et puits avec grille. La porte de l'Horloge, du XIVe siècle, dont les vantaux cloutés défendaient l'accès, introduit dans la rue menant à la maison du Cadran Solaire (XVIe siècle) et à l'église (XIIe et XVIIe siècle). Le quartier qui l'entoure était compris dans l'enceinte primitive du XIIe siècle. A son extrémité nord, la vue est dégagée sur la plaine roan-

naise. Sous la vieille ville, le faubourg de Palerne s'est étendu hors des murs d'enceinte. Les maisons à encorbellement avec colombage y sont nombreuses et plusieurs rues méritent la visite : la rue de la Maison-Dieu, avec l'ancien hôtel-Dieu et son avant-toit sur consoles, la rue de la Fleur-de-Lys, avec le manoir de la Fleur de Lys du début du XVIe siècle, et la rue de la Place-des-Planches, avec le petit château Morand du XVIIe siècle.

A quelques kilomètres au nord, Ambierle est le point de départ du fameux circuit des Abbayes qui inclut La Bénisson-Dieu et Charlieu, joyaux du pays roannais également accessibles depuis Saint-Haon-le-Châtel par la D 8 et la D 4.

Saint-Maurice-d'Ibie
Ardèche

24 km S.-E. d'Aubenas

Le village est installé au cœur d'une étroite vallée sauvage et aride où ne poussent guère que la vigne et la lavande, sur les bords de l'Ibie ; son lit, souvent sec, comblé par de nombreux galets que la rivière roule furieusement lors de crues parfois terribles. Saint-Maurice-d'Ibie étale ses vastes maisons en pierre le long d'une rue centrale fort animée durant l'été. De son église édifiée au XIIe siècle par les bénédictins de Conques, il ne reste de l'époque romane que le très beau portail et le mur du midi. Mais l'attrait de Saint-Maurice-d'Ibie, et surtout de son hameau des Sallèles, au sud, réside dans la très belle architecture de ses maisons rurales, typique du bas Vivarais. Elles sont construites sur de vastes rez-de-chaussée voûtés servant autrefois de bergeries et de caves ; un escalier extérieur permet d'accéder à de belles terrasses couvertes qui conduisaient aux pièces d'habitation et à la magnanerie, avec au-dessus, sous un toit à faible pente, un large grenier.

Saint-May
Drôme

22 km N.E. de Nyons

Perché sur un éperon rocheux, le petit village blottit ses anciennes maisons entre la montagne de Saint-Laurent et un magnifique rocher surplombant d'une centaine de mètres les gorges de l'Eygues. Autour de la placette centrale, un réseau de ruelles fleuries permet d'admirer les maisons aux murs dorés, toutes simples, qui soulignent et épousent avec beaucoup de délicatesse les formes du rocher. Mais il faut grimper par un jeu d'escaliers jusqu'au cimetière, et regarder d'un côté les toitures aux vieilles tuiles colorées s'enchevêtrer doucement, et de l'autre l'admirable vue plongeante sur les eaux vertes de l'Eygues. Une promenade sur le plateau qui domine le village conduira, entre les arbres fruitiers, aux vestiges de l'abbaye de Bodon, construite au VIe siècle. Seul le chœur à chevet plat de son église est resté en place, flanqué de deux salles voûtées.

Croisement de ruelles à Saint-Montant. Elles sont creusées en leur milieu pour permettre l'écoulement des eaux. On remarque, à droite, le passage voûté sous une maison aux fenêtres avec arcs de décharge et, à gauche, les arcs-boutants enjambant la ruelle.

Saint-Michel-les-Portes
Isère

44 km N.-E. de Châtillon-en-Diois

A l'entrée d'une gorge creusée par le torrent de Pellas issu du Vercors, le village de Saint-Michel-les-Portes regroupe ses maisons sur un replat. Elles furent rebâties au XIXe siècle, après deux incendies, sur le modèle des fermes traditionnelles du Trièves, de forme allongée et couvertes d'imposantes toitures de tuiles écailles, à forte pente, bordées de génoises et rythmées de demi-croupes sur les murs pignons. L'ampleur des bâtiments, signe de l'aisance économique du siècle dernier, l'harmonie des tons ocre-rose, l'unité des matériaux, créent une architecture très homogène. Le site en balcon offre un panorama exceptionnel : adossé à une pente boisée, surplombé par une barre rocheuse marquant les contreforts est du Vercors, le village se détache sur la toile de fond du mont Aiguille, avancé en bastion. Vers l'est, les douces ondulations de la fertile cuvette agricole du Trièves, toutes proches, contrastent avec les montagnes barrant l'horizon : vives falaises du Dévoluy (l'Obiou, le Châtel), sommets enneigés des Écrins et de l'Oisans. Le village a su garder de son passé un four banal encore en fonction. En contrebas de la N 75, un ancien moulin à huile de noix (propriété privée) a conservé sa machinerie. Le lait produit sur place alimente la laiterie de Roissard, qui fabrique le carré de Trièves, fromage réputé de la région. Campagne triévoise, tour du mont Aiguille, hauts plateaux du Vercors sont quelques-uns des buts de randonnée proposés autour du village par le parc régional du Vercors.

Saint-Montant
Ardèche

10 km S.-O. de Viviers

Dans un paysage sauvage et aride de collines calcaires, le vieux village médiéval de Saint-Montant groupe ses maisons sur un éperon rocheux ceinturé de remparts, que dominent fièrement les restes de l'ancien château féodal. Le bourg fut fondé au Ve siècle par l'ermite Montanus, qui vint trouver refuge dans une petite grotte du Val-Chaud à une centaine de mètres au-dessus du ruisseau de la Sainte-Beaume. Tout proche de là s'élève sans doute la plus belle église de Saint-Montant (qui en compte trois), San-Samonta. Cet édifice juxtapose deux monuments : une chapelle du XIe siècle et une église plus vaste et plus récente, remaniée entre le XIIe et le XVIIe siècle, l'une et l'autre étant séparées par une salle rectangulaire voûtée en berceau. Une promenade jusqu'aux vestiges du château, en partie détruit par les troupes de l'amiral de Coligny lors des guerres de Religion, conduira dans un dédale de ruelles pavées sous de nombreuses arcades bordées de maisons seigneuriales et d'anciennes échoppes. En redescendant de Saint-Montant vers la vallée du Rhône, une petite chapelle romane que jouxte un cimetière ombragé de magnifiques cyprès arrêtera un instant le promeneur : Saint-André-de-Mitroys. Datant des XIe-XIIe siècles, elle est composée d'une longue nef de trois travées, prolongée par une petite abside semi-circulaire.

A Saint-Sorlin-en-Bugey, la montée de l'Église se fraye un chemin au milieu des vieilles maisons bugistes de la ville haute. Leurs toitures en auvent largement débordantes abritent les façades de pierre ocre où s'accrochent balcons de bois et larges escaliers extérieurs de pierre taillée. La maison à l'arrière-plan à droite est datée de 1750.

Ancien cloître de la chartreuse de Sainte-Croix-en-Jarez dont on voit, au fond, l'une des quatre travées subsistantes. Après le départ des religieux en 1792, des familles d'agriculteurs vinrent s'installer dans la chartreuse, qui devint un village agricole. On y dénombrait au XIXe et au début du XXe s. une vingtaine d'exploitations.

Saint-Sorlin-en-Bugey

Ain

13 km S. d'Ambérieu-en-Bugey

C'est après la traversée du Rhône sur le pont de Lagnieu qu'apparaît le village perché de Saint-Sorlin-en-Bugey, au pied des falaises du mont Thalabois, sur les derniers contreforts du Jura. La flèche élancée de son clocher d'ardoise se détache sur un paysage de vignobles ourlé par la masse sombre de la forêt de Sonnailles entre les deux pics rocheux couronnés de vestiges du Grand Château et du château de Cuchet. La position stratégique de ce site, sur les frontières du Bugey, du Dauphiné et de la Savoie, lui a valu d'être très tôt défendu par une enceinte qui partait du Grand Château pour enserrer le quartier ancien « de la Ville ». Tout un ensemble de vieilles demeures typiquement bugistes bordent la rue montant de la mairie à l'église avec des toitures de tuiles rondes largement débordantes qui protègent souvent un escalier en pierre reliant le corps du logis à un demi-sous-sol encore équipé à plusieurs endroits du traditionnel pressoir à vis, destiné à broyer les précieuses grappes du gamay, de la roussette ou du jacquère. La fresque de Saint-Christophe (environ 1500), au croisement de la montée des

Sœurs, décore une de ces maisons autour d'une fenêtre à meneaux. Partout présente, la pierre de Villebois, légèrement ocrée, donne une chaude coloration aux constructions abondamment fleuries, surtout de roses. On remarquera la variété des linteaux des portes et des fenêtres : droits, en anse de panier ou en accolade, tantôt en pierre, tantôt en bois, ornés de blasons ou de signes. C'est maintenant l'église, maintes fois remaniée depuis le XIIᵉ siècle, qui protège ce haut lieu.

Dans la plaine, le quartier de Collonges a honoré ses nombreuses sources par de remarquables petites constructions : un lavoir-fontaine à colonnes, tout près de l'Ancienne Châtellenie du XVIIᵉ siècle, et deux autres à l'Areymont et à Calimachat. La route (D 60) mène ensuite au pittoresque site du calvaire de la chartreuse de Portes.

Saint-Thomé
Ardèche

6 km N.-O. de Viviers

Perché au sommet d'une butte calcaire boisée appelée dans le pays la Roque Géante, le vieux bourg de Saint-Thomé domine dans un cadre magnifique les vallées de l'Escoutay et du Dardaillon. Le village fortifié apparaît sur son pic tel qu'il était au Moyen Age. Saint-Thomé est un ancien oppidum qui surveillait à l'époque romaine la vallée joignant Viviers à Alba-la-Romaine. Mais laissons-nous guider à travers les ruelles et les passages sous voûtes, où des maisons fort anciennes ont été restaurées avec respect, jusqu'aux deux églises Saint-Sébastien et Saint-Thomas qui s'élèvent en haut du bourg. Saint-Sébastien, construite entre le VIIᵉ et le VIIIᵉ siècle, présente une belle abside, avec dans son axe une petite fenêtre dont l'arc en forme de croissant est constitué d'une seule pierre échancrée. Un peu plus loin, Saint-Thomas, reconstruite au XIIᵉ siècle, possède une seule nef voûtée, de gros contreforts latéraux, un petit transept et une abside semi-circulaire. En redescendant, un détour conduira le promeneur au château de Saint-Thomé qui, d'un côté, dresse vers le ciel une grande façade flanquée de deux tours et, de l'autre, les vestiges d'un ancien donjon avec les traces de ses portes et de ses meurtrières. Après avoir été plusieurs fois déserté, et en particulier en 1629 à la suite d'une terrible épidémie de peste, Saint-Thomé est aujourd'hui à nouveau habité et contemple, serein, les champs de vigne et d'arbres fruitiers qui se dorent paisiblement au soleil, dans les petites vallées au pied de la colline.

Saint-Trivier-de-Courtes
Ain

31 km N.-O. de Bourg-en-Bresse

Saint-Trivier-de-Courtes se découvre au cœur de la plaine bocagère de la Bresse près du cours tranquille de la Saône, à mi-distance de Tournus et de Bourg-en-Bresse. Ce fief des sires de Bagé devint ensuite une possession de la Savoie jusqu'en 1601 et joua longtemps un rôle de zone frontière. Le bourg offre l'image d'un bel ensemble caractéristique de l'architecture villageoise bressane. Entre la flèche élevée du clocher et l'élégant clocheton Re-naissance de l'ancien hospice, les constructions se sont serrées le long des deux voies parallèles de la Grande-Rue et de la rue de l'Hôpital, à l'abri de l'enceinte de briques rouges dont l'origine remonte au XIIIᵉ siècle. Deux tours, la porte de ville, les restes des murailles et de la butte féodale rappellent les destinées défensives de la place. La « carronnière » de Molardoury, qui approvisionna abondamment le village en briques ou carrons, a été entièrement reconstruite à l'entrée est vers l'ancien hospice. Ce matériau typique de la Bresse et de la Dombes colore de sa chaude tonalité non seulement tout le système défensif de Saint-Trivier-de-Courtes, mais aussi plusieurs bâtiments : l'église du XVᵉ siècle qui abrite le remarquable triptyque de l'Adoration des bergers, et l'ancien grenier à sel de la même époque, où s'est installée la mairie. Des édifices des XVIIᵉ et XVIIIᵉ siècles apportent une composante plus classique au décor de l'alignement des façades : le presbytère, la perception dans la Grande-Rue et l'ancien collège, rue de l'Hôpital. La brique, mais aussi la pierre, le pisé et surtout le bois, employé dans les colombages et les encorbellements, ont façonné la physionomie de Saint-Trivier-de-Courtes. Autour du village, la Bresse buissonnière invite à s'arrêter çà et là au long de l'itinéraire des fermes à cheminées sarrasines.

Sainte-Croix-en-Jarez
Loire

28 km N.-E. de Saint-Étienne

L'ancienne chartreuse de Sainte-Croix, qui forme l'essentiel du bourg de Sainte-Croix-en-Jarez, est un immense quadrilatère de 2 hectares et demi qui donne au village un aspect très particulier. Le Couzon, modeste rivière, se heurte aux contreforts du Pilat, et c'est dans une de ses courbes, au confluent du Boissieu, dans ce paysage calme et verdoyant, que les chartreux sont venus en 1250 chercher le silence. La légende en attribue la fondation à la pieuse vision de Béatrix de Roussillon : une croix brillante lui en aurait indiqué l'emplacement. Au sud-est, la gigantesque façade de schiste roux flanquée de deux tours rondes est percée d'une porte monumentale : d'un côté, l'entrée initiale de la Chartreuse par un passage voûté ; de l'autre, l'accès au village actuel. Les bâtiments, agrandis et modifiés au fil des siècles, furent vendus comme biens nationaux à la Révolution, après avoir été morcelés en plusieurs lots. Ils s'organisent autour de deux cours reliées par un long couloir partiellement voûté d'arêtes qui longe d'un côté le petit cloître : cimetière des chartreux – aujourd'hui détruit –, et le portail de l'église attenante, de l'autre, le grand escalier de pierre donnant accès aux chambres de l'hôtellerie, la cuisine, aménagée en musée, la bibliothèque et la chambre du prieur. La cour nord correspond à l'ancien cloître démoli vers 1840 : on y devine encore l'emplacement des anciennes cellules des pères, dotées pour la plupart de leur porte d'origine. Dans la cour sud, lieu d'accueil des visiteurs, un passage – au sud-ouest – descend le long des maisons vers des jardins, bordant le Couzon, jadis cultivés par les pères. Malgré les transformations importantes, les mutilations, les destructions, ce village constitue un ensemble architectural privilégié. Sur le retour, ne pas oublier de voir à Jurieu l'ancienne chapelle qui, au XVIIIᵉ siècle, était desservie par les chartreux.

Salles-Arbuissonnas-en-Beaujolais
Rhône

10 km N.-O. de Villefranche-sur-Saône

Aux confins de la plaine de la Saône et des monts du Beaujolais, l'élégant clocher roman de Salles surnage au-dessus du flot des toitures et des façades du village, dans un amphithéâtre de vignobles. De nombreux bouquets d'arbres parsèment de leur trame végétale le dessin des constructions. L'histoire des deux richesses de Salles, son patrimoine bâti et son patrimoine viticole, est intimement liée. Au Xe siècle, les moines de Cluny édifièrent à Salles un prieuré et développèrent la culture de la vigne. Au XIVe siècle, une communauté de religieuses bénédictines les remplaça, laquelle devint du XVe siècle

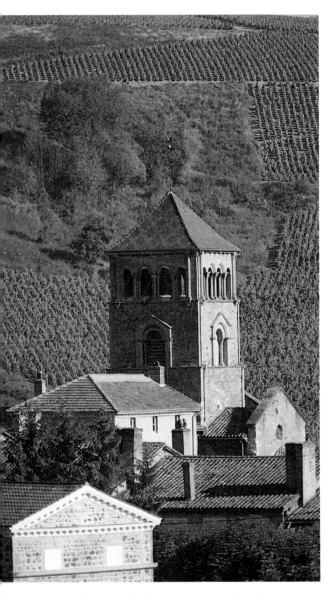

Le clocher roman à l'architecture savante de Salles-Arbuissonnas se détache sur le vignoble beaujolais qui couvre les pentes du mont Bussy. Le dessin des tuiles vernissées de sa toiture pyramidale s'allie à la trame harmonieuse des ceps de vigne.

au XVIIIe siècle un chapitre de nobles dames chanoinesses. L'église du XIIe siècle avec son portail finement sculpté, son clocher élancé restauré au XIXe siècle, abrite des stalles de la Renaissance et du XVIIIe siècle. Sur le côté de la façade de l'église, une belle porte du XVe siècle de style gothique flamboyant donne accès à un cloître : la partie du XIIe siècle épargnée par la Révolution est remarquable par l'agencement de ses chapiteaux à décors floraux. La salle capitulaire attenante, voûtée d'ogives aux nombreuses nervures, est décorée de fresques. Enveloppant le chevet de l'église, la place du chapitre, ombragée de tilleuls et de platanes, est bordée par les anciennes demeures des chanoinesses construites au XVIIIe siècle et s'ouvre à l'est sur l'horizon lointain de la plaine de la Saône ; deux gracieux pavillons en marquent l'entrée.

Dans le bourg, les édifices sont bien représentatifs de l'architecture rurale du Beaujolais, avec leurs toitures variant du rosé au gris et leurs pierres ocrées qui resplendissent au soleil. La juxtaposition de cet habitat traditionnel avec l'architecture plus organisée et ordonnée de l'église, du cloître, mais surtout de la place du chapitre, donne à l'ensemble une originalité certaine.

Sceautres
Ardèche

20,5 km N.-O. de Viviers

Petit village du plateau du Coiron, Sceautres s'accroche au pied des parois d'un suc basaltique au-dessus de la pittoresque vallée de la Téoumale. Les maisons s'égrènent au gré de la pente et surprennent par les couleurs sombres et claires du basalte et du calcaire employés dans la construction. Des ruelles tortueuses serpentent entre des maisons aux formes simples, entrecoupées de passages voûtés, et conduisent à une petite église à clocher-mur-peigne. Les anciennes fortifications, ainsi qu'une tour, sont assez bien conservées et encore visibles à plusieurs endroits. Un sentier monte au sommet du suc basaltique d'où l'on embrasse une très belle et large vue sur la vallée de la Téoumale et la plaine environnante. L'agriculture spécialisée dans l'élevage bovin et ovin est l'activité principale de ce bourg tranquille.

Sixt-Fer-à-Cheval
Haute-Savoie

26,5 km S.-E. de Morzine

Au débouché du défilé créé par la gorge des Tines, profitant d'un évasement modeste de la vallée, le bourg de Sixt s'est niché en bordure de la rivière du Grand Giffre. Adossé aux contreforts de la pointe de Ressachat, il fait face aux pentes boisées qui montent vers les falaises découpées de la pointe de Sales. La partie la plus ancienne du village est groupée en rive droite autour du monastère des Augustins, fondé vers 1140 par Ponce de Faucigny, venu de l'abbaye d'Abondance avec quelques moines pour défricher la vallée. Des bâtiments conventuels subsistent : l'église (chœur du XIIIe siècle), dont la nef gothique abrite le tombeau du fondateur de l'abbaye, la sacristie, qui conserve le trésor (objets des XIIe et XIIIe siècles), le grenier, transformé en école, enfin le réfectoire aux plafonds décorés, occupé par un restaurant. Autour de la place, où une fontaine à vasque polygonale et une croix de pierre se dressent à l'ombre d'un tilleul multiséculaire, de robustes maisons au large toit d'ardoise allient harmonieusement la pierre de leur soubassement au bois du bardage et des balcons de leur étage supérieur. Linteaux datés et armoriés, encadrements moulurés témoignent de la réputation des tailleurs de pierre du haut Giffre, dont l'art s'exprime aussi dans les chapelles et oratoires disséminés sur toute la commune. La Maison de la Réserve informe le visiteur des innombrables richesses culturelles et naturelles du secteur. Cirque du Fer-à-Cheval et cirque des Fonds, lacs de la Vogealle, d'Anterne, de Gers, panoramas de la Croix de Commune, du col d'Anterne, du Buet, cascades du Rouget, de la Pleureuse sont quelques-unes des excursions qu'il faut faire autour de Sixt.

Suze-la-Rousse
Drôme

7 km E. de Bollène

A l'approche de Suze-la-Rousse, dans un paysage où la vigne est reine, se glissant et s'insinuant dans les moindres recoins, le regard du voyageur est littéralement captivé par la vue d'une imposante forteresse médiévale aux tours rondes juchée sur un énorme rocher, qui écrase de sa présence les vieilles maisons du village tapies à son pied. Ancien rendez-vous de chasse des princes d'Orange, le château construit au XIIe siècle a subi des modifications jusqu'au XVIe siècle. Depuis 1978, une université du vin y est ouverte aux amateurs. Une allée sinueuse traverse un vaste parc et conduit vers le château constitué d'une longue et haute courtine et dont les assises sont entourées de profonds fossés. Passé la porte Louis XIII, on est surpris du contraste entre l'architecture extérieure d'aspect féodal et une magnifique cour Renaissance dont les façades sont ornées de blasons et colonnes rappelant celles du château de Grignan. L'escalier d'honneur, refait au XIXe, conduit aux grandes salles, dont la salle à manger qui possède de beaux stucs et la très grande salle d'armes avec son plafond à la française et son ornementation Louis XV. Avant de quitter le château, on ne peut s'empêcher de regarder encore une fois par-dessus la plaine jusqu'au mont Ventoux et aux splendides Dentelles de Montmirail. En redescendant à pied vers la vallée du Lez, on passera devant le logis Renaissance, la chapelle Saint-Sébastien qui le jouxte, la très belle halle aux grains et l'ancienne église de style roman provençal.
A quelques kilomètres un peu plus haut dans la vallée du Lez, perché sur une colline plantée d'oliviers et de chênes truffiers, le petit village de La Baume-de-Transit présente, outre un ensemble de maisons très pittoresques, une très belle église romane entourée de son cimetière.

Ternand
Rhône

24,5 km S.-O. de Villefranche-sur-Saône

Il faut découvrir le village par l'est en remontant la vallée de l'Azergues ou en descendant la D 31.
Le vieux bourg, fièrement perché sur son roc, surgit du fond de la vallée tel un colimaçon enroulé dans la coquille de ses remparts autour de son église. Au sud, la vigne vient mourir au pied de ses murs sur une étroite bande de terrain. Ce bastion des archevêques-comtes de Lyon avec son puissant donjon de 30 mètres garde fière allure. Au hasard de ruelles sinueuses et étroites, on trouve des fenêtres à meneaux, des portes des XIVe et XVe siècles, des escaliers à vis et de très belles ferronneries. Sur la plateforme inférieure du vieux donjon – dont il ne reste qu'un pan –, on devine l'emplacement du puits (aujourd'hui comblé) descendant jusqu'au niveau de l'Azergues. La Renaissance releva les ruines et de cette époque datent de nombreux logis. Aux « remparts », la ferme Saint-Victor a remplacé le châtelet avancé défendant les abords de la porte principale. Elle est dotée d'une jolie galerie que précède un porche tout en délicatesse, de facture Louis XV. A l'autre extrémité du village, la maison du Tailleur a gardé les ciseaux de son linteau et des inscriptions naïves. Un peu partout, on inséra dans les constructions des « échéas », sortes d'amphores pour servir de nids aux colombes et aux ramiers. Aujourd'hui, iris, giroflées et roses ornent les vieux murs de ce village agricole et viticole en marge du riche pays beaujolais. L'église est bâtie sur une crypte carolingienne ornée de fresques émouvantes, mais très abîmées. Sous le porche latéral sud, « la galonnière », accolée à l'église et datant du XVe siècle ; une tradition voulait qu'on y célébrât les funérailles des fidèles trop pauvres pour payer les frais d'une célébration dans l'église même. Du petit jardin des archevêques, contigu à l'église, on découvre le vaste horizon des collines, vers Oingt, Sainte-Paule, Letra, noyés dans les vignes.

Thines
Ardèche

21 km N.-O. des Vans

Au fond d'une vallée sauvage mais accueillante, au cœur des Cévennes, Thines groupe ses maisons sur un promontoire rocheux dominant un petit torrent. Un escalier monumental conduit à l'église qui, depuis le XIIe siècle, veille sur les villageois ; elle accueillait autrefois les pèlerins qui se rendaient au Puy ou à Saint-Jacques-de-Compostelle. C'est un des édifices romans les plus beaux du Vivarais. Construit en alternance de grès rouge et de pierres foncées dans une douce polychromie, le portail surprend par sa simplicité et sa pureté. Sur le linteau, une belle frise à petits personnages sculptés représente la Cène. Le chevet est également orné.
Une suite d'escaliers entre de grands murs de soutènement conduit aux maisons cévenoles en pierres sombres, qui se collent aux rochers et se serrent les unes contre les autres pour mieux lutter contre la « burle » soufflant souvent en hiver. Les toits en lauzes sont à faible pente et les ouvertures des fenêtres sont réduites et ne laissent filtrer qu'un peu de lumière.
Au-dessus du torrent et non loin du village, de nombreuses terrasses occupées aujourd'hui par des châtaigniers montent le long des pentes, témoignant d'une utilisation ancienne et intensive du sol où se succédaient céréales, vignes et arbres fruitiers. Il ne reste plus qu'une dizaine d'habitants à Thines, mais durant l'été, leur village s'anime grâce aux nombreux visiteurs et expositions diverses, en particulier sur l'artisanat paysan (cire, bois, osier, tissage), très dynamique dans cette région.

Treffort-Cuisiat
Ain

16 km N.-E. de Bourg-en-Bresse

Treffort se situe sur les premiers contreforts du Jura. En venant de Saint-Étienne-du-Bois, le village se distingue progressivement dans le lointain sur un fond de forêts et de prairies. Sur un épaulement de terrain en douce déclivité, au pied des monts du Revermont, la vague des constructions s'est harmonieusement étalée au gré de la pente, depuis le glacis naturel des prés du piémont jusqu'à l'église dont le dôme vient couronner de sa forme arrondie cet ensemble en balcon. Le dessin actuel de la partie haute de l'agglomération est très voisin de celui du XVe siècle, délimité alors par le tracé des fortifications, dont des vestiges sont encore visibles.

La rue qui longe ces anciens remparts ménage de vastes perspectives sur la plaine environnante et donne accès aux halles signalées dès le XIIIe siècle. Au cœur du vieux bourg, la rue Ferrachat est bordée de belles maisons des XVe et XVIe siècles, à meneaux, et mène à un belvédère ombragé d'où l'on domine la plaine de la Bresse jusqu'aux monts du Beaujolais par-delà le cours de la Saône. A quelques pas, sur le point culminant, les vestiges du château voisinent avec l'église Notre-Dame-de-l'Assomption, du XIVe siècle, qui possède de magnifiques stalles du XVIIIe. Il faut prendre le sentier qui s'enfonce au creux du vallon des Pâtures arrosé par le ruisseau du Nacarétan pour voir un remarquable lavoir et contempler avec un peu de recul cette face intimiste de Treffort, où prairies et jardins s'avancent jusqu'au ras des demeures. Une visite de Treffort pour être complète doit se prolonger par un détour au musée de la viticulture de Cuisiat, sur la même commune, en empruntant la route touristique du Revermont.

Venterol
Drôme

10 km E. de Valréas

Dans un des sites les plus pittoresques du sud de la Drôme, sous une luminosité souvent éclatante, le petit village de Venterol se blottit autour de son église, dont le clocher est surmonté d'un magnifique campanile en fer forgé du XVIIe siècle. Le bourg s'étage à mi-hauteur sur le prolongement de la belle montagne des Vaux face à la lumière du sud. Tout paraît ici avoir été peint par enchantement, depuis les oliviers centenaires s'égrenant dans la campagne vallonnée aux senteurs parfumées, jusqu'aux vieilles maisons à l'architecture typiquement provençale coiffées de très beaux toits de tuiles rosées et ornées de nombreuses portes en bois travaillé. Non loin de là, le petit ruisseau de la Combe de Sauve offre sur quelques kilomètres, dans un silence parfois inquiétant, de beaux paysages.

Vogué
Ardèche

11 km S. d'Aubenas

Groupé au pied d'un amphithéâtre de falaises calcaires dominant l'Ardèche, le village de Vogué reflète ses maisons dorées dans les eaux bleu-vert de la rivière. Le château des seigneurs de Vogué surplombe ce bel ensemble. Ce quadrilatère presque carré est flanqué de quatre grosses tours d'angle dont les murs ont 2 mètres d'épaisseur. En pénétrant dans la cour intérieure après s'être attardé sur la façade principale ornée de fenêtres à meneaux, on découvre la base de l'ancien donjon du XIIe siè-

---

A Treffort-Cuisiat, dans le vallon des Pâtures, le lavoir ou « plate » a gardé ses quatorze piliers de chêne et sa très belle charpente. Il a été construit en 1845 par un charpentier local.

Se détachant sur les lointains bleutés des contreforts de la montagne des Vaux, les beaux toits de tuile de Venterol aux douces teintes rosées enserrent le campanile en fer forgé du XVIIe s.

cle. Proche de la salle d'armes, une chapelle de petites dimensions renferme de très beaux objets provenant de l'église de Rochecolombe : un retable sculpté, une « monstrance » qui contiendrait les reliques de saint Barthélemy. D'autres salles présentent d'intéressantes expositions sur l'histoire et l'architecture du Vivarais. Des jardins suspendus accolés au château offrent une belle vue sur les toits enchevêtrés du vieux Vogué, avec les tours de Lesparre et de la Tourasse. En redescendant vers la rivière, on s'attardera dans les vieilles rues entrecoupées d'arcades, avec leurs maisons médiévales couvertes de tuiles rondes dont la couleur rappelle celle du rocher. Au bord de l'eau, quelques vestiges des anciennes fortifications subsistent. En été, de nombreuses manifestations culturelles et des expositions artisanales, dont la plus vivante a lieu le premier dimanche d'août, animent le village. A quelques kilomètres au sud-est, la très belle église de Sauveplantade, du VIIe siècle, est vraisemblablement une des plus anciennes fondations religieuses du bas Vivarais. Le vieux village féodal de Rochecolombe s'étage sur un cirque de falaises calcaires.

Yvoire
Haute-Savoie

16 km O. de Thonon-les-Bains

Qu'il aborde Yvoire par la route de Thonon à Genève ou par le lac Léman, l'arrivant est impressionné par le caractère défensif de cette cité médiévale, qui tient moins au relief qu'à ses constructions séculaires : sur la rive, un donjon dressé en sentinelle sur un éperon, à la limite du grand et du petit lac, côté terre, une muraille protégeant le village. Cette position stratégique permit à Yvoire de contrôler, au Moyen Age, la navigation sur le lac qui servait à la fois de moyen de transport commercial et de théâtre d'opérations militaires entre les comtes de Genève et la maison de Savoie. Le château, grosse tour rectangulaire, haute de 40 mètres, est percé de meurtrières, éclairé par des fenêtres à meneaux et flanqué d'une échauguette à chaque angle. Une partie des jardins aménagés sur les anciennes douves a été transformée en labyrinthe végétal ouvert au public.

Du bout de la jetée, on découvre une vue splendide de la rive suisse du lac dominée par la chaîne du Jura. En bordure de l'eau, à quelques dizaines de mètres du château, la maison forte de Beauvais (XIVe siècle), la Maison Carrée, d'où les guetteurs surveillaient la plaine et la navigation sur le lac, l'église baroque du XVIIe siècle (chœur remarquable du XIIIe siècle). Des constructions plus modestes – maisons de pierre couvertes en tuiles écaille, abondamment fleuries –, de nombreux éléments d'architecture (portes, linteaux, fontaines) et le tracé enchevêtré de ruelles débouchant sur des places étroites témoignent aussi de l'héritage qu'a légué le Moyen Age au village.

Il s'ouvre sur la campagne par deux portes gothiques percées dans des tours quadrangulaires découronnées. Yvoire, unique représentant des bourgs fortifiés du Moyen Age en Haute-Savoie, a su concilier son riche passé historique et architectural avec un présent orienté vers le tourisme : exposition temporaire du musée estival, galerie d'art, artisanat. La pêche, activité traditionnelle des Yvoiriens, grâce aux truites, brochets et perches du lac, rehaussés de vin de Crépy, alimente la gastronomie locale.

Les monuments majeurs du bourg médiéval d'Yvoire se rassemblent au bord du Léman : de droite à gauche, la maison forte de Beauvais, la maison Carrée et l'église baroque surmontée d'un bulbe.

De l'ARTISANAT
aux métiers d'art

Dans les communautés qui ont précédé nos institutions villageoises
– villae carolingiennes ou abbayes –
des hommes et des femmes s'étaient déjà cantonnés dans la fabrication d'objets usuels :
outils en fer forgé, récipients en bois ou en terre cuite, pièces de textile ou de cuir...
Dans les premiers temps, chaque communauté rurale avait des artisans ; mais très vite
certains centres, plus riches en matière première, se sont spécialisés dans tel ou tel produit,
échangé bien au-delà du terroir ou même de la région.
Depuis le début du siècle dernier, les villageois comme les citadins
se fournissent en articles de ménage et en outillage
par le biais des progrès de l'industrie et des transports.
Les derniers artisans de village, rejoints par d'autres producteurs plus récemment établis,
perpétuent la qualité et le prestige des fabrications traditionnelles.
Leur clientèle est plutôt constituée de touristes ou de citadins en villégiature ;
pour eux, l'objet artisanal change de fonction : il devient décoratif...
Ainsi en est-il du moule à beurre trop abondamment sculpté,
de la cruche en terre qui devient vase et du collier d'attelage où se loge un miroir !

LE BOURRELIER

Le bourrelier est aussi indispensable que le maréchal dans une communauté où tous les travaux de force s'appuient sur l'utilisation du cheval. C'est lui, en effet, qui confectionne, essentiellement à partir du cuir, toutes les pièces de harnachement du cheval de trait : collier, selle et sellette, harnais, bâts et longes. A cause de sa compétence dans la mise en œuvre du cuir, on lui confie aussi la confection ou la réparation de toutes sortes de liens et courroies, ainsi que celle des outres, sacs ou besaces, jusqu'aux cartables des écoliers.

Parmi les fabrications du bourrelier, le collier d'épaules, destiné aux animaux de trait, fait appel à des compétences très variées. Il se compose d'un fourreau en basane (cuir de mouton), découpé à l'aide d'un couteau à pied en forme de demi-lune. Après l'avoir cousu, le bourrelier le pose sur un banc incliné pour le remplir de bourre de laine et de paille de seigle coupée à la serpette, qu'il pousse avec des rembourroirs à long manche et tasse avec un maillet. Les deux extrémités du fourreau sont réunies par une couture pour former le collier (le cuir est percé par une alène, puis cousu à l'aiguille). Le cuir est ensuite fixé sur des attelles de bois découpé et souvent peint de couleurs vives ; on y ajoute des accessoires métalliques : croissants pour renforcer les attelles, anneaux et boucles de fixation.

Si le harnachement des animaux de trait disparaît peu à peu des activités du bourrelier, cet artisan reste encore bien nécessaire dans les campagnes pour fournir ou réparer toutes sortes d'accessoires en cuir.

Pour coudre la pièce de cuir, le bourrelier la maintient
à l'aide d'une pince de bois bloquée sous sa jambe.

LE MARÉCHAL-FERRANT

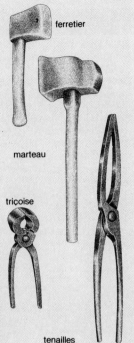

ferretier

marteau

triçoise

tenailles

Le maréchal fixe le fer en frappant les clous avec le brochoir.

pinces

boutoir

A l'entrée de chaque village, le martèlement cadencé de l'enclume faisait partie des bruits familiers, et la forge constituait un lieu de convivialité spécifiquement masculin.

De nos jours, le garagiste remplace le maréchal ; cependant, ce métier n'est pas éteint : il faut encore ferrer les chevaux, non plus pour le labour, mais dans les haras ou les clubs hippiques des environs ; car le village n'est plus seulement un centre de production agricole, mais un lieu de loisir pour les citadins.

A l'ère de l'automobile le maréchal devient de plus en plus un artisan itinérant : il se rend sur place pour ferrer les chevaux... et grâce au chalumeau, il peut exécuter toutes sortes de bricolages domestiques.

Au village, le maréchal travaille dans un atelier largement ouvert sur la rue, la forge, dont l'élément principal est le foyer, surmonté d'une large hotte. Un feu de charbon y rougeoie, en-

tretenu par le mouvement du soufflet.

Pour fabriquer un fer à cheval, le maréchal utilise un lingot appelé « lopin », qu'il se procure auprès de grossistes lors des foires annuelles ; bien souvent aussi, il le confectionne lui-même à partir de ferrailles et de fers usagés.

Le fer est maintenu dans le foyer à l'aide de longues tenailles, les lopinières (c'est en observant la couleur du lopin, du rouge cerise au blanc suant, que l'artisan connaît sa température). Aidé d'un compagnon, le maréchal martèle le fer qu'il présente sur l'enclume grâce à toute une série de tenailles adaptées à chaque phase du travail. Plusieurs passages sur le foyer sont nécessaires pour achever le fer, qui est aussitôt trempé dans l'huile ou dans l'eau froide.

La plupart du temps, le maréchal est occupé à ferrer les chevaux. Les fers, préparés à l'avance, sont néanmoins chauffés et ajustés aux pieds de chaque animal à l'aide d'un petit marteau, le ferretier. Tandis que son aide maintient la jambe, le maréchal racle la corne superflue avec un boutoir, un rogne-pied ou une râpe ; après avoir appliqué le fer chaud contre le sabot, il le cloue avec un brochoir ou une mailloche.

Autrefois, on ne faisait pas appel au vétérinaire pour soigner un cheval malade : le maréchal pratiquait les saignées, les cautérisations, les purges, et possédait la science des « simples ». Aussi occupait-il dans la société paysanne un rôle prépondérant, capable qu'il était de guérir les animaux et même les hommes, de maîtriser le feu et la production d'une denrée encore rare : le métal.

Le fer est ajusté à chaud sur l'enclume,
maintenu par une tenaille et martelé au ferretier.

LE POTIER DE TERRE

Il est probable que, dans l'Ancien Régime, la plupart des villages français avaient leur potier. Ce n'est qu'au cours du XVIIIe siècle que certaines bourgades se sont spécialisées dans une production plus intense, tandis que les petits artisans isolés disparaissaient. Ces centres potiers spécialisés vont perdurer pour la plupart jusque dans le courant du XXe siècle, regroupant souvent autour d'un four commun plusieurs familles d'artisans. Le XIXe siècle verra s'organiser le réseau de commercialisation des produits de chaque centre. A l'aube du XXe siècle la poterie utilitaire commence à disparaître, remplacée par des récipients de fabrication industrielle.

Le métier de potier se rapproche dès lors des métiers d'art, tournés vers une clientèle d'amateurs ou de touristes. Ces néo-artisans s'installent souvent dans les centres de production traditionnels pour fabriquer des objets qui traduisent le goût contemporain pour le rustique et la matière brute.

Mais si l'aspect et la destination de ces objets ont changé, les manières de faire n'ont pas tellement évolué : le potier peut toujours se procurer l'argile rouge ou blanche dans les gisements environnants et procéder comme autrefois à son affinage – la terre était battue au fléau, tamisée, piétinée et mise à « pourrir » à l'air avant son utilisation. Le tour, autrefois lancé au bâton ou au pied est maintenu équipé d'un moteur électrique, mais le façonnage s'exécute toujours à la main et la finition se fait à l'aide d'estèques, de grattoirs et de polissoirs. Après séchage, la pièce est trempée dans une argile diluée, ou en-

Finition de la forme, main gauche à l'intérieur, main droite à l'extérieur.

Finition des bords au tournassin.

Le four du potier.

gobe, chargée d'un oxyde métallique qui donnera la couleur du fond. On peut ajouter à ce fond uni un décor polychrome appliqué au barrolet ou incisé. Enfin, la pièce est plongée dans une glaçure au plomb qui deviendra transparente après la cuisson. Les anciens fours de potiers, alimentés au bois, cuisaient les poteries à 700 ou 800 °C et montaient jusqu'à 1 300 °C pour les grès. Les plus simples comportaient comme seule partie construite un foyer et une sole circulaire sur laquelle on entassait les pots. Les fours tunnels et les fours quadrangulaires à étages permettaient d'atteindre des températures plus élevées.

La poterie de grès, composée d'une terre plus riche en silice, se vitrifie partiellement en cuisant et prend alors une belle couleur brune. Les grès gris s'obtiennent par projection de sels marins dans le four lors de la cuisson ; en Alsace, ces grès sont décorés de motifs bleus par application d'oxyde de cobalt avant la cuisson.

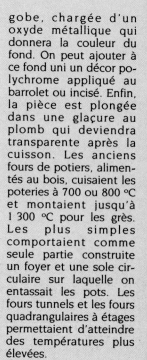

estèques

tournassin

mirette

tournassin

ébauchoirs

roulette à décorer

LE VANNIER

Dans la France d'autrefois, bien des récipients d'usage quotidien étaient fabriqués à la veillée pour la consommation domestique. C'est le cas, en particulier, des corbeilles en boudins de paille maintenus par des liens en écorce de ronce, ou des « faisselles » en jonc utilisées pour égoutter le fromage.

Cependant, au village, certains membres de la communauté fabriquaient des paniers qu'ils vendaient ou échangeaient dans les environs immédiats. Aujourd'hui encore, certains d'entre eux, déjà très âgés, ont pu prolonger cette activité en voie de disparition grâce à l'intérêt que leur porte les estivants.

Ils font principalement des paniers sur arceaux, à partir de rameaux que leur fournit la nature environnante : chèvrefeuille, clématite, noisetier ou châtaignier ; ils utilisent aussi les brins d'osier qui poussent au fond des jardins ou au bord des cours d'eau. Les rameaux, courbés en arceaux autour de l'anse, forment l'armature du panier, sur la-

Fabrication d'un panier sur arceaux. Le vannier tisse sa clôture en partant des deux extrémités où se rassemblent les arceaux.

quelle on tisse des brins plus fins ou refendus appelés lattes, ou éclisses. La plupart du temps, les bois sont travaillés verts, mais l'osier doit être trempé pour retrouver toute sa souplesse, et les perches de châtaignier sont chauffées pour mieux se courber.

Quelques outils suffisent au travail du vannier : serpes, serpettes, couteaux, sécateurs et fendoirs pour débiter et fendre le bois ; « battes » et poinçons pour tasser ou écarter les brins. La vannerie d'osier requiert en outre des « peloirs » pour ôter l'écorce, des trusquins de largeur ou d'épaisseur pour calibrer les éclisses, des « éplu-choirs » pour les finitions.

Dans les bourgs d'une certaine importance, une véritable industrie vannière est née au XIXe siècle, en relation avec le développement des transports ferroviaires et de l'osiériculture. La Thiérache, comme toutes les régions au climat humide et aux sols pauvres, se prêtait particulièrement bien à la culture de l'osier ; il y a cinquante ans, c'était encore un centre réputé pour le raffinement de sa production en éclisses d'osier ou de rotin.

Regroupés autour de manufactures ou organisés en coopératives, des vanniers travaillent encore aujourd'hui de manière rentable. C'est le cas dans plusieurs villages de la Haute-Marne, entre autres à Fayl-Billot, où se trouve l'École nationale de vannerie, fondée en 1901. A Villaines-les-Rochers, en Indre-et-Loire, les maisons troglodytiques abritent des ateliers dont la production s'exporte jusqu'aux États-Unis.

Pour fendre l'osier, le vannier, après avoir amorcé la fente au couteau, pousse le brin sur les encoches du fendoir.

Montage d'une vannerie en colombins de paille.

épluchoir

trusquin de largeur

batte-redressoir

fendoir triple

trusquin d'épaisseur dit « escueur »

poinçon

serpette

serpette

fendoir double

fendoir quadruple

L'art du tonnelier, déjà pratiqué par les Gaulois, relève d'une longue tradition... Il produit brocs, tonneaux ou fûts nécessaires à la conservation du vin ou à son transport, mais aussi baquets, cuviers, saloirs, barattes à beurre ou hottes de vigneron.

Tout d'abord, le tonnelier se procure le bois dont il a besoin : généralement du chêne, du châtaignier ou du hêtre. Il l'achète sous forme de mérains : ce sont des pièces de bois de fente qu'il va planer à califourchon sur son banc, puis « dôler » pour leur donner les formes courbes du tonneau. Çe sont alors des douelles. Ces éléments sont assemblés, courbés à la chaleur du feu et à la force de la bâtissoire, et cerclés de bois ou de fer. Les planches des côtés s'encastrent dans une rainure appelée « jable ». L'artisan achève son ouvrage en perçant une bonde au milieu du corps pour le remplissage du tonneau.

Pour effectuer chacune de ces opérations, le tonnelier utilise de nombreux outils, qui ont chacun une fonction

De ses deux mains, le tonnelier manie la plane pour préparer une douelle.

Percussion au marteau sur la chasse pour le cerclage.

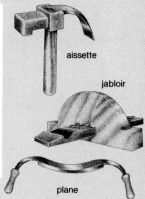

aissette

jabloir

plane

bien déterminée... Pour préparer les douelles : des planes, une doloire et une colombe (sorte de rabot géant reposant sur deux pieds, le tranchant du fer vers le haut, sur lequel on ajuste la tranche des douelles des grands fûts).

Pour préparer et poser les côtés : une aissette, des rabots cintrés, des compas et un jabloir.

Pour percer la bonde, une bondonnière, et, pour placer les cercles, une chasse et un maillet.

Ces artisans perpétuent dans les pays de vignoble une tradition de qualité, même si les cuves en ciment et les conteneurs en plastique concurrencent les récipients d'autrefois.

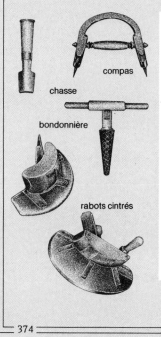

compas

chasse

bondonnière

rabots cintrés

Le feu allumé au centre du tonneau assouplit les douelles que l'on rapproche progressivement les unes des autres en raccourcissant la corde qui les entoure, reliée à la bâtissoire.

LE TOURNEUR SUR BOIS

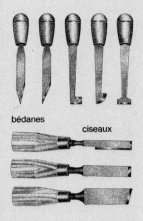

bédanes

ciseaux

La diffusion du tour parmi les artisans du bois a permis d'augmenter la production de récipients et ustensiles tels que cuillers, écuelles, manches d'outils, mais aussi de décorer bien des pièces du mobilier domestique, telles que les rouets, les chaises, les cloisons ajourées des lits clos ou des vaisseliers. Les flûtes, les sifflets, les toupies, les jeux de boules et de quilles, les chandeliers et les bâtons de procession liturgique ont aussi bénéficié de la vogue du bois tourné, qui se répand progressivement dans tous les villages à partir du XVIIIe siècle.

Le tour le plus simple est le tour à perche, qui

Tour à roue, à entraînement circulaire.

transforme en mouvement circulaire le va-et-vient d'une longue et souple perche de bois, par l'intermédiaire d'une corde qui s'enroule autour de la pièce à tourner et qu'actionne une pédale. La pièce de bois, dégrossie à la hachette ou au parroir, est maintenue sur le tour entre deux « poupées » ; elle tourne sur elle-même à la cadence que lui imprime le pied de l'artisan sur le pédalier, tandis que des ciseaux, gouges ou bédanes, aux profils appropriés, enlèvent la matière en fins copeaux qui jaillissent sous le contrôle de son œil exercé. C'est dans un balancement du corps tout entier que le tourneur règle sa machine et ses outils.

On trouve aussi dans les ateliers de ces artisans des tours à roues, à entraînement circulaire dont le mouvement est plus régulier et continu.

Le buis, au poli si caractéristique, est le matériau de prédilection des tourneurs, mais le hêtre, le bouleau et tous les bois durs dont les veines sont peu marquées leur conviennent également.

Tandis que le mandrin entraîne le morceau de bois,
le tourneur maintient sa gouge en s'appuyant sur le guide-outil.

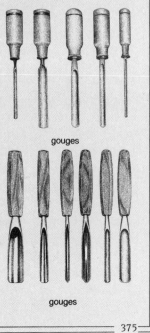

gouges

gouges

Provence Côte d'Azur Corse

« Vous aimez la Provence, mais laquelle ? » s'interrogeait
Colette. Des Alpes à la Méditerranée, du Rhône à la folle
Vésubie, elle est à la fois Camargue, Estérel de porphyre,
Ventoux calcaire, Luberon « allongé des pays de l'ombre aux
pays de l'aurore ». Éternelle magie que ces plateaux vibrants
de lumière et de cigales, usés par le mistral, que ce chaos
minéral du Verdon ou ces vallons violets des lavandes et verts
des oliviers. Mais à l'ombre des pins et des mélèzes, les hautes
vallées des Alpes du Sud préludent déjà à la Provence.
L'habitat est généralement groupé, sauf dans les pays où la
bastide rayonne sur son terroir de vigne et de fruitiers. Les
villages accrochés au roc, dans un étonnant équilibre, offrent
l'image d'une parfaite symbiose entre l'architecture et le
paysage. Les ruelles étroites de galets ronds grimpent entre
les hautes maisons serrées, fleuries de roses trémières et de
géraniums, et les beiges des portes et les verts des volets
jouent avec les pastels fanés des tuiles rondes et des crépis.
De terres rouges ou de schistes verts de la Roya, les maisons
s'alignent sur les terrasses d'oliviers ou dessinent des cercles
concentriques ; elles protègent la place, lieu par excellence
de sociabilité, où la fontaine jase sous le platane.
Même les noms des villages sont empreints d'une savoureuse
musique : c'est Simiane, Saorge, Roquebrussane, Tende
ou Lucéram... Le village corse est parfois plus sévère,
construit en granit ou en schiste. Mais, comme la mer aux
luminosités multiples tempère la rudesse de la montagne,
l'église baroque, le luxe des détails, la fontaine aux cailloux
atténuent la rigueur de ces hautes maisons aux petites
ouvertures, protections contre le soleil.

0   50

A

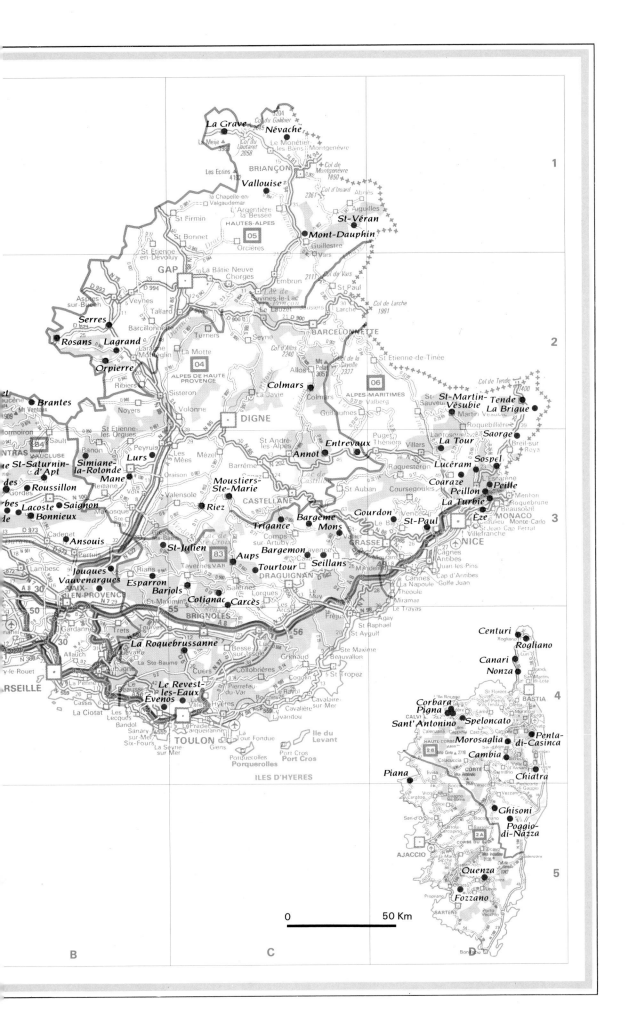

Annot
Alpes-de-Haute-Provence

77 km N.-O. de Nice

Sur une colline au-dessus de la Vaire, Annot, célèbre par ses grès qui lui donnent son caractère, trouve son origine dès le XIe siècle par le regroupement autour d'une église d'une communauté d'hommes qui fortifièrent leur village. De ce noyau médiéval, vite débordé, la porte fortifiée à l'extrémité de la Grande-Rue et le chevet de l'église qui englobe une tour de défense crénelée sont les traces les plus visibles. De la grande place ombragée de platanes, les ruelles étroites parcourent la vieille ville aux maisons décorées de linteaux qui portent gravée la date de leur construction. La croix couverte à l'entrée du village, fort rare dans cette partie de la Provence, et le vieux pont à bec sur la Vaire constituent deux curiosités monumentales. La richesse géologique du terroir attire de nombreux visiteurs et les portettes, arches naturelles de grès, sont une des étonnantes curiosités naturelles de ce pays.

Ansouis
Vaucluse

28 km N. d'Aix-en-Provence

Parmi les vallonnements qui, de la crête du Luberon au lit de la Durance, constituent le pays d'Aigues ou pays d'Aix – il faisait anciennement partie du diocèse d'Aix –, Ansouis occupe une situation exceptionnelle, ramassé sur son rocher qui, tel un bloc erratique, se dresse au milieu d'opulentes cultures. Dominé par la masse imposante de son château, le village se déploie en éventail du côté du soleil, tandis qu'au nord la pente, beaucoup plus forte, est encore boisée.
La seigneurie d'Ansouis, fondée au XIe siècle, releva des comtes de Forcalquier jusqu'à ce qu'elle fût cédée à la puissante famille provençale des Sabran, qui possède encore le château. La place des Hôtes, sous l'enceinte du XIIIe siècle flanquée de ses tours à mâchicoulis, est le point de départ d'une

promenade dans les rues étroites. Ici ou là, affleure le rocher omniprésent : les voies s'y sont frayé un passage à vif et certaines maisons y ont trouvé refuge (rue Basse). Demeures nobles et maisons paysannes s'étagent en gradins jusqu'à la place Haute. L'emploi uniforme d'une belle pierre de taille dorée confère son unité visuelle à cet ensemble disparate où alternent éléments de décor médiéval et ordonnances classiques (XVIIe-XVIIIe siècle) dont la mairie constitue l'exemple le plus abouti avec son escalier rampe sur rampe à balustres et son joli décor de gypseries.
Passant sous le Petit Portail, seule porte dans le rempart, la rue du Château conduit, suivant la ligne de plus grande pente, au sommet du village. Une charmante placette, bordée par le mur percé d'archères de la première enceinte (XIIe siècle) qui sert de façade à l'église paroissiale et par l'élégante façade XVIIIe siècle de l'ancien presbytère, s'ouvre à l'ouest en belvédère sur le vaste panorama du Luberon et de la plaine agricole. Vignes, vergers et cultures maraîchères, qui font la richesse du terroir, sont ponctués de bosquets d'où émergent les tours-pigeonniers des bastides.
C'est dans l'église Saint-Martin, autrefois salle de justice du château, romane, que l'on rencontrera le célèbre couple dont l'histoire locale entretient le souvenir : retables et reliquaires y relatent en images la vie édifiante de saint Elzéar de Sabran et de sainte Delphine de Signes, dont le culte est célébré le dernier dimanche de septembre.
Depuis le bastion à échauguette qui en défend l'accès, une rampe conduit à la terrasse du château où se déploie l'ample façade, construite sous Louis XIII dans le plus pur style aixois. De la forteresse médiévale ne subsistent que les impressionnantes substructions creusées dans le rocher et une tour d'angle à bossages. L'escalier monumental dessert une enfilade de salons à décors de gypseries, richement meublés, qui mène à la chambre des Saints, où Elzéar et Delphine, jeunes mariés, firent vœu de chasteté.

La tour de l'horloge d'Aups, sous laquelle passe la rue, fut sans doute une tour de guet dont la construction remonterait au XIVe s. Elle est surmontée d'un campanile du XVIIe s.

Comme posé à 1 097 m d'altitude dans un océan de lavande, le village de Bargème détache les ruines de son château. Au bout de l'esplanade, la chapelle Notre-Dame-des-Sept-Douleurs.

Jardins suspendus ornés de buis taillés, terrasses ombragées, allées de cyprès atténuent la rigueur de l'architecture et le flamboiement de la lumière.
Outre la traditionnelle fête votive, le troisième dimanche de juillet, on célèbre toujours à Ansouis l'Arbre de mai le premier dimanche de ce mois.

Aups
Var

29 km N.-O. de Draguignan

Au pied de la montagne des Espiguières, culminant à 880 mètres, dans la campagne fertile et boisée arrosée par l'Huchane, Aups a su conserver et mettre en valeur son patrimoine exceptionnel. Sur l'esplanade ombragée de platanes, tout près de l'église du XVe siècle dédiée à saint Pancrace, la fontaine et sa pyramide commémorent la mémoire des citoyens républicains morts en 1851 « en défendant les lois et la liberté », de même que, près de la porte des Aires, la chapelle Notre-Dame-de-Délivrance. Façades ornées de cadrans solaires ou sculptées d'outils évoquant les tanneries qui firent la richesse du pays bordent les rues en pente. La Saint-Pancrace, autour du 12 mai, attire chaque année une grande foule.

Bargème
Var

41 km N. de Draguignan

Village oublié du monde, masse de pierre et de rocher, ce nid d'aigle édifié sur un éperon au milieu d'une riante vallée parsemée de fermes et de hameaux se signale de toutes parts par les tours altières de son château. Depuis le XVIe siècle dans la famille de Sabran de Pontevès, propriétaire du château d'Ansouis, en Vaucluse, il domine de ses ruines imposantes le minuscule village aux belles maisons de pierre bordant les ruelles luxuriantes de fleurs et d'arbres. L'église romane Saint-Nicolas, tout en pierres blanches et régulières, renferme de superbes retables en bois doré caractéristiques du savoir-faire des artisans varois des XVIe et XVIIe siècles. Ce village, le plus haut du Var, est un lieu de paix extraordinaire seulement troublé par le tintement des clochettes des troupeaux de moutons, points blancs sur les pâturages.

Bargemon
Var

20,5 km N.-E. de Draguignan

Une pittoresque route en lacet passant par le col du Bel-Homme, à 951 mètres, conduit à Bargemon, en limite du camp militaire de Canjuers. La silhouette sévère et ramassée du village tout en calcaire blanc offre un étonnant mimétisme avec la crête sur laquelle il est bâti. Les portes flanquées de tours de guet de l'enceinte médiévale n'ont pas empêché le développement de ce haut lieu d'échanges, et les foires y étaient célèbres, comme le travail du cuir et de la laine qui en firent la prospérité jusqu'à la fin du XIXe siècle.
Il faut admirer les fontaines du village dont les noms imagés (fontaine de la Carafe, de l'Artichaut) évoquent la forme et le décor.

Barjols
Var

22 km N. de Brignoles

« Tivoli de la Provence », au confluent de trois affluents de l'Argens dont les vallons encaissés et ombreux sont animés de cascades et de ruisseaux, Barjols confronte non sans saveur deux paysages urbains constrastés : le bourg ancien et les vieilles tanneries qui firent pendant de longues décennies sa réputation. Protégé par un coteau, le village s'étire le long de son flanc, dessinant des rues et des ruelles pentues bordées de hautes maisons agricoles ou bourgeoises reliées entre elles par des passages voûtés. La maison dite du marquis de Pontevès est un ensemble particulièrement réussi de l'art foisonnant de la Renaissance. L'apparente densité de l'habitat ne doit pas tromper. Places et placettes plantées de platanes aèrent les îlots, et grâce à leurs fontaines souvent équipées d'un petit lavoir – on en dénombre vingt-deux – les habitants ne manquèrent jamais de cette eau si rare et si précieuse en Provence.
Notre-Dame-de-l'Assomption, élevée au rang de collégiale au milieu du XIe siècle par l'archevêque d'Arles Rimbaud, est la mémoire du bourg, car son histoire y fut longtemps liée. C'est ici que les comtes de Provence firent élever leurs enfants. En grande partie reconstruite au XVIe siècle, puis agrandie au siècle suivant aux dépens du cloître, elle conserve un beau mobilier : stalles de bois sculpté, buffet d'orgue...
On ne peut évoquer Barjols sans parler de la fête de Saint-Marcel, dite fête de Tripettes, célébrée le dimanche le plus près du 17 janvier, au cours de laquelle, tous les quatre ans, un bœuf béni à l'issue des vêpres est ensuite sacrifié, puis, après un tour de ville dans un char magnifiquement décoré, rôti sur la place et distribué aux villageois.

Dans une des falaises de tuf percées de grottes fut aménagée au XVIIe siècle l'extraordinaire chapelle troglodytique des Carmes.
Au mois d'août, la foire du cuir évoque le temps où les tanneries, vastes locaux aujourd'hui muets, installées le long des rivières et des ruisseaux, faisaient vivre une importante population.
La position stratégique de Barjols permet de rayonner dans de nombreux autres villages alentour : Brue-Auriac, au plan régulier, Correns et son château, Le Val, village médiéval...

Baux-de-Provence (Les)
Bouches-du-Rhône

19,5 km N.-E. d'Arles

Parmi les clichés inusables d'une Provence de cartes postales, le rocher des Baux tient une place éminente qui pour une fois n'est pas usurpée. Au cœur du massif des Alpilles, au-dessus de l'ondulation grise des oliviers, par-delà le graphisme régulier des haies de cyprès, se dresse, d'un blanc de neige, un formidable entassement de rochers, tours et remparts, creusé, taraudé par l'homme et le mistral. Peu à peu se devinent, confondus avec la roche mère, des toits, des murs, un clocher. C'est le village des Baux, haut lieu d'un troglodytisme omniprésent.

Murs, escaliers, rues, maisons entières ont été façonnés, entretenant une telle ambiguïté entre le naturel, le taillé et le construit qu'on ne sait où commence l'un, où finit l'autre. L'accès au village se faisait autrefois depuis le vallon de la Fontaine où jaillissaient toutes les sources ; par un chemin caladé (pavé de galets roulés), on franchissait la porte d'Eyguières, ou porte de l'Eau, unique entrée de la ville qui conserve encore ses lourds vantaux moulurés et son poste de garde creusé dans la roche. Par une série de marches aujourd'hui légères au visiteur, autrefois lourdes aux femmes chargées d'eau, on atteint le centre du village. Admirablement restauré, il vit de ses commerces et de ses artisans, sans oublier une gastronomie dont la renommée est internationale.

Les espaces minéraux des rues et des places sont autant de lieux de perfection. De riches demeures Renaissance, période faste de l'histoire de la ville, s'ouvrent largement aux visiteurs. L'hôtel de Manville, avec sa cour bordée d'arcades, abrite la mairie et le musée d'Art contemporain ; l'hôtel des Porcelets, dont la salle voûtée est décorée de belles fresques, accueille le musée d'Archéologie régionale. Une placette sert de parvis à l'église Saint-Vincent, en partie creusée, où chaque année la crèche vivante célèbre la fête de Noël ; en face, la chapelle des Pénitents-Blancs est décorée de fresques modernes du peintre Yves Brayer. L'accès au plateau et au château passe par une rue taillée dont les hautes parois rocheuses recèlent des maisons troglodyti-

Baignant dans la clarté de la nuit provençale et illuminée de place en place par les projecteurs, la masse inextricable des roches et des maisons du village des Baux jaillit de la sombre forêt de pins. La tour sarrasine, point culminant du château à 240 m, est un belvédère d'où l'on embrasse l'horizon sur 360 degrés.

ques. Le petit cimetière, le grand « aiguier » qui alimentait la citerne du village, la chapelle, qui abritera bientôt un musée de l'Olivier, se serrent à l'entrée de cette immense table de pierre dénudée portée par un à-pic de plus de 100 mètres. Il faut errer dans le dédale du château marié au rocher, des anciennes carrières aménagées en habitats, admirer le panorama ouvert sur la mer et les Alpilles pour comprendre la force de ce lieu qui fut occupé dès le IXe siècle par la famille des Baux, dont la puissance s'étendait sur Arles, la Camargue et la Crau. Elle fit de ce nid d'aigle, d'où d'un seul coup d'œil elle pouvait embrasser son royaume, l'une des cours les plus brillantes du XIVe siècle, y accueillant artistes et troubadours. Sous le rocher, le vallon de la Fontaine cache, dans un enclos discret, le pavillon dit de la Reine Jeanne, charmant petit édifice renaissant. Largement ouvert au sud, ce vallon se referme au nord sur le fantastique val d'Enfer, dont Dante se serait inspiré et où Mistral conçut les pages tragiques de *Mireille*. Les gigantesques bouches béantes des carrières entament la colline, certaines, mises en valeur et réaménagées, accueillent le public.

Bonnieux
Vaucluse

26,5 km E. de Cavaillon

Largement étalé en éventail lorsqu'on arrive du sud, pyramidal et comme accroché à la pente lorsqu'on le regarde de l'est, Bonnieux, le plus beau village au nord du Luberon, change indéfiniment de silhouette selon les points de vue. Le castellas qui domine la cascade des toitures servit de premier refuge aux habitants qui l'abandonnèrent au XIIIe siècle pour s'installer progressivement sur les pentes méridionales de la colline, plus hospitalières.
L'église haute, du XIIe siècle, silhouette aiguë parmi les cyprès, conserve un beau retable en bois sculpté, mais c'est surtout sa situation qui retient l'attention. Depuis son parvis, on embrasse la vaste et riche plaine du Calavon qui étale ses cultures de vergers et de vignes jusqu'au plateau des Claparèdes, brûlé par le soleil et ponctué de centaines de cabanons de pierre sèche.
Par un pittoresque escalier de 86 marches, on accède au vieux village qui étonne par la richesse de ses hôtels particuliers, dont l'hôtel de Rouville, transformé en mairie, est un bel exemple aux façades ordonnancées décorées de portes monumentales. Enclave du comtat Venaissin en Provence, Bonnieux connut en effet aux XVIIe et XVIIIe siècles une grande prospérité.
Au détour d'une ruelle couverte, le murmure frais de l'eau annonce la présence d'une fontaine sculptée. Dans une maison du XVIIe siècle est installé le musée de la Boulangerie, consacré à la présentation de l'artisanat et de l'industrie du pain. Les vitrines qui contiennent toutes sortes de pains reconstitués d'après des documents anciens sont en mesure d'assouvir toutes les curiosités sur le sujet.
Une forêt de cèdres ourle la crête du Luberon. Sur son flanc nord se dresse la tour Philippe, édifice de style médiéval élevé au siècle dernier par un original désireux de contempler la mer depuis sa maison ! Le prieuré Saint-Symphorien et le fort de Buoux sont autant de sites et de monuments médiévaux de première importance aux environs de Bonnieux.

Boulbon
Bouches-du-Rhône

8 km N. de Tarascon

Le site imposant de la butte du château jaillissant d'un bouquet de pins fait oublier un instant qu'au pied de la colline, Boulbon déroule ses maisons traditionnelles en rues et places ombragées, dessinant un des paysages villageois le plus provençal qui soit. Construit dès le XIIe siècle pour surveiller la frontière de la Provence le long du Rhône, le château des comtes se dresse, isolé de la Montagnette par un profond ravin. Donjon, courtines, basse-cour, jardins en terrasse témoignent de la puissance de cette seigneurie. Dans le cimetière, la chapelle Saint-Marcellin, du XIIe siècle, servit d'église paroissiale jusqu'au XVIIe siècle. Le 1er juin a lieu la procession des Bouteilles, réservée aux hommes, qui seuls ont le droit de pénétrer dans la chapelle pour la bénédiction du vin.
Au cœur de la Montagnette, l'abbaye de Frigolet, où le révérend-père Gaucher mitonnait son élixir, est un but de promenade, parmi les pins et les cyprès.

Brantes
Vaucluse

28 km E. de Vaison-la-Romaine

Poucet minéral au pied du versant nord du géant Ventoux, Brantes s'étale frileusement sur les terrasses d'une colline aménagée dans une nature sauvage et âpre apprivoisée par la plantation d'amandiers et de lavandes. Il devient décor de crèche de Noël lorsque les pentes de la montagne sont recouvertes de neige. C'est la masse de l'église, accrochée au rocher dont elle épouse le dessin, qui constitue comme le point fort de cette composition de pierre et dont seul le clocher émerge timidement des toits de tuiles.
Le souvenir de la famille des Baux, seigneurs de Brantes au XIIe siècle, se maintient dans les ruines encore visibles de l'ancien château fort. Les maisons rurales, sagement ordonnées le long des ruelles pavées, sont peu percées pour se garantir du vent et du froid. Quelques fermes blotties dans le vallon ponctuent ce vaste paysage de rochers et de bois.
Brantes est le point de départ de nombreuses excursions. Le G.R.9 traverse le village. Une bretelle bifurque vers l'ouest en direction du col de Fontaube et de la pittoresque vallée du Toulourenc. Vers le sud, passé le village, il grimpe à l'assaut du versant nord du Ventoux jusqu'au sommet (1 909 mètres). Du col des Tempêtes, le panorama sur Brantes est saisissant.

C'est la face nord du Ventoux que regarde Brantes, perché à 546 m. Ses parois que le ruissellement a ravinées en combes sont recouvertes de feuillus puis de mélèzes ; au-delà de 1 600 et jusqu'à 1 909 m, son point culminant, règnent la pierraille et la neige.

De la route qui mène à Ménerbes se profile la face sud du village de Bonnieux. Ses maisons s'étalent sur les pentes ensoleillées de la colline, que trouent çà et là les cèdres, les cyprès et les pins.

Sur cette façade d'une maison de La Brigue, les encadrements de fenêtres, les moulures et les frises sont peints en trompe-l'œil. L'emploi de la peinture pour figurer les décors d'architecture, spécifique des Alpes-Maritimes, traduit l'influence des traditions artistiques italiennes, qu'explique la proximité géographique.

Étonnantes façades que celles de ces maisons de Carcès : de petites tuiles en écaille superposées les recouvrent entièrement, à l'exception du rez-de-chaussée et des encadrements en pierre des fenêtres. Un décor à fonction de protection, unique dans le Var et dans toute la région, mais dont l'origine reste inconnue.

Brigue (La)
Alpes-Maritimes

57,5 km N. de Menton

Dans un magnifique paysage de montagnes, les toits de lauzes grises et de tuiles rouges du village émergent de la luxuriante végétation du vallon du Rio Sec. Au nord, les rochers de Chaberte et des Cardières dominent le village de plus de 40 mètres : leurs pentes abruptes s'adoucissent en terrasses cultivées ; au sud s'ouvrent les pentes boisées du bois du Pinet.
Les ruelles de schiste, très étroites, sont bordées de maisons à deux étages, traditionnellement recouvertes en façade de fresques en trompe-l'œil. La plupart des portes s'ornent d'un linteau de schiste vert sculpté d'armoiries, de motifs géométriques ou d'animaux. Il faut faire la promenade des bords du Rio Sec, bordé d'une ruelle aux maisons ouvertes par des arcades au rez-de-chaussée et aux façades

animées de balcons de fer forgé. Les ruines du château des Lascaris, anciens seigneurs des lieux, dominent le haut du village de leur tour ronde. Par les passages couverts on atteint à l'ouest une curieuse place où se dresse l'église paroissiale du XIIIᵉ siècle, encadrée par deux chapelles de pénitents du XVIIIᵉ siècle. Toutes trois sont ornées de retables de l'école des Bréa.
A 5 kilomètres au nord-est par la D 143 et la D 43, le hameau de Morignole, ancienne étape de transhumance, est un exemple exceptionnel d'adaptation au terrain. A 4,5 kilomètres à l'est par la D 143, passé le pont du Coq qui franchit la Levense et qui remonte à la fin du Moyen Age, on accède au sanctuaire de Notre-Dame-des-Fontaines, situé au cœur de la forêt domaniale de La Brigue. De modeste apparence, il renferme un ensemble de fresques du XVᵉ siècle, dont celles consacrées à la Passion du Christ sont les plus remarquables. Dans ce paysage à la fois sévère et accueillant, promenades, pêche et spéléologie permettent à tous de trouver prétexte à séjourner.

Cambia
Haute-Corse

27 km N.-E. de Corte

Il faut quitter le Bozio à la sortie de Bustanico par la D 15, passer le col de Sant'Antone, pour pénétrer l'univers de châtaigniers de la vallée Rustie entre la rivière Casaluna et le fleuve Tavignano. A Cambia se dresse un menhir portant en son centre une croix gravée. Les premiers chrétiens l'ont recouvert de gravures aujourd'hui incompréhensibles, où se déchiffrent seulement le mot *anno* et le signe du Christ. Avec ses toitures et ses murs de schiste, parfois bordés d'un lait de chaux à l'encadrement d'une fenêtre, Cambia ressemblerait aux autres villages de cette région s'il ne procurait, en plus, une impression de vie mystique et secrète. Est-ce dû à la Petra Frisgiata, située à 150 mètres de la statue-menhir au hameau de Corsoli, gros rocher plat daté du IIe siècle av. J.-C., décoré de cabalistiques gravures rupestres ? A la présence dans ce hameau des deux églises romanes jumelles du XIIIe siècle, Santa Maria, toute simple, et San Quilico, ornée de splendides bas-reliefs ? Sur le tympan du portail occidental de cette dernière, Ève est tentée par le serpent sous le regard d'Adam, et sur le tympan du portail sud un homme armé d'un glaive terrasse un serpent.

On peut laisser l'ombre bleue des châtaigniers et partir vers San Lorenzo (par la D 15), lieu d'une intéressante expérience de tourisme rural intégré, et de là, après une heure de marche, gravir les 1 767 mètres du San Petrone. On y découvre toute la côte orientale et l'archipel toscan, le Cap, le Nebbio, la Balagne et la chaîne centrale enneigée.

Canari
Haute-Corse

31,5 km N. de Saint-Florent

Au centre du village, l'église Santa Maria Assunta, appareillée en grandes dalles de schiste vert, marque la fin de l'époque romane en Corse. Elle a malheureusement subi des remaniements au XVIIe siècle qui l'ont privée de son abside et percée en façade d'une fenêtre. Sa décoration extérieure est remarquable par la qualité de la taille et la stylisation des motifs. Plus loin, l'église de l'ancien couvent des Franciscains, dont la modeste architecture abrite des œuvres d'art remarquables. Au sol, la dalle funéraire de Vittoria de Gentili (morte en 1590), émouvante jeune femme représentée tenant dans ses bras son enfant emmailloté, et son château à trois tours. A gauche en entrant, une peinture du XVe siècle représente saint Michel terrassant le dragon et pesant les âmes, œuvre d'art populaire.

Le clocher de Canari, visible de partout, est posé comme un phare blanchi à la chaux sur une place accrochée à mi-pente du Monte Cuccaro (832 mètres). De cette place, l'on domine l'immensité marine et les jardins en terrasses bordés de fascines de bruyères ou de plaques de schiste dressées pour se protéger du libeccio, le terrible vent du sud-ouest. Çà et là, de grosses maisons d'armateurs illustrent le dynamisme des habitants dans le transport maritime et le négoce.

Sur le bord de la D 80, près de l'embranchement qui conduit au village, se tient encore la mine d'amiante d'Albo, fermée en 1966.

Carcès
Var

17 km N.-E. de Brignoles

Au confluent de l'Argens et du Caramy, Carcès doit son origine à un ancien castrum dont subsistent, au centre du vieux bourg, d'imposantes ruines, vestiges de la seigneurie des Pontevès, maîtres des lieux dès le XVIe siècle. Village neuf, village bas et vieux bourg sur le mamelon retracent le glissement de l'agglomération vers la plaine selon une évolution caractéristique des villages provençaux.

Le noyau médiéval dont le front bâti s'arrête net sur les pentes de la butte présente une silhouette rigoureuse, miraculeusement indemne d'extensions parasites. Le long de ses rues ordonnées concentriquement, de belles maisons Renaissance ornées de sculptures parsèment le parcours.

Le village bas, où s'est concentrée la vie d'aujourd'hui, avec ses places ombragées, voit sa rue principale bordée de remarquables maisons aux façades recouvertes de tuiles polychromes vernissées servant à la fois de décor et de protection contre les pluies amenées par les vents dominants d'est. Elles rappellent aussi la proximité de Salernes, capitale régionale de la céramique.

A l'extérieur du village, Notre-Dame-du-Bon-Secours, chapelle (XIe siècle) d'un ancien prieuré de l'abbaye Saint-Victor de Marseille, se dresse sur une butte, encadrée de cyprès séculaires. Le lac de Carcès, créé en 1936 pour alimenter l'agglomération toulonnaise, est devenu un but fort apprécié de promenades.

Il ne faut à aucun prix oublier de visiter également l'abbaye du Thoronet, l'une des trois sœurs cisterciennes de Provence, qui se trouve à moins de 10 kilomètres à l'est de Carcès.

Centuri
Haute-Corse

40 km N. de Nonza

Les villages du cap Corse sont composés d'un ensemble de hameaux agrippés aux flancs abrupts des coteaux rocheux ou tapis au creux des vallées, et d'une marina. Celle de Centuri est particulièrement jolie, avec ses maisons aux toits de serpentine verte groupées autour de son quai en fer à cheval. Quelques barques de pêche, devenues rares aujourd'hui, et des embarcations de plaisance s'abritent dans ses eaux turquoise. A quelques encablures, un îlot sur lequel se réfugièrent au XIIIe siècle les seigneurs du Cap, alliés des Génois, assiégés par Giudice di Cinarca, soutenu par les Pisans. Profitant de l'obscurité nocturne, ils s'enfuirent et fondèrent Calvi. Au hameau d'Orche, la chapelle de la Trinité, d'origine médiévale, abrite un triptyque sur bois du XVIe siècle représentant la Trinité entre la Vierge et saint Jean-Baptiste. Au hameau de Camera, un extraordinaire château, crénelé comme dans un décor d'opérette, fut construit au XIXe siècle par le général comte Cipriani, renommé pour ses aventures amoureuses et militaires.

A 300 mètres au sud de la marina, dans la crique de Mute, quelques maisons et une chapelle constituent les derniers vestiges du hameau d'Ortinola, qu'une attaque barbaresque a presque entièrement détruit le 4 mai 1560.

*Au début du XIXe s.,
la famille Templier,
de Cotignac, offrit aux
villageois une fontaine
des quatre saisons,
du XVIIe s.,
qu'elle avait achetée
à la Révolution
au couvent des
Dominicaines d'Aix.
Sur un socle orné de
masques crachant
l'eau dans un bassin
à pans coupés
se dresse un vase
monumental.*

Chiatra
Haute-Corse

42,5 km N. d'Aléria

On découvre Chiatra après avoir quitté la N 198 à Prunete, en direction de Cervione, passé Sant'Andrea-di-Cotone. Les 11 000 000 de mètres cubes d'eau de la retenue sur l'Alesani, rendus obscurs par l'étroitesse de la vallée et l'abondance de la végétation, offrent au village de Chiatra un miroir insondable. Le schiste sombre de ses maisons se dresse face au soleil levant. Hautes, étroites, peu percées, construites en lames de pierre assemblées à la glaise et à la chaux, parfois enduites avec un mortier dont le sable était remplacé par des gravats pilés, les façades s'entremêlent dans une bousculade qui suit les formes de l'éperon sur lequel elles reposent. Sur ces hauteurs qui dominent la vallée de l'Alesani, autrefois les Romains d'Aléria avaient repoussé les Corses. Aujourd'hui, c'est l'attraction de la plaine et

la beauté du littoral qui font revivre ces villages : Matra, aux anciennes carrières d'arsenic ; Canale-di-Verde, où l'on peut voir la chapelle romane de San Martino (IXe siècle), au hameau de Pastruziale ; Pietra-di-Verde, depuis lequel on peut se rendre à l'église San Pancrazio du Xe siècle, bien conservée.

Coaraze
Alpes-Maritimes

28 km N. de Nice

Village circulaire bâti à l'adret d'un piton rocheux, Coaraze jouit d'une exposition privilégiée qui l'a fait surnommer Village du soleil.
Les accès principaux de la cité médiévale, Lo Portal et Lo Portal Savel, protégeaient les grands axes qu'étaient alors la Carriera Plana et la rue de la Veloupla, qui menait à l'église et au four communal. Véritable agora, c'est à la Veloupla que se réunissait le parlement public pour débattre des questions po-

sées à la communauté. Rompu par de multiples escaliers, coupé par des « pontis », le tracé des ruelles affecte la forme du terrain sans jamais la modifier radicalement. Les maisons s'adossent au rocher, leur rez-de-chaussée, souvent voûté, ouvrant sur la rue inférieure. Et quoi de plus impressionnant que le chevet de l'église, véritable muraille en à-pic contrastant singulièrement avec la bonhomie de sa façade d'accès ? Il faut y pénétrer pour découvrir un luxuriant décor baroque du début du XVIIIe siècle, accompagné d'un riche mobilier.

De nombreuses chapelles placées sur les chemins d'accès accueillaient les voyageurs ou jouaient un rôle prophylactique ; citons Notre-Dame-des-Sept-Douleurs, décorée en 1964 par Ponce de Léon, mais surtout la chapelle Saint-Sébastien : ses peintures intérieures retracent, dans un décor de grecques, d'entrelacs et de caissons unique dans sa conception, la vie du martyr telle qu'elle nous est contée par la Légende dorée.

Colmars
Alpes-de-Haute-Provence

44 km S. de Barcelonnette

Dans un superbe paysage de montagne de la vallée du haut Verdon, la place forte de Colmars défendait la frontière avec la vallée de l'Ubaye, possession du duc de Savoie jusqu'en 1731. Les hautes maisons, d'architecture déjà montagnarde, parviennent à peine à dépasser l'enceinte médiévale, percée d'archères et renforcée de tours au XVIIe siècle. Le fort Saint-Martin, appelé aussi fort de Savoie, au nord, et le fort de France, au sud, furent construits sur des petits mamelons par Vauban au XVIIe siècle afin de protéger les entrées de la ville.

Ces forts communiquent avec le bourg par un chemin couvert jusqu'aux portes de Savoie et de France. Situés dans l'aire géographique du parc national du Mercantour, le terroir et ses alentours sont riches d'une faune, d'une flore et de paysages exceptionnels. Malgré son aspect sévère, qui n'est peut-être pas le moindre de ses charmes, Colmars sait distraire et accueillir : fête des Estivants, fête de la Saint-Jean, foires et nombreuses excursions.

Corbara
Haute-Corse

5 km S.-O. de L'Ile-Rousse

De la mer, on ne voit de Corbara que quelques volumes ocre qui couronnent les premiers contreforts rocheux. Depuis la route qui descend du col de San Cesareo, il présente en éventail ses hameaux harmonieusement disposés dans une conque abritée du vent. Les orangers, les oliviers, les figuiers de Barbarie pénètrent jusque dans le village, et de grandes terrasses retenues par des murs en pierre sèche structurent le paysage que les céréales, hier encore, blondissaient. Au sommet, ruines du castel fondé en 816 par Guido Savelli, et chapelle dédiée à Notre-Dame-des-Sept-Douleurs. Au couchant, la vue y est splendide. Plus loin, les grosses maisons patriciennes des Savelli et des Franceschini, hautes de trois et quatre étages, sont percées de loggias et de fenêtres bien ordonnancées. Au centre du village, la superbe façade collégiale Santa Maria Assunta (XVIIe siècle), précédée d'une série de marches.

La clôture de son chœur et son maître-autel en marbre polychrome (1750) témoignent de la richesse passée de ce gros bourg. La célébrité de la petite Davia, devenue impératrice du Maroc en 1786, dépasse celle de tous les autres enfants de Corbara. Aujourd'hui, on peut encore voir des confrères tourner le Vendredi saint sur la place de l'église en portant les attributs de la Passion.

A quelques kilomètres au sud, dans un repli montagneux, au pied d'un pic élancé, le couvent des Dominicains décrit par Maupassant domine la région.

Cotignac
Var

24 km N. de Brignoles

L'extraordinaire barre de tuf de plus de 80 mètres de haut, aux gigantesques stalactites, tourmentée par des grottes profondes et qui domine Cotignac évoque un monde lunaire. Le château médiéval dresse encore au-dessus de la falaise ses tours carrées construites lorsque les habitants vivaient dans les grottes transformées par eux au cours des siècles en habitations ou en locaux à usage agricole et, plus récemment, en salle de réunion. Cette ville haute fut prolongée aux XVIIe et XVIIIe siècles par un nouveau quartier où de nombreux hôtels particuliers côtoient des habitations plus modestes aux portes décorées de mascarons et aux balcons de fer forgé. Sur le cours Gambetta, la plus ornée des fontaines est celle dite des Quatre-Saisons, qui sont symbolisées par des masques crachant l'eau.

Depuis les volumes creusés dans la falaise, on domine les toits serrés de la ville basse ; on peut aussi s'enfoncer dans l'aven appelé salle des Merveilles dont les concrétions sont d'un blanc éclatant.

Sur le mont Verdaille, la chapelle Notre-Dame-de-Grâce, érigée au XVIe siècle en souvenir d'une apparition de la Vierge, est un lieu de pèlerinage, en particulier le 8 septembre. Anne d'Autriche et Louis XIV y firent en 1660 un voyage d'action de grâces.

A Cotignac, animations tout au long de l'été et artisans d'art contribuent à la vie du village.

Crestet
Vaucluse

6,5 km S. de Vaison-la-Romaine

Suspendu au-dessus de la plaine de l'Ouvèze, au pied du mont Ventoux, Crestet déploie à mi-pente le front de ses maisons, encore contenu par les vestiges d'une enceinte. L'imposant château sur la crête dénudée, du même blanc que la falaise et le village, dresse ses murs vers le ciel, tel un signal qui dialogue avec le clocher pointu de l'église romane, édifice d'une très grande qualité. A son pied, les vergers d'oliviers abritent quelques grosses fermes. Seigneurie des évêques de Vaison, cette place forte résista à maintes attaques durant les guerres de Religion. Le château, détruit pendant la Révolution, a été aujourd'hui en partie restauré. Les ruelles fleuries, les fontaines et le lavoir qui avaient été abandonnés au début du siècle ont retrouvé vie.

Perdue dans les bois, la fondation Claude et François Stahly transforme, autour de bâtiments modernes d'une belle ordonnance, la colline en jardin de sculptures contemporaines.

Entrevaux

Alpes-de-Haute-Provence

64 km N.-O. de Nice

Dans la vallée du moyen Var, que l'on vienne de Puget-Théniers ou d'Annot, on ne sait ce qui étonne le plus à Entrevaux de la qualité des paysages ou de celle de l'architecture. Ici, patrimoine naturel et patrimoine bâti apparaissent comme inséparables. Cette ville forte, serrée au pied du formidable rocher de l'Éventail, est dominée par la citadelle, construite par Vauban au XVIIᵉ siècle, lorsque Louis XIV décida de faire une place forte de ce riche évêché de Provence. La forêt enveloppe à l'ouest et au nord le triangle gris et rose du rocher et des toits de ses pins sylvestres sombres. A l'est, les terrasses de culture plantées d'oliviers descendent jusqu'à la vallée du Var, dont les eaux d'une qualité exceptionnelle – les truites y sont abondantes – serpentent parmi le lit de galets blancs. Le bourg est rigoureusement clos par une enceinte percée de trois portes et protégé au midi par deux tours bastionnées. L'entrée dans la ville se fait par la porte royale dont le pont qui enjambe le Var est défendu par un ouvrage avancé et les deux tours aujourd'hui restaurées. S'arrêter sur les petites places, c'est se plonger dans un univers architectural exceptionnel à la fois par la qualité des espaces et celle de l'architecture. La plupart des constructions datent du XVIIᵉ siècle. Leur restauration et leur remise en couleur, la beauté de leur décor laissent une impression de grande homogénéité. La cathédrale, englobée à la fin du XVIIᵉ siècle dans l'enceinte et dont le clocher est crénelé comme une tour, possède un beau mobilier : retables et orgues ornent sa nef unique.

Il faut monter à l'ancien château relié à la ville par les neuf rampes en zigzag qui entament le rocher, chacune scandée par des ouvrages militaires. La construction de ce formidable ouvrage demanda une cinquantaine d'années. Le vaste bâtiment du château permettait de soutenir un siège pendant de longs mois. Depuis la citadelle, toute la vallée de la Chalvagne s'ouvre au visiteur et offre des promenades exceptionnelles.

Esparron

Var

44 km N.-O. de Brignoles

Au détour de la route sinuant dans une forêt dense de chênes, jaillit d'un piton boisé le village regroupé autour de la masse imposante de son château. Sa situation privilégiée, loin des grandes agglomérations, explique tout le charme un peu désuet que l'on ressent à parcourir les vieilles rues où les maisons bien construites sont ornées de linteaux décorés. Le château, agrandi au XVIIIᵉ siècle abrita successivement depuis le XIVᵉ siècle, les plus grandes familles provençales : les Castellane, les Pontevès, les d'Agoult. Depuis l'esplanade, la petite plaine agricole déchire les grands bois de Ginasservis.

Au pied du village, à l'emplacement d'une villa gallo-romaine, la chapelle Notre-Dame-du-Revest, construite au XIᵉ siècle, en bel appareil de pierre, occupe, d'une façon inhabituelle dans la région, un enclos gazonné ombragé d'immenses chênes.

Évenos

Var

17 km O. de Toulon

Site géologique, site militaire, site pittoresque, Évenos est le type même du village perché, dominant les gorges d'Ollioules, étroites et inhospitalières. Commandant la plaine ouverte sur la rade de Toulon, le château, ancré sur un éperon rocheux qui est un piton volcanique, est construit en basalte noir et protégé par une triple enceinte percée de poternes enserrant une tour en calcaire, dite la Tour blanche. Forteresse imprenable, il domine le village de son imposante masse un peu effrayante. Bonaparte, lors du siège de Toulon en 1793, y installa un poste de garde. Par une route sinueuse et escarpée, on atteint le village, qui a gardé son aspect défensif dans l'enchevêtrement des ruelles en pente épousant la topographie du lieu. La pierre volcanique, unique matériau de construction, confère aux maisons basses et voûtées un caractère insolite pour la région.

Le long de la rue principale d'Évenos, qui conduit à l'esplanade du château, les maisons, modestes et basses, sont construites de gros moellons de basalte brun et de calcaire clair.

D'Entrevaux, au pied du rocher de l'Éventail, un sentier en ligne brisée, que protègent un mur fortifié et des bastions, conduit à la citadelle. La vue s'étend dans la haute vallée du Var.

L'église, de dimensions modestes, est décorée d'un fort beau linteau ; l'intérieur abrite une statue de la Vierge dont les traits représentent l'impératrice Eugénie, entourée de candélabres et surmontant un autel, dons de l'empereur Napoléon III. Autour du village, les admirables gisements de grès blanc aux formes fantastiques, les carrières de marbre, les grottes, les ravins et les cascades font de ce site un lieu naturel de grand intérêt.

Eygalières
Bouches-du-Rhône

15 km S.-O. de Cavaillon

Entre la plaine nourricière au nord, abritant arbres fruitiers et primeurs derrière des haies de cyprès et de roseaux, et l'aridité du piémont des Alpilles, une colline isolée reçut dès le Moyen Age un château et une enceinte : Eygalières était né. Depuis, le village a envahi les pentes et gagné la plaine où l'église Saint-Laurent, inaugurée en 1905, a consacré le nouveau village. Par les rues pentues, bordées de petites maisons aux façades dorées, on gagne le sommet de la butte où, par la porte de l'Auro, on accède à l'esplanade du vieux château. La chapelle des Cinq-Plaies, ancienne chapelle des Pénitents-Blancs, montre parmi les ruines son toit de dalles et son clocheton ajouré. La tour de l'Horloge, carrée, signale de toutes parts la présence du village. Toute la plaine agricole est parsemée de gros mas, tandis qu'au nord quelques résidences s'élèvent çà et là, cachées parmi les rochers et les dépressions cultivées du piémont. Protégé par une haie de cyprès, un petit cabanon du quartier de la Lèque, abrita quelque temps en janvier 1942 Jean Moulin. Sur la route d'Orgon, sur un tertre rocailleux au milieu des amandiers, s'élève la chapelle Saint-Sixte. Tous les mardis de Pâques, on s'y rend en procession.

La tour de la maison des Durazzo, à Fozzano, est percée de mâchicoulis par lesquels on versait de l'huile bouillante sur les assaillants.

Èze
Alpes-Maritimes

10 km E. de Nice

Du haut de son piton, Èze médiéval, comme suspendu entre terre et ciel, surveille la mer et semble encore y guetter les dangers possibles. Site occupé dès l'Antiquité, comme le prouvent les vestiges de trois camps ligures, le territoire d'Èze, très accidenté, a connu des limites fluctuantes liées à son histoire complexe. Démantelé en 1706 sur les ordres de Louis XIV, l'ancien château domine encore, comme dans tous les villages perchés, un incomparable panorama. Au pied fut créé en 1950 un jardin exotique où croissent de nombreuses essences rares. D'ici, plusieurs promenades sont possibles, soit le long du sentier Friedrich-Nietzsche, où l'auteur trouva l'inspiration de la troisième partie d'*Ainsi parlait Zarathoustra*, soit vers le village, où le labyrinthe des ruelles grimpantes et descendantes ne peut être suivi qu'à pied. Bordées de maisons hautes et étroites s'appuyant les unes sur les autres, ces voies souvent caladées (pavées de galets roulés), interrompues d'escaliers tortueux, d'arcs, de passages couverts, encombrées de contreforts contraignant les façades, sont encore protégées par l'entrée fortifiée, où l'on devine les traces de l'ancien pont-levis, et entourées du chemin de ronde circulaire troué de meurtrières. La plupart des rez-de-chaussée sont aujourd'hui occupés par des commerces d'artisanat d'art qui ont supplanté, dans ce village en partie abandonné au début du siècle, les activités agricoles d'antan.

Fozzano
Corse-du-Sud

12,5 km E. de Propriano

C'est à Fozzano, en 1839, que Prosper Mérimée rencontra Colomba. De cette vieille dame de 65 ans, personnage violent et passionné, Mérimée fit l'héroïne de son roman. Pour les besoins du récit, l'auteur lui prêta la beauté et la jeunesse de sa fille Catalina. On découvre dans le bas du village, comme un peu à l'écart, sa maison au toit de tuiles roses et aux murs de granit. La maison de ses ennemis, les Durazzo, altière et magnifique, reste caractéristique par sa hauteur, l'appareillage de ses murs et ses mâchicoulis des villages fortifiés de la région de la Rocca. Fozzano, accroché à un éperon rocheux et surplombant le golfe de Valinco, est un bel exemple de ces sites défensifs du Moyen Age, lorsque les seigneurs Della Rocca dominaient toute la région, du col de Celaccia à l'ouest jusqu'à Bonifacio au sud. Aujourd'hui, la Rocca ne désigne plus que la cuvette de Baracci. A 1,5 kilomètre, au village de Santa Maria Figaniella, on remarquera l'église de style pisan, construite en granit doré. C'est à l'ombre de son haut et svelte clocher du XVIIIᵉ siècle qu'a choisi de venir écrire et composer un des grands artistes de la Corse d'aujourd'hui, Jean-Paul Poletti.

Ghisoni
Haute-Corse

42 km S. de Corte

Quand Urbain V (pape de 1362 à 1370) décida d'envoyer ses troupes pour réduire les hérétiques Giovannali, il ne se doutait pas qu'il allait baptiser des montagnes. Cette révolte, née sur fond de contestation politique et sociale, avec à sa tête deux pauvres seigneurs, s'inspirait de l'esprit de fraternité et de pauvreté franciscain. Depuis Carbini, les Giovannali furent poursuivis jusqu'à Ghisoni, où ils furent exterminés. Sur leur bûcher, ils entonnèrent le Kyrie. L'écho montagneux leur répondit : *Christe Eleison.* Depuis ce jour, s'élevant respectivement à 1 535 et 1 260 mètres, les deux ensembles de pics rocheux qui dominent Ghisoni au sud portent ces noms liturgiques. A l'ouest, le mont Calvi (1 071 mètres), à l'est, la Punta clôturent la cuvette où se niche le village, à 660 mètres d'altitude. On voit d'abord ses toits de tuiles rouges puis les hauts murs sévères de ses maisons partiellement recouverts par les lichens. Il faut arriver à Ghisoni par le col de Sorba au nord ou par le col de Verde au sud, au travers de forêts qui, bien que ravagées par des incendies, n'en restent pas moins parmi les plus belles de Corse : pins laricios, hêtres bruissants, sapins pectinés et bouleaux les habitent.
Les eaux du Fiumorbo, proche, sont réputées auprès des pêcheurs de truites. A la pêche, on peut préférer consommer au village une succulente charcuterie de montagne.

Gordes
Vaucluse

19 km N.-E. de Cavaillon

Connu dans le monde entier, symbole du village de Provence, accroché et marié au rocher dans une alliance vertigineuse de pierre et de roc, Gordes fascine et envoûte. Depuis la plaine, émaillée de somptueuses maisons anciennes ou récentes, tout en pierres sèches, la silhouette du village, construit sur un socle de molasse au relief tourmenté, accroche maisons et jardins suspendus, protégés par des murets, en une mosaïque aux camaïeux d'ocres et de verts. Au sommet, le château et l'église poursuivent dans un savant équilibre des masses le dialogue du sacré et du profane. L'imposant édifice cubique flanqué de tours décline dans la pierre blanche la pérennité de son occupation depuis les d'Agoult, au XIᵉ siècle, jusqu'aux Simiane qui, au XVIᵉ siècle, le reconstruisirent en grande partie. De cette époque datent la belle façade Renaissance sur la place, l'escalier d'honneur et la cheminée monumentale en pierre abondamment sculptée, de 1541. Le château abrite aujourd'hui la mairie et le musée didactique Vasarely (célèbre peintre hongrois vivant en France). L'église paroissiale, dont la sévère façade est seulement ornée d'un œil-de-bœuf, date en grande partie de XVIIIᵉ siècle. En contrebas, sur son chevet, une très belle salle vôutée est sans doute une ancienne dépendance du château.

Il faut se laisser porter par son inspiration et parcourir les ruelles empierrées et tortueuses où de fabuleuses déchirures béent entre les maisons bourgeoises bien appareillées sur l'immensité de la plaine et du ciel.

Creusée et recreusée par des générations, la falaise renferme dans le secret de ses flancs des constructions troglodytiques, habitations, caves et moulins dont les volumes sont sculptés au vif de la roche, de même que les cuves, les bassins de décantation et les pressoirs.

Cabanes de pierre sèche aux formes curieuses de dômes, *bories* en provençal local, occupées depuis de longs siècles et jusqu'à nos jours, murs déroulant à l'infini leur ondulant ruban gris sur le maquis de chênes verts ponctué d'essences variées aux odeurs parfumées, donnent au terroir environnant un caractère très particulier pour ne pas dire unique. La plupart de ces constructions sont encore habitées, mais le Village des bories, vaste ensemble enclos de cinq groupes d'habitations organisées autour d'une aire de rocher, a été transformé en musée. Il retrace la vie d'une communauté d'autrefois retranchée autour des bergeries, des fours, des pressoirs et des magnaneries.

A 4 kilomètres au nord de Gordes, au bout d'une route étroite sinuant à flanc de coteau parmi les taillis surgit soudain dans toute sa rigueur l'abbaye cistercienne de Sénanque, pur modèle de la vie ascétique que menaient au XIIᵉ siècle les moines qui mirent en culture le vallon de la Sénancole.

Village d'art et d'histoire, Gordes a attiré et fixé de nombreux artistes et artisans. En témoignent les galeries et les boutiques qui se sont ouvertes tout au long des ruelles. Le festival de Musique et de Théâtre au mois d'août, la fête du Vin du 14 juillet, les musées, tout à Gordes est fait pour le plaisir du visiteur.

Gourdon
Alpes-Maritimes

14 km N.-E. de Grasse

Perché hardiment à l'extrême avancée du plateau de Caussols au-dessus des gorges du Loup, Gourdon est accessible par une route entaillée à flanc de coteau dominant le site préhistorique du gouffre de Garagaï. Sa situation exceptionnelle en a fait, de

Du château de Gourdon, dont on aperçoit ici la face nord et une partie des jardins de buis, la vue s'étend sur la Côte d'Azur et son arrière-pays, du massif de l'Esterel à la baie des Anges.

tout temps, un emplacement stratégique de premier ordre : village ligure, puis citadelle romaine, il conserve de l'époque médiévale un imposant château reconstruit par Louis de Lombard en 1610.

Cette forteresse, qui abrite un musée d'Histoire et de Peinture naïve, forme un quadrilatère irrégulier flanqué de tours cylindriques dominant des jardins de buis centenaires dont le dessin est attribué à Le Nôtre.

Il faut emprunter la principale rue du village pour savourer, au hasard d'une placette, d'une maison médiévale adossée au rempart ou du départ d'un escalier, la délicieuse odeur de lavande, de miel ou de nougat noir de production locale qui flotte parmi la bimbeloterie familière aux villages touristiques de la Côte d'Azur.

Poursuivant la route de Grasse à Vence (D 2210), n'omettez pas de vous arrêter au Bar-sur-Loup pour admirer dans l'église Saint-Jacques-le-Majeur la Danse macabre, œuvre d'un peintre provençal du XVᵉ siècle.

Jouques
Bouches-du-Rhône

27 km N.-E. d'Aix-en-Provence

Qui imaginerait ici un légat du pape se divertissant du combat entre un cygne et un chien ? C'est pourtant ce qui eut lieu en 1639, à l'époque faste où les archevêques d'Aix, seigneurs du lieu depuis le XIIIᵉ siècle, avaient à Jouques leur résidence d'été, dont les terrasses à balustrades et les façades percées de fenêtres à meneaux dominent le village avec les ruines de l'ancien château, dit château d'If, et la chapelle Notre-Dame-de-la-Roque, ancienne église paroissiale en partie romane. Le village, étagé en gradins, se confondant avec les pentes ensoleillées de la rive nord du Riaou, jouit aujourd'hui d'un calme parfait, retiré dans un frais vallon, à l'abri du Concors. Depuis le plateau du Piedmont, les toits ocre paraissent sagement rangés en lignes parallèles séparées par les longues tranchées rectilignes et sombres des rues, bordées de maisons bien restaurées. La mairie occupe tout en bas, en bordure du Grand Pré toujours vert, une vaste et solennelle bâtisse, ancienne maison seigneuriale d'Arbaud, édifiée vers 1715-1720, à l'ordonnance très aixoise. L'ancienne chapelle Saint-Jean, construite au milieu du XVIIᵉ siècle, abrite un musée rural et d'histoire locale. Le sculpteur Sartorio, artiste à succès qui a œuvré dans le département tout au long du siècle, est l'auteur du monument aux morts.

Lacoste
Vaucluse

21,5 km E. de Cavaillon

Comme imprimé sur la rive abrupte du Calavon, Lacoste se signale d'abord par son imposant château qui domine les maisons de sa silhouette ruiniforme. La vénérable famille provençale des Simiane céda au XVIIIᵉ siècle son fief à la famille de Sade. Accroché

sur la colline, ce château était l'un des plus vastes de la région avec ses quarante pièces lorsque y vivait le « divin marquis », dont la mémoire hante encore le pays. Pillé et démantelé à la Révolution, il est depuis quelques décennies patiemment restauré par son propriétaire, qui, avec volonté et ténacité, l'a sauvé de la ruine. Il en est de même pour les maisons villageoises remises en valeur par des amoureux de ce lieu sauvage. Lacoste est encore protégé par son enceinte, en grande partie conservée. On pénètre par la porte de Garde ou par le portail des Chèvres dans les ruelles pittoresques aux nombreux passages voûtés. Au-dessus de l'hôtel de ville est édifié un étonnant campanile de pierre dont la grille repose sur quatre colonnettes à pans coupés aux chapiteaux corinthiens. Depuis ce point de vue s'ouvre largement le panorama sur la plaine, fermé dans le lointain par le village de Bonnieux.

Ici, les maçons construisaient avec une pierre extraite dans d'immenses carrières souterraines qui forment un réseau dense derrière le château et dont certaines ont été réouvertes pour la restauration de l'édifice. L'une d'entre elles a été aménagée en salle de congrès. Chaque année, dans cet espace insolite, sont organisées de nombreuses manifestations : symposiums de sculpture, concerts, congrès...

Lagrand
Hautes-Alpes

23 km N.-O. de Sisteron

Au confluent du Buëch, de la Blaisance et du Céans, surplombant légèrement la vallée, Lagrand s'est bâti sur un éperon, le long de la route des princes d'Orange. De toutes parts, le point de repère est la silhouette caractéristique de son église au pignon surmonté d'un clocheton. L'installation d'un prieuré au bord du plateau, au XIIe siècle, incita les habitants à fuir la plaine peu sûre et à se regrouper autour du monastère. La tour carrée est le seul vestige du château édifié par les moines. C'est de cette époque que date la fête de la Nativité, toujours célébrée le

9 septembre. Les maisons au front régulier sont en pierre apparente, sans volonté d'ordonnance, sauf pour les demeures riches, dont l'actuelle mairie. La vaste façade de six travées en est décorée d'une porte monumentale avec balcon en fer forgé.

Lucéram
Alpes-Maritimes

27,5 km N.-E. de Nice

Lucéram se perche sur un promontoire qui occupe le centre d'un cirque en forme d'entonnoir. Placée sur la route du sel menant de Nice à Turin, elle acquit dès 1418 un statut particulier qui libéra ses habitants de tout joug féodal. La majesté de l'endroit, entaillé par les vallées du Paillon et de l'Infernet, a favorisé l'implantation d'établissements bénédictins, hospitaliers et templiers, faisant du village un important centre religieux. L'église Sainte-Rosalie, flanquée d'un haut clocher, placée au centre du village depuis le XVe siècle, fut habillée trois siècles plus tard d'un décor rococo. Cinq splendides retables des primitifs niçois Ludovic, Antoine et François Bréa et Jean Canavesio ornent le chœur et les chapelles latérales, et de remarquables pièces d'orfèvrerie, parmi lesquelles la statue-reliquaire de sainte Marguerite d'Antioche « issant » du dragon qui l'avait engloutie, brillent de tous leurs feux. Quatre chapelles et une tour d'angle crénelée, vestiges des anciens remparts, semblent encore assurer à l'agglomération leur protection temporelle et spirituelle. Deux de ces sanctuaires dédiés à saint Grat et à Notre-Dame-de-Bon-Cœur renferment des cycles de peintures murales dus au talent de Jean Balaison (vers 1480). Dans l'enchevêtrement des ruelles, on découvrira au détour d'un escalier, d'une intersection ou à l'abri d'un passage voûté une maison gothique, une fenêtre géminée, une boutique médiévale. Le jour de la Sainte-Rosalie, où tous les hommes du village viennent saluer les reliques, armés d'une épée, le village entier se replonge dans son passé.

Lurs
Alpes-de-Haute-Provence

11 km E. de Forcalquier

A l'écart des grands axes, Lurs, perché au-dessus de la vallée de la Durance, a conservé un terroir agricole d'une grande qualité où terrasses de culture alternent avec les bois denses de chênes, verts et blancs, et de pins d'Alep, parsemé de vastes fermes aux formes massives, accompagnées de pigeonniers et de chapelles votives. L'ancien château féodal et les vestiges du palais des évêques évoquent le temps où la commune était propriété des évêques de Sisteron, alors princes de Lurs. Quelques maisons en encorbellement rompent la régularité et la simplicité sévère des constructions. La tour de l'Horloge, surmontée d'un campanile en fer forgé, renferme l'une des cloches les plus anciennes du département (1499). Chaque année, le lundi de Pentecôte, se déroule le pèlerinage à Notre-Dame-des-Anges.
A 7 kilomètres au nord-est, célèbre prieuré roman de Ganagobie.

Mane
Alpes-de-Haute-Provence

3,5 km S. de Forcalquier

Lorsqu'on a parcouru les sévères plateaux qui bordent la montagne de Lure au nord et les collines boisées des dernières pentes du Luberon au sud, l'apparition de Mane, admirablement inscrit dans son terroir agricole, fait figure d'oasis. L'occupation de cette plaine largement ouverte remonte à la plus haute Antiquité, comme en témoigne la proximité de la grande voie Domitienne, jalonnée de multiples vestiges de bâtiments, d'aqueducs et de nécropoles. La pierre du pays, omniprésente dans les constructions, harmonise dans une même teinte bâtiments civils, religieux ou militaires. Maisons paysannes et hôtels particuliers s'égrènent le long des rues calades (pavements en petits galets roulés) et autour des placettes égayées de verdure et de fontaines. Séparée des dernières constructions par un glacis, la forteresse médiévale s'est implantée au sommet de la butte, protégée par sa double enceinte.
Le riche terroir est un lieu de découvertes architecturales et paysagères. Sur les plateaux à moutons, les « cabanons pointus » et les murs en pierre sèche évoquent la vie d'autrefois, de même que le château de Sauvan, belle demeure du XVIIIe siècle, la tour de Porchère ou encore le pont sur la Laye, tous deux édifiés au Moyen Age. Mais c'est le prieuré de Salagon qui en constitue incontestablement le fleuron : c'est avec Ganagobie, au nord-est de Lurs, l'un des plus prestigieux édifices médiévaux de haute Provence. Il abrite aujourd'hui le conservatoire du Patrimoine ethnologique de haute Provence.

Maussane-les-Alpilles
Bouches-du-Rhône

19 km E. d'Arles

Au pied de la chaîne des Alpilles et de son piémont ondulant du feuillage des oliviers plantés en raies régulières, dans la plaine verdoyante conquise sur d'anciens palus, Maussane se cache sous la masse dense de platanes qui, seuls, signalent sa présence. Fief de la famille des Baux, le village ne se développa réellement qu'au XVIIIe siècle, après qu'il eut déserté son site perché initial. L'église fut construite en 1752. L'emploi systématique d'un seul matériau, la pierre blanche de Fontvieille, dans un bel appareil régulier, lui confère une grande unité de forme et de couleur. L'église rassemble toutes les qualités d'imagination et d'adresse dont savaient faire preuve les tailleurs de pierre du pays : le grand portail finement décoré, la chaire et la tribune sont remarquables par leur stéréotomie (art de la taille et de la mise en œuvre de la pierre). Le marché, qui envahit trois fois par semaine la place ombragée où coule une fontaine au décor de bronze, regorge d'huile d'olive, d'olives confites, vertes ou noires, qui sont la grande spécialité des Alpilles.

Les toits traditionnels de Ménerbes guident le regard vers la citadelle, dont les tours rondes encadrent l'austère façade. Inexpugnable sur son rocher, elle défia les plus farouches assaillants.

Ménerbes
Vaucluse

17,5 km E. de Cavaillon

Porté par un éperon rocheux, à pic de tous côtés, Ménerbes s'égrène tout au long de son promontoire. Cette situation privilégiée lui valut, aux temps troublés des guerres de Religion qui ravagèrent la Provence au XVIᵉ siècle, d'être le lieu d'affrontements sanglants entre catholiques et protestants qui soutinrent pendant cinq années un siège héroïque ; cet épisode est resté célèbre dans l'histoire du protestantisme français.

On voit encore l'enceinte et ses tours, ainsi que la citadelle qui défendait le village à l'est. De nombreuses maisons, par leur ordonnance et leur décor, évoquent les nobles familles qui habitèrent le village, tels la Carmejane, du XVIᵉ siècle, rue de l'Église, ou l'hôtel de la princesse de Tingry.

La mairie, qui porte un beffroi au campanile de fer forgé, est longée par un passage voûté où s'encadrent à l'horizon les monts de Vaucluse.

L'église, à l'extrémité occidentale du promontoire, protège de son clocher-arcade le charmant petit cimetière planté de cyprès. Sur un mamelon isolé du reste du village se dresse le castelet qui le défendait de ce côté. On en a depuis le cimetière une vue exceptionnelle. Ce petit château, très restauré, conserve cependant un attrait indéniable. Une double rampe en pas d'âne accède à la porte qui est encadrée de deux tours massives ; sur le côté s'étagent des jardins en terrasses. Ce lieu paisible fut la demeure du peintre Nicolas de Staël.

Ménerbes est aussi la patrie de Clovis Hugues, homme politique et poète local de la fin du siècle dernier.

Mons
Var

48,5 km N.-E. de Draguignan

Sa situation privilégiée sur un éperon rocheux à 800 mètres d'altitude, permettant certains jours d'apercevoir les montagnes corses, valut à Mons destructions et pillages sans pour autant décourager ses habitants. Dans ce paysage grandiose et sévère, les Monsois mirent en culture les pentes des collines en remontant la terre arable des fonds de vallons. Le village aux rues pittoresques, bordées de constructions en pierre apparente, est dominé par une tour carrée du XIVᵉ siècle surmontée d'un campanile en fer forgé. L'église paroissiale, d'un roman tardif, abrite de beaux retables.

La vallée de la Siagnole, à proximité, est un lieu de promenade apprécié. Les Romains y captèrent les sources pour alimenter la ville de Fréjus par un aqueduc dont subsistent de nombreux vestiges.

La chapelle Saint-Michel de Lurs est caractéristique, avec son mode de construction rustique et ses proportions maladroites, des chapelles rurales qui parsèment le terroir.

Mont-Dauphin
Hautes-Alpes

30 km S. de Briançon

Promontoire escarpé dominant de plus de 100 mètres la plaine et le confluent du Guil et de la Durance, le plateau des Millaures, lande battue par les vents, reçut au XVIIᵉ siècle la place forte de Mont-Dauphin. Ce site fut choisi par Vauban, commissaire général des fortifications, envoyé par Louis XIV pour renforcer et compléter le dispositif des places fortes de la frontière sud-est du Dauphiné, après l'invasion des troupes du duc de Savoie. Une place centrale, des rues desservant les îlots civils, des casernes, le tout est enserré dans une enceinte bastionnée qui renforce les défenses naturelles de ce site escarpé. Curieux héritage de l'histoire, la place forte constitue à elle seule tout le terroir de la commune, le plus petit du département. Entrant par la porte de Briançon, puis passant sous le pavillon de l'Horloge, on débouche sur la place des Officiers, située dans l'axe de la rue principale du village qui avait l'ambition de devenir une ville.
Malgré les avantages promis, les habitants ne furent jamais suffisamment nombreux, et la trame ortho-gonale de la ville, comme la vaste église conçue à l'échelle d'une population urbaine, est restée à jamais inachevée. Toits d'ardoise d'un noir profond et marbre rose de Guillestre pour les constructions militaires, crépis colorés pour les maisons donnent à la ville une grande homogénéité. Le décor des fontaines, une scénographie urbaine soulignée par les plantations en quinconce, dégage une impression d'harmonie. La différence de gabarit entre les constructions affirme le contraste entre civil et militaire. La caserne Rochambeau, qui constitue le front méridional de l'enceinte, est un bâtiment extraordinaire à tous points de vue : ampleur de la construction en ligne brisée, envolée de son escalier suspendu au-dessus de l'esplanade ornée d'une grande fontaine, structure elle-même, qui, exploitant la dénivelée, a réservé l'étage sous combles, à l'admirable charpente, à l'usage de monumentales écuries. Un musée a été aménagé dans l'ancien arsenal casematé. Au mois de juin ont lieu de spectaculaires fêtes du Soleil. Artisanat d'art.
Les eaux thermales abondent dans la ville haute et dans la plaine : fontaine pétrifiante du Réolier aux fantastiques concrétions et source jaillissant à 28 degrés au Plan de Phazy.
Promenades et excursions dans le Queyras, dont Mont-Dauphin garde l'entrée.

Les parois grises aux taches fauves et les tuiles vieillies des maisons de Moustiers forment une étonnante harmonie. Entre les deux pitons rocheux, la chaîne dorée qui soutient l'étoile a remplacé celle en argent, volée lors des guerres de Religion.

Le bourg se dissimule à son pied sous les frondaisons d'immenses platanes, l'emploi d'un matériau de construction extrait sur place achevant de le faire disparaître par mimétisme dans un accord harmonieux du naturel et du bâti. Il offre de riantes placettes ombragées, de belles maisons Renaissance.

Morosaglia
Haute-Corse

> 38,5 km N.-E. de Corte

On accède à Morosaglia par la D 71 qui s'élève sur les pentes de la Serra Debbione. A mesure que l'on monte se découvre le massif du Rotondo, au sud-ouest, les aiguilles pourpres de Popolasca et les crêtes d'Asco à l'ouest. Le village se compose de plusieurs hameaux de schiste gris accrochés à des éperons rocheux et étagés entre 800 et 1 000 mètres : Ponte Leccia, Stretta, Morosaglia (hameau principal) et, le plus élevé et le plus pittoresque, Rocca Suprana. Dans cette partie de la Castagniccia, le châtaignier a son royaume. Longtemps on en a extrait le tanin, puis le nouveau vignoble y a conquis une petite place, et aujourd'hui de nombreux torrents font la joie des champions de kayak. Avoir engendré le héros de l'indépendance corse, Pascal Paoli (né en 1725 au hameau de Stretta), est la grande fierté de Morosaglia. C'est lui qui jeta dans son pays les bases d'un gouvernement démocratique à l'admiration de toute l'Europe des Lumières. Exilé à deux reprises et ayant échoué dans sa tentative d'une Corse indépendante, il mourut à Londres en 1807. Ses cendres reposent dans une chapelle au rez-de-chaussée de sa maison de Morosaglia. C'est une typique demeure de notable, carrée, haute, au toit recouvert de schiste noir, avec d'élégantes corniches débordantes et un escalier à perron extérieur. Aujourd'hui elle abrite un musée.
Un chemin raide conduit à l'église Santa Reparata, reconstruite à partir d'un édifice primitif roman du XIIe siècle et où l'on peut voir encore quelques motifs caractéristiques gravés dans la pierre. Plus bas, l'ancien couvent de Rostino, où siégeaient les Consultes nationales et où mourut en 1793 le frère fidèle de Pascal Paoli, Clément.
A une quinzaine de kilomètres au nord-ouest de Ponte Leccia, par la nouvelle route de l'Ostriconi, on découvre, accrochées sur une arête, les hautes maisons du pittoresque village de Lama.

Mornas
Vaucluse

> 11 km N.-O. d'Orange

A Mornas, la puissance du site efface le village. L'imposante falaise de molasse jaune qui se dresse, telle une lame de plus de 130 mètres, le long du Rhône, abrite dans une formidable anfractuosité la perfection architecturale de l'église romane Notre-Dame-du-Val-Romigier.
Le sommet de la falaise, ourlé d'une enceinte étroitement imbriquée aux mouvements du sol, porte les restes du château féodal, propriété des comtes de Toulouse, puis du duc de Luynes. Cet ensemble d'architecture militaire d'époque médiévale, avec sa double enceinte, ses fossés, ses tours d'angle et son donjon de plan carré, est le plus important de la région. Il évoque les terribles affrontements des guerres de Religion qui décimèrent la population. La mémoire populaire conserve le souvenir de ces supplices qui virent les catholiques précipités du haut de la falaise sur des piques dressées. Les choucas, seuls habitants actuels de ces lieux, accentuent par leur vol noir et leurs croassements l'impression sinistre que dégage encore ce site austère.

Moustiers-Sainte-Marie
Alpes-de-Haute-Provence

> 48 km S. de Digne

Un site, une chapelle, une étoile, des faïences, quatre mots qui synthétisent ce haut lieu touristique de la Provence intérieure. Le toponyme même du village vient de « monastère », souvenir du temps où les moines de l'abbaye de Lérins créèrent une colonie destinée à mettre en valeur le site. Sur fond de cirque rocheux déchiqueté, profondément entaillé, posé sur un plateau verdoyant dont le pied est baigné par la petite rivière de la Maïre, le village, séparé en deux, est relié par une série de pittoresques ponts de pierre. A travers les ruelles toujours très animées, les maisons aux rez-de-chaussée occupés par les boutiques de faïenciers se colorent de toutes les nuances d'ocre. L'église romane, sévère, en moellons apparents, est surmontée d'un clocher de style lombard bâti dans le tuf de la région. La placette-parvis, ombragée de grands arbres, sert de halte avant l'ascension à Notre-Dame-de-Beauvoir. C'est la plus célèbre des chapelles votives de la commune. Son ancien vocable de Notre-Dame-du-Roc ou d'Entre-Roc rend compte de sa situation. Elle est en partie romane et son portail en bois est sculpté d'un décor renaissant. C'est là qu'illuminée de cierges arrive à l'aube du 8 septembre la procession partie de l'église, après avoir serpenté parmi le chemin de croix, au son des galoubets et des tambourins, pour entendre la messe de l'aurore. Depuis l'esplanade, au milieu des cyprès et des oliviers, sous le chant crissant des cigales au fort de l'été, se découvre un panorama exceptionnel : les vieux toits rosés de tuiles rondes dialoguent avec les prairies verdoyantes des bords ombragés de la Maïre, où les amoureux du camping trouveront un lieu de détente fort agréable. A Moustiers, tous lèvent les yeux pour admirer entre les deux pitons rocheux la mystérieuse étoile suspendue à sa chaîne de 220 mètres de long et dont la légende raconte qu'elle est un ex-voto de Blacas d'Aups, chevalier des croisades et coseigneur de Moustiers, qui aurait ainsi remercié la Vierge de l'avoir délivré des infidèles. C'est au XVIIe siècle que Moustiers devint célèbre pour ses faïences grâce à un artisan de génie, Pierre Clérissy, qui créa les fameux décors bleus sur fond blanc. Au cours du siècle suivant, les couleurs s'enrichirent de vert, de jaune, de brun ou de violet et les décors de « grotesques » devinrent les plus prisés. Après une période de déclin, les artisans, à travers le Groupement des fabricants de faïences de Moustiers, ont remis au goût du jour cette production qui reproduit fidèlement les modèles anciens ou en crée de nouveaux. Le musée de la Faïence, installé dans la crypte de l'ancien monastère des moines de Lérins, permet de saisir d'un seul regard toute cette évolution.

Station climatique d'été, Moustiers est le point de départ privilégié de nombreuses excursions à pied ou en voiture : haute cascade du Riou, chapelles votives ou, plus loin, lac artificiel de Sainte-Croix, qui recueille par la cluse du Galetas les eaux du Verdon dont les gorges constituent un des grands sites naturels de la région.

Névache
Hautes-Alpes

20,5 km N. de Briançon

Pénétrer dans la vallée de la Clarée, c'est aborder un monde où nature et présence humaine sont intimement mêlées. Entre les pentes abruptes des versants, couvertes de bois de pins et de mélèzes entrecoupés d'immenses pierriers, la Clarée serpente dans une riante vallée aux cultures variées où se succèdent hameaux et villages. Névache s'est implanté à l'endroit où la vallée s'élargit. La paroisse de Plampinet, les hameaux du Cros, de Sallé, de Ville-Basse constituent avec Ville-Haute la

commune. Une petite chapelle votive adossée à une croix semble marquer la limite de la zone des alpages où tendent à se confondre prés et forêts. Le mont Thabor ferme de ses sommets aux neiges éternelles le fond de la vallée. L'architecture traditionnelle est ici très bien préservée, typique du Briançonnais. La structure de bois de la grange, couverte de bardeaux de mélèze, couronne deux étages aux murs de pierre enduits. Le rez-de-chaussée est voûté. La modestie des nombreuses chapelles éparses sur le terroir ne laisse pas présager les somptueux décors de fresques qui couvrent les murs à l'intérieur, véritables bandes dessinées d'un temps où le livre était fort rare. Le 24 du mois de juin, un pèlerinage a lieu à la chapelle Notre-Dame-du-Bon-Secours, au pied du mont Thabor.

Nonza
Haute-Corse

19,5 km N. de Saint-Florent

En venant de Canari, Nonza apparaît abruptement accroché à un rocher noir surplombant la mer de 150 mètres. Au contraire, en venant de Saint-Florent, s'offre au regard un harmonieux étagement de maisons fleuries aux toits de schiste, et de jardins en terrasses qui descendent les flancs du Monte Stavo, s'incurvent et vont culminer à la vieille tour flanquée d'échauguettes. C'est là le dernier vestige de la place forte de Nonza. C'est cette tour qu'en août 1769 Casella, partisan de Paoli, défendit seul contre les 1 200 soldats envoyés par Louis XV en Corse à la suite du traité de Versailles. Faisant face à la petite place du village, l'église s'ouvre sur un très riche autel en marbre polychrome, de style ligure et daté de 1694. Nonza célèbre sainte Julie le 22 mai, car elle y fut crucifiée en 303 apr. J.-C. Le premier sanctuaire qui lui fut dédié a été détruit en 734 par les Sarrasins, mais la double fontaine qui naquit à l'endroit où furent jetés ses seins, sauvagement arrachés, coule toujours, à quelques centaines de mètres du village vers le nord. De là partent les 154 marches qui conduisaient aux jardins potagers et aux vergers, où mûrissaient les cédrats, ainsi qu'aux remises utilisées autrefois par les pêcheurs pour ranger leurs filets. Aujourd'hui, seuls les amateurs de bains de mer et d'escalade empruntent ces marches. Au pied de Nonza s'étend une immense plage de galets noirs, née du transport par les flots de pierres extraites de la mine voisine d'Albo.

Oppède

Vaucluse (voir pages 400-401)

Orgon

Bouches-du-Rhône

7 km S. de Cavaillon

A l'endroit où les Alpilles viennent mourir au bord de la Durance, Orgon occupe un étroit passage entre les collines de Beauregard, lieu traditionnel d'un célèbre pèlerinage, et celles de Montsauvy. Orgon, qui a donné son nom à un faciès géologique (l'urgonien), illustre parfaitement cette intimité, propre à l'habitat provençal, entre le bâti et le rocher. La cas-

Les toits de schiste verdâtre des maisons de Nonza surplombent la mer à 150 m d'altitude. L'église du XVIe siècle, dont on distingue nettement la nef épaulée de contreforts, porte, accroché à son chevet, un clocher à bulbe.

cade des murailles de l'ancien château médiéval, détruit sur ordre de Richelieu, semble une excroissance de la roche elle-même ; les rues sont taillées au vif du calcaire qui affleure partout ; nombre de maisons y sont en partie creusées, d'autres simplement adossées à la vertigineuse falaise. Orgon conserve deux portes de son ancienne enceinte du XIVe siècle et une jolie maison Renaissance.

La route de Beauregard se hisse audacieusement en lacets serrés jusqu'au plateau d'où l'on découvre une vue saisissante sur les derniers chaînons des Alpilles et la vallée de la Durance. Sur ces hauteurs sauvages, qui portaient une forteresse dont subsiste l'étonnante alimentation en eau constituée par une

dalle de rocher rainurée conduisant les eaux de ruissellement dans une citerne, a été reconstruite au siècle dernier la chapelle de pèlerinage. Installé dans les anciens bâtiments conventuels, un courageux animateur tente de redonner vie à ces lieux et à la traditionnelle procession. Le terroir de la commune recèle le gisement de carbonate de chaux pur le plus riche du monde.

Les remparts du vieux village d'Oppède sont fleuris au printemps de giroflées sauvages. Ils ont été baissés et laissent apparaître, derrière eux, les maisons des XVe et XVIe s. dont les façades ont été réaménagées au cours de l'histoire avec des éléments récupérés dans les « ruines ».

OPPÈDE

par Jean-Paul Clébert

12 km E. de Cavaillon

D'en bas, de la plaine du Calavon qui irrigue le pays d'Apt, on ne le voit pas. Des terrasses résidentielles de Gordes, on ne distingue point, au flanc de l'immense montagne bleue, allongée comme une bête au soleil (le lièvre, la lèbre, le Lubéron), l'agglomération des maisons parmi les taches grises des roches, pareilles à des lichens, qui parsèment le pelage forestier. Mimétisme voulu, sans doute, et volonté de se cacher. Suivant la grande route des invasions, d'Italie en Espagne, la voie Domitienne, devenue la nationale 100, les barbares passaient au large, pillant Apt et Cavaillon, mais ignorant Oppède, tapi sur son éperon et qui a fait croire à tort que son nom venait d'oppidum.

Ignoré aussi des mouvements de l'histoire, le bourg a ainsi conservé son identité et son authenticité. Classé, protégé jusqu'à son environnement, il n'est encore constitué que de maisons anciennes, pour la plupart « Renaissance » – un mot bien commode pour ceux qui se piquent d'histoire architecturale sans trop savoir dater ce moment privilégié... L'approche d'Oppède est proprement stupéfiante, que l'on vienne de l'est (Ménerbes) ou de l'ouest (Robion). Les deux routes qui y mènent, fortement pentues, font soudain apparaître un site d'une

beauté à couper le souffle. Des terrasses plantées d'oliviers, qui se relèvent à peine du grand gel de 1950, font un écrin de feuillage argenté à vingt maisons dorées. Le village semble toujours dormir. La plupart des volets sont clos sur les antres frais où, l'été, s'abritent les résidents secondaires. Les façades ont des couleurs d'ocre naturelle ou de pierres apparentes grisées de soleil. La grande place carrée ressemble à un décor de théâtre chiriquien, aux ombres portées, plein de vide et bruissant de silence. Elle n'est ornée que d'une croix au Christ rouillé et d'une halle à colonnades. Parfait motif de cette peinture métaphysique qu'aimaient les surréalistes.

Une ruelle monte au nord vers le vieux cimetière et l'ancienne aire à blé, soigneusement caladée de galets ronds, d'où l'on a une vue exceptionnelle sur l'ensemble du village. Une autre ruelle descend à l'est vers la fontaine qui jadis ravitaillait seule les assoiffés.

On revient sur la place par un chemin dont les riverains entretiennent soigneusement la végétation rudérale, orties et pariétaires. Au centre des remparts imposants, fleuris au printemps de giroflées sauvages, se dresse l'ancienne maison commune ou mairie, surmontée d'un campanile de fer pareil à une graine de campanule et bâtie sur un passage voûté autrefois fermé par une herse et par lequel on pénètre les coulisses de ce théâtre

Les ruines de la forteresse des comtes de Toulouse (XIIᵉ et XIIIᵉ s.) donnent encore l'idée de ce que fut Oppède au Moyen Age, une position clé sur la route d'Italie en Espagne par la vallée d'Apt.

Cette demeure, la plus belle d'Oppède, date du XVᵉ s., la période fastueuse de la cité. Elle appartient encore aux Gabrielli de Gubio, implantés ici depuis le séjour des papes en Avignon.

abandonné. Ici les maisons n'ont pas de numéros, mais des dates inscrites au-dessus des portes, 1731, 1802..., pièges pour historiens car ces linteaux ne sont là qu'en remploi, trouvés au hasard des récupérations.

A l'intérieur des remparts, le vieux village n'est plus que ruines envahies d'une végétation exubérante. Les arbres qui jaillissent des fentes rocheuses sont d'une espèce particulière, des ailantes ou vernis du Japon, au fût très droit et très lisse, au feuillage rougeoyant et léger, et qui poussent avec une rapidité incroyable à travers cette jungle sortie de l'imagination du Douanier Rousseau. Dans la pénombre, les demeures étouffées ont des airs de temples aztèques rêvés et décrits par Jules Verne.

Quelques rues encore, tracées en chicane pour mieux résister aux assauts du mistral et au tir des arbalètes, le long desquelles se distinguent des boutiques, reconnaissables à l'arc de leur porte et à leur étal de pierre – la taulo, ou table – sur lequel les commerçants servaient leurs chalands restés dehors. Tanières de bouchers ou de savetiers s'ouvraient ainsi sur la rue et s'enfonçaient sous terre.

Une rue plus large monte vers l'église, chemin processionnel aboutissant à une esplanade naturelle où les rochers sont taillés en escalier, avec vue imprenable sur la montagne ou vers la plaine jusqu'au mont Ventoux. L'église trapue, aux gargouilles mutilées, est dédiée à sainte Marie d'Olidon, dont les hagiographes ignorent tout, déesse mère inconnue qui convient bien à ce lieu magique. A l'entrée du château, les poternes sont ornées d'abeilles mystérieuses et d'armoiries indéchiffrées. La forteresse n'est plus que labyrinthe impressionnant et dangereux de sentes étroites dans un faux parc de chênes verts. Les audacieux y découvriront des salles souterraines, citernes et casemates, où il faut se glisser avec l'agilité de ces couleuvres qui abondent ici.

On redescend de là émerveillé et presque toujours décidé à y demeurer à vie (ce que j'ai fait). Un autre chemin caladé, vers l'ouest, permet de regagner la place en passant devant les demeures seigneuriales, bastide à poivrière qui a des prétentions de château et maisons « Renaissance » aux balcons ouvragés, dont les fenêtres à meneaux s'ouvrent au ras des remparts, à hauteur du regard.

Sur la place, une seule terrasse de café (et en belle saison seulement), où l'on savoure encore cet admirable décor que certains habitent, retraités ou artistes, qui passeront là un long hiver de solitude, bien à l'abri des murs épais rebelles aux violences du mistral et au froid qui saisit tout de même la douzaine d'habitants de ce village perdu et retrouvé.

Le terrain pentu sur
lequel s'élève le village
de Peille a conditionné
un bâti dense où les
maisons cherchent à
gagner en hauteur.
Peu à peu, les
traditionnels toits de
tuiles sont remplacés
par des fausses
ardoises plus foncées,
brisant ainsi
l'harmonie du
paysage.

Orpierre est édifié le
long de la route
touristique dite « des
princes d'Orange »,
ancienne voie gallo-
romaine empruntée par
ces princes pour visiter
leur seigneurie
d'Orpierre. Le village
a pour toile de fond
des rochers
d'escalade :
à gauche,
les rochers
du château,
à droite, le Quiquillon
(1 025 m).

Orpierre
Hautes-Alpes

31 km N.-O. de Sisteron

Dans la vallée du Céans aux impressionnantes crêtes grises, Orpierre s'étire dans un site pittoresque mais exigu. L'essentiel de l'ancienne prospérité d'Orpierre était due à sa situation d'étape et de foire sur une antique voie à laquelle la présence des papes à Avignon avait donné au XIVe siècle une importance nouvelle. Sa vocation stratégique et militaire, dont sa forteresse garde le souvenir, n'a cependant laissé que peu de traces : tour du Rochas et tour d'Eyguières, mur reliant le village à la citadelle. Ce système de défense fut en effet démantelé au XVIIe siècle après la révolte du fils de Montbrun. Seule l'enceinte de la ville, qui constitue toujours la limite de l'agglomération, est restée intacte. Du portail du Levant à la porte du Rochas, la Grande Rue traverse le village, bordée par de belles maisons des XVIe et XVIIe siècles aux portes soignées et au décor de gypseries qui se retrouve dans les cages d'escalier des hôtels de Périssol et Autard de Bragard. La maison des princes d'Orange date du XVe siècle. Au sud, dans le noyau ancien du bourg Reynaud, ancien quartier juif, les maisons aux portes en accolade et aux fenêtres à meneaux sont desservies par un réseau serré de passages voûtés et d'étroites ruelles. L'église Saint-Julien, construite hors les murs au XVIIIe siècle, comme l'a été le temple protestant au XIXe siècle, évoque la paix religieuse enfin

revenue après des luttes qui ruinèrent Orpierre aux siècles précédents et dépeuplèrent son terroir.
Cascades de la Doux, gorges de Bagnols, sentiers de randonnée sont des lieux et des moyens de découverte d'un pays aux multiples richesses.

Peille
Alpes-Maritimes

22,5 km N.-E. de Nice

Peille, petite cité médiévale du haut pays niçois, s'est implantée à la limite des cultures en terrasses et des flancs dénudés du mont Castellet, dans un site grandiose et sévère. Dominée par l'ancien château médiéval, premier habitat des Peillois et leur refuge aux temps troublés du Moyen Age, la vieille enceinte ceinturant le village conserve encore l'ancien portail d'entrée au nord. Par les ruelles étroites et pittoresques bordées de nombreuses demeures aux ornements médiévaux, on débouche sur la petite place de la Colle bordée d'arcades et ornée en son centre d'une délicieuse fontaine gothique. Par la ruelle Lascaris, on atteint le palais des Lascaris, comtes de Peille, construit au XVIIe siècle au bord de la falaise. Sur un tertre se dresse la vieille église paroissiale, ancienne possession de l'abbaye de Saint-Pons au XIIe siècle ; le superbe clocher de style lombard fut construit au siècle suivant. Rue Centrale, la très belle chapelle Saint-Sébastien, édifiée pour la confrérie des Pénitents-Noirs et aujourd'hui désaffectée, abrite la mairie.
Les chapelles Saint-Joseph et Saint-Roch sont, tout comme l'église, décorées de tableaux et de retables de grande qualité.
Les promenades sont nombreuses aux alentours : l'ascension du mont Baudon permet une découverte du vaste panorama qui s'étend jusqu'à la baie de Nice, et des sentiers cachés parmi les oliveraies et les forêts environnantes de pins maritimes, charmes et chênes conduisent aux chapelles rurales ou à Peillon, autre village exceptionnel. Pour les gourmets, les raviolis et les gnocchis sont une spécialité à déguster.

Peillon
Alpes-Maritimes

20 km N.-E. de Nice

Au cœur des admirables forêts des Alpes-Maritimes, le Peillon de l'Escarène a creusé un beau défilé. Depuis la pittoresque route sinueuse qui mène à Peillon se découvre le village, accroché à l'extrémité d'une barrière rocheuse dans un paysage typique de l'arrière-pays niçois : oliviers et vergers étagés sur des plans successifs, gravissant les coteaux et piqués çà et là de cyprès taillés en quenouille.
Préservé par sa situation en cul-de-sac qui le maintint longtemps à l'écart des itinéraires touristiques, ce village perché a conservé son caractère médiéval par une restauration de qualité. Villa Pelone, citée dès le XIIe siècle, fit partie du fief de Peille, que se partagèrent de nombreux seigneurs jusqu'à la Révolution. L'ensemble est dominé par le clocher octogonal de l'église, en grande partie reconstruite au XVIIIe siècle, au pied de laquelle s'agglutinent les maisons-remparts. A partir de la place ombragée, à l'entrée du village, on déambule dans l'entrelacs des quelques rues animées par les marches d'accès aux

maisons, interrompues partout d'escaliers caladés (aux marches revêtues de galets roulés) et franchies par de nombreux passages voûtés. Aux abords de l'agglomération, l'ancienne chapelle des Pénitents-Blancs dissimule sous une apparence extérieure modeste un étonnant cycle de fresques réalisées vers 1490 par Jean Canavesio. Il nous conte, en une série de douze panneaux, l'histoire de la Passion du Christ ; un étonnant Judas pendu y est éventré par un diable qui, à l'aide d'une fourche, lui extirpe l'âme du corps. C'est dans cette imagerie populaire que les humbles de la confrérie alimentaient leur piété et cherchaient le réconfort.

Penta-di-Casinca
Haute-Corse

34 km S. de Bastia

A 400 mètres d'altitude, sur l'échine d'un éperon rocheux perpendiculaire au rivage (il n'est qu'à 5 kilomètres à vol d'oiseau), doté d'une vue splendide, Penta rassemble le long de son unique rue les hiératiques façades de ses hautes maisons de schiste. Ne vous y trompez pas, le dernier volume placé à l'est en sentinelle est un vrai rocher, gigantesque, plein, habité seulement par les insectes et les oiseaux. De cette pierre, ou penta, vient sans doute le nom du village. On utilisait traditionnellement la pression d'une penta (d'où *mette in penta*, mettre sous la pierre) pour aplatir des planches, des manches d'outils de bois ou encore des filets de porc. Ces filets de porc roulés et fumés sont les délicieux lonzi.
La Casinca, pays de châtaigniers et d'oliviers, de rocs moussus et de hautes fougères, occupe le nord-est de la Castagniccia, entre les vallées inférieures du Golo et du Fium'Alto, entre la mer et le mont Sant'Angelo (1 218 mètres). Les villages de Loreto, Venzolasca, Vescovato, étagés en terrasses, dominent une plaine fertile.
Penta n'a pas toujours été un paisible village, il fut même de 1789 à 1821 le théâtre d'une terrible vendetta entre les Frediani et les Viterbi. Aujourd'hui, cultivant la vigne sur les coteaux et les agrumes en plaine, les habitants de cette fertile région n'ont plus à redouter le tocsin de l'élégant campanile carré, ni les paroles menaçantes inscrites sur les deux côtés de l'arche de l'Aqueduc qui enjambe le chemin du cimetière : « à moi aujourd'hui », à l'aller ; « à toi demain », au retour.

Piana
Haute-Corse

11 km S.-O. de Porto

Tout proche du lumineux golfe de Porto, le village de Piana est bâti sur une colline qui domine les flots. C'est un gros bourg tranquille en hiver, animé en été par le retour de ses enfants et un tourisme de bon aloi. La plupart des maisons, aux toits de tuiles roses, sont basses, avec des façades de pierre ou chaulées, un escalier et un perron de granit qui donne sur une placette ou une ruelle. Au centre, l'église baroque (XVIIIe siècle) et sa place, où les parties de jeu de boules se voient supplantées depuis quelques années le Vendredi saint par une tradition retrouvée : la procession en spirale, la Granitula, qu'effectuent les confrères en aube et camail, au chant du *Perdono mio Dio*. Dépassé la derrière maison,

on entre dans l'univers minéral des *calanche* qui stupéfia Maupassant : 2 kilomètres de porphyre rouge, déchiqueté en rochers chaotiques, un véritable « peuple fantastique », surmonté de pins, d'yeuses, et de lentisques, et creusé de milliers de *taffoni* (petites cavités), plongeant 300 mètres plus bas jusqu'à la crique de Porto. En revenant, 3 kilomètres avant Piana, au col de Ghineparo, on peut grimper à pied jusqu'aux ruines d'un château fort carolingien. Mais certains préféreront les plaisirs d'une baignade dans l'anse de Ficajola ou d'une excursion à la tour génoise de Turghio, dans le Capo Rosso.

Pigna
Haute-Corse

7,5 km S.-O. de L'Ile-Rousse

Fondé, selon les chroniqueurs, par Consalvo, compagnon de Guido Savelli qui chassa en 816 les Sarrasins de l'île de Corse, Pigna doit sans doute son nom à la colline en forme de pomme de pin sur laquelle il est bâti, à 200 mètres au-dessus de la mer toute proche. Caractéristiques de la région de la Balagne, les oliviers, les chênes, les pâturages et les jardins composent encore, malgré les ravages des incendies modernes, un paysage harmonieux d'où

Entouré des collines de la Casinca, le village de Penta a gardé l'unité de ses constructions de schiste gris. A gauche de la photo, entre deux maisons, le gros rocher qui donna son nom au village.

Poggio-di-Nazza

Haute-Corse

32,5 km S.-O. d'Aléria

surgissent la flamme noire d'un cyprès, la façade blanchie à la chaux d'un tombeau, le volume cubique et les arches d'une bergerie. L'activité pastorale y est encore vive et les troupeaux de brebis s'animent dès l'aube. Groupées comme un poing serré, les habitations, tournant le dos à la mer et au vent dominant, le libeccio, sont disposées en éventail autour de l'église dont la façade, surmontée de deux clochetons à coupole hémisphérique, ferme la place pavée de pierres. C'est sur cette place, où s'arrête toute circulation, que brûle le soir de Noël un immense bûcher. C'est de là que part tout un réseau de ruelles étroites et piétonnes où se cachent des échoppes d'artisans. Car c'est Pigna qui, dans les années 60, fut le berceau de la renaissance artisanale corse. Autour des tables de la Casa musicale, sorte d'académie de musique traditionnelle, ont lieu des veillées et des rencontres, dont celles consacrées à la poésie improvisée et chantée. Et le 13 juillet, dans le cadre agreste d'un enclos transformé en amphithéâtre, se tient une manifestation dont le nom est à lui seul le programme : Paese in festa.

Le pays de Nazza – qui regroupe Poggio et Lugo – est à l'image de tout le Fiumorbo, fermé, enclavé, desservi par des routes en cul-de-sac, recouvert d'un luxuriant et sombre maquis arborescent. Lieu propice à la révolte, il fut de 1800 à 1809 le théâtre d'une véritable guerre de pacification pour laquelle Napoléon Bonaparte donna des pouvoirs dictatoriaux au terrible général Morand. On raconte encore que, soucieux de ne pas se laisser impressionner par la réputation belliqueuse des villageois de Poggio-di-Nazza, un nouveau curé prononça ainsi son premier sermon, à la fin du siècle dernier : « Ceci est le père », en montrant son fusil ; « ceci est le fils », et il déposa son pistolet sur l'autel ; « et voilà le Saint-Esprit », en tirant son stylet de sa manche. L'architecture de Poggio, sur son piédestal de roc et de feuillages, est l'illustration même de ce caractère farouche et ombrageux. Le schiste brun foncé, presque noir, qui compose les murs et les toitures de ses constructions leur donne un ton sévère qui contraste avec la gaieté du portail de l'église, dont le bois est sculpté de figures naïves polychromes.

Les maisons de Rosans s'étagent en volumes simples et rigoureux. L'appareil rustique des maisons rurales met d'autant plus en valeur le soin apporté à la construction de la tour médiévale en appareil régulier qui dépasse des toits.

Quenza
Corse-du-Sud

42,5 km N.-E. de Sartène

Le haut plateau du Cuscione, vaste étendue livrée aux pâturages, est aujourd'hui le domaine des randonneurs et des skieurs de fond. Le village de Quenza les accueille plus bas, à la hauteur des châtaigniers et des chênes verts. Les 2 136 mètres du Monte Incudine ne règnent pas sans conteste sur ce paysage montagnard, car les aiguilles en granit rouge de Bavella, au nord-est, y exercent une ardente et proche domination. Le village remonte au début du Moyen Age et on peut encore y voir de ces maisons basses en granit usé par les intempéries, avec leur appareillage soigné, leurs appuis de fenêtre taillés en corniche dans la masse, leurs petites niches creusées en cul de four, leurs bandeaux et linteaux qui ornent les ouvertures. Située à 200 mètres au nord-ouest du village, légèrement en contrebas, la chapelle Sainte-Marie est un petit édifice de rude granit peu orné, maintenant recouvert de tuiles, mais dont l'abside a gardé sa toiture originelle de pierres plates. La date de l'an mille qui y est gravée peut en effet correspondre à l'époque de sa construction. Elle possède deux belles sculptures en bois : une Vierge à l'Enfant assise, de style médiéval, qui orne l'autel, et un saint Étienne. Dans l'église paroissiale, d'architecture modeste, on peut voir dans la première chapelle à gauche deux panneaux de bois peint du XVIe siècle qui représentent des saints évêques, de jolies stalles et une chaire de bois soutenue par des dragons, et un curieux masque maure.

Revest-les-Eaux (Le)
Var

9 km N. de Toulon

Dans un vaste cirque de montagnes dénudées, au pied du mont Caume, rien ne manque au Revest-les-Eaux pour en faire l'image type du village provençal. Perché sur la colline, il replie ses ruelles étroites à l'ombre des ruines d'un château médiéval dont il ne reste plus que le donjon carré servant de beffroi. Les eaux, abondantes sur la commune mais fort rares à Toulon, firent l'objet de convoitises et de conflits entre les deux communautés jusqu'à ce que les Toulonnais, devenus coseigneurs du lieu, profitent des fabriques et des moulins installés sur la vallée de Dardennes.
C'est sur le Revest que fut créé, en 1912, dans un site sévère, le lac de retenue, dit bassin du Ragas, pour l'alimentation de la ville. Le gouffre du Ragas au fond duquel coule la rivière alimentant le bassin est un lieu étonnant. La vallée de Dardennes, qui

Une rue étroite et fleurie du village de Rogliano, qui semble surgir de la montagne. Devant les murs de pierre jaillissent des roses trémières, et sur une façade s'épanouit une vigne.

conduit à Toulon, contraste par sa verdoyance et sa fraîcheur avec les sommets du Baou de Quatre Ouros ou du Grand Cap, points de vue fantastiques sur la rade. Lieu de villégiature proche de la mer et de la grande ville, Le Revest-les-Eaux a su grandir sans perdre son âme.

Riez
Alpes-de-Haute-Provence

42 km S. de Digne

Cité d'histoire, Riez, par sa grande richesse architecturale, évoque l'ancienne capitale régionale qu'elle fut au temps des Romains, puis de ses évêques, du Ve siècle à la Révolution. Au cœur du plateau de Valensole, strié de lavandes, au confluent des vallées de l'Auvestre et du Colostre, l'agglomération, au gré des vicissitudes de l'histoire, occupa tour à tour la plaine ou la colline, sorte de citadelle naturelle.
C'est en venant d'Aix-en-Provence (D 952) qu'émergent tout à coup d'un espace de campagne les quatre colonnes corinthiennes en granit gris de l'Esterel, portant à 7 mètres de hauteur une architrave, vestige d'un temple païen du haut Empire. A gauche de la route, l'ancien groupe épiscopal du Ve siècle est un des rares exemples d'architecture provençale de l'Antiquité tardive, avec Fréjus et Venasque. S'il ne reste que des vestiges de l'ancienne cathédrale, le baptistère, en revanche, malgré de nombreuses transformations, conserve sa cuve baptismale entourée d'une colonnade. Non loin de là se découvre la vieille ville enserrée dans ses murailles en appareil de gros galets. La vie du bourg s'est concentrée au pied de la porte principale, le long des allées de Gardiol, ombragées de platanes, entre l'actuelle église et l'hôtel de ville qui occupe l'ancien évêché du XVe siècle (remanié aux XVIIe et XVIIIe siècles). Par la porte d'Ayguière, précédée par la place de la Colonne ornée d'une belle fontaine moussue, on pénètre, loin des mouvements de la vie moderne, dans le lacis des rues et des places scandé par des passages couverts ou « androunes ». Les modestes maisons à pan de bois alternent avec les hautes façades ordonnancées où s'est imprimé le décor de chaque siècle. Maniérisme et Renaissance ont laissé de remarquables exemples d'architecture dans la Grand-Rue ou rue Droite. L'hôtel de Mazan, daté de 1523, en constitue le modèle le plus accompli avec sa façade et son escalier de forme originale, richement décoré de motifs sculptés dans le plâtre.
La colline Sainte-Maxime, lieu de refuge dans les temps troublés du haut Moyen Age, est un but de promenade charmant. Une chapelle du même nom y a été élevée au XVIIe siècle, dans un bois de chênes et de cyprès. Le marché, les mercredis et samedis, envahit les abords de la ville, et l'on peut y acquérir les spécialités du terroir : l'eau de lavande dont Riez est la capitale, le miel et, en hiver, les truffes.

Rogliano
Haute-Corse

41,5 km N. de Bastia

A la pointe est du cap Corse, face aux côtes toscanes, le port de Macinaggio est certainement l'un des plus agréables de l'île. Il s'est considérablement développé ces dernières années grâce aux efforts d'une municipalité active et constitue l'activité éco-

nomique principale de la commune de Rogliano, dont il est la marina. Notons aussi la présence d'un vignoble qui produit un vin blanc réputé. Rogliano a connu des visiteurs de marque : le 2 décembre 1869, à son retour d'Orient, et rescapée d'une terrible tempête, l'impératrice Eugénie s'est rendue au principal hameau du village, Bettolacce, dans l'église Sant'Agnello (XVIe siècle, remaniée au XVIIIe siècle). Elle y offrit plus tard, en ex-voto, l'élégante clôture du chœur que l'on peut y voir. Paoli fit partir de Macinaggio en 1767 la flotte qui libéra l'île voisine de la Capraja, prisonnière des Génois. Les huit hameaux qui composent ce village disposent harmonieusement leurs constructions dans un vaste amphithéâtre où abonde la végétation. Partout de très beaux toits de schiste, dont certains taillés en écailles carrées, d'élégantes corniches, de hautes façades lisses, d'immenses murs de soutènement pour les jardins en terrasses. Campiano, Olivo et ses deux tours carrées, Vignale avec le château médiéval ruiné des seigneurs Da Mare qui dominèrent la quasi-totalité du cap Corse du XIIe au XVIe siècle. Près de Quercioli s'élève l'ancien couvent San Francesco dont il ne reste plus que l'église, et d'où l'on a une vue splendide, et la haute tour carrée ornée de mâchicoulis de Barbara da Mare.

Roquebrussanne (La)
Var

15 km S.-O. de Brignoles

Niché contre le massif de la Loube, du haut duquel se découvre un vaste panorama depuis la chapelle Notre-Dame-de-la-Nativité, La Roquebrussanne fut de tout temps un lieu de passage, ainsi qu'en témoignent les nombreux vestiges de villas gallo-romaines découverts dans la riche plaine agricole plantée d'un vignoble réputé. Les maisons Renaissance du village-rue datent l'abandon du site féodal dont les ruines se dressent sur le rocher couronné par l'ancien château et son donjon carré. Sur ce site est érigée la chapelle Notre-Dame-d'Inspiration, devant laquelle un ermite aménagea, au XVIIIe siècle, un extraordinaire amphithéâtre.
Sur les bords de l'Issole, chacune des maisons riveraines est reliée à son jardin clos par un petit pont privé qui enjambe la rivière.
En descendant vers la source et le ravin des Orris, il faut s'arrêter au petit jardin exotique dont la végétation exceptionnelle évoque de lointains pays.

Rosans
Hautes-Alpes

58,5 km N.-O. de Sisteron

Premier village des Hautes-Alpes en limite de la Drôme, Rosans domine de sa butte la vallée de l'Eygues. Le terroir, occupé dès l'époque préhistorique, est extrêmement riche en haches de pierre polie en serpentine et, au siècle dernier, les bergers en attachaient à la toison de leurs béliers, pensant ainsi préserver des maladies tout le troupeau. La masse imposante du château surplombe la place du village, dont bien des maisons, aux façades régulières, sont datées. Édifié au XVe siècle, ce château fut remanié aux siècles suivants par Lesdiguières, puis par la famille d'Yse, à qui fut vendue la seigneurie de Rosans. On y accède par un portail monumental de style Louis XIII qui orne la façade percée de fenêtres à meneaux. Le toit de tuiles vernissées est exceptionnel pour les Hautes-Alpes. Au centre du village, dépassant les toits, se dresse une tour carrée de 15 mètres de hauteur, de construction très soignée en blocs de grès, rare exemple d'architecture militaire du XIIIe siècle dans le département. Artisanat et spécialités (miel, fromages de chèvre et fougasses).

Roussillon
Vaucluse

23,5 km N.-E. de Cavaillon

Roussillon, bâti sur le mont Rouge, au cœur du gisement d'ocre qui lui a donné son nom, est comme enserré par les reliefs de sang et d'or dont les vertigineuses falaises, les ravins profonds et les aiguilles aux teintes flamboyantes ont nom chaussée des Géants, val des Fées ou fontaine des Naïades et nous replongent dans un monde où les dieux et les hommes vivaient côte à côte.

Le front bâti et dense de ce village perché se colore de la même palette éclatante que les terres qui l'entourent. Les rues étroites, bordées de maisons à l'architecture simple, s'éclairent d'une lumière particulière due aux reflets des enduits ocrés. La placette, animée par les terrasses des cafés, est le rendez-vous des Roussillonnais et des étrangers, car Roussillon est un véritable carrefour des lettres et des arts. Au mois de mai, se célèbre la fête de l'Ocre et de la Couleur, qui fait revivre le temps où Roussillon était connu du monde entier pour ses terres colorées. C'est ici en effet qu'au XVIIIe siècle Jean-Estienne Astier, un enfant du pays, exploita pour la première fois cette poudre précieuse qui devait assurer pour un siècle et demi la fortune de tout le pays d'Apt. En montant vers le sommet du village, on passe sous une tour de l'ancien rempart, aujourd'hui tour de l'Horloge. L'église à la façade austère, construite au XIIe siècle, a été très remaniée au XVIe siècle. L'on peut y admirer notamment de beaux fonts baptismaux en gypserie du XVIIe siècle. Une vaste esplanade a été aménagée à l'emplacement du castrum où se dressait l'ancien château médiéval dont seules demeurent les caves voûtées. Une table d'orientation y a été judicieusement installée, car la vue embrasse toute une partie du bassin ocrier, dont les carrières crèvent de place en place le manteau végétal dans un contraste saisissant de couleurs et, au-delà, le mont Ventoux, la montagne de Lure et le Luberon.

Saignon
Vaucluse

35 km E. de Cavaillon

Un rocher tourmenté de plus de 30 mètres de haut signale Saignon de toutes parts avant même que l'on aperçoive le village étiré sur la crête et dévalant la pente ensoleillée où verdoient les prairies ponctuées de quelques cyprès. Véritable observatoire commandant l'accès au pays d'Apt, cette seigneurie a appartenu successivement aux Simiane, aux évêques d'Apt, puis aux comtes de Provence. Saignon possédait au XIIe siècle trois châteaux. Depuis les ruines du château édifié sur le rocher de Belle-Vue et dont les structures sont en partie façonnées dans le rocher lui-même, s'offre un panorama de 380 de-

grés sur toute la plaine et la montagne. Ne dit-on pas que, par temps clair, on aperçoit les hauteurs d'Avignon ?

Appuyée au rocher, la façade tournée vers le village, la petite chapelle des Pénitents, surmontée d'un clocher-arcade, semble veiller sur la coulée rosée des toits qui dessinent la crête jusqu'à l'église paroissiale dont la masse équilibre celle du rocher de Belle-Vue. La toponymie et quelques vestiges conservent le souvenir de l'enceinte fortifiée, rue du Portail-Rouge et rue de la Courtine ; une belle porte de ville coupe la rue de l'Horloge. Toutes ces rues, parallèles à l'arête rocheuse, convergent vers l'enchaînement des places qui se déploient à l'ouest du village : place de l'Horloge, où se dresse le beffroi, tour carrée surmontée d'une ébauche de campanile ; place de la Fontaine, toute bruissante de sa grande fontaine au bassin hexagonal, élevée devant les sombres arcades du lavoir public ; place de l'Église enfin, largement ouverte sur la vallée d'Apt et sur le Luberon. L'église Notre-Dame-de-Pitié est le joyau architectural de Saignon. L'église romane, agrandie au XVIIe siècle, n'en a pas moins conservé une grande unité grâce à l'emploi d'un même matériau et d'une mise en œuvre identique. Ainsi la rangée d'arcades trilobées du XIIe siècle peut-elle servir sans hiatus d'assise au vaste fronton à ailerons. L'intérieur possède un riche mobilier. La ville d'Apt, à 4 kilomètres, le grand centre urbain de cette partie du Vaucluse, rayonne d'un charme peu commun.

Saint-Julien
Var

32 km S.-E. de Manosque

A la limite de la basse Provence, dans un environnement de bois troués par de petits vallons agricoles, Saint-Julien est le type le plus accompli du village perché. Le premier seigneur en fut Laure de Saint-Julien, dont la grande beauté fut chantée par les troubadours. Du château dont on voit les tours sur l'esplanade, elle embrassait en une vue circulaire tout le paysage. En parcourant le village, on repère de nombreux vestiges des fortifications, tours et portes qui semblent, dans leur pureté, comme une émanation du rocher sur lequel elles prennent assise. Elles protégeaient les maisons et l'église romane, surmontée de son clocher carré, au sommet de la butte.

Saint-Martin-Vésubie
Alpes-Maritimes

64 km N. de Nice

Situé au confluent des torrents du Boréon et de Fenestre, Saint-Martin-Vésubie est une étape touristique privilégiée et son site exceptionnel lui a valu d'être baptisé la Suisse niçoise. Entouré des plus hauts sommets des Alpes du Sud (Mercantour, Gélas, Agnel et Neiller), le village, point de départ de promenades diversifiées, est aujourd'hui une importante station estivale et climatique. Mais, bien avant, ce fut une petite cité médiévale, et pour s'en

---

La rigueur des toits et des façades de Roussillon, éclatements symphoniques des terres d'ocre recomposées dans les enduits, est magnifiée par l'extrême blancheur des fleurs de cerisier.

persuader il suffit de parcourir son étroite rue centrale encore creusée d'une gargouille qui réjouit les enfants. Cette voie est flanquée de constructions de grand caractère où les maisons gothiques à arcades (palais Gubernatis), les bâtisses de type alpin à hauts balcons alternent avec quelques chapelles témoins de l'activité des anciennes confréries de Pénitents. A son extrémité, l'église paroissiale de l'Assomption borde une étroite terrasse de laquelle on découvre le village perché de Venanson. Édifiée à l'extrême fin du XVIIe siècle, c'est un bel exemple d'architecture baroque montagnarde qui recèle un exceptionnel mobilier tant par sa qualité d'exécution que par la quantité des œuvres présentées. On appréciera principalement la statue de bois polychrome de la Madone de Fenestre, portée lors des pèlerinages à la chapelle du même nom à 13 kilomètres au nord-est du village.

Saint-Paul
Alpes-Maritimes

19 km O. de Nice

Ancienne cité royale entourée d'une ceinture de remparts commanditée par François Ier en 1536, Saint-Paul, en épousant la forme du mamelon sur lequel il a été édifié, a conservé l'aspect d'un vaisseau voguant sur les collines où s'accrochent vignes et bosquets. Les Alpes neigeuses en toile de fond ajoutent à cette mise en scène exceptionnelle qui le fit redécouvrir à partir de 1925 par de nombreux peintres, poètes et écrivains séduits par sa beauté intacte. Aujourd'hui transformées en ateliers, boutiques ou restaurants, les maisons de la rue Grande et du lacis de ruelles transversales exposent leurs belles façades de pierre à arcades souvent sculptées, datées ou blasonnées. Au sommet du bourg, l'ancien donjon qui abrite la mairie et le clocher veillent encore, vestiges du premier village médiéval. L'église, érigée en collégiale en 1667, d'origine romane, fut agrandie au début du XVIIIe siècle, comme l'atteste une inscription conservée à la base du clocher. Outre un insigne trésor, on peut y contempler de nombreux retables et tableaux ainsi qu'une chapelle dotée en 1681 d'un luxuriant décor de stuc dû à la générosité de Jean Bernardi, premier maître d'hôtel du pape Innocent XI et chanoine de Saint-Pierre de Rome. A la sortie nord du village, la fondation Maeght, inaugurée en 1964 par André Malraux, abrite à l'intérieur d'une architecture remarquable une importante collection d'art contemporain. Passé et présent s'unissent ici pour faire de Saint-Paul l'une des places touristiques les plus célèbres de la Côte d'Azur.

Saint-Saturnin-d'Apt
Vaucluse

32 km N.-E. de Cavaillon

Saint-Saturnin-d'Apt, bourg rural du bassin d'Apt, semble un accident naturel des monts de Vaucluse, tant y est parfait le mimétisme entre pierre construite et rocher. L'oppidum de Perréal, le plus riche du pays, les trois enceintes dont on retrouve aujourd'hui encore de nombreux éléments sont là pour nous rappeler l'importance du village dans l'Antiquité et au Moyen Age. Un moulin à vent, comme sorti d'un conte d'Alphonse Daudet, et les

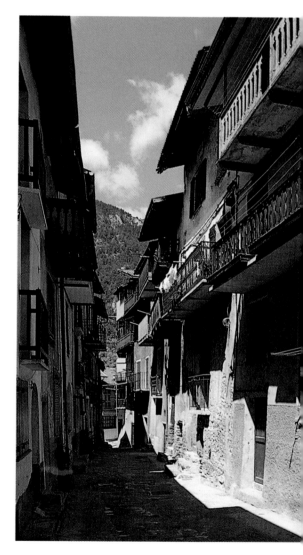

Les maisons traditionnelles de Saint-Véran avancent leur « fuste », grenier en bois couvert de bardeaux de mélèze ; seul le rez-de-chaussée est en pierre. Il en est de même pour la fontaine, dont la borne est en pierre et la vasque en bois de mélèze. Le clocher en pierre de l'église se détache sur les premiers alpages.

Chaque vallée des Alpes-Maritimes possède un habitat typique. Les maisons de Saint-Martin-Vésubie, hautes, pour bénéficier d'un maximum d'ensoleillement, offrent des façades aux balcons de bois.

ruines du château veillent sur le village en contrebas. La barre rocheuse a contraint les maisons, aux portes monumentales, à s'aligner le long de la rue principale qui débouche à l'est sur la porte massive de l'ancienne enceinte, à l'ouest sur la place de la mairie, où se trouve l'église, reconstruite au XIXe siècle. L'appareil en « arêtes de poisson » des murailles, le pavement en « calade » des ruelles témoignent du savoir-faire des constructeurs d'autrefois. Un superbe bassin, retenue d'eau creusée dans le roc, précède la porte du XIIIe siècle qui protégeait le château. Fondé au haut Moyen Age par la famille d'Agoult, il n'en subsiste que la chapelle. La plaine agricole, avec ses vergers d'oliviers et de fruitiers et ses vignes, se découvre du haut du plateau.

Saint-Véran

Hautes-Alpes

51 km S.-E. de Briançon

Village du bout du monde, desservi par une route carrossable en 1856 seulement, Saint-Véran, la plus haute commune habitée d'Europe, s'égrène le long des pentes sud de la montagne de Beauregard à 2 000 mètres d'altitude moyenne. Cette situation en fait un des lieux les plus ensoleillés des Hautes-Alpes, alors même que la neige recouvre la commune de cinq à sept mois par an. La route monte à travers les forêts de mélèzes dépouillés de leurs aiguilles en hiver, et de pins cembro dont le bois est utilisé pour la fabrication de ces meubles et de ces objets merveilleusement sculptés qui sont une des spécialités de la vallée du Queyras. Franchis les hameaux de La Chalp et du Raux, se dessine tout à coup dans le ciel d'une rare pureté, au-dessus d'un glacis aux couleurs changeantes suivant les saisons, le front de bois et de pierre des hautes maisons du village. Seule l'église, au milieu de son cimetière, et quelques maisons modernes sont en pierre enduite. De tout temps les habitants de la vallée du Queyras surent ne compter que sur eux-mêmes pour lutter contre les difficultés naturelles, les inondations ou les épidémies. Dès le XIVe siècle, les sept paroisses de la vallée formèrent l'escarton du Queyras, dont le

pouvoir reposait sur la volonté générale des habitants, exprimée au suffrage universel. La conception même de l'habitat, spectaculaire d'homogénéité, garde les traces de ce climat fait d'habitudes de vie sociale et politique : église, four banal, fontaines, maisons en ordre serré. La maison saint-véranaise regroupe sous un même toit le « caset » en pierre, abritant bêtes et gens qui ont cohabité jusqu'à une date récente, et la « fuste » en bois, plus aérée, pour les denrées indispensables à la subsistance des uns et des autres.

Le printemps amène avec lui l'éclatement spectaculaire d'une flore riche de plus de 2 000 espèces. Les promenades vers les chalets d'alpage, résidences saisonnières des Queyrassins, permettent de surprendre les marmottes et d'entendre les cloches des troupeaux qui repeuplent pour un temps les hautes prairies.

Saint-Véran équipe aujourd'hui son domaine skiable, dans le respect de son identité, aidé par le parc régional du Queyras, qui s'attache à promouvoir cette vallée si caractéristique par la mise en valeur de l'architecture et de l'environnement.

Saintes-Maries-de-la-Mer
Bouches-du-Rhône

38 km S.-O. d'Arles

Au bout de la terre, dans un paysage de ciel et d'eau, le village des Saintes-Maries-de-la-Mer est bâti à 2,80 mètres d'altitude, simplement protégé de la mer par une digue. Contrairement à la tradition, ce n'est pas un château qui fut ici le germe de la vie, mais l'église-forteresse, édifiée au XIIe siècle sur un faible monticule, à l'emplacement d'un site romain. Autour, les rues rectilignes sont bordées de ces petites maisons en pierre d'Arles, si caractéristiques. La place de l'église est le point de convergence des innombrables foules estivales. Fortifiée contre les incursions des pirates et des barbaresques, c'est aujourd'hui à l'invasion des touristes qu'elle doit faire face... et elle y parvient sans peine, tant est puissant le charme de ce village insolite. Depuis le chemin de ronde qui enserre l'église, on peut admirer à perte de vue mer et marais irisés par les bourrasques de sable tourbillonnant, car ici le vent est roi. L'intérieur, très sombre, engendre une impression de mystère sans âge. Seule la lueur des cierges de la crypte accroche les décors sculptés, dus à des artisans arlésiens. L'invention des reliques des saintes Maries en 1445 puis leur translation solennelle à cet endroit accrurent la renommée de la ville qui, depuis lors, perpétue le souvenir de cet événement par le grand pèlerinage des 24 et 25 mai, où le peuple gitan vénère les reliques de sainte Sarah, servante égyptienne qui aurait accompagné les saintes Maries.

Ville des sables pendant des siècles, les Saintes-Maries ont été récemment dotées d'un port, construit près des arènes, abri pour les pêcheurs et les plaisanciers.

Immenses plages de sable fin ; possibilité de promenades à cheval.

Sant'Antonino
Haute-Corse

13 km S. de L'Ile-Rousse

Du village de Sant'Antonino, perché sur un des sommets de la crête qui sépare le bassin du Regino de celui d'Algajola, on voit toute la Balagne. On aperçoit le village de Corbara et la plaine en amphithéâtre sur la mer, que borde le village d'Algajola et ses vieux remparts génois. Puis le Capo Corbino et le majestueux mont Sant'Angelo, entre lesquels on distingue, par temps clair, le cap Corse. L'affluence estivale décuple la population de Sant'Antonino, et de nombreuses personnalités sont séduites par ce village-acropole, ses ruelles étroites, ses obscurs passages voûtés, ses rochers apparents et ses maisons qui s'élèvent jusqu'en haut de la crête, à 497 mètres. Jardins et champs clos encerclent le village. Plus bas, s'étagent les oliviers, et les terrasses où croissaient les céréales. Certains font naître à Sant'Antonino, au IXe siècle, la féodalité de la Balagne autour de Guido Savelli. Ces seigneurs guerriers étaient de toutes les révoltes et savaient au besoin se retrancher dans le nid d'aigle de leur forteresse, dont il reste une partie du donjon. La maison Savelli, dont le portail est surmonté d'une inscription datée de 813, est ornée d'un médaillon du XVIe siècle représentant une Vierge à l'Enfant. En quittant Sant'Antonino, devant l'ancienne aire de battage, on aperçoit son église isolée et la petite chapelle de la confrérie.

Saorge
Alpes-Maritimes

42 km N. de Menton

Accroché en amphithéâtre à mi-pente sur un versant orienté au sud-ouest, Saorge occupe un site exceptionnel au fond des gorges de la Roya. Malgré la proximité du littoral (23 kilomètres à vol d'oiseau) et une altitude moyenne (500 mètres), l'originalité de sa position en fait davantage un village de montagne qu'un bourg provençal. Vues depuis la vallée, les maisons semblent se blottir les unes contre les autres en une masse compacte tranchant avec les farouches collines dénudées qui les cernent. Ce village, que fait surtout revivre aujourd'hui la saison estivale, fut une véritable place forte au Moyen Age, et devint au XVIIe siècle une importante ville où l'on ne dénombrait pas moins de 22 notaires. Bordant un lacis de ruelles étroites pavées de galets, entrecoupées de passages couverts parfois voûtés, interrompues par quelques marches ou reliées par un escalier, les maisons aux linteaux souvent sculptés, à la verticalité affirmée, couvertes de lauzes violacées austères à la surface irrégulière, enserrent les chatoyants clochers à bulbe signalant les nombreux édifices religieux. La richesse de l'architecture sacrée complète en effet cet ensemble d'exception : l'église paroissiale Saint-Sauveur, rebâtie après l'incendie qui ravagea le village en 1465, remise au goût du jour au XVIIe siècle par un décor baroque

---

Le clocher à bulbe de l'église paroissiale de Saorge, reconstruit en 1812, émerge des hautes maisons villageoises aux toits à deux versants couverts de lauzes rouges ou gris-vert.

Le clocher-peigne de l'église fortifiée des Saintes, visible de toutes parts, est le point culminant de cette terre plate. Au premier plan, une « manade » est surveillée par un gardian à cheval. ▷

d'influence italienne ; la chapelle Saint-Jacques qui lui est accolée, siège de la confrérie des Pénitents-Blancs ; les chapelles Saint-Charles ou Saint-Sébastien, également sièges d'associations charitables ; le couvent des Franciscains, qui domine l'agglomération depuis le XVIIe siècle et renferme un bel ensemble mobilier en bois sculpté et des scènes relatant les épisodes de la vie de saint François. Mais n'abandonnez pas les lieux sans avoir découvert, dressé sur un promontoire à quelques centaines de mètres du couvent, le vénérable sanctuaire de la Madone del Poggio. Cet ancien prieuré dépendant de la célèbre abbaye de Lérins, avec son campanile lombard dressé vers le ciel, semble garder l'entrée du village. A la grande beauté de son architecture vient se superposer celle de ses peintures murales exécutées tant à l'extérieur qu'à l'intérieur par Jean Balaison en 1480.

Séguret
Vaucluse

9,5 km S. de Vaison-la-Romaine

En belvédère sur les vignobles du haut Comtat, Séguret s'offre d'abord comme un paysage. Un bloc de rochers déchiquetés et dénudés, cerné de collines boisées, lui sert de toile de fond. Au sud, c'est un front de maisons sagement alignées qui le limite ; elles ont pris la place de la vieille enceinte qui est encore visible à l'est, le long de la butte qui porte les ruines du château médiéval. La tradition veut que Séguret vienne de *segur*, signifiant sûr. Peut-être est-ce parce que guerres et pillages épargnèrent le village, commune libre du XIIIe siècle à la Révolution...

La porte de la Bise, qui évoque les rafales gelées du mistral d'hiver, et le portail Neuf, dont les battants de bois cloutés pourraient encore défendre contre une attaque surprise, marquent les entrées nord et sud. Les ruelles caladées (au sol revêtu de galets roulés), les maisons bien restaurées et, presque au centre, la petite place avec son lavoir et sa fontaine aux quatre mascarons (XVIIe siècle) font de Séguret un lieu intact au tissu urbain homogène.

La tradition est vivace et le Festival provençal, la Fête vigneronne et les bravades animent la fête patronale.

L'église (XIIe siècle) à flanc de coteau, surmontée d'un petit clocher carré, est le cadre d'une messe de minuit avec présentation du mystère de Noël par les bergers ; santons et crèches sont créés par les artisans du pays qui, avec les peintres et les potiers, produisent des ouvrages de grande qualité.

Seillans
Var

38 km N.-E. de Draguignan

Au pied des derniers vallonnements des Préalpes du Sud, loin de la côte surfréquentée, Seillans regarde Fayence par-delà sa plaine. Au détour de la route, parmi les forêts de chênes-lièges et de pins, on découvre soudain le village, serré autour de son château. Malgré sa situation reculée dans le Var intérieur, les habitants, régulièrement exposés aux incursions des barbares au Moyen Age, durent fortifier solidement leur bourg. Les vestiges des trois enceintes, souvent intégrés aux façades des maisons,

émaillent les ruelles aux multiples fontaines. La porte Sarrasine, du XIIIe siècle, en est le plus étonnant témoignage. Depuis la place principale, à l'ombre des platanes, la vue s'étend sur la plaine cultivée. L'église et les chapelles disséminées sur le terroir témoignent d'une très ancienne et vive piété. La chapelle Notre-Dame-de-l'Ormeau, d'un pur roman, conserve un extraordinaire retable de la Renaissance au décor exceptionnel.

Tout au long des mois de juillet et d'août, les fêtes animent le village. Outre un artisanat traditionnel, une fabrique de bouchons tire parti de la forêt alentour, et une usine produit des huiles essentielles pour la parfumerie.

Serres
Hautes-Alpes

34 km N.-O. de Sisteron

Aux confins du Dauphiné et de la Provence, à une intersection de voies de communication, routes et chemin de fer, Serres est à la fois verrou et point de passage obligé entre le haut et le bas Buëch. La rivière, formant un méandre autour d'un étroit « serre » dominé par l'impressionnante silhouette de rocher de la Pignolette, baigne presque le front haut et régulier des maisons aux façades colorées, enroulées au pied de la colline. Petite bourgade groupée au Moyen Age autour de son église, bien protégée par ses remparts et ses ouvrages de défense perchés sur la crête, Serres connut une grande activité économique aux XIVe et XVe siècles, qui engendra l'édification du bourg neuf et d'une citadelle

La porte monumentale de la maison Cousine, blottie discrètement dans l'angle d'une placette de Simiane, est l'entrée d'une riche demeure : un raffinement exceptionnel dans un village rural.

Pierres se découvrant sous les enduits disparus, sols caladés, cyprès florentins, vigne vierge et fontaine : tous les éléments du village provençal sont en place à Séguret.

bastionnée, quartier général de Lesdiguières pendant les guerres de Religion. Des fortifications que Richelieu fit raser au XVII siècle ne subsistent que la tour Morlend et le Portalet. L'aspect de ville forte se ressent pourtant bien dans les rues aux maisons très serrées et très hautes, sans véritable place, mis à part celle de la Petite-Auche, décorée d'une belle fontaine adossée en pierre de taille. Le long de la Grand-Rue se sont bâtis les maisons bourgeoises et les hôtels particuliers des riches marchands et banquiers. Portes en accolade, fenêtres à meneaux, maisons en encorbellement, décor renaissant de la maison dite de Lesdiguières, somptueuse porte monumentale de l'ancienne mairie, menuiseries richement sculptées font de Serres un village au patrimoine exceptionnel. La construction des premières digues de la rivière permit, au siècle dernier, de conquérir, dans la plaine jusqu'alors inondée, des terres cultivables. Le quartier des jardins, au damier régulier, au pied de la vieille ville, permet d'avoir une vue privilégiée sur toute la façade du village. A proximité, le Tombeau du Juif, du XIVe siècle, rappelle la présence d'une importante communauté juive au temps des papes d'Avignon. Les eaux très pures et les rives du Buëch sont un attrait de plus ; on y pratique pêche, baignade et promenade.

Simiane-la-Rotonde
Alpes-de-Haute-Provence

32,5 km O. de Forcalquier

Protégé à l'ouest et au nord par une barre rocheuse et aride, support idéal des trois moulins à vent encore visibles, Simiane se presse à l'assaut de sa rotonde qui la domine de toute sa vigueur. Le site privilégié de ce village en fait un des plus pittoresques de cette partie de la haute Provence : à perte de vue s'étend le vaste paysage des champs aux teintes variant du gris au violet dense lors de la floraison des lavandes, qui, avec les fromages de chèvre, sont une des principales productions du terroir. Bien groupées le long des ruelles sinueuses, les hautes maisons sont déjà représentatives d'une architecture de montagne. Elles sont bâties avec des matériaux de la couleur des terres environnantes et leur composition sévère est assouplie par des motifs décoratifs, portes, moulures et mascarons, du XVIIe siècle. Des jardins, nombreux, abrités derrière des murs en pierre sèche, égaient le parcours des rues à dominante minérale qui ont été bien restaurées. Au sommet du village, lorsque le regard a fini d'errer sur l'immense horizon qui s'ouvre à lui : plateau d'Albion, montagne de Lure, Alpes, c'est la célèbre rotonde qui capte l'attention. Elle fait partie du château construit à la fin du XIIᵉ siècle par l'illustre famille d'Agoult dont Simiane était le fief. De ce château dont il ne reste que peu de vestiges, la rotonde apparaît comme l'élément le plus original : devant nous se dresse en effet l'ancien donjon dont l'extrême sévérité extérieure contraste avec la richesse du décor architectural. On admirera, en particulier, toute l'ampleur de la coupole à nervures reposant sur un niveau de douze niches.

Sospel
Alpes-Maritimes

19 km N. de Menton

Placé au centre d'un étroit bassin alluvionnaire au confluent de la Bévera et du Merlanson, accessible de tous côtés par des cols, Sospel se développe dans un site verdoyant contrastant avec l'aridité des montagnes qui l'entourent. Étrange lieu qui, malgré sa conformation, fut une zone de contacts qui lui permit de jouer un rôle historique prépondérant dans le comté de Savoie. Son importance stratégique demeura jusqu'à la Seconde Guerre mondiale, pendant laquelle il fut bombardé. Le Pont-Vieux, avec sa tour de péage, témoin de son extension ancienne sur chaque rive de la Bevera, fut reconstruit en 1951. Fontaines, anciens palais, hôtels, maisons peintes en trompe-l'œil, galeries couvertes courant le long des façades, passages sous arcades, pavements de calade (revêtement de petits galets roulés) colorés sont autant d'éléments que l'on découvrira au gré d'une promenade dans l'enchevêtrement des rues. Sur la place Saint-Michel, espace triangulaire entièrement bordé de constructions remarquables, trône l'ancienne cathédrale, rebâtie au XVIIᵉ siècle, avec son imposante façade baroque à ordres superposés, flanquée d'un clocher roman, lombard. A l'intérieur, les parois des nefs conservent une riche ornementation de stucs et de trompe-l'œil, tandis que, dans les chapelles latérales, des retables de

style rocaille côtoient des panneaux peints des XVᵉ et XVIᵉ siècles, dont l'un est attribué à Louis Bréa. Les chapelles des Pénitents-Rouges et des Pénitents-Gris bordent la place au sud et font face au palais Ricci des Ferres. La remise en service de la ligne Nice-Cuneo, le développement touristique de qualité dans l'arrière-pays, la variété des activités qu'il génère – tant agricoles que touristiques ou sportives – font que Sospel semble prêt à prendre un nouveau départ.

Speloncato
Haute-Corse

22,5 km S.-E. de L'Ile-Rousse

Passé la haute vallée du Ghiunssani par la D 63, le regard n'aperçoit qu'avec retard la carapace splendide des toits de Speloncato, suspendu à 550 mètres sur un éperon rocheux détaché du Monte Tolo. Sur ce haut rocher commandant une vue sur toute la Balagne, une forteresse fut fondée au haut Moyen Age, dont on voit encore les ruines. A son pied, la plaine du Regino s'étend jusqu'à la mer. Au loin, L'Ile-Rousse. Imbriquées dans un lacis de ruelles en escaliers, réunies par des passages en voûte, les habitations s'ouvrent sur une place centrale où trône une fontaine dont l'eau est réputée pour sa légèreté. Avec leurs toitures de tuiles canal roses, leurs hautes façades plates à l'enduit ocré agrémentées çà et là d'une ouverture en loggia et de corniches moulurées, avec leurs rez-de-chaussée aux belles grilles et leurs étages aux percements réguliers, les demeures de Speloncato incarnent le plus pur style de la Balagne. La plus imposante, surmontée d'un belvédère à l'italienne, est celle du cardinal Savelli, né ici en 1792 et qui devint le secrétaire d'État du pape Pie IX. Plus loin, l'élégante collégiale Santa

Près du pont sur la Bévera, les vieilles maisons de Sospel, aux petites ouvertures et aux toits de tuiles canal, s'ouvrent au rez-de-chaussée par une galerie sous arcades.

La collégiale Sainte-Marie-des-Bois de Tende a été construite au début du XVIᵉ s. Le décor de pierre de ses murs et son portail sont typiques de la Renaissance.

Maria, malgré son clocher malencontreusement restauré, offre un bel exemple de l'art baroque. A l'intérieur, un très beau buffet d'orgues à panneaux peints par un artiste du village. En septembre et en avril, on peut observer un curieux phénomène : après avoir disparu derrière la montagne vers 18 heures, le soleil réapparaît par l'ouverture de la Petra tafunata (pierre trouée), ouverture naturelle de l'arête rocheuse en face du village, et vient à nouveau éclairer la place de ses derniers rayons.

Tende
Alpes-Maritimes

59 km N. de Menton

Tende, ancien chef-lieu du comté de Nice, ne fut véritablement rattaché à la France que lors du traité de paix avec l'Italie, le 1ᵉʳ février 1947. La frontière italienne se trouva alors déplacée à la ligne de crêtes qui cerne la commune au nord et à l'est, avec plus de vingt sommets culminant au-dessus de

2 000 mètres. A l'ouest, l'ensemble dit de la vallée des Merveilles, au centre duquel se dresse le mont Bégo, réserve aux bons marcheurs la découverte de milliers de gravures rupestres et de lacs limpides d'origine glaciaire. Site exceptionnel donc pour cette ville sombre et sévère où les terrasses de culture, appelées planches tant elles sont étroites, grimpent à l'assaut de la montagne. Les hauts pans de muraille déchiquetée, seuls vestiges du château médiéval démoli en 1692, la tour de l'Horloge et le cimetière curieusement perché règnent sur les toits de schiste gris-vert très débordants qui coiffent les hautes maisons pressées à flanc de coteau. En s'enfonçant dans le dédale des ruelles étroites enjambées de passages voûtés, le promeneur découvre de nombreuses portes aux linteaux sculptés d'armoiries ou d'enseignes. L'ancienne collégiale Sainte-

419

Marie-des-Bois, curieux mélange de style lombard influencé par l'architecture gothique, fut consacrée en 1518. Les tuiles vernissées polychromes de quelques clochetons baroques apportent çà et là une note chatoyante. Ici se juxtaposent les anciennes fêtes aux origines religieuses, comme la crèche vivante de Tende, très courue, et celle du Traon, la plus ancienne, où l'on déguste, après avoir dansé la farandole, la célèbre polenta.

La fête de saint Éloi, patron des muletiers, donne lieu le deuxième dimanche de juillet à une cavalcade de mulets richements harnachés : souvenir de l'ancien monopole du village dans le trafic qui empruntait le passage du col de Tende. Tourisme d'été et tourisme d'hiver sont favorisés par la proximité du parc national du Mercantour.

Tour (La)
Alpes-Maritimes

42 km N. de Nice

Sur un promontoire dominant la Tinée, La Tour, ancienne seigneurie des Grimaldi de Beuil, puis des Della Chiesa, offre un exemple caractéristique des villages de l'arrière-pays des Alpes-Maritimes. Une pittoresque route sinuant dans les forêts, découvre des plongées vertigineuses sur la vallée et conduit au village perdu dans les ultimes oliviers avant la montagne. Place à arcades ornée d'une fontaine, rues aux maisons peintes, portes aux linteaux décorés, églises et chapelles de pénitents renfermant fresques, tableaux et mobilier constituent un ensemble exceptionnel dans un site enchanteur. La culture traditionnelle de l'olive, l'élevage des moutons évoquent encore la Provence dans un paysage déjà montagnard.

Tourtour
Var

22 km N.-O. de Draguignan

Loin du bruit et des grandes voies, Tourtour, « le village dans le ciel », mérite assurément ce surnom. Situé à 650 mètres d'altitude, le village, construit sur une butte dont les pentes sont cultivées en terrasses, domine la moitié du département du Var en une vue panoramique qui s'étend par un infini de vallonnements jusqu'à la mer, la Sainte-Victoire, la Sainte-Baume et les Maures. Serrées autour du château, construction massive flanquée de quatre tours abritant la mairie et l'école, les maisons, régulières et peu élevées, bordent les rues circulaires où subsistent de nombreux éléments de l'enceinte. Sur la place principale, deux ormeaux de taille gigantesque reverdissaient chaque année jusqu'en juin 1988 où ils furent abattus ; on dit qu'ils furent plantés en 1638 lors d'une visite de la reine Anne d'Autriche qui se rendait en pèlerinage à Cotignac.

Trigance
Var

44,5 km N. de Draguignan

A l'orée d'immenses bois de chênes et de pins sylvestres, Trigance s'est installé dès le Moyen Age à l'abri d'une croupe rocheuse dénudée. Le château, enclos dans une enceinte défendue par trois tours, s'est moulé sur ce promontoire aride ; il accueille aujourd'hui un restaurant. Le front de maisons régulier de la Grande-Rue compose une manière de rempart à l'arrière duquel s'est peu à peu développé le

Sur la place de l'église du village de Tourtour, entourée de maisons anciennes, un saule pleureur incline son feuillage sur une fontaine à vasque circulaire.

village. L'église romane Saint-Michel dresse son clocher carré d'un bel appareil ; le riche mobilier date de l'agrandissement qui a eu lieu au XVIIe siècle. Tout au long des sentiers parcourant les prairies à moutons se sont installées les chapelles votives. La chapelle Saint-Roch, dont le patron est célébré lors de la fête du 16 août, en est le modèle le plus accompli, avec son porche couvert d'un auvent. Les vallées du Jabron, de l'Artuby et les gorges du Verdon offrent d'inoubliables paysages.

Turbie (La)
Alpes-Maritimes

14 km E. de Nice

Aujourd'hui carrefour de routes et point de départ de nombreux circuits, jadis limite entre la Gaule Cisalpine et la Gaule Transalpine, La Turbie, citée par Ptolémée au IIe siècle apr. J.-C., domine depuis la grande corniche la principauté de Monaco et embrasse un vaste panorama du littoral méditerranéen. C'est ce point stratégique de la via Julia reliant Gênes à Cimiez que le sénat romain choisit pour commémorer la victoire d'Auguste, pacificateur des peuplades alpines (7 av. J.-C.), en y érigeant le célèbre « trophée des Alpes » (deux seulement de ce type sont conservés de par le monde). Sur un soubassement carré portant la dédicace à l'empereur, une construction pyramidale entourée d'une colonnade dorique était jadis surmontée d'une statue colossale. Sur place, un musée reconstitue l'histoire de ses innombrables destructions et tentatives de restauration. Au XIIe siècle, la cité médiévale qui s'est développée à son pied était enfermée dans l'enceinte des maisons d'habitation formant un front continu dépourvu de fenêtres vers l'extérieur. Deux portes ouvertes dans le rempart en commandaient les entrées. Elles sont aujourd'hui visibles à l'intérieur de la ville actuelle, dont le plein essor date du XIXe siècle, avec la vogue du tourisme hivernal de luxe. Quant à l'église paroissiale dédiée à saint Michel l'Archange, elle fut, comme le stipule une inscription, construite entre 1764 et 1777 avec des pierres provenant du « trophée ». Bel exemple de style baroque niçois, elle se compose d'un vaste vaisseau ellipsoïdal prolongé d'un chœur profond à abside en hémicycle. Son décor intérieur sobre met en valeur le riche mobilier qu'elle contient.

Vallouise
Hautes-Alpes

19,5 km S.-O. de Briançon

Ville-Vallouise, ainsi est souvent nommé le village éponyme de la vallée. Les hautes montagnes du massif de l'Oisans qui enserrent cette vallée au nord-ouest, en faisant écran aux vents, créent un microclimat exceptionnellement doux. Haut lieu touristique, Vallouise a cependant su préserver son identité et mettre en valeur son habitat traditionnel. Les maisons, regroupées et serrées les unes contre les autres, ne laissent guère pénétrer le soleil dans

les rues enneigées cinq mois par an. C'était le prix à payer d'une promiscuité qui favorisait une entraide plus efficace. Four banal, fontaines, abreuvoirs en bois constituaient, avec l'église au clocher altier, les marques tangibles et les fondements de cette communauté. Les hautes maisons à l'architecture originale sont bien construites. Les façades sont percées à chaque étage de balcons à arcades qui servent à entreposer de multiples choses à l'abri des intempéries. Les toits, d'abord couverts de bardeaux, l'ont été ensuite, après l'ouverture de carrières, d'ardoises. Les voitures pénètrent aujourd'hui facilement jusqu'au pré de Madame Carle, au pied de la barre des Écrins. Il n'en était pas de même au XIVe siècle, lorsque les habitants, effrayés par l'avancée de bandes de routiers, barrèrent l'entrée de la vallée par un mur appelé improprement mur des Vaudois, percé de trois portes, encore visible sur la commune des Vigneaux.

Vauvenargues
Bouches-du-Rhône

14 km E. d'Aix-en-Provence

Vauvenargues occupe un site de vallée entre les montagnes des Ubacs et du Concors et les forêts du flanc nord de Sainte-Victoire. Au fond du vallon, les rives luxuriantes et les prairies qui bordent la petite rivière de la Cause ajoutent à la verdoyance du lieu. Depuis la route, on domine les toits serrés qui s'échelonnent en pente douce jusqu'aux prés. Les rues sont illuminées par les couleurs récemment restaurées des façades. Vauvenargues est un village d'artistes et d'artisans. En face, sur une butte, se dresse le château, entouré de grands arbres. Cette massive bâtisse du XVIe siècle, cantonnée de tours, a reçu au XVIIe siècle un décor luxuriant dont témoigne à l'extérieur la porte monumentale. Construit par les Clapiers, qui possédèrent le fief jusqu'au XVIIIe siècle, il vit naître et grandir le célèbre moraliste Vauvenargues. Il fut acheté par Picasso en 1960 ; le maître est enterré dans le parc. Départ de promenades sur la montagne Sainte-Victoire.

Venasque
Vaucluse

12 km S.-E. de Carpentras

Piton rocheux dressé à l'entrée des gorges de la Nesque, au-dessus d'une plaine agricole au nord et de grandes forêts au sud, Venasque surveillait l'une des principales voies d'accès aux monts de Vaucluse depuis la plaine de Carpentras. Le site fut occupé par les Celtes et les Romains et au Moyen Age, le bourg perché ne cessa de se développer et améliora ses défenses naturelles par la construction d'une puissante enceinte. Un gigantesque fossé fut creusé dans le rocher du côté de la montagne et renforcé par trois tours circulaires, percées de portes qui gardent aujourd'hui toute leur ampleur. Les rues sinueuses, bordées de maisons de faible hauteur, aux pierres dorées, conduisent à l'église Notre-Dame, construite sur l'à-pic qui domine la vallée. Ce bel édifice roman à coupole avoisine un baptistère mérovingien, évocation du temps où les évêques de Carpentras avaient installé leur siège à Venasque. Point de départ d'excursions dans la vallée de la Nesque et au mont Serein.

A la recherche
de l'HISTOIRE du village

*Ressusciter le passé du village, c'est d'abord interroger ses aînés,
capables de décrire hommes et choses, usages et coutumes d'autrefois,
c'est également regarder d'un œil neuf le site, les bâtiments,
le monument aux morts et le cimetière, évocations des disparus,
mais c'est aussi entreprendre l'exploration de ses archives, sur place,
puis au chef-lieu du département, et enfin à Paris, aux Archives nationales.*

Première page de l'année 1736
du registre paroissial
de Wy-dit-Joli-Village, conservé
aux Archives du Val-d'Oise, à Cergy.

Les responsables municipaux ont maintenant pris conscience de la valeur des archives de leur commune et ont donc décidé soit de les conserver eux-mêmes, aidés des conseils du directeur des services d'archives du département chargé de les contrôler, soit de les déposer aux archives départementales, comme la loi du 21 décembre 1970 le recommande aux communes de moins de 2 000 habitants pour leurs archives centenaires.

Registres des délibérations municipales, registres paroissiaux et d'état civil et cadastre constituent l'essentiel de ces sources. Les registres de délibérations, toujours tenus avec grand soin, au moins depuis la Révolution, sont le reflet exact de la vie du village. Y sont relatés les élections ou nominations du maire et de ses conseillers, les décisions concernant la construction ou la réparation de la mairie, de l'église ou de l'école, le choix du berger ou du porcher qui se voyaient jadis confier la surveillance des moutons ou des cochons des différents propriétaires, et celui du garde champêtre, auquel les villageois, convoqués par le tambour ou la cloche de l'église et réunis dans la maison commune, donnaient mission de veiller sur la moisson depuis son début, en juillet, jusqu'à la rentrée complète des grains, à la Toussaint. Pour les actes de la période 1793-1805, il faut établir attentivement une concordance entre le calendrier révolutionnaire et le nôtre, dit calendrier grégorien, du nom du pape Grégoire XIII qui lui donna en 1582 sa forme actuelle.

Plus près de nous, les délibérations du conseil municipal traitent des problèmes de remembrement, d'électrification ou d'adduction d'eau.

Les mairies conservent en outre une suite souvent ininterrompue depuis le XVIIe siècle de registres de baptêmes, de mariages et de sépultures tenus par le curé de la paroisse en conformité avec les ordonnances de Villers-Cotterêts (1539) et de Blois (1579). A partir de 1792, l'état civil proprement dit est établi, les registres de naissances, de mariages et de décès continuant la série précédente. De leur dépouillement exhaustif, on retirera notamment : la succession des curés, avant la Révolution bien entendu, la structure des familles et leurs noms, la mortalité et la propagation des épidémies, les relations contractées avec les villages voisins par mariage, le degré d'instruction des signataires et leurs métiers. Dans certaines provinces françaises, on trouvera à côté des registres de catholicité des registres protestants ou israélites.

Quant à l'examen des plans cadastraux datés, il fournira l'emplacement des constructions, des chemins, des moulins, les extensions ou destructions de quartiers du village, les modifications du terroir, et les lieux-dits consignés renseigneront sur le paysage, les cultures ou les institutions : « au buquet pouilleux » désignera en Picardie un bois rabougri poussant sur une mauvaise terre ; les « riez » signifient dans cette même région des friches ; la « vieille justice » indique qu'en cet endroit était planté le gibet, loin du village pour que l'odeur n'incommodât pas les habitants ; le « bois de longue attente » est une expression liée à la chasse, le paysan s'y tenait à l'affût, guettant le gibier. Citons encore, comme sources utiles, les recensements ou dénombrements de population, les listes électorales, les registres du bureau de bienfaisance puis d'aide sociale.

Les archives départementales sont le complément naturel des archives communales. On y distingue principalement les archives anciennes (avant 1790), les archives modernes (1790-1940), et les archives contemporaines (depuis 1940). Chacune de ces parties est divisée en séries désignées par des lettres de l'alphabet et correspondant à des institutions ou des types d'actes différents. Ainsi en série G (clergé

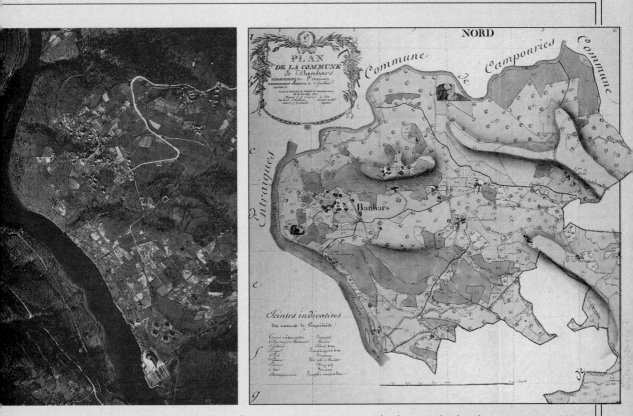

Vue aérienne de la commune de Banhars, rattachée actuellement à Campouriez (Aveyron), et plan des masses de culture de cette commune en 1807. On aperçoit, sur la photo, la route d'Entraygues entre la Truyère et l'ancien « Chemin de Banhars ». Les surfaces cultivées en vignes ont beaucoup diminué, alors qu'au XIXe s. elles étaient importantes (en rouge clair). Même recul pour la châtaigneraie (en jaune avec touches de vert).

séculier) sont classés les comptes rendus des visites pastorales au cours desquelles un chanoine venait inspecter une paroisse : accueilli par le curé en surplis entouré de ses ouailles, il procédait à la bénédiction du saint sacrement, aux encensements et à la récitation des prières, à l'intention en particulier des défunts, puis examinait l'église, son mobilier, ses livres et ses vases sacrés, le linge et les ornements, vérifiait les comptes et s'enquérait de la pratique et de l'instruction des fidèles, grands et petits ; il achevait enfin sa visite en se rendant au presbytère et au cimetière. Si quelque abbaye ou prieuré existait jadis dans ce village, ses archives auront été placées dans la série H, consacrée au clergé régulier. En série L (administration révolutionnaire) figurent les inventaires des biens des émigrés vendus au profit de l'État, où, par exemple, sont précisés un à un les titres des livres de la bibliothèque du seigneur, ou le nombre de bouteilles que renfermait sa cave. Pour l'époque contemporaine, les affaires traitées par la commune (demandes de subventions, litiges divers) donnent lieu à la constitution de dossiers envoyés au préfet, autorité de tu-

telle, dossiers versés plus tard aux archives départementales. Ne pas oublier la série R (dommages de guerre), précieuse pour connaître le destin du village durant les hostilités : cantonnements de troupes, bombardements, accueil des réfugiés, etc.

Bien sûr, les notaires, les familles, les curés, les sociétés savantes devront être visités : telle minute de contrat de mariage, telle correspondance, une collection de coupures de presse ne sont pas à dédaigner.

L'ultime étape amènera notre chercheur à Paris, aux Archives nationales, 60, rue des Francs-Bourgeois. Un échange de correspondance lui aura permis auparavant de préparer sa quête, notamment dans les papiers des ministères, qui se sont de tout temps intéressés aux communes, même les plus humbles. Ainsi dans le fonds de l'Instruction publique sont conservés les résultats d'une enquête sur la situation des écoles primaires menée en 1833 dans la France entière par 490 inspecteurs sur l'ordre du ministre Guizot ; dans celui des Travaux publics existent des études sur les voies ferrées et navigables et sur les routes de l'ensemble du pays.

La moisson engrangée, reste à rédiger l'histoire du village, non pas en publiant in extenso tous les documents rassemblés suivis de quelques commentaires, mais en se nourrissant de leur substance pour dégager une information qui sera replacée dans le contexte historique, quitte à éditer quelques pièces justificatives en fin de volume. Le plan choisi pourra être chronologique ou thématique : vie seigneuriale et municipale, paroissiale, scolaire, activités industrielles et rurales, la langue, l'habitat, le folklore (fêtes, jeux, littérature et musique populaires) ; cartes, plans et photographies illustreront le texte précédé d'une bibliographie énumérant les livres et documents consultés.

Au cas où le village aurait vu naître quelque personnalité (homme politique, ecclésiastique, officier, écrivain ou artiste), il ne faudrait pas omettre de leur consacrer un chapitre.

Lectures et fréquentation des hommes de métier permettront d'acquérir la technique nécessaire : on ne s'improvise pas plus historien que médecin ou architecte, l'amour du terroir fera le reste. De leur union naîtra une histoire exacte, précise et attachante.

Languedoc Roussillon

On peut rêver d'une draille à moutons qui des calcaires des Causses irait, par la Cévenne, les garrigues, les plaines du bas Languedoc, se perdre dans les sables des lagunes, s'accrocher en festons aux caps méditerranéens.

Les pays d'en haut sont lutte et refuge, Causse vide et solitaire, emprisonnant le Tarn dans les gorges et engouffrant ses eaux dans les avens. Cévenne secrète du Lozère, déchirée par les « serres », modelée par les terrasses plantées de quelques chênes, de « châtaigniers aux bras tendus », de mas austères ; blocs rugueux de granit sombre ; harmonie parfaite entre habitat et paysage, entre la résistance camisarde et le monde du « Désert ».

Par paliers, l'âpreté laisse place à la lumière intense du Languedoc, où la tramontane fait tourbillonner les parfums subtils des garrigues dans le chaos des rocailles. On y trouve la sévérité romane, l'équilibre latin du pont du Gard et l'infini vignoble partout présent entre les villages rouges et blancs protégés par les alignements de cyprès. Corbières changeantes : moutons d'en haut, ceps d'en bas, chaque éperon rocheux a sa citadelle cathare de Minerve à Quéribus ; elles surveillent le jardin roussillonnais entre l'église fortifiée de Collioure et le « vieux pâtre » Canigou. Les vastes mas de briques et de galets se groupent en petits villages. Dans la montagne proche, les abbayes découpent sur le fond des sierras leur clocher carré et offrent au visiteur la vision des chapiteaux animaliers de marbre rose ; les villages proches du Conflent, parfois fortifiés, sont construits de matériaux sobres et rudes.

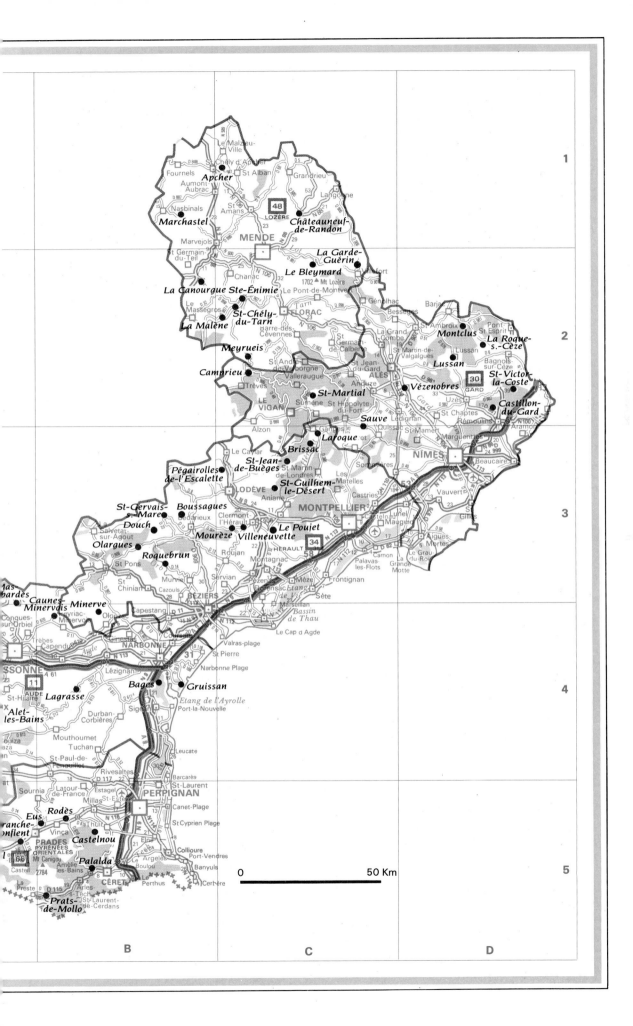

A la frontière entre Midi toulousain et Languedoc, les maisons Renaissance d'Alet sont tantôt à pans de bois, tantôt en pierre de taille.

Alet-les-Bains
Aude

> 32 km S. de Carcassonne

C'est un lieu charmant, à 200 mètres d'altitude, au sortir des Pyrénées, au contact du massif des Corbières qui forme autour d'Alet une couronne de verdure sur les douces collines. Couvert de jardins et de vergers, arrosé par les eaux abondantes du Théron et de l'Aude, la végétation est particulièrement luxuriante, ce qui permet d'appeler Alet le « jardin de l'Aude ».

Ici naît l'eau dont les vertus curatives font la célébrité du val depuis l'Antiquité et la période gallo-romaine. Pourtant, c'est l'établissement de l'abbaye Sainte-Marie qui fit se développer la ville au VIIᵉ siècle. Elle devint même évêché en 1318.

Chef-d'œuvre de l'art roman, la monumentale cathédrale des XIᵉ et XIIᵉ siècles, déjà condamnée par le début de la construction d'un chœur gothique, fut détruite pendant les guerres de Religion, et son corps démantelé servit à la construction des maisons de la cité fortifiée.

Personne ne se consacra à rebâtir le monument, malgré la présence des évêques jusqu'à la Révolution. Quant à l'ancien évêché, ses vestiges sont maintenant transformés en hôtel. Il possède un bel escalier de pierre donnant accès à la vaste salle du synode. Cet édifice et son parc occupent en grande partie l'emplacement de l'ancienne abbaye. Le presbytère du XVᵉ siècle, adossé aux vieux remparts, contient un puits à souterrain et une tour bien plus ancienne avec un escalier à spirale.

La ville renferme un tissu remarquable de maisons à pans de bois, ou en pierre, ou mixtes ; la vieille place centrale comporte un bel ensemble de façades Renaissance et classiques bien restaurées. Partant de là, par la rue de la Rose, on peut admirer l'ancien palais de justice, du XVIᵉ siècle.

Alet garde une bonne partie de son enceinte environnée de platanes et de mûriers. Par la porte nord – porte Cadène –, on aperçoit dans la colline les alvéoles d'un cimetière gallo-romain.

Mais Alet, c'est aussi, hors les murs, l'eau et ce que l'homme en tire, comment il la travaille, comment il la domine. Son pont du XVIIᵉ siècle, jeté sur l'Aude, rappelle tous les soins qu'il attache à cet élément précieux qui, par le thermalisme et l'usine de mise en bouteilles, dynamise l'économie locale.

La saison, de juin à fin septembre, donne à la ville une animation toute particulière. Mais, hors saison, le visiteur peut trouver l'occasion d'activités de pêche, de chasse et de randonnées dans la montagne et les multiples gorges en amont (Saint-Georges, Pierre-Lys, ou Galamus), ou tout simplement redécouvrir le repos en admirant la chaîne des Pyrénées ou le massif cévenol à partir du très beau hameau de Saint-Salvayre, à quelques kilomètres au nord-est d'Alet-les-Bains.

Apcher
Lozère

> 4 km N.-E. de Saint-Chély-d'Apcher

Le hameau d'Apcher, au bout d'une petite route en cul-de-sac, à 2 kilomètres à l'est de la D 989, fait partie de la commune de Prunières.

Village environné de verts pâturages, entrecoupés par des bois de pins, il doit tout son pittoresque non seulement aux robustes demeures en granit, souvent vieilles de plus de trois cents ans, mais surtout à la présence de la tour datant des XIᵉ et XIIᵉ siècles. C'est l'élément primordial dans ce paysage aux perspectives lointaines, sur ce plateau froid, à plus de 1 000 mètres d'altitude. Non moins intéressante, l'église Saint-Jean, de style roman tardif (XIIᵉ siècle), fait partie, comme la tour, d'un ensemble qui fut fermé par deux enceintes dont le tracé le plus extérieur se retrouve facilement dans les ruelles du hameau.

Par sa tour et son site, Apcher domine les confins de l'Aubrac et de la Margeride.

Construit à flanc de colline, Bages s'étire dans la lagune de Sigean. La pêche est l'une des activités traditionnelles du village.

Bages
Aude

10 km S. de Narbonne

Au nord-ouest du complexe lagunaire Bages-Sigean, le village fait face à l'immensité des eaux. Bien rassemblée sur son promontoire rocheux, au bord de l'étang de Sigean, l'agglomération a conservé pour l'essentiel le caractère ancien de ses rues et de ses maisons ; celles-ci épousent la falaise, comme pour se protéger de la tramontane ravageuse.

Les volumes sont simples : généralement les édifices ont deux étages et des combles. Les toitures, en tuiles canal, donnent de la chaleur à ce paysage polychrome, étonnant de variations au fil des jours et des saisons.

La proximité de la capitale gallo-romaine du Sud, et notamment du port antique La Nautique, fit de cet endroit une zone de résidence attestée par de nombreux vestiges de villas, de poteries et de sépultures du Ier au IVe siècle ; Bages devint dépendant des vicomtes de Narbonne au Moyen Age. L'activité prédominante a été de tout temps la pêche, à laquelle s'ajoute à partir du XVIIIe siècle la culture de la vigne.

Belpech
Aude

35 km S.-O. de Castelnaudary

Capitale de la région de la Piège, sur les riches coteaux du Lauragais, ce village profite de la confluence de l'Hers avec la Vixiège pour se développer. Au centre, l'église paroissiale est célèbre par son portail roman à quatre colonnes de marbre gris. Tout aussi intéressante pour le patrimoine local, la magnifique halle du XIXe siècle décore la place environnée de maisons à colombage, souvent à double encorbellement. La plus ancienne de ces demeures, rue Tournefeuille, date du XIVe siècle.

Bleymard (Le)
Lozère

30 km E. de Mende

Au pied du versant nord du mont Lozère, tout en haut de la vallée du Lot, ce village a dû son expansion à l'importance de son industrie. Au siècle dernier, il comptait plusieurs fabriques de textiles. Aux alentours, des mines de plomb très importantes s'ajoutaient à ce paysage.

Le centre renferme de très belles maisons rurales ; toitures en lauzes, fenêtres à meneaux, porches puissants marquent le style vernaculaire. Non loin de là, sur la route de Mende, l'église romane Saint-Jean, environnée des vestiges d'un ancien monastère fortifié, regarde les pêcheurs de truites profiter des eaux claires du Lot naissant. Au Bleymard, été comme hiver, les visiteurs viennent jouir des attraits, nombreux, des pentes du Lozère.

Boussagues
Hérault

26 km S.-O. de Lodève

Né aux abords du site romain du Camp Audrious et de la Tourbelle, cet étonnant petit village s'est développé au penchant d'une cuvette qui l'abrite de toutes parts, mais cependant ouverte à la chaleur bienfaisante du Midi. Les terres environnantes, cultivées en terrasses, sont fertiles et perpétuent encore la culture de la cerise, si célèbre dans la vallée de l'Orb toute proche.

Vu des hauteurs environnantes, le village s'étage sur la déclivité d'un petit mamelon limité par deux ruisseaux. Au point le plus élevé, les vestiges d'un ancien et vaste château, couverts de lierre, commandent le panorama. De grands remparts bâtis à même le roc formaient jadis la première défense de cette forteresse.

427

Plus bas, sur un autre rocher dominant le centre, un autre château appartenant à la vicomté de Béziers, moins imposant mais tout aussi fier d'aspect, élève ses épaisses murailles presque nues. Une fenêtre jumelée romane, quelques croisées et deux ou trois ouvertures s'y distinguent. De fines meurtrières en marquent les bases. A l'autre extrémité, l'église élève son abside demi-circulaire et son clocher carré. De style roman fortifié, l'édifice, robuste, défie les outrages du temps. Plus élégante est la maison dite du Viguier, petit bâtiment carré, du XVe siècle. Bâti en bordure des remparts nord, une tourelle le domine. Sur toutes ses façades, on découvre des croisées de pierre. Sa toiture conserve des lauzes calcaires et de petites tuiles carrées primitives. Auprès de l'édifice subsiste une portion de rempart avec une vieille porte d'entrée.

Dans le reste du village, on voit de jolies maisons montagnardes de style cévenol. Ailleurs, on découvre une porte fortifiée donnant accès au centre. De-ci de-là, les façades montrent des traces d'une splendeur passée. Mais Boussagues vit encore bien de la culture en terrasses auprès des trépidations des mines du Bousquet-d'Orb.

Brissac
Hérault

7 km S. de Ganges

A l'écart de la vallée de l'Hérault, sur le flanc est de la montagne de la Séranne, avant-poste important des Cévennes, Brissac occupe un site stratégique très anciennement fortifié.

Au faîte de l'éperon rocheux, un vaste château fort domine les deux bourgs de Brissac-le-Haut et Brissac-le-Bas. Composé de deux tours-donjons de la fin du XIIIe siècle, d'une chapelle du XVIe et d'un important manoir du XVIIe, remarquablement restauré, il annonce, par ses armoiries, son appartenance à la famille de Roquefeuil.

La colline de Brissac présente vers l'ouest une pente abrupte dominée par le château, tandis que le versant oriental, étalé en pente douce, porte les maisons du bourg d'en haut. Pour parvenir au monument, il faut monter par les ruelles en escaliers. L'homogénéité de la structure et des matériaux de l'agglomération lui donne toute sa valeur. Du sommet, la vue embrasse la vallée verdoyante, notamment Brissac-le-Bas qui s'étale de part et d'autre de la rivière. Le village comporte plusieurs monuments de valeur : la chapelle et le pont, dédiés à saint Etienne d'Issencas, et surtout l'église romane, fort importante.

A proximité s'étend un très grand parc à l'ombre de puissants marronniers, où il fait bon se promener l'été, au bord de l'eau, lorsque tout autour la chaleur du piémont rôtit les toitures des maisons au goût déjà cévenol. Dominé par les vestiges des remparts de Brissac-le-Haut, noyé dans la verdure, le bourg d'en bas semble d'un autre monde, à la fois vivant et apaisant.

Camprieu
Gard (voir pages 430-431)

Canourgue (La)
Lozère

22 km S. de Marvejols

Blotti au pied de plusieurs collines verdoyantes à deux pas de la vallée du Lot, occupant le vallon d'Urugne à la confluence entre le Merdéric et le ruisseau de la Canourgue, ce village a un riche passé qui remonte à l'époque romaine : la cité de Banassac, toute proche, produisait, aux Ier et IIe siècles, des vases qui furent exportés dans tout l'Occident romain. Plus tard, au VIe siècle, la fondation du monastère de Saint-Martin marque la naissance réelle de l'agglomération.

Destructions et reconstructions se succèdent pendant la guerre de Cent Ans ; La Canourgue devient un important marché régional, en particulier pour l'industrie de la laine. Les maisons et les monuments du centre signent ce riche passé.

Ce centre s'étend en arc de cercle. Il profite de l'abondance de l'eau pour enjamber les ruisseaux par de multiples petits ponts qui donnent un aspect agréable à la cité. Cette eau joue avec le bâti, tantôt dessus, tantôt dessous, de place en place, de lavoir en fontaine.

L'église du XIIIe siècle, très massive, et la maison Renaissance de Mme Sagnet, dont la façade est très caractéristique de cette époque, ainsi que les vestiges de l'ancien château de Maillan, représentent les édifices les plus prestigieux du village. De nombreuses maisons portant les traces des architectures successives de la Renaissance au classicisme le plus pur complètent le tableau.

Les places sont, dans l'urbanisme local, d'une grande importance et fort vastes. Elles sont propices aux différentes fêtes organisées en cours d'année : du carnaval d'hiver, à la foire automnale aux chevaux, sans oublier la fête estivale du village.

429

A Camprieu passe la frontière entre le pays huguenot et le pays papiste. Le village possède bien son église (ci-dessus) dont on aperçoit l'entrée sous le clocher de pierre, mais pas de temple.

Le « petit plateau entre deux rivières » (à droite) dont l'appellation de Camprieu tire son origine est un océan de forêts et de solitude. La vie, ici, s'est réfugiée sous ces humbles toitures d'ardoise.

Autour du presbytère (ci-dessus), longue maison basse et grise que coiffent les ardoises, se joue, à l'ombre des grands arbres, la symphonie en rose des lupins et des désespoirs-du-peintre.

Au bord de la route (à droite), les yeux scrutateurs d'un masque païen à la géométrie insolite fixent le promeneur. De sa bouche s'écoulent les eaux glacées du massif de l'Aigoual.

CAMPRIEU

par Jean Carrière

37,5 km N.-O. du Vigan

Le pays, haut perché entre ciel et terre, domine les profondeurs bleuâtres du Sud : depuis les vastes forêts du parc national des Cévennes, on aperçoit « ce toit tranquille où paissent les colombes » cher à Paul Valéry ; le mont Saint-Clair, qu'on toucherait du doigt par temps clair, tremble devant la mer toujours recommencée. L'Aigoual est le bastion le plus méridional du Massif central. Cette forteresse granitique de presque 1 600 mètres d'altitude est d'autant plus dépaysante qu'en moins d'une heure de voiture on passe des collines torrides et des plaines morcelées en vignes et en étangs à la fraîcheur mordante des torrents, à cet air vif et argenté que l'altitude aiguise, et qui semble grossir à la loupe les moindres détails du paysage.

Le village de Camprieu, juché sur le versant atlantique du massif, rassemble ses toits d'ardoises au cœur d'un écrin de forêts pentues, juste à la sortie de cette haute vallée où je réside, et dont le nom est tout un programme : le Bonheur. Voir ce mot imprimé très officiellement sur un panneau routier déconcerte quelque peu les touristes. Pourtant, aucun vœu pieux n'a inspiré l'utilisation d'un terme aussi ambitieux et un peu trop sucré pour paraître sérieux. C'est tout simplement le nom d'une ancienne abbaye (en dialecte local : Bonahuc) ainsi que du torrent qui prend sa source près de ses ruines, descend paisiblement la vallée et disparaît dans les entrailles de la terre, au pied de Camprieu, pour reparaître au fond du célèbre abîme de Bramabiau après avoir circulé sous le village à travers un labyrinthe de grottes et de goulets où il ne ferait pas bon s'aventurer sans guide. Camprieu ne recèle pas de singularités ou de trésors d'architecture. Mais il est montagnard jusqu'au bout des ongles, si j'ose dire, avec ses ruelles étroites, ses écailles grises qui coiffent les bâtisses aux murailles épaisses, son odeur de foin et de feu de bois qui embaume les aubes d'été ou les soirs d'automne.

D'où provient le charme ensorcelant de Camprieu, cette envie qu'on éprouve de ne plus le quitter lorsqu'on y a séjourné, cette impression d'éternelles vacances qu'on ressent en toute saison, même au cœur des mois noirs, lorsque les écharpes de brumes s'accrochent au flanc de la montagne ou que la tempête soulève des clameurs d'océan démonté ?

C'est peut-être avant tout parce que le temps qu'il fait et le temps qui passe s'y conjuguent de telle sorte qu'on ne les distingue plus l'un de l'autre : le climat offre une telle variété d'expressions que chaque matin paraît toujours se lever sur un pays qui change d'humeur avec des fantaisies parfois très violentes, depuis les tempêtes qui amoncellent

deux mètres de neige dans les rues, amenée par des vents d'une envergure planétaire, jusqu'aux orages qui font rouler leurs tombereaux à travers tous les échos de la montagne. Il y a des matins d'hiver où le soleil semble se lever pour la première fois sur le monde, quand le moindre brin d'herbe étincelle de givre. Des jours d'été qu'incendie le crépitement des insectes, des crépuscules interminables où le soleil disparaît dans un ciel aux couleurs si théâtrales, si apocalyptiques, qu'on se demande s'il ne donne pas là sa dernière représentation. Les printemps y ont l'aigreur violette des premiers âges de la terre. Les automnes rivalisent de somptuosité avec l'or et la pourpre des étés indiens du Québec. Les nuits d'été obtiennent une telle pureté que les constellations semblent à portée de main et que le ciel, d'une noirceur absolue, fourmille d'une poussière d'étoiles jusqu'au ras des forêts.

Pour ceux qui vivent dans ce bout du monde, le monde et ses turbulences paraît encore plus lointain que ces constellations. La vie bat au ralenti dans des odeurs de moutons et de bois fraîchement scié. On entend le mitraillage des tronçonneuses amplifié par les échos profonds qui dorment sous les hautes futaies. Quand les touristes de l'été venus des quatre coins d'Europe ont regagné leur patrie, le pays retombe dans le silence. Il y a pourtant de quoi attirer « ceux d'en bas » pendant les quatre saisons de l'année :

pêche, champignons, balades à cheval, ski alpin ou de randonnée, baignades, spéléologie, escalade, dans un rayon de vingt kilomètres, le pays offre de quoi satisfaire tous les désirs et toutes les fantaisies.

Mais c'est en y vivant douze mois par an que Camprieu livre son secret à ceux qui le méritent. Voitures, télévisions, fusées sur la lune ne jouent ici qu'un rôle mineur. Le bonheur, ce sont ces toits qui luisent dans le matin avec leurs écailles de poissons, cette odeur de hêtre brûlé qui habite déjà les rues avant que les fenêtres ne s'ouvrent, la rumeur hospitalière d'une hache qui cogne, de la volaille qui s'ébroue, d'un balai qui frotte un seuil de porte, d'un pas qui sonne le long d'une venelle. C'est hic et nunc, ici et maintenant, que la vie commence, et non demain, ni même tout à l'heure : chaque geste a son importance, chaque instant se déguste comme la soupe au lard qui offre la meilleure réponse aux tempêtes de la saison ou à celles du cœur. On vit plutôt vieux par ici. C'est qu'on s'économise, qu'on ne jette pas son existence par les fenêtres. Si le village est pauvre, la plupart de ses habitants sont riches. Riches de tout ce qui ne coûte rien : le monde leur appartient, le monde est leur paroisse. Même la génération des plus jeunes ne se laisse plus tourner la tête par les chimères des lendemains qui chantent. C'est ici qu'on est né, c'est ici qu'on veut vivre, et c'est ici qu'on veut mourir.

Castelnou
Pyrénées-Orientales

18,5 km S.-O. de Perpignan

Dans ces collines dénudées du versant septentrional des Aspres, la nature paraît jaillir du sol à l'approche de Castelnou. Tout autour, les douces ondulations du relief portent les traces des pâtures ovines et les plaies d'incendies ravageurs. C'est le village parfait, par son homogénéité et par les éléments qui le composent. La butte rocheuse qui domine l'agglomération est couronnée par un donjon carré auquel est accolé un logis rectangulaire qui a été restauré au XIXᵉ siècle. Une seconde enceinte, haute et polygonale, sert de clôture à un logis du XVIIIᵉ siècle. Le château d'origine fut dressé vers 990 par les comtes de Besau. On remarque aussi les vestiges d'une tour ronde sur le sommet d'une colline proche et les soubassements du donjon de Majorca sur la montagne en face du village, qui complétait la défense de la forteresse. Un phénomène acoustique intéressant permet d'entendre distinctement à Castelnou les bruits émis à Majorca.

Au XIIIᵉ siècle, la forteresse fut confisquée par le roi de Majorque dans sa lutte contre le roi d'Aragon. Le château fut ruiné après une attaque de brigands en 1559.

Une enceinte flanquée de tours rondes abrite le village et s'accroche plus haut à celle du château. On pénètre dans les lieux par une porte en plein cintre défendue par un mâchicoulis.

Les maisons se tassent sur le versant est de la colline. Elles se fondent au sol par leur matériau composite – briques, cailloux de granit ou de schiste – ou simplement par leurs enduits de couleur terre ; elles montrent aussi toutes les compositions possibles des volumes et des éléments d'architectures murales intéressants – fours, escaliers extérieurs, terrasses couvertes, voûtes...

Et si par hasard l'envie vient d'un parcours hors les murs, se découvrent alors les quelques parcelles cultivées et la chapelle au bord de la route avec quelques cyprès qui rappellent la végétation arborée du village. Au fur et à mesure qu'on s'élève vers la montagne, apparaît alors sa majesté le Canigou.

Castillon-du-Gard
Gard

15 km E. d'Uzès

La lumière de la pierre issue des carrières si célèbres qui ont donné le pont du Gard éclaire les rues de Castillon.

A 5 kilomètres du monument le plus prestigieux du département, le village, hors des axes principaux de circulation, cache dans les bois qui rattrapent la route ses constructions actuelles.

La richesse ancestrale se ressent tout de suite au contact de l'architecture. Il subsiste encore quelques centaines de mètres de remparts, très hauts et très épais à en juger par les contreforts. Des fenêtres à croisillons ont été percées par endroits. Une seule porte subsiste. L'église la plus ancienne est de 1710 ; la seconde, hors les murs, date du siècle dernier. Dans la partie nord du village se dressent les vestiges d'un château fort sous forme de corbeaux qui, à certains endroits, soutiennent pacifiquement des balcons. De-ci de-là, quelques gargouilles sculp-

tées, des fenêtres Renaissance, des arcs jetés d'une maison à l'autre, un portail ou un arceau mettent l'élégance.

Les séjours à toute époque, aux abords du pont du Gard et des gorges du Gardon, permettent de mêler au calme villageois les activités culturelles et la découverte de la nature. Des expositions d'art plastique ont lieu dans le village.

Caunes-Minervois
Aude

20,5 km N.-E. de Carcassonne

Bâti sur le versant sud-ouest du Minervois à l'entrée de la belle vallée de l'Argent Double, Caunes est une charmante agglomération à l'ombre de magnifiques platanes centenaires. Appelé anciennement Bufantis (« rocher »), le village était au VIIIᵉ siècle Villa Canoas. Il était entouré de remparts flanqués de bastions et de six portes. De nombreux vestiges de ces fortifications sont encore visibles. Leur destruction a commencé en 1590, lors de l'invasion de la région par les ligueurs languedociens.

Ensemble majeur de l'ancienne abbaye, l'église Saint-Pierre-et-Saint-Paul, au beau clocher roman, et la maison abbatiale donnent sur la place du Monastère. Les maisons qui accompagnent les monuments sont bien exposées à l'ouest et au midi, reprenant plusieurs styles de l'architecture rurale avec quelquefois de riches éléments Renaissance en façade, aux portes et fenêtres à meneaux de marbre rose, car Caunes, c'est aussi les marbres de ses carrières à flanc de montagne entre l'Argent Double et le Cros. La réputation de ces marbres fut et reste très importante ; les rois eux-mêmes en demandèrent pour le Trianon, Marly ou l'Opéra de Paris. A l'entrée du vallon du Cros, la chapelle Notre-Dame et le site boisé rappellent le grand soin que l'homme, à travers les siècles, a apporté à Caunes.

Chalabre
Aude

25 km S.-O. de Limoux

Ancienne capitale du « pays de Kercorb », donnée en 1210 par Simon de Montfort à Thomas Pons de Bruyères, l'un de ses compagnons d'armes, ce pays, aux limites de l'Aude et de l'Ariège, posséda jusqu'à la Révolution de nombreux privilèges, du fait de son rôle primordial de place frontalière au temps où l'Espagne occupait le versant sud des Corbières.

Les habitants de Chalabre devaient être toujours prêts à prendre les armes pour répondre aux incursions espagnoles. En échange de cette tâche militaire, ils étaient exemptés d'impôts : de là son nom de Terre privilégiée, donné par Philippe le Hardi.

A l'extrémité d'un coteau boisé dominant le bourg, le château est une construction massive dont la portion la plus ancienne forme un donjon qui fut habillé de plusieurs autres corps de bâtiment, transformant l'édifice en somptueuse demeure. Son parc verdoyant possède une végétation en parfaite osmose aussi bien avec les façades du château qu'avec le bois qui descend à la rencontre du village.

Chalabre ne profita guère des collines du Chalabrai, cet avant-pays pyrénéen, pour s'implanter, mais au contraire choisit la riche vallée agricole du Blau pour prendre racine selon le mode d'urbanisation de la

bastide médiévale. Son plan carré était entouré de remparts, remplacés actuellement par un boulevard planté de luxuriantes allées de platanes. Le bourg profita de la présence de la rivière pour s'étendre jusque dans son lit par une belle enfilade de maisons. Fort simples, à ossature de bois, elles possèdent un ou deux balcons.

A l'intérieur du boulevard, le centre ancien a conservé, grâce à ses étroites ruelles, ses façades à encorbellement et ses volets à fermetures décoratives, un charme et un cachet bien réels. Certaines façades laissent augurer une structure en colombage, présente dans la plupart des bastides. C'est au XIXe siècle, sous le marché couvert, que le commerce de draps et de confections de Chalabre fut le plus prospère. Les familles ouvrières ont perpétué jusqu'à nos jours les petits potagers qui jouxtent le village. Chaque année, c'est sur la place centrale et autour du boulevard que forains et badauds vivent les quatre jours de festivités pendant l'Ascension.

Châteauneuf-de-Randon
Lozère

29 km N.-E. de Mende

Châteauneuf-de-Randon est le chef-lieu du canton le plus élevé du Massif central. Du haut de ses 1 286 mètres d'altitude, on découvre un panorama grandiose sur le mont Lozère, le Velay, le Vivarais et la Margeride. Par sa situation exceptionnelle, c'est un lieu privilégié pour les amoureux de la nature, des grands espaces et du silence. Ses ruisseaux – au nord, le Chapeauroux et, à l'ouest, le Boutaresse – font la joie des pêcheurs de truites et de goujons ; ses champs de genêts et de bruyères et ses forêts offrent des possibilités infinies de randonnées. Par

Bourg perché aux maisons tournées vers le ponant qui les tonifie de sa chaleur et de sa lumière, Castelnou se coiffe d'un castel géométrique enfoui au milieu des arbres.

son climat tonique et vivifiant, il agit remarquablement sur les allergies respiratoires.

De tout temps, Châteauneuf a joué un rôle de marché agricole important et de place de foire. Lieu de carrefour à mi-distance entre Mende et Langogne, c'est le village typique du Gévaudan, province célèbre par sa « bête », qui défraya la chronique au XVIIIe siècle. Mais le bourg est plus ancien : cité du haut Moyen Age édifiée par les seigneurs de Randon en 940 sur un site gallo-romain, ce fut une forteresse importante.

En juillet 1380, Bertrand du Guesclin, connétable des armées du royaume de France, qui combattait en ces lieux les Anglais et les brigands qui avaient établi une place forte à Châteauneuf, vint y mettre le siège. Malheureusement, il trouva la mort en ces lieux après avoir bu l'eau glacée de la fontaine de Glauze. Sur la place du village se dresse son imposante statue en bronze. Dans le hameau de l'Habitarelle, au pied du village, fut érigé un cénotaphe de granit en son honneur.

La forteresse fut prise, lors des guerres de Religion, par le capitaine Merle. Seuls persistent les vestiges d'une tour appelée tour des Anglais, située au nord du bourg. Il semble que les pierres du château aient servi dès lors à la construction des maisons.

Soumis aux contraintes du relief, le village s'est développé en long. Les maisons, dont les plus récentes datent du début du siècle, présentent les constructions typiques du haut pays lozérien : de deux ou trois étages, aux maçonneries en granit apparent, aux toitures en lauzes de schiste, avec les faîtages en ardoises croisées et aux lucarnes généralement au centre du toit.

Douch

Hérault

26 km O. de Bédarieux

On peut atteindre Douch depuis Saint-Gervais-sur-Mare, par la D 22, la D 180, et la D 180E.
Ici, le panorama se dégage du mont Ventoux aux Pyrénées, en plein parc naturel régional du Haut-Languedoc. A plus de 1 000 mètres d'altitude, le hameau s'étale le long du petit ruisseau d'Arles qui contourne le sévère massif du Caroux par le nord et par l'est. Les maisons du village et les diverses fermettes qui occupent le vallon s'intègrent merveilleusement, par la pierre qui les habille, aux rochers de la montagne partout présente. L'église romane, décentrée, donne la note monumentale qu'il faut pour parachever le tableau. On peut partir de Douch par le sentier de grande randonnée n° 7 qui traverse le Caroux, puis descendre à l'Ouest sur le petit hameau d'Héric, en haut des superbes gorges sauvages qui dégringolent vers la vallée de l'Orb, patrie de la cerise et de la douceur de vivre.

Eus

Pyrénées-Orientales

4 km N.-E. de Prades

Pyramide d'ombres et de lumières, de façades et de toitures, Eus domine la riche vallée du Conflent au pied du majestueux Canigou bardé de ses forêts sombres et paré d'un petit névé ou emmitouflé d'un manteau toujours blanc. On accède au village par l'ouest, par la route qui longe la vieille église Saint-Vincent-et-Saint-Jean du XIe siècle, puis par trois entrées qui se terminent en placettes. La disposition des maisons, en alignement est-ouest et en escaliers réguliers nord-sud, respecte le modèle du site en profitant de l'ensoleillement maximum et de la vue sur la montagne.
Il est amusant de constater que le plus vieux bourg était en bas et que, plus on monte, plus on découvre des maisons nouvelles. Après guerre, les cultivateurs sont redescendus occuper la plaine, qu'ils embellissent de vergers.
Eus apparaît dès la première moitié du IXe siècle. Son nom semble provenir de la contraction du mot « yeuse », autre nom du chêne vert. Ce fut longtemps la propriété des comtes de Cerdagne, qui y construisirent un château entouré d'une enceinte ; puis ce fut le village qui fut fortifié pour se défendre contre les attaques, tant des Français en 1598, que des Espagnols en 1793. L'église paroissiale actuelle, qui domine avec grandeur les maisons, fut construite au XVIe siècle dans le château en utilisant une partie de la muraille.
Quelques artisans et paysans donnent la vie à Eus au rythme de la cloche de l'église, autour de l'école et de l'épicerie.
Éternellement, le paysage d'Eus restera synonyme de dualité entre la riche plaine et la montagne rocailleuse que l'on retrouve au hameau de Comes, à quelques kilomètres au-dessus. Seuls maintenant, deux cents moutons, quatre chiens et une famille de bergers occupent ces terres.

Garde-Guérin (La)

Lozère

41 km S. de Langogne

Au Moyen Age, les convois de mulets faisant route vers le nord, chargés du sel d'Aigues-Mortes, empruntaient l'antique voie Régordane qui, depuis l'occupation romaine, reliait le Languedoc à l'Auvergne. Ces convois étaient souvent détroussés par des pillards. Au XIIᵉ siècle, l'évêque de Mende, Aldebert, las de ces attaques, créa sur cette route un poste tenu par vingt-sept nobles : les seigneurs pariers. Ceux-ci percevaient un droit de péage en échange de la protection qu'ils assuraient aux caravanes. Ce poste fortifié, c'est La Garde-Guérin, hameau perché à plus de 800 mètres d'altitude sur la face nord du massif cévenol.

Avant son rôle bénéfique de surveillance, ce village était un repère de bandits qui attaquaient les voyageurs ; le château fonctionnait plutôt comme une caserne où ces bandits se retrouvaient, ceux-ci n'étant autres que les futurs seigneurs pariers, soumis par l'évêque.

Le nom de La Garde convient au château et au hameau fortifié qui l'entourait. Au nord et à l'est, les abîmes au fond desquels mugit le Chassezac qui dégringole vers l'Ardèche forment une paroi infranchissable ; à l'ouest et au sud, la gorge escarpée et profonde qu'aux jours d'orage l'Altier emplit de ses grondements farouches est une défense tout aussi terrible. Pourtant, le château succomba plusieurs fois : en 1362, les Anglais qui ravageaient la région l'auraient brûlé ; pendant les guerres de Religion, il fut assiégé par les protestants, et ce fut en 1722 qu'un incendie fatal le détruisit à jamais ; seules restent la chapelle romane dédiée à saint Michel, patron de la communauté des pariers, et la tour.

La loi imposée à La Garde-Guérin donna à ce hameau un type d'organisation de l'habitat et de la vie sociale unique en France. Formant une véritable milice, présidée par deux consuls obéissant à l'évêque de Mende, chaque membre de l'association possédait une maison dans l'enceinte des murailles, près du château. Fait curieux, la mitoyenneté paraissait proscrite, puisque aucune demeure ne se touche. Chaque bâtiment a été édifié sur le même plan et avec les mêmes matériaux. Ce statut donne au village actuel une image sans pareille.

Restauré avec attention, il restitue pleinement l'atmosphère de l'époque par sa robustesse, mais aussi par sa simplicité.

Aujourd'hui, La Garde-Guérin, pays d'élevage ovin aux prairies verdoyantes, est une halte pour ceux qui, oubliant un peu le tourisme moderne, aiment se plonger au cœur du Moyen Age. Depuis peu, un golf de 6 trous a été créé, à 1 kilomètre au nord, sur la petite route qui mène au vertigineux belvédère qui surplombe le cañon verdâtre du Chassezac.

Évol

Pyrénées-Orientales

19 km S.-O. de Prades

A l'écart de la haute vallée du Conflent, après un bref passage à Olette, en remontant vers le massif du Madres, Évol représente un petit village de montagne aux monuments prestigieux.

L'ensemble des maisons du village a conservé tout son caractère local ; les murs et les toitures en schiste, les ruelles tortueuses, ainsi que les petits éléments d'architecture traditionnelle comme les fours, les escaliers extérieurs et les cheminées, donnent un aspect de communion étroite entre le bâti et le substrat. L'église appelle tout de suite l'attention par sa place en amont du village. L'appareillage de ses murs, taillé au marteau, les bandes lombardes de l'abside attestent le XIᵉ siècle : nef voûtée en berceau, abside en cul-de-four, clocher en tour carrée surmontée d'un campanile à arcades. A l'intérieur, le retable de saint Jean Baptiste, exécuté vers 1428, est un chef-d'œuvre du maître du Roussillon.

Plus haut vers le nord, dominant le village, se distingue le château, ou plutôt les débris d'une grande enceinte quadrangulaire flanquée de tours rondes aux angles et d'un donjon cylindrique. Cet édifice fut construit en 1260.

Le village semble maintenant sommeiller, exempt des pressions touristiques ; ne jouant plus un rôle majeur dans l'histoire du pays, il vit retiré dans la verte montagne.

Gruissan
Aude

14 km S.-E. de Narbonne

Oublions un peu les stations touristiques du littoral, même celle de Gruissan-Plage, à deux pas du village qui nous intéresse, et plongeons-nous dans l'atmosphère de cette authentique agglomération de pêcheurs.

Il faudrait approcher Gruissan en avion pour observer son plan radioconcentrique presque parfait. Tout est bâti autour d'une petite colline dont l'essentiel se compose d'une table rocheuse, coiffée des vestiges d'un château appelé tour Barberousse, à demi conservé là comme pour marquer d'une verticale un monde qui n'en a guère. La mer, l'étang, tout est plat et bleu ; certes, au loin, le massif de la Clape et la presqu'île Saint-Martin, jadis insulaires, sur fond de Corbières, rappellent les tourmentes d'un relief qui plonge dans la mer. Mais ici, à Gruissan, c'est l'horizon qui se ressent, la plage, l'étendue sur une sorte de plate-forme d'un tissu urbain aux maisons fort simples, aux façades enduites de couleur terre ; d'un ou deux étages plus hautes, d'ailleurs, vers le centre du bourg comme pour biseauter l'espace qui s'écoule vers l'étang ; celles-ci sont couvertes de tuiles canal patinées.

L'économie locale s'est fondée sur la pêche en étang et sur la vigne des coteaux de la Clape et de Saint-Martin ; vinrent aussi se greffer à ces activités l'exploitation du sel dans de grandes salines et le tourisme balnéaire tant populaire et pittoresque aux cabanes de Gruissan, village sur pilotis, que traditionnel dans la station de Gruissan-Plage, née sans doute de la démoustication.

Mais quel que soit le lieu de séjour à Gruissan, le visiteur pénétrera mieux le site en montant à Notre-Dame des Auzils, sur les flancs de la Clape, ou en découvrant au petit matin, sur le vaste complexe lagunaire, un envol d'échassiers.

Lagrasse
Aude

36 km S.-E. de Carcassonne

A la confluence de l'Alsou et de l'Orbieu, Lagrasse, la Bénédictine, repose dans un amphithéâtre. Capitale culturelle des Corbières, ce village doit sa célébrité à son abbaye. C'est par un audacieux pont médiéval très pentu que le monument, situé en rive gauche, est relié à l'agglomération. Fondée par une charte de 778, l'abbaye fut souvent remaniée. Elle est occupée aujourd'hui par deux œuvres laïques. Beaucoup d'éléments architecturaux de valeur existent encore : la chapelle primitive du XIe siècle, le dortoir des moines et la chapelle de l'abbé, du XIIIe siècle, ou la salle des gardes du XVe. Jadis, au centre du cloître, jaillissait un énorme pin parasol. Maintenant, c'est le clocher-donjon de l'église gothique qui représente le plus haut élément vertical de Lagrasse.

Le village lui-même possède plusieurs édifices intéressants : l'église Saint-Michel, de style gothique, que l'on découvre presque par hasard au fond d'une ruelle ; l'ancienne halle à belle charpente, portant un blason ; la tour de Plaisance, un des rares vestiges de l'enceinte fortifiée, aujourd'hui remplacée, comme souvent, par une ceinture de boulevards

ombragés. Un ensemble de maisons anciennes bien restaurées environne le tout de belle façon. Ces demeures sont en pierre ou à pans de bois, parfois les deux. Certaines présentent des rampes en fer forgé ou des fenêtres à meneaux. Les maisons Lautier et Maynard sont de véritables monuments.

A ce riche patrimoine architectural s'ajoute le cadre naturel, particulièrement attrayant, d'un paysage prémontagnard et méditerranéen à la fois. La vigne et l'olivier s'imbriquent dans la roche, la garrigue côtoie la forêt...

Lagrasse, chef-lieu de canton, vit maintenant de son patrimoine et de ses services. En été, la fête du vin et du rugby, le marché des potiers et diverses expositions d'art animent ce haut lieu du christianisme.

Laroque
Hérault

5 km S. de Ganges

Dans ses eaux calmes en amont de la pansière (petit barrage), l'Hérault reflète la silhouette charnue de Laroque. Au XIIe siècle, l'établissement sur une petite butte rocheuse au-dessus du fleuve d'un château et d'une chapelle romane fit naître le village, qui descendit au fur et à mesure jusqu'aux berges, se défendant des crues ravageuses du cours d'eau par une digue. L'agglomération se développe suivant un plan semi-concentrique comme pour embrasser la colline. Des remparts vinrent clore le tout au XIIIe siècle. De nombreux vestiges subsistent de ce mur de protection.

Le bâti resta si longtemps dans cette enceinte que la densification devint maximum, utilisant même pour les constructions l'espace libre correspondant aux ruelles. Les passages couverts de voûtes d'arêtes, plein cintre ou plafonnées, sont de ce fait très fréquents à Laroque.

L'église paroissiale vint s'implanter extra-muros à une période de paix au XIIe siècle. Mais sur les parties basses, ce sont les imposants vestiges de la filature, pôle d'industrialisation du village au siècle dernier, qui attirent le regard. Témoin saisissant de cette architecture liée à la soie des Cévennes, cet édifice attend là une destinée moderne, seule garantie de sa sauvegarde.

Lussan
Gard

18 km N. d'Uzès

Ce petit village est bâti sur une hauteur tellement escarpée de tous côtés que les falaises forment des remparts naturels et en rendent l'abord très délicat. Au pied de cette butte, la petite rivière de l'Aiguillon tombe en cascade du haut de la montagne et arrose les bois alentour avant de se perdre dans les chaos sauvages des Concluses.

Cette position inaccessible servit aux habitants pour braver les attaques des camisards en 1703. Propriétés du duc de Melfort, les deux anciens châteaux du XVe siècle, dont on voit encore les ruines ou les transformations, furent saccagés en 1792 ; l'un d'eux est situé au pied de la colline, l'autre appartient à l'enceinte. Les maisons du village sont enduites de chaux et de sable doré par le soleil couchant, car comme l'écrit André Gide : « Le grand magicien du pays, c'est la lumière... »

Ramassé en cercle au pied de son rocher et des ruines de son château, Gruissan, vieux village de pêcheurs, fait son avancée dans l'étang, telle la proue d'un navire.

Au cœur du massif des Corbières, le village de Lagrasse se serre sur la rive droite de l'Orbieu, face à la grande abbaye bénédictine, haut lieu de l'histoire religieuse méridionale.

Malène (La)
Lozère

40 km O. de Florac

Son nom signifie « mauvais trou », pourtant, entre le causse de Sauveterre et le causse Méjean, c'est là que la vie s'est développée. C'est un lieu de passage des transhumances, établi sur le Tarn à cet endroit d'ouverture des gorges. La partie est du village est la plus ancienne, adossée aux falaises calcaires ; ses maisons se fondent tellement aux rochers que, lorsque les troupes révolutionnaires mirent le feu au village en 1793, l'incendie laissa sur la falaise des traces noires indélébiles. La branche du bourg ouest occupe de fortes pentes dénudées. On y découvre l'église romane avec son petit cimetière. Plus au centre s'élève le château des barons de Montesquieu qui date du XIIe siècle.

Le Tarn en basses eaux laisse apparaître une aire alluviale, formant une plage propice à la pêche. La Malène est le point de départ des barques qui, menées par les « bateliers des gorges du Tarn », permettent aux visiteurs de découvrir la rivière jusqu'au cirque des Baumes. En aval du Pas de Souci, le vieux village des Vignes était un autre point de passage des troupeaux.

Marchastel
Lozère

24 km N.-O. de Marvejols

Sur l'immensité de l'Aubrac, il y avait un seul piton rocheux. A son sommet les hommes construisirent un château fort et à son pied un village. Aujourd'hui, il ne reste plus rien de la place forte du XIe siècle, mais le village est encore debout et bien vivant. Ses maisons de grosses pierres grises, aux toits de lauzes, s'étagent sur la route autour de la place de terre battue centrale où se dresse l'église, de type roman, entourée du cimetière dont certaines tombes datent de la fin du XVIIIe siècle. Les ruelles, elles aussi de terre battue, partent en étoile autour de ce point central, empruntant les anciennes drailles des troupeaux transhumants ; drailles qui elles-mêmes suivaient les anciennes voies romaines qui se croisaient ici, reliant la Narbonnaise à l'Auvergne et le Limousin au Gévaudan.

Vers l'ouest, les pâtures de l'Aubrac s'étendent à l'infini, sans le moindre bouquet d'arbres. De la terrasse du « nouveau château », un énorme bâtiment dont la façade de pierre dorée date du XVIIIe siècle, rien n'arrête le regard. Sur la droite, on aperçoit dans le repli d'un vallonnement la cascade de Déroc, trait d'écume blanche tranchant sur le noir de la falaise de basalte. Entre le ciel et l'herbe rase, le vent règne perpétuellement.

Mas-Cabardès
Aude

24 km N. de Carcassonne

Là où les torrents de la Montagne Noire grossissent, avant d'abreuver l'Aude, Mas-Cabardès est curieux par sa densité, ramassé au bord de la rivière qui gronde de-ci de-là, parfois même sous de petits ponts devant les maisons, au pied des ruines du

château. Curieuse aussi, en périphérie du noyau le plus ancien, l'église construite sur les vestiges d'un monastère et dont le clocher octogonal en schiste rappelle quelques tours romanes espagnoles. A l'angle d'une rue, une jolie croix sculptée du XVIe siècle témoigne de la dévotion locale.

Jadis voué à l'industrie textile, le Cabardès vit maintenant de la pisciculture et du tourisme, alors que plus en aval les mines de Salsigne et des tanneries gardent une activité importante.

Meyrueis
Lozère

35 km S.-O. de Florac

Au pied du causse Méjean au nord et du causse Noir au sud-ouest, Meyrueis est la première agglomération en descendant les pentes du mont Aigoual. Le site, comblé de forêts sur les schistes, se dénude sur les versants calcaires des causses. La confluence de la Jonte, du Brèze et du Bétuzon est à l'origine de la situation du village, à la croisée des différentes routes, lieu d'échanges et de développement économique. Meyrueis possède un hameau autour du château d'Ayres, sorte d'hôtel particulier donnant sur un parc boisé et dominant le vallon. En contrebas de la route de l'Aigoual, le château de Roquedols constitue le type même des manoirs lozériens, à la volumétrie puissante.

Le village a connu une importante activité indus-

Entre la Cesse et le Brian, aux falaises abruptes, Minerve, jadis, économisait l'espace pour se protéger des fléaux. Au soir des bûchers de Simon de Montfort, pouvait-on imaginer un si paisible avenir au milieu des vignes ?

Minerve
Hérault

32 km N.-O. de Narbonne

trielle à la fin du XIXe siècle. Il possédait une usine qui traitait l'argent, le plomb et le cuivre de Saint-Sauveur-des-Pourcils ; on y fabriquait aussi des aiguilles à tricoter, du fil à carder et des chapeaux. Les scieries se sont installées après le reboisement du massif de l'Aigoual. L'exploitation du bois est devenue une des activités principales du canton, liée à l'éternel élevage (moutons, mulets).
Aux portes des gorges de la Jonte, Meyrueis accueille les amateurs de pêche et de chasse, les randonneurs, les spéléologues, ainsi que les adeptes de l'escalade et du canoë-kayak.
L'agglomération principale s'est développée au bord d'un plan d'eau en amont de la confluence de la Jonte et du Bétuzon. Les maisons sont typiquement lozériennes : constructions en granit coiffées de lauzes, comme la maison Belon aux fenêtres Renaissance, ou la tour de l'Horloge, gros flanquement cylindrique, vestige des anciennes fortifications. Un château bâti sur la colline rocheuse qui domine le village n'arbore plus que des ruines. Il fut assiégé et pris par le duc de Rohan en 1628. Dans le bourg, église et temple se côtoient, rappelant s'il le faut l'identité cévenole des lieux. Au centre, le quai Sully aux vieux platanes forme le cadre agréable des promenades d'un soir d'été.

Figure de proue entre haut et bas Languedoc, Minerve en Minervois, de la préhistoire à nos jours, représente la pérennité de l'action audacieuse de l'homme dans une nature forte et grandiose.
Perchée sur une falaise abrupte entourée par les abîmes de la Cesse et du Brian, Minerve existe depuis le chalcolithique et l'âge du bronze, environ deux mille ans avant Jésus-Christ. Les dolmens et les habitats de plein air en sont des témoins sur les plateaux nord lorsqu'on remonte la Cesse vers Cantignergues. De surcroît, les tumulus et les camps fortifiés de l'âge du fer ont ajouté, eux aussi, matière au musée local d'archéologie et de paléontologie, qui renferme de nombreux outils et poteries.
Le lieu fut dédié par les Gaulois à la déesse Minerve, avant d'être occupé par les légions romaines et les Wisigoths.
Devenu place féodale sur laquelle furent érigés en 1210 les bûchers de Simon de Montfort, le village restera marqué à jamais par le martyre des cathares. C'est de la dualité saisissante entre la nature et le bâti que le visiteur s'étonnera : ses ponts naturels où coule la Cesse et où siège maintenant le festival culturel d'été ; son causse fissuré en avens et percé de grottes comme celle de la Coquille, à 4 kilomètres en amont. La faible altitude de l'endroit

(150 mètres) lui donne un rôle de frontière entre cet espace sauvage et le riche secteur viticole que représentent les coteaux du Minervois, où les artisans vignerons produisent des vins rouges, rosés et blancs. On fabrique aussi, au nord, du fromage et du miel qui viennent mélanger les parfums du causse à celui de la vigne.

Juste en aval de Minerve, le village de La Caunette se blottit contre une paroi rocheuse, dernière muraille des gorges de la Cesse. Les maisons, entre le lit de la rivière et la falaise, s'intègrent parfaitement à ce rideau calcaire. Leurs tuiles patinées apportent une couleur chaleureuse au paysage. L'église romane, dans son petit cimetière planté d'ifs, porte à son chevet un noir sourcil de basalte. Non loin en descendant la Cesse, apparaissent le joli château d'Agel et la grotte de Bize, où ont été découverts les premiers ossements de l'homme des cavernes.

Mont-Louis
Pyrénées-Orientales

9 km E. de Font-Romeu

C'est une citadelle, une ville formant bouclier défensif, bâtie à 1 600 mètres d'altitude. Elle fut créée par Vauban en 1679. Au seuil des vallées cerdanes, la cité protégeait la nouvelle frontière du pays issue du traité des Pyrénées.

La ville fortifiée se sépare, en fait, en deux parties bien distinctes qui forment deux étoiles caractéristiques des constructions Vauban. La forteresse nord est occupée par la caserne proprement dite, le village se trouvant dans l'enceinte sud. Au-delà des glacis arborés, on découvre le village, d'une cohésion saisissante par le respect des lignes des faîtages, en rapport avec les pentes du terrain, et par les limitations des hauteurs eu égard à celles des remparts. Cette cité serait pourtant bien austère si la verdure, extrêmement dense aujourd'hui, n'ajoutait une note de douceur accompagnée de celle des façades enduites à la chaux, de couleur ocre ou rosée. Sur la terrasse de l'église, en plein centre, trône une curieuse pyramide, en l'honneur du général Dagobert, qui en 1793 sut chasser les Espagnols de Cerdagne. L'homogénéité de ce bâti et l'architecture de la citadelle raviront les amateurs d'archéologie militaire. Sur les remparts, on peut découvrir les points de vue sur la haute vallée de la Têt et le massif du Cambre d'Aze.

Descendant par Saint-Pierre-dels-Forcats (D 32), on atteint Planès, petit village de montagne dont l'église est si curieuse, avec son plan étoilé et sa coupole centrale, que beaucoup pensent que ce fut une mosquée.

Mont-Louis et ses alentours constituent une étape culturelle avant les stations climatiques et de ski qui jouissent d'un ensoleillement privilégié ; le pays reçut d'ailleurs l'aménagement de fours solaires à Mont-Louis puis à Odeillo.

Montclus
Gard

23 km O. de Pont-Saint-Esprit

Il faut vraiment s'extraire de la route et échapper à l'attrait du tourisme passif pour découvrir ce village, tellement il est caché dans une boucle de la Cèze en retrait de l'axe Bagnols-Barjac. Montclus a profité

d'un riche méandre incurvé. La rivière, par son travail, a laissé de vastes sédiments propices aux cultures. Au néolithique, déjà, l'habitant troglodyte occupa les falaises des Baumes, qui se dressent devant le village actuel ; on peut même dire que toute la colline du Travers située à l'ouest fut un site préhistorique majeur. Un pont romain relie ce site à l'agglomération.

Montclus se déploie au pied de son château féodal ruiné de fière allure. Son vaste donjon quadrangulaire donne avec les falaises le ton juste aux couleurs des maisons. La petite place à l'entrée fait très XIXe siècle ; l'église, puis les ruelles, à travers un enchevêtrement de vieilles maisons, mènent à la rivière qui coule paisiblement.

Montclus fut un marquisat depuis le XIIIe siècle jusqu'à la Révolution. En 1957, des amoureux de la nature, séduits par ce paysage, le calme et la gentillesse des derniers résidents, ont acquis la plupart des maisons abandonnées. Unis en association, tous ont réalisé les restaurations nécessaires dans le respect du style existant. Depuis, à Montclus, rien de mièvre, rien de tape-à-l'œil, mais le charme d'un certain passé.

Plus en aval, au sortir des gorges de la Cèze, on découvre Goudargues, la « Petite Venise » du Gard. C'est l'eau de ses sources et la fraîcheur de ses canaux qui en ont fait un lieu privilégié de séjour estival. Non loin aussi, Cormillon, du haut de sa falaise, regarde la plaine et semble attendre passivement les visiteurs d'un jour.

Mourèze
Hérault

20,5 km S. de Lodève

C'est un site féerique où la nature montre tout son travail de modelage et toute la beauté née de l'érosion, des formes et des couleurs propices aux jeux d'ombre et de lumière.

Dans ce massif de l'Escandorgue, entre l'Orb et l'Hérault, se creuse le cirque de Mourèze, aux vastes chaos dolomitiques. A son entrée, le village qui porte son nom ne peut être qu'humble devant la magnificence alentour. Dominé par un rocher, il se recueille autour de sa petite église romane, très remaniée, avec une abside du XVe siècle. Les ruelles étroites montrent du pittoresque des escaliers extérieurs et des badigeons de façade. Découvrons aussi la fontaine de marbre rouge, puis partons dans les dédales du cirque, à la limite du réel.

Olargues
Hérault

26 km O. de Bédarieux

Qui ne connaît Olargues ? Le village illustre le Languedoc un peu partout ; image classique, image presque forcée tant l'osmose entre le bâti et la nature est caractéristique.

Site romain puis vandale et wisigothique, Olargues connaît son âge d'or à la fin du XIe siècle, lorsque le château de la vicomté de Minerve règne sur la vallée du Jaur. La tour qui domine le piton rocheux au sud duquel le village s'est étendu, et le pont du Diable, jeté sur le méandre qui l'embrasse, signent magnifiquement ce passé.

Après les calamités des guerres et des épidémies,

c'est au XIXe siècle qu'Olargues retrouvera la paix de son terroir par l'expansion de sa production de cerises, qui devint essentielle et qui a permis jusqu'à nos jours de maintenir la population.

Tout autour du village, les vergers en terrasses agrémentent les lieux. Le contraste des versants du piton est flagrant : côté nord, l'escarpement a interdit l'expansion villageoise et la végétation arborée est restée maîtresse ; côté sud, à la faveur d'une douceur de relief, l'urbanisation s'est développée jusqu'au lit du Jaur. Le bâti est dense : les maisons, de structure monobloc, construites en pierre de pays avec ou sans enduit, couvertes de tuiles à la place des lauzes traditionnelles, forment des groupes d'habitations, accolées les unes aux autres, s'alignant le long des voies et agrémentées de petites « excroissances » en remises, appentis, loggias et granges. Les espaces publics sont bien protégés : ruelles étroites, mails, escaliers couverts en dalle de schiste, cours et places plantées de tilleuls, de platanes ou de cyprès de Florence. Des remparts, il ne reste plus que deux portes. Olargues renferme une grande richesse naturelle. L'homme a su y vivre, y chasser et y pêcher sans dévaster la nature.

Palalda
Pyrénées-Orientales

3 km N. d'Amélie-les-Bains

Dans la moyenne vallée du Tech, en Vallespir, ce gros village monte à l'assaut des premières pentes méridionales des Aspres, avant-massif pyrénéen, au pied de l'omniprésent Canigou. Juste au-dessus de la station thermale, Palalda apparaît comme une relique dans son monde étrange et trépidant. Sa polychromie fait sa célébrité : toitures rouges patinées, façades pastel, végétation méditerranéenne luxuriante.

Au XIIIe siècle, Guillaume-Hugues de Serralongua éleva un château à cet endroit, dominant la rive gauche du fleuve, à l'extrémité vulnérable de l'éperon supportant le village. De cet édifice, il reste deux tours circulaires munies de bretèches. L'église Saint-Martin annexa une de ces tours et s'adossa à l'enceinte de l'agglomération.

Palalda perpétue la tradition des villages catalans aux abords de la cité romaine d'Amélie, autrefois Bains-d'Arles, qui prit le nom de la reine, épouse de Louis-Philippe. La vogue de la station qui profite des eaux des gorges de Mondony vint pourtant plus tard, lorsque les blessés de la guerre d'Algérie y furent hospitalisés par le général de Castellane. Défrichant les pentes environnantes, le génie militaire permit l'aménagement de sentiers pour la promenade ; celui des gorges de Mondony est particulièrement caractéristique.

Pégairolles-de-l'Escalette
Hérault

9 km N. de Lodève

Au pied de l'immense causse du Larzac, qui dresse ses falaises vers la riante plaine du Languedoc, Pégairolles-de-l'Escalette se niche dans la verdoyante vallée de la Lergue, dont l'eau vive remplit les canaux d'irrigation des jardins potagers qui jouxtent les maisons. Le village se situe sur une des anciennes routes de Saint-Jacques-de-Compostelle qui passait par le « Pas de l'Escalette », étroit passage dans la muraille calcaire du Larzac. C'était aussi une route commerciale, celle de la laine du causse. Ces précieuses marchandises descendaient en Languedoc à dos d'homme par des échelles flanquées sur les parois rocheuses.

Le village abonde en détails savoureux, témoins intéressants de l'architecture rurale pleine de traditions. A travers les dédales des ruelles en pente, on découvre passages couverts, placettes que décore un puits, arcatures en encorbellement, badigeons à la cévenole. Au centre, une maison forte rappelle l'importance médiévale des lieux.

Aujourd'hui, Pégairolles-de-l'Escalette revit quelque peu durant la saison estivale et en fin de semaine. C'est un site de pêche et de randonnée pédestre et équestre.

Pouget (Le)
Hérault

21,5 km N. de Pézenas

Il n'est pas rare en bas Languedoc de découvrir des villages traditionnellement groupés, hormis quelques mas épars, sièges de riches exploitations aux demeures parfois luxueuses. Le Pouget pourtant étonne par sa grandeur, sa densité et son dynamisme d'agglomération viticole. Son église et les ruines de son château dominent la plaine de l'Hérault.

Il est agréable de parcourir les rues des faubourgs dont les maisons possèdent ces vastes porches en arc de cercle, dits populairement « porches pinardiers », toujours utilisés.

On découvre subitement le centre d'activité du village par la rue qui ceinture le noyau primitif, ligne sans aucun doute des remparts médiévaux. C'est là que se situent les cafés, les commerces, c'est là aussi qu'au seuil des portes les Languedociens discutent au frais les soirs d'été. Nous sommes ici retirés des grands axes, et pourtant le site est depuis longtemps habité, tout au moins depuis le chalcolithique, les mégalithes, à l'ouest, au-dessus du village, le prouvent.

Au cœur du bourg, quelques façades plus travaillées, Renaissance ou baroques, rappellent l'ancienne opulence des lieux au pied de la très belle église Saint-Jacques. Au loin, les arbres qui bordent les berges de l'Hérault ondulent parmi les vignes travaillées comme un rituel.

Prats-de-Mollo
Pyrénées-Orientales

23 km S.-O. d'Amélie-les-Bains

En remontant la vallée du Tech, bien au-delà de l'urbanisation dévorante de la côte, Prats-de-Mollo annonce la montagne du haut Vallespir. Entre le massif de Castabonne, qui fait frontière avec l'Espagne, et celui du Canigou, qui trône avec assurance sur la Catalogne du Nord, ce village allie la rigueur d'une cité selon Vauban à la chaleur colorée du Midi. L'agencement de son tissu urbain rappelle étrangement celui de Villefranche-de-Conflent, mais l'ambiance y est moins sévère car le climat est assurément moins rude. Prats, étymologiquement, désigne les prés : Prats-de-Mollo, c'est le charme verdoyant des cultures en terrasses à la charnière entre la végétation de montagne et les cultures méditerranéennes ; c'est aussi une luminosité éclatante et les sons joyeux de son carnaval.

Tout ici est interrelation incessante entre cette architecture militaire, ce tissu méridional et la nature grandiose qui porte le tout. Il faut voir et ressentir : les remparts de la ville, tout comme le fort Lagarde qui la domine et veille sur elle, les quatre portes qui l'ouvrent au monde extérieur, tout comme les ruelles étroites, parfois en escalier.

La domination française se ressent comme un corset. Qu'aurait été Prats sans ses structures de forteresse d'une ville aux marges du pays ? Elle a dû souvent le payer très cher et composer toujours : le retable de son église baroque représentant la vie et le martyre des saintes Juste et Rufine, patronnes de la ville, illustre l'esprit de soumission qui y régnait.

Rodès
Pyrénées-Orientales

30 km O. de Perpignan

Village adossé au flanc d'une colline, orienté à l'ouest, Rodès se découvre à la sortie d'Ille-sur-Têt, en plein Conflent.

Dominant la retenue de Vinça-sur-la-Têt, paradis des amateurs de sports nautiques, Rodès regarde la haute montagne catalane. De la chapelle Saint-Pierre, qui domine le barrage sur une petite colline, la vue se dégage sur la totalité de l'agglomération ; la forme en est trapézoïdale. Les maisons groupées, aux proportions régulières, enduites de couleurs claires, se découpent dans un camaïeu d'ombres et de lumières aux formes nettes sur la montagne rocailleuse de couleur unie, couronnée par les ruines du château des comtes de Cerdagne. Les ermitages du Conflent sont célèbres, l'un des plus avenants, Notre-Dame-de-Domanova, au sud de Rodès, est intact depuis sa fondation.

Roque-sur-Cèze (La)
Gard

14 km O. de Bagnols-sur-Cèze

C'est un joyau d'homogénéité et d'économie de l'espace, une parure toute naturelle de maisons en pierre patinées au soleil, jetées sur le versant d'une colline dominée par une falaise et protégée des frondes de la Cèze par une large berge plantée de luxuriants platanes.

En haut du village, il reste les vestiges d'un château du XIIe siècle et d'une chapelle romane, ainsi que d'une fortification du noyau primitif flanquée de deux grosses tours rondes. Petit à petit, au gré des époques plus calmes, le bourg se développera vers le bas à travers des ruelles pavées. Tout s'imbrique, rien ne choque, la verdure elle-même participe à l'assimilation des constructions dans le milieu environnant. Au bas, la nouvelle église et quelques maisons font limite avec les larges rives de la Cèze, sur lesquelles est jeté, depuis le Moyen Age, le pont Charles-Martel, élément majeur du patrimoine.

Plus en aval, par une petite route au bord de la rivière, on accède au vaste chaos calcaire du Sautadet, sorte de sculpture de l'eau vive dans une nature sauvage où la Cèze s'engouffre.

Dégagées, restaurées, les rues et les demeures en pierre de La Roque-sur-Cèze ont retrouvé l'imbrication harmonieuse des volumes qui composaient le village ancien.

Roquebrun
Hérault

29,5 km N.-O. de Béziers

A l'endroit charnière où l'Orb quitte définitivement son cours montagnard et bifurque pour irriguer la plaine biterroise, Roquebrun, village à flanc de colline, regarde le Midi comme si l'appel du soleil était inexorable.

Depuis les vestiges du château, debout sur un éperon rocheux fort escarpé, le village descend vers les terrasses alluviales couvertes de potagers. Au pied du château comme niché à même le roc auprès de la forteresse, les ruines du premier village médiéval sont environnées d'un jardin exotique qui profite pour se développer du microclimat très tempéré et si célèbre de Roquebrun. Ces quelques demeures rustiques communiquent avec le village actuel par des ruelles tortueuses partant de la place supérieure près de l'église.

Petit à petit, le bourg s'est étendu vers le fleuve jusqu'à le traverser pour se développer sur la rive sud. Les maisons traditionnelles sont extrêmement hautes. Le long de la route, elles sont construites dans le style Belle Epoque.

L'économie locale et la vie sociale se partagent entre les richesses du terroir viticole et le tourisme climatique. Le promeneur trouve à Roquebrun, dans un site extrêmement agréable, toutes les formes de randonnée, plus les plaisirs du canoë sur l'Orb, en amont des gorges des Reals, l'un des sites les plus prestigieux du Languedoc pour la pratique de ce sport. Pays de l'eau vive et de la douceur de vivre, Roquebrun reste la porte de la montagne.

Saint-Chély-du-Tarn
Lozère

33 km O. de Florac

En aval de Sainte-Énimie, sur la rive gauche du Tarn, le village de Saint-Chély occupe un gigantesque méandre où la rivière prend brusquement la direction nord-ouest en creusant les falaises calcaires. Environné par des vergers en étage, le bourg possède de vieilles maisons rurales aux portes et aux cheminées Renaissance et une église romane. Sur l'unique place coule un petit ruisseau qui débouche en cascade sur le Tarn.

Le territoire de la commune de Sainte-Énimie contient, outre Saint-Chély-du-Tarn, deux autres hameaux : Pougnadoires, juste collé contre un rocher dans un cirque aux hautes murailles de teinte rougeâtre, et Haute-Rive, sanctuaire de l'architecture rurale des causses, au pied des ruines de son château, au sud-ouest de Saint-Chély.

Avec ses toits rouges et ses façades claires étagés sur le flanc de la colline, le village de Rodès domine la vaste vallée de la Têt. Au loin, le massif du Canigou, où se détachent les neiges qui recouvrent le pic du même nom.

Saint-Gervais-sur-Mare

Hérault

29 km N.-O. de Bédarieux

Tout proche du massif de l'Espinouse, élément central du parc naturel régional du haut Languedoc, ce village se développe au pied du col des Très Vents. Dans la vallée de la Mare, Saint-Gervais a grandi au XIIᵉ siècle autour de l'abbaye Saint-Pierre. Maintenant, vivotant d'une difficile agriculture de montagne, le village s'est tourné résolument vers le tourisme de randonnée, profitant aussi de sa renommée gastronomique et de son artisanat. Le centre ancien du bourg occupe la rive droite, aux abords de la belle église romane en partie fortifiée, enserrée dans son quartier auquel on accède par un porche. Les maisons sont en schiste, quelquefois enduites. Les toitures, comme partout sur le rebord méridional des Cévennes, ont abandonné, au siècle dernier, la lauze pour la tuile canal. Saint-Gervais a conservé cependant un patrimoine exceptionnellement riche de traditions et d'artisanat original : la Maison Cévenole en rassemble les éléments les plus précieux.

Au nord du village, par la route des Cîmes, on découvre une petite chapelle charmante, au bord du ruisseau sur lequel est jeté un très joli pont en pierre.

Saint-Guilhem-le-Désert
Hérault

Du chevet de l'abbatiale romane, les maisons du village de Saint-Guilhem-le-Désert s'égrènent tel un chapelet au bord du Verdus, petit ruisseau aux rafraîchissantes cascades.

33 km N.-O. de Montpellier

En plein défilé de l'Hérault, avant que le fleuve n'irrigue le bas Languedoc, l'ensemble formé par le village de Saint-Guilhem-le-Désert, le vallon du Verdus et les escarpements qui les dominent, constitue, à n'en pas douter, l'un des sites les plus prestigieux du sud de la France : à la fois par son histoire ou sa légende, par la qualité du paysage aux saisissants contrastes et par l'intérêt de l'agglomération elle-même, qui a conservé presque intactes la plupart des maisons anciennes.

Saint Guilhem aurait été un comte de Toulouse apparenté de fort près à la maison de Charlemagne. Il se couvrit de gloire à la bataille de l'Orbieu contre les Arabes et, vers la fin de sa vie, se lia d'amitié avec le fondateur du monastère d'Aniane. Sur son conseil, il avait construit un monastère, non loin, dans le désert de Gellone, qui s'appelle aujourd'hui Saint-Guilhem-le-Désert.

En 806, il prit l'habit et devint moine. C'est au XIIᵉ siècle en tout cas que l'abbaye prit le nom de Saint-Guilhem et que la puissante personnalité ou la légende prestigieuse de son fondateur, ainsi qu'une religion de la Vraie Croix, firent de ce relais sur la route de Saint-Gilles à Compostelle, l'un des hauts lieux de la chrétienté.

Il ne reste plus rien de l'abbaye originelle. La construction actuelle est cependant un spécimen typique du premier art roman à plusieurs stades de son évolution. Elle se compose d'une église qui s'inspire du plan de celle de Quarante, dans le Biter-

rois, et d'un cloître, jadis à deux étages, qui ne conserve que les galeries nord et ouest inférieures et dont une grande partie se trouve aujourd'hui dans un musée à New York.

Le village a épousé les courbes de la terre et la lente ondulation de la rivière. Les maisons se blottissent autour du monument chrétien comme pour se protéger. Fenêtres géminées romanes, arcatures, linteaux gothiques ou meneaux Renaissance, chaque détail s'harmonise avec l'ensemble.

Saint-Guilhem mérite plus qu'une visite hâtive qui ne consisterait qu'à glaner çà et là d'hétéroclites visions. Il faut flâner dans ses ruelles, parcourir les sentiers forestiers, escalader les falaises, descendre le fleuve. Il faut vivre son festival d'été, qui fait de ce village, né de la rencontre d'un espace exceptionnel et d'une force spirituelle, un haut lieu de la culture.

Saint-Jean-de-Buèges
Hérault

17,5 km S.-O. de Ganges

C'est un fort pittoresque village au nord de l'Hérault, au pied de la Séranne, premier bastion calcaire vraiment d'importance de l'avant-pays cévenol. Abrité entre deux masses rocheuses, le bourg a été implanté sur une étroite bande de terrain ombragé où s'écoulent les eaux de la Buèges. L'ensem-

*Jaillissant du sol, les blocs de pierre schisteuse patiemment empilés
par l'homme donnent aux maisons du village de Saint-Martial
l'ambiance tourmentée de la géologie cévenole.*

dont les crêtes atteignent plus de mille mètres. Le bourg occupe un éperon sur la rive droite de l'Elbès, affluent du Rieutord. Les maisons sont en schiste. Les ruelles empruntent de nombreux passages voûtés ainsi qu'une multitude d'escaliers. Le centre est dominé par l'église du XVIe siècle dont un blason sculpté orne le porche.

Saint-Victor-la-Coste
Gard

14,5 km S. de Bagnols-sur-Cèze

Saint-Victor-la-Coste, c'est tout d'abord trois hameaux distincts, au nord des vastes forêts du plateau gardois. Le plus intéressant de ces bourgs, celui qui possède le patrimoine bâti qui fait de Saint-Victor l'un des villages les plus célèbres du département, est sans conteste celui qui apparaît sur le versant nord de ce plateau appelé La Coste.
Les ruines d'un château, le Castellas, des seigneurs de Sabran, vassaux du comte de Toulouse, épousent le sommet de cette colline. Il possède une « silhouette cathare ». Son système de fortifications, fort complexe, décrit trois rangées de murailles dont la plus vaste englobe toute la pente. Vers l'ouest, le Castellas domine une combe ; toute la force de l'édifice, avec la présence du donjon, se trouve orientée vers le ponant.
Au nord, les pentes sont si douces qu'elles ont permis la construction du village historique. Là s'est ajoutée une quatrième enceinte qui aujourd'hui encore entoure le village ancien appelé aussi « vielle ». Elle est flanquée de tours rondes dont l'une supporte le clocher de l'église actuelle, construite au XVIIe siècle. Au sommet de ce village en terrasses, se présente un édifice bien curieux : par son architecture massive, de forme rectangulaire, flanqué d'un clocher carré, il rappelle son rôle fort ancien d'église. Sa construction, liée à celle de la troisième enceinte, n'avait sans doute à l'origine aucun rapport avec sa fonction religieuse. Mais l'abandon par les paroissiens des églises romanes de la plaine, Saint-Martin-du-Marché et Notre-Dame-du-Mayran, donna à ce bâtiment une fonction ecclésiastique. On l'appela Sainte-Madeleine.
Dans le village historique, l'agencement des maisons, avec leurs jardins perchés qui vont jusqu'au rocher de la colline, permet une agréable vie environnée de calme et de verdure. La pierre utilisée, chaude en couleur, augure déjà la Provence, et peut-être aussi l'Italie, tant l'empreinte laissée par Guadagni, un riche banquier florentin, propriétaire du château au XVIe siècle, fut vivante. Malgré tout, le caractère architectural réside dans le fonctionnel : toitures et enduits provençaux, ouvertures, voûtes en berceau et bergeries cévenoles. Tout ceci revit fort brillamment lors de la fête du Patrimoine, en juin, où tous les produits du terroir mettent en valeur le cadre bâti. Le regard se tourne alors sans hésitation vers l'hôtel de ville, qui, par sa situation à la croisée géographique des trois bourgs, par sa volumétrie massive, par l'utilisation de la pierre de taille et d'enduit pastel, résume magnifiquement l'architecture typique de Saint-Victor-la-Coste.

ble a conservé une homogénéité architecturale qui s'intègre admirablement au site naturel à la fois rude et accueillant.
Dominant l'agglomération, les ruines d'un château fort flanqué d'une tour ronde monumentale témoignent d'un passé riche et reculé. Ce château semble dater du XIIe siècle. Construit juste au bord de la falaise, il fut agrandi pendant une période d'insécurité pour permettre au plus grand nombre d'habitants de trouver refuge dans ses murs. Il fut démantelé, soit à l'époque des guerres de Religion, soit au moment du sacrifice des trois cents forteresses féodales que fit abattre Richelieu.
En des temps moins troublés, au début du XVIIIe siècle et jusqu'à la Révolution, Saint-Jean-de-Buèges devint un centre important de culture du ver à soie, si célèbre en Cévennes.
C'est aujourd'hui un paisible village viticole qui s'anime surtout à la saison touristique. Grâce à sa précieuse église, à l'aspect des ruelles étroites, des façades de pierre, des baies et des portes voûtées, grâce aussi à des restaurations respectueuses de la tradition, l'agglomération a eu la bonne fortune de préserver son originalité et son caractère.

Saint-Martial
Gard

15,5 km N. de Ganges

Lorsque l'on quitte la vallée de l'Hérault à Ganges pour s'enfoncer au nord dans celle du Rieutord, les vraies Cévennes apparaissent avec leurs pentes boisées de châtaigniers, leurs anciennes terrasses agricoles, leurs maisons à grandes magnaneries. Saint-Martial constitue le point central d'un vaste bassin versant aux couleurs changeant selon les saisons et

A Vézenobres, tour de l'Horloge et demeures anciennes aux pierres apparentes composent un décor encore très moyenâgeux. Au fil des siècles, le bourg s'est agrandi sans perdre son caractère.

A travers Sainte-Énimie, qui monte les flancs radoucis des gorges du Tarn, les calades soigneusement restaurées avec des galets roulés dégringolent vers le fleuve, artère vitale des Causses.

Sainte-Énimie

Lozère

27 km O. de Florac

Entre le causse de Sauveterre au nord et le causse Méjean au sud, Sainte-Énimie est installée au bord du Tarn.

Le village tire son nom de la princesse mérovingienne, sœur du roi Dagobert, venue en ces lieux déserts pour cacher une lèpre inguérissable. Selon la légende, l'eau miraculeuse de la fontaine de Burle fit disparaître les traces de son mal. Saint Hilaire, évêque de Mende, la consacra abbesse du couvent de Burlatis, qu'elle fonda à cet endroit. Énimie termina là sa vie dans la sainteté aux environs de 628. Au-dessous du rocher sur lequel était bâti le couvent, le petit village naquit. Sainte-Énimie s'étage essentiellement au bas de l'adret – versant orienté au sud. Les gorges du Tarn sont de tradition touristique fort ancienne. Les estivants friands de tourisme vert conjuguent les plaisirs des randonnées, le canoë-kayak et la baignade.

Toutes ces activités font revivre le riche patrimoine du village : petites rues tortueuses au pavage restauré, vestiges des remparts du VIIIe siècle, échoppes médiévales réoccupées par des artisans, maisons à colombage et à encorbellement parfois double. Au bas, l'église romane des XIIe et XIIIe siècles n'est pas loin de la place calme avec sa halle au blé. Le cheminement par les rues étroites et fort pentues amène vers le haut du bourg, où l'on découvre le collège construit sur les vestiges de l'ancienne abbaye, qui garde intacte de cette époque la belle salle capitulaire romane.

A partir de la rive droite, par un très beau pont médiéval, véritable chef-d'œuvre jeté sur le Tarn, on passe facilement sur la rive gauche, faubourg de Sainte-Énimie où se développe l'habitat contemporain sur les premiers flancs de la vallée. De là, on peut admirer le site en entier, sorte de théâtre miraculeux de l'activité humaine pour lequel notre époque n'est que le tableau endormi du dynamisme ancestral. Imaginons ces terres en terrasses créées de toutes pièces s'accrochant aux flancs des falaises ; ces rudes paysans travaillant les minuscules parcelles nivelées en replats artificiels, protégées par des murets en pierres sèches, où culminait la nécessité d'économie de l'espace pour cette société rurale. Mais quel contraste entre la verticalité des falaises grises, ocre ou blanches selon l'éclairage et ces escaliers de verdure parsemés de vergers, ou encore ce Tarn, véritable artère vitale du paysage !

Saissac

Aude

24 km N.-O. de Carcassonne

Situé sur le versant méridional de la Montagne Noire, barrière entre le Tarn et l'Aude, Saissac est célèbre par son site et les vestiges de ses monuments. Lorsque de Carcassonne on monte à l'assaut de ce massif, la garrigue s'arrête tout d'un coup, le chêne vert fait place au châtaignier, le blé noir apparaît, les toits se couvrent d'ardoise, les béals irriguent les prés où paissent de robustes bovins... Un souffle d'air frais, un ravin délicieux, un ruisseau en cascade : on arrive à Saissac.

Comme une sentinelle avancée défendant le défilé de la plaine, le château féodal règne sur les alentours. A la place du château des croisades, c'est une construction du XVe siècle entourée sur trois côtés par un ravin très profond et escarpé. On y accédait du côté du village au moyen d'un pont-levis dont on voit encore les traces. La seigneurie de Saissac fut l'apanage dès le Xe siècle des comtes de Carcassonne. Le château ruiné garde maintenant tout l'attrait qu'offrent son pittoresque et le site qui l'entoure, se transfigurant au spectacle de « Son et Lumière » chaque soir d'été.

On retrouve aisément le tracé de l'enceinte échelonnée d'échauguettes. L'église était la chapelle du château. La nef très simple date du XVIe siècle.

Tout cela s'imbrique vers le village dont les maisons sont traditionnellement construites en schiste du pays. Le rez-de-chaussée reste toujours assez humide, servant de cave ou d'étable ; c'est au premier étage que l'on vit, dans une salle commune ouverte au sud. La façade principale est toujours au midi, sur le mur gouttereau. Les toitures étaient toutes, à l'origine, couvertes de lauze mais, depuis le siècle dernier, l'influence de la plaine audoise les fit recouvrir de tuiles canal. A cause des loups, les bâtiments des métairies se refermaient sur une cour. On trouve les témoins de cette architecture rurale aux fermes de Roques et de Bastide.

Saissac participe pleinement aux destinées de la vallée par la présence du bassin d'alimentation du canal du Midi, le Lampy, qui par une rigole nourrit le seuil de Naurouze, élément central de l'œuvre de Riquet. Ce bassin forme un lac de retenue dans un cadre splendide.

Sauve

Gard

42 km N.-O. de Nîmes

Sur une faille, lieu de résurgence d'un bras souterrain du Vidourle, la cité est née de la conjugaison en ce lieu de l'abondance de l'eau et de la possibilité de traverser le fleuve. Les Sauvrains ont, depuis le Moyen Age, utilisé le plateau qui domine le village, paradis de jardins aujourd'hui abandonnés.

Le site s'embrasse d'un seul coup d'œil à partir du vieux pont. Sauve est un village vertical qui s'étage sur l'escarpement de la montagne du Coutach : en haut, les plus anciennes habitations, sous les vestiges du château de Roquevaire, font corps avec la roche calcaire et la maigre garrigue ; en bas, le quartier vient baigner dans le lit du fleuve.

Tout ici est bâti pour résister aux terribles crues. Le pont médiéval comporte ainsi, dans ses culées,

deux petites arches, permettant au flux ravageur de s'échapper et de sauvegarder l'ouvrage. Les maisons du bas sont protégées par une digue qui se continue visuellement vers le haut par les remparts, maintes fois reconstruits : aujourd'hui ce mur n'est que peu conservé. Passé ce seuil, le village apparaît d'abord comme un ensemble modeste de maisons populaires à deux étages, sous des toits en tuiles canal à rive en génoise. Au terme de sa montée, la rue du Pont-Vieux débouche sur la vaste place Jean-Astruc où se trouve l'église baroque. Cette place surdimensionnée, occupée autrefois par le cimetière d'une abbaye bénédictine, est bordée, à l'ouest, d'arcades surmontées de maisons.

Le cloître de l'abbaye se situait au nord, à l'emplacement de la place de la Mairie, juste derrière l'église, elle-même édifiée à l'endroit de l'ancienne abbatiale. La construction de l'importante mairie, à colonnades, au XIXe siècle, a permis la création de grands escaliers descendant des places jusqu'à la résurgence appelée « Fontaine de Sauve ».

L'autre partie de la cité présente un tout autre aspect. Certes, c'est là que se situent les hôtels d'âge classique des familles nobles ou des marchands enrichis, dans la grand-rue ou la rue de l'Évêché.

En plein dans ce quartier, la place du Vieux-Marché semble être le centre médiéval de Sauve. Centre du pouvoir seigneurial par la présence de la maison des Comptes ; siège de l'évêché dans un magnifique hôtel Renaissance ; centre aussi du pouvoir municipal à la tour de l'Horloge, où se réunissaient les magistrats. Par la grand-rue, on découvre ensuite la tour de Moule, vestige d'une enceinte du XIVe siècle, puis les hôtels XVIIIe de Sallèle, de Malzac et de Montmorency. En sortant, place Florian, face au temple néoclassique, l'ancienne caserne des dragons sert depuis 1813 de fabrique de fourches.

Valcebollère

Pyrénées-Orientales

9 km S.-E. de Bourg-Madame

Ici, tout est roc schisteux : vers les cimes sous le soleil Cerdan, sur terre dans les pentes environnantes, dans l'eau des torrents. Juste sous le pic de Dorria qui, à 2 539 mètres, sépare la France de l'Espagne, ce village cache son éternelle architecture vernaculaire au fond du vallon de la Vanéra. C'est peut-être, avec Évol, l'un des villages les plus authentiques du département ; en tout cas l'intégration des schistes formant les murs et les toitures et l'infinie variété des compositions paysagères entre le roc et la verdure semblent d'un naturel sans faille.

Si proche et si loin des stations de sports d'hiver, c'est le calme de la promenade, de la randonnée en montagne et la découverte de cette sommeillante économie sylvopastorale qui enchantera...

Vézenobres

Gard

11 km S. d'Alès

Site préceltique, ligure sans doute, son nom signifie « vue de fort loin ». Elle occupe toute une arête en arc de cercle sur les premiers contreforts des Cévennes, dominant la large et fertile vallée du Gard ou Gardon et séparée de la route nationale par tout un glacis composé de pâtures et de quelques bouquets

Passé la porte monumentale de l'ancienne manufacture de Villeneuvette, au fronton gravé de la devise « Honneur et Travail », apparaît la place centrale sur laquelle ouvraient logements et magasins.

d'oliviers, de cyprès, tout cela en terrasses délimitées par des murets en pierre.

Lorsqu'on pénètre dans le village anciennement fortifié par une porte du XIIIe siècle, c'est au milieu de maisons gothiques, Renaissance ou baroques que commence la visite. L'édifice occupé par la mairie, par exemple, a conservé des bases du XIVe siècle et une tourelle Renaissance riche en sculptures. C'est au hasard de ce périple que l'on découvre les ruines du château fort et l'important manoir dans lequel séjourna en 1488 le sénéchal Claude de Montfaucon. Le quartier roman occupe la partie basse du village, à l'extrême ouest, avec sa belle succession d'arcatures.

Les demeures les plus simples révèlent des vestiges épars à la chronologie très variée. Au bas du bourg, se découvre un surprenant château baroque, à loggia à colonnades entourée de deux ailes massives, combles à l'italienne avec balustrades.

Villefranche-de-Conflent

Pyrénées-Orientales

6 km S.-O. de Prades

Villefranche est bâtie dans une étroite gorge où les torrents du Cadi et du Roja rejoignent la Têt, ce fleuve côtier qui passe à Perpignan. Conflent ou confluent, un dicton dépeint cet endroit : « En hiver un puits de glace, en été un puits de chaleur » ; c'est dire sa dureté, qui n'a d'égale que sa beauté.

La stratégie imposait, à l'évidence, aux maîtres de la vallée de construire une fortification. La première enceinte fut élevée par le comte de Conflent, au XIIIe siècle, pour arrêter les incursions roussillonnaises. Lorsque le village fut retombé sous l'obédience des rois d'Aragon, Alphonse V le dota de la tour du Diable. Après la conquête de la vallée par les troupes de Louis XIII, Vauban vint visiter la place en 1668. Il constata la faiblesse énorme des fortifications face à un site si menaçant. La clef de la défense du bourg, nid de la garnison française, sera le fort Libéria, construit au-dessus de Villefranche.

Vauban fit construire aussi tout un réseau de galeries souterraines pour permettre aux troupes des déplacements exempts de danger. Même la Cova Bastéra, une grotte naturelle, fut aménagée en casemate à canons. Cette caverne devait jouer un rôle important dans un complot en 1674 contre la domination française. Sous Louis XIV, le fort servit de prison à trois complices de la Brinvilliers dans l'affaire des poisons. Elles y moururent dans la solitude après quarante ans d'enfermement.

Le village actuel est enserré dans l'enceinte extra-muros ; le quartier de la gare de chemin de fer accueille les visiteurs, arrivés par le petit « train jaune » de la Cerdagne, partis à la découverte inso-

L'architecture géométrique de Vauban, omniprésente en Roussillon, atteint à Villefranche une étonnante délicatesse par son implantation dans l'étroit vallon de la Têt.

lite des paysages grandioses de la haute vallée de la Têt. On pénètre dans la place par la porte de France ouverte sous Louis XVI, comme d'ailleurs la porte d'Espagne située à l'opposé. Les maisons sont simples, de style médiéval, aux arcades ogivales ou en plein cintre. Par la rue Saint-Jean, on en découvre de très beaux exemples dont la maison d'Inès, fille de la famille de Llar, chez laquelle se réunissaient les conspirateurs de 1674, et la maison Laporte, du XIVe siècle.

L'église Saint-Jacques, des XIIe et XIIIe siècles, possède un grand portail à quatre colonnes aux chapiteaux luxueux d'inspiration extrême-orientale.

Malgré l'aspect très construit du village, la nature reste bien présente sur les pentes des montagnes qui l'enserrent. En remontant le Cadi, on découvre très vite le Canigou ; on peut l'admirer notamment d'un promontoire à l'entrée de la grotte touristique des Canalettes. Le Villefranche touristique vit de ses commerces, de son artisanat d'art et de son animation culturelle.

Villeneuvette

Hérault

25 km S. de Lodève

Au fond de la verdoyante cuvette de la Dourbie, affluent de l'Hérault, Villeneuvette est une cité insolite, chargée d'histoire.

Dans ces collines en désordre formées d'amas de calcaires, de schistes, de grès bigarrés et de coulées basaltiques, boisées de chênes, d'arbousiers, de genêts et de cistes, ce village a oublié ses origines gallo-romaines, pour afficher puissamment sa promotion en tant que manufacture royale le 20 juillet 1677 pour la production et la commercialisation de la laine et du drap du Lodévois.

Ce pays d'élevage, à la sortie du chaos dolomitique de Mourèze, était prêt, dès l'édit royal, à affronter l'avenir. Déjà ses dirigeants facturiers avaient opéré de nombreuses transformations et améliorations afin de pouvoir loger une population de plus en plus importante et emmagasiner laines et marchandises sans cesse en augmentation. Pour abriter les machines de cardes et les métiers à filer et à tisser, il est lancé un gros programme de constructions. Villeneuvette change de silhouette ; il faut de plus en plus d'eau : le grand bassin du Vivier, alimenté par un barrage, est creusé ; il faut aussi de l'eau potable : un captage de la source de la montagne de Maugnio, sur la rive droite de la Dourbie, est réalisé, avec un aqueduc qui enjambe cette rivière par le pont de l'Amour. On amène ensuite cette eau canalisée jusqu'à la place centrale du village, où sera créée la fontaine des Griffons. Plus de trente tisserands œuvrent pour le royaume. Ils vivent dans des demeures simples et toutes identiques.

Après de durs moments durant la Révolution, la cité revit, on plante l'allée majestueuse de platanes qui aujourd'hui souligne la perspective d'entrée.

Au XIXe siècle, Villeneuvette devient la propriété de la famille Maistre ; pendant cinq générations les héritiers se transmettent le flambeau, ayant pour devise : « Nos ouvriers et nous formons la même famille. »

Mais, en 1955, le bourdonnement des métiers cessera définitivement. La manufacture royale devient une relique, un souvenir que l'on peut parcourir maintenant en découvrant pas à pas les vestiges d'une riche architecture industrielle.

INDEX DES VILLAGES

*Tous les villages faisant l'objet d'une entrée dans l'un
des douze dictionnaires régionaux de l'ouvrage sont répertoriés ci-après.
Le deuxième chiffre, suivi des coordonnées, renvoie aux cartes.*

A

Accous (Pyrénées-Atlantiques), 214, 213 B5
Ahun (Creuse), 294, 293 B2
Ainay-le-Château (Allier), 294, 293 C1
Ainhoa (Pyrénées-Atlantiques), 214, 212 A4
Alba (Ardèche), 334, 333 B4
Albé (Bas-Rhin), 110, 109 C2
Alby-sur-Chéran (Haute-Savoie), 334,333 D2
Alet-les-Bains (Aude), 426, 425 A4
Ambialet (Tarn), 250, 249 C3
Ambierle (Loire), 335, 332 A2
Ambronay (Ain), 335, 333 C2
Amou (Landes), 214, 213 B4
Angles-sur-l'Anglin (Vienne), 190, 189 D3
Annot (Alpes-de-Haute-Provence), 378, 377 C3
Ansouis (Vaucluse), 378, 377 B3
Anzy-le-Duc (Saône-et-Loire), 150, 149 D4
Apcher (Lozère), 426, 425 C1
Apchon (Cantal), 295, 293 C4
Apremont-sur-Allier (Cher), 150, 149 C3
Arc-en-Barrois (Haute-Marne), 76, 75 D5
Argenton-Château (Deux-Sèvres), 190, 189 C3
Argoules (Somme), 76, 74 A2
Arlempdes (Haute-Loire), 295, 293 D4
Arques (Les) (Lot), 250, 249 B2
Arreau (Hautes-Pyrénées), 250, 248 A4
Arrens-Marsous (Hautes-Pyrénées), 250, 248 A4
Ars-en-Ré (Charente-Maritime), 191, 189 B4
Arthel (Nièvre), 151, 149 D3
Ascain (Pyrénées-Atlantiques), 214, 212 A4
Asnières-sur-Vègre (Sarthe), 191, 189 C2
Asques (Gironde), 216, 213 B2
Aubazine (Corrèze), 296, 293 B4
Auberive (Haute-Marne), 76, 75 D5
Aubeterre-sur-Dronne (Charente), 193, 189 C5
Aubignas (Ardèche), 335, 333 B4
Auderville (Manche), 36, 34 A1
Audresselles (Pas-de-Calais), 76, 74 A1
Aups (Var), 379, 377 C3
Aurignac (Haute-Garonne), 251, 249 B4
Autigny-la-Tour (Vosges), 110, 109 A2
Autoire (Lot), 252, 249 C1
Auvillar (Tarn-et-Garonne), 252, 249 B3
Auzon (Haute-Loire), 296, 293 C4
Availles-Limouzine (Vienne), 193, 189 D4
Avioth (Meuse), 111, 109 A1
Ayen (Corrèze), 297, 292 A4

B

Bages (Aude), 423, 425 B4
Balazuc (Ardèche), 335, 332 B4
Baleine (La) (Manche), 36, 34 A3
Balleroy (Calvados), 37, 34 B3
Banne (Ardèche), 336, 332 A5
Barbizon (Seine-et-Marne), 37, 35 F4
Barfleur (Manche), 37, 34 B2
Bargème (Var), 379, 377 C3
Bargemon (Var), 380, 377 C3
Barjols (Var), 380, 377 C3
Bassac (Charente), 193, 189 C5
Bassoues (Gers), 253, 248 A3
Bastide-de-Besplas (La) (Ariège), 253, 249 B4
Baume-les-Messieurs (Jura), 112, 109 A5
Baux-de-Provence (Les) (Bouches-du-Rhône), 380, 376 A3
Baye (Marne), 78, 75 C4
Bazouges-la-Pérouse (Ille-et-Vilaine), 8, 7 D2
Beaufort (Savoie), 338, 333 E2
Beaulieu-en-Argonne (Meuse), 111, 109 A1
Beaulieu-sur-Dordogne (Corrèze), 297, 293 B4
Beaumont (Dordogne), 216, 213 D2
Beaumont-en-Auge (Calvados), 37, 34 C2
Beauville (Lot-et-Garonne), 216, 213 D3
Bec-Hellouin (Le) (Eure), 38, 34 D3
Bécherel (Ille-et-Vilaine), 8, 7 D2
Béhuard (Maine-et-Loire), 193, 189 C2
Belpech (Aude), 427, 424 A4
Belvès (Dordogne), 217, 213 D2
Belvoir (Doubs), 114, 109 B4
Berstett (Bas-Rhin), 114, 109 C2
Berzé-le-Châtel (Saône-et-Loire), 151, 149 E4
Besse (Isère), 337, 333 D3
Besse-et-Saint-Anastaise (Puy-de-Dôme), 297, 293 C3
Béthines (Vienne), 194, 189 D3
Beuvron-en-Auge (Calvados), 38, 34 C3
Beynac-et-Cazenac (Dordogne), 218, 213 D2
Bèze (Côte-d'Or), 152, 149 E3
Bielle (Pyrénées-Atlantiques), 219, 213 B5
Billy (Allier), 298, 293 C2
Blandy (Seine-et-Marne), 40, 35 G4
Blanot (Saône-et-Loire), 152, 149 E4
Blesle (Haute-Loire), 298, 293 C4
Bleymard (Le) (Lozère), 427, 425 C2
Boersch (Bas-Rhin), 115, 109 C2
Boeschèpe (Nord), 78, 75 B1
Boigneville (Essonne), 40, 35 F4
Boissy-aux-Cailles (Seine-et-Marne), 41, 35 F4
Boissy-la-Rivière (Essonne), 41, 35 F4
Bomy (Pas-de-Calais), 78, 74 A1
Bonneval-sur-Arc (Savoie), 337, 333 E3
Bonnieux (Vaucluse), 382, 377 B3
Borce (Pyrénées-Atlantiques), 219, 213 B5
Boudes (Puy-de-Dôme), 299, 293 C3
Boulbon (Bouches-du-Rhône), 382, 376 A3
Bourdeaux (Drôme), 340, 333 C4
Bourmont (Haute-Marne), 78, 75 D4
Boussagues (Hérault), 427, 425 B3
Brancion (Saône-et-Loire), 153, 149 E4
Brangues (Isère), 340, 333 D2
Brantes (Vaucluse), 382, 377 B2
Brassac (Tarn), 253, 249 C3
Brassempouy (Landes), 220, 213 B4
Bréal-sous-Montfort (Ille-et-Vilaine), 9, 7 D3
Bréhemont (Indre-et-Loire), 154, 148 A3
Bresolettes (Orne), 41, 34 D4
Brigue (La) (Alpes-Maritimes), 384, 377 D2
Brissac (Hérault), 429, 425 C3
Brouage (Charente-Maritime), 196, 189 B4
Bruère-Allichamps (Cher), 154, 149 C4
Bruniquel (Tarn-et-Garonne), 256, 249 C3
Buis-les-Baronnies (Drôme), 340, 333 C5
Burlats (Tarn), 256, 249 C3
Buzancy (Ardennes), 79, 75 D3

C

Cabrerets (Lot), 256, 249 C2
Cadouin (Dordogne), 220, 213 D2
Calvignac (Lot), 258, 249 C2
Cambia (Haute-Corse), 385, 377 D4
Camon (Ariège), 257, 249 C4
Campan (Haute-Pyrénées), 257, 248 A4
Camprieu (Gard), 430, 425 C2
Canari (Haute-Corse), 385, 377 D4
Candes-Saint-Martin (Indre-et-Loire), 155, 148 A3
Canon (Le) (Gironde), 220, 213 A2
Canourgue (La) (Lozère), 429, 425 B2
Capdenac-le-Haut (Lot), 257, 249 C2
Carcès (Var), 385, 377 C3
Cardaillac (Lot), 260, 249 C2
Carennac (Lot), 260, 249 C1
Carla-Bayle (Ariège), 260, 249 B4
Carlat (Cantal), 299, 293 C4
Cassaniouze (Cantal), 300, 293 B5
Castelnau-de-Montmiral (Tarn), 262, 249 C3
Castelnou (Pyrénées-Orientales), 432, 425 B5
Castelsagrat (Tarn-et-Garonne), 262, 249 B2
Castillon-du-Gard (Gard), 432, 425 D2
Castillon-en-Couserans (Ariège), 262, 249 B4
Castillonnès (Lot-et-Garonne), 220, 213 C2
Caudecoste (Lot-et-Garonne), 221, 213 C3
Caunes-Minervois (Aude), 432, 425 B4
Caylus (Tarn-et-Garonne), 263, 249 C2
Ceffonds (Haute-Marne), 79, 75 C4
Centuri (Haute-Corse), 385, 377 D4
Cerdon (Ain), 341, 333 C2
Cervières (Loire), 341, 332 A2
Chalabre (Aude), 432, 424 A4
Chalençon (Ardèche), 342, 333 B4
Chambon-sur-Voueize (Creuse), 301, 293 B2
Chambonas (Ardèche), 342, 332 A5
Chamelet (Rhône), 343, 333 B2
Champagney (Haute-Saône), 115, 109 B3
Champagny-le-Haut (Savoie), 344, 333 E3
Champeaux (Ille-et-Vilaine), 9, 7 D3
Champigny-sur-Veude (Indre-et-Loire), 155, 148 A3
Champlitte (Haute-Saône), 116, 109 A3
Chanaz (Savoie), 344, 333 C2
Change (Le) (Dordogne), 221, 213 D1
Chantelle (Allier), 301, 293 C2
Chaource (Aube), 79, 75 C5
Chapaize (Saône-et-Loire), 155, 149 E4
Charenton-du-Cher (Cher), 156, 149 C4
Chariez (Haute-Saône), 116, 109 B3
Charmes-la-Côte (Meurthe-et-Moselle), 117, 109 A2
Charnay (Rhône), 344, 333 B2
Charroux (Allier), 301, 293 C2
Chasteaux (Corrèze), 302, 292 A4
Château-Chalon (Jura), 117, 109 A5
Château-Larcher (Vienne), 194, 189 C4
Châteauneuf (Côte-d'Or), 156, 149 E3
Châteauneuf-de-Randon (Lozère), 433, 425 C1
Châteauvillain (Haute-Marne), 79, 75 D5
Chatelaudren (Côtes-du-Nord), 10, 7 C2
Châteldon (Puy-de-Dôme), 302, 293 C3
Châtillon-en-Bazois (Nièvre), 156, 149 D3

Châtillon-Coligny (Loiret), 156, 149 C2
Châtillon-en-Diois (Drôme), 344, 333 C4
Châtillon-sur-Saône (Vosges), 118, 109 A3
Chaumeil (Corrèze), 303, 293 B3
Chavanges (Aube), 80, 75 C4
Chémeré-le-Roi (Mayenne), 194, 189 C1
Chenecey-Buillon (Doubs), 119, 109 B4
Chénérailles (Creuse), 303, 293 B2
Chénillé-Changé (Maine-et-Loire), 194, 189 C2
Chérence (Val-d'Oise), 41, 35 E3
Cherves (Vienne), 194, 189 C3
Chevagnes (Allier), 303, 293 C2
Cheylade (Cantal), 304, 293 C4
Chiatra (Haute-Corse), 386, 377 D4
Chilhac (Haute-Loire), 304, 293 C4
Chitry-les-Mines (Nièvre), 157, 149 D3
Cirès (Haute-Garonne), 263, 248 A4
Clermont-Dessous (Lot-et-Garonne), 221, 213 C3
Coaraze (Alpes-Maritimes), 386, 377 D3
Collonges-la-Rouge (Corrèze), 305, 293 B4
Colmars (Alpes-de-Haute-Provence), 387, 377 C2
Cologne (Gers), 263, 249 B3
Colombiers-sur-Seulles (Calvados), 41, 34 B2
Combleux (Loiret), 157, 149 B2
Conflans (Savoie), 345, 333 D2
Conques (Aveyron), 263, 249 C2
Conquet (Le) (Finistère), 11, 6 A2
Corbara (Haute-Corse), 387, 377 D4
Cordes (Tarn), 264, 249 C3
Cornillé-les-Caves (Maine-et-Loire), 195, 189 C2
Corrèze (Corrèze), 305, 293 B4
Cotignac (Var), 387, 377 C3
Coulon (Deux-Sèvres), 195, 189 C4
Courances (Essonne), 42, 35 F4
Couvertoirade (La) (Aveyron), 264, 249 B3
Créon (Gironde), 224, 213 B2
Crestet (Vaucluse), 387, 377 B2
Crissay-sur-Manse (Indre-et-Loire), 160, 148 A3
Crocq (Creuse), 306, 293 B3
Crouy-sur-Ourcq (Seine-et-Marne), 43, 35 G3
Crozet (Le) (Loire), 346, 332 A2
Curçay-sur-Dive (Vienne), 198, 189 C3
Curemonte (Corrèze), 306, 293 B4

D

Dampierre-en-Yvelines (Yvelines), 43, 35 F4
Dangeau (Eure-et-Loire), 160, 148 B2
Daoulas (Finistère), 12, 6 A2
Domme (Dordogne), 224, 213 D2
Donzenac (Corrèze), 307, 292 B4
Donzy (Nièvre), 161, 149 C3
Douch (Hérault), 434, 425 B3
Duingt (Haute-Savoie), 347, 333 D2

E

Eguisheim (Haut-Rhin), 119, 109 C3
Entraygues-sur-Truyère (Aveyron), 266, 249 D2
Entrevaux (Alpes-de-Haute-Provence), 388, 377 C3
Épaney (Calvados), 44, 34 C3
Épineuil-le-Fleuriel (Cher), 161, 149 C4
Ervy-le-Châtel (Aube), 80, 75 C5

Esnandes (Charente-Maritime), 198, 189 B4
Esnes (Nord), 81, 75 B2
Espagnac-Sainte-Eulalie (Lot), 266, 249 C2
Esparron (Var), 389, 377 B3
Espelette (Pyrénées-Atlantiques), 225, 212 A4
Esquelbecq (Nord), 82, 75 A1
Estaing (Aveyron), 267, 249 D2
Eus (Pyrénées-Orientales), 434, 425 B5
Évenos (Var), 389, 377 B4
Évol (Pyrénées-Orientales), 435, 425 A5
Exoudun (Deux-Sèvres), 199, 189 C4
Eygalières (Bouches-du-Rhône), 390, 376 A3
Èze (Alpes-Maritimes), 390, 377 D3

F

Faou (Le) (Finistère), 12, 6 A2
Faouët (Le) (Morbihan), 13, 7 B3
Faye-la-Vineuve (Indre-et-Loire), 162, 148 A3-
Fédrun (Île-de) (Loire-Atlantique), 199, 188 A2
Fénétrange (Moselle), 119, 109 B2
Ferrette (Haut-Rhin), 122, 109 C4
Ferrière-Larçon (Indre-et-Loire), 162, 148 B3
Ferrière-sur-Risle (La) (Eure), 45, 34 D3
Flagy (Seine-et-Marne), 45, 35 G4
Flavigny-sur-Ozerain (Côte-d'Or), 163, 149 D3
Florimont (Territoire de Belfort), 122, 109 C3
Fondremand (Haute-Saône), 122, 109 B4
Fontaine-le-Port (Seine-et-Marne), 46, 35 G4
Fourcès (Gers), 268, 248 A3
Foussais-Payré (Vendée), 200, 189 B3
Fozzano (Corse-du-Sud), 391, 377 D5
Fressin (Pas-de-Calais), 83, 74 A2

G

Gadancourt (Val-d'Oise), 46, 35 E3
Garde-Adhémar (La) (Drôme), 347, 333 B5
Garde-Guérin (La) (Lozère), 435, 425 C2
Gargilesse-Dampierre (Indre), 163, 148 B4
Gatteville-le-Phare (Manche), 47, 34 A2
Gavaudun (Lot-et-Garonne), 225, 213 D2
Genêts (Manche), 47, 34 A3
Gerberoy (Oise), 83, 74 A3
Ghisoni (Haute-Corse), 391, 377 D5
Gimel-les-Cascades (Corrèze), 307, 293 B4
Gomont (Ardennes), 84, 75 C3
Gordes (Vaucluse), 391, 377 B3
Gouarec (Côtes-du-Nord), 14, 7 B2
Gourdon (Alpes-Maritimes), 392, 377 D3
Goussaincourt (Meuse), 123, 109 A2
Graignes (Manche), 47, 34 B2
Grand-Combe-Châteleu (Doubs), 124, 109 B4
Grand-Pressigny (Le) (Indre-et-Loire), 164, 148 A3
Grave (La) (Hautes-Alpes), 392, 377 C1
Grez-sur-Loing (Seine-et-Marne), 47, 35 G4
Grézillac (Gironde), 225, 213 B2
Grignan (Drôme), 347, 333 B4
Grisy-les-Plâtres (Val-d'Oise), 48, 35 F3
Gruissan (Aude), 438, 425 B4
Gueberschwihr (Haut-Rhin), 124, 109 C3
Guerlesquin (Finistère), 14, 7 B2
Guermange (Moselle), 124, 109 B2
Guiry-en-Vexin (Val-d'Oise), 48, 35 E3
Gy (Haute-Saône), 125, 109 A4

H-I-J-K

Haironville (Meuse), 125, 109 A2
Hargnies (Ardennes), 85, 75 C2
Hastingues (Landes), 225, 213 A4
Hattonchâtel (Meuse), 126, 109 A2
Hauteluce (Savoie), 348, 333 D2
Hautvillers (Marne), 85, 75 C3

Henrichemont (Cher), 164, 149 C3
Hérisson (Allier), 307, 293 C2
Hérisson (Deux-Sèvres), 200, 189 C3
Heudicourt (Eure), 48, 35 E2
Hindisheim (Bas-Rhin), 126, 109 C2
Hoffen (Bas-Rhin), 126, 109 C1
Hunawihr (Haut-Rhin), 126, 109 C3
Hunspach (Bas-Rhin), 128, 109 C1
Ibos (Hautes-Pyrénées), 268, 248 A4
Ile-d'Aix (Charente-Maritime), 200, 189 B4
Ile-de-Bréhat (Côtes-du-Nord), 15, 7 C1
Ile-de-Sein (Finistère), 16, 6 A3
Ile-Tudy (Finistère), 16, 6 A3
Irancy (Yonne), 164, 149 D2
Issenhausen (Bas-Rhin), 129, 109 C2
Issigeac (Dordogne), 226, 213 C2
Jaulny (Meurthe-et-Moselle), 129, 109 A2
Jouques (Bouches-du-Rhône), 392, 377 B3
Joyeuse (Ardèche), 348, 332 A4
Jugon-les-Lacs (Côtes-du-Nord), 16, 7 C2
Kervalet (Loire-Atlantique), 200, 188 A2
Kientzheim (Haut-Rhin), 129, 109 C3

L

Labastide-Clairence (Pyrénées-Atlantiques), 226, 212 A4
Labastide-d'Armagnac (Landes), 226, 212 B3
Labastide-de-Virac (Ardèche), 349, 332 B5
Labeaume (Ardèche), 349, 332 A5
Lacapelle-Marival (Lot), 269, 249 C1
Lacoste (Vaucluse), 392, 377 B3
Lagrand (Hautes-Alpes), 393, 377 B2
Lagrasse (Aude), 438, 425 B4
Landreville (Aube), 85, 75 C5
Lanvaudan (Morbihan), 16, 7 B3
Laroque (Hérault), 438, 425 C3
Laroquebrou (Cantal), 308, 293 B4
Larressingle (Gers), 269, 248 A3
Laupie (La) (Drôme), 350, 333 B4
Lautrec (Tarn), 270, 249 C3
Lauzerte (Tarn-et-Garonne), 270, 249 B2
Lauzun (Lot-et-Garonne), 227, 213 C2
Lavardens (Gers), 270, 248 A3
Lavardin (Loir-et-Cher), 165, 148 A2
Lavaudieu (Haute-Loire), 308, 293 C4
Léhon (Côtes-du-Nord), 17, 7 C2
Lentilles (Aube), 85, 75 C4
Lerné (Indre-et-Loire), 166, 148 A3
Lescun (Pyrénées-Atlantiques), 227, 213 B5
Lhuis (Ain), 350, 333 C2
Liessies (Nord), 86, 75 C2
Limeuil (Dordogne), 228, 213 D2
Lixheim (Moselle), 130, 109 C2
Lizine (Doubs), 130, 109 B4
Lizio (Morbihan), 17, 7 C3
Locronan (Finistère), 20, 6 A2
Lods (Doubs), 130, 109 B4
Long (Somme), 87, 74 A2
Longpont (Aisne), 87, 75 B3
Longvillers (Pas-de-Calais), 88, 74 A1
Loubressac (Lot), 270, 249 C1
Lucéram (Alpes-Maritimes), 393, 377 D3
Luché-Pringé (Sarthe), 202, 189 C2
Lurs (Alpes-de-Haute-Provence), 394, 377 B3
Lussan (Gard), 438, 425 D2
Luynes (Indres-et-Loire), 166, 148 A3
Lyons-la-Forêt (Eure), 48, 35 E2
Lys (Nièvre), 167, 149 D3

M

Magnat-l'Étrange (Creuse), 308, 293 B3
Malène (La) (Lozère), 440, 425 C2
Malleval (Loire), 351, 333 B3
Mane (Alpes-de-Haute-Provence), 394, 377 B3
Marais-Vernier (Eure), 48, 34 D2
Marchastel (Lozère), 440, 425 B1
Marcilhac-sur-Celé (Lot), 271, 249 C2
Marcolès (Cantal), 309, 293 B5
Mareugheol (Puy-de-Dôme), 310, 293 C3
Mareuil-sur-Arnon (Cher), 167, 149 B3
Mareuil-sur-Ay (Marne), 88, 75 C3

Marnay (Haute-Saône), 132, 109 A4
Marsal (Moselle), 132, 109 B2
Martel (Lot), 272, 249 C1
Marville (Meuse), 133, 109 A1
Mas-d'Azil (Le) (Ariège), 272, 249 B4
Mas-Cabardès (Aude), 440, 425 A3
Mauléon-Barousse (Hautes-Pyrénées), 273, 248 A4
Maulévrier (Seine-Maritime), 49, 34 D2
Mauperthuis (Seine-et-Marne), 49, 35 G3
Maussane-les-Alpilles (Bouches-du-Rhône), 394, 376 A3
Mauves-sur-Huisne (Orne), 49, 34 D4
Mauvezin (Gers), 273, 249 B3
Meilhan-sur-Garonne (Lot-et-Garonne), 228, 213 C3
Meillerie (Haute-Savoie), 351, 333 E1
Meillonnas (Ain), 351, 333 C1
Ménerbes (Vaucluse), 395, 377 B3
Ménétréol-sous-Sancerre (Cher), 167, 149 C3
Meyrueis (Lozère), 440, 425 C2
Mézilles (Yonne), 168, 149 C2
Minerve (Hérault), 441, 425 B4
Mirabel (Ardèche), 351, 333 B4
Mirmande (Drôme), 352, 333 B4
Mittelbergheim (Bas-Rhin), 133, 109 C2
Mollans-sur-Ouvèze (Drôme), 352, 333 C5
Monal (Le) (Savoie), 352, 333 E2
Moncontour (Côtes-du-Nord), 22, 7 C2
Monestiès (Tarn), 273, 249 C3
Monflanquin (Lot-et-Garonne), 228, 213 D3
Monpazier (Dordogne), 228, 213 D2
Mons (Var), 395, 377 C3
Monségur (Gironde), 229, 213 C2
Mont-Dauphin (Hautes-Alpes), 396, 377 C1
Mont-l'Étroit (Meurthe-et-Moselle), 133, 109 A2
Mont-Louis (Pyrénées-Orientales), 442, 424 A5
Mont-Saint-Jean (Côte-d'Or), 168, 149 D3
Mont-Saint-Michel (Le) (Manche), 52, 34 A4
Mont-Saint-Vincent (Saône-et-Loire), 168, 149 D4
Montagrier (Dordogne), 230, 213 C1
Montaigu-le-Blin (Allier), 310, 293 C2
Montbras (Meuse), 134, 109 A2
Montbrun-les-Bains (Drôme), 354, 333 C5
Montchauvet (Yvelines), 52, 35 E3
Montclus (Gard), 442, 425 D2
Montcuq (Lot), 273, 249 B2
Montfort-en-Chalosse (Landes), 230, 213 B4
Montgeard (Haute-Garonne), 274, 249 C4
Montgeroult (Val-d'Oise), 53, 35 F3
Montigny-le-Gannelon (Eure-et-Loir), 168, 148 B2
Montmort-Lucy (Marne), 88, 75 C4
Montpeyroux (Puy-de-Dôme), 311, 293 C3
Montpezat-de-Quercy (Tarn-et-Garonne), 274, 249 B2
Montréal (Gers), 274, 248 A3
Montréal (Yonne), 169, 149 D3
Montrésor (Indre-et-Loire), 170, 148 B3
Montricoux (Tarn-et-Garonne), 274, 249 C2
Montsaugeon (Haute-Marne), 88, 75 D5
Mornac-sur-Seudre (Charente-Maritime), 202, 189 B5
Mornas (Vaucluse), 397, 376 A2
Morogues (Cher), 170, 149 C3
Morosaglia (Haute-Corse), 397, 377 D4
Mortemart (Haute-Vienne), 311, 292 A2
Moudeyres (Haute-Loire), 313, 293 D4
Moulins (Ille-et-Vilaine), 23, 7 D3
Moulins-Engilbert (Nièvre), 171, 149 D3
Moulis-en-Médoc (Gironde), 231, 213 B2
Mourèze (Hérault), 442, 425 C3
Moustiers-Sainte-Marie (Alpes-de-Haute-Provence), 397, 377 C3
Mouthier-Haute-Pierre (Doubs), 134, 109 B4
Moutiers-au-Perche (Orne), 53, 34 D4

Moyen (Meurthe-et-Moselle), 134, 109 B2
Mur-de-Barrez (Aveyron), 275, 249 D1

N

Najac (Aveyron), 276, 249 C2
Nans-sous-Sainte-Anne (Doubs), 135, 109 B4
Nernier (Haute-Savoie), 354, 333 D1
Néry (Oise), 89, 75 B3
Nesles-la-Vallée (Val-d'Oise), 54, 35 F3
Neuwiller-lès-Saverne (Bas-Rhin), 135, 109 C2
Névache (Hautes-Alpes), 398, 377 C1
Nieul-sur-l'Autise (Vendée), 203, 189 C4
Nolay (Côte-d'Or), 171, 149 E3
Nonancourt (Eure), 54, 35 E3
Nonette (Puy-de-Dôme), 313, 293 C3
Nonza (Haute-Corse), 398, 377 D4
Noorpeene (Nord), 89, 75 A1
Noyers (Yonne), 172, 149 D2
Nozeroy (Jura), 136, 109 B5

O

Obersteinbach (Bas-Rhin), 136, 109 C1
Oger (Marne), 89, 75 C3
Ohis (Aisne), 92, 75 C2
Oingt (Rhône), 354, 333 B2
Olargues (Hérault), 442, 425 B3
Olliergues (Puy-de-Dôme), 313, 293 D3
Omerville (Val-d'Oise), 54, 35 E3
Omonville-la-Rogue (Manche), 55, 34 A1
Oncieu (Ain), 355, 333 C2
Oppède (Vaucluse), 400, 377 B3
Orbais (Marne), 90, 75 C3
Orcival (Puy-de-Dôme), 313, 293 C3
Orgon (Bouches-du-Rhône), 398, 377 A3
Orpierre (Hautes-Alpes), 403, 377 B2
Oudan (Nièvre), 172, 149 C3
Outines (Marne), 90, 75 C4
Oyé (Saône-et-Loire), 172, 149 D4

P

Palalda (Pyrénées-Orientales), 443, 425 B5
Palluau-sur-Indre (Indre), 172, 148 B3
Parcé-sur-Sarthe (Sarthe), 204, 189 C2
Parfondeval (Aisne), 91, 75 C2
Pégairolles-de-l'Escalette (Hérault), 443, 425 C3
Peille (Alpes-Maritimes), 403, 377 D3
Peillon (Alpes-Maritimes), 403, 377 D3
Penne (Tarn), 276, 249 C2
Penne-d'Agenais (Lot-et-Garonne), 232, 213 D3
Penta-di-Casinca (Haute-Corse), 404, 377 D4
Pérouges (Ain), 355, 333 C2
Pesmes (Haute-Saône), 137, 109 A4
Petite-Pierre (La) (Bas-Rhin), 137, 109 C2
Piana (Haute-Corse), 404, 377 D4
Pierre-Buffière (Haute-Vienne), 314, 292 A3
Pierrefonds (Oise), 94, 75 B3
Pigna (Haute-Corse), 404, 377 D4
Piney (Aube), 94, 75 C4
Planques (Pas-de-Calais), 95, 74 A2
Poët-Laval (Le) (Drôme), 357, 333 B4
Poggio-di-Nazza (Haute-Corse), 405, 377 D4
Pommiers (Loire), 357, 332 A2
Pont-de-Veyle (Ain), 357, 333 B1
Pont-en-Royans (Isère), 358, 333 C3
Pont-sur-Seine (Aube), 95, 75 B4
Pontaix (Drôme), 358, 333 C4
Pontlevoy (Loir-et-Cher), 174, 148 B3
Pontrieux (Côtes-du-Nord), 23, 7 B1
Poujet (Le) (Hérault), 443, 425 C3
Pradelles (Haute-Loire), 314, 293 D4
Prades (Haute-Loire), 314, 293 D4
Prats-de-Mollo (Pyrénées-Orientales), 443, 425 B5
Puellemontier (Haute-Marne), 95, 75 C4
Pujols (Lot-et-Garonne), 233, 213 C3
Puy-l'Évêque (Lot), 276, 249 B2
Puycelci (Tarn), 277, 249 C3
Puymirol (Lot-et-Garonne), 233, 213 D3

Q-R

Quebrux (Vosges), 137, 109 C3
Quenza (Corse-du-Sud), 406, 377 D5
Rebeuville (Vosges), 137, 109 A2
Regnéville-sur-Mer (Manche), 57, 34 A3
Revest-les-Eaux (Le) (Var), 406, 377 C4
Rieux (Haute-Garonne), 277, 249 B4
Riez (Alpes-de-Haute-Provence), 407, 377 C3
Rigny-le-Ferron (Aube), 95, 75 B4
Rions (Gironde), 233, 213 B2
Riquewihr (Haut-Rhin), 138, 109 C3
Riverie (Rhône), 358, 333 B2
Rivière (Pas-de-Calais), 96, 75 B2
Rocamadour (Lot), 278, 249 C1
Roche (Loire), 358, 332 A3
Roche-Bernard (La) (Morbihan), 24, 7 C4
Roche-Canillac (La) (Corrèze), 315, 293 B4
Roche-Derrien (La) (Côtes-du-Nord), 24, 7 B1
Roche-Guyon (La) (Val-d'Oise), 57, 35 E3
Rochefort-en-Terre (Morbihan), 25, 7 C4
Rochefort-en-Yvelines (Yvelines), 57, 35 F4
Rochemaure (Ardèche), 360, 333 B4
Rodemack (Moselle), 138, 109 B1
Rodès (Pyrénées-Orientales), 444, 425 B5
Rogliano (Haute-Corse), 407, 377 D4
Rolleboise (Yvelines), 58, 35 E3
Romieu (La) (Gers), 278, 248 A3
Roque-Gageac (La) (Dordogne), 233, 213 D2
Roque-sur-Cèze (La) (Gard), 444, 425 D2
Roquebrun (Hérault), 444, 425 B3
Roquebrussanne (La) (Var), 407, 377 C4
Rosans (Hautes-Alpes), 407, 377 B2
Roussillon (Vaucluse), 408, 377 B3
Rubrouck (Nord), 96, 75 A1
Rugles (Eure), 58, 34 D3
Rumilly-lès-Vaudes (Aube), 96, 75 C5
Ruynes-en-Margeride (Cantal), 315, 293 C4
Ry (Seine-Maritime), 58, 35 E2

S

Sacy (Yonne), 176, 149 D2
Sagonne (Cher), 175, 149 C3
Saignes (Cantal), 316, 293 B4
Saignon (Vaucluse), 408, 377 B3
Saint-Amand-de-Coly (Dordogne), 234, 213 D2
Saint-Amand-en-Puisaye (Nièvre), 178, 149 C3
Saint-Amand-sur-Fion (Marne), 96, 75 C4
Saint-Antoine (Isère), 360, 333 C3
Saint-Antonin-Noble-Val (Tarn-et-Garonne), 278, 249 C2
Saint-Arcons-d'Allier (Haute-Loire), 316, 293 D4
Saint-Auvent (Haute-Vienne), 316, 292 A3
Saint-Baslemont (Vosges), 140, 109 B3
Saint-Béat (Haute-Garonne), 279, 249 B4
Saint-Benoît-du-Sault (Indre), 179, 148 B4
Saint-Bertrand-de-Comminges (Haute-Garonne), 279, 248 A4
Saint-Céneri-le-Gérei (Orne), 58, 34 C4
Saint-Chef (Isère), 361, 333 C2

Saint-Chély-du-Tarn (Lozère), 444, 425 C2
Saint-Cirq-Lapopie (Lot), 280, 249 C2
Saint-Clar (Gers), 280, 249 B3
Saint-Denis-d'Anjou (Mayenne), 205, 189 C2
Saint-Denœux (Pas-de-Calais), 98, 74 A1
Saint-Dyé-sur-Loire (Loir-et-Cher), 179, 148 B2
Saint-Félix-Lauragais (Haute-Garonne), 281, 249 C4
Saint-Floret (Puy-de-Dôme), 317, 293 C3
Saint-Geniès (Dordogne), 235, 213 D2
Saint-Germain-de-Confolens (Charente), 205, 189 D4
Saint-Gervais-sur-Mare (Hérault), 445, 425 B3
Saint-Guilhem-le-Désert (Hérault), 446, 425 C3
Saint-Haon-le-Châtel (Loire), 361, 332 A2
Saint-Jean-aux-Bois (Oise), 98, 75 B3
Saint-Jean-d'Ormont (Vosges), 140, 109 B2
Saint-Jean-de-Buèges (Hérault), 446, 425 C3
Saint-Jean-de-Cole (Dordogne), 236, 213 D1
Saint-Julien (Var), 408, 377 B3
Saint-Léon-sur-Vézère (Dordogne), 237, 213 D2
Saint-Léonard (Manche), 60, 34 A4
Saint-Lizier (Ariège), 281, 249 B4
Saint-Loup-de-Naud (Seine-et-Marne), 60, 35 G4
Saint-Loup-Lamairé (Deux-Sèvres), 206, 189 C3
Saint-Malo-de-Beignon (Morbihan), 26, 7 C3
Saint-Martial (Gard), 447, 425 C2
Saint-Martin-Valmeroux (Cantal), 317, 293 B4
Saint-Martin-Vésubie (Alpes-Maritimes), 408, 377 D2
Saint-Martory (Haute-Garonne), 282, 249 B4
Saint-Maurice-d'Ibie (Ardèche), 363, 333 B4
Saint-May (Drôme), 363, 333 C4
Saint-Michel-les-Portes (Isère), 363, 333 C4
Saint-Montan (Ardèche), 363, 333 B4
Saint-Paul (Alpes-Maritimes), 410, 377 D3
Saint-Quirin (Moselle), 140, 109 B2
Saint-Riquier (Somme), 98, 74 A1
Saint-Robert (Corrèze), 318, 292 A4
Saint-Saturnin (Puy-de-Dôme), 317, 293 C3
Saint-Saturnin-d'Apt (Vaucluse), 410, 377 B3
Saint-Savin (Hautes-Pyrénées), 282, 248 A4
Saint-Sorlin-en-Bugey (Ain), 364, 333 C2
Saint-Suliac (Ille-et-Vilaine), 26, 7 D2
Saint-Sulpice-de-Favières (Essonne), 61, 35 F4
Saint-Sulpice-sur-Lèze (Haute-Garonne), 282, 249 B4
Saint-Thomé (Ardèche), 365, 333 B4
Saint-Trivier-de-Courtes (Ain), 365, 333 B1
Saint-Urcize (Cantal), 320, 293 C5
Saint-Véran (Hautes-Alpes), 411, 377 C1
Saint-Victor-la-Coste (Gard), 447, 425 D2
Sainte-Croix-en-Jarez (Loire), 365, 333 B3
Sainte-Engrâce (Pyrénées-Atlantiques), 238, 213 B5
Sainte-Énimie (Lozère), 448, 425 C2

Sainte-Eulalie-d'Olt (Aveyron), 283, 249 D2
Sainte-Eulalie-de-Cernon (Aveyron), 283, 249 D3
Sainte-Sévère-sur-Indre (Indre), 180, 149 B4
Saintes-Maries-de-la-Mer (Bouches-du-Rhône), 413, 376 A4
Saissac (Aude), 449, 424 A4
Salers (Cantal), 321, 293 B4
Salles-Arbuissonnas-en-Beaujolais (Rhône), 366, 333 B2
Salles-Curan (Aveyron), 285, 249 D2
Salles-la-Source (Aveyron), 285, 249 C2
Salmaise (Côte-d'Or), 181, 149 D3
Sant-Antonino (Haute-Corse), 413, 377 D4
Sanxay (Vienne), 207, 189 C3
Saorge (Alpes-Maritimes), 413, 377 D3
Sap (Le) (Orne), 61, 34 C3
Sare (Pyrénées-Atlantiques), 239, 212 A4
Sarrance (Pyrénées-Atlantiques), 239, 213 B5
Sarrant (Gers), 285, 249 B3
Saubusse (Landes), 239, 213 A4
Sauve (Gard), 449, 425 C3
Sauvetat (La) (Puy-de-Dôme), 322, 293 C3
Sauveterre-de-Béarn (Pyrénées-Atlantiques), 240, 213 B4
Sauveterre-de-Guyenne (Gironde), 240, 213 C2
Sauveterre-de-Rouergue (Aveyron), 285, 249 C2
Sauzon (Morbihan), 26, 7 B4
Savigné-sur-Lathan (Indre-et-Loire), 181, 148 A3
Sceautres (Ardèche), 366, 333 B4
Scy-Chazelles (Moselle), 140, 109 B1
Ségur-le-Château (Corrèze), 322, 292 A3
Séguret (Vaucluse), 416, 376 A2
Seillans (Var), 416, 377 C3
Seix (Ariège), 286, 249 B4
Semur-en-Brionnais (Saône-et-Loire), 181, 149 D4
Septmonts (Aisne), 89, 75 B3
Serres (Hautes-Alpes), 416, 377 B2
Sery (Ardennes), 100, 75 C3
Sierck-les-Bains (Moselle), 141, 109 B1
Simiane-la-Rotonde (Alpes-de-Haute-Provence), 417, 377 B3
Simorre (Gers), 286, 249 B3
Sixt-Fer-à-Cheval (Haute-Savoie), 366, 333 E2
Solutré-Pouilly (Saône-et-Loire), 181, 149 E4
Sorde-l'Abbaye (Landes), 240, 213 A4
Sorèze (Tarn), 286, 249 C4
Sospel (Alpes-Maritimes), 418, 377 D3
Soultzbach-les-Bains (Haut-Rhin), 142, 109 C3
Souvigny-en-Sologne (Loir-et-Cher), 182, 149 B2
Souzay-Champigny (Maine-et-Loire), 207, 189 C2
Speloncato (Haute-Corse), 418, 377 D4
Suze-la-Rousse (Drôme), 367, 333 B5

T

Taillebourg (Charente-Maritime), 207, 189 C4
Talmont (Charente-Maritime), 207, 189 B5
Tannay (Nièvre), 182, 149 D3
Tende (Alpes-Maritimes), 419, 377 D2
Ternand (Rhône), 367, 333 B2
Thiézac (Cantal), 323, 293 C4
Thines (Ardèche), 367, 333 A4
Thoureil (Le) (Maine-et-Loire), 208, 189 C2

Tillac (Gers), 287, 248 A3
Tour (La) (Alpes-Maritimes), 420, 377 D3
Tournemire (Cantal), 323, 293 B4
Tournon-d'Agenais (Lot-et-Garonne), 240, 213 D3
Tourtour (Var), 420, 377 C3
Tramecourt (Pas-de-Calais), 100, 74 A1
Treffort-Cuisiat (Ain), 368, 333 C1
Treignac (Corrèze), 323, 293 B3
Trigance (Var), 420, 377 C3
Trinité-Porhoët (La) (Morbihan), 27, 7 C3
Troo (Loir-et-Cher), 183, 148 A2
Turbie (La) (Alpes-Maritimes), 421, 377 D3
Turenne (Corrèze), 326, 293 B4
Tusson (Charente), 208, 189 C4

U-V

Usson (Puy-de-Dôme), 327, 293 C3
Uza (Landes), 242, 213 A3
Valcebollère (Pyrénées-Orientales), 449, 424 A5
Vallouise (Hautes-Alpes), 421, 377 C1
Valmont (Seine-Maritime), 61, 34 D2
Valtin (Le) (Vosges), 142, 109 B3
Vandeléville (Meurthe-et-Moselle), 142, 109 B2
Varen (Tarn-et-Garonne), 287, 249 C2
Varengeville-sur-Mer (Seine-Maritime), 62, 35 D1
Varzy (Nièvre), 183, 149 D3
Vaudémont (Meurthe-et-Moselle), 142, 109 B2
Vauvenargues (Bouches-du-Rhône), 421, 377 B3
Venasque (Vaucluse), 421, 377 B3
Vendresse (Ardennes), 100, 75 C3
Venterol (Drôme), 368, 333 C5
Verneuil-en-Bourbonnais (Allier), 327, 293 C2
Vétheuil (Val-d'Oise), 65, 35 E3
Vézelay (Yonne), 184, 149 D3
Vézénobres (Gard), 449, 425 D2
Vieille-Brioude (Haute-Loire), 327, 293 C4
Vignory (Haute-Marne), 101, 75 D4
Villaines-les-Rochers (Indre-et-Loire), 185, 148 A3
Ville-sur-Saulx (Meuse), 143, 109 A2
Villebois-Lavalette (Charente), 208, 189 C5
Villefranche-de-Conflent (Pyrénées-Orientales), 451, 425 A5
Villefranche-du-Périgord (Dordogne), 241, 213 D2
Villeneuve (Aveyron), 287, 249 C2
Villeneuvette (Hérault), 451, 425 C3
Villequier (Seine-Maritime), 65, 34 D2
Villeray (Orne), 65, 34 D4
Villeréal (Lot-et-Garonne), 241, 213 C2
Vireux-Molhain (Ardennes), 101, 75 C2
Vitteaux (Côte-d'Or), 185, 149 D3
Vogüé (Ardèche), 368, 332 B4
Vorges (Aisne), 101, 75 B3
Voutezac (Corrèze), 327, 292 A4
Vouvant (Vendée), 208, 189 B3

W-Y

Wallers-Trélon (Nord), 103, 75 C4
Wasigny (Ardennes), 103, 75 C3
Wast (Le) (Pas-de-Calais), 103, 74 A1
West-Cappel (Nord), 103, 75 B1
Wy-dit-Joli-Village (Val-d'Oise), 66, 35 E3
Yèvre-le-Châtel (Loiret), 185, 149 C2
Yport (Seine-Maritime), 67, 34 D2
Yvoire (Haute-Savoie), 369, 333 D1

QUAND LES PLUS BEAUX VILLAGES
DE FRANCE S'ASSOCIENT

Créée en 1982, l'association « Les Plus Beaux Villages de France »
s'est donné pour mission de promouvoir les arguments touristiques
de petites communes rurales riches d'un patrimoine de qualité.
Afin d'asseoir la crédibilité et la légitimité du label qu'elle décerne
sur la foi d'une enquête rigoureuse, cette association
s'est imposé des critères de sélection draconiens :
une population n'excédant pas 2 000 habitants, l'intégration à un périmètre
de protection ou de sites classés...
Malgré ce parcours du combattant, l'association regroupe aujourd'hui
99 communes et compte plusieurs milliers d'adhérents.
Venez vite les rejoindre sur les chemins qui mènent
à des villages qui méritent le détour !

« Les Plus Beaux Villages de France », c'est une autre façon de concevoir les vacances, une alternative aux grands ensembles immobiliers et hôteliers surpeuplés et autres clubs de vacances organisées sous des soleils plus ou moins exotiques. C'est une invitation à un voyage dans la mémoire des hommes et des pierres de villages de caractère. « Les Plus Beaux Villages de France », c'est aussi un magazine qui, à raison de quatre numéros richement illustrés par an, présente les actions de protection ou de promotion menées dans les villages, l'actualité de la vie de l'association, une revue de presse, et surtout un coup de cœur consacré à l'un des villages. C'est encore un guide touristique qui présente par le texte et l'image près de 100 villages répartis sur 20 régions. Réunissant plus de 2 500 informations et plus de 100 photos couleurs, cet ouvrage s'assortit également d'une carte routière qui permet de localiser les villages membres de l'association et d'établir le meilleur itinéraire pour les rallier. C'est enfin un club des Amis des Plus Beaux Villages de France, dont la carte annuelle donne accès aux réductions que consentent dans les villages certains hôteliers, restaurateurs, campings, gîtes ou artisans. Revaloriser le patrimoine historique, architectural et humain que recèlent nos campagnes et ramener le public sur les chemins qui mènent à nos villages, telle est la vocation de l'association des Plus Beaux Villages de France. Si vous vous intéressez à son action ou si vous souhaitez de plus amples renseignements, adressez-vous au siège de l'association :

Les Plus Beaux Villages de France
Mairie de Collonges-la-Rouge
19500 MEYSSAC
Tél. : (16) 55.25.41.09

Ainhoa	64	Crissay-sur-Manse	37	Montréal	32	Saint-Floret	63
Angles-sur-l'Anglin	86	Curemonte	19	Mornac-sur-Seudre	17	Saint-Guilhem-	
Apremont-sur-Allier	18	Domme	24	Mortemart	87	le-Désert	34
Ars-en-Ré	17	Estaing	12	Moustiers-		Saint-Jean-de-Cole	24
Autoire	46	Eus	66	Sainte-Marie	04	Saint-Léon-sur-Vézère	24
Balazuc	07	Faou (Le)	29	Najac	12	Saint-Robert	19
Barfleur	50	Flotte (La)	17	Noyers	89	Sainte-Croix-en-Jarez	42
Bargème	83	Gargilesse-Dampierre	36	Oger	51	Sainte-Énimie	48
Baume-les-Messieurs	39	Gerberoy	60	Parfondeval	02	Sainte-Eulalie-d'Olt	12
Beuvron-en-Auge	14	Gordes	84	Pérouges	01	Salers	15
Beynac-et-Cazenac	24	Grave (La)	05	Piana	2A	Salmaise	21
Blesle	43	Hunawihr	68	Poët-Laval (Le)	26	Sant-Antonino	2B
Bonneval-sur-Arc	73	Hunspach	68	Pradelles	43	Sauveterre-	
Camon	09	Ile-de-Sein	29	Rieux	31	de-Rouergue	12
Candes-Saint-Martin	37	Labastide-Clairence	64	Riquewihr	68	Séguret	84
Cardaillac	46	Lacapelle-Marival	46	Rochefort-en-Terre	56	Ségur-le-Château	19
Carennac	46	Lautrec	81	Roche-Guyon (La)	95	Semur-en-Brionnais	71
Chapelle-aux-Bois (La)	88	Locronan	29	Rodemack	57	Sixt-Fer-à-Cheval	74
Charroux (Auvergne)	03	Lods	25	Roque-Gageac (La)	24	Tournemire	15
Charroux (Pays de Loire)	86	Loubressac	46	Saint-Amand-sur-Fion	51	Treignac	19
Coaraze	06	Ménerbes	84	Saint-Benoît-du-Sault	36	Usson	63
Collonges-la-Rouge	19	Mittelbergheim	67	Saint-Bertrand-		Vézelay	89
Conques	12	Monflanquin	47	de-Comminges	31	Villefranche-	
Cordes	81	Monpazier	24	Saint-Céneri-le-Gérei	61	de-Conflent	66
Coulon	79	Montbrun-les-Bains	26	Saint-Cirq-Lapopie	46	Vouvant	85
Couvertoirade (La)	12	Montrésor	37	Saint-Côme-d'Olt	12	Yvoire	74

PHOTOGRAPHIES ET DESSINS

Abréviations : h : haut, md : milieu à droite, mg : milieu à gauche,
b : bas, bd : bas à droite, bg : bas à gauche.

Couverture : S.R.D./SCOPE/J.D. Sudres.
Pages 8 à 19, 22 à 27 : S.R.D./SCOPE/J.D. Sudres ; 20, 21 : S.R.D./SCOPE/M. Guillard ; 28 à 33 : D. LAJOUX ; 36 à 39, 44, 45, 50-51, 52 à 55, 59 à 63, 65 à 67 : S.R.D./R. MAZIN ; 40 à 43, 46, 52, 56, 64 : S.R.D./N. HAUTEMANIÈRE ; 68 : S.R.D./SCOPE/J.-L. Barde ; 77, 82-83 h, 87 à 90, 100 : S.R.D./SCOPE/J. Guillard ; 80, 84, 86, 90 à 94, 97 b, 98-99, 102 : S.R.D./SCOPE/J.D. Sudres ; 81, 82-83 b : S.R.D./R. MAZIN ; 97 h : P. LOCOGE ; 104-105 : PIX/ Y.R. Caoudal ; 106 bg : PIX/ Gauthier ; 106 bd : Diathèque Maison du tourisme de Seine-et-Marne ; 107 : PIX/ P. Viard ; 110-111, 112, 114 à 125, 127 b, 128 à 138, 139 b, 141 : S.R.D./ SCOPE/ J. Guillard ; 113 : S.R.D./ SCOPE/ J. Sierpinski ; 127 h : S.R.D./ SCOPE/ J.D. Sudres ; 139 h : DIAF/ Pratt-Pries ; 143 : Fr. HERVÉ ; 144 : S.R.D./ SCOPE/ D. Faure ; 145 h, mg, b, 146 bd : S.R.D./ SCOPE/ J. Guillard ; 145 md, 147 bd : S.R.D./ SCOPE/ J.D. Sudres ; 146 h, bg, 147 h, bg : H. RAULIN ; 150-151 : S.R.D./ SCOPE/ J.D. Sudres ; 152, 167 : S.R.D./ SCOPE/ J. Guillard ; 153 à 166, 169 à 185, 186 g : S.R.D./ R. MAZIN ; 186 d : DIAF/ R. Rozencwajg ; 187 h : EXPLORER/ P. Gleizes ; 187 b : TOP/ R. César ; 190, 192, 198 à 203, 206, 209 h : S.R.D./ SCOPE/ J.D. Sudres ; 191, 195, 204-205, 209 b : S.R.D./ R. MAZIN ; 196-197 : S.R.D./ SCOPE/ M. Guillard ; 210 h : TOP/ R. MAZIN ; 210 b : S.R.D./ SCOPE/ M. Guillard ; 215, 226, 227, 229 b, 238 h, 241 à 245 : S.R.D./ SCOPE/ J.-L. Barde ; 217 à 224, 229 h, 232 à 237, 238 b : S.R.D./ SCOPE/ J.D. Sudres ; 230-231 : S.R.D./ SCOPE/ M. Guillard ; 247 h : TOP/ R. Mazin ; 247 bg : S.R.D./ R. MAZIN ; 247 bd : TOP/ H. Gloaguen ; 251, 252, 256, 271 b, 277, 279 : S.R.D./ SCOPE/ J. Sierpinski ; 254-255, 258 à 265, 266, 267, 272, 275, 280 à 284 : S.R.D./ SCOPE/ J.D. Sudres ; 265, 268 à 271 h, 287 : S.R.D./ SCOPE/ J.-L. Barde ; 288-289 : N.D. VIOLLET ; 290-291 : JOS LE DOARÉ ; 291 h : S. PAVOIS ; 291 b : EXPLORER/ L. Girard ; 294-295, 298 à 304, 306 à 310, 312, 317, 320, 321, 324-325 : S.R.D./ R. MAZIN ; 296, 305, 311, 315, 318, 319, 322, 326 : S.R.D./ SCOPE/ J.D. Sudres ; 328 : DIAF/ R. Rozencwajg ; 329 : J.-L. CHARMET ; 330 h : TAPABOR/ de Selva ; 330 b : Musées royaux des Beaux-Arts de Belgique, Bruxelles ; 331 h : THE BETTMANN Archive ; 331 b : TOP/ R. Mazin ; 334, 336-337, 338, 339, 359, 360, 369 h : S.R.D./ SCOPE/ J. Sierpinski ; 336, 340, 341, 346 à 349, 353 h, 354-355, 356 b, 361, 362, 369 b : S.R.D./ R. MAZIN ; 342-343, 350, 356 h, 364 à 368 : S.R.D./ SCOPE/ J.-L. Barde ; 345, 353 b : S.R.D./ SCOPE/ J. Guillard ; 370 : PIX/ APA ; 371 h : B. HENRY ; 371 b, 373 b, 374 m, b : S.R.D./ SCOPE/ J.D. Sudres ; 372 h : CEDRI/ G. Sioen ; 372 m, b : CEDRI/ Ch. Sappa ; 373 h : CEDRI/ B. Henry ; 373 m : PIX/ D. Lérault ; 374 h : B. HENRY ; 375 h : DIAF/ J.Y. Ferret ; 375 b : CEDRI/ G. Sioen ; 378, 380 à 383, 388-389, 391, 394 à 397, 400, 401, 402-403, 406 h, 409, 416-417, 417 : S.R.D./ R. MAZIN ; 379, 384, 386, 389, 393, 402 h, 410, 412, 418 à 420 : S.R.D./ SCOPE/ J. Guillard ; 390, 399, 404-405, 406 b : S.R.D./ Fr. DESJOBERT ; 411 : S.R.D./ SCOPE/ J. Sierpinski ; 414-415 : S.R.D./ SCOPE/ J.D. Sudres ; 422 : S.R.D./ J.-P. Germain ; 423 d : Archives nationales/ S.R.D./ J.-P. Germain ; 423 g : I.G.N. ; 426 à 450 : S.R.D./ R. MAZIN.

Les illustrations sont de Christian Kocher et Dominique Roussel.

Les cartes des régions ont été réalisées d'après la cartographie G. T. GABELLI, et les cartes de toponymie par Jacques SABLAYROLLES.

Dessins : page 105 : ext. de *Géographie de la Bretagne* par M. Le Lannou, Rennes, 1950 ; page 107 : ext. de *Intégration du bâti dans un paysage rural : analyse de trois villages en Hurepoix et recommandations*, Paris, I.A.U.R.I.F., 1981.

GUIDE DES BEAUX VILLAGES DE FRANCE
publié par Sélection du Reader's Digest

Photocomposition : Type Informatique, Paris
Photogravure : Offset 94, Créteil
Impression : Pizzi, Milan
Reliure : Brun, Malesherbes

PREMIÈRE ÉDITION
Deuxième tirage
Achevé d'imprimer : août 1990
Dépôt légal en France : septembre 1990
Dépôt légal en Belgique : D 1989, 0621.33

IMPRIMÉ EN ITALIE
Printed in Italy